南京大屠杀

何建明 著

第一部由中国人写的完整版
“南京大屠杀”纪实巨著

中国出版集团
中 译 出 版 社

图书在版编目(CIP)数据

南京大屠杀/何建明著. —北京：中译出版社，2017.1（2023.5重印）
ISBN 978-7-5001-4937-8

I.①南… II.①何… III.①报告文学—中国—当代
IV.①I25

中国版本图书馆CIP数据核字（2016）第245251号

出版发行/中译出版社
地　　址/北京市西城区车公庄大街甲4号物华大厦6层
电　　话/(010) 68359376，68359827（发行部）；68358224（编辑部）
传　　真/(010) 68357870
邮　　编/100044
电子邮箱/book@ctph.com.cn
网　　址/http://www.ctph.com.cn

总 策 划/张高里
策划编辑/范　伟
责任编辑/范　伟　张　旭　李佳藤
封面设计/唐晓娟

排　　版/北京竹页文化传媒有限公司
印　　刷/北京博海升彩色印刷有限公司
经　　销/新华书店

规　　格/740mm×1040mm　1/16
印　　张/43
字　　数/770千
版　　次/2017年1月第一版
印　　次/2023年5月第三次

ISBN 978-7-5001-4937-8　定价：100.00元(精)

人类文明的进程中最不该忘却的是国家与国家之间的血腥屠杀。人变成鬼后的兽性是最可怕的。

我们因此祈求永远的和平。

——何建明

目 录

序 / 永不该忘却的那桩血凝历史

2017 年 12 月 13 日，是日本侵略军制造的人类历史上一场罕见的大悲剧——南京大屠杀 80 周年祭日。

80 年，那是一般人的整个生命周期啊！然而，这桩写入世界悲惨史册的血案却仍然不时地在翻新着我们的记忆。这是为什么？因为这起血案的制造者——我们的邻国日本，从来就没有认真地正视和反省其过错与罪行，反之常变本加厉地在否定这桩血腥的史实。于是它激起了我国人民的愤怒，于是有了迟到 77 年的我们的首个“国家公祭日”。

毫无疑问，当全国人民代表大会常务委员会于 2014 年 2 月 27 日表决宣布将每年 12 月 13 日定为南京大屠杀死难者国家公祭日时，南京的赵龙先生是最激动的一位，因为他是十年前第一个正式向国家立法机构提交将南京大屠杀纪念日设为国家公祭日提案的人。赵龙先生是原全国政治协商会议常务委员，南京市著名民主人士。2005 年，在第十届全国政协会议上他首次提出此动议，并获得许多两会代表和委员的支持与赞同，由此形成了 48 位政协委员的联名提案。“在南京大屠杀受难同胞遗址举行公祭活动，并以法律或制度形式固定下来，使世界永不忘记，让国人永世铭记”，提案如此明确其意义。

十年后，这一提案终被采纳并以国家法律形式确立下来。实在令人感叹！

我们怎能忘却：80 年前的 1937 年 11 月 12 日，日本侵略军占领上海。在这之前的三个月里，日军与中国军队在黄浦江畔展开了一场生死大战，这就是有名的“淞沪战役”。在此次战役中，中国军队阵亡25万余人，日军阵亡8万余人，此役激烈异常，最后以日本军队取胜告终。

“淞沪战役”之后的一个月，日军乘胜前进，分三路攻向中国当时的首都——南京，于1937年12月13日进入南京城。进城的日军，以其占领者的优越感，在随后的几个星期里，残暴地屠杀了已经放下武器的中国守城官兵和普通市民达30余万人，在中国人心头和中华民族史上留下了一段永远难以愈合的伤痛……

30万人是个什么概念?

科学这样告诉我:一个正常成年人的血液大约为4 800毫升。30万人的血液，应该约有1 500吨！如果用10吨的车装运这些血，则需要150辆车。150辆车组成的车队，可谓浩浩荡荡，见首不见尾。如果将1 500吨的血，注入一根小管子内让其自然流淌，则需要数月时间方能流尽，流经的长度可以延绵几百公里。

科学还这样告诉我:一个人在绝望的时候所发出的声音为15 000赫兹。30万人若同时发出绝命的怒号，则产生的巨大震撼力超过八级地震，能将20层高的摩天大楼推倒……

啊，我苦难的30万同胞，当年你们就是这样被一群野蛮的异国侵略者断头割喉、百般蹂躏甚至身首分离而亡……这是多么悲惨而残暴的一幕!

从日军在南京实施大屠杀到今天，已经整整80年。

77年后的2014年春天，中华人民共和国全国人民代表大会常务委员会做出一项决定:将每年12月13日——日本侵略军开始在南京大屠杀之日，确立为“国家公祭日”。

这个“国家公祭日”来得好晚哪！但它毕竟来了。

也许如果不是今天的日本右翼执政者一次次挑战我中国，变本加厉地不断伤害我中国人民的感情，我们可能仍然不会为被侵略者屠杀的30万同胞举行如此特殊的仪式。

我健忘的民族，我宽容的祖国，也许不会让我来写这样一部作品——事实上虽然我也早早地知道了“南京大屠杀”事件，但一直认为早已有人写过这样的作品了。

“没有，绝对没有人全面写过。我向你保证！”对我说这话的人叫朱成山，他是侵华日军南京大屠杀遇难同胞纪念馆馆长、著名的日军侵华史研究专家。朱成山的另一个身份是中国作家协会会员，他出的几十本书中，多数是与南京大屠杀相关的文章和随笔散文。

为了印证朱成山的话，我认真地搜索了“南京大屠杀”的相关书籍。结果令我大吃一惊:80年来，有关南京大屠杀的图书数以百计，资料性的研究成果堆积成山，但有影响的纪实文学作品只有两部:一部是28年前原南京军区的作家徐志耕写的，一部是华裔美籍女记者张纯如写的。前者的贡献是:作者亲自走访了一批战争幸存者，那些幸存者的口述十分可贵;后者则以外籍记者的身份，搜集和整理出了不少国外对当年南京大屠杀报道的资料，而张纯如的最大贡献是发现了《拉贝日记》……然而，令人十分遗憾的是，这些作品或由于视角单一，或因为资料有限，尚不能全方位、大视角地深刻揭示日军南京大屠杀的罪行全景。尤其让人遗憾的是，在今天的中国年轻人心目中，有关“南京大屠杀”的概念，似乎还基本停留在《南京！南京！》和《金陵十三钗》等电影故事上，这实在是匪夷所思。

作为一个中国公民和中国作家，我决意沿着数十年来始终如一地刻苦研究日本侵华史的专家、中外作家以及日本退役老兵、民间人士所留下的足印，去重新回眸那段震惊人类史的悲惨时光，去抚摸那些早已沉默在天国的亡灵……可是，当我小心翼翼地打开那些落满尘埃的历史档案和苦难记忆时，却又被一个个意外的发现而深深地刺痛了心——

我发现:在80年前，日本侵略军在刚刚屠杀完我数十万同胞、将我美丽古都变成废墟之后，厚颜无耻地做了一件事——为他们在攻打南京时阵亡的千余名官兵举行了一个声势颇为浩大的“公祭”!

这一天是1937年12月18日，也就是日军进入南京城的第6天。

日军的“公祭”是在南京机场举行的，有一万多名日军将士参加。关于这一“公祭”活动，在侵华日军的将士日记和回忆录中还能找到相关记载。如刽子手佐佐木到一在这一天的日记里这样写道:

> ……今天寒风凌厉，似乎要下雪。全场精锐的陆海军官兵肃立无言。面对着如今阵亡的战友之灵献上虔诚的祈祷。陆海两军最高指挥官悲怆的祭文，震撼着官兵的肺腑，满场静寂无声。
>
> 我等全体军人随着军司令官的参拜而敬礼。
>
> 奏起了《国魂曲》。

“二战”甲级战犯、南京大屠杀头号刽子手、侵华日军华中军总司令松井石根，竟然还在这“公祭日”当天赋诗两首，其中一首这样写道:

紫金陵在否幽魂，来去妖氛野色昏。

径会沙场感慨切，低徊驻马中山门。

这就是日本人，作为一群加害于他国30万人的侵略者，竟如此本末倒置、颠倒黑白地搞了这样一场“公祭”。然而无比遗憾的是，我们中国人一直以来，基本上无人知晓此事。但日本人确确实实做了这样一次有模有样的“公祭”，似乎他们才是悲剧的主角和受害者。许多当年参加这场“公祭”的日本官兵“记忆犹深”，甚至对松井石根司令长官当时宣读的“祭文”内容倒背如流……

这就是日本。

我还发现一件事，据昭和十二年（1937年）十二月十五日《大阪朝日新闻》披露：在日军占领我首都南京的当天，日本首相近卫发表声明，声称是因为中国不理解“日本国坚持不扩大解决方针”，“低估了日本军队的实力，也低估了今日日本的实力”，“犯了一个致命的错误”，由于中国“以排日为前提”，鼓动“民族主义”，所以才“招致了毕千功于一溃的地步”，造成悲剧的“全部责任”应由中国承担。

这就是日本。一个在处理邻国关系问题上，经常贼喊捉贼、倒打一耙的国家。

我还发现一件更重要的事：经远东国际军事法庭批准押至南京军事法庭审判的南京大屠杀刽子手、原侵华日军第六师团长谷寿夫，在南京被枪决后，日本国内及他的追随者从来就没有认识他的罪行，相反始终将他作为“伟大的民族英雄”而记忆着。20世纪60年代由下野一霍中将编撰、东京情报社出版的《南京作战之真相——熊本第六师团战记》一书中，对战犯谷寿夫如此评价道：“将军戎马四十余载，尽心尽职忠诚于君主国家，乃至以死奉公。”“虽为国尽力，一旦战败，其战绩即成敌国民之恨，冤罪之下，牺牲在曾指挥过最光辉战斗的雨花台之下。”“其高尚的武德和崇高的军人精神，是真正的军人之楷模，受到所有世人发自内心之敬仰。吾等部下将士在扼腕痛惜其伟大的殉职之时，对其忠勇义烈致以由衷的敬意。”

在远东国际军事法庭的审判中，南京大屠杀的日军最高指挥官松井石根被判绞刑，为其叫屈喊冤者更不乏其人。后来日本将其灵位供于靖国神社，多任首相数度参拜……

这就是日本。战争是他们发起的，罪恶是他们制造的，然而他们仇恨与敌视的却是那些惨遭他们奴役与残害的民族和国家。

这就是日本——为了自我的生存和强大，可以由着自己的性子与意愿，挥刀举枪，从大海的那边跨海而来，大肆掠夺他人的财富与资源，任意残害他国的无辜百姓，没有一丝的罪孽感，即使在国际法庭公判之后仍然不把这样的罪孽当回事，反而对自己的阵亡者倍加“怀念”并“痛祭”。

30 万人的生命呵！几十年来，日本人可以用一句轻飘飘的话一笔勾销，竟然还胡言乱语说是我们在“说谎”，是“中国人自己编出来的南京大屠杀”！

多么无耻！怎不刺痛我等的心哪！

公祭！必须公祭！这既是对自己死难同胞灵魂的安抚，也是给那些犯罪者的警示。我们早该这样做了！

中国从来不是一个没事找事的国家，且自古以来就很宽宏大度。我们想以和为贵地与世界各国和睦相处，尤其是与邻国世代友好，然而当今日本呢?

确切地说，是当今执政的一些日本右翼分子，是他们的过分猖狂和无耻行径挑起了我们民族的旧伤痛。他们不仅从来没有认真地反省自己的历史罪孽，反而一而再、再而三地挑衅:不承认自己的罪孽也罢，却偏偏还想把当年的军国主义的屠刀重新举起，连明明是中国的一个小岛——钓鱼岛也要占为己有。问题是:这还仅仅是表象。其实质是，他们妄想侵吞别国、奴役其他民族的野心始终不死，并大有蠢蠢欲动之势。执政的日本首相及其同僚，一次又一次地不顾深受“二战”日本侵略灾难之苦的中国等国人民的感受，执意去参拜供着那些血债累累的甲级战犯灵位的“靖国神社”，这既令人恶心又叫人百思不解的卑劣行径，让我们不得不重新撕开伤疤，去透彻地再看一遍血淋淋的悲愤史。

中华民族一向爱好和平，我们曾经放弃了对侵略国的战争索赔——关于这一点也有必要向我们的人民说明:对侵略国日本的战争索赔，1945 年《波茨坦公告》中有明确规定。然而在具体实施过程中，当时的美国等国家出于自身的目的，撇开中国，于 1951 年在旧金山签订了于次年生效的《旧金山和约》，让中国放弃赔偿。这笔账，美国当政者可以说是心怀鬼胎，而日本国则是心知肚明。他们的这一严重损害中国人民利益的伎俩，应该成为世界和平史上的一大耻辱凭证。尽管如此，友好和宽容大量的我们，不仅没有再纠缠旧账，而且在新中国成立后曾经多次千方百计地把友善之手伸向日本，将千千万万的优秀儿女送去东洋加强中日友好交流。但日本的一些政治家不干，屡屡阳奉阴违，向中国人民的心理底线挑衅，直到把整个中华民族的怒火重新点燃起来，也让那些深埋在“万人坑”里的一个个冤魂再度苏醒复活……

于是我们不得不以另一种特殊的形式——国家公祭，来警告这个罪孽深重又不愿悔改的邻国。同时也告诫自己的国民:要取得和平与安宁的幸福生活，就永远不能忘却历史、忘却苦难。

当象征国家权力的表决在人民大会堂公告后，每年的12月13日——这个带着国耻和痛苦的日子，从此要举行我们每个中国公民必须垂颅而默哀的仪式。

这是一种痛苦的选择，烙在心坎上的记忆，它让我们有了一种新的国家意识。

然而，这样的选择和记忆实在来得太晚太晚。2017年便是世界反法西斯胜利72周年，由德国、意大利和日本三个所谓的“轴心国”发动的这场人类历史上伤亡最严重、最惨烈的法西斯战争，战火殃及全球60%的国家，约6 000万人死亡，其中我们中国死亡人数达3 500万之多，经济损失在5 000亿美元以上（当时的货币价值），为最大的受害国之一。

祭奠亡者，乃是生者寄托希冀和自我约束与祈福消灾的一种行为，中国古人重之，有“神不歆非类，民不祀非族”。除头七、二七……五七、七七（断七）和百日、周年等祭祀日外，还有一年四季中的清明、寒食、端午、中元、重阳等祖宗流传下来的诸多祭祀节日。祭礼周全的中国，却偏偏少了一种祭奠，即对战争亡灵，尤其是国耻之痛的祭祀。传统祭祀，人们多数是在对自己的亲人寄托思念之情。

以往，我们缺少对那些因战争而死亡者的国家形式的公祭，我们因此长期以来也就缺少了一份内心的爱国与强国的动力。

苏联人和今天的俄罗斯人做到了:每年5月9日，莫斯科广场上总会举行盛大的集会和阅兵式，无论哪一任国家领导人都会走向克里姆林宫一侧的无名烈士墓敬献上花圈。

以色列人做到了:每年犹太历尼桑月27日（4月末或5月初），来自世界各地的犹太人总会聚集在“大屠杀纪念馆”哀悼死难者，那悲彻的鸣笛声令每一个人震撼。

波兰人和德国人也做到了:每年成千上万人汇聚到波兰南部的奥斯威辛小镇，在希特勒纳粹政府当年修建的“杀人机器”——奥斯威辛集中营旧址内，举行公祭，悼念被法西斯残害的350余万包括犹太人在内的普通公民与反法西斯战士。

美国人从不落后，他们有许多与战争相关的公祭。2011年，奥巴马总统签署命令，将日本军队偷袭珍珠港的日子作为“国家珍珠港荣军纪念日”，定期公祭在那场日军突袭中牺牲的2 300多名官兵。

中国以往一直没有对"二战"死难者的国家形式的祭祀活动，尽管我们伤亡 3 500 万！但是，一个令中国伤亡这么多人的国家却每年都在声势浩大地举行与"二战"有关的公祭，且政府首相和高级官员都要出席。

这就是日本。

天理何在？难道作为死了这么多人的受害国，我们就该无声无息？

提出这一自我反省的是朱成山，他原来是中国人民解放军的一名军官。25 年前的 1992 年，他从部队转业到地方，开始在南京市委宣传部工作，因为当年的"南京大屠杀遇难同胞纪念馆"缺一位"能干"的领导，所以他被调任为纪念馆的副馆长。一年后，他升任馆长且一直干到今天。现在的"南京大屠杀遇难同胞纪念馆"不仅在中国，在世界上也影响很大。2013 年，到纪念馆参观的人次达 500 余万，仅次于北京故宫博物院。朱成山对纪念馆的建设功不可没。

朱成山说了两句令我有些吃惊的话。他说，"南京大屠杀遇难同胞纪念馆"能有今天这样的影响力，一得"感谢"日本人，二得功归于当时的南京市和江苏省几位有远见的领导。朱成山解释："感谢"日本人，是因为以战争手段残害了 3 500 多万中国人的日本，竟然在日中邦交正常化十年后的 1982 年，突然搞了一出大闹剧，他们的文部省将日本中学教科书中原本一直清楚明晰表述为"侵略中国"的文字改为"进入中国"，此番掩饰其在"二战"时犯下累累罪行的军国主义复辟行为，激起了中国人民，尤其是南京大屠杀的幸存者和遇难者亲属们的极大愤慨。一时间，知识界和幸存者及遇难者亲属们纷纷写信给南京市、江苏省和中央领导，要求"把南京大屠杀血的历史铭刻在南京土地上"，"让日本人赎罪"的呼声震荡金陵内外。

"日本人不仅改教科书，而且到处在为'二战'侵略战争中战死的日军将士树神社碑、满州碑，我们为何无动于衷？他们树他们的招魂碑，我们树我们的抗战纪念碑！"

"南京被日本侵略军残害了 30 余万人，应该立碑建馆，让世人牢记这一悲剧，更为防止日本军国主义抬头。"时任南京市市长的张耀华，是建造"南京大屠杀遇难同胞纪念馆"的主要决策者之一。如今张耀华先生虽年届古稀，然而他对当年建造这座具有世界意义的纪念馆记忆犹新——

1982 年夏，是个格外炎热的季节，日本文部省教科书事件激起了中国人民，尤其是饱受灾难性大屠杀侵害的南京市民们的极大愤慨。这个夏天的一个星期天，市长张耀华像往常一样来到办公室加班，日理万机的他，照例坐在办公桌前批阅各种文件与报告。他发现有一叠不同寻常的信件，这些信件令他心潮澎湃，其中一封署名"崔卫平”的南京大学中文系研究生的信引起了他的特别关注，因为信里的每一个沉甸甸的字，都如洪钟般撞击张耀华的胸膛。

尊敬的市长：

最近，我从报纸上连续读到第二次世界大战时期，日本侵略军在中国土地上施行法西斯暴行的记载，连续见到一幅幅惨不忍睹的真实照片，常常激起我满腔怒火！我在此学习了四年多的南京城，曾经是日本侵略军进行杀人竞赛的场所！我所熟悉的街道，曾经布满了亲爱的同胞的尸体和鲜血！30万无辜的男女老少，30万我父老姐妹惨死在刽子手的屠刀下，奇耻大辱，何等的奇耻大辱！

尊敬的南京市人民政府市长及各位负责同志，我诚恳地请求你们：为历史也为未来，为南京人民、中国人民，也为世界上所有爱好和平的人民做两件事：

1. 在南京选择适当的地点，建立30万遇难同胞的纪念馆，在馆内陈列日本侵略军在南京所犯下的滔天罪行的有关照片、文献和实物；

2. 和有关部门联系撰写、出版通俗的、图文并存的南京大屠杀惨案的历史记载，让小学文化程度以上的人民群众都可以阅读。

…………

第二封信是南京红十字医院的一名医生写的，他说：“我身边的孩子们常常问什么是日本军国主义，什么是南京大屠杀。当我把报刊上所刊登的一些内容讲给他们听时，孩子们的眼睛都瞪大了，惊诧了！而这个时候，我却又感觉似乎还少了些什么给予这些孩子！于是我想，是不是应该有个专门的地方让我们的孩子们了解当年日本在南京大屠杀的事……30万被屠杀的同胞生命，不能就这样慢慢地被人遗忘了！”

那个夏天，张耀华收到的类似的信多如雪片。有一位教师在信中说：“日本文部省修改教科书，将日本军国主义侵略中国改成‘进入中国’，并将他们屠杀南京市民的罪行一推了之，这样的丑恶无赖行径，令我日不思食，夜不能眠。因此郑重建议南京市人民政府应该在适当地方建造南京大屠杀纪念碑、纪念馆，以让世人了解真相，铭记历史。我愿捐献100元用作此需。”如此带着热度的一封封信，如一阵阵巨澜，激荡着张耀华的心，令他脑海里不时回响起周恩来常告诫的一句话：前事不忘，后事之师！

是啊，历史的需要，人民的期待，为什么我们不作为、不行动呢？张耀华把自己的这份感受向市委和市政府其他各位领导坦诚托出后，立即得到了积极响应。于是在南京建一座侵华日军南京大屠杀遇难同胞纪念馆成了南京市的一项重要工程。

在张耀华市长等数位市委、市政府领导同志的带领下，工程全面进入设计与施工阶段。南京大屠杀幸存者的后代、著名建筑学家齐康先生，以精准而奇妙的思维，完成了纪念馆的形体设计，堪称绝美之作。之后的时间，南京人以超凡的干劲进行着纪念馆的全面建设，并在抗日战争胜利40周年纪念日实现了开馆。那庄严而肃穆的纪念馆墙上，镌嵌着邓小平亲笔题写的馆名：侵华日军南京大屠杀遇难同胞纪念馆。

从此，南京城有了一个可以让全世界爱好和平的人们去了解曾经发生在这个城市的那场人类史上少有的血腥浩劫的纪念地，而带来这场血腥浩劫的正是日本军国主义侵略者。

然而，遗憾的是，数十年来，本该彻底反省的日本，并没有将复辟军国主义的妄想抛弃。以岸信介为代表的一批右翼势力一直在兴风作浪，顽固不化。

2007年9月26日，安倍晋三以小泉纯一郎路线继承人的身份登上了日本首相宝座。小泉何许人也？原来小泉的恩师是安倍的父亲安倍太郎，小泉上台后，“实现”了他作为战后首相在任期间到神社公开拜鬼的目的。而小泉报答其恩师的最大“成果”便是推荐安倍晋三当了自己的继承者。

第一次当首相没多久，由于党派之间的斗争，安倍下台了。几年后，风水复回，安倍晋三再次当选自民党党魁，从而成为日本第96任首相，并且成为第一位战后出生的日本首相。此人再次上台后，便承认“我的政治DNA更多地继承了岸信介的遗传”(安倍晋三《致美丽的国家》)。

中国人不太知道安倍与岸信介是什么关系。其实，漏网大战犯岸信介是安倍的外公。

一个是参与侵华决策的漏网战犯，一个是漏网战犯的外孙，两人不仅在血缘上有关系，更重要的是政治基因的一致性。安倍上台后不仅将钓鱼岛事件升温，并引起中日两国外交关系紧张，而且公开在国际舞台上与我们对着干。安倍并非只喊话而不做实事的那种庸人，他是个干实事的日本新一代的政治家。

他毫无顾忌地参拜靖国神社。

他呕心沥血地企图修改日本“不战”的宪法。

他正一步步地将日本重新拉回到“二战”前的军国主义道路之上……

显然，中国人民，这一次再也无法忍受了——国家公祭便成了我们警惕和提高自身自卫意识的一种必要的形式。

国家公祭，对中国人来说是第一次，许多人其实还不是特别清楚它的实质意义。有些敏感而异常重要的问题是在笔者开始创作这部作品时所遇到的——

比如，我们讲“二战”，中国伤亡3 500万人，没有人怀疑。然而，一说起日本侵略者在南京大屠杀期间残暴地杀害了我30多万同胞时，却出现了咄咄怪论：首先是顽固的日本右翼势力的代表们一次次公开否认，甚至说是我们中国人在“造谣”、“说瞎话”；其次是日本政府尤其是像小泉和安倍这样的日本领导人赖账式的否定；再者是一些所谓的日本“名人”不断地粉墨登场，借助他们的名气刻意歪曲历史真相，甚至在教科书中篡改历史，轻描淡写地把南京大屠杀说成了“日本军造成中国军民伤亡是合理的战争行为”等。今日日本社会，像安倍这样对自己民族曾经有过的反人类的罪行置若罔闻的执政者在其国内民意支持率很高，可怕的原因便是当代日本国民中部分人宁可相信一些右翼分子说的谎言，也不愿正视自己民族曾经犯下滔天罪行的历史真相。

这并非根本。国家公祭的产生，令我强烈感受到的是：我们的国家需要这种国家公祭，因为今天许多人不读历史，过于相信“国外学界”的观点，甚至在我创作这部作品时，就有人对我说：“小心，南京大屠杀到底死了多少人，国内外学界还有不少争论，尤其在日本，他们的说法与我们很不一样。”言下之意，是提醒我不要去啃“这块历史的硬骨头”，甚至劝告我“当心有人来暗算你”。真的吗？一些日本人出于自身民族利益的“说法”难道能掩盖得了历史的真相吗？他们在几十年前用屠刀活活砍死了我们几十万、几百万、几千万同胞，难道我以一个作家的名义把过去的一段真实历史写出来就会遭其暗算吗？

我已别无选择——只要接触“南京大屠杀”五个字，所有善良人的心灵都不可能平静了。

30万人呵！30万人的伤逝，难道还不值得让一个爱好和平的国家清醒，让一个曾经侵略过别国的民族赎罪，让充满阳光的整个世界认识这一问题的严重性吗？

老实说，我不是战争罪行的研究者，但过去的漫漫日子里，我天天沉浸在浩如烟海的日本侵略中国时所留下的种种罪行的史料和实物之中，那些幸存者血与泪的控诉和战争留下的现场照片……闻之、听之，我常常有种窒息的感觉——并且一下明白了为什么13年前风华正茂的张纯如在写完自己的作品后患了严重的抑郁症而开枪自杀……

呵，想想这样的罪孽，日本人真的绝不可以对自己的罪行漠视与抵赖，更不可以在中国人面前对“南京大屠杀”的所有事实说半句“怀疑”之类的话，因为这早已被历史定论，且有无数战时参与大屠杀的日本官兵自己也承认的铁证。

1937年——“11月、12月，我们向南京进军，12月底进入南京，迎来昭和十三年的元旦……我产生了这样一种心境，因为不知自己什么时候就会在战斗中死去，如果不干一些自己想干的事的话会是一种损失，所以在进军途中哪怕遇到平民百姓也会殴打他们、抢他们的东西，渐渐地这种行为变得越来越野蛮起来。因为战争是带来让人感觉不到自己在杀人那样的异常心理状态的罪魁祸首，所以即使不是军人，哪怕是对敌方的平民也要打和抢，变得完全没有罪恶感……只要是中国人，无论是谁，都是敌人，都该杀。这样的心情变得越来越理所当然……于是我们渐渐都变成了一个个杀人不眨眼的人。”

类似这些由当年参加南京大屠杀的日本老兵所写的自省话语，我看了许多许多，而更多的则是那些赤裸裸叙述自己参与大屠杀的“阵中日记”，它们实在是无法想象的血腥与丑恶。当全世界（包括日本人在内）的读者读完我这部作品的时候，大家也许才会真正明白为什么善良、宽容、豁达的中国人会在80年后的今天，要为在南京大屠杀中死去的30余万罹难者举行公祭——因为这是一段不可更改的血凝的历史。

因为——

它太沉重，太悲惨。它必须让所有的人铭记！

第一章　杀戮前的大决战

世界上几乎所有对人类文明有重大贡献的国家，其首都除了在政治、军事、文化和经济上有重大意义外，还在战争史上留下了不可磨灭的印迹，比如希腊首都雅典卫城保卫战、莫斯科保卫战等。南京大屠杀之前的首都保卫战，现在应当给予正视，因为这场近现代中国史上少有的悲壮之战，虽然最终以中国失败画上句号，并且因此有了后来日本侵略者在南京杀戮我30余万同胞的悲剧，然而毕竟我们中国人在捍卫自己首都时没有丧失尊严，故为什么不把当年真实的历史留下来呢？

南京是我国民政府的首都所在地。发生在大屠杀前夜的首都保卫战，仍是中华民族值得浓墨重彩载入史册的一部悲剧，鉴于此，我愿今天的国人摒弃成见，客观地对待当年的历史真相——

1. 上海失守前后，蒋介石“比较努力”

“比较努力”这个评价是毛泽东给他的老对手的。毛泽东为什么要给蒋介石如此评价，我们先把话题转到日军侵华期间的南京大屠杀上来。

当然，言及“南京大屠杀”这一让中日两国结下“世纪之仇”的大事件，我们不能不从1937年发生在卢沟桥的“七七事变”说起。

国与国之间的战事纷争和人与人之间的行为差不多，小人做事便有小人的伎俩：日本从1931年“九一八”占领我东北三省后，便虎视眈眈地一直在盘算着如何向中国的纵深处进犯，于是在1937年7月7日这一天夜间，驻卢沟桥的日本军队在未通知中国地方当局的情况下，径自在中国驻军阵地附近举行所谓的“军事演习”，诡称一名日军士兵失踪，要求进入北平的宛平镇搜查，当场被中国驻军严词拒绝，日军随即发动进攻，中国驻军第29军37师219团奋起还击。“七七事变”由此而来。日本借此事，立即在短时间内，制定出《在华北行使兵力时对华战争指导纲要》，并调动40万兵力，对华全面宣战。

“七七事变”后的第二天，在延安的中共中央即向全国通电，号召全国军民团结起来，共同抵抗日本侵略者。此时，正面战场的最高指挥与国防军的最高统帅是蒋介石。

蒋介石是1937年6月份到庐山的，他在那里搞“暑假训练团”，并自任团长。训练的对象为“全国各界文武同志”、“全国公务员”。按照蒋介石在6月27日对训练团大队长以上的长官发表的《建国训练的要点和实际的目标》讲话，此训练团的任务是:“在中央统一御侮、救亡图存的一向政策之下，人人奋发建国的热忱，激励其救国的责任心，向着共同的目标，能够自动努力，自动奋斗，尽忠于其本职，随时准备为复兴民族而牺牲，就是要人人尽忠于各人的职务，要人人知耻明义，牺牲奋斗，自立自强，自动地发挥其爱国的精诚，这是我们此次庐山训练的精神，也是本团教育唯一的目标。”

1931年“九一八事变”让蒋介石对日本人的侵略野心有了更进一步的认识，但基本上还是采取“攘外必先安内”的政策，精力主要花在“剿共”上。1936年，“西安事变”后，随着日本人不停挑衅，老蒋开始对旧友日本有些心灰意冷，反共的立场有所收敛，与“小日本干一仗”的决心渐定。1937年4月，蒋介石请假两月回老家休养。5月回南京，接着便上了庐山搞训练教育干部事宜。这期间，汪精卫在南京与日本人暗暗勾结，关系打得火热。中日国家关系则面临破裂，日外务省向中方提出3点要求:（1）中国应承认“满洲国”存在之事实，并承认“满洲”为已失之领土。（2）中国应与日本签订特殊协定，保证于将来不侵犯日本在华权益。于远东发生战争时，中国应对日本保持亲善之中立态度。（3）中国应同意日本在华北享有之特权。关于内蒙问题，中国应注意日本意旨。

“娘稀匹！”这回老蒋气坏了，他在当日的日记中写道:“倭寇向外侵略，已至满溢时期。物极必反，其败可立而待也。”

“七七事变”前一两天，正在山中的蒋介石并未知晓全部情况，倒是他的军方左右手何应钦最先获得前线情况。

何应钦这个时候正在重庆。他的任务是受蒋介石之命，与川军大员刘湘商谈给川军“消肿”的。

“什么整军！老蒋前年把我们川军整掉了三分之一，这回姓何的又来收拾我们，目的只有一个:他老蒋是想吃掉我们川军！不去，什么鸟会！”刘湘的部下将领们纷纷出来劝刘湘不要去重庆见何应钦及陈诚、顾祝同等中央大员。

刘湘一边吸着水烟，一边半闭着眼，慢慢道:“我若不去开会，不等于让南京来的人操纵整个会议吗？其结果只能对川军更不利。”

经刘湘这么一说，川军将领们才憋着情绪，来到重庆参加何应钦主持的川康整军会议。会议要求川军师以上的长官都要参加，后来在“南京保卫战”中殉职的第 145 师师长饶国华也在其中。

从 7 月 6 日开始，将领们吵了两天，会议没有多少进展。8 日上午，第三天的会议开始，川军将领皆到了会议现场，却独不见何应钦。正当大家有些着急时，忽见何应钦手持一份电报，急匆匆地上了主席台，跟座位两旁的刘湘等低语一阵后，突然站起身，沉重地向全场将军宣布道:“诸位川军袍泽，告诉大家一个非常不幸的消息。今天早上，我接到中央军委会紧急电话，刚才又接到外交部的紧急电报，日本华北派遣军驻北京丰台部队，于昨晚今晨，与我 29 军卢沟桥守卫军部队发生激战，双方均有伤亡，战事仍在扩大……”

“这些小日本鬼子，太不像话了！他们欺人太甚，吞了我东北，又想吃华北！”

“打！跟他们拼到底！”

川军将领们一听，会场顿时炸了起来。

“中央军会有向华北增兵的打算吗？”饶国华师长从座位上站起来问何应钦。

“目前还没有来得及研究。”何应钦说。

“那就赶快研究嘛！”

“对啊，小日本是想步步为营，逼我们服输。这回决不能让他们得逞了！”

“对，决不能让小日本得逞！”

川军将领热血沸腾，浩气冲天。

“哎呀，你们啊先不要激动，听我说……”台上的何应钦一副愁面苦脸道:“打仗要靠实力和头脑，不能全凭感情用事，你们很多人没去过日本，无法想象他们的军事实力、装备优势。以我们现在的国力和军力跟日本打仗，只能是以卵击石。”

这话可惹恼了川军将领们，于是会场上乱嚷一片:“日本人也是肉长的，我们就不信他们刀枪不入！”

“是嘛，老子用大刀砍他，也要砍死他个球儿！”

面对这群举着拳头的川军将领，何应钦脸上一阵尴尬一阵兴奋。

“何部长，如果前方真需要增援，我们川军首先报名，我145师全体官兵甘愿与小日本决一死战！”说话的是饶国华。

“还有我——45军将士决不退一步！”45军军长邓锡侯接过饶国华的话表态。

“好，诸位将军的决心让我感动、让我感动！”何应钦连连点头。

坐在一旁的刘湘感觉似乎到了火候，对何应钦说：“何部长，我看你老兄最好向蒋委员长转告，我建议中央应当迅速转变思路，实行全国动员，停止内战，枪口一致对外。如果前线战事需要，我愿意率所部两个军，立即开赴前线！”

何应钦不再说什么了，一个劲儿地朝刘湘和川军将领们点头。他心想：委员长本想“吃掉”川军的算盘看来不能再打下去了，眼下对付日本，恐是当务之急的首要大事。

当日午后，何应钦急回南京，他手里捏着蒋介石让他立即召开统帅部军事会议的通知，准备部署“七七事变”局势下的军事安排。

7月11日，统帅部第一次会议召开，会议商事11项，主要根据蒋介石的指令，派员到北平察看我军力准备，一旦对日事局变化，则将黄河以北作为战略落实地，也就是说：若日本全面开战，我方力争将战场摆在黄河以北的地方。

从7月11日到8月1日的22天时间内，国民党军事最高统帅部开了22个军事会议，每天分析对日战争的军事情况，并做部署和安排。这些会议虽都由何应钦主持，但实际上没有一丝走样地按照蒋介石在庐山上的指令执行。“老蒋对当时的时局采取的态度是：不屈服，不扩大。”（陈布雷《回忆录》第69页）

中国军方领袖“不屈服”的态度，确实让中国前线部队打出了一些漂亮仗。在卢沟桥与日军交战的国民党29军，原来是冯玉祥的西北军，虽在蒋介石看来是支杂牌部队，装备极差，但29军将士以勇敢出名，尤其是他们的大刀队，可以吓退一片敌军。这回跟拥有先进武器的日军决战，大刀队在喜峰口一仗，杀得日军丢盔弃甲，一片狼藉。著名音乐家麦新有感于29军大刀队勇士的神威，专门写了一首《大刀进行曲》：

大刀向鬼子们的头上砍去，
二十九军的弟兄们！
抗战的一天来到了，
抗战的一天来到了！
前面有东北的义勇军，
后面有全国的老百姓。

咱二十九军不是孤军，
看准那敌人，
把他消灭，把他消灭！
大刀向鬼子们的头上砍去！
冲啊，杀！

这首原本为29军大刀队而作的歌，后来改了些词，成为全国抗日的战歌。之后的70余年里，它一直是中国军营里最响亮的军歌之一。

蒋介石在对日态度上，其实一直是犹豫不决的，他的“不屈服”后面，便是“不扩大”，即不想把战局闹大，尽可能让战火在“可控”的范围内。然而，一心想吞并中国的日本人并没有按蒋介石的心愿行事，他们变本加厉，步步紧逼，一直到把北平和天津两地全部归入他们的铁蹄之下。

平津失守后，蒋介石开始清楚地意识到日本人不可能给他这位日本陆军士官学校毕业的学生一点面子，收拾他蒋介石的江山已是早晚的事。“到了今天，大家一定要觉悟，不是日本灭亡我们，就是我们灭亡日本！我们再不能受敌人的欺骗，再不能以企求和平的苦心反而招致敌人的欺侮。”8月1日，蒋介石从庐山回到南京，在出席中央军校活动时，在《准备全国应战》的动员中如此说。

北方的平津两地在一个多月里先后沦陷，29军副军长佟麟阁与师长赵登禹的阵亡震惊全国，也逼得蒋介石南京政府迎敌抗战。之后的一年多时间里，蒋介石的抗日还是“比较努力的”——这一评价是远在延安的中共领导人毛泽东给的。“在这个时期内，日本侵略者的大举进攻和全国人民民族义愤的高涨，使得国民党政府政策的重点还放在反对日本侵略者身上，这样就比较顺利地形成了全国军民抗日战争的高潮，一时出现了生气蓬勃的新气象。”毛泽东这么说。

日本侵略者确实“大大的坏”。当他们处心积虑霸占北平和天津等要地之后，在本土的日本军部幕僚们暂时反对扩大对华战争，“极力避免在华中、华南使用兵力”，然而在侵华前线的日本海军陆战队官兵们非常狂妄，尤其对中国的经济重心上海垂涎三尺。由此，他们故技重施:8月9日，驻沪日海军陆战队大山勇夫和斋藤要藏官兵二人，不顾中国守军劝阻，驾车企图冲入我虹桥机场滋事，被我守军击毙。日军借此集中多艘兵舰，并公开让陆战队登陆，甚至逼中方守沪保安队后撤并拆除防御工事。遭我方严正拒绝。

日军便开始将战刀指向上海……

在写作此书时，笔者正好看了一本美国学者西格雷夫著的《黄金武士》，里面披露的日本在“二战”时侵占中国的种种伎俩，实令人作呕：1932 年 1 月 18 日，5 名日本年轻人穿着好战的日莲宗僧服在上海一条拥挤的大街上游行，唱着歌庆祝在满洲里的胜利，显然这是有意激怒中国人——其实这是日本人精心策划的一个阴谋，善良的中国人不知是计，他们袭击了这 5 个日本人，当场打死了 1 个。这些“和尚”实际上是日本的秘密特工，是在上海的日本特务头目田中吉少佐雇用的人。1 个日本人死了，少佐便借此口实，按照日方高层预定好的计划，打着“保护”本国公民在上海的幌子，进行军事干涉。“东京总喜欢让自己看起来是受害者”的样子，开始进一步派遣军事力量进驻上海。而另一方面，在上海的日本特务组织，则着手动员在上海的 3 万名日本侨民中的数百名流氓和黑社会暴徒，这些自称“浪人”的日本人手持手枪、步枪和刀、棒等加入日本海军陆战队对中国军队的挑衅。于是中国驻军 19 路军不得不还击。日本天皇又立即增兵 9 万迅速支援上海的日军。34 天激战，日本军队与“浪人”们相互配合，先后杀死了 18 000 多名上海平民和数千名中国军人，然后突然单方面宣布停火。看起来日本还是一个“仁义”的国家，其实是为了更好地在上海站住脚跟后进行全面吞并上海乃至全中国的毒计……5 年之后的 1937 年，日本人决心“吃掉”上海了，于是又用两个小兵制造事故，再次演出一场“苦肉计”，来掠夺中国更大的“蛋糕”……

军国主义时的日本当政者真的坏透了。

但，这回中国似乎也看清了日本人的意图。蒋介石和他的幕僚们算没白吃饭，被任命为“京沪警备司令”的张治中将军在 8 月 9 日“虹桥机场事件”还没有出来时，就已经致密电给南京的蒋介石：（1）日军在沪兵力，近日来迭有增加，综合各方情形，计陆战队官兵约 5 000 人，业经组织健全之在乡军人约 3 000 人，壮丁义勇队 3 500 人。各种轻重口径炮约 30 余门，高射炮 8 门，战车及装甲汽车各 20 余辆。（2）本日由长江上游抵沪之日舰，计 9 艘，连原有在沪之日舰 3 艘，合计 12 艘。各舰可随时登陆之水兵，共计 3 000 人。

几天之后，张治中将军又给蒋介石发电报，说日军不仅舰队数量有所增加，而且已经由龙港向上海市内前进，更有虹桥机场上空连续出现“不知国籍”的飞机多次盘旋。“据称日陆军省于今晨 4 时，对 53 岁以下的人进行了后备动员……”情报部门的一份报告更让蒋介石心头一震：小日本真的想吞下大上海了！

我方不是没有动作。此时的蒋介石及幕僚们对形势的估计并没有错，于是密令张治中迅速在苏州一带部署，并准备在江阴封锁长江，命令 3 个教导师 2 个炮兵团（这些炮兵装备都是德国造，并不比日军的差，一团是口径 100 毫米的加农炮，一团是口径 150 毫米榴弹炮）向上海推进。8 月 11 日夜，张治中的司令部移至南翔。第二天即 12 日，张治中及时对我方兵力作了重新布置，并向蒋介石报告：“（1）现在上海地方部队，主力固守真如、闸北、江湾市中心区、吴淞各要点，一部警戒沪西沪南，掩护军队前进。（2）87 师推进有力一部，确占吴淞，主力输送到达前线展开于大场、江湾以北地区后，再推进至江湾市中心区，准备攻击。另以有力之一部，控制罗店、浏河。（3）88 师有一团输送到达前线展开于真如、大场（不含）之线后，再推进至闸北、江湾（不含）准备反击。（4）炮十团一营及炮八团，进真如、大场占领阵地。（5）钟旅在松江一团，转苏嘉路至南翔待命。（6）56 师输送到昆山后，进至太仓支塘待命。（7）88 师 527 团至南翔，为总预备队。”张治中的作战意图是，集中优势兵力，于“江湾、彭浦附近”，“对敌猛施攻击，进占敌军根据地而歼灭之”。

当日，蒋介石批准张治中的作战部署。

12 日晚，我方战将王敬久、孙元良两师长分别率领 87、88 师抵达上海江湾一线，兵陈吴淞，完成长江航道阻塞任务。此时的日本东京，已获悉我军用意，内阁紧急决定组建派遣军连夜出征……

“各位将士，此日吾民族已临于最后关头，此日吾人亦陷于生死线上！光荣神圣的民族生存抗战之血幕必将展开。兹持揭橥要义，为本区将士同志告。期以忠勇坚毅，共迎行将到来之无限艰苦，但必有无限希望之岁月……”大战之前，张治中将军慷慨激昂地对他的部下宣誓道。

中日两国之间的又一次大搏杀即将拉开血幕。日本方面更是志在必胜，开战的第三天，便设立了由天皇亲临指挥现场的大本营。这也是日本建国后第三次设立大本营，第一次是 1894 年的中日甲午战争爆发时；第二次是 1904 年的日俄战争时。此番设置大本营，可见日本从吴淞大战的血幕拉开之日起，便准备了与中国全面开战的举国之策。

1937 年 8 月 13 日，中日淞沪战役正式爆发。此次为我军先发制人引爆了战役的开端……当 88 师孙元良部队向敌方在上海八字桥的海军陆战队百炮齐鸣的一瞬间，那在我将士们心中囤积许久的仇恨与怒焰如火山爆发之势，震得日本兵丢盔弃甲！

啊，“经我们血染的山河，一定永久为我们所有，民族的生存与荣誉，只有靠自己民族的头颅和鲜血才可保持！”我军将士一边向敌人开炮，一边口中念念有词地背诵着一年前中央大学校长罗家伦先生在看望华北前线将士们时所讲的话。

“八一三”淞沪战役持续整整三个月，一直打到这年的11月12日。纵观此役，我方先后投入的兵力达50个师、70万人。日方共增至10个师团和海军陆战队，总兵力不下30万人，更有大炮300余门，战车200辆，飞机200架，兵舰数十艘，日自夸其“战斗力之强，火力之旺，一时无双”。在整个淞沪战役中，不能说蒋介石不卖力，从实际情况看，他其实也是尽了全力，一是亲自指挥了此次战役全过程，二是他把自己的嫡系部队也都投入了战场。最终老蒋失败，乃有一大失误，即战机的贻误。如果趁日本人还没有准备充足，在8月13日之前的数日开战，则战局形势可能完全不一样。还有就是我军的装备和海军力量、空军力量较之敌方差距甚大，再加上第三阶段即11月7、8、9三日的最后决战中，由于日方第10军的突然出现，苏州河南岸的我军一下陷入腹背受敌的境地，从而战局迅速发生变化。11月11日，日本藤田进的第3师团攻进上海市区。第二天，上海完全陷落。

蒋介石决意在淞沪狠打日本人，一为挽回自己的“抗日”名声，二是轻信了身边宋子文这些人向他提供的“3个月内，日本将处于破产的边缘并面临革命”这一不实情报，三是原本期待此役可得到国际社会的支持并获取盟友的出兵干涉。这三个原因中，老将最期待的是第三个，但苏联与美国都没有给蒋介石面子，德国人倒是出力不少，不过主要是为了赚老蒋的钱——当他的军事顾问、做他的军火生意。当时在南京的德国军事顾问达几十位，他们大多数是退役将军，与蒋介石政府签有私人聘用合同。

淞沪战役，日方伤亡5万余人，我方的伤亡数是其5倍，25万余人。

尽管“淞沪大战”是以中国失败而告终，但此役仍然在中国产生了不可低估的积极意义：一是张扬了民族气概，粉碎了日军由华北长驱直入武汉、三个月灭亡中国的阴谋；二是它争取了三个月时间，使得长江下游的工厂和物资有了内迁的时间，为日后中国长期抗战提供了一定的物质基础；三是消灭了日军有生力量，并且造成了日军在华北战场上的兵力不足，为之后的山西决战准备了时间。最后也是最重要的一点，中国人民拼死抗日的决心与精神，洗刷了“九一八”事变以来中国军人的耻辱史，从而也坚定了国民抗战必胜的信心。淞沪“战斗中，将士们打得十分勇敢，每小时的死数以千人计，牺牲得壮烈，在中华民族抵抗外侮的历史上，鲜有前例。中国军队在武器装备严重不如人意的情况下，仍顽强地和日军争夺一村一镇，并常常为一个阵地进行反复较量，白天日军攻占，晚上中国军队又把它夺回来，双方军队的伤亡都很大。在此会战中，国民党军队主力各师都补充了四五次，后方各省的保安团整团整团地补充上去，原有下级军官和士兵伤亡达 2/3，旅团长伤亡也达半数”。

倾全国之精锐部队，苦战三个月，没守住大上海，如今全线撤离淞沪战场，蒋介石何以面对上海市民？

11 月 12 日，中国国民政府军委会以政训处的名义，在《申报》上发了一份《告上海同胞书》：

亲爱的上海同胞们：

我军因为战略上关系，暂时从上海附近向后撤退。我们一方面用全力巩固第二阵地，必定在最短期内积极进取，来收复我们淞沪。我军这一次的撤退，是战略上有计划的撤退，绝不是战争的失败，而且真正的抗日战争，实际上从这时候方开始，这是同胞们所已确实认识而能格外奋勉的。我们军队和上海同胞别了，回想到三个月的抗战，我上海同胞不避危险，不分昼夜地和前线努力协助，前线一切需要，都能如应斯响。战区附近，牺牲非常惨烈，而军民合作抗敌的精神，愈久愈坚，这种义勇和热情，是我全体官兵所刻骨铭心，终生不忘的。

我军虽然暂时撤退，我们一刻不能忘记我们的同胞。在我军撤退上海的时候，敌人对各位同胞必然施用种种的压迫和引诱，这在我们是十分的悲痛，非常的挂念。但我们相信爱国的上海同胞，现在虽然处境很艰难:意志一定是坚决的。我们竭诚盼望上海同胞们始终抱着牺牲抵抗的精神，互相扶助，互相勉励，个个人当作自己是战场的兵士一样，誓死反抗敌人到底。上海同胞们一定不会忘却三个月中间军民死伤的惨烈，而继续发扬先烈的精神，上海是我们民族精神所集中发扬的中心，上海的同胞们要立志作国家精神上的长城。

同胞们，我们军队和各位暂时小别了，我们满腔怀念着各位同胞的痛苦和牺牲，对于同胞们所已表现的爱国精神，不是言语所能表达我们的感激于万一。我们永远纪念着同胞的鼓励，一定要再接再厉，奋斗到底。我们虽然离开了上海，但我军在嘉定、南翔的阵地上，仍然望得见上海，我们殉国将士的灵魂，也仍寄托在上海，我们热烈抗战全国一致的一颗心，也始终离不开上海的同胞。我们和各位同胞的精神，相互永远的联系着，我们结成一条心，合成一个力，抗战一定胜利，复兴一定成功。我们军队一定在最短期内收复淞沪，来报答我们同胞，我们决不辜负上海同胞的热望。

军事委员会政训处

11月12日

政训处的几个秀才还真写出了一份冒着一些热气的文告书，但上海市民读完文告中那么多“一定”后，直骂蒋介石“讲的就是一句空话”，直骂“小日本总归不得好死”！

上海失陷，首都南京即在敌人的眼前。中国的真正苦难由此开始——

“打！支那人以为我们日本军是泥做的，所以他们才如此狂妄地想把我们赶出上海，那是白日做梦！”“支那人”是日本人对中国人的蔑称。

“对，我们决不收兵！打到南京去！活捉蒋光头！”

这是日军第10军团一批年轻军官在攻占上海国民政府大楼后，在当晚喝酒时你一句我一句的情景。胜利后的狂欢中，有人举起酒瓶，猛砸战舰的甲板，然后高唱《同期的樱花》——

我们是同期的樱花
怒放在同一兵学校的庭院
花开自有花落时
就让我们为了国家壮丽地飘落

我们是同期的樱花
怒放在同一兵学校的庭院
兄弟深情使我们血肉相连
共同的气息让我们无法分离

我们是同期的樱花
怒放在同一兵学校的庭院
抬头仰望南方晚霞似锦的天空
有一架战机没能返航

我们是同期的樱花

怒放在同一兵学校的庭院

誓言共死的一天还没来到

为何就提前凋谢离散

…………

不能不说日本旧军歌在鼓舞士气上颇有杀伤力，尤其是对那些年轻军士。樱花是日本的国花，它绽放时有种冷艳之美、寒光之秀。日本兵将自己的生命比作樱花，外人觉得有些不可想象，他们的武士精神也很吓人，失败了、受辱后就剖腹自尽，这种传统在日本军人之中极为盛行。笔者以前不懂也搞不明白，在写作此书时，正好看到一部叫《最后的武士》的电影，讲述的是 19 世纪 70 年代一位美国军人欧格仁上尉被日本武士部落的人俘虏后所经历的故事。在武士部落里，武士领袖胜元大臣把武士道精神的本质告诉了欧格仁:武士道精神就像樱花一样，每吸一口气、每凋谢一次，就是生命的一种醒悟。失败对武士来说必须具有耻辱感，有耻辱感就该自尽，自尽和被敌人杀死都是一种耻辱，战死在战场是很光荣的事。这便是武士道的信念。日本走上军国主义道路后，武士道便成了效忠天皇的一种精神支柱和侵略工具。

侵华日军第 10 军的年轻军官们在 1937 年 11 月 13 日这一夜，借着胜利的狂喜和上海外滩优美如画的景色，纵情地抒发着自己作为天皇的帝国军人的那份武士道精神，他们或挥着战刀，或举着酒瓶，歇斯底里地高喊着“占领南京”的口号，目中无人，举枪就射，仿佛明天天亮时，他们便能看到太阳旗升起在紫金山上。

实际上，刚开始日军并没有制订攻打中国首都——南京的计划。淞沪大战结束，中国军队撤出上海后，兵力消耗极大的日本军部迅速向上海派遣军司令松井石根和在杭州湾登陆的第 10 军司令柳川平助发出命令:“扫荡上海附近之敌，战线在苏州、嘉兴以东。”其意显然是想喘口气，等待时机再“重惩中国”。然而，远离本土、刚从杭州湾登陆的柳川平助的第 10 军居然拒绝了这道命令。他们中间有相当一部分狂热的日本青年军官认为:刚踏上中国国土即停止作战是件让士兵们无法接受的事。于是 11 月 15 日，柳川平助撇开派遣军司令松井石根，独自临时召开扩大会议，允许中队长一级的下级指挥官破例参加会议。会上，一些年轻军官提议:“不要去管松井石根这个退役老兵的话了，我们第 10 军独自向南京方向挺进。”

“此机不择，再等何时？”

“对，为天皇效忠的时候到了！我们到南京后再向本部报告也不迟！”

年轻军官们挥动着战刀，在柳川平助面前怂恿和宣誓道。

“哟西——向南京前进！”一片战刀的寒光下，柳川平助的眼珠贼亮。

就这样，一个疯狂而冒险的军事行动开始了。

原本作为配合松井石根的第10军，现在变成了独自长途奔袭南京的主力，无论是粮食还是弹药都无法给予他们战斗保障，然而被“荣誉”和武士道精神塞满头脑的第10军将士们，将这些困难变成了另一种战斗动力：“粮食不足就地解决，弹药不足就打白刃战。”

毫无疑问，此时的柳川部队，实际上已经成了一支亡命之师。亡命之师何等可怕！

战刀已出鞘，血腥怎可掩？

在第10军疯狂进军南京的5天后，也就是11月20日，远在东京的日本军部参谋次长多田骏得知柳川部队已扑向南京后大为意外，立即命令停止行动，但柳川毫不理睬。

“大将军，柳川部队已经向南京进发，他们是想抢在我们前面去摘战果给天皇，我们不能让这等好事独给柳川！”获悉“友军”第10军已向南京进军的消息后，上海日军主力的高级军官每天都在向司令官松井石根提出请求，要求尽快抢在柳川部队之前进攻南京。

其实，身为日内阁大本营派遣上海日军总司令的松井石根早知柳川部队的动向，只是这只狐狸一直在忖量着到底发不发兵南京。了解松井石根的人，知道这是他的一向作风，而松井石根自己更清楚，眼下日本国天皇和参谋本部对华方针还处酝酿之中，淞沪大战后到底下一步方向往何处走还不清晰时，他身为日军在中国华中前线的最高指挥官，自然需要三思而后行。

这里必须让读者对松井石根作一些深入的了解，因为他是南京大屠杀的日军最高统帅和后来被远东国际军事法庭认定是“南京大屠杀”的主犯而处绞刑的甲级战犯。这人在日军与我军开战前几天才复出并被天皇任命为“日本上海派遣总司令官”，当时59岁，瘦小老头儿一个，却是个标准的“中国通”。1878年出生于日本爱知县的松井石根，是著名汉学家松井武国的儿子，其先祖曾是日本的名将。松井石根1898年毕业于日本陆军士官学校，后又进日本陆军大学，同期成绩第一。他与中国关系甚密，早年与孙中山的关系密切，孙中山在日本时，松井石根给予了很多支持。可以这么说，民国时期的中国领导人，很多都与此人有过密切交往，连整个抗日战争的最大对手蒋介石，松井石根也没有少帮助过——蒋在日本留学时，据说曾有两年时间是住在松井石根家里，可见这对“老对手”还是关系相当的难兄难弟。1915 年，松井石根出任日在上海驻军的武官。1922 年调任驻哈尔滨特务机关长，次年晋升为陆军少将，5 年后成了日军中将。1933 年，松井石根任台湾驻军司令官，同年晋升为陆军大将。因为日军内部的矛盾等原因，1934 年 8 月，松井石根退出军界，转而在政界活动。

退出军界的松井石根，巧逢日本占领中国东北三省后成立的“满洲国”尚不被国际所承认时。日本政府对此在外交上很伤脑筋，于是松井石根自告奋勇向首相提出自己与中国当局关系密切，可以想法让中国政府自己认可“满洲国”为“既成事实”，这样日本一手扶持起来的傀儡政权不就可以很体面地让国际社会承认嘛！日本政府的算盘这么打，所以松井石根这位“中国通”的老将军也便有了用武之地。1936 年初，松井石根以私人身份开始了在中国长达数月的游说，且与蒋介石有过深谈。老蒋当时因日本一再地侵犯中国领土并不断挑起事端弄得里外不是人，故而也没有给“老朋友”松井石根多少面子，尤其在让他承认“满洲国”的问题上，老蒋涨红了脸，对松井石根说：“你让我承认‘满洲国’，就等于允许外人扒我祖坟，也等于吾人自己打自己耳光！‘九一八’事变时，我已经是中国国民政府的领袖了，你们把我的东北三省吃掉了，我痛得牙根常常‘嘎嘎响’，还要常常被共产党等人骂作‘不抵抗’的卖国贼。你说，你换成我，你能承认这样的‘满洲国’吗？”蒋介石如此“掏心窝”的跟旧友一番直截了当的话语，让松井石根一下觉得自己的使命是无法完成了。在离开南京的那天，他在日记中这样写道：“蒋对余之单刀直入态度颇为警戒，避免当场作答。”其实蒋是十分清楚地告诉了这位日本说客的，只是松井石根不想在自己的政府面前大失颜面而已，他原本以为凭他与中国各界要人的“特殊关系”，可以说服其承认或至少在国际场合不怎么反对日本支持的“满洲国”，然而中国的“老朋友”没有给这位日本说客一点面子，这让自认为是“中国革命之友人”的松井石根很下不了台。“忘恩负义是要付出代价的！”回国的路途上，松井石根连连发表公开的和私下的谈话，大意是：中国国民政府的现任当政者，已经把他和日本当年曾经如何扶持孙中山等闹革命给彻底地忘了，既然如此，这个与吾等“不友好”的政府和国家，早晚会受到惩罚，以便让他们清醒。

“七七事变”爆发，中日开战之势已迫在眉睫，而淞沪大战打响后，日本当局迅速派一名中国通的大员出任前方总司令。松井石根便是在这种情形下又被内阁召回到军界，出任日军上海派遣部队司令官，率第 3、11 两个师团，以支援原驻上海的日军海军陆战队。日本政府之所以派一位退役老将军担当此任，是有其考虑的：一旦在上海引发战事，国际社会必产生强烈反应，尤其可能引起苏联对中国东北的出兵，这样日本的“大东亚”计划将彻底毁灭。这是日本政府所不愿看到的，因此上海这块肉既必须拿下，又不能惹怒“老毛子”（苏联人）及国际社会——日本政府的棋子是这样下的。

“此番既去之，无论如何是要打到南京去的！”当时大本营给松井石根的任务是：“扫荡上海附近之敌军，占领其四方要地，保护上海侨民之生命。”这样的军令显然是对上海派遣军的作战范围做出了限制，具体限制是给派遣军划明了“上海周围”之线便是苏州至嘉兴范围的战略限制线。但松井石根在东京出发前上火车的那一刻，同前来送行的当时的日本首相近卫文麿说了上面这句话，令首相和在场的日本要员暗暗吃惊，尤其是外交人士对他悄声劝语：“老将军，你可得三思而后行啊！”

“哼，中国的事我比你们都清楚。”松井石根不屑地看了看劝他的人。

松井石根确实对中国的事和中国的人看得比谁都清楚，淞沪大战的三个月，中国军队虽有勇却仍然不敌对手，尤其是后期阶段，可谓兵败如山倒。因此松井石根得出结论：只要蒋介石领导这个国家、指挥中国军队，我大日本便能无往而不胜！

“汗了戎衣四十年，兴亡如梦大江流。君恩未酬人将老，执戟又来四百州。”当听说新登岸参战的柳川部队已经向南京进发时，松井石根这几天一直在盘算到底出兵与否，最后他在吟咏自己出征前写的这首“自勉诗”时，断然决定：“占领敌国首都，迫使中国屈服。”

作为军人，在异国打仗，还有什么比占领敌国的首都更“至高无上的荣誉”吗？从军40余年的松井石根，自知这是他一生最后一次作为军人为天皇和国家“效忠”的机会了，故而最终他下了决心：进攻中国首都——南京！

既然前线将士志在必得，参谋本部有何阻挡理由？日本最高统帅部迅速调整决策，批准了松井石根的请求，并任命裕仁天皇的叔父朝香宫鸠彦王中将为日“上海派遣军”司令，松井石根则任日“华中方面军总司令”，统领上海派遣军和柳川的第10军等所有进攻南京的日军。朝香宫鸠彦王其实是南京大屠杀的头号元凶，因为他与天皇是亲戚，所以在战后清算战争罪行时他逃过一劫，活了93岁。日本王室和与王室沾亲者不被追究战争罪行，是东京大审判的一大缺陷，也给战后的日本在今天有那么多右翼势力叫嚣军国主义复兴提供了土壤。这是后话。

日本大本营根据松井石根等前线将士的报告，为全面进攻南京作了军事上的部署和调整，组成了分别由朝香宫鸠彦王率领的“上海派遣军团”与柳川平助率领的第10

军各4个师团，他们是：

朝香宫鸠彦王所属的第9师团（师团长吉住良辅）、第16师团（师团长中岛今朝吾）、第13师团（师团长荻洲立兵）和第10师团（师团长天谷直次郎）。

柳川平助所属的第6师团（师团长谷寿夫）、第114师团（师团长末松茂治）、第18师团（师团长牛岛贞雄）和第9旅团（旅团长国崎登）。

这两支军队中，中岛今朝吾和谷寿夫率领的日军是南京大屠杀的主要部队，也是日军华中方面军的王牌军。

进攻南京的日军总兵力有10万余人，还有数十艘军舰。

我们再来看当时"淞沪战役"之后的中国局势——

这时的1937年距年末仅有一个多月。大好河山连连失手，平津之役大败，上海又失，中国几个最好的城市不到一年时间便让日军占据。在进攻南京计划获得大本营的批准后，侵华日军气势汹汹、不可一世。而虎狼的血口已张，我首都南京危矣！危矣！

这个危非一般之危，因为从上海到南京，走火车很快；走水路，如顺水而行，也就两天之程，逆舟而行，一周时间也可抵达。即使步行，最多也就十几天时间。更何况，从上海到南京，除水路外，皆为一马平川，若有铁骑战车，不用一天，便可直抵紫金山。

一国之都，岂能如此轻易让敌国军队得手？然而面对松井石根、柳川这样的虎狼，我等有何力挽狂澜之势？

这个时候全看蒋氏中正先生了。

蒋氏中正与松井石根是"老友"，而后者其实从辈分讲，还应是蒋介石的"恩师"级人物。前面已经讲过，蒋在日本留学期间，曾住过松井石根家很长时间。蒋年轻时就因为崇拜和敬仰日本才有了后来的"中国领袖"的地位。在日军校留学时，蒋认识了影响他一生的挚友陈其美，是陈其美将他引见给孙中山，之后蒋介石才得到孙中山的重用并一路升任为北伐军司令，直到孙中山逝世后成为国民党领袖直至国民政府"元首"。蒋称日本是他的"第二故乡"。

现在，攻打南京的是"恩师"和"中国通"，守在南京准备与日本军决战的偏偏是"恩师"的朋友与学生辈的"日本通"：松井石根和蒋介石之间的这场"知恩报冤"的中日大战，一开始就非常有戏剧性——当然是场悲剧，这场悲剧在七八十年后的今天，中日两国依然各自不依不饶地死咬着、斗争着。当然，罪在日本。

欲给当年的"学生"朋友致命一击的日军松井石根大将，因为想夺得生命中最后一次“至高无上的荣誉”，故而根本没有将对手蒋介石放在眼里。“鄙人以状元的成绩毕业于大日本军校时，他蒋介石还小着呢！”挥刀向南京出征的路上，松井石根心头这么想着。

然而此时的蒋介石毕竟不再是当年那个坐在日本火车上连怎样下站都不知道的“中国乡巴佬”了，现在他是堂堂中国元首、数百万中国军队最高统帅，他岂能容区区岛国的“倭寇”在自己头上拉屎！

腾腾杀气满全球，力不如人肯且休？
光我神州完我责，东来志岂在封侯。

这是蒋介石在23岁从日本士官学校毕业时给表弟单维则写的一首诗。有道是“诗言志”也，蒋介石年轻时虽崇拜日本，同时也非常痛恨日本看不起中国的蛮横行径。

早在1907年，蒋介石在清朝政府办的保定通国陆军学校速成班学习时，有过一件事。一天，一位日籍军医在讲微生物时，一边指着摆在讲台上的一块泥土，一边说：“这块泥土，大约有一立方英寸，这里面有四亿微生虫。”这位日本军医继而说：“这可以拿中国来比喻，中国有四亿人口，就像这四亿个微生虫寄生在这块泥土地里一样……”“老师，你可不可以这样认为！”突然，课堂上，有位年轻学生冲到教桌前，“啪啪”几下将那块泥团分成八块，转而怒发冲冠地责问道：“日本的人口是五千万，在这个八分之一立方英寸的泥土里寄生的微生虫，也可以说这就是日本人吗？”“你你！你大胆！”这位日本军医的脸涨得如猪肝一样，中国学生哄堂大笑。在当时，谁敢跟日本教员顶撞，是要开除学籍的，但后来学校校长一调查，认为这位学生是出于爱国之心，便大事化小了结了。而这事让这个学生出了名，他便是蒋介石。

当代中国人对蒋介石的了解多数是负面的，其实在整个抗战期间，蒋是中国的领袖、正面战场的最高统帅，代表国家形象，成与败、荣与辱，皆与他有关。我们客观地了解蒋在这场关系到中华民族生死存亡的中日决战中的表现，也应算是持一种唯物主义的公正的民族史观。

如果说蒋介石一直不想抵抗日本侵略者，或者畏惧日本，那是不公允的。在日本数年的军校生涯和在第13师团野炮兵第19联队见习一年的时间里，蒋介石对日本军队是比较熟悉的，那种严明的纪律、细致的管理模式、武士道精神、效忠天皇的意志和刻苦训练及精良的装备等，都给蒋留下深刻印象。也正是基于此，“七七事变”后的蒋介石从内心深处已经真正意识到：日本人无论如何也不会给他这个曾经的“学生”留面子了，“吞我河山之心必然”已成日本的基本国策。可怜我一团散沙，各路军阀互不相让、不听从指挥……蒋介石内心的焦虑与无奈一直困扰着他的“卫国布局”。他心头还有一着棋是期待北边的斯大林和大洋彼岸的罗斯福两位强国元首支持。蒋是个好面子的人，美国方面他让自己的女人宋美龄出面，斯大林那边则有自己的儿子在周旋，当然除此还有给这两个大国实惠的地方：美国人爱做生意，那么我让给你巨大的中国市场；苏联人早死盯着外蒙古的大片土地，虽老蒋对祖宗留下的大片草原无论如何也舍不得，可假如江山没了、总裁的宝座没了，那面子还有啥用？

1937年初的蒋介石，刚从“西安事变”的惊吓中恢复一点儿元气，面对内外交困的国家局面尚处维持现状之势时，日本人又闹出个“卢沟桥事变”。蒋介石能不火冒三丈吗？

“倭寇犯我中华之贼心不死，吾当万不可掉以轻心！”这时的蒋介石是清醒的，而且也已有所准备，且这种准备从某种程度上讲算得上是“周密”和“提前”的。考虑到中国内战频发多年、国内人心涣散，军阀各自为政的实际，蒋介石了解日本，故在与日本尚未公开宣战前的两三年里，便暗地备战。其中之一是聘用了一批德国军事顾问，其二是派他的浙江老乡翁文灏主抓从德国进口军火装备。

据资料显示，1937年前的两三年时间里，中国向德国购买的军火、兵工及重工业设备，不下2亿马克，其中军火装备占多数，蒋介石确实装备了一批自己的嫡系部队，在“淞沪战役”里也发挥了巨大作用，致使日本兵大伤元气。值得一提的是，正是蒋介石在这段时间里，重视与德国之间的军事与贸易方面的关系，所以中国特别是首都南京在抗战前夕出现了一大批德国人，后来在南京大屠杀中保护了数以万计的中国人的拉贝便是其中的杰出代表。这是后话。

我们来说说德国军事顾问。

抗战前后，在蒋介石身边有几个重要的德国军事顾问，其中有名的一位叫法肯豪森，是德国军事顾问团团长。此人为中国抗战立下巨功，著名的台儿庄战役“诱敌深入”的战术就是法肯豪森出的主意。更可贵的是，在“七七事变”后，这位德国军人曾直面批评蒋介石在对日问题上的消极抵抗政策，并多次警告蒋“若不倾全力奋斗以图生存，则华北全部包含山东在内，必脱离中国”。还有一点更值得肯定：法肯豪森虽为希特勒政府派往中国的军事顾问，却与纳粹主义格格不入，1938年不得不回国后，不愿忠心服务于希特勒，结果受到盖世太保的长期怀疑和监视。“二战”后，法肯豪森出任中德文化协会会长。1966年在柏林去世，终年88岁。

法肯豪森是位职业军人，1900年八国联军侵华战争时，他曾到过中国，后在德驻日大使馆任武官，是位通晓东方语言的军事外交家。第一次世界大战后，法肯豪森当了德国步兵学校校长。1933年到中国出任蒋介石的军事顾问。德国人办事非常认真，尤其是像法肯豪森这样的职业军人，又有军校校长的经历，加上对中日文化和军事的熟悉，故法肯豪森一方面让蒋介石国民政府出钱装备先进的德国军事武器，另一方面更多精力放在训练国民党军队和布置对抗日本人的一系列军事措施上。蒋的军队在法肯豪森等一批德国军事顾问的指导和影响下，确实得到了整顿，战斗能力大幅度提升。鉴于日本日益剧增的吞华野心，法肯豪森在1934年便建议蒋介石尽快拿出一个保卫南京的军事计划。蒋对这位顾问的话是听进去的，并马上责令南京警备司令谷正伦负责初步方案。这年8月17日，法肯豪森看了谷正伦的方案后，作了充分肯定：

> 对警备司令谷司令掘一长濠并积土筑一高墙于雨花台周围及天堡城至太平门外公路之建议，鄙人完全赞成贵厅签呈主张。
>
> 鄙意若为防敌侵袭首都，无需偌大工事，工程既大，需费必巨，需时甚久，需力甚多，转不如用以构筑新式而有效之防御工事。试一推算崎岖之岩石地中，需动何种土工，不难测知。
>
> 此种工事，用以防御战车，效力之大，自不可没，惟遇敌轻袭，一时未必用战车参加，更未必在建议地区。
>
> 若对正规之围攻军作战，则此种工事，苟中十五公分之榴弹数枚，顷刻倾圮，无甚价值，故鄙意以为不如仅采用加坚之野战工事（步兵支撑点，机关枪阵地，观测所等项），于可能范围内构筑或准备铁条及他种障碍物，如氾滥、蹈发地雷、触发地雷等，尽量向纵深地区逐渐增加。
>
> 鄙意以为此种办法比原议之效力大，范围广，用途多，而造成一种速成而需费无多之掩护，更形重要……

正是有了法肯豪森的建议和对初步方案的肯定，国民政府军事参谋本部也随之在1934年就有了第一个《南京防守计划》。这个计划从“敌情判断”、“防守方针”、“指导要领”、“兵力部署”、“水雷阻塞”、“防空”、“交通及通讯”等八个方面进行了计划安排。在“指导要领”中指出：“一、对敌舰之炮击，须以轻重游动炮兵之主力配于长江南岸，以一部配于北岸，与各炮台协同，由炮兵队长统一指挥，出敌舰不意，集中炮火而夹击之。游动炮兵之战斗尤须着眼于补救炮台射程之不及而适宜配置之为要。二、对敌陆战队上陆之袭击，须以各炮台及游动炮兵努力击灭当前之敌舰，以破坏敌军上陆之根据。同时以必要之兵力守备城区各要地，并掩护各炮台另以强有力之兵力攻击已上陆之敌，压迫之于江中而歼灭之。三、对敌机空中之袭击，须将所有防空部队由防空指挥官统辖之，应于各要点设对空警报机关，以早探知敌机之行动，一接敌机接近之警报，即以防空飞行队驱逐敌机于都市上空之外。高射炮及高射机关枪充分准备，俟敌机一入射界即迅速击灭之。四、对诸兵连合之敌，须以警备区之预备队或集中野战军以击攘之，并须于距南京较远之线努力抵抗敌军之前进。无论敌由京沪路或京杭国道或江北地区前进，均须利用地形，以一部任正面防御，以主力攻击之侧背为要。五、若战争期内能封锁长江，且长江上游、南京、汉口、重庆间无敌舰时，则游动炮兵与守备队之一部自可转用于他处。六、一般之备战要领。（1）战衅将起时，南京警备区域即宣布戒严。（2）规定江宁区要塞驻京军队及宪兵警察之备战准备及任务。（3）决定警备区是否隶属于野战军或仍是独立防御。（4）决定以何种部队为警备区预备队，何种飞行队配属于警备区。”

就这份《防守计划》而言，总体战略安排并没有特别不妥，问题是后来的形势变化和老将手下的那些实施这个计划的具体人身上出了大毛病。比如在南京保卫战打得最激烈的时候，有个部队在守城时发现他们的水泥防御掩体，除了表面有一层水泥之外，里面竟然尽是竹竿等物，别说敌不住小鬼子的隆隆战车，就是子弹也抵挡不住呀！难怪守城士兵直骂老蒋和当官的是“拿我们的性命来养肥他们的家业和狼心狗肺”。

根本的问题还不在于此。根本的问题在于“七七事变”后的蒋介石及他的同僚们在对日开战一事上一直犹豫不决，并存有幻想，因此在实施防御备战中不那么有力，导致了日本人杀到门口时束手无策、慌乱一片。

“淞沪战役”之前，中国正面军事力量为：陆军步兵有 182 个师、46 个独立旅、9 个骑兵师、6 个独立旅，炮兵 4 个旅、20 个独立团；海军约 11 万吨位；空军各种飞机共约 600 架（其中战斗机 305 架）。初期国军能用于第一线作战的其实只有步兵 80 个师、9 个独立旅，骑兵 9 个师、炮兵 2 个旅和 16 个独立团。而日本军力大体为：兵员 448 万人（作战部队 199 万人）；海军 190 万吨位；空军约 2700 架飞机（陆军飞机 1480 架、海军飞机 1220 架）。面对强大的日军，蒋介石听进了法肯豪森的“以广阔之疆域，拖垮之后勤供应困难的日本”之“持久战”建议，并且也作了兵力和战术上的布置，将全国战场分为五个方面，其中东正面即江苏区和浙江区，包括上海。首都南京是蒋政府的总部，但由于南京与日军上岸线路太近，没有纵深和持久的防守可能，故撤出南京的计划其实在蒋介石心目中早已有后备方案，但作为一国之首都，不保南京，显然无法向国人交代，更有损“国体”与“国威”，所以蒋介石在“誓死保卫南京”问题上一直调子很高。

从7月11日至8月1日的22天时间里，统帅部连续开了22次军事会议，每天研究敌情和“七七事变”后的前方形势，结果由于军力较弱和战略失误，蒋介石等国民党要人眼睁睁地看着平津失守，日军又在东边起兵滋事，在最后几次军事会议上已经着重研究了长江沿岸各城市的备战问题。可是，疯狂和野蛮的日军并没有给蒋介石和国民党军队任何喘息时间，一步更比一步紧地向中国军事和政治中心——南京进犯。

8月12日，上海告急，南京城里的蒋介石和军政大员们召开国民政府党政最高领导人参加的联席会议，商讨抗战大计，并推荐蒋介石为陆海空大元帅，以军事委员会为抗战最高统帅部。老蒋说：“现在都啥时间了，搞那么多名目有何实用？别再给我弄个大元帅名堂了！有最高统帅部便是。”

也是。同僚们表示赞同。于是除了蒋之外，最高统帅部内设了参谋总长，何应钦任之。当即，最高统帅部制定了对日作战指导方针：“国军一部集中华北持久抵抗，特别注意确保山西之天锁堡垒；国军主力集中华东，攻击上海之敌，力保淞沪要地，巩固首都……”可悲矣，上海前线失守，“巩固首都”一事即成泡影！

南京危矣！

2. 空袭从8月开始

南京也算是笔者的故乡。南京更是朱成山的故乡。朱成山后来把“南京大屠杀遇难同胞纪念馆”搞成中外著名的场所，与他对南京这个城市的感情有关。他说他的爷爷在当年日军侵占南京时就在市中心新街口的一家银行上班。“日本人打来后，爷爷逃回了老家六合。爷爷常说，日本兵杀人如麻。”数十天后，他爷爷回到南京时还到处能看到暴露在外的一堆堆尸体。朱成山因为爷爷在南京工作的原因，从小在南京长大。后来在南京当兵，转业后又很快当上了南京大屠杀遇难同胞纪念馆馆长。他是属于命里与“南京大屠杀”结缘的南京人。

在我写作之中遇到的许多南京人，他们说起“爷爷辈”的事情时，几乎都能说出一段段各不相同的有关日本人在这个城市留下的罪行。

日本人最先对南京犯下的罪行是8月初开始的大轰炸，因此南京保卫战其实是从这个时候就开始了——

这一天——1937年8月15日即“淞沪大战”的第三天，日军战机便开始向南京实施大轰炸，而制订轰炸南京的计划则是在9天前的8月4日，日本军令部次长已经向在华的第3航队司令部发出了战斗指令，要求他们立即制订攻击南昌、南京、句容、蚌埠、广德和杭州的空袭计划。首次攻击南京的是第1联合航队的木更津航空队。

上海的中日大战刚刚拉开序幕，小日本的军机就将目标直指近在咫尺的首都南京。下面是一个名叫中佐阿信夫的人在他的《支那事变战记·海军航空战》一书中所描述的日军首次袭击南京时的场景与心境：

第一回渡洋爆击南京

（1937年）8月14日以来开始了我海之荒鹫的渡洋爆击行动。当天目标有杭州和广德。翌日扩大到杭州、南昌、南京等地。

在此行动中，空袭中国首都和军事中枢南京，不仅在军事上，而且在精神上也取得了极大的效果。

这天上午9时半许，我海之荒鹫越海长驱，令人难以置信地出现在南京上空。南京城在暴风雨中摇摇欲摧。这里，并非晴天霹雳，而是在大雨中突然听到雷霆。许多炸弹从云中落下，敌军狼狈不堪，南京市民惊愕不已，实在难以用言语表达，这也不奇怪。

我海之荒鹫穿破密云急速俯冲，一机又一机，一队又一队，在南京城头穿梭一般掠飞，坚决对准敌人的重要军事设施，进行果敢猛烈的轰炸。下边警报汽笛声大作！从紫金山开始，然后是从围绕着南京城的防空阵地上，中国兵用枪炮向我低空飞行的海之荒鹫胡乱地射击，炮声和炸弹爆炸声在暴雨中混成一片。

敌十余架轻快的战斗机，迅速起飞努力进行防卫，在雨中的南京上空展开了极为壮烈的空战。

那时，我机队对南京城内外敌航空基地的飞机库实施轰炸，炸毁了3栋飞机库及其指挥所，还有库外的飞机8架以上。

这一天，在南京及苏州上空的空战中，确实击坠敌机9架。

这第一回空袭南京行动，无论是在我国的航空史上，还是在世界航空史上都具有划时代意义，是一大历史壮举。

然而，为了这个伟大的战果，我军也付出了出乎意料的巨大牺牲。昨天以来，我军损失了 8 架飞机，机上可贵的空中勇士也大部分阵亡了。

他们的牺牲，主要由于天气浓云密布，以及在对敌军事设施和机关目标实施超低空轰炸时，受到敌人防空炮火有力打击的结果。

这种掠过南京城头的英勇的超低空飞行令世人震惊！由于天气不好，有可能危害到非战斗员及第三国国民，我们从皇军的人道主义和国际影响出发，对此后果进行了认真考虑。

我们第一回空袭南京的伟大战果引人思考。我们对一去不归还的荒鹫上的英灵充满敬意。让我们听一听关于实战的谈论吧！下边是越洋空袭南京的官兵们在士官室里的议论。

司令说："至今为止，我印象最深的莫过于对南京的第一回轰炸。大家第一仗，就冒着猛烈的台风，大举进行从未进行过的越洋空袭。而在此前的 13 日中国空军重型轰炸机夜郎自大地在上海上空逞威。这令人十分遗憾！因此，大家都下了难以用语言表达的悲壮决定！我认为，大家在暴风雨中干得太棒了！当然，在第一回行动中，我机队牺牲很大，这决不会忘却！"

接着，一名荒鹫队员谈了战斗情形："接到司令的攻击命令后，我们机上的人都不折不扣地勇敢行动起来。海上视线极差，乌云翻滚，飞机高度仅 70 米，可以说是贴着海面飞行的。风暴异常凶猛，真担心机翼会折断，但它却很坚固。

"不知不觉，我机队已飞到了大陆，发现了著名的太湖后，将飞机拉高到 300 米。这时，有 3 架敌战斗机勇敢地冲了过来。空战进行了 30 分钟，我看见了 1 架敌机坠入湖中，另有 1 架在田地里迫降。

"此后，我机队飞至长江上空，高度降到 200 米。我机队沿着通往南京的一条大道直逼南京城。

"云层仍很厚，我机贴在云层下 400 ～ 500 米的高度飞行。

"我机队 Y 分队的飞机轰炸了明故宫机场，I 分队几架飞机轰炸了大校场机场，炸毁了许多飞机库及在停机坪上的敌机，在明确战果后，它们返航了。

"下关、紫金山及机场等处防空炮台上的高射炮和机枪对空中进行了猛烈射击。

"我位于分队的首架飞机上。轰炸过后，正与敌 5 架战斗机遭遇。经过一番空战，击坠了 2 架敌机。我分队的第 4 号飞机发动机好像中弹了，渐渐同机队拉开了距离，终于被敌机集中进攻，起火落地。

“当时，我的 1 号机也多处中弹，侦察员渡边曹长中弹阵亡。接着，发动机也中弹了，只剩一台可以工作。因此，飞行速度骤减，高度也不断下降。将机上重物全部投弃后，飞机维持了 100 米左右的高度，飞到太湖附近。

“为了保护指挥官座机，2 号、3 号机数次折返到我的机旁。尽管我命令它们立即返航，但它们仍飞回来。这样下去，我分队必将全部成为敌机攻击的牺牲品。于是，我强令僚机先行飞去，我机则用一侧的发动机，以一半的速度，勉强维持了 150 米高度，单独返航。

“由于无线电收发报机中弹不能用，所以我一时产生过悲壮情绪。但是看到部下都沉着地执行着各自的任务，我感到一定能冲破敌人空域平安返航，而决不应有绝望之念。

“当飞机在济州岛基地着陆时，我深切地感受到平素训练的结果和部下的信赖。”

司令一直听他讲完后，又说：“你在电报中报告称，我机现正用单引擎作单机飞行，航速 X 公里。此后几小时没有再报告一句话。我失望了，误以为你的 1 号机同 4 号机遇到同样命运了。哈……”说完后，惨笑了。

这一天，受损失的还有 I 分队和 H 分队。H 分队长说：“我分队飞至中国大陆时，什么也看不见，并且与别的分队分开了。这时，我透过云层见到了芜湖市街。我曾想过，就顺便将这里的机场炸掉吧！但又一想，对南京的第一击是大事，所以没有随便投弹，一路飞向南京。

“不久，见到了明故宫，于是在 500 米高度轰炸了地面的敌机。

“紫金山上射来了猛烈的炮弹。我机在南京城上空盘旋一圈，发现了大校场机场后，投弹将地面 4 架敌机完全炸毁。

“这时，敌军的五六架飞机前来挑战。经过空战，击落了其中的 3 架。此时，我分队的 4 号机中弹起火，倾斜逐渐下坠，着地时燃烧起来。在此前后，2 号机也坠地起火爆炸。

“完成了轰炸敌机场的任务后，我想无必要在低空受敌炮火伤害，便毅然拉升飞机高度，飞入云中。

“进入云中后，外边什么也看不见，与 3 号机也飞散了。虽然通过无线电报得知该机平安，但此后 3 小时的盲目飞行非常困难。

不是悲观，只是与战果相比，我分队损失比其他分队多一倍。回想起僚机坠落情景，返航时我一心想下次一定要狠狠报仇！”

司令接着说：“对南京的第一回轰炸，由于天气恶劣，云层低，又都是实施低空袭击，因此对敌人打击很大。然而，我们也遭到了损失。报仇之举就是对南京第二回轰炸，这样大家可以出出气了。”

以上是第一回轰炸南京的情况。

存于中国第二历史档案馆的抗战《战时旬刊》[第236～237页，民国二十七年（1938年）一月二十八日]上转录日本《亚细亚》报刊发的日军战地记者采访日空队长平本谈第一次轰炸的“战斗经历”，题为《小小地轰炸南京》的文章，同样记录了日军飞行员首次轰炸南京的详情。

时间是在8月15日的清晨，我们出乎意料地接到一个命令，连军号都没吹，就命令我们飞过大海去轰炸南京！这个命令在我们的一生之中，虽然是个大刺激，但是这个机会，确是千载一时而为我们所长久梦想的。

我们排成了队伍，每队面前放着一架巨型“雄鹰”机。

我走到飞行员的前面，接到了他们“业已准备”的报告，转向空军根据地的司令官报告。他以简短的命令对我们说：“立即出发轰炸南京。”

像触电的蝗虫一样，所有的人员迅即爬上载着日本远东命运的巨机。

飞机立刻平静地离开了推动机桨的人员，一架一架升到天空，我驾驶的一架领着前导。升到空中以后，每架飞机都依次排成队形向海面进发。

天空很沉黑，为低气压的层云所掩。俯视大地，一无所见。我们知道台风正在向着上海方面推进。而我们却一直飞向大风暴的核心。在我们下面，海洋发出白色的怒浪。我们以70公尺的高度在海面上飞行。不久我们觉得风暴从南方向我们打击过来。机翼不断地振荡，究竟能否吃得住，我们也顾不到了。总之一路都在恶劣的气候中过去。

在我们无数次的学习中，从未遇到过这种情形——这种在大海上与飓风搏斗的轰炸飞行，但是我们的心中都藏着一件事，使我们丝毫不顾风暴以及与风暴俱来的危险。一天以前，正在8月14日，中国军用飞机飞到上海南京路口最热闹的地方对上海非武装人民——日本人、中国人和欧洲人——施行了大屠杀，并且炸了华懋饭店和汇中饭店。中国的空军正像他们的陆军一样，是空中的强盗。我们之所以要报复，正在于此。我们热切地等待着这个机会的到来。而现在我们要给他们尝尝真正的讨伐是个什么样子，给这些夜郎自大的空军一些教训。

我们在云雾深锁的山头飞行了几小时，终于发现了上海的模糊的地平线。不久又在云际里望到了下面一个大湖——太湖。我们升到300公尺的上空。

立即有5架敌军战斗机不知从什么地方出现，向我们勇敢地冲来。双方的机关枪声组成了一个合唱。双方的飞机组成了一个圆舞。但是正像你开照相机头样地快，我们射下了2架敌机。我看见有架敌机尾部冒着烟火跌到湖水中。另一架却盘旋而下，跌到田地上着火。

其余敌机连招呼都不打一个就迅即和我们告别了。

这是我有生以来第一次空战。我似乎感到不满足，那是太短促了。我看到敌机下坠心中受着刺激。但是现在一切都已过去了，像梦一般地过去了。

我们掉转方向，朝着南京进行。

我们早已望见南京的天空。我们的敌人，必定已经得到我们来袭的消息。所以拱卫这座古城的山头，鸣着高射炮向我们敬礼，而在紫金山上的炮声，尤其响得厉害，俨然领导着合唱。

南京埋在密布的彤云之下，我们必须飞得很低，才能把目标找得正确。我们是知道低飞足以使敌人高角度的炮火瞄准着我们的。如果我们像那些抽鸦片的中国飞行员那样糊涂疏忽，我们就可以完全不被中国高射炮阵地所望见，而在云上很高的高度丢下炸弹，不损一丝毫发飞回日本国。然而我们并不是空中盗匪。我们对于每颗炸弹都要用得够本，那是很费钱的，要费许多钱的，而这些钱都来自纳税的农民，他们得之匪易。我们不能随便靡费一颗炸弹，而必须瞄准敌人有威力的军事设备和武器。更甚于这些打算的是，我们帝国海军的严令，不肯在任何情形之下，轰炸非武装的平民。这是有关皇军荣誉的事。而这当然比生命更加重要更加宝贵。

所以我们在无数高射炮弹之中来回盘旋。那些高射炮位，有许多设于城里面。而在我们愈飞愈低的时候，望到许多受惊的南京市民纷纷向避弹室奔避。我们并且看到他们被自己的高射炮弹所打伤。最后，我们正确地找到了目的物，不但如此，我们还能够清楚地看到详细的情形。下面是大校场军用机场和故宫飞机场。

我们的轰炸机像传信鸽子一样向目的物投弹。我们飞得很低，甚至爆炸的震动都可以感觉到。飞机库的巨大屋顶飞到空中，像魔毯飞到火山口上一样，而在口上冒出红里带黄的火烟。雷雨似的炸弹，把飞机库和附近场地炸成粉碎。那里面大概有20架飞机。当烟消火熄的时候，这个伟大的军用飞机场已经化为断垣残迹了。

我们在那里的任务完毕以后，就注意第二个目的物，即城内的空军根据地故宫飞机场。这里又重演了一套大校场的故事。当我们丢完了炸弹完成了任务以后，我们就向本国飞回。这时正在下午3点零一些时。这期间，我们成了城内外山上的高射炮火的共同目标。整整30分钟之久。我们有几架飞机的确吃了好些子弹。

我们离开南京城时，有5架敌机从云端里出来。我们立刻以机枪互相交换敬礼。说时迟，那时快，我们打下了2架敌机，其余就立刻逃跑，我从来没有看到军用飞机逃跑得这样快。我看到我们的4号机出了毛病。它的发动机已经不受指挥，它落在后面不能归队，敌机便集中火力向之射击。我看见它冒出烟火跌下去了。

我们驾驶的是架领导机，我们当然以指挥者应有的态度注意各方面，一等空军兵曹Watanabe立时阵亡了。一颗子弹打坏了我们的无线电。还有一颗子弹完全破坏了我们的一个发动机。我们的速度减了一半，并且逐渐失去了升高能力。凡是能够弃脱的东西，我们都把它们丢到机外，以减轻重量。我们只用一个发动机在大海之上，与恶劣气候搏斗着飞回。当我们最后到达本港的时候，许多担心我们的日本战士都模仿着半歇斯底里的小学生，疯狂地欢迎着我们。"谢天谢地"，空军司令官高喊，"我以为你们这些家伙也遭了4号机同样的命运。你看，自从你发出电讯:只用一个发动机飞行后，到现在足足有7个钟头我们未曾接到任何消息。我们大家以为你们一定完了。"后来我小心地爬出了我这架可爱的飞机。

我一数被敌人枪弹和炮弹所受的伤洞，足有48个。因为在我们第一次轰炸南京中，我们始终保持高度极低的飞行，所以我们的掷弹异常准确。然而也就是这个原因，我们所付的代价——所受的损失——较以后任何次轰炸南京都要重大……

从以上日军现场所述可以看出首次轰炸南京时的强盗心境，"激动"和害怕、"胜利"和惨败皆能详尽一睹。从这些来自敌方的真实记叙中，也可以看出中国军队当时其实也不含糊，尤其是防空力量的坚决反击，给予了日本侵略者最沉痛的打击，这与之前蒋介石他们事先安排的首都防空计划有关。据笔者查阅到的资料，日方第一次轰炸南京的飞机共20架，由木更津航空队林田少佐指挥，上午9点从日本本土的大村空军基地起飞，横跨东中国海，直抵南京。下午2点50分到3点半之间以南京机场为主要目标实施了轰炸，晚上9点20分才回到本土，被我方击落4架。

8月16日，日机再次准备袭击南京，由于海上台风起，日军机临时改为轰炸苏州机场。两天下来，日军机损失很大，担任空袭南京的木更津航空队由20架飞机减少到了8架，“这是由于在恶劣的气象下，断然进行白天和黑夜低空攻击的缘故”，日方这样称。损失数量如此之多，给日军的心理打击很大，“由于牺牲的增加，使对渡洋轰击产生不安情绪”。于是，日大本营调整轰击战术，尽量少用本土上的军机进行隔洋袭击和低空轰炸，改用驻台湾机场的军机飞抵中国大陆。

此间，中国空军尚有战斗力，因此日军机轰炸南京，中国军机除了出击迎战外，也向日本在上海的部队驻地发起攻击。那些日子里，京沪杭大地的上空，真正是演绎了一场史无前例的中日大空战。至18日前，双方不分胜负，虽然中方地面损失很大，但也消灭了日空军的有生力量。19日后，形势却急转直下，原因之一是日海军成功破译了中国空军的部分密码，故能迅速准确地察知我空军战机的移动和集中情况。得令的日军在这一天下午开始轰炸南京城里的火药库，随后又在黄昏时轰炸了军官学校和兵工厂，同时还袭击了国民政府参谋本部。好在南京的对空防御设施尚有还击之力，这一要害部门并没有惨遭严重破坏。

然而，日本兵是如何得意呀——下面这段描述，还是那个平本向他们的战地记者描述19日那天他参加“第二次轰炸南京”的战斗情形：

> ……一切我们都报复了。这是4天之后的事情。
>
> 天气已经晴朗了。我们准备在日落不久之后轰炸南京，我们从容地就飞到了。正和我们第一次轰炸南京一样，我们环绕着这个城市飞行了许多次，仔细地选择了目标。从紫金山，从城墙上，以及从城内，所有的高射炮都对准我们开起来了。夜空中突然间布满了从高角度的高射炮和机关枪中放出来的子弹，死亡整个地控制了这个古老的城市。
>
> 可是这些子弹好像几万颗五光十色的繁星同时在这城市所有的上空爆发起来。如同东京一年一度的，我国小孩子们所喜爱的大放烟火的奇景，与这比起来，简直是一根将熄的火柴的最后一瞬而已。红的、蓝的、橘色的火焰在不停爆炸着，布满了南京的夜空。
>
> 8时过了一点，我们找到了南京中央军校的一丛建筑，于是请它吃了10颗炸

弹。所有这些建筑，一时间都化为灰烬。然后，我们又转向参谋本部的建筑，也请它吃了10颗炸弹。在又做了几件轻松的工作以后，我们飞向家乡了。

晶圆的明月在我们的上面，笼罩在无限的银光之中的大海在我们的下面。而最妙的是，第二次南京轰炸，我们未损失一机。因为这一次日本的“雄鹰”十分完好。在飞机里面，一共4个飞行员，除了驾驶员，都受了天赐的一场无梦的甜睡……

强盗如此得意忘形，而我堂堂一国之都，每天遭受强盗的空中大轰炸，惨不可睹！那些达官贵人和军队战斗员及政府机关的公务员等能有防空洞可钻，一般的市民只能待在家里听天由命。自8月初日军空袭开始，古老而美丽的南京城，从此变成不堪目睹的火海与废墟……生灵涂炭，一片狼藉。

心中闷闷十分忧伤，
我要轰轰烈烈而亡。
决不能就是这种样！
决不能就是这种样！

这显然是首“打油诗”。但写打油诗的人此刻却紧握铁拳，想把小日本鬼子砸个稀巴烂。他便是著名的爱国将领冯玉祥。面对敌军狂轰滥炸，巍峨挺立的冯将军内心涌上一番有劲使不上的痛苦感觉！

从8月至11月13日“淞沪大战”结束的三个月里，日机除了阴雨天和台风时，几乎天天“光临”。南京人在那段时间里的苦难与无奈，只有南京人自己知道。面对日军如此猖獗的野蛮行径，当局和高层及知识界是如何应对和看待的，则是笔者很想知道的事。恰巧在写作此书时看到了郭沫若先生在1937年9月下旬来去南京时所写的一篇题为《在轰炸中来去》的文章，甚为兴奋，摘其中几段给读者——

（1937年9月）二十号傍晚离开上海，到达某地。正拟往访陈由时，陈诚偕某部长迎头而来，言将往前方对某师作训话。于是又被他约上车，向某地出发。

车中陈诚告我，某师战绩最佳，现整理完备又将加入前线，集合王长以上的人训话。

在敌前集合全师官长作训话，虽在夜间，我是感觉着有点冒险的。这冒险，陈诚也有点担心。他在一次长时间的沉默之后，突然对我这样说：今晚要托你的洪福才好。

这意思，我没有懂得。

陈诚又才加以说明，他说，你自己的文章上不是说过，说你今年，大运？

这一说，我便恍然大悟了，原来他读过了《由日本回来了》的我那篇文章，那儿是写着我四十六岁交大运的。

夜是朦胧的夜，月光藏在云中，但隐隐可辨其所在。到达目的地时，正面的空中有红绿各色的光球升上，是汉奸放的信号。接着便有飞机的拍音，但机影不可见。

士官们集合在一处草坪上，早就在等待着了。

陈诚约某部长和我一同去训话，但我们辞谢了，立在路旁听候。

训话在一小时以上，因为在陈诚之后，尚继之以军长、师长。

正在训话途中，轰然一声落下了一个炸弹，离集合处不远，自然是敌机投下的。但士官们屹立着，连头也没有动。

训话毕又登车就归途，途中，陈诚又对我说：今晚真是托了你的洪福，假使那个炸弹投在队伍的正中，岂不是一场大祸？

是的，我自己近来都有点相信命运了，就是我自己托福的事实在很多，这怕是托的国家民族的福吧？所谓“国家将兴，必有祯祥”，我看，似乎是有些道理，但这道理，我现在还没有工夫去参透。

在某处与某部长相别，他是要往苏州去的。他说，他明天下午要回南京，我便想揩他的油，搭他的汽车同去，约好了明天往苏州访他。

到达司令部时已夜半二时过，是夜宿陈诚室中。

二十一日傍晚抵苏州，用电话叩问某部长，某部长已去矣，当夜决于吴县留宿。

宿处有桂花，在暗中吐放着浓重甜蜜的香气。时有飞机来的警报，但我处之泰然。睡眠甚安稳，因一切行装乃来时在上海所新制者，颇觉舒适宜人。

次日，因须等汽车从前方开来，便得到了充分的闲暇，午前在苏州市上观光了一遍。市民尚镇静，但商店多关门，这心理觉得有些可笑。关门大约是防御轰炸吧，然而飞机的炸弹如投不中你的店铺，你何须乎关门？如投中了你的店铺，关门又有何益？这与其说太不够勇敢，宁可说太不够聪明。

…………

发车时是傍晚六点钟。雨在微微地下着。走到一处有两架大卡车停止着的地方，我俩的车也停止了。前车的司机来告诉我们，有敌机空袭。谛听时，在朦胧的夜空中果然有拍音，但不知究竟是我机，抑系敌机。

拍音消逝了，车又开动起来。

整整走了一个通夜，直到二十二日的清晨五时，才到了南京，据说，夜里所走的公路是绕过了 ×× 的。

到了南京，最初是拜访第 ×× 军驻京办事处的赵处长。由赵做向导，接着便去访问了周至柔。和军事上的朋友谈话，我觉得是有趣味的一件事，因为他们的态度直爽，抗战意志也很坚决。

是在周至柔那里讲的话。我的估计是苏联的加入战争，或许会由日本先行着手的形势而发动。原因是日本所最恐惧的是苏联东方军的空袭。苏联由海参崴发动空军力量，可以炸毁日本的心脏地带，如东京、横滨、大阪、神户等地，而且飞机的飞程可以来而复返，返而复来。日本的空军固然也可以炸毁海参崴或更进炸毁贝加尔湖南之重工业地带，但此等地带并无关乎苏联之生死存亡。日本的空军要想炸到莫斯科或列宁格勒，那等于是一种梦想。我们的对日抗战，日本人是在求其速战速决的;然而我们的抗战意志日益坚固，速战速决已经势不可能，这使得日本人发生了焦躁。抗战愈持久，日本人的焦躁愈亢进，因而对于苏联的恐惧也就会愈见激增。为要解除自己的恐惧，我觉得日本人有先下手袭击苏联的可能。

周至柔不甚同意我这个意见，他说，日本人是应该先以全力对付着我们的，一面敷衍苏联，不让他卷入旋涡，方为得计。一时要对付两国，他是不会那样愚蠢的。并且苏联的战备，他也袭击不了。

周至柔的见解本来是经常的道理，站在理智的立场上来说，自然是应该先以全力来对付我们为得计。然而日本军部早是把理智丧失了的。他们如还为理智的活动，第一他们就应该觉得到对华侵略只是增长他们的亡国的危机;其次至少也应该觉察到既在华北作战，便不应该再到南方来生衅。然而关于这两层他们都死不觉悟，我们可以揣想到:他们自己会是以袭击苏联为得计的，盖兵法所谓“先发制人”也。

在夜色苍茫的园子中，真如告诉了我一段故事。

“‘二八’的炮手”——吴 ××，和他的日本夫人离了婚，上华北的前线去了。

这，我觉得，是很好的一项戏剧材料，我现在略略提供一些素材出来，希望在闹剧本荒的戏剧界能够有人把它剧化。

吴××是日本的士官学校毕业生，广东人，身体魁梧，年纪只有三十左右。“一·二八”时是旧十九路军的团长，在“一·二八”的当晚，他的日本夫人替他生出第一个男孩的时候，他在闸北向日本军人放出第一发大炮。

旧十九路军云散后，他游历过欧洲，在前年，又重到日本，我是那时和他相识的，也和他的夫人见过几次面。他的夫人很爱他，他也很爱他的夫人。不久他们便回广东去了。

今年我回上海，吴刚好由庐山下来要回广州，在上海又曾经聚首过一次。那时他告诉我，说他很关心他的夫人，又说他的夫人要有第三次的分娩了。回广州后曾来一信，报告那第三次的分娩又是一个男孩。

相别不久，全面抗战的局面便展开了。没想出仅仅两个月的光景，他竟和他的夫人离了婚，跑上了华北的最前线去。

离婚，据真如说，是双方合意的。在他俩的离婚席上，真如曾为他们作证人。二男一女是由他的夫人带去了。

吴夫人在当席说过这样的话：吴，你是军人，处在国难严重的时候，正是你应该效命疆场的时候，请你不要顾虑我。我虽然是生在日本的女子，但日本军部的侵略兽行，我是彻底反对的。你的儿女我要尽心抚育，要使他们承继着你的志气，使他们永远是中国的儿女。

这，可不是一场悲壮剧吗？

吴××尽可以留在广州尽他的职守，然而他却上了华北的最前线，这心情是值得称赞的。

在夜色苍茫的园子中听到真如这段故事，我自己一面感觉兴奋，但一面也感觉会心的微笑……

——中国有这样的军人，中国不会亡！

季惺的家在P路某号，是一座二层楼的洋房。前庭的一片草坪里已经掘出两个防空壕；但当她带我上楼时，还指着屋外正对面的一个土丘，高与楼窗齐平，对我说：我们在那土山下，还因山掘了一个土壕，上面的浮土有两丈多厚，一有警报来，我们便跑进那儿去躲避。

接着又把警报的方式告诉我，据说是用哨子。当有敌机来时有第一次的预行警报；敌机逼近了，有第二次的紧急警报。第一次警报时便当作避难准备；第二次警报时便一律都进防空壕。等到敌机走远了，又来一次哨子是警报解除的表示。

听着这些话觉得有点像童话般的滋味，因为住在租界里的人是从没有经受过这样的训练的。

晚饭应了周至柔的邀约，有赵处长同座。

周和我才见两次面，他的体魄很魁梧，他对于文学也有趣味。他谈到了郁达夫，谈到了茅盾，更谈到了恽代英。他说代英不仅长于演说，而且会做文章，可惜他死早了，不然在现在又是该他活跃的时候。谈到了敌人的轰炸南京上来。敌人早就宣言过，二十一号的正午以后要大规模地轰炸南京，请各国的外交人员和居留民一律退出。这种拙劣的暴戾的宣言，表示透了日本人的夜郎自大，欺软怕硬。中国人是好惹的，打死几十百万都不要紧，外国人却不好惹呵！日本人在外国人面前是侏儒，在中国人面前是“哼哈”。这就是他们的“武士道”。狗屁！

——敌人的飞机多多飞来袭击后方，倒是我们所欢迎的，因为那样可以减少我们前敌将士的痛苦，增加我们全面抗战的敌忾。这是周所表示的意见。

平型关的胜利也由周口中报告了出来。这消息在中午时早就听见人说，但大家还在半信半疑，这次是证实了。但作战的情形和参加作战的部队，还没有得到明确的报告。

饭后我向赵说：我打算在一两天之内回上海，因为还有些要紧的工作非去处理不可。

赵说：汽车是方便的，随时可以动身。又说他也想到前方去视察，已有电向前方请示，大约明天便可以有回电。

于是我们便约定明天下午三四时左右离开南京，假如一切的情形是许可的时候。

既决定要赶回上海，有向蒋交代的必要。从周的公馆退出之后，我便再去访问张群，托他为我转达。同时也把蒋和我的谈话对他说了，重申了我自己的不敢接受名义的意见。

张群都回答了，要一一为我转达。他问我：是不是还想见见汪先生？

我说：只要他方便，我可以去。

张便去打电话给汪，约定了明天上午九点钟在某处会面。我把平型关胜利的消息告诉了他，他还向有关方面把情形问清楚了。

胜利的确是大规模的，毙敌三千，俘虏二千，虏获敌人军实辎重无算。敌方是精锐部队板垣师团，我方部队是八路军。作战的情形是先以一营人扰敌后方，诱至有埋伏的山谷一举而歼灭之。

真是愉快，假使是在十年前，听到这样的消息，一定又牛饮了一大瓶白兰地。

二十五日的南京特别晴朗。一大清早起来便有人在说，今天恐怕有敌机来袭。果然，在九点钟左右，我正要乘汽车去访汪的时候，同居的人说，警报来了。——这警报在我半聋的耳里，实在什么也没有听见。

不一会又是紧急警报，于是同居的人都一齐跑向对山下的土壕里去躲避。他们都很关切我，叫我进最深处去坐。壕是因山凿成的，除有进口外，没有通气的气孔，坐在壕里做了一会两脚老鼠，实在有点气闷，我又移到近口处来。高射炮在轰隆地响。

季惺和铭德是上报馆去了。季惺有一位兄弟叫友海，还在高中读书。这位小朋友很活泼，穿着一套黄色帆布中山装，戴着一副黑色的羔羊角般的扩音器，站在进口的阶梯上瞭望空中的情形，一一向壕里的人报告。壕里有一人向我说:友海是我们的哨兵。

——他很有趣，等我也来替你俩当个哨兵。我说着也就索性站上阶梯上去了。

——郭先生，你下来，危险。壕里的人在说。

——郭先生，你下去，危险。壕外的友海在说。

——把你那听器给我好了。我没有听从他们，只向友海要他那对羔羊角。

友海把听器替我套上了，声音是要听得大一些。

高射炮和敌机的角逐真是可观。

据我所看见的说，开始是有十一架敌机飞来，由南转向东城去预备散开，四处埋伏的高射炮一时震天响亮，炮烟在敌机的队中穿插。烟云和机影密接着，不易辨别清楚。

忽然有一声炮响得特别着实，敌机队中的第十架带着一股黑烟，像彗星一样坠落了。

——打得好，真打得好！敌机坠落了一架。友海高兴地向壕里报告。

敌机被打中了一架之后，其余的散开了，高射炮烟和它们角逐了一会，它们又各自逃窜了。空中的音乐告了一次中休。我和友海，索性离开了土壕，踞在土丘上瞭望。街道上除掉警卫的士兵之外，一个行人也没有。一切的交通机关早已绝迹。

寂静的街，万籁无声的海，但在这无声之中有意志力的波涛澎湃。

不一会又有一队敌机飞来了。这次是十五架，依然是由南而来，却转向城西北去散开。高射炮烟更加肩摩踵接地和它们角逐。忽然又是一声特别着实的炮响，敌机中的一架发出一朵红光，红光上冒着黑烟，又像一颗彗星一样，坠下了。

打得好，真打得好！敌机又打落了一架！友海跳起来了，比刚才更加高兴地向壕里报告。

怎么会放红光呢？我怀疑着问。

——那一定是打中了汽油槽。友海很内行地向我说。

被打落了的敌机落在城西北区，还冒起了一阵火烟。

其他的敌机慌慌忙忙地乱飞了一阵，又逃窜了。

很有好一会，上天下地都凝寂着，没有声响。

——真是痛快，到了一次南京，亲眼看见我们的空中战，并亲眼看见我们的高射炮打落了两架敌机，真是痛快。我自己对友海述怀着。

——高射炮打中飞机是不容易的事，我也是今天才亲眼看见。

——怎么不看见我们的飞机来呢?

——我们的飞机是在城外和敌作战，堵截敌机。如敌机窜入了城空，使用高射炮射击。在城空作战，弄得流弹横飞，对于市民是相当危险的。

友海好像是很明白作战过程的一样，确否不得而知，好在是年青人随便的谈话，姑且把它记录在这儿。

警报期间特别长，太阳把头晒得有点痛，我弄得有点不能忍耐了。

——我看警报是快要解除的，我俩回去吧。我向友海催着。

——好的，大概是快会解除了。

友海陪着我刚好回到门口，他说:哦，你有先见之明，警报解除了。

他是听见了解除警报的哨声的，但我依然什么也没有听见。

不一会壕里的人也回来了，大家都笑逐颜开十分高兴。

接着又是新民报馆铭德来电话，这电话中所报告的消息，更于大家的高兴之中又增加了高兴。

据说，这次的敌机来袭，我机在城外和它堵截了好一会，窜进了城空的，只是其中的一部分。

又说我们的高射炮，在浦口一炮连中了三机。怎么连中了呢？是因为一炮打中了敌机的炸弹，炸弹爆炸了，自行打伤了两架，一并坠落了下来。

一炮中三机！这在将来恐怕要成为谚语。这比旧时的“一箭射双雕”更来得摩登而可纪念。

敌人宣言，要把南京化为灰烬。

我却亲眼看见，敌人在南京化为了灰烬。

警报解除后，汽车又开来了。汽车夫异常的高兴，在车里连连地向我说，我们的高射炮真打得好，真打得好！城里所打落了的两架飞机，他也看见了。

一街的人都是笑逐颜开的，那笑中自然有从恐怖里解放出来的安心，而更加不用说的是含有真打得好、真打得好的欢喜。这欢喜把我们民族的感情打成了一片，我们要把这民族的欢喜汇成哄笑，轰落下敌人的一切的飞机！视死如归的欢笑的轰炸，这是我们的至精锐的武器，敌人，你尽量地来吧！

郭沫若是个浪漫诗人，中国军民对日军的抗击引发了他胸中的一股豪情，爱憎在郭沫若心中十分强烈而分明。

客观地讲，南京大屠杀之前，南京作为国家首都，蒋介石还是十分重视敌人的空中袭击的，除了把防空列入防御准备外，还专门制定了《防空法》，从这一点上讲，算国民政府早作了精神上的准备。在南京市档案馆，我看到了一份编号为11001-1-658的原始档案，这是蒋介石先生于1937年9月7日签发的防空密令，全文如下：“市政府、警备司令部并转警备司令防空司令：霆密。现值抗战期中，敌机不时来袭，各该长官均负有维护地方治安，保障民众安全之职责。关于各该省市及所属各地方之一切防空设备应即切实规划，认真赶办，尤应指导并协助民众掘筑六尺深、二尺宽之简易防空壕沟，上盖木板，厚填土层，随地构筑，愈多愈好。即便闻警趋避，尤属费省易举，安定人心关系甚大。务仰督率民众切实遵行并应加重各县县长之职责，一体遵办，毋稍敷衍。倘有玩忽因循或遇敌机来袭时地方长官自行畏避贻误空防，致纷乱秩序，加重地方民众之损害者，一经查出，当按军法惩处。仰即遵照，并分别转饬所属一体遵照为要。中正。”

在政府和军队的动员下，当时的南京军民对日军空袭，从开始的惧怕到后来的无奈，再到从容应对、有条不紊、甚至嘲讽、蔑视，很有大国风范。这里有三位中外记者在当时采写的报道，可一窥大轰炸时期的南京人心态，很有味——

国防部记者：

中国空军威力的一瞥

（刊于1937年9月20日《华美晚报》）

南京，是我们新中国的首都。它的轮廓，具有整齐的线条美，有古代宫殿式和现代立体式以及最精致的罗马式的建筑物，更有一切大都会所应有的热闹与繁华，无疑的，我们的南京，它和金的纽约，花的巴黎，铁的伦敦一样的庄严，一样的伟大，一样的重要！

前天，是一个闷热的秋之白昼，我翩然地从内地跨上了国都，那时正秋阳肆虐，柏油路被晒得软软的，发出一层油光来。当我的肉眼开始和首都接触的时候，我知道，首都已粉饰着一层战时的色调，玄武湖，非但没有“湖匪”——在湖中猎艳者——的疯狂，连卖划子的人都没有了！一派沉寂，虽然湖里的荷花还是那样抖擞地挺立着！

夫子庙的歌声是息灭了，毕竟被抗战的唤呼，惊散了我们的莺雏！

真的“鸡鸣寺”鸡不鸣，“莫愁湖”湖更愁了！

曾经梅兰芳博士登过台的大华戏院，门前钉起了一排木板，已变做了临时避难所，这好像是非常时期的一个特写镜头。此外如中正路旁的一个个地下室，也是战时特有的点缀。

晚上，新街口、花牌楼一带挺热闹的市口霓虹灯当然不会放光了，其他地方更不必说，就是中国银行屋顶上两个明亮的葫芦，也罩上了蓝布罩儿。

走上了建康路，另有一番风景线，在一家医院的上空，飘扬着米字旗，我们知道，全面抗战的空气笼罩下，南京的情绪，是相当的紧张了！

当我在一家“家常便饭，随意小吃”的饭馆里吃饭，蓦地里大喉咙一声狂叫，告诉我这是紧急警报，于是堂倌走来，要我算账，而且还要我立刻离开那里，他认真地向我说：“在这个时期来南京，住旅馆也得要有保人，尤其是在紧急警报的时候，谁家店铺都不能容留谁。”无奈，我只得颤栗地走出饭馆，那时马路上没有一个行人，戒备森严，木壳枪脱了壳，长枪上了刺刀，平端在每一个军警的手里，宪兵坐着卡车，风驰电掣地来往巡逡，所有的商店上了排门之外，还拉上了铁门。飞机的声音在响了，我仿佛是一头彷徨的羔羊，刹那间，宪兵把我领上卡车，载到了一个新民戏院所改造的避难所，防空秩序之好，在内地确是少见的。

避难所里的同胞已经很多了，这是出于我意外的事，有佩圆证章的机关要员，有教授，有低级的骡车夫，缝穷妇，大家在同一呼吸下，受着同样的集体虚惊！

我探头一望，晴朗的天空，飞着的是我们的武装的铁鸟，在青云里上下翱翔，忠勇地保卫着我们的领空，啊！伟大的中国“赫尔古列斯”啊！（注：赫尔古列斯为希腊神话中的英雄。）

但是我们确信首都的防空网是很密的，所以虽然站在生死线上，还有着无限的兴奋和无限的勇敢，实在的，首都的民众，都受有相当的防空训练，就是面对着这最凶暴最狰狞的现实，没有丝毫惶恐之色，这不能不算是中国的进步。

大概经过半小时许的光景吧？一个“解除警报”跳进了我的耳鼓，使我脱离了窒息的避难室。跑上马路，还看到一群驱逐了敌机，从容归来的铁鸟！

现在，虽然我已在一个夜里从首都回到了内地，但是我们空军的威力，在我的脑中，将经常地有着这个良好的信念。

徐志霖译的外国记者文章：

南京在空袭下

（刊于 1937 年 10 月 23 日英文报《大美晚报》）

南京的居民，现在是那么的习惯于日本飞机的空袭了，几乎是每天，当四周响起了防空警号时，他们便都满不在乎地躲入防空壕和地窟去，毫无慌张之象。

上海战事刚开始的那几个星期，日本飞机差不多天天光顾这里，有时一天来上个四五趟，那时候，当他们避入了地下室后，极其惊恐战栗，走出来时并窃窃私议着不知是否危险袭来。但是现在一听警号响起，都那样谈笑自若地走入地窟中，互相估计被击落的日机的数目。

显然的，南京的防空设备是非常的好，可算是全国各城市中最巩固的。在这里，有着很多架驱逐机，那确实数目当然是无从知道，总之是很多很多架，是专门用以来半路截击来侵袭的日本轰炸机的。城的四郊和城内各处，都置着高射炮，那数量也非常丰富，那是抵御未被中国飞机截住的日机。

每当日本飞机刚露出一点影子于云霄时，警号就急速地响起，居民可以有充分的时间避入公共的或私人的地窟中。公共的地窟满街皆是，像是和别的城市里的公厕一样的多和普遍。警号响起以后，担任防空的军队和警察立即驱除路上的行人进入屋内或避入地窟，街上再无人行走，等日本飞机已经离开，解除了警报的声音又响起，极短的时间内一切都恢复了常态。

日机夜间来袭时，警号一响，所有的灯火即刻完全熄灭。防空部队在各条街上来去巡逻，查看在第一次警号与紧急警号之间，是否还有灯火未熄，事实上居民都非常遵守纪律，绝无留有光亮的。巡逻者还有一项责任是仔细地侦察，是否有汉奸在放信号给日机。

在这样的情形下，日机要达到他们的“炸毁南京”的目的，那真是谈何容易。

当记者在南京时，曾遇到一次空袭，在那三架日机尚未出现前好久，警号就响起了，路上即刻成为无人行走的死街，路人即避入了地窟中，没有中国飞机升入天空，高射炮正在发挥着效能。

我们听到的中国高射炮的声音和黄浦江里日军军舰射中国飞机时，那种漫无标的的不绝的杂乱之声完全两样，中国的炮兵开得那样的准确，每一发炮都打得离日机那样的近，有一架日机被打中而受了伤，几乎要倾落到地下来，结果却狼狈遁走了，但是比其他两架要迟了一个钟头才逃脱。据说在中途是降下经修理过了。

在历次遭空袭时秩序都能这么的好，居民能这么的沉着镇静，这都是要归功于从前一次的防空实习的。

虽然日机是不绝地来轰炸，这里的一切却平静一如往昔。政府机关方面，下至警察所，上至五院及各部，都照常办公，职员绝无弃职离京的，并因“非常时期”工作只有紧张而时间延长，商店也均照常营业，只有夫子庙那一带的茶楼酒馆和其他娱乐场所都关了门，因为这些场合，现在是再无问津者了。

看到这种平静的状态，一个刚来南京的游客，如果他没有注意路旁的避弹窟，真是不会相信，这个城市曾是数星期来以至眼前，不知多少回遭日机轰炸过的，炸坏的路都连夜修复了，中央党部和下关那一带被炸区域，满眼秃墙断壁，残迹犹在。

我们还会去看过好几个被炸毁的区域，本来都是居民稠密的热闹所在，现在只剩得悲惨的一堆堆破砖败瓦了。

南京虽然时时有炸弹袭来，然后南京的居民，却镇定得如同住在上海租界上的人一样。

另有一篇中国记者陶镜寰刊于1937年10月19日《辛报》上的文章《首都空袭中的形形色色》更有意思：

首都空防警报计分五种，为空袭警报，紧急警报，解除警报，毒气警报，火灾警报，各以器具声响区别之。

首都首次遭受敌机空袭为八月十五日，遭受敌机夜袭为八月廿五日，轰炸最剧烈为九月十九至廿六日。

敌机赴首都夜袭，仅八二五一次，嗣后即未敢冒险牺牲。

九一九至九二六一星期中，敌机袭击首都，至为剧烈，全市商店，均困危险，令入防空壕避难，以致不能营业，唯酒馆业中山北路之岭南酒家，中央商场之厚德福，夫子庙之别有天等则仍照常开门，多数不怕死而好吃之客人遂趋之若骛，故该数家酒馆，莫不利市三倍，而账房伙计亦均喜笑颜开。

首都防空部队，射击异常准确，余曾目睹敌机两架，被我高射炮击落，但见敌机中弹后，全身起火，机首下向，机尾朝天，迅速坠落，疾若奔电，转瞬之间，即坠地焚毁，同时机身附着之炸弹，亦于空中爆炸，机中零件四散落地，机中敌人亦随弹片飞裂，无劳我红十字会棺木为之收殓矣。

敌机在首都上空被高射炮击落者第一次为九月廿五日坠落于城内王府园索姓宅内，因索姓全家去乡，故未伤人。

全面抗战发动以后，首都房东，均自动停止收取房租，一般市民，既无房金之催索，复无电费之支出，深觉留京不特毫无危险，反有种种权利可享。

夫子庙著名茶楼奇芳阁，因惧轰炸停业，多数吃茶朋友，均望门兴叹。

敌机残骸，均分地陈列，首先陈列于第一公园烈士祠者为重轰炸机一架，各种零件亦附设陈列。因之前往观览者，日数万人，遂形成超纪录之繁荣。

近有人提倡，以为电影为教育之一种，首都影院自战事发动后，即停止献映，殊属影响宣传，亟应选拔关于革命，战事，冒险，科学，爱国，各种名片在各影院放映，以便提高国民爱国情绪。

某报广告部职员赵某，因敌机曾在国府路投弹，夫妇偕往观察，未及归家，敌机又至，乃趋避于公共防空壕，迨警报解除，平安返家，竟不得其门而入，盖已为敌弹光顾，财产荡然，仅余随身衣裤，于庆幸生存之余，仍有啼笑皆非之感。

某次京空战正剧烈时，突见一机受敌机之袭击受伤下降，余正为该机中我方战斗员危，忽睹机中有人跃出，俄顷而有一白色物件，逐渐膨大，跃出之人，坠在白色物下徐徐下降，因知该物必为降落伞，事后闻悉，天降落伞者，系已经击落敌机陆架之空军勇士乐以琴也，此役仅受微伤，现已痊愈，当又在追逐敌人效命疆场矣。

本月阴雨时多，每于雨时京市市民皆笑谓今日敌机绝不敢来，可以放放心心地做事，且有以此为赌者，深知敌人技术拙劣卑怯畏死非如我军之保卫祖国誓死疆场也。

苦中有乐，乃我民族生根之土壤、雾霾里的清新之气。然而我们真要想了解日军空袭对南京军民和许多驻南京的外籍人士的伤害，则需要另一种文字。令笔者感到满意的是，在南京的中国第二历史档案馆浩如烟海的资料中，保存着一位当时在南京鼓楼医院工作的美国医生罗伯特·威尔逊先生的“日记”复印件。这份难得的珍贵史料，原件存在美国耶鲁大学图书馆，1992 年南京鼓楼医院建院 100 周年时，一位名叫加登英成的日本人向医院赠送了这份日记的复印件和有关录像带，而现在完整的威尔逊“日记”复印件则在中国第二历史档案馆保存着。罗伯特·威尔逊先生当年冒着生命危险，从一个医生的角度，详尽记录了日军从 8 月 13 日至南京陷落之后的几个月里，他和他的同事们如何躲避轰炸及给伤病员治疗的经历，在此我们选几天威尔逊的日记原汁原味地再现日军制造的残暴事实：

8 月 15 日

我希望上星期的信有点档次，但人们会有理由怀疑它。我从这封信开始用日记体书信的形式，时不时地增加一点东西，直到我们会经历的那一时刻。

今天我们真的吓了一跳，我们当中的每一个人都经历了第一次空袭。它或许不会是最后一次。我正从一个小山（Socony Hill）往下走去看两位病人，碰巧有机会听到了来自上海的英语广播，详细介绍了发生在那儿的战斗，我稍后详述。在我回去的路上，我注意到人们在他们的房前聚集成一块，向北边的天空张望。那些不靠近房子的都跑着寻找隐蔽处。我开的福特车噪声太大了，我没有听到警报声，但显然它已经在城市的不同角落响了几分钟了。

回到家时，佣人们中间有些骚动，马乔里为我回来而感到欣喜，但她一点也没有惊慌。警报器响了，不一会儿我们听到北边有射击声，然后就是飞机的噪声。它们几乎是直奔我们房顶而来，飞得很低是因为楼顶很矮，我们周围都被打中了。大约300码之外的司法部里机枪伸出了窗外。军政部长何应钦就住在几百码之外，从声音判断，我估计他的住地配备了防空武器。

我们不太肯定是否听到了炸弹的爆炸声。至少没有一个落在我们附近。警报器警告了我们，而且当我们听到飞机马达声的时候，我们走向了地下室，在那儿我们是安全的，除非炸弹直接落在我们的房子上。下午，警报重复了好几次，有一次两架飞机几乎直直地从我们头顶飞过。然而到这个时候，中国飞机早已上天，日本人被赶走了。谣言说，有2到4架飞机被击落。

过了一会儿，传来消息说，日军轰炸了中央医院附近的商用机场。没提到军用机场。有一个受伤的人被送进了金大医院，他被飞机上的机枪击中了。他当时靠近清凉山的水库。中央医院也打来电话说，他们也收救了几个来自机场的伤员，正嘀咕着看我们是否有病房能容下他们。

我们医院是按照紧急事态组织管理的。两天以来，我一直忙于解决住院病人的问题，那些不能走的就在底层给一张床，而能走的就放在靠上的楼层，希望他们听到警报时，能自己走下来。我随后打了电话，看看我能为医院做什么事，但系统运转得很好，无须我离开马乔里和伊丽莎白。陈医生的家在外地，西奥多·徐医生是单身汉，这样他们就可以直接负责而毋须心挂两头。我们讨论了搬进医院的话题，但目前我们仍计划待在这里。它的长处在于我们头顶上有3层水泥板，即使受到直接的攻击，除了毒气，我们也相对安全。

（刚才通过电话，传来另一个消息，在空袭中看到了8架日本飞机，至少有5架被高射炮击落。按照这个比例，我们不应如此恐惧，但听上去有点太好了，都不像是真的了。）

可能你们从上海方面得到的消息要比我们得到的更精确。我们得到的是来自中国报纸的一面之词，总是过分乐观，时常也夹杂着来自上海广播电台的内容。我希望能有一台收音机。上星期我写了发生在虹桥机场的事件。最终的结果是整个日本海军第三舰队鱼贯进入吴淞口。40名战斗人员，加上他们在上海采取的高压手段，是略微过分了些，中国人决定打开门户。昨天一整天中国飞机都在轰炸日本军舰。几艘老旧的内河蒸汽船被沉入江底以阻断日舰的退路。在第一轮轰炸中，日本飞机的相当一部分航空油储备被化为灰烬，许多弹药也被摧毁了。日本人在外滩的公共租界架设了高射炮。中国当局严正警告说，除非它们马上被撤走，否则中国飞机就要轰炸它们。

今天稍晚时候有报道说，也许是另一个野路子的谣言，日本人已经被赶出上海了。明天又将是新的一天，我们要看看有什么等待着我们。

8 月 16 日

富兰克林的生日。许多人高兴地回来了。我上次的讲话就好像是刚说的似的。明天又将是新的一天，只不过它是昨天。6:15 我们就被警报弄醒了，我们穿着睡袍就跳起来了。警报系统现在已经全面启动了，因此第一个信号就意味着已经看见飞机了。下一个用一系列哀号声表示的信号，意思是飞机已经接近了，该进入掩蔽所了。第二个信号出现后，任何人都不允许在街上走动，这儿看上去就像一座久已荒废的城池。只要空袭在进行，下面就是绝对的安静，除非一架日本飞机正在头顶，在这种情况下，就会从任何人似乎都没看见的地方传来机枪和防空火力的射击声。第三个信号是一个拖长的音，代表空袭已经结束，街道上就奇迹般出现了满满的人。

这种程序昨天重复了 5 次。早上我是在第一和第二次空袭之间的当口去医院的。日本飞机第一次空袭时没有到达城市。第二次警报响时，我们刚刚做一个相当小的手术，注射了脊髓麻醉剂。我们将病人和辎重转移到 X 光室，那儿有两层水泥板在我们头顶上。日本飞机冲破防线，投下了一些炸弹，有一个落得不是太远（离我们的房子大约 300 码），把马乔里第一次弄得有点紧张。我们做完手术后，准备结束一天的工作回家，正当打完电话发现一切都好的时候，第三次空袭开始了，我们又忐忑不安地躲了两个半小时，直到解除警报声响起。这下把时间都弄到两点后了，我终于能够回家了。这一次没投下炸弹，我们逐渐了解了更多事实的真相，即我们的飞机在日本飞机还没到达城市时就和它们遭遇了，与它们战成一团。我们还没吃完晚饭，第四次空袭又来了。似乎每一次防御都组织得很好。在第一次空袭警报响过后，透过楼上的窗户，我们可以看见中国飞机三三两两地从通济门外东南方向的机场起飞，通常是往北飞，有时非常近地从我们头顶掠过。然后，在一段不确定的时间之后，它们又以近乎相似的队形飞回来，盘旋一会儿，再停在机坪上。

就在这次袭击期间，马克斯先生打来电话说，美国大使馆已经劝告所有的妇女儿童前往牯岭或汉口，他们已经预定了“吴淞”号上的 25 个舱位（不是卧铺），这是太古洋行（Butterfield and Swire）的船，将于午夜起航。我们和柏睿德一家沟通了一下，又给豪尔·帕克斯顿打了电话，他是使馆二秘，负责将侨民撤退出去。马乔里不是非常想走，因为我们看上去相对比较安全，但使馆的请求多少有点命令的意思，所以我们就开始打包了。柏睿德一家也决定走。我们计划在 8:00 左右到大使馆集合。于是乎我们就把时间分成一会儿打包，一会儿听防范日机的警报，一会儿看中国飞机盘旋，到了 5:30，又拉警报了，一直弄到了大概 8:10。我刚给豪尔打完电话请求指示，得到的答复是等最后一次警报一响，就马上去大使馆，当它真响的时候，我们赶紧前往大使馆。

由于无数次地钻地下室，伊丽莎白有点缺觉，但在汽车行驶中，她睡得很安静。“吴淞”号大副朝她看了一眼，就把我们领进他自己的卧舱了。其他人都围着船长和船员的舱房在甲板上睡觉。剩下能站的地方都只挤满了中国人。马乔里和伊丽莎白的生活必需品都放在了一个衣箱里，现在有特里默一家在牯岭，又有一些老牌的中国通在船上，包括马乔里去年秋天曾在燕京见过的鲁尔先生，我感觉她会受到很好照顾的。她毫不气馁，就像特洛伊人一样有毅力，我希望下一个词就会说她在牯岭一切平安。我最后说的问题之一是要落实好 8 月 21 日到公墓的旅行。

我们的保姆获准带着她的小儿子一起走，她出去时，高兴极了。给我留下了一个替代的厨师和一个替代的苦力，他们都是南京人，可能是城里最冷静、最泰然自若而又最无忧无虑的人。我们回来时靠使馆的通行证帮了忙。柏睿德前天突患严重的肠疾，我已经对他进行了治疗。他终于有了决定性的好转，能够帮着安排他的家人离开。我开着他的车，我们的车在他和使馆车的中间。丹尼尔把我们送他的野营吊床留在了船上，让大副睡在上面。我在午夜过后不久就回到了死寂的家中，睡了几小时觉。

我们下船时，听说了不少新鲜事。有一离开的家庭是兰开斯特母亲和女儿。我以前可能提到过她们。他（兰开斯特）受雇于中国政府，工作地点位于通济门外的大校军用机场。他所提供的周五和周六空战的数字应当是可信的，也几乎大得难以想象。（我指的是周六和周日）看起来，这儿的中国人配备了最新型的美国战斗机，有大口径的机枪，能对击中的任何东西造成大的损害。参加这些空袭的日本飞机都是德国容克型，配备了较小的机枪。中国飞行员这两天实际击落 26 架日本轰炸机，而自己的损失仅仅只有 3 架。在第二次空袭中，有些日本飞机突破了防线，在飞机场丢下了一颗炸弹，摧毁了 3 架，一共是 6 架。实际上，在整个南京和附近地区，没有造成其他的损失。在日本飞行员身上和他们的飞机里，发现了地图，上面标有大约 40 个轰炸目标。上面的数字不一定完全准确，但给人的印象是中国人是准备有所作为的。兰开斯特说数字是毫无疑问的，中国人不公开它们是怕老百姓变得过于自负而放松了警惕。日本人是不会轻易放弃的，这些空袭只不过是表明他们今后想怎么做，不管怎样他们也要把丢掉的面子找回来……

8月17日

今天只有两次空袭打扰了我们的平静。第二次的时候又让我在手术室赶上：这回是给一个30岁的年轻妇女做结肠开口术，她的直肠癌几乎要闭合其肠道末端，已不能手术。我多希望几个月前能看到她！癌肿已经侵入她的子宫、一个输卵管并附着在骶骨上。手术将缓解非常痛苦的梗阻，但不能随后就将瘤体除去。我们没有费多大事就离开了手术室，大约15分钟后，第二次的信号来了，只有这次不是代表危险的尖啸，一声长长的胜利号说明敌机压根就没有迫近城市。

刚吃过午饭，警报又响了，我们每天中午开始执行吃中餐的新制度。我和厨师、苦力看着飞机一架接一架地从西南方起飞往北边飞去。代表危险的信号响起时，我们没看见任何日本飞机，大约3点差1刻时，最后的号音响起，宣告它们又一次被击退了。我们的飞机继续盘旋了大约半小时。回到医院时，我发现门诊业已停止了。但似乎有许多事要做。我的病室里收进了一名飞行员。他只有一点擦伤，包括眼睑上的一个伤口需要缝合。我们向他保证不出几天他就会非常健康，很快又能重上蓝天。他是战斗机飞行员。

现在是晚11:00了，我们的飞机到现在还没飞回来。在过去的4次空袭中，没一架日本飞机曾到达城市上空，如果它们的死亡率仍是周六周日那么高的话，他们轰炸南京的企图就支撑不下去了。中国人的脸色已经从周日的相当忧郁变得满是希望，而且恢复了信心。

上海的消息不是那么鼓舞人心，但即便如此中国人也取得一定的进展。他们轰炸机的使用产生了强烈的效果。相当一部分，大约20架左右被击落了，但确实将日本强大的舰艇编队逐出了吴淞河道。一艘船，一艘战舰的确被击沉了，他们的旗舰也严重受损，不得不拖走。另一艘舰艇也退出战斗序列。随着他们主要的援助力量被击退，日本人在地面的进攻也受阻，今天他们的司令部被中国军队占领。他们在长江口外数英里处有一艘巨大的航母。四面都有战舰护卫，几乎不可能从空中接近它。昨天，由一名姓丁的估计是中国空军王牌飞行员带队，率26架轰炸机组成的中队，试图对其发起攻击。

昨晚陈医生被叫去见蒋夫人，因为她手指上有一感染。他不得不在军官会议期间给她治疗。这些军官脸上也洋溢着同样的变化。委员长情绪高昂，内心的镇定开始取代以往几周的煎熬，残酷的困境袭扰着他，是要一个失去尊严、失去主权国家位置的和平，还是要一场战争，在他看来中国尚未做好足够的准备，而且它有可能将其苦心经营经年之久的一切毁于一旦。与日本相比，中国更适于一场持久的战争，除非她的空军都打完了。那时，日本人就会有计划地对中国境内每一重要目标展开大规模轰炸。今天他们第一次使用了毒气弹，结果尚未得知。它的地点在海宁，我甚至都不知道它在哪儿。从目前情况看，似乎不能太指望日本空军会第一个屈服，如果那样的话，会加速停战的脚步，因为中国人没有更多的念头，只想按照目前发展的势头继续发展。

但回到陈医生在委员长那儿听到的丁上校的故事。看起来他，丁，得到的命令是此次打航母的行动，不成功便成仁。他率领着 26 架轰炸机，从南京起飞，避开了上海，直奔海上，不一会儿他们就看到了围在航母周边的日本军舰。航母周边组成了极佳的防空火力，构筑了稳固的防护，使得想要靠近航母都是不可能的。丁随即下令他的人马返回南京，而非牺牲他们所有的飞机（以及生命），他自己则留在那里盘旋、找机会。他们返航时在扬州遇上日本飞机，打下了两架。他们在那儿降落，然后打电话请示，但没得到肯定的指示要他们回到指挥官那儿去。他们发现他仍在火炮范围以外盘旋。但防空火力太强，他们根本无法渗透，只好返航。在靖江，丁上校本人又击落两架日机，随后 26 架飞机全部安然回到南京。考虑到他们击落了 4 架日机，军方原谅了他们没有攻击航母的错误，但直觉告诉我，我们今后还会听到更多有关这艘航母的消息。

今天还报道了一个真正的英雄伟业。一个年轻的飞机射击手在和日机激烈交战中，打下了两架。突然他的飞机似乎运行异常，让他惊愕的是他看见自己的飞行员被击中了。他爬出自己的座舱，来到飞行员的座舱，他发现飞行员已经死了。因为没有两个人的空间，所以他把死人绑在自己脖颈后，将飞机平安飞回南京。

昨天晚上，马克斯一家收听了一日本广播电台用英语播报的新闻。日本人似乎将请求英国人、法国人和美国人来逼迫中国人停止与其争斗。

在北方，中国人正在包围天津。日本人极力想夺取南口。迄今为止，他们未能得手，而且损失了 5 000 名士兵和 40 多辆坦克。我不知道中国人在那儿损失了多少，但由于他们的装备比之对手而言要差得许多，那么概率就是损失惨重。然而，因为处于防守的位置，他们的损失也可能不是太大。

海因兹小姐再也不当和平主义者了，而是和我们一样全身心地投入到为中国人服务之中了。上帝的意志必须完成，但我们不得不希望和祈祷我们能把所看到的一切进步不让一个强权来毁灭，对我们而言它至少也应当是本人的再生。

8 月 18 日

今天缓口气。一次空袭也没有。空气中到处弥漫着谣言。德国大使今天告诉所有德国人要弄到防毒面具。我现在带着它到处跑，尽管必须用它的可能性很渺茫。那种与人脑袋相配、看上去像个未来世界古怪魔鬼头颅的东西价钱太贵，而且供应也有限，不可能人人都发。我们每个人随身带的面具，薄纱有 20 层厚，还有一瓶化学溶剂。当警报来的时候，我们就把溶剂倒在面具上，捂住我们的嘴和鼻，直到危险解除。因为致命的芥子气会穿过皮肤腐蚀，我们不得不碰运气：漂白粉的供应很少，据说它是最有效的解毒药。我们持有的溶剂是按照中和光气、氯气和其他几种可能气体所用量来计算的。

上海的形势绝没有明朗。美国人、英国人和其他人成百地离开。看来中国方面又一次在各个地方获得了缓慢但却坚实的进展，日本人逐渐被打得远离黄浦江。这些进展是用大量中国军人的生命换来的，因为每条赢得的街道就意味着不计最坏后果地冲向机关枪和狙击手火力。据说两个师遭受了惨重损失。当一些日本炮艇离开后，没有船往里走，因为据报道河道里仍有 30 艘。

南口的战斗依然激烈。唯一的别有用心的目的似乎是切断中俄之间最短的通道。据报道一个有 1 500 人的中国师在一次激烈的战斗中被日本人用坦克完全消灭了。但他们的坚守为后续部队的到来赢得了足够的时间，在同样激烈的反击中，这些新到的中国军队收复了所有失去的地盘还俘获了许多坦克。

医院安静下来了，我们有了不少空床。我们不知道什么时候它们又要被伤员填得满满的。中央医院里有 3 个日本飞行员病号。他们得到了各种照顾，还获许给家里写信。我们正在给美国红十字会写信，看看能否以钱或物资的方式将东西运进来帮助我们摆脱困境。

我和柏睿德每天晚上像锻炼似的到马克斯先生家去，在那儿我们收听来自上海、南京和马尼拉的晚间新闻。日本人尽其所能地对中国人的无线电波长进行干扰，今晚，我们第一次发现中国人也开始同样地对设在满洲的日本广播电台进行干扰。今天我收到了大卫·罗伊从上海发的信。他 8 月 12 日到的那里，8 月 13 日写信，刚好在战事开始之前。他现在在那儿处于孤立无援的境地。

8 月 20 日

周三的缓解并没有持续多久。我还没有写完，警报就又一次拉响了，我们沉默了两个小时，只听见无数的飞机俯冲声。月亮很好，但我们实际上看不到飞机，有人告诉我说，他们在空中可以不费力地看见对方。显然，日本人没有到达城市上空，因为没丢下炸弹。在最后的警报响起表示空袭结束之前（空袭从午夜持续到凌晨两点），我已经在床上睡着了，正如前面所说，我已经把床搬到了起居室，这样躲进地下室会方便些。

昨天早上一切都很平静，我们度过了相对正常的一天，查房、手术、干其他琐事。我比平时早些回家吃午饭，大约在 12:15 正吃的时候，警报又响了。这次日本飞机冷不防地潜入了城市。当它们大批进来的时候，我们已早有防范，但这次警报刚响，一架小飞机就开始俯冲了。一共只有 2 架飞机，它们丢下了不少燃烧弹，其中一枚落在我们房子的南面 1 英里，引着的火烧了大约 15 分钟。它不久就被扑灭了。

直到 3 点差 1 刻，我们才解除警报，我赶往医院，发现门诊有不少病人。一个年轻的飞行员有点轻度失调。他的神情非常之忧郁。昨天的乐观情绪业已开始沉浸在沮丧加剧、灾难将临的气氛中。他说，尽管围绕着南京，中国人在得分上相对要优于日本人，但在上海地区情况不是这样。日本在那儿的高射炮对中国飞机造成了大灾难，许多最好的飞机已经被击落了。上海市送给蒋总司令做生日礼物的 10 架飞机都被摧毁了。

柏睿德在下午晚些时候做了两次探访。在下关的一家商社里，气氛很紧张，有一种“今晚是大限”的感觉。然后他去了苏联使馆做拜访，那儿也笼罩着同样的氛围。他们都被吓坏了，感到在夜晚结束之前，我们就会听到敌机将采用不同以往的方式前来攻击，而我们对过去的方式早已习以为常了。

当我正在吃晚饭时，警报响了。除了降低了我的一点食欲，它没有任何影响。吃完饭，我和苦力、厨师走出去，上了门廊，去看中国飞机，它们从机场起飞，向西北方向飞去。大约半小时以后，它们回来了，开始降落。时近黄昏，我们洗了淋浴，云彩相当低，有一些条状的蓝天夹杂其间。突然听到了东北方向传来低沉而不祥的嗡嗡声。从我的门廊上，我可以分辨出轰炸机的第一架，一组有 3 架。然后是另 3 架，又来第三组 3 架。它们直奔我们而来，然后开始转向南方。当它们到达离此半英里远的地方时，传来了高射炮精彩的射击声。从何应钦公馆和法务部，射出了如雨的追逐弹和小爆破弹。追逐弹很有意思，你可以看到子弹飞出的方向，能辨出目标是否准确。

显然是不准的，因为飞机不停地来。正当我分辨出第三组的飞机时，两次巨大的爆炸震撼了大地，没等到数第四组的3架飞机，我发现爆炸就发生在我的身后，我赶紧躲进了地下室。当马达声减弱后，我又跑出来，发现在离房子半英里远的北边和东边有两堆火正在燃烧。正东的火堆是一个带弹药的军营，一直炸了约15分钟。

又过了一个小时警报才最终解除，我赶往医院，估摸着会满是伤员。一个人也没来，我和柏睿德、马克斯先生一起到了后者的房子，准备听收音机了解当天的新闻。那儿没电，因为收音机正常工作要接通电源，我们只能借着蜡烛围坐在一起。但这样的喘息没多久，很快警报又拉响了。我们吹灭蜡烛，准备往地下室去，他的地下室有一个水泥顶，我们坐在通往地下室的台阶上等着预告飞机接近的警报声。我们白等了大约45分钟，警报又解除了。还是没电，因此我们没有外面的消息。马克斯先生劝我在那儿睡觉，我不太愿意。我们3人做伴感到好多了。

今天早上，我们发现大约12人被杀，不少人受伤。这是我的手术日，我也就第一次真正开始战争下的外科手术了。一个脚截肢、一个手指截肢，还有一个非常奇怪的创伤修复。一个十八九岁的小姑娘看到炸弹落下，背对着爆炸蹲下。她的臀部差不多炸飞了。我们清洗了伤口，等到引发的感染清除后，可以给她做植皮术。一个腿部骨折的男人因内伤而在晚间死去了。

就在给脚截肢的时候，警报器又响了，但我们继续手术，半小时后，警报解除，敌人的飞机未能抵达城市。现在各种报道和流言满天飞。中国报纸说，4架飞机被击落。好几个地方传出的谣言称，我们的飞机有意避战，是给高射炮一个机会，看看他们究竟能做什么。如果真是如此的话，我希望他们不要再给它们下一次机会……

8月21日

我是借着满月的光亮在写这篇东西的，因为我们正经历着今天的第三次空袭。昨天晚上我写好连载文章后，就去找马克斯先生，在他那儿，我们未受干扰地听了当天的新闻。立场公正的《上海邮报》（*Shanghai Post*）第一次承认中国军队在上海的各条战线均取得了进展。中国军队已经在日军中央打进了一个楔子，将很大一部分日军孤立起来了。他们用轰炸的方式摧毁了黄浦江边所有的码头，这就使日本人登陆增援变得非常困难。约有45 000名士兵从日本抵达上海，也就是3个师团，但他们还没能上岸。

今天，一枚日本炸弹落到美国“奥古斯塔”船上，炸死1名美国水手，炸伤18人。它肯定是从高射炮里打出来的。日本人早已占领了离岸的几个岛作为空军基地，特别是有一个就在长江口和杭州港之间。

我们约在 11:30 上床睡觉，我的床就是在楼上书房地板上铺张床垫。这是一个美丽的月光之夜，温度也降到华氏 70 多度，因此我们这一夜很舒服，直到凌晨 4:20。（啊！是解除警报声，现在有电了，所以我能看见我写的了）这时警报响了，我们穿好衣裳，在此后的两小时里目睹了壮丽的日出，随后信号告诉我们空袭结束了。我们后来听说，在约 50 英里以外的扬州上空发生了激烈的空战，双方各被击落 3 架飞机。参战的总数不得而知。但有几架日本飞机到达了下关，遭到了高射炮的猛烈攻击，飞回去了。

回家吃早饭，一切看上去是那么宁静。王在 8:00 匆匆赶来，我们花了一小时主要看中文报纸，我现在开始能懂得大意了：我们刚开始，第二次警报就响了。我们观察了一会儿，看看有无骚动，然后我们就坐下来研究。就在 9:00，好像是给我们发结束研究的信号，解除警报的号声响了起来。恢复了宁静。送来了一名病人，他是前天晚上在轰炸中受伤的。他的体侧被击中，只有一些小的皮肤伤，但很快情况就不妙了，更大的问题是他的腹部开始膨胀，我们判断他的某些内脏，可能是空肠被炸断了。只要我们能找到什么人为他签字，他马上就可接受手术。这是个不利因素，我们现在在家的超过 21 岁的人没人能为他签字。一个月前我们是不会那样做的，要是打官司，医院就要关门……

最后一次的警报又打扰了我的晚餐，我吃得早是因为如果拉警报，我仍可以在光亮底下吃。空袭持续。

8 月 22 日

从 6 点 1 刻到 8 点差 1 刻，很明显日本飞机没能抵达城市。看到医院很平静，我就去了马克斯先生的家，我们收听当天的新闻广播。这天还是多多少少有些远距离的轰击，夹杂着空中的轰炸，但少有进展。中国人宣称的楔子得到了证实，显而易见，他们已经占领了路边码头，将日本人压缩在码头和公共租界之间的区域里，使之狼狈不堪。

中国话说“狼狈”是“lang bei”，来源于两种动物的名字，一种长着短短的前腿、长长的后腿，另一种则是长长的前腿、短短的后腿。这种说法还有一个意思是“阴谋”。精妙的联系留下了想象的空间。

我们能安静地睡觉了，好歹他们还保留着安息日的传统，没发生空袭，现在是下午 5:00。外国教堂的祈祷被停止了，我们就待在自己的家里进行祈祷。医院也很平静。

又有 4 个日本飞行员被俘获了，加上中央医院的 3 个病号，城里一共有 7 个。其中一个中国话说得不错，他的故事很有趣。如你所知，日本人有一种对截肢的恐惧。只要他们身上的一些部位没被割掉，他们对死亡都很少有畏惧。即使独只耳朵或一个手指头也包含在这种恐惧里，据我所知，这是建立在灵魂转世的神道信仰上的。可能佛是有责任的。似乎如果他们身体的任何部分被切掉的话，他们就不能通过地球上的另一个人再生了。这些飞行员说，在日本，人们坚信所有在华的日本居民都被有计划地屠戮和断肢了。当他们被击落后，他们认为也会如此下场。说此故事的人和他的同伴被一些中国农民抓住后，又给吃、又给睡，直到他们被移交给当局后，也得到了很好的照顾，他们无比惊讶。如果他们的境遇在家信中提及的话，我们确信，军事审查当局会将这些删得干干净净。电台报道昨晚 50 艘日本运输船在天津下锚，运来了士兵、军火和给养。50 艘运输船能运载相当规模的军队。另外，相同规模的、连续的兵员运输也从满洲经山海关滚滚而来。电台还说，尽管他们费劲地抓了整整一个星期，他们也没能拿下南口要塞。相反，中国人似乎在长城北边取得了进展，打进了热河省，既构成了切断日军后路的威胁，又拉长了战线，而这是有利于中国的。

再过一周我们就会知道风向如何了。迄今为止，除了日本人最初进军河北占领了北平和天津，他们在各个方面都落下风。中国人到这时还没有确定除了保卫自己，究竟他们想达到什么目的。他们现在的思路是能撑多久就打多久，我们都希望他们能比日本人坚持得久些。当然，制空权是非常受关注的事情。有没有足够的飞机和飞行员去继续战斗是个大问题：迄今他们表现优异。在南京这儿的战斗机是美国的柯蒂斯飞鹰型，速度达 300 英里/小时，有强大的机枪火力。昨天有一次拉警报时，我数了一下，我们一次就上去了 10 架飞机，其他我看不见但听到的声音表明有更多的飞机在盘旋。

有几个人因当奸细而被抓起来了。其中一个是离我们很近的最大商店的业主，他刚开了一家现代家具店，看上去不像第五大道的至少也跟百老汇的相似，前天最严重的空袭中，当日本轰炸机飞近时，他在他的新店屋顶上发绿色和红色信号，结果被抓住了，另一个在太平路上的富商也被抓了。这儿的许多人认为，日本人对内地城市的轰炸与日本人所设想的效果正相反。中国人非但没有陷入混乱的境地，而是认识到上海和北方的战事不是一个孤立的事件，整个国家都卷进去了，因此这个国家变得比以往更紧密地团结起来了。

这座城市现在已是人烟稀少了，除了那些非常穷的无处可去，还有就是有官方身份的人。有意思的是，1932 年，麻烦的苗头刚冒出来，国民政府就迁到了洛阳，而这次形势要比 1932 年险恶多了，却毫无迁出南京的迹象。我的厨师在街上很难找到东西买，他实际买的东西要花十分昂贵的价钱。他准备早上在早饭前出去买东西，要是他遇上了空袭，我就要自己弄饭吃……

8 月 23 日

早晨收到马乔里的两封信时，我心里的石头落了地，信里说已平安到达牯岭，还介绍了旅途情况。九江附近，河水漫出堤岸，给航行带来了困难。马乔里会和特里默一家待在一起，这样她就会感到像在家里一样，这也是我们原先就计划安排好的。让几个叫威尔逊的人再去卫理公会山谷显得相当自然，尽管这些特殊的威尔逊们从没去过那儿。如果战事愈发激烈，大使馆也可能会坚持让我们撤出。他们现在敦促所有在华无特别事务的人完全撤出这个国家。

……昨天一切是那么的平静。晚七点我去医院给一个 19 岁的女孩做手术，诊断是脾脏周边脓肿。做了这样的诊断，那么唯一的手段就是马上手术，否则有可能脓肿破裂侵入腹膜腔。幸运的是，我用了局部麻醉，因为她的身体条件相当差，我感觉局麻比起休克来要好得多。她到手术室时又喊又叫，非常害怕。我们的麻醉师冉长昆（Ran Chang Kun）是个神人。在我们开始手术前，他已经使她完全平静下来，正和她聊她的身世。整个手术期间，他一直和她聊天。我们发现了预料中的病灶，于是没花多长时间，就把脓肿清除了，放进了排脓管。就在这个时候，警报响了，让我第三次在手术时碰到了空袭。我们卷起又重又黑的窗帘，借助着手电筒把她缝合起来，就好像我们的生命和她的生命都指望着它似的。上上下下运送病人的苦力都在忙着把病人运到底层，因此手术室工作人员急忙将她搬进担架，及时把她送到病房。这是一次真正的空袭，3 架轰炸机就在我们头顶，高射炮就在我们附近轰隆隆地、格格地射击。它们往南飞了个大圈，又在我们头顶轰鸣了。

在医院里，好像是比在屋里更吓人，因为直到飞机正飞在你头顶上时，它们的噪声才能听见，而只有高射炮才能让它们现形，这些炮就像罗马蜡烛那样搜寻着世界，红白两色的追逐弹顺着无数探照灯的指引，紧咬着轰炸机那邪恶的身影。我们思忖听到了许多炸弹的落地声，但今天早上清理，发现没有什么损失。

空袭中我们又碰到了引起骚动的事。一个男子，完全是陌生人，在空袭开始时走进医院，拿的手电筒上有个红徽章，而不是我们惯常的绿徽章和黑徽章。他来到一层，进了一双人间，里面仅有一个女病人，我两周前刚把她穿孔的阑尾切除了。他上了另一张空床，用被单把自己盖住。当警报第二次响起表示飞机接近的时候，他站起身，准备打开窗户，但因为害怕毒气，这些窗户被护士们小心关上了。一名护士和另一名病人进来阻止了他，他就开始与这个病人聊天，而这位病人恰好是我们的一名中国飞行员，他手指上有点轻微感染，我们准备尽快治好他让他能重上蓝天。这个陌生人提的问题开始引起人们的警觉，因为他开始问的是这样的问题，如我们轰炸飞行半径、它们通常的飞行重量和其他。这名飞行员随后问他叫什么名字，他拒绝回答，同样也拒不说出学校的名字。几个人围拢来，随后就是一群，不久他就被提交警察局，但仍然不能自圆其说。他是不是被空袭吓得语无伦次，还是真是个间谍，我们就让警察去决断吧。

昨晚大约有20人因为用红灯、绿灯向飞机发信号而被捕。在中国，爱国主义是个新概念。几百年来，它完全是蛰伏着。在过去的15到20年间，它渐渐有了民族意识。它有了巨大的迈进，但尚未深入人心。进而可以调动所有的人。仍有不少人为了一点报酬而出卖自己的国家。从某种程度上说，这样的事在每个国家都有，但由于与多数国家相比，这里的爱国主义更是新鲜事物，我们不禁料想到会有更多的犹大。令人惊讶的是团结一致的程度而不是偶尔为之的差错。

大约在9:30，空袭结束后，我和柏睿德到马克斯那儿去听上海的广播，主要是讲上海市政委员会的公共卫生和安全活动。我们大约11:30结束，因为又一次空袭从12:30开始了，一直持续到约两点。在这次空袭中，3架飞机直接越过我们的头顶，伴随着通常的轰鸣、爆炸和火花。又没造成什么破坏。今天有关此次空袭的两篇报道互相矛盾：一篇说有两架被击落了，另一篇则说都逃跑了。

今天详细报道了一个目击者说的可怕的悲剧。8月17日，在长江北岸距上海约80英里的南通，日本飞机轰炸了基督传道医院。在40名住院病人中，30人被炸死，主要是被炸弹落地后引发的大火烧死的。两名中国医生、几名护士和医院技术人员就这样死了。两名美国护士幸免受伤，院长海格曼医生现在牯岭，无法回来。没人给轰炸做解释。医院与其他建筑是被一个很大的开阔地隔开的、炸弹一定是故意投向那里的。

马克斯先生说了一个故事，大概和这次轰炸有点联系。在12或13世纪的什么时候，日本侵略中国，在南通发生了一场激战，日本人被彻底打败了。胜利者割下死去日本人的耳朵，把它们放进一座小山，在上面立了块碑，直到今天仍巍然屹立。在1932年事件时，一些狂热的人士聚集在一起，向东京发了一封电报，称，“南通还在地图上。”这种对正义和道德等公正法则明目张胆地亵渎，一定是极力要考验一个人的能力，即保持基督徒对作恶者那类似的情感。带来轰炸消息的中国基督教牧师说，他和他的信徒每天都在祷告，希望上帝能给日本国民的心灵带来变化。

今天还有一个谣言在流传着。说是21架日本轰炸机从台湾起飞轰炸汉口。只是它们造成的损失有多大，谣言没有说。它们被中国战斗机追得乱窜，因而比预想的要飞得远。结果是所有21架飞机在回程时，还没到海边就用完了汽油，不得不在中国领土上迫降。按照目前最低的轰炸机价格计算，这就意味着损失600万日元，按照最高价则是1 000万日元。我希望它们损坏的程度不大，而且修理以后还能用，这样中国轰炸机群的力量就能得到加强。

昨晚我们听了各种新闻广播，包括先施公司百货商店的悲剧。报道各有不同，但肯定的事实是一颗大炸弹爆炸，炸死了100多人，伤了200多人。炸弹的来历不明。它正好1:00后落地。刚好一些日本飞机在上空盘旋。当被问及事件发生时，他们的飞机是否在上空，军方将此问题推给海军方面了。没有报道他们的回答。但大家公认的是当时没有中国飞机在飞。如果是一个大炸弹，很难判断其来自何方。先施公司百货商店歇业一周，昨天早上才开门营业。对商店造成的破坏程度，按照金培尔的报道说是个沉重打击，人们不禁担心公司能否维持偿付能力。

军事新闻称，战场上最激烈的战斗发生在吴淞，日军拼命想把增援部队弄上岸，已经调集了30艘战船来负责登陆。中国战报说他们竭力阻止日军登陆，给他们以极大的伤亡。日本战报说他们已经有大批部队登陆，正准备以吴淞为出发点向中国军队发起进攻。日军越发靠近居民区，看起来处于关键的节点，他们分成3个集群从三面包围了上海。中立的新闻很难搞到，因为战事太激烈，中立方的人士不能去吴淞观察形势的发展。几天以后我们才能弄清情况。

我们11:00休息，到了12:00就被警报声弄醒了。现在城里的许多地方，都装了不少警报器。我们穿着半拉衣服，走到楼下，以便必要时能跑到地下室去。我们听到飞机靠近时，就往地下室走，又听到了3声爆炸，我们以为是高射炮开火了。再没听见爆炸声了，一点半警报解除，我们上床睡觉。今天早上，我们发现那个声响是炸弹的爆炸声。中午，我和陈、迪克上了迪克的轿车去查看破坏情况。两颗炸弹落在了玄武门外的马路上，过去叫丰润门，是通往菱洲的。爆炸点几百码之内没有建筑，地上钻了约15英尺宽、三到四英尺深的洞。只是给一根水管造成了破坏。另一颗炸弹落到了湖里，第四颗正落在城墙上，在外沿上弄出一个楔形的凹痕约有10英尺深。这最后一颗炸弹落在了苏联大使馆几百码范围内。我们怀疑是不是所有这些炸弹都是冲着使馆去的。日本人似乎有激怒俄国人的习惯;他们刚占领天津就袭击了那里的苏联领事馆。

昨晚的月亮特别亮，我们在楼上的门廊里都能看到20英里外那连绵起伏、灰蒙蒙的山影。任何不是黑色的建筑都历历在目。我们都很高兴，月亮已经结束了它的轮回，就要回到黑暗之中，那时探照灯和高射炮就能更好地杀伤日本飞机。

今天又很平静。那个脾脏周边脓肿的女孩今天温度正常，感觉好多了。与前天晚上抓人有关联的那个阑尾切除的病人，今天回家了。另一个切除阑尾的14岁女孩今天能走了，明天回家。截肢病人恢复得都不错。我今晚可能还有手术。

昨天医院订的一大批物资运到了，它能够让我们维持相当一段时间。当然，一次又一次地提出撤退的问题。陈今天暗示，如果美国人走了，大量家在中国其他地方的中方雇员就会觉得他们也有离开的权利。医院就只好关门或由军事当局接管。大使馆的人准备坚持到最后关头。很难说，最好该做什么。人们不禁会想此时离开将错过最高级别的服务机会，不仅是医务上的，也是道义上的，而当其时，也不能指责任何人，至少对孱弱的狐疑将一直责备着人们的良心。毫无疑问，人们没有明确的计划，所有的妇女和儿童在这儿都没位置。

8月25日

昨晚的空袭来得较早，从7:55开始到8:50结束。最恼人的是，上海的广播从10:10调整到了8:10，因此我们全都错过了，只好借助于谣言和中国的报纸。它是比较严重的一次空袭，但今天我们没发现有什么特别的破坏。几晚之前，中国飞机没有升空应战，而是想给高射炮一个机会。但昨晚他们上天了，还打下了两架日机，一架冒着火降落在城外，另一架就我们所知仍只是一声爆炸。

报道显示，日军已经在战舰的掩护下成功登陆吴淞。很难说它是否会改变当前的局势。我们焦急地等待着进一步的报道。中国人在上海的胜利或失败将对未来事态影响巨大。如果日本人在那儿得手，他们就可能在北方也这么做，那么中国就要吞下这颗苦药。中国人在上海的胜利将给他们以巨大的精神支持，我确信会给他们以足够的激励，从而获得完全的胜利并将日本人彻底赶出中国。

今天下午下了阵雨，随后出现了美丽的双彩虹。几架中国飞机在天空翱翔，仿佛在和彩虹嬉戏。一周以来，大道格拉斯运输机突然第一次出现，预示着商业飞行仍少许在进行。

今天我也腾出时间来整理了个大包，里面装满了马乔里的东西，希望不久有人去的时候捎上。还没等他们有机会下来，那儿的天气可能就会转凉。今天我的中文老师来，一天的工夫我们好好地上了中文课。我有没有提起过我现在的老师是大王，以前是语言学校的功勋教师。和他在一起学习肯定是高兴的，我的中文一定会突飞猛进。

8 月 26 日

日本人看来是存心不让我们听每天的新闻广播。根据时间表，新闻要在 8:10 播，到了 8:05，警报器宣布了飞机的到来。我们根本没看见飞机的影子，也没听到炸弹声。在第一声警报后，我们的战斗机马上就冲上蓝天。它们正在低空盘旋，这时第二个信号来了，警告日机接近了。每隔几分钟，一架飞机就会飞得离我们很近，我们只好钻进地下室，等噪声远去了，我们又跑出来，欣赏着月光，它刚从紫金山顶冒出来，过了满月没几天。天又变热了，白天要华氏 90 多度，晚上要华氏 85 度。地下室是全封闭的，非常闷热，我们都愿意在袭击之间跑出来换气。我们觉得能区分中国战斗机和日本轰炸机了，但是当任何一架飞机正在你头顶时，这绝不是世界上最舒服的感觉，我们还是暂时躲进地下室吧……

今天早上，黄上校访问了医院，探望了几名飞行员，我和他简短地谈了话。他去年 12 月驾机送蒋介石夫人去西安，当时蒋介石被扣押了。他身材高大魁梧，有 6 英尺 4 英寸高、200 磅重。他确认了登陆吴淞的报道，但表示最多在 4 000 人左右，而不是日本人宣称的 5 000 人。日军进行某种大规模的作战不是不可能，而且很可能突破中国军队的防线。必须面对这样的不测事件，但我们衷心希望这样的事不会发生。黄是励志会的头儿，它是基督教青年会中为军官专设的组织。

今天海格曼医生从牯岭到了这儿。他见到马乔里了，说她看上去不错。他计划往下游走，去南通看他医院的废墟，但我们会把他留在这里和我们待几天。迪克和麦克伦先生在一间房里各睡单人床，马克斯先生在另一间卧室，我在两间房子中间的书房地板上铺了双人床垫。海格曼可以与我共享地板上的双人床垫。如果夜里空袭来的话，一帮人在一起，肯定会更意气相投……

8 月 27 日

昨天晚上在我写信时，我统计了一下日记报道的空袭数量。到统计时为止，共有 19 次。我们的第 20 次昨晚来了。我们听完发生在今天的、相当令人沮丧的新闻报道后，于 11:00 休息。看来我们必须承认日军已占领了吴淞地区。

最有影响的事件是昨天下午向英国大使开火的事。他开着一辆飘着英国国旗的轿车。这车离上海还有一段距离，这时 4 架日本飞机出现在了上空，开始攻击该汽车以及同行的另一辆车。在炸弹落空后，它们开始俯冲用机枪向汽车射击。仅有的伤员是英国大使许阁森爵士，他被一发机枪子弹击中受了重伤。他究竟有没有恢复，在收到我写的这个日记前，你自己就会在报纸上看到。

我们刚刚好不容易睡熟，12:00 时又被警报声粗暴地吵醒了。这一次我们直到凌晨 4:00 才回到床上，与此同时，也经历了迄今最严重的轰炸。城里有 3 块不同的地方燃起了大火，都不太靠近我们。显然，有 12 架飞机参加了空袭，两架被打下来了。有一把火将两块宅地上的空房子烧掉了，另一把火在太平路上的一个大商店，第三把火则在二者之间的某个地方。空袭没达到任何目的，只是剥夺了相当疲劳的民众一些急需的睡眠而已。几个苦力被炸死在破屋子里，当时一颗炸弹正落在屋子外面。

我今天下午在诊所里得到了一个空袭纪念品，是从一位老妇人臀部取出的。那是一块锯齿状的半径约 2 英寸的弹片，打进她的臀部皮下有 6 英寸，就留在那儿了，幸好处理起来还算简单，只需要在金属周围给她上一点奴佛卡因，把它取出来就行了。它看上去是炸弹的一部分：她到医院来回都是走着的。

经过昨晚非常有限的休息，我今天早上就碰上了一个相当有难度的手术，一个男子自早上之前开始就有疝绞痛了。约有 8 英寸的肠子已有坏疽状了，但还没穿孔，因此在修补了疝气后，我不得不再切开一个口子把坏死的肠子切除，然后完成吻合术。最后一步要在吻合处的上方几英寸放置一个引流管。幸运的是手术期间没有发生空袭。事实上，你也可能注意到了，白天的时候没有空袭，这已有一阵子了。

…………

8 月 28 日

大使馆又发来传阅件。强烈要求所有的美国人离开这座城市。我必须找陈裕光校长和其他人谈谈，看看这是否是该做的最好的事情。对丹尼尔、威尔逊和爱默吉·华德来说，它也可能意味着巨大的损失，因为他们的东西都堆放在三楼。也许会秋毫无犯，但那就是离奇了。

昨晚有两次警报，一次是从七点半到八点半，另一次是从凌晨一点到两点。日本飞机没一次到达城市。昨晚的新闻非常不妙，日本人在上海周边的罗店、浏河地区稳步推进。一种悲观的气氛正在生成，我希望能有所缓解……

8 月 29 日

昨晚是几乎两周以来，我们头一次晚上没有警报声，总算睡了个好觉。以前，如果空袭之间有一段时间间隔，那后一次袭击就尤为严重。我们希望这次不要发生同样的事，但如果是这样的话，我们也做好了准备。今天是星期天，下午我正在写这份材料时，大约有十几架中国飞机在上空盘旋。只要它们保持目前的数量和绩效，我就感到相当的安全。

今天下午我和使馆二秘豪·帕克斯顿好好谈了谈。我解释了维持医院运转的精神动力，并说不等地面的军事行动开始迫近南京，我们就离开，我们感觉这没道理。日本方面决定派遣 8 个常备师团，约 12 万人到上海地区，将战事变为现实的可能。中国军队现在从上海近郊撤退，在后面几英里处利用良好的工事采取防御姿态。

8 月 30 日

我们的第 23 次警报响了，当时我和迪特里希·胡斯曼正从靠近金陵学院的他的老房子那儿往回走。我还牵了两条狗。“斯努基”被我收养也两个半月了，有点猎狗的样子了。它非常黏人。“贝尔丽”，爱默吉·华德的狗，是一种小小的白色的斯匹茨狗。它的血统有多纯，我不得而知。我们赶紧回家，也把狗弄到安全地方去。警报响了约 45 分钟，但飞机没有抵达南京。大约有 15 架我们的飞机在上空盘旋。今天我们听说他们在扬州交火了，飞机场的兰开斯特证实了报上的消息，两架轰炸机被击落了。这是第一次他们白天来袭击。我们晚上又睡了个好觉。

看来我们能够把医院的病床逐渐填满。但门诊的数量明显少了点。前一天那个疝气病人恢复得很好。我忘了说一句，那天手术时，我们突然发现他的阑尾也有慢性感染的迹象，于是我们就多花了几分钟把它也切除了。

那天当我把给马乔里的东西送到怡和公司船上的时候，我看到了那个上面提到过的患阑尾炎的妇女，她当时和那个可疑的人物在一屋。她和她的家人要去汉口，看上去身体和精神俱佳。

两天前我们的厨师不顾我的警告打开了鸽笼的门。所有的 5 只鸽子都飞走了，迄今只有两只回来了。现在我们给这俩自由的空气，让它们每天都出来。

8月31日

又要记上两次空袭。第一次是刚写完昨天日记之后不一会儿。天色已近黄昏，第一声警报一响，我就急急忙忙地吃晚饭，好借用这日光。胡斯曼没能赶回来，只好等了1个多小时，直到警报解除的信号出现，他才饿着肚子回家。日本飞机没有到达城市，但15到20架中国的战斗机让空中响成一片。

第二次空袭警报短短的，从1:45到2:30，日本人又没能到达城市。它只是让门诊比以往晚开一会儿。美孚（Socony）地方分部的经理米德先生，每天都来治疗脖子上的疔和许多散发的疖子。他受了不少罪，但现在正快速恢复中。自体菌苗看来发挥了作用。

我提到米德先生的原因是他的家人乘坐的“胡佛”号昨天被中国飞机炸了。他没显得激动是因为今天早上他才听说这件事，他也得知旅客没人受伤。飞机是奉命起飞轰炸一艘日本运输船的。

9月2日

该船预计在吴淞靠岸。“胡佛”号离灯塔约20英里，距吴淞70英里，此时4架中国飞机轰鸣而来，其中一架打开弹仓，丢下一串炮弹。7个船员受伤，3个旅客震昏了过去。船舷上有无数的弹洞，但都不靠近水面，还不是太严重。昨天一个船员死了，但其他的都脱离了危险。中国外交部很快就发出道歉信，并表示承担一切损失。调子完全和日本人轰炸许阁森爵士的反应不同。我们都感觉到这是一起最不幸的事故，中国人对此都心碎了。

昨天是我半休日，大王准点在2:50到达，他和我就着当地报纸细心研究了两个小时的形势。正在上课时，华德太太突然来了。她刚从上海到南京，正要从我们三楼整理一些爱默吉的东西，随她一起往长江上游去。

大约5:00，美国“土土依拉”号上的医生和其助手到了，我和他们一起到炮艇上吃晚餐、看电影。“关岛”号的医生也在城里，他也过来吃晚餐。他认识我的许多医学院同学和朋友，我们的访问很愉快。“土土依拉”号上的斯万森医生有个病人在我医院里，到现在为止我们还没能做出诊断。猛一看可能是疟疾，但9次化验也没能发现疟原虫，通常治疗疟疾的方法也全不奏效，我们暂时颇感为难。

我们在艇上又看了电影，约10:30我上了岸，发现码头空无一人。出租车都没了，出租车经理人说弄不来。公交车在9:00左右就停了。一个落单的人力车夫在附近，提出愿送我走。我们讨价还价了一会儿，最终决定 50 分，他开始要价 80 分。他是个很友好的小伙子，我们还没到交通部，我就知道了他的过去，他目前和将来的想法以及对生活的态度等私人事务的详情。整个行程花了 1 小时。一路上，一件相当有趣的事情总是不断地出现。路过的人力车夫总是互相问到哪儿去，付了多少钱。事实是每个经过的车夫都会得到我的车夫的回答，然后就大笑起来，说他们走的路只有一半远却收两倍的钱。这没让我不自在，因为我知道由于交通停运，他们会向旅客敲竹杠，但我的车夫已经有点受不住了。最后我给他加了足够的钱让他笑着离开了，恐怕这天他要跟不少人讲这件事。

心怀侥幸，我们记录下难得的例外，已有两天我们没收到报警信号了。我们的估计是日本人正集中其所有的力量在吴淞登陆，准备发动总攻，因此他们认为任何偏离此目标的事情都是不值当的。种种迹象表明今后几天将有大的战斗，它会造就或打破目前的态势。

9 月 3 日

仍然没有更多的空袭可报。显然他们给了我们一个广阔的空间。有一则惊人的谣言，大意是他们（日本人）成功地轰炸并摧毁了南昌的一个大工厂，这座工厂装备有许多贵重的进口机械，是用来修理美国造的飞机的。这对于中国人来说几乎是无可弥补的损失。谣言还说，非常靠近该厂的一家同类型小厂是修理意大利造飞机的，毫发无伤，地方当局十分怀疑意大利人向飞机发了信号，因此逮捕了一些人。这件事当然没有出现在当地报纸上。陈是从他的一些官方渠道那儿获得此消息的。

昨天特里默医生从牯岭回来了。他带来了马乔里的一封信还有些可吃的东西。我们以为他们快闹饥荒了，而显然他们以为南京也是这样。我又将一些零零碎碎的东西放在另一个衣箱里送给了马乔里，现在她在山上就能有一些像样的自己的财产了。尚无明确的迹象表明在不远的将来我们会不得不离开。

中国人似乎仍坚守在吴淞附近，而不是像日本人报道的那样。中国最好的 3 位将军现正指挥着上海周边三块地方的战斗，这 3 位都听命于统帅部。我们得到的越来越多的印象是战斗将趋于结束。日本人决心竭力清除中国文化的又一个例子是，昨天报道说他们有计划地摧毁了同济大学和吴淞附近的医学院。当时没有中国士兵在附近。他们派出一批轰炸机，向所有较好的建筑投弹，把它们炸成了瓦砾。最有价值的东西在之前的某个时候已经搬走了。

医院的病床，除了第四层，已经住满了。8月产科创了月纪录。今天早上作为前列腺切除术的第一阶段，我给一位老人做了耻骨上膀胱造口导尿术，准备几周后再做。门诊还是比以往要少，因此我们并没有超负荷工作。我们在外国人中开展的一般业务实际上已经停止了。

9月24日

又回到南京了，我将恢复日记体的书信，让你们知道这儿发生的一切以及当地对其他地方发生事情的反应。

上一封信是在牯岭写的，谈的是我去那儿的理由和在那儿做的事。周三早上斯图华德一家突然决定下山，是第15个去迎接史德蔚的，他正坐黄埔号从南京过来。然后他们将一起前往汉口。在对形势做了认真评估后，看来最好是让马乔里和朋友们一起往长江上游走，我们刚好钱够，这样我就能和她一起去汉口，再送她上去广东的火车。

周二早上，我借用牯岭社区医院给玛丽·帕克做了小手术。她没必要住在医院，可以由泰勒医生进行术后护理。周二中午时，我们决定走，然后就开始打包。到晚饭时分，我们接到消息称黄埔号第二天上午11:00从九江出发，而不是我们以前想的下午。

天气很冷还下着雨，我晚上去了两次隘口，终于解决了滑竿和挑夫的问题。滑竿要早上7:00出发，我和史德蔚家的3个小孩子从6:30开始步行下山，这样我们就能在黄埔号进港时遇上它，不让它把史德蔚的行李弄下船。按计划我们6:00刚过就出发了，8:00前到了莲花洞，乘小汽车穿过了平地。我们到达九江时，昨晚我们发送的重行李也到了。一共22件行李，其中有我们的4件;都堆放进一些小舢板里，顺着水流划向太古码头。我们吃惊地看到一条船绑在黄埔号上，但很快发现它是武岭号，正在往下游走。黄埔号只是在下游能看到，在武岭号消失之前，它在河里停泊了一阵子。

我们步行后，马乔里给娃娃洗了个澡，在黄埔号起锚前，她来了。跟她一块的有史德蔚太太、牛顿、W.P.罗伯茨太太和她的3个孩子，约翰（11岁）、布鲁斯（4岁），以及海伦（15岁），后者是要去美国的学校上学，我们希望她能是马乔里回纽约一路的旅伴。往上游走的旅程平安无事，天气也渐渐好转起来。

抵达汉口时，我们高兴地发现海伦·范·沃斯特在岸边迎接我们，并把我们带到了F.克劳福德·布朗夫妇的家，他们是圣公会传教团的。他为许多人通过汉口，承担了大部分的谈判工作。我们非常感谢他向我们敞开了大门。他们有个小女儿能说一口令人吃惊的汉语，部分原因在于她是和布朗家半领养的两个男孩子一起长大的。一个男孩是金陵大学商务经理苏 D.D. 的大儿子。他现在约 6 岁，从 14 个月大时就和他们在一起了。另一个男孩子有个中国爸爸和俄国妈妈。他们都和女孩一起到中文学校上了一年。这个小女孩恐怕是世界上除了马乔里以外另一个问起绰号回答说“无聊”的人。

…………

在往下游走的路上，我们听说周日、周一和周三南京遭受了大规模的轰炸。很难想象当我们到达时会是怎样。在我们离开汉口之前，太古公司给我发了一封急信，宣称他们南京的大船已经往上游迁移了 10 英里，因此他们可能根本就不在南京靠岸。经过周日和周一两天 40 到 60 架飞机的轰炸，日本人向所有的大使馆发出警告称，周一他们的确要去办正事，使馆最好能撤出去。美国大使馆是唯一顺应这一暗示的，他们搭乘停在下关的美国长江巡逻艇——旗舰“吕宋”号离开了。这让他们成了全体中国人的笑柄，总体上给美国政府和美国人民的声誉造成了无法估量的损失。报道称其他的大使馆将坚守岗位，直到他们母国政府下令让他们撤退，而美国人却是听从日本的命令撤出了。他们也许是有道理的，但要重获以往他们曾拥有的信心将会很困难。

“美孚”男孩提到的报告是第一次严重空袭后，他们南京办公室里的中方高级雇员写的。他说：“他们轰炸了机场，他们轰炸了广播电台，他们轰炸了火车站，事实上，他们轰炸了所有东西。”总之，用“轰炸机”一词替代“炸弹”一词听上去显得更逼真。

我们 23 日周四中午到达了三山下面的太古码头。太古的代理人艾弗尔·马凯在岸上。黄埔号泊在码头上，给大约 30 个外国人充当起了避难旅馆的角色，主要是暂时还没离开的德国人。从使用飞机的数量和丢下炸弹的数量等角度上讲，周日、周一和周三的空袭是猛烈的，但造成的实际损失却是微不足道的。最大的人员伤亡是由恰好落在下关难民营的炸弹引起的。人们对他们表示同情，它们失去了在上海的家园，从一个地方躲到另一个地方，却最终在南京遇炸而亡。河岸与较大驳船间的一个小浮桥被一颗炸弹炸沉，死了一人，伤了几个。其他地方，无数穷苦老百姓的房子被炸倒了，但军事要害和大型重要建筑未遭任何创伤。两颗炸弹落在大马路上；使得一段时间里通行车辆要绕着洞走。

又有几个报社记者到了这里，这样你读到的有关南京本地的消息会相对准确一些。再回到旅行上。我们两点钟离开大船，3:00 刚过就到了下关。我花高价雇了个舢板，划到岸上才发现，舢板上半打的中国人沾了我的光，拒绝支付一分钱。马车要比出租车便宜，我往医院去，穿过的城市看上去和我两星期前离开时一模一样。自从我离开后，有两次错误的警报和 5 次空袭，因此迄今为止总的警报数达到了 35 次，我们要从这继续往下数。今天下了一天雨，因此没有空袭。医院同事都在，并没有过度惊吓或筋疲力尽的样子。我的厨师已经再也不怕日本的飞机了。他看着它们来，然后嘲笑它们。如果他的反应是典型的话，那么日本人收获的结果与他们所预想的完全相反。老百姓现在躲在无数的地下掩蔽部里，一直等到空袭结束才出来，只有在像难民营这样的地方，日本人才能造成破坏。

今天最好的消息等我上床了才到。它是一份来自香港的电报，内容是“杰克逊总统号平安到达”，这就告诉我，马乔里和伊丽莎白已经从担惊受怕的两周香港等待中解脱出来了，能够在船只到达后很快上船。

9月25日

今天是糟糕的一天！戴籁三夫人现在为国立中央广播电台做短波英文播音，你们可能听说过她，她和柏睿德、刘易斯·斯迈思一起在这儿吃晚饭。我们帮她设计今晚播音的开场白用词，“今天，平民流血以加仑计算，南京遭受了3次可怕的空袭”。

早饭后，我下楼去拿一些胶卷，两周前，在我去牯岭和汉口之前，我把它们寄放在商店里了。正在店里时，第一声警报响了，我跨上自行车，急忙赶往迪克那舒适的地下室。刘易斯·斯迈思和迪克已经在那儿了，斯迈思到这儿是帮助我们把汽车修好供紧急救护用的，我们看见我方战机有14架升空，向江对岸飞去。最近它们很少能和敌人的大机群交战，因为这实际上就意味着全体毁灭。它们离开不久，日本轰炸机成群结队地来了，它们开始投弹，我们的火力也在向其射击，此时我们已经钻进了地下室，每次炸弹爆炸时，都是地动山摇。许多人看见一架轰炸机燃着大火坠下，正掉在基督教青年会的对面。

空袭结束后，我们去了医院，因为今天轮我值班手术，我做了个痈切除。我们刚要吃午饭，又一次空袭开始了，敌人实施了更猛烈的轰炸。这次他们叫我们去中山东路江苏银行对面。我们发现周围所有的窗户都震碎了，不少穷人的房子塌了。两个人在地下掩蔽所的入口处被炸死了，尸体血肉模糊。我爬上一间屋子的瓦砾，看到一个人被屋子的中梁击得平躺在地上。他的胸脯被打穿了，已经死去多时。等我自己走出瓦砾，我发现医院的一群人都已经走了，我只好开始走回医院，这时警报又响了。往家跑了大半地儿之后，我想应该去那个一流的由大使馆准备的地下室。回过身来，我跑进一堵空墙，因为门已经被锁住了，我发现它离我自己的房子很近，而日本飞机又在上空滑翔了。炸弹像雨点一样落在周围，又造成了更大的破坏。我们能看到高射炮弹发射后的烟雾，但显然没人能找到它的轨迹。警报全部解除的信号刚停，几乎紧跟着又来了一次警报，但这次轰炸机没能到达城市上空。

现在是五点钟，我去医院找中央医院院长詹姆斯·沈博士（Dr. James Shen），为把他的手下和病人转到我们医院来做些安排。据说有 20 颗炸弹落在了其医院附近，摧毁了他们的厨房、洗衣房、水厂，震碎了手术室的所有窗户，杀死了他们的电工，损坏了他们四辆救护车中的两辆，还伤了 4 个苦力。医生和护士没有受伤，大楼也完好，只是有些窗格玻璃碎了。沈医生从国外匆匆赶回，刚好赶上这事。

五点半，柏睿德、刘易斯·斯迈思和戴籁三夫人和我一起回家赶紧吃点饭，因为晚上我们要忙于护理伤员，帮助搬运中央医院的病人。这些人干得很棒。迪克用他的轿车接运病人。J. 赛珍珠已经把自己的车贡献出来了，但它锁在了福特车行，今晚拿不出来。等我们把它拿出来，我就要在其他工作之外再加个车夫的角色了。检查完我们接收的大约 10 个伤员之后，我们发现都不需要马上手术，于是我就回家来写这篇东西。今晚我们只有烛光了，因为今天早上的空袭给发电厂造成了轻微的损失，而他们因空袭如此频繁往复，没能及时修好，晚上就不能供电了。空袭和警报数已经上升到 39 次了。

9 月 26 日

我们依然在点蜡烛。今天一整天都在下雨，因此我们也侥幸逃过空袭。

…………

今天早上，按惯例查完房，又花了一两个小时忙完储藏室供应后，我和刘易斯·斯迈思到了福特车行，将卜凯的“别克”开出来了。下午，我们用它把一些人送到明德女子学校集中起来，这是由吴翰礼博士（Dr. Hanli Wu）召集的，他负责英国庚子赔款基金会，文理学院院长吴贻芳出席，我们讨论了组建战时救济和公共服务委员会的问题。会后，我开车带着吴博士、格蕾丝·鲍尔和明妮·魏特琳在雨中察看了昨天被炸的几个地方。

当我看到中央医院时，我从未如此震惊过。上帝的仁慈想必以一种难以想象的方式进行了干预，防止了有史以来最大暴行之一的出现。一架日本飞机向医院俯冲，对主楼扔下了两枚 1 000 磅的炸弹。它们在网球场两边各炸开约 50 英尺。弹坑有 20 英尺深，30 英尺宽。弹坑离掘地避险的上百名员工仅几码之遥。据在里面的人讲，防空洞震得就像大地震摇晃地球那样。医院所有面向炸弹的窗户自然全碎了。炸弹如果向北或向南再移几码落地，那么破坏就惊人了。如果它们击中了医院，它就会炸成碎片，100 名病人包括 1 名日本飞行员也会飞上天。往另一方向几码远落地，医院的所有成员就会被消灭得干干净净。随着大炸弹一起落下的还有无数的小炸弹，一共造成了 1 死 5 伤。漂亮大礼堂的一面墙被毁了，所有的玻璃都碎了，我们在那儿曾举行过多次医学会议。

我们从那儿赶往基督教青年会，去看那架燃着火掉下来的飞机，但它已经被拖走了。我的蜡烛变短了，我想我应当省着点，这样我明天就能继续往下写了。

但结束前我应当提一句，今天早上 3:00 到 4:00，警报响了，敌机未达城市。

9 月 27 日

又有 3 次警报，总数达 43 次了。做完礼拜，查过房后，警报响了，我第一次去了大使馆。以后我应该常来。大使馆在一座小山丘上，从地下室的顶端，能清晰地看到数英里远。当飞机还有数英里远的时候，我们就能够看到它们，并看到它们靠近。今天早上，它们没有进入市区，但一架接一架地向浦口火车站俯冲，将炸弹倾泻下去。那些有双筒望远镜的可以看到炸弹在落，而我们只能看见它们爆炸。9 架飞机俯冲。随后的战报说没有直接命中，损失很小。一到两人死亡，数人受伤。

下一次空袭几乎接踵而至，他们的目标应该是下游的永利化工厂，这是只凭声音判断的，因为他们根本就没在视野中。第三次空袭来时，我正在家中准备吃饭。但他们没能进市区，因此人们都说今天很不错。

中央医院暂时放弃了它们的驻地，就在城外的孤儿院里织成一个军事医院。他们准备照看从上海前线下来的 2 000 名伤员。他们两天前转移到我们医院的病人将从明天早上开始正式由我们接管，这将大大增加我们的责任。多出的病员现在安置在老的大学宿舍，那里过去几年曾是梅格先生的学校。今天下午我们巡查了各式各样的病人，发现许多开放性骨折的病人需要很好地护理。今天早上在我的病区，我看到了第一个“达姆弹”创伤。病员是个从上海前线过来的军官;我们现在越来越多地接收他们。子弹打进了他的胳膊一侧时洞口非常小，击碎了骨头，穿出去时留下了两英寸大的豁口。他的胳膊还能有用的机会很小。我病区另一个病员是在下关打高射炮的，他成功地打下了一架飞机，让它成为一片火海。但他的炮管变得太热了，发生了爆炸，炸掉了他 3 根手指还伤了一只眼睛，因此他可能会失去它。并且他还有数不清的小创伤。

今天早上，我在大使馆和一些报社记者谈了话。他们谈到了周六两个新闻电影摄影师的遭遇。当时这两人靠近下关的发电厂，敌机俯冲时，他们捕捉到了燃烧着的飞机摔下去的整个镜头。凭着特殊的直觉，他们迅速赶往中央医院，上到中央医院的顶层真实记录下那两次大爆炸。沈医生想他们肯定被炸死了，飞机一走，就冲了上去，发现他们还在摇动着摄影机呢。这似乎还不过瘾，蒋夫人也出现在现场，并允许他们拍她看望医院里的伤员，并让他们将所拍摄的片子径直带走。但他们被告知，必须在这儿亲自洗印出来，在拿出去之前要经过审查。他们马上就带着片子赶回上海，可能你在收到我这封信之前，就会看到这些片子。蜡烛又有点短缺了。厨师明天打算去为我弄盏煤油灯。他今天下午从芜湖回来了，为他家人救了急。今晚我和格雷丝·鲍尔及她一大家子中国人一起吃了晚饭。

9 月 28 日

下午还是有电的，等我晚饭时分刚吃完甜点，电就没了，我现在又点上了蜡烛。可能明天会一直有电。

今天的状况是敌机在中午出现，盘旋了大约两个小时，零零落落地丢了一些炸弹，又飞走了。云层在中间高度，因此它们从云上飞到这儿，一架又一架地俯冲下来，进入人们的视野。当看到了迅即投入战斗的高射炮时，飞机又迅速地爬到云层上去了，我们的 4 架战斗机在第一声警报响起时就起飞了，但和后面过来的 12 架到 15 架日本飞机保持着距离。

今天我在医院里非常忙。相当一部分从中央医院转来的病人需要尽快地进行某种外科方面的治疗。我处理了 3 个手臂严重开放骨折的病人和一个腿部普通骨折的病人，在我就要结束最后 1 例手术时，警报响了。我回到家，在空袭中吃着晚饭，同时竖着耳朵听飞机是否靠近，时刻警惕着它们飞到头顶上或是太近时，赶紧躲到庇护所里。

今天下午会诊后，来了个阑尾炎病人，我们高兴地看到阑尾未穿孔（中央医院转来两个未手术的阑尾穿孔病人）。这个病案中阑尾已因脓液而绷紧，到明天早上毫无疑问会穿孔……

今天又是三封信：一封是来自香港的航空信，谈了紧张的广东神奇之旅；一封是汉口的布朗写的；第三封是彼特罗娃给马乔里的信，我不会转给她，因为在马乔里收到此信前不久她就能见到彼特罗娃了。“杰克逊总统号”万岁！我希望这艘船能让马乔里有机会休息一下，也让孩子能回到正常状态中。

我正在读阿里克西斯·卡瑞尔的《未知的人类》，他在书里宣称：人类的科学成就已经远超其道义和精神的进化。现在发生的事情正是绝好的注解，我已看到一半了。

9月29日

今天多数时间在下雨，这也可能是没有空袭的原因吧。但我还要把遭遇到的第44次空袭的结果记下来。我们的一位飞行员在安徽省上空与敌机战斗时被两发机枪子弹击中腹部。他成功地将飞机降落，随后就昏迷了。他们花了11个小时才把他送到我们医院。我凌晨两点见到他时，他已经因失血而休克了，非常虚弱。一发子弹打中其右腹，穿过他的肠子，打碎了其对面的骨上半部。另一发子弹击中其左腹，我还没找到它的位置。它可能还在他身体里。小肠在两个地方被完全切断约2到3英尺，另外那地方有一个圆洞（一个圆环）从他的腹部伤口里露出来。

将其两个完全隔断的肠子之间那部分切去是很容易的，只需做一次吻合术。洞也由缝线缝合起来了，现在我们必须等待，看仁慈的上帝能否让他恢复过来。我会告诉你他的进展情况的。在我今天早上换班时，昨天做阑尾切除术的人在读报纸，所以我想不必为他操心。

今天来了更多的美国邮件，其中有最受欢迎的《读者文摘》和《时代》杂志。另外还有封家信，附上了朱琳的和富兰克林的信。家信中提到，看到报纸上说马乔里和伊丽莎白去了牯岭。有3封信是马乔里的朋友写给她的，但我不会转给她，因为在她收到信之前不久她就能见到她们了。爸爸妈妈和我们的新侄子约翰、海伦、帕特的快照非常好。自我上次见到帕特起，她在短短的时间里就长大了许多。

昨天又传来了日军的一个暴行。你此时一定已经看到报道了。中国一个捕鱼船队被完全摧毁了，300个男女老幼仅剩下10个幸存者。这些人是在香港附近被S.S.Scharnhorst营救的，他们叙说了悲惨的遭遇。按照日本人一再强调的话来说，他们不可能杀非战斗人员，那么他们一定是把捕鱼船队当成中国海军了。

中国人在北方将防线撤至准备完善的保定府以南，慢慢地在争夺他们放弃的地盘。在上海，尽管日本人苦心竭力地战斗了6个多星期，但他们实际上毫无进展。在中国军队撤出日舰炮火射程之后，除了一些小地方的你争我夺，战争就呈现胶着状态。日军在那儿的毫无作为无疑使他们愈加丧心病狂地对内地狂轰滥炸，显然是在出恶气。

城里大部分地区恢复了电力，包括医院，但还没通到我这儿，除了昨天短时间通了一下。但这个小煤油灯不错，比蜡烛强多了，这让我回想起早年在南京的岁月，那时我们还没有电。

9 月 30 日

紧张的 9 月就要结束了，而展望 10 月未见光明的前景。结束的这天非常忙，有 8 台手术，多数是炸弹引起的。最严重的是一个相当棘手的病例，榴霰弹片打进其肛门附近，切开了其直肠，完全割断了膀胱颈。弹片扎进了耻骨弓的联合部位。他所有的排泄系统都负伤了，不能再用正常管道，对这个可怜的小伙子来说真是一场噩梦。我给他暂时缝合好，让它能起作用，等到他下面的伤口愈合后再修补。他还需要输液。那个飞行员还在硬挺着。他复原的希望本是很渺茫的，但情况似乎在向好的方向发展。

邮件方面看来转到了香港邮路，我们依旧还有正常的家信盛宴，今天又收到几封给马乔里的信，还有桑蒂 8 月 17 日写的信。它里面提到了妈妈的生日、到威克特维尔的旅行和上海战事的开始。现在日本人已经开始轰炸粤汉铁路了，我们可能又要被孤立一阵子了。马乔里已经在太平洋上 5 天了，但她是个好水手，船上的食品也不错，我想她到这个时候也已从铁路旅行的疲劳中恢复过来了。若能收到她到达美国后写的信就好了。

今天又开始下雨了。我们醒来发现天下雨时，都高兴地说今天的天气真是好极了。晴天以及云彩高高在上的天气对我们而言都是危险的。雨天让我们能够抓紧将中央医院转交我们的手术做完。我还在用煤油灯，抢修工作已经接近完成，一两天后灯就会亮。

10 月 2 日

昨天是无事可记的一天，我把它跳过去了。普拉默·米尔士从牯岭过来了，暂时和我住在一起。我们听到一次防空警报，但没见飞机。所有重症病例的手术在医院里都做完了，我们一天大多数时间都在巡视和照料他们。地球上的人为这两三千伤员都做了什么。他们所得到的照顾真是可怜得微不足道。

奥利弗·卡德威尔从上海到了这里，他把妻儿留在了上海。他们还是想在 4 号把大学重新开放。奥利弗也要和我住一起，这样我家的人就多起来了。我希望我的苦力柯师傅能很快回来，因为洗洗涮涮等事情会变得繁重起来。

今天早上拉了 5 分钟的警报。开始时，我正在教堂讲解“上帝，我灵魂的爱人”，当我们结束了祈祷，准备避难时，几乎同时解除警报响了。第 46 次警报过去。

战争的前方没有什么新的进展。奥利弗有些上海战区的故事可讲。他说上海的外国人，包括士兵的同情心，都完全向着中国人。公共租界的卫兵接到命令不许任何武装的或非武装的日本人进入公共租界。

几夜前，20名中国士兵为了炸沉日军的军舰徒劳地献出了生命。他们带着浮游的水雷从黄浦江下水，向“出云号”游去。距其一百码时，有道钢网环绕着它。他们在上面弄个洞的时候被发现了，他们没有时间能穿过钢网了，于是就引爆了水雷，爆炸声震惊了上海。大约一英里外的“奥古斯塔”号上，有几个船员被震下了铺位，奥利弗本人在美国学校大楼里也惊醒了。爆炸肯定对该舰有所破坏，但一定不是他们预想的结果。日本人生气了，将巨大的炮火砸向中国军队的防线，几乎连续打了几个小时。当他们认为已经杀死了周围数英里内的中国士兵时，他们将士兵派到凸出部，立马就遭到机枪火力的射击，又被打回自己的防线，只留下几百具尸体和伤员。他们至今无实质性的进展，光是今天就又完全放弃了前线的一部分。

10月5日

这是个相当奇怪的生日。我直到中午才想起来。然后我让厨师给我做了个蛋糕，他很骄傲地用中国面团做出来了。普拉默·米尔士和奥利弗·卡德威尔看上去也很高兴。

昨天一次警报，今天两次，总数共49次。昨天和今天早上的警报都错了，因为飞机没有到达城市上空，但今天晚上6架飞机过来了。我5:30刚检查完我的最后一名病人，警报就响了。匆忙结束巡诊，我换好外套向家走去。在白天空袭的时候，因为不知道它要持续多久，我宁愿去家里，因为假如它持续时间长的话，我在那儿可以吃点东西。

米尔士已经到家了，但奥利弗去了大使馆，在那儿他比我们有更好的观察角度，他看到一架飞机冒着火往下落，另一架直接往下栽，迄今他确信飞机已经坠毁了。两架都在城市的南面。我们没有受到炸弹的袭扰，但可以看见高射炮炮弹在飞行区域里爆炸。解除信号响的时候，天已经黑了。

我救治的飞行员在经历了7周与巨大伤痛的殊死搏斗后，死于今天上午，最初的几天，他看上去还不错，连我都有了些许希望，但今天早上5:00，他的情况突然恶化，再没能恢复。

今天下午，我又看到了兰开斯特先生，发现他仍对空中形势抱乐观态度。他尤为反对美国政府停止装船运送中国人购买的且已付过款的飞机。《中立法案》的这一面肯定是非常有利于日本人，因为他们已经有了许多飞机。由于他们开始大规模轰炸，中国人将自己的飞机以小单位分散在全国各地。如果他们试图进行大的战斗，即使他们以2比1的比例将敌机打下来，他们也会是失败者，因为他们至此就再无补充了。

而日本人仍然还有许多飞机。他们现在在玩一种狐狸式的游戏，将战斗机送上天骚扰那些掉队的飞机和大机群后面的飞机。兰开斯特说，用这种方法，每次日机来袭时，他们都能打下 4 到 6 架飞机，而自己毫无损失。

北边的消息不是很振奋人心，我们不知道日本人在遇到强劲抵抗之前，还能推进多远。我们的乐观还是植根于中国的报纸，在最近的《字林西报》上披露说山西断然拒绝投降，日本人取得了一场大胜，夺取了雁门关，首府太原岌岌可危。我们希望能听到更多有关装备精良的前红军的消息，但《字林西报》肯定不能让人满意。

昨晚，电只来了一刻钟工夫，我们又回到煤油灯和蜡烛照明的状态。

10 月 6 日

空袭总数又加上 3 次，到 52 次了。第 50 次发生的时间特别让人难受，是从午夜到凌晨两点，搅醒了我们的好梦……我披上几件衣服，又躺下了，在解除警报响起前好久，我就已经快速进入梦乡了。等到真响的时候，我脱下多余的衣服，很快就沉沉睡去。

第 51 次突袭时，我看见 1 架日本飞机被打下来了。有 3 架飞机越过我们头顶，向南城飞去，他们飞得相当高，就擦着云彩的边角在一块小小的云上飞。第一架飞机开始穿过这片小小的云朵向下俯冲，正撞上高射炮火。等它再出现在云彩下边的时候，已燃着大火，以惊人的速度直往地下栽，升起的火和烟连绵几百英尺。第三架飞机准备向下俯冲，但很快改变了主意，调转方向，很快消失在云彩里。第三架压根就没开始行动。

10 月 8 日

于下午的空袭中，我们看到 6 架飞机和一些高射炮炮弹的爆炸。敌机没有飞到 12 000 英尺以下，至少在我们看来，没扔下炸弹。中断的原因是来了第 53 次空袭，我刚开始用蜡烛，不得不把它吹灭，没事可干，只好暂时停下来。警报大约响了一个半小时，但我们没听到任何飞机声。昨天下了一天雨，今天又是小雨，我们的天气真是太好了，大多数时候温度表都在华氏 60 度上一点。我不得不用上所有剩下的被褥，这样米尔士和奥利弗就必须带上他们自己的了。

10 月 3 日、4 日下午，我和一名护士到下关难民营去设门诊给所有得病的人看病。在大的旧剧院里，已经有两个这样的难民营了。一个容纳了 400 名难民，另一个大约有200名。几乎都来自上海。他们还是很愉快的，身体状况不错。中国红十字会和红卍字会给了他们充足的食品。他们中的大多数有自己的被褥。他们睡在长凳上。都急着想往前走，每天的周转都是几百人。我们第一天下午去的时候，一个地方有400人，其中两百人正准备前往芜湖。等我们第三天再回来的时候，剧场里空无一人。很难说他们去了哪里。似乎他们是懵懵懂懂地在往前走。有个怀孕妇女，孤身一人，随时可能生产。她丝毫不把困难放在眼里，当我们建议她最好等生完孩子再离开南京时，她对这个主意嗤之以鼻，准备往长江上游走了。可能在船上会出现一些紧急的分娩。

另一件正在做的事情是向教会医院和军队医务团之间的合作提供帮助。米尔士对此特别有兴趣，我和他一起去拜见卫生勤务部部长（军事委员会）也是全国卫生部门首脑刘瑞恒（J. Heng Liu）。这个主意必须落实，但可能采取的形式是教会医院提供专业帮助、医生照料危重病人并向在长江流域刚建起的军队医院提供咨询。正式的信函已经发出去了，当局将提供财政帮助，既给需要这些帮助的地方也包含照料负伤的士兵。

10月10日

10月4日下午走访了难民营之后，我和护士去了军队医院，这是中央医院的员工在中山门外孤儿院里组建的。街道两边各有一个男童和女童的孤儿院。每边都有无数的平房式建筑四散在数公顷范围内，中间由水泥路连接。据说它们能接纳照顾两千名伤员。中央医院几乎所有的设备都直接搬到了这些房子里，这种分散的状态使之不易被毁坏。它们有宽敞的手术室和大的病房。

过去的4天，云层非常低，一次空袭都没有。今天中国人非常安静地庆祝自己的国庆节。他们都以为今天会有特别猛烈的空袭，但啥也没有。持续不断的蒙蒙细雨是最受欢迎的。只有奥利弗希望天能放晴，因为他说雨天让人郁闷。我们均表示反对。

可能过去几天最大的一则新闻是罗斯福总统芝加哥讲话的影响。中国的报纸给予了它铺天盖地的报道。对美国人批评的态度就像魔术一样消失了，他们又是地球上最好的人了。当中国人的士气在我们看来非常好的时候，读了这篇演讲和随之的国务院声明，完全有如沐春风的感觉。有了这样的效果，丽格报告也如是，中国觉得它得到了世界大多数国家精神上和道义上的支持，当它想要一些更实在的东西时，它也不会因为暂时缺乏而哭泣，而是受到了极大的鼓舞。如果罗斯福现在能继续努力，真的迫使日本人让步，那么他就将载入史册成为最伟大总统之一。机会看来是他的，而且他也是最能把握机会的好手，这儿的大使馆也极大地振作起来，完全赞同这一新的立场！

这是世界历史上的一个关键时刻。中国很容易受影响而加入共产主义阵营，但它也有机会与强大的民主国家为伍。日本的全面胜利将是世界性灾难的前奏曲。我们是多么希望和平民主的原则能够胜利。今后数月期待这样的可能性几乎成为势不可当的潮流。我们必须继续尽力而为，继续祈祷，希望上帝的意志能够得以实现。

10月12日

又有4次空袭，总数已达55次。昨天警报响了一次，但我们没看到飞机。今天早上它们到了靖江，但在两架飞机被中国战斗机击落后，它们并未到达市区。但在今天下午，我们见到了一幅相当可怕的空战景象。第一次警报后没多久，我们就去了各自为应付每次空袭而准备的地方。（这次我们四个人去了赛珍珠为我们一两天后搬过去所安排的地方）就在紧急警报响了不一会儿，我们就看见9架大型日本轰炸机从东北方向飞过来。它们是一种新型号的单翼飞机和双翼飞机，比我们之前见到过的要更快、更大。南京最近来了一批柯蒂斯-豪克飞机做支援，于是我们就见识了一些有趣的战斗。1架中国飞机被迫降落，1架日机燃着大火摔下去了。官方的报告是今天下午又打下两架日本飞机，使得今天一天的总数就是4架。我们那架被迫降落的飞机显然未受损伤。这位飞行员因下唇撕裂来到我们医院，我们给做了缝合。他要在这儿住下休息几天。

有些炸弹落在了城市的南部地区，但我们尚不知损失的程度。因为除了那名飞行员，没有伤员送到我们医院，我们估计没造成太大的损失。除了我们又在忙于门诊，医院又变得安静了一点。我们诊治了相当数量的能走路的伤兵，收治了大概50名士兵住进医院。因为下了这么多天雨，空袭很少，被炸弹炸伤的也少。今天是这么久以来第一个晴天。

今天早上日本人在上海地区发动了第五次大的进攻。我们都希望它和以前一样徒劳无功。但北方的中国士兵却暴露出截然不同的水准，他们对日军稳步的推进几乎没有抵抗。我们不知道如果日军成功地渡过黄河，会发生什么事，但因为他们还没有到那儿，我们还有时间等着瞧。与此同时，食品的价格正在上涨，但似乎还没有真正的短缺。度过这个冬天，恐怕要花不少钱。

我们六七个人正聚在一起解决一些问题并计划搬进卜凯[1]的房子。

他不久前飞回美国，我们不知道他什么时候回来。他的房子是这里面最好的，楼里有个摩登的浴室、极好的中央供暖、自来水供应以及现成的电力供应。我们在冬天

[1] 即赛珍珠的前夫，金陵大学农业经济系教授。

会很舒服的。我们把我的厨师带过来，不用洛辛的厨师，让他继续当房屋管理人，至少等洛辛回来。

我是在第 61 次空袭期间写这东西的。昨天 4 次，今天 2 次。他们昨天在城南丢下一些炸弹。今天早上是我第五次在手术时遇上空袭。他是我以前提到过的小伙子，他用他的高射炮打下两架日本飞机，最后炮管爆炸，炸伤了自己。由于感染沉淀在他手指里，我把他带到手术室做些清创，这样能使他的手指更灵活些。我们还没做到一半，警报响了，等我们结束时，飞机已经从我们头顶很高的位置上飞过去了，一直向南飞还丢下了炸弹，我们听到了爆炸声。我们推迟了后两例手术，直到空袭结束。

柏睿德今天下午前往牯岭度两周假。眼下的空袭开始时，他可能已经快上船了。我们听到第一声警报时，敌机已经相当近了，因此紧接着第一次的警报，紧急警报就拉响了。从这儿的窗户看出去，我看到在南边数英里处 6 架敌机一架接一架地俯冲，而空气中弥漫着高射炮发射后的烟雾。我没有看到任何中国战机，因此也就没见到任何日机被击落。（我正要看敌机是否返航了，因为这轰鸣声变得更响了。）应该是我们的战机返航了，因为所有警报解除的信号响了。

今天下午，陈医生带来了一些相当沉重的消息。看来总司令部有两天时间没有得到北方战线上两个地点的准确消息。最终传来的消息是说日本人宣称在北方与他们交战的所有士兵都是共产党人，应当被彻底消灭，于是他们使用了毒气，规模是前所未有的大，结果是消灭了数千人。我们在等待核实时不禁毛骨悚然。与此同时，过去几天在上海周围，中国军队还是在向好的方向发展，但昨天在南京，我们接受了第一例芥子气中毒患者，有几个住进了新的红十字医院。我们目前还未见到这样的病人。

10 月 19 日

日本人总是会出乎我们的意料，昨天白天有两次空袭，晚上两次，随后又来两次，使得警报总数达 170 次之多。他们看来是集中轰炸飞机场了，但他们不敢往下飞到射程之内，因而他们的炸弹几乎总是离目标很远。昨天夜里，警报在 2:15 拉响，解除警报直到 4:30 才响。这期间，日机来了两次，丢下了许多炸弹。我们这群人里的几个起了床，披上了衣服。我的浴袍就在手边，但我在飞机声清晰可辨的情况下，平静地睡着了。第二次警报大约是在 5:00，但几分钟后就解除了，表明可能是看到飞机往这边飞，而实际上他们是往别处飞。

今天的大空袭是在我们正吃午饭时来的。它们在飞机场附近丢下了 20 多枚炸弹，还想打击铁路和渡船。在飞机场，它们炸死了 3 名苦力，还伤了 2 个。一名伤员到了我们医院，他的后背上明显有一发机枪子弹。这伤看上去和负责治疗英国大使的医生描述的几乎相同。但这个苦力没有流太多的血，因此我们相信它没有打到肝脏。我们可以看到这发子弹弹着点靠近脊柱，既不在肺部也不在腹部。

空袭的另一区域造成的伤亡不小，大约有 20 人被炸死了，许多人受伤。它们没有击中目标，但却摧毁了周围一些建筑。约翰·马吉今天下午晚些时候到了这儿。他们在下关圣公会教团驻地建起了相应的医院来接纳空袭受害者，他们在照顾这些受伤的人。我想等他们（日本人）发现他们在前线受阻的时候，他们又会开始漫无目标地轰炸，我们在任何时候都会来救助的。

今天下午，江阴要塞司令派来他的专车到我们医院，要求我们派一名医生去他那儿给他治疗，因为他不想要任何军队医生。江阴是保卫长江的大堡垒，可以阻止日本海军溯流直上。那里有凿沉的船只所设的数道屏障，河水里有无数的礁石，构成无数堡垒，迄今为止日本海军尚未挑战这些屏障。这个司令官显然不愿意按照我们提出的价格付账。我跟着车子一起下来，但在少尉回去询问能否满足我们的条件之后，他就再也没回来。因此我猜想，这个司令官不得不接受当地军队医生的治疗。

10 月 21 日

我们又开始按时间表来了。敌机每天中午约在十二点半时光临，其时正是我们要吃午饭的时间。昨天和今天都是上次连载曾提到过的时间，构成了连续的三天。加上白天另两次较小的警报使得总数达到 74 次。我们的预言就是到 11 月 1 日为止空袭数将达到 100 次。

昨天下午我的王老师来了，我们一起紧张学习了两小时，取得了实质性的进步，把报纸的大意总结了出来。学习结束后，我和巴农去踢了会儿足球。今天我的右腿感觉就像得了风湿病似的。我希望我们能更多地参加经常性锻炼。

今天对我来说是在手术室忙碌的一天。警报响的时候，我们刚刚为了救治一个人的大疝气和阴囊积水而实施了脊柱麻醉。这是早上 9 点钟。我们继续手术，大约半小时后终于等到了解除警报声，没听到紧急警报。警报系统是这样的：一声长啸后紧跟着是约 6 声短号是告诉我们已经看见敌机正朝这方向来。如果飞机正接近城市，下一个信号就是一连串的短号。解除警报是一个两分钟的长啸后面没有任何短号。

疝气修补完后，我们又在荧光显微镜（flouroscope）下取出了另一块弹片。它奇迹般地错过了这人的股骨，直接打进了它的后面，我们发现弹片在股骨的前面，但骨头没碰着。这一定是相对论还是别的什么。

现在大约是12:00，一个阑尾炎患者被送进了手术室，我们也给他做了脊柱麻醉。奴佛卡因一进蛛网膜下的组织时，警报就又响了。我们像往常那样继续手术，但这一次过了大约10分钟，紧急警报就响了，我们不得不伴着隆隆的飞机声和炸弹的爆炸声，更别提那轰轰的高射炮声，继续着手术。看来阑尾炎不是就1例，晚上大约6:00第三例病人送进了医院，还另有腹膜炎。我8:00过后不久就开始忙他的事，他的腹部已经充满了浅状脓液，阑尾上有一个大的锯齿状的洞，无数的粘连说明此前受到的打击。将它取出来是个又冗长又乏味的活儿，我估计他存活的机会大约是10%。今天早上的那位我估计在60%或更高，因为他的腹膜炎没有扩散的迹象。我会按时告诉你他们的进展情况。

昨晚我们请了陈院长来吃晚饭，实际上是搞些娱乐活动。我希望我们能有个女主人。

10月23日

昨天我们经历了钻石级的一次空袭。它是下午时分相对安静的一次空袭，飞机飞得相当高，城里没人能看到它们。我从医院楼上的窗户看出去，只见炸弹在飞机场爆炸，还有炸弹的烟雾从我们和飞机场之间的城墙上升起。我们看到烟雾10秒钟后，爆炸声才传到我们耳里。然后飞机离开了，压根就没让我们看见。

前天当我完成了第一例阑尾炎手术时，空袭正在进行中，即使已经是1:00了，我也不能回家吃午饭。我想了个好主意，戴上红十字会的袖章，骑着车就出去了。没有被警察和士兵把我从路上赶走，相反我到处受到笑脸的欢迎。我现在戴着这个袖章以防万一。

日本人今天又想换换名堂了，今天早上他们对我们发动了3次空袭。第一次正逢王先生刚到我这儿来给我上中文课。我和他在一起又额外多学了半小时，随之我就担心起我在医院里必须完成的工作来。警报解除号还没拉响，我就又用上了红十字会的袖章，一路骑到医院，还是没碰到任何麻烦。第二次空袭时我一直在手术，没做任何观察。第三次警报响时，我正准备回家吃午饭。这次我们看到6架飞机，它们又轰炸了光华门外的大校场机场。等飞机一走，他们就填平了弹坑，生活又和以前一样继续。

今天下午，来了一个16岁的男孩，他的腹部被牛角抵伤了。他的腹部摊着两圈约4英尺长的肠子。这个伤几乎和切除阑尾差不多了。我给他做了缝合，给他每个受伤的肠环分别进行了肠造口。幸运的是它们还没有破裂，但我们不得不等待进展情况以决定今后几天他的存活机会有多大。两个阑尾炎患者仍各自坚持着。那个前列腺患者情况正佳，真是让人兴奋……

10 月 24 日

今天的空袭使总数达到了 79 次。我正在四楼查房，看到有 3 架飞机几乎就在头顶巡弋，在其四周有一些高射炮弹在爆炸。它们往南飞，不一会儿我们就看见浓烟从饱经战火的机场升起，听到了雷鸣般的炸弹声。它们随后就飞走了，空袭结束。

昨天晚上费吴生和爱默里·卢考克从上海赶来。卢考克，上海社区教堂的牧师，和我们住在这儿。1921 年秋天他第一次来中国时就和我们住在一起。我对他记忆模糊，但他把我记得很清楚，那时我还只是一个长了一点头发的毛孩子。他和费吴生从上海带来一些医药物资和经费。

今天中午，我们接待了一位很有趣的客人，路透社驻远东首席记者钱塞勒先生。他看上去很年轻，但一定有 35 岁左右，思维敏捷，从各个角度展开他的问题，在很短的时间内就能透过表面而看到本质。他要在这儿待几天，采访有影响的人物。他很同情中国，但对最终的结果抱乐观态度。晚饭后我们围坐在一起，进行了一次长长的讨论，几乎快到祈祷的时间。然后我们去特威纳姆礼拜堂听约翰·马吉传教。下星期天又轮到我了，迄今我还没有想好传达什么神示。如果我要多次主持礼拜，我就不得不请爸爸给我一些建议了。

所有的腹膜炎患者都还活着，但非常虚弱，我们还要等几天来做判断。腿受伤的德国人恢复得很好。回顾上周的信，我发现没提到他。我想我在给马乔里的信里提到过这件事，所以我要重复的话，她可以忽略这部分。事情是这样的，几个德国大使馆官员在河里打野鸭，舢板前排座位上的吉哈德·海斯挨了后排座位上装满火药的人的枪械射击，打中了大腿。我从他腿肚子里挖出 4 块舢板碎片、1 块皮靴碎片、3 块棉絮和 540 粒霰片。他因注射抗破伤风毒素而有点虚弱……

10 月 26 日

今天主要的新闻是 4 封从美国来的信。3 封来自桑蒂。爸爸把他 9 月 27 日的信寄给了鲍蒙特将军，妈妈直接寄出来。爸爸的信今天早上到了，妈妈的信下午到了。……当然，在你收到这些信之后不久，你就会知道许多发生在这里的事、我们究竟在哪里、究竟怎么样。家里的事情都好，除了茱莉亚还没有找到她的工作，但我希望她很快能找到。

这儿的战争新闻完全是令人沮丧的。日本人已经在上海前线夺取了一个非常重要的据点。它的陷落可能意味着中国军队要被迫从整个闸北—江湾一线后撤至第三道防线。中国军队可能为避免出现这种情况而发动疯狂的反攻。那儿的战斗是非常激烈的。日本人花好几天时间用陆地上的炮兵、海空军将千万发炮弹倾泻在这整个地区。还有人能在那儿存活下来吗？真是难以想象，更别说战斗了。昨天他们报道说，100 多架飞机连续飞往战线，丢下了数不清的炸弹。那儿的战事是如此繁忙，南京昨天就逃过了空袭。

但今天拉了两次警报，是我们的第 80 和 81 次。今天下午，我们看到 7 架飞机往飞机场丢了不少炸弹。它看上去一定像一张放大了的月球照片，但他们迅即将弹坑填平，准备迎击第三次挑战。我们有一阵子没看见中国飞机在这儿飞了，但每天晚上我们都能听到中国轰炸机从靠近这儿的什么地方飞往上海，尽可能地去援助那儿的战事。很快又拉响了第二次警报，但没见到飞机。两次空袭都是在下午门诊期间。

每天，伤兵的问题都变得愈发尖锐。迄今我们只接触了问题的皮毛，医院里只有 40 到 50 名伤兵。40 到 50 比起 4 万到 5 万伤员来说简直就是九牛一毛，而目前伤员的数字每天是以 1 000 左右增长的。目前我所关心的是，迄今为止我们和这里的红十字医院尚无合作。我希望在不久的将来能有所作为，因为凭借我们相对较多的医务人员，我们应该能比现在所做的多得多。

10 月 28 日

今天早上有一次简短的警报，没有紧急信号，昨天很平静，空袭总数达到 82 次……

早上我做了一些小手术，给我们一些伤员用了石膏绷带。我从一名士兵脸上取出几块弹片。昨天晚上一名飞行员从中央医院转到我们这里。他几天前在北部战线被击落。飞机上有 6 人，其他 5 个都被烧死了。他自己也烧伤了，骨折了 3 处，其中一处严重损害了他左腿的血液循环，变成坏疽性了。今天早上将其截肢，但我担心他能否挺过来。

下午，上了一会儿门诊后，我给刘瑞恒、马克斯威尔医生和克劳德·汤逊当司机，去了红十字医院。他们现在有 1 200 名病人，准备收纳 4 000 名。我以前估摸的 5 000 人有点高。他们今天有 50 多台手术，多数是环形截肢。这是中央大学几个月前被轰炸后，我第一次看到它。在带长桌的图书馆大阅览室里，两名病人共用一张桌子，一间屋子里大约有100人。另一个病房是体育馆，容纳了两百张床。他们的组织越来越好，尽了巨大的努力。比较起来，我们至今的贡献就小得可怜了。我们强烈地感觉到必须免费治疗平民，不然的话，医院的病房就完全不够了。我们正照看着大约50名伤员，期待着能接受80名重伤号。

今晚我作为客人到克劳德·汤逊那儿吃扶轮社晚餐，这是他们3个月来的第一次聚会。他们已经决定将他们的聚会从以往的中午时间改到晚上，因为这样更易于躲开空袭。J. L. 黄上校，实际上是少将，与受伤士兵在谈工作。刘易斯·斯迈思也谈了在南京的救济工作。今天早上我去了金陵汽车行，察看了我们买的福特牌卡车，我们要把它改装成救护车。资金是上海扶轮社以礼物形式相赠的。它是1931年款式，完好无损，会是一辆不错的救护车，迪克曾把他的轿车用作救护车，把前排一个座位取掉来安放担架。有了这辆新救护车，我们就能放4副担架。我暂时还不得不客串司机。这套程序是医生开着救护车，提着担架，将病人接回医院，穿上他的手术衣，给他接来的伤员做手术。如果空袭没有过去几周那么猛烈，我们就不会那样加班加点了。但如果人们知道我们有这么好的救护车，随着消息的传播，它的使用可能就会翻番……

威尔逊的“日记”每天都有，他的这些日记内容通过妻子之手，再寄给报界的朋友，在当时的美国报纸上发表，及时地向世界介绍了日本侵略中国的真相，引起国际上的强烈反响。而今天笔者在读威尔逊先生的这些珍贵的“日记”时，感慨颇多：一方面对日军的暴行不断加剧愤恨，一方面又在内心产生一种强烈的感谢之情——这当然是要感谢能够在那种不知生与死的战争环境中的威尔逊这样的外国朋友，他们怀着对人类生命的珍爱和对上帝的信仰，一丝不苟地做着自己神圣的工作——帮助饱受战争苦难的中国军人和平民医伤治病，同时又能认真细致地把魔鬼屠刀下的社会生活记录得如此细致详尽。

对这样的国际友人，我们中国人要学的东西很多。也是这些国际友人的存在和他们的贡献，使得日本这样不讲仁义和骨子里从不承认自己罪行的国家，永远不可能有真正逃脱罪行的好运。

现在日本右翼势力一直对“南京大屠杀”有30万人被害持异议，但他们对在大屠杀之前对南京进行的为期4个月的大轰炸所带来的灾难和伤亡缄口不谈，装作若无其事。

到底大轰炸给南京造成多少损失以及我军人和平民在那个阶段的伤亡情况，由于紧接着 12 月 13 日南京城的彻底沦陷，随即日本军人实施全城的大屠杀，因此对前期的损失和伤亡根本来不及统计，据战后有关方面调查核定，至少有数以百计的中国人在大轰炸中死亡，而古城建筑有五分之一遭受毁坏。

“仅 9 月 25 日一天，日军出动了 94 架战机对基本没有防空力量的南京进行了狂轰滥炸，使这座名城陷入一片火海……”中国第二历史档案馆“南京大屠杀”著名研究专家拿出一叠厚厚的日军当年轰炸南京的旧照片，如此向笔者讲述道。看着那些遍地尸体、墙坍垣倒桥断的景象，凡属人者，不可能不生怒焰。

然而，日本侵略者犯下的罪行何止这些？大轰炸只是日军实施南京大屠杀的一部前奏曲而已……

3. 沪宁线上的生死搏杀

自 11 月 12 日“淞沪大战”定局之后，日军松井石根和柳川部队分东西两个方面向南京包抄合围。先行的柳川部队绕杭州抵嘉兴，然后沿太湖北岸直插长兴，再兵分两路：一队朝宜兴、溧阳北进直逼南京，另一队绕安徽广德、芜湖，后抄长江浦口至南京。松井石根的派遣部队则从笔者家乡昆山、常熟再朝苏州、无锡，然后直插武进、镇江。另一支部队便利用长江水道，陆军和舰艇并进，尤其是白茆口起兵与攻击江阴要塞两步棋，把京沪东侧的关键战场尽归于囊中。

如前所述，上海到南京，直线距离不足 300 公里，这是城中与城中之间的距离，如果城边与城边的最近距离，也就 250 来公里。我军自淞沪战役失利后，能够在当时的“京沪线”上作为战场的天然屏障的，只有长江、太湖和城郭了，因为美丽的江南水乡根本就没有什么“一夫当关、万夫莫开”的大山和奇险。在侵略者面前，美丽富饶的江南大地，如一位裸身的母亲，当强盗出现在她的面前时，母亲只有遭受被践踏和奸污的命运……

童年的时候，笔者就听爷爷和奶奶诉说“东洋人”的罪行，笔者上的小学是一座半壁的旧堂，另一半就是被从白茆口起兵的日本兵用炮弹炸掉的。小学同桌金崇良同学的外公就是在这次日本兵的轰炸中丧生的。

“那时东洋兵厉害啊，他们见男人就抓去给他们搭桥、烧饭，见我们女人就逮去睡觉……”我奶奶说，当时她跟我爷爷才结婚三年，她和姐妹们躲藏在河边的芦苇荡里。“我们这儿的村庄密、人多，想躲的地方也不好找，东洋人抓人容易，所以我们只好用灶烟把脸抹黑。可是东洋人坏，看你不像是老太婆，抓住你往河里一浸，你啥样子就一清二楚了……许关泉阿哥和阿嫂就是这样被东洋人用刀刺死的。”奶奶说的人是谁家哪户的我都知道。我的一位远房亲戚，是当时抗日游击队队长，日军在一次袭击中抓住了他和十几位队友，开始令他们帮助铺路搭桥，后将他们拖在机舰船的后舵下，再用绳子一个个绑住扔进江里，日军随后发动船狂行，我的亲戚和他的队友们则在水中溺水身亡……另有百姓因为不愿给日军引路去抢劫与找“花姑娘”，鬼子便让他们先吃粗糠几碗，再强行让其喝水无数，等肚子胀痛得满地打滚时，日本军人便将他们装入麻袋，在上面乱踩猛蹬，弄个半死后再用刺刀捅死，扔进河中。

侵略者在我故乡留下的罪行遍地皆是。但最血腥的还是在苏州等城市。

蒋介石政府在上海到南京之间设置了三道防御线，第一道即是以苏州为中心点向北到常熟、向南到嘉兴，连成一条防御链。日军柳川部队很快在11月10日前就把嘉兴拿下。松井石根部队见此情形便毫不示弱，立即对苏州城施予重击。

可怜我美丽的天堂姑苏，此时怎能经得起狼烟虎口的蹂躏！

血雨苏州城

日本人当然知道苏州是座什么样的城市，它既有与杭州并称的“天堂”之美，也有“中国威尼斯”的水城之秀，离上海约50公里。日本侵华时就早已有了铁路和数条新筑的公路可通。20世纪30年代，苏州城内就有35万左右常住人口。中国军队从上海退出后，苏州事实上便成了彻彻底底的不设防城郭，11月19日，这座如花似锦的城市便陷入日军魔掌。但是日军在进城之前因为惧害城中藏有中国军队的重兵，所以先进行了几番不管三七二十一的大轰炸。可怜我手无寸铁的故乡亲人们，像一堆堆无法挣扎的可怜虫一样，在铁蹄随意的蹍踩中或死亡，或断肢流血……

“大量的炸弹从天空落下，猛烈爆炸，肢体、尘垢、砖石和泥灰，不断飞腾，好像一道道的瀑布，这真是骇人的景象，恐怖的疯狂的场面，使我们不敢正视，不敢留恋。日机整天在头上飞翔着，投下死亡的礼物。”一位当时在苏州旅游还没有来得及撤离的外国人这样描述。

数日后，日军仍然不敢贸然进城，以为城中仍有中国军队重兵隐蔽着没有被消灭，所以用飞机在城市的上空散发传单，并提出警告：三天以后，全城将遭更猛烈的轰炸！

“地狱！地狱！再不走就要入地狱了！”市民们真正着慌起来。于是，大大小小，男男女女，成群结队地带着有限的行囊，离开他们久居的城市，无目标地向城外躲逃，那凄怆和无奈之景，难用笔墨描述。所有的船只、黄包车以及其他车辆，此刻都不够用，甚至有的人家用水桶作为渡河工具，带着小孩、老人，蹚水过河，而他们的身后，是日军密集的枪弹与看热闹的狂欢声……

许多市民根本来不及出城，日军便将整座城市包围了。12个小时的狂轰滥炸，接着又是扫地一般的地面进攻。此刻的姑苏城，仿佛一个美丽的裸女被千把利刀撕划后的情形，可谓惨不可睹！

“天一明，我就起身进城，我们所目睹的死亡和毁灭，其惨状远非任何笔墨所能形容。我们的心里真难过极了，郁闷极了。一位中国牧师领导着难民一千人往广福去，这是唯一令人快慰的事情，然而，这也是如何悲惨的一种景象啊！小孩子、老头儿、老太婆、跛足的，以及枪弹、炸弹轰炸下的残废者，跟随着牧师蹒跚前进，我想起了当初的基督。两天以内，五千个难民从苏州移送到广福。”一个美国记者进入了战争现场。他所说的广福，是个著名寺院。

“可是，有一次我们终于发觉教会的产业也大遭劫掠，一幢房屋的正门、旁门和后门都被撞开，校舍和住宅的大门，显然给斧头和枪刺所戳破。大大小小的房门均蒙光顾。各式各样的箱子均蒙检阅。凡是不需要的东西，任意投置，地板上凌乱不成样子，在我的住宅内杯盘狼藉，显然经过了猛烈的抛掷。在一个朋友的家里，地板上一架小提琴，损坏到了不堪修理的程度。”这是必然的，日本兵才不在乎什么神庙圣地呢！

“另有一次，我去察勘晏成中学校舍。日本兵不知道我突然前往，所以我在校舍和他们狭路相逢。他们正在拼命打开一具保险箱，一个兵用鹤嘴锄斫柜门，另外几个兵想整个粉碎保险箱，更有几个兵则搬动校长和教务长室内的桌子。当我往别处找寻译员时，他们带了家伙扬长而去……

“第二天早晨，我们再到晏成中学，保险箱门终于给日本兵打开了，抢去约四百块钱，有趣得很，那些匪徒把发薪信封内的三百块钱，丢在地板上，大概以为是没有什么用处的信件。同时，据我们检查的结果，另有几处教会房屋内的保险箱，以及银行商店内的大保险箱，均遭日本兵破坏，他们把所有的东西劫去。”

日军抢走的何止是保险箱里的东西，无数价值连城的古玩店更是遭受清仓式的浩劫。自明朝之后的二三百年历史里，苏州一直是中国经济的重镇，富足天下，此地又是文人雅士集聚地。皇家园林和富贵人家里私藏的红木家具就不知其数。算日本人识货，他们一车又一车不嫌累地把所有可以拉得走的好红木全部装到了舰船和马车上，源源不断地运回本土。但这对强盗而言，又算得了什么！他们要征服的是中国人，他们要灭绝的是中国人。

“日军占领苏州后，我们第一次回去的时候，看见街道尸骸累累，而那些尸骸足足搁了十天。最痛心的事情就是日军侮辱各种阶层的妇女。兽欲勃发的日本兵到底奸污了多少妇女，恐怕没有人能够估计。我个人知道许多次强奸的事情，纯属确实可靠。不过，我们也无须加以估计，因为九千五百次或九千六百次的强奸，对于这种滔天的大罪恶，究意会有什么区别呢？有一天早晨，我在广福遇到东吴大学的一个学生，他含着眼泪告诉我，日本兵强奸了他的美丽的姊妹。我还看见许多乡民，坐在路边发抖，因为一队武装的日本兵把他们驱逐出来，截留了他们的老婆和女儿。

“那一晚，一个中国人恳求我住到他的家里，去保护他的女儿和几个避难的姑娘。我答应了，确乎做了一件好事。当夜里十一点左右，我为电筒的闪光所惊醒（电光从门顶上的小窗射入）。有人在我耳边低语：日本兵来了。我手执电筒，冲入隔壁的房间。我瞥见三个日本兵用电筒闪照着在地板上的十多个姑娘。我的出现使他们大吃一惊。当我怒声训斥时，那些匪兵匆匆下楼。在紧张的关头，主人没有离开我的身旁……”

能在虎狼出没时遇上这位外国友人的保护，实在是三生有幸。然而绝大多数的苏州百姓怎有这等运气？他们只能接受日军的残暴与凌辱。

城市成了屠人之场，街道上流淌的血堵塞了下水道，于是顺着小巷大街，淌向附近的田野与村庄。

原本秋收的稻田，被日军的双脚与战车，踩倒一片又一片。村庄在冒烟，失去主人的牛羊被强盗顺手牵去屠宰，填饱肚皮后的野兽又开始新一轮的强奸与抢劫——啊，我苦难的苏州，苦难的亲人。

老天，我秀丽的江南水乡真的就没有半点可敌日军之力、之器？

老天不言。

老天开始不停地下雨……

呵，我们突然发现一队队小鬼子在雨水中冻得瑟瑟发抖，陷在泥地的双腿就是拔不出来——哈哈，老天在帮咱中国人！帮助咱父老乡亲们哟！

如前所言，从上海到南京的区区二三百里是一望无蔽的平川，倘若铁骑，也就几鞭即至的距离。强弱间的战争，最怕如此景况。我方能够抵御日军的除了城市，便是江湖——长江和太湖。偏偏太湖之水安然不动，平静如睡，敌我双方均不能借它之力。长江汹涌浩荡、滚滚东流，却无我强舰利船，反被日军舰艇逆流而进，气势汹汹，屠我两岸无数黎民百姓之血肉身躯！但日军尚未想到的是，秋日中国江南水乡，竟然雨水连绵，道路泥泞得难行寸步。本是一周的路程，却在日军士兵脚下，居然变得犹如永无尽头的悲悯遥途……

这是天意。

日军步兵第六十五联队本部通讯班弹药兵斋藤次郎，是位中日淞沪大战开战之后在日本福岛县应征入伍的新兵。这位日本兵是昭和十二年（1937 年）九月十日才被通知到中国前线的。在大海上漂荡数天后，到达了我故乡苏南大地。那时淞沪战役正紧张，这位日本步兵就没有过上一天心安的日子，不是雨，就是风，不是心惊，便是肉跳。战后，有日本民间反战人士组织了一个收集老兵在“二战”期间的“阵中日记”的活动，于是斋藤次郎的家人便把当年斋藤次郎参加淞沪大战和进攻南京的“阵中日记”贡献了出来，这让我通过相关人士获得了这位当年日本步兵苦度江南秋雨之天中的许多现场实感。

10 月 6 日这一天是阴天，初到中国的斋藤次郎，在当晚随部队行军出征，即遇三次空袭，这是中国空军的反击。一夜下来，腹中空空、头晕眼花。半夜才到达目的地。其实只有十几里路，因为道路泥泞，在福岛老家虽然也是种田人，但却从未拿着枪走路，多数日本兵其实也是刚刚拿枪的农民，不过他们接受过军事训练——早在几十年前，日本政府便在民众，尤其是青年和学生中系统地强制进行军事训练。斋藤次郎所到的是杨行镇附近，村庄已经破坏得不像样，到处充斥着尸体的臭味。斋藤次郎头一回参与了枪杀十几名中国俘虏的暴行。“水质很不好，已发生了霍乱。注意危险。”他的队长警告他们。“夜间搭帐篷露营，抱着家属的相片就寝。”斋藤次郎在手电筒下思念远在大海东边的家人。

10 月 7 日，雨天。半夜被冻醒的斋藤次郎，取出背心穿上，探头往帐篷外望了一眼，雨水打在他脸上，令他不由得再次想着远方的家人。白天，随部队“清剿了一天”，回到帐篷，烤着湿衣，不觉心头一阵凄凉。“夜间枪炮声充耳，雨也不停，雨滴从帐篷上往下落。马太可怜了，全身淋得湿漉漉的……”斋藤次郎写道。

10 月 8 日，又是雨天。斋藤次郎开始牢骚：“战场上下雨真讨厌。用上海带来的留声机慰藉着战场上的无聊。夜里第一线方面有空袭。炮声隆隆，到处见不到一点灯火。夜里连沾满污泥的靴子也不脱就和衣而卧。又被冻醒了，时针指着十一点。”

爆炸留下了一片废墟，中国人不愿给日本强盗引路，让马厩兵的斋藤次郎感到了在异国他乡的艰难：10 月 10 日，又是雨天。“半夜零时起在马厩值班，停了的雨又下起来了。重炮炮弹轰鸣着，从头上飞过，在前方爆炸……”斋藤次郎被炮声惊醒后，愤怒地走出帐篷，干脆在雨中做体操。“今天整天下雨，道路像泥田一样。故乡的孩子们可能已沉醉于欢乐的节日气氛中了吧？但是出征者的父母妻子是怎样的心情呢？可想而知。夜间步枪、机枪、炮声隆隆不绝，不知是哪个部队在进行激烈的攻击。雨仍然未停。田中的沟渠积水已满。在激烈枪炮声中我和神尾求君等练习仙台民谣《喂！阵雨》……”苦中作乐的日本兵，哪知他们给我故乡的百姓带来的何止是痛苦！

接下去的是个阴天。斋藤次郎这一天跟着队伍去支援另一支日本军。“途中道路泥泞不堪，泥浆没膝，我们去时骑马。途中见支那兵的尸体四处散乱，散发出臭气，使人不由转过脸去，也有很多马匹倒下，太可怜了。乡村街道被战祸破坏得面目全非，凄惨得很。”这是斋藤次郎看到后当日记下的文字。

另一天，斋藤次郎这样写道：在“敌军的散兵壕间，顽强抵抗我军的情景宛然在目。腐烂的敌兵尸体散布在各处。小河上也漂浮着尸体，还有写着军马‘高濑之墓’的墓碑。所见之处房屋都布满弹痕，已不成模样。敌人相当顽强地抵抗，战局没有像预料的那样进展。”

10月18日，雨水里滚打了数天的斋藤次郎拉稀了，肚子疼得无法忍受，他开始埋怨和憎恨起根本不该埋怨和憎恨的中国人——“我来到支那最感到惊奇的是水质之恶劣。所谓的井一个能达到要求的也没有，不完善的井，雨水直往里灌。没想到他们是没把饮水不洁当作苦事的国民啊！”

他错了，我家乡的井水自古以来一直供养我的先祖，甚至到了20世纪六七十年代，我们仍然主要靠井水做主要饮用水，一般的井水，都是既干净，又甜爽。日本人进犯中国后，我爷爷奶奶告诉我：是他们有意把井水弄脏了，甚至放些毒药，“让小鬼子不得好死！”斋藤次郎算是运气的，只是拉稀。

10天后，斋藤次郎的拉稀算是停止了。可又是大雨当淋的10月29日。“九点钟又去诊所了。精神已恢复得差不多了。今天像要下雨。战场上最忌讳雨。在回驻地前雨就淅沥淅沥下起来了。午前修理驻地房屋，因为房顶被炮弹炸坏了，所以做了漏雨的准备。敌人似乎大部分已退却，也不大听到枪炮声了。听说同村的已有人战死，朋友也有人负了伤。听了这些消息不由得沉默了。当今联队长和副官也做了战死的思想准备，在前线指挥着士兵。六十五联队攻击的阵地是蒋介石指挥下的军官学校的练兵场，构筑了相当规模的阵地，非常坚固。付出了很大牺牲的联队，战死的也很多，惨状令人不忍目睹。这些战死者和受伤者的家庭又是怎样的心情呢？”问谁呢？斋藤次郎似乎找不到答案。

10月30日，没有下雨，但很快转阴。长官们挥动着战刀，满是杀气，这种杀气也传染给了日本士兵。但斋藤次郎内心有些悲凉，因为："听到联队高级副官小烟哲次郎少佐战死的消息，头部被枪弹击穿，当场死亡。在29日午后5点的战斗中，像母亲样关照我们的副官的战死对联队是很大的打击。乙副官的手也负伤了。大队长脸部也负伤，部队的干部大部分都负伤或被击毙，两边部队的奋力苦战不言而喻。将校士兵死伤共1000余人。从我们邻乡来的人还没有消息。通讯班第一线的吉田青寿君左胳膊也受伤了。昨天的热闹情景被副官战死的消息搞得大家就像失掉母亲的幼儿一样，立刻静默下来了。青田兽医边拿出孩子的照片给大家看，边打趣说：'你有这样的孩子可不能死啊！'忘了这是当着上级军官的面，说这话时，两眼却不觉流出热泪。夜里上海那边有火灾，炮弹猛烈爆炸的样子清晰可见。"

活该！

斋藤次郎自然知道，他的"战友"虽然死了1000多人，可中国军人和平民死亡数更多，是这个数的几倍、十几倍！

你日本人既然怜惜生命，为何要到中国来？雨越下越大，这是中国苏南少有的秋雨天，我爷爷说，这一年的秋雨特别多，连老天也在掉泪……

"今天一天又是阴天。"斋藤次郎在叹息。"联队本部也转移到刘家行来了，和其他部队换防收容战死者一并整理战场。一线步兵的述说听了不能不流泪。战壕中积存的泥水没腰，稍微露出点被敌人发现，就会遭到机枪猛烈的扫射。夜间突击如果跌倒也许就是被战友的尸体绊倒的。战死的友军尸体很快就散发出臭气，聚满了黑色的苍蝇。可是一次激战紧接着又一次激战，虽然为他们哀悼，但也没有时间收容这些可怜的战死者，只好请他们忍耐一会儿，等打退敌人再说吧，就像对活着的战友说话似的。咬紧牙关紧握枪身，似乎要捏碎了似的向敌人不断猛烈射击，似乎有了效果，尽管有那么坚固的阵地，顽抗到底的敌人终于还是崩溃了。好容易折了一枝树枝擦掉泥土，用以献祭凭吊战友，内心略感安慰，流出了男子汉的泪。"

中国人不会同情斋藤次郎的眼泪，因为我们的眼泪早已被侵略者的炮火烘干了。

"10月7日，雨。"斋藤次郎继续记着他的"阵中日记"："随着'咚'的一声炮弹爆裂，闪光在阴暗的天空像雷电闪亮。在这闪光中，雨又开始啪啦啪啦下起来了。战场上的雨真是残酷无情。半夜两点交班后就寝。被炮弹炸毁的房顶漏了很多雨。开灯一看战友们一个个在这样的房子里都已进入了快乐的梦乡，睡得那么香甜。今天又下了一天雨。虽然休息却也感到很厌烦。今天出去值勤的人们无可奈何地在泥水中行军，因此从腰以下都沾满了泥浆，再加上下大雨，所以从头到脚全湿透了。一想到第一线的士兵是在水深没腰的战壕中与敌对峙着……每天因雨我把马牵到前边的屋里去似乎就有些过分了。”

11月12日，日军已经占领上海，他们的“敌人”正在撤离上海，向周边转移。雨，还在不停地下着……

“今早消息频频传到通讯班。接到命令，前线敌人正在退却，十一师团已前进到南翔前方一千米处，敌人正积极向嘉定方向移动，我六十五联队从此开始转入追击战。本部所属大小行李马上准备出发到本部来。早饭后立刻回到蔡宁宅完成出发准备。十二点半出发。偏巧又开始下雨了。真不愿下雨。三点从本部出发。出发不久又下起雨来。到了罗店镇北边约二里半处就到目的地了。途中别的部队遭到敌机突袭，死了十几个兵和三匹马。雨淅沥淅沥下着，天就黑下来了。行军赶上雨天和黑天是最残酷的事。今夜本部移向杨家桥。我们今夜宿营处就像国内的马厩，铺上稻草，用毯子一裹就睡了。想弄干裤子也办不到，湿里叭叽地让人心情很坏。因上衣湿漉漉的，脱下换上毛衬衣和棉衬衫就好多了。由于太累立刻就睡着了。连做梦的工夫都没有……”

下雨正好，否则日本兵会在梦里都在想着，恨不得夺取上海的第二天就能到达中国首都南京——把蒋介石抓到手，再把全中国握在自己手里。

可惜，雨，挡住了他们烧杀抢的步履。

11月17日，下小雨。“稍早点起床。为准备出发忙得要命。因通讯班把背囊留下走了，所以用了四个支那人。因昨天有雨，道路坏极了。走在既非旱地也非水田的中间，这一段是我们登陆以来最艰难的行军。我等奉命到达的地点是杨家桥以东二町左右的王宅。今天的目的地是钱家宅。约三里路，从早上九时出发，下午三点才到。钱家宅一町前方有个小溪，桥已危险了。繁野勇雄君的爱马从桥上一脚踏偏惊跳起来，脚嵌在桥板缝里跌倒了，后腿骨折惨死。惨状使人泪下。我前边的××君在过桥时也倒栽落水。该我过了，我一边祈祷神佛一边走。哈，多亏神佛灵验，平安渡过，出了一身冷汗。从心里感谢神佛。到钱家宅后擦了擦浑身湿汗，搓下成团的泥垢。晚饭喝了青菜酱汤。在土屋里铺上稻草，疲劳的身子横躺下来。今天雨不太大，上衣没太淋湿，就寝时心情不错。因附近有中国人，所以设了岗哨以防万一。傍晚天空似有好转，明天会是好天吧？那样就不会有雨中行军的辛苦了。”

斋藤次郎在乞求，但新一天又让他头痛。

11月18日，雨。

“上午五点起床，准备出发。今天又是小雨。今天还会像昨天那样，水沟战壕都阻碍着行军，在雨中人马都汗流浃背吗？今天虽然没下大雨，行军还是受到妨碍。八点半出发。今天仍是在没有道路的水田旱地通过。但没昨天那么难走，好得多了。昨天的行军，马都累了。今天午前几乎没见到友军的踪影。在敌国内远离部队的行动深感孤单。午后两点左右好容易走上了像是路的地方，才见到了南下的一〇一联队（东京）的兵。我想战友们会舒展开愁眉了吧？经过一天半的行军，终于在一间多距离外的路上见到了他们，真令人惊喜。通过陆渡桥，由于战祸，桥已被烧得面目全非。途中见到很多支那人的尸体，是抵抗我军的吧？但此处不像是经过什么激战的地带。稻子几乎都收割完了，麦子已种上了。逃难的农民们挑着行李又回来了。像 ×× 和 ×× 那样年龄的还走不稳的幼儿也赤着脚，背着东西走着。我看了不由得涌出了眼泪。这似乎就是战败国国民的惨状。”斋藤次郎能够流下几滴眼泪，说明他还算是野兽中有那么点人性的一个，否则战后无数侵华日军一直在掩盖其罪行，而斋藤次郎这样的少数人则还能勇敢地拿出“日记”，在历史面前主动赎罪。

11 月 19 日，还是雨天。

“半夜里突然醒了。雨吧嗒吧嗒地下着。我想今天又是个雨天，睁着眼想着种种事情，不知不觉又睡着了。早上五点起床做饭，整理装备做出发准备。险恶的天色越发恶劣，而且雨又下起来了。我一边担心今天的行军，一边洗脸。祈祷神佛保佑我今天不要出什么事。正要把马鞍架上做准备，这时青田兽医命令说，今天又下雨，由于艰苦行军了两天，马也疲惫了，今天就不走了。大家听了舒了口气。但相反却带来了兵马粮秣日益不足的问题。因联络不上，部队所在地也不知道，这样流浪式的行军不知要持续多久。想到这，尽管是停留不走了，我们的心情也不松快。尤其是身处与内地不同、语言又不通的敌国，一想到此，尽管有支那人胸前佩着写了‘大日本帝国军人欢迎’的布条，也决不能掉以轻心。不知什么时候会遭受什么样想不到的灾难。反正征集兵马粮秣的事是先决的问题。午前午后战友都出动，征集来了白米、马饲料、小鸡等。中饭前稍吃了点甘薯补充体力。今天一天下着像内地梅雨一样的雨，夹着凉凉的北风。驮马因为驮了很重的装备艰难行军，鞍伤虽经治疗过但还是恶化了。此地有像红叶似的树，才得知晚秋已到访了。由于粮秣日渐不足，预定明天行军的目的地是涂淞镇。午后只留下我和佐藤忠惠君，全体出动去征集了。抓来了鸡鸭，还拿来一瓶支那酒。托上天之福今晚大家痛快欢闹，一点也看不出战场的气氛。喝了支那酒本来可忘怀一切趁醉入睡，但是一想到前些日子住在小破屋里，也是这时刻遭到袭击的事，也就睡意全无了。只要身在敌国，即使只有一个农民，也决不可放松警惕。十一点到十二点我值班放哨。”害怕遭报应的何止斋藤次郎一个日本兵。

雨，又给11月20日灌了个满日。

“雨虽不太大，但每天下雨很讨厌。今天预定去涂淞镇。在约三尺宽的田边小道上走了半天。途中经过的村落家家挂起白旗，这是战场上难以见到的景象。午后走上了像内地县路那样的道路。但因为是新修的，加上每天下雨，也是泥泞得没有落脚的地方。无奈只好又回到旧道。过小河的桥时因桥板断裂，×××君的爱马半身陷下，没有办法拉上来，只好把桥板连马一起捅下去，再拉上来。大家才松了一口气。这时有三四十骑兵机枪队跑过，领队的少尉说，听说有残敌，我们奉命来扫荡。还说了些什么我也未听清。今天很冷，如此艰难的行军也未出汗。棉花已落叶了，房基旁边的树也被秋风吹秃了梢。蔡宁宅往北仅十余里，气候差别这么大。午后四点到目的地涂淞镇。途中只遇见不属于我部队的一队骑兵。所以是一次寂寞的行军。就是到了涂淞镇我们的部队也很少吧。即便如此，还是希望能联络上。但是来了一看，本部已于十八日出发了。因而都垂头丧气。夜间点名时青田兽医先生和五十岚伍长训示，由于粮秣缺乏，我们每天只能喝一次汤，食物也力求避免浪费，还要尽可能征集以补不足。况且始终未联络上，听向导说我们赖以行军的地图只到涂淞镇，再往前就没有了，以后就不知该往哪里走了。听了这话大家都面面相觑，失望气馁。也不知部队位置在哪里，粮秣又缺乏，又出了三个病人（菅野福治、繁野勇雄、步兵的密码班长）。有很多支那人聚居于此，什么时候会遭遇什么危险很难说。这样就出现了不同意见，一部分人说，明天再走走联络联络看，但马料必须补充；另一部分人主张尽早追上本队取得联系，否则反而危险。总之明天午前八点出发。在马粪遍地的地方铺上稻草，伸了伸行军疲劳的腿，我就睡了……”

斋藤次郎伸展那双疲劳的双腿后，便到了我的故乡苏州常熟地盘——

“今天天气好，道路也好，是行军的理想天气。但没有地图，部队行踪也不明，我们往哪边走好呢？只有凭指南针和兵马足迹来前进了。这样的行军从心里感到孤单。途中听到数发步枪声，怕是残敌就停止前进。由步兵到前边去了解情况。原来是友军，也就安心地继续前进了。从涂淞镇走了约一里余，就上了从上海通往南京的大道，从此朝着西北方向前进。途中看到散落的支那兵尸体。路旁民家都几乎被烧得连模样也看不见了。午后三点通过支塘镇到达白茆镇，就宿营了。由于上了大道，看到了行军的部队和军用汽车、炮车通过，还有高射炮，今天出发时的忧郁孤单心情一扫而光。”

斋藤次郎高兴了，可我的父老乡亲却遭大殃了：

“从涂淞镇出发的行军中，在上海—南京大道两旁，民居几乎已烧光，白苑镇也被破坏或烧毁了。昨日风中，东方着火呼呼地燃烧着。今天在宿营的民宅北边有两户人家还在猛烈地烧着。战祸是何等地残酷啊！我想如果不是亲身参与了实战，是很难体会到的。”是的，战时的许多像斋藤次郎一样的日本兵还能体会到由于他们的侵略罪行让中国人民受到如此苦难，可战后的日本人又有几个能记得他们曾经给邻国作下的罪孽？

11月27日，雨，下得更大。斋藤次郎他们扛着屠刀，向我秀美的虞山冲击：“通过古里村，看到激战的痕迹，有战壕、碉堡，还有敌人的炮车陷在小河里。还有十七八个武装战死的学生样的青年。敌人的尸体散在各处。民房被烧了，桥也烧塌了，原模样都无影无踪了，死状凄惨……午后四点到常熟。街道原来是很繁华的，但现在只有我们的军官、士兵和军马。我们就宿营在此了。”

雨，依然滂沱。天，依然阴沉。

但是侵略者的脚步没有停下，在越过苏州之后，他们又向无锡、镇江方向进发，目标便是首都南京。日军的另一路，则正贴着太湖西岸，将魔掌伸向长兴、广德……企图包抄和斩断我首都守军的后路。

将军玉碎

日军柳川部队占领嘉兴后，很快进入我方第二道防线的太湖西南重镇长兴。长兴之后便是第三道防线，也是南京西南防线的最后一道外围防御线。显然广德和芜湖失守，南京等于在背后被人撕裂……

我方在长兴一带的守军，是由行程两千余里、步行到此的川军刘湘之部负责。松井石根知道，他的西南路部队所攻掠的各地均在蒋介石预先设防的国防线之外，广德属安徽，泗安属浙江，长兴当时属江苏，均在太湖之西、南京以南。如果该路部队迅速挺进，占领位于南京侧后方的芜湖，就可以截断南京守军退路，日军计划的“首都完胜”即唾手可得。于是，松井石根命令谷寿夫率两个师团自太湖南端的吴兴北进，同时令牛岛贞雄的第18师团越过太湖，包抄刚刚抵达此地的中国川军，形成两路合击之势，取长兴、宜兴，再攻广德，最后打下芜湖，从而彻底断掉南京后路。

这步棋蒋介石是看出来的，从柳川部攻克嘉兴往吴兴方向挺进时，蒋就意识到南京后路的危急，故立即令军委会成立第7战区，并委任川军领袖刘湘为总司令，指挥川军第23集团军进驻芜湖东线一带，牵制、阻截从太湖流域西犯南京之敌。

11月23日，145师师长饶国华率部队随第23集团军总部到达宣城十字铺，此时得悉的情况是：日军约3个师团以上兵力，此时已占据吴兴，谷寿夫两师团正沿京杭道（当时以南京为首都，因此南京至杭州的公路叫作“京杭道”）向长兴急进中。占据苏州的牛岛师团，正搜夺民船向太湖的洞庭山前进，有越湖向宜兴包抄之势。刘湘的第23集团军总部综合各方面情况，迅速做出部署。

郭勋祺第144师在长兴以北太湖西岸的夹浦、金村一线设防固守，随时注意监视太湖中洞庭山敌之动静，严防越湖抄袭我阵地侧后方；并抽一部兵力支持长兴、新塘、李家巷之友军第146师，共同抵御由吴兴方向北进之敌。刘兆藜第146师布防于长兴之南新塘、李家巷、吕仙镇一带地区，左与第144师联系，右与长兴南侧之第148师联系。陈万仞第148师布防于长兴西南侧面，沿虹星桥、林城之线，左与第146师联系，右与泗安、界牌布防之第145师联系。独立第14旅，布防于吕仙镇北面至林城之线，协同第146师、第148师作战。杨国祯第147师，集结于白岩、煤山、合溪间为总预备队，适时策应前方友军作战。独立第13旅，在梅溪北岸至中泗安之线布防，确保与守备泗安之第145师相联系。饶国华的第145师，在长兴通广德公路之上泗安、中泗安、下泗安布防，确保飞机场、仓库之安全。

广德为南线战场关键所在，广德一失，芜湖必不能保。而泗安则是双方必争的战略要冲，泗安之名，就含有保障吴兴、宜兴、长兴、广德四方安全之意。广德、泗安两地，都是第145师防守，饶国华可说是肩负着南线战场最重要也是最艰难的任务——正面抗击日军王牌部队。

“我奉命出川，志在歼灭强寇，还我河山，解我同胞倒悬之苦，现在幸而优先被派到前线御敌，战机就要来临，怎能不叫我热血沸腾，怎能不叫弟兄们揎拳捋袖，跃跃欲试。”饶国华对他自己的侍从副官说。这位贫苦家庭出身的川将，17岁便参加革命新军，随讨伐袁世凯部队转战南北，从士兵到排、连、营、团、旅长，一直升为师长，是川军名将。跟随枭雄刘湘后，饶国华深得器重。“七七事变”时，何应钦到重庆整军未成，全面抗战爆发。饶国华等要求上前线之愿，随战局形势变化，已成定局。9月初，饶国华率本师随刘湘的30万大军浩浩荡荡出川，支援前线抗日。从那一天起，饶国华立誓要跟日军决一死战。出川途中，部队经资阳时，饶国华特意回家看望老母亲。一向节俭的他，破例为母亲大办70寿宴，并遍扫祖墓。临别家乡时，饶国华对恩师伍钧先生道：“学生此行为国抗战，不成功便成仁。”此时，饶国华的妻子带着5个孩子在老家，他义无反顾地告别母亲、妻子和孩子，带着队伍，穿着草鞋，步行两千余里，来到了抗战的最前沿。

按照第23集团军部署，145师所守的广德和泗安，处于全军右翼，位置重要，但却一马平川，无险可守。初来乍到江南水乡的太湖之滨，饶国华深感肩上重任。集团军副司令潘文华则直接给饶国华下了死命令：“即使打到只剩一兵一卒，也要坚持到底。”

饶国华的回答只有五个字：“人在阵地在！”

在第145师抵达广德之前，驻守广德的是中央军第11师。交接防务时，仓促上阵的第145师竟然一个连还配不了一挺机枪，全师总共才有几门小炮，多数官兵的武器是前清留下来的“老毛瑟”、“汉阳造”，有的人甚至还背着打上几十发子弹就拉不开栓的“四川造”。再看看川军士兵们头戴斗笠、身穿单衣单薄裤，脚上是草鞋，简直不能算一支像样的国军。经过数千里的长途跋涉后的士兵们，许多人脚上裂口流血，钻心疼痛。11月份的江南，潮湿阴冷，川兵们只得靠嚼食自己随身携带的干辣椒来抵御寒气。

然而相比之下，中央军第11师虽刚从淞沪前线溃败而下，士兵身上穿的却是军政部刚发的黄绿色卡其布冬季军服，脚上是黑色胶底布鞋，手里端的为一色德式装备。第11师师长彭善不忍看着千里赶来的友军如此寒酸，便叫军需官尽所能从自己部队的补给中匀出一部分装备，加上前一阶段缴获的一些日军武器一起转交给这些可敬的川军弟兄。饶国华闻此义举，不胜感激。可是第145师士兵们看着装备德国造步枪、机枪、大炮的中央军都在日本人的阵前败退，不免有人嘀咕起来：“中央军那样好的武器都抵不过日本鬼子，我们这些破铜烂铁咋个得行嘛。”

“委员长和总司令命令我们抗击敌人不是要我们发牢骚。有牢骚等打败敌人再发不迟。日本人不是铁打的，我们的枪虽然不好，可我们的子弹照样可以打穿日本鬼子的脑壳！”饶国华听后对自己的官兵们大声说道。随后他取来毛笔，在纸上写下六个大字“胜则生败则死”，并将它高高举在众人面前，瞪着牛眼大声喊道：“有种的就要下这样的决心跟敌人拼个高低。敢吗？”

“敢！”一时间，川军官兵群情激奋。

“这还差不多！”饶国华笑了。

11月26日午后3时左右，布防在泗安一带的第145师下属435旅阵地前突然出现日军骑兵二百余骑，有持马枪者，有持手枪者，在阵地前六七百米远的地区东驰西奔，时而向阵地发射几枪，一被还击，便分数路驰去。同日，其余各师阵地也有小股日军出没。当川军鸣枪回应，日军便立即后撤，显然小鬼子在作试探性攻击。

“大战在即！”饶国华意识到，便要求部队高度警惕。当晚，集团军总部参谋处汇集各师旅作战情况后，判断27日必有大战爆发。

27日拂晓，日军果然出动飞机10架，轮番向刘湘的川军阵地猛烈轰炸。继而，日步兵在坦克掩护下，分头向各阵地进攻。第146师正守京杭大道，为敌军前行的主要障碍。日军昨日未能得逞，今又卷土重来，来势凶猛。

“沉住气！让小鬼子以为我们无招架之力而溃退……”刘兆藜师长登高望见日军浩浩荡荡、趾高气扬地向我阵地横冲直撞，便故意让部队佯装落荒而逃，诱敌进入摆好的圈套。

“前进——！”日指挥官举着战刀，得意忘形地率部队向前。

“放——！”我军阵地上，突听师长刘兆藜大喊一声。顿时，数门大炮齐鸣。

震耳欲聋的炮声中，日军队伍大乱，人车互塞。此时，第146师预伏于隘道两侧的第875团和第876团迅速趁机杀出，轻重机枪、步枪、手榴弹齐向敌人袭去，只见敌营队伍里烟尘蔽天，血肉横飞。

日军惨遭打击，进退不能，最后是在飞机的支援下才勉强撤出合围圈。初战大捷，146师俘虏日军士兵6名，击毁坦克3部、炮车4部、装甲车9部，缴获山炮3门、野炮1门，步枪89枝、机枪2挺、大小军旗17面，其他物资300余件。可谓旗开得胜。饶国华对兄弟师取得如此战果，分外羡慕。

同日白天，另一队日军向泗安阵地发起攻击。这回他们采取先出动战机破坏我工事的策略，结果饶国华阵地一下“吃”了上千吨炮弹，费尽力气刚刚筑好的工事毁于一旦，阵地上的士兵死伤惨重。

日军好一阵得意。

泗安阵地分为三部分：上泗安、中泗安和下泗安。中、下泗安阵地由饶国华师的孟浩然旅的两个团守备，由于该旅与日军激战中官兵死伤惨重，全旅大幅减员。旅长孟浩然急求师长饶国华将佟毅的433旅换到前线。

“可以！”饶国华点头同意，并亲督佟毅旅全速推进。哪知此时的日军意在这一天必得中、下泗安，故433旅刚进入阵地，即遭以飞机为掩护的日军近六千人的死攻。中、下泗安终于陷入敌手。

此时，驻防太湖西岸并担任全军左翼的第144师也同牛岛第18师团交火。狡猾的日军派飞机轰炸第144师防地的同时，偷偷用十几只满载士兵的木船和许多小汽艇从太湖上向我方阵地袭来。师长郭勋祺当机立断命令沿湖防守官兵全力阻挡湖上犯敌，结果惨遭空中敌机横扫，守军遍地死伤，血染太湖西岸。师长郭勋祺也险些被敌生逮，但毕竟阵地没有落于敌人掌中。

28 日，日军第 18 师团前锋指挥官以为经昨日一天苦战的川军喘息不过来，正准备再度出击时，不料才到拂晓时，周围枪声大作——原来川军来了个突然袭击！

“八格牙路！”日军指挥官气得乱挥战刀，慌乱中差点被我军击毙。后来成为南京大屠杀刽子手的谷寿夫闻知自己的先锋部队被围，增派 20 余架飞机前来解围，方使困兽获救。

牛岛师团太湖边遭重创，差点又折先锋部队，日军对此恼羞成怒，决意报复“装备像农民”的川军。

于是 29 日一早，日军在上有飞机掩护、前有坦克炮车和轻机枪引道的情况下，分数路向川军阵地全线出击。两军数万人战于泗安之间，简直就是一场混沌的肉搏战。其间，师长饶国华亲率特务连，冲入敌阵拼杀，不幸腹部中弹退下。

到午后 2 时左右，上中下泗安全线相继失守。这时的日军主力沿吴嘉公路直奔广德。

“断不能让贼军越过广德！”受伤的饶国华心急如焚，即火速回广德前方约 5 里的界碑布防，以迎日军到来。

“这是我师最后的阵地了！”是夜，饶国华原希望得到援军，然而得知其他地方也纷纷失陷，广德是 145 师的最后阵地了。太湖秋夜，寒风习习。饶国华与同僚们不仅没有丧志，反而战斗激情更高。

“国家养兵是为了保国卫民。人谁不死，死有重于泰山，有轻如鸿毛。今天是我报国之时，当不惜一切努力报国，令我川军为谋人民利益而献身。阵地在我在，阵地亡我亡。望我官兵不惜一切努力报国，恪尽职守。胜则生，败则死，决不在敌人面前屈膝示弱，给中国人丢脸，要成仁不怕抛头，取义不惜舍身，恪尽职守，以身殉国。”饶国华在检查阵地时，对属部们如此说。

30 日黎明，日军以排山倒海之势，出现在饶国华的第 145 师面前。

面对狂风暴雨般的攻势，145 师各部阵型已现溃散之状。饶国华又急又恼，忍着伤痛，亲率手枪兵 20 余人，距敌阵几百米之处督战，然也难力挽狂澜。

饶国华不得不率部退至广德境内的一处叫祠山岗的地方。

一切皆成定局。饶国华看着可数的 145 师官兵，依然振臂高呼：“我们都是军人，一起从四川出来，生一起，死一起。今天，大家都到了报国捐躯的时刻了，是好汉的就留下来。我们要跟小鬼子拼尽最后一滴血！”

“跟师长一起拼尽最后一滴血——！”饶国华得到的回应是震天动地的口号。

日军如潮水般涌来，将饶国华退至最后的十字铺重重围住。突然敌军又止步不进了。为何？原来敌首谷寿夫连日与川军作战之中，对饶国华怀有几分敬重，于是下令下属不必向饶国华逼进，可劝其投降。

“笑话。我饶国华，堂堂中国军人，大名国华，怎能做对不起中华民族之耻事？”

受困于虎狼之下的饶国华，安然地嘱咐自己的卫士在旷野的血地上，铺好卧毯，然后盘坐在卧毯中间。只见他缓缓昂首仰望天际——那是残月当空的苍茫夜景啊！将军有何感慨？

感慨太多了！感慨为何我中华民族让一个人口少许多的邻国几度欺负和蹂躏呢？

敌人的铁蹄声已经可以听得。刺刀的光亮已经在眼前耀动。

“将军，只要放下枪，你便可以获得宽恕！”日军用不流利的汉语说着。

“放下枪？做个失败者？”饶国华冷冷一言，又突然高声道，“威廉二世如此强盛都要灭亡，何况你小小日本，将来亦必灭亡！”

言罢，饶国华怒视敌方，然后猛地拔出手枪，对准自己头颅……“砰！”这声枪响，在火光冲天的夜空中久久回荡。

千里太湖，用自己的呜咽记下了这个时间：1937 年 12 月 1 日凌晨 2 时许。爱国名将饶国华将军在日军重围之中举枪自戕殉国，时年 43 岁。

饶国华的遗体后经民生公司的“民俭”号运回四川。1937 年 12 月 12 日，也就是南京被攻克的那天，饶国华遗体运抵重庆，陪都重庆国民政府特为其举行隆重的公祭仪式，蒋介石亲自撰挽联两副：

> 虏骑正披猖，闻鼓鼙而思良将；上都资捍卫，昌锋镝以建奇勋。
>
> 秉节之来，捍国卫民方倚畀；存仁而达，唁生吊死倍哀思。

国民政府还特别追授饶国华为陆军上将。然，这能安抚得了将军的赤国情怀？更能救得了被强盗横扫而即将全面破碎的祖国河山？

写至此处，笔者恰逢到重庆、成都出差，听说笔者在写“南京大屠杀”，便有好心人凑过来聊天，其中有一朋友其父便是当年支援南京阻击日军的“川军”老兵。“何作家，你知道我们四川人现在打麻将牌中有个‘血战到底’是何出处吗？”

四川人打麻将全国出名，但对这类问题我只能摇头。

“就是我们四川人跑到南京打仗时叫出名的哟！”

“是吗？”我惊愕。

“当然咯！”这位“川军”之子便神气活现道，“我爹活着的时候经常跟我念叨，说他们当年被刘湘骗到安徽芜湖跟小日本鬼子打仗，那可打得惨去了。去的四川兵根本也就没有打过啥子仗嘛！小日本鬼子的炮弹一落地，大伙儿就吓得抱头四处逃窜。长官们被刘湘刘麻子骂得狗血喷头，说你们不能丢脸丢到南京这边来嘛！更不能在日本人面前丢脸，得死守住！就是炮弹、机枪子弹来了，也得把阵地守住，决不能在鬼子面前丢我川军的脸面！长官们着急了，又拿不出啥办法。于是有人出了个馊主意：说我从小给地主家放牛，为了不让牛跑掉，我就在牛的腿用铁链子锁住，这样你爱干啥照样干啥。长官一听这是好办法，于是就派人在当地铁匠铺里找出许多铁链了，将阵地上的川兵们一个个用铁链子锁起来——锁住他们的脚。小日本鬼子开始进攻了，炮弹和机关枪齐上阵，打得连石头、草皮都开了花、翻了个，但就是不见四川兵跑散，死死地守在阵地上回击。日本鬼子兵大败，留在川军阵地的是一片片尸体。”

这一下把柳川的第10军指挥官们弄糊涂了：刘湘麻子的部队里是不是有共军呀？经过一番侦察得出：并无共军部队。“调装甲战车来！”日军指挥官下狠心了，冲着川军阵地就开去20多辆战车，外加大炮和飞机一阵狂轰滥炸。望远镜里，日军指挥官明明看着川军阵地上的官兵们一个个脑袋飞得满地滚，可战壕里一排排没了脑袋的士兵们依然整整齐齐地站在那里岿然不动！日军惊呆了：这是怎么回事？派敢死队往战壕里冲，结果发现：断了头的川军士兵们的一双双脚，原来都被一根根铁链子锁在了一起……

一个日军翻译问一位奄奄一息的川兵：“你们的，为什么脚被锁住了？”

川兵瞪了一眼日军翻译，说：“我们这叫血战到底！”

“血战到底”就是这么出来的。四川人现在把它用在麻将牌上，多少有些对自己的前辈不敬。不过笔者把“血战到底”的故事由来讲给南京的老乡们听后，有几个老人说，当年川军在保卫南京的外围战斗中，确实非常勇敢，死了许多人。

“血战到底”，苍天默然。进入1937年的12月，南京城已危在旦夕！此刻的战火，已经烤红了紫金山崖和长江水域……

江阴失守

南京外围真正可以抵挡一阵的可能唯有江阴要塞了！蒋介石这么想。日军司令松井石根也这么认为。

江阴要塞必死战一场。

新中国建立以前，江阴也属于苏州地区管辖，故此处也算笔者的故乡，且与常熟根接根、膀连膀，小时候父亲常带笔者去江阴看大江——即南京下游的长江最狭险处。江阴要塞即在此处，系南京水路之门户也。

滔滔长江，如从吴淞口逆流而上，在南通、太仓、常熟段的江面观江，可与大海相比，因为这里的江面均有十几里宽，甚至从此岸根本望不了彼岸。看惯了家乡的长江，后来当兵到四川、重庆一带见了那里的长江，我暗乐：这哪会是长江，简直就是我家门口的小河道嘛！

唯至江阴地段的长江，如葫芦口般地一下收腰勒细了自己的身段。此处江面窄道，水流湍急，原来是江阴境内的狼山、福山在大江东岸组成一道天然屏障，其小黄山、小君山如两把铁钳紧紧锁住江口，故而形成下游不可多得的天然要塞：对上可锁出逃海域的兵家，对下可拦逆进的犯敌。

淞沪之战开战前夕，查悉日本海军有 5 艘军舰和数十艘装备战物资的日商船，正在南京上游的武汉一带江上。蒋介石即令何应钦秘密派兵到江南要塞阻击日舰逃窜至下游、粉碎其与上海日军舰队汇合之阴谋。怎知军事秘密会议的记录被汪精卫机要秘书、汉奸黄浚获取，并告知日方驻华大使。8 月 13 日清晨，接我海军总部之令，我平海、海容、海筹等十余艘舰艇，在海军第一舰队司令陈季良的指挥下，浩浩荡荡行驶至江阴地段的长江之上。突然，雾气笼罩的上游江面上冒出滚滚的黑烟，稍许，只见以一艘名叫“八重山号”旗舰带领下的 5 艘日本海军舰队和数艘日商船，全速向上海方向急驶。

“天啊，是日本舰队呀！怎么回事？打不打？别让他们跑了啊！”我海军官兵个个急出一身汗，因为他们昨天半夜从南京出发奔赴江阴要塞的任务，就是准备阻击在上游企图逃跑的日舰！现在日舰提前到达，就在我军要塞的大炮炮口之下和数十艘军舰的夹道之间……

“陈司令，我们到底怎么办？打不打？”各舰队首长纷纷寻问陈季良。

此时的陈季良也蒙了：我舰队的任务千真万确是要死堵上游的日舰！可怎么我才到，他们就来了呀？

“马上与南京方面联系——快！快快！”陈季良手忙脚里地跳进舱内，让通讯官用电台赶紧与南京军委会值班室联系……

“什么？日舰已经到了江阴？怎么这么快啊？谁泄漏了我们的军事秘密呀？给我枪毙了他！”这么大的事谁敢作主？军委会值班室电话转了几道弯，最后接到何应钦那里，等到何大参谋总长气急败坏地吼叫“给我堵住！灭掉日舰！一艘都别让它跑啦”时，陈季良有气无力地向他报告：“何总长，一个小时前，日军舰队眼睁睁地从我们炮口底下溜走了……”

“你陈季良为什么不命令向敌舰开炮？为什么不？”何应钦从床上跳到地板上，对着电话大声责问陈季良。

“是、是……可之前我没有接到上峰的命令嘛！”陈季良哆嗦着身子，委屈地回答道。

本可被截获并能全歼的日舰，到上海后迅速加入了与我军殊死决战的日海陆空队伍之中，起到了不可替代的战场效应。这是江阴要塞失掉的唯一一个可以轻易取胜的机会。

之后的江阴要塞在被动的防御抵抗之中度过了最后的三个多月，能够做的只有两件事：一是集中舰艇力量，阻止日海军逆流而上企图用炮舰攻打和进犯我首都南京；二是利用江阴要塞上的一百多门大炮和急从贵州等内地抽调来的几个师的兵力，死守两岸，全力打击从江上而来的日海军部队。

江阴要塞万万不能失了！一失首都南京便断了喉咙……没了喉咙，怎可活命？

老蒋、何应钦这一点还是清楚的。于是在淞沪大战期间，江阴的防御战备已经放在日程上，并成立了江防司令部，由刘兴任总司令，下辖原有的江阴要塞司令部——负责两岸8个炮台的锁江炮火群；江防司令部——下辖的第57军，有111师、112师及何知重任师长的第103师，分守在长江岸边的不同要地作为守备部队。还有国民政府军耗尽国力从德国买进的十几艘战舰，在江上等待与敌舰搏杀一场。

“江阴要塞是我们的家！江阴要塞也是我们的坟墓！兄弟们，身为要塞司令，我和你们一样，活在江阴要塞，死也死在江阴要塞——！”许康是江阴要塞的司令，他平时就这样教育自己的官兵，眼下日军兵临城下，他把嗓子都喊哑了。

要塞的战备不能不说是花了功夫和代价的。如要塞的构筑工程处，是参谋本部城塞组派出的。在淞沪大战之前，军政部兵工署便运来从德国新买来的口径88毫米高平两用半自动火炮，4门装在东山，4门安在肖山，这种火炮到中国后被命名为“甲炮”，即中国最有杀伤力的好炮，高射射程可达9 000米远，平射可达14 500米，此炮在当时也算是世界上的先进武器了。中国总共从德进口20门，江阴要塞装备了8门，可见是花了血本。

至此，江阴要塞的防守虽不说“万无一失”、“固若金汤”，也算周密全面。严守江面江岸的守军，战斗意志高涨，齐声高呼：“与要塞同在！”

先前到达的通济、大同、自强、德胜、威胜、武胜、理胜7艘曾多次南征北战的老舰，突然接到命令：就地在江心“破釜沉舟”！

“什么，还没跟小鬼子干一仗，就让我们自己沉至江心？这是啥子事嘛！”舰队官兵一听，如晴天霹雳。几位老舰员，不由得号啕痛哭起来。

“这是命令！沉舰堵江——让小鬼子的军舰驶不进我们的首都！”舰队司令陈季良这回板着脸，命令道。

无奈，首都危急，日舰随时都有可能逆水而至，不能让强盗从长江水路上得逞！沉舰开始——大同、自强、通济……一艘又一艘伴着呜咽的江水下沉、下沉。之后是德胜、威胜、武胜、理胜，统统不胜而自沉……

“谁下的臭命令？我要军法惩治他——！”据说何应钦向蒋介石汇报德胜、威胜等舰艇已经沉入江阴要塞处的长江底后，蒋气得大骂。其实沉舰阻拦日军舰艇的决定，是经蒋介石批准的，可身为中国三军统帅，老蒋实在心疼他仅有的十几艘海军舰艇啊……要塞处的江流太急，7艘旧舰下去，远不能达到封江之目的。军方立即出面，调来宁兴、醒狮等一批商船，同时又将海圻、海琛等军舰一起沉锁于江中航道。

“还是不行啊！”接任陈季良的海军第二舰队司令曾以鼎将军发现，这么多军舰和商船下沉后仍然没有封锁住港道，急得不知如何是好，于是只好找到地方官员商量燃眉之急。

“还有没有其他船只了？”曾问江阴地方官。人家回答说：“仪征县那边有个盐港，是淮盐的集散地，安徽、江西、湖北、湖南等省的食用盐都从那儿运去，故那里经常停泊几百条大大小小的运盐船。

“好，马上派人带我去！”曾司令一听，仿佛有了救命稻草。

次日，即有省里派来的两名专员，打电话告知仪征县长葛克信：“你到盐港那儿等我们……”此时正为办理“兵差”忙得不可开交的葛克信听说让他放下手中的活儿，立即到港口征用民船百余只，原想推辞，却遭专员大骂：“敢贻误军事，是要杀头的！”葛克信知道没辙了，便亲自到港口征船。百姓不知何意，只好连夜腾船，那盐船都是拖家带口的主儿，所以征船把整个盐港闹得比菜市场还热闹，老的喊，小的哭，女的骂。不管怎样，葛克信算完成了一项艰巨任务，征船130余只。几天后，这些民船全部装满水泥和石子，然后在江中排成一排，凿破沉入江底，作为封锁航道的一部分。

船主听说自己的船全被军队沉入江底，更是哭天喊地，举着木棍和鱼叉要找县长葛克信算账，可怜葛县长被逼得天天向南京方面要个说法："那都是百姓的家产哪，总得有个赔偿什么的，要不咋交代？"

"没有说不赔，可现在是战时，小日本都要打到首都了，你做做工作啊，做做工作嘛！"上峰这样推诿道。

是啊，战时，一切都变得无头无序无章法！

旧舰该沉的都沉了。主力舰能调的都从长江上游全速向江阴要塞靠拢……

干吗我们总吃亏？趁小日本在上海吃紧，我们为啥不袭击它一下？江阴要塞处有国民党军队的一个新组建的防御式的海军电雷学校，这里有一支鱼雷快艇队，是前两年从德国和英国进口的，共13艘，政府原本还向德国订购了一艘六千吨级的"谭伦"号航母，但尚未交货，另一艘从英国订购的"戚继光"号航母此时则在香港，还没能赶回长江防线。电雷学校的年轻海军学员们，个个血气方刚，他们向校方提出如此大胆建议。"奶奶的，干一把何妨！"校方领导竟然同意快艇队主动向下游的敌军舰队出击！

8月14日，也就是淞沪大战开战第三天，快艇大队派出史无102号、文171号两快艇，伪装掩护，由江阴黄泥港出发，经太湖、松江，从黄浦江上游，于16日深夜，出其不意地偷袭击了敌第三舰队旗舰"出云"号。日海军好在实力强大，方没让我快艇全面得胜。而此举让日方着实吃惊不小，后日将军评价道："这是中国海军唯一的一次积极性攻击。"

从不把中国军队放在眼里的日派遣部队的作战官兵们，决定给江阴要塞，尤其是那个敢于挑战他们的电雷学校来点"厉害"——果不其然，8月22日，有备而来的日方派出12架飞机，目标直接盯住电雷学校，进行报复性的轰炸。

"嗡——"警报在校院内紧急响起。

"敌机来啦——！"学校官兵迅速进入阵地，一时间，高射机枪、步枪，齐向空中盘旋的日机瞄准射击。

"嗒嗒嗒——"

"轰隆隆——"

炸弹声、枪弹声，乱成一片。

敌机一架接一架地向学校俯冲而下，并掷下罪恶的炸弹。迎接他们的是一排排雨点般的子弹……地面上，有人流血，有人倒下，但没有一个退却畏缩。当敌第五架飞机再次俯冲而下时，地面学生队的机枪、步枪来个了迎头痛击，结果敌机拖着一团长长的烟尾，坠地摔毁在学校的校舍一角。见此景，其余敌机急忙掉头逃之夭夭。

“我们胜利啦！”警报解除。学员们纷纷跑到坠毁的敌机前观看胜利成果。这是中国海军在抗战中击落的第一架日九四式轰炸机，机号为“154”。

“电雷学员们不愧为我军英勇顽强的军中佼佼者！”江防司令给打下这架敌机的学校第三期学生队授予锦旗一面，上面写着四个大字：铅刀小试。

再说江中要塞的其他阵地。

日军自然不会轻易放弃把江阴这一通向南京的最重要的江域要塞作为主攻目标进行攻击。就在9月22日轰炸电雷学校的同时，日机开始向守卫在要塞江面上的我海军舰艇实施袭击。中午时分，三四十架敌机绕过炮台，轮番向中国舰艇投弹，落至江中和舰艇甲板上的炸弹，发出一次次可怕的爆炸声。中国海军早有准备，一时间，江面上的各艘舰艇的高射炮、机关枪甚至长官的手枪、士兵的步枪，齐向空中的敌机开火，为首的敌机很快被击中而栽入江心。战斗持续两个多小时，最后敌机因弹尽返航。此役中国舰艇仅有平海舰被炸伤进水，艇长高宪申负伤，舰员高品衢、罗汉霖阵亡，另有十余人负伤。

如此结果，中国海军非常振奋。然而日军怎能罢休？

“拼了！小鬼子敢再来，老子让它更多地栽到江中喂鱼去！”中国海军将士斗志昂扬。第二天——9月23日清晨，首先出场的是海军电雷学校的十余艘鱼雷快艇，年轻的中国海军学员们驾着快艇，绕游于我军舰艇周围，那隆隆之声震耳欲聋。这是江阴要塞由史以来所没有的阵势，一场恶战即将拉开序幕……江面上各艇队官兵也提前各就各位，盯住东方的天空，等待敌机的出现。

果不其然，刚过10时许，只见东边的天空上突然黑压压的一片向江阴要塞飞来……其数量是前一天的数倍！

“敌机来啦——！准备战斗！”

顿时，天上、江上，一个下掷，一个上射，整个江阴要塞上空一片光电闪闪，硝烟弥漫，炮声轰鸣。当一颗炸弹落在宁海舰上时，敌机也摇摇晃晃栽入水中。而我宁海舰艇上的舰长陈宏太刚要从驾驶舱探出头去救航海员林人骥，炸弹的一串弹片飞进他的胳膊，“哎呀——”陈舰长一声惨叫，摸摸手臂，血肉模糊，再回头看林人骥，他早已气绝命亡，白糊糊的脑浆溅遍了指挥舱……

“为林人骥报仇——！”陈舰长紧握着拳头，高呼着。

江面上空再度火光一片，江中的一根根冲天水柱，仿佛要刺破天空。

这回日军出动的战机达一百余架，目的是想把中国海军所有守卫舰艇全部“吃掉”。因此不管死活地向我舰艇实施轮番轰炸。我逸仙舰在高射炮弹药告罄后，官兵们毫不退缩，继续用大炮回击敌机，并击中一日机……数小时激战，敌机终因弹尽远走，江面上方才渐渐没了枪炮声。中国海军一点数：击落敌机5架，我数艘军舰受伤，其中宁海舰基本全毁，平海等舰也遭严重损伤。海军官兵多人牺牲，数十人负伤。但总体战果令南京的蒋介石、何应钦“满意”。然而我方舰艇此刻只剩4艘尚存有战斗力。不日，南京调应瑞、逸仙舰回南京守备，至此封锁江阴要塞江面的中方海军舰艇只剩海容、海筹二舰。后在上海方面的海圻、海琛二舰来到江阴要塞。可是，所剩的4艘军舰并没有正面迎敌，而是“奉命”沉舰堵江……官兵听后，再度声泪俱下。

至此，中国军舰在江阴要塞上的舰艇或负伤搁浅，或调离远走，而多数是被自毁沉于江中……欧阳景修是海容舰舰长，在数十年后回忆这段经历时痛苦不堪道：“我在舰上服务多年，谙于航行及水上作战生活，平生主要志向，愿展我一技之长为国效劳，但目睹当时我海军舰艇全部毁沉于江底，失去作战武器，使我原有理想趋于幻灭，且当年我年事已高。因此从江阴要塞下来后，便申请退休。数十年海军生涯，便从此呜呼哀哉也！”

呜呼哀哉的何止欧阳先生一人！更可悲的是，数千舰队官兵，在无武器可握、无舰艇立足之后，许多人徒步到南京，以求上司安置后路，哪知尚未进入南京城门，却被进攻南京的日军赶在前面，于是这些无家可归的中国海军官兵，成了日军屠刀下第一批被砍头的中国人……

军舰没了，要塞还在。日军便开始用他们的舰船进攻江阴要塞，企图冲破我方的防守。10月1日拂晓，敌派遣部队驻上海的海军第24分队3艘驱逐舰逆水上行，试探我方防守能力。乌山炮台我方官兵随即发现敌情，炮台副台长陈秉清下令各炮台开炮迎敌，4尊大炮同时瞄准来犯之敌，其中1尊因炮台没有巩固，结果一震便自行倒塌了，所幸官兵没有伤亡，不过也够丢脸的了。其余3尊大炮齐发，除1炮未命中敌舰外，有2炮击中敌舰之一，那日舰顿时舰身倾斜，硝烟弥漫。另两艘敌舰见此情形，夹着尾巴溜之大吉。

11中旬，正当中国海军官兵斗志昂扬，准备再迎来犯之敌、拼死一战之时，江防司令部突然接南京方面的军政部来电：“暂宁江阴候令撤退，中正。”蒋介石的命令刚下，军政部的具体指令又来：“将新炮准备拆到后方安装，铁驳一到即行起运，应钦。”

什么意思？就是命令江阴要塞那些新安装的德国大炮拆掉，准备起运到其他地方。

什么？不要江阴要塞了？不在这儿打日本鬼子了？让他们在长江上直冲南京去了？南京方面的指令一传达，要塞上的官兵全给弄糊涂了：这是打什么仗嘛！

我们不干！为什么不打就撤？老蒋他想干啥？让我们当炮灰？不干！我们就是死也要与江阴要塞同死！要塞几千官兵愤然不从。

要塞许康司令无奈向南京汇报此情：怎么办呢？

南京方面默然。几天后，军政部又来电，这回内容全变了：“固守江阴，中正。”又是蒋介石签署的。

搞什么名堂！一国之君，才几天就全变了！要塞官兵虽然等到了好消息，但想想堂堂中国，最高统帅竟然在战斗关键时刻，下了两道完全不同的命令，实在令人心酸和不可思议。上峰回应是：英、美、法、苏同情我与日军作战，并予协助，故我们重树力量。

原来如此。老蒋从国际上获得了底气呀！

“死守江阴，中正。”要塞又紧接南京来电。

官兵们听后，哭笑不得。几天之中，他们连续接到最高统帅三份“撤”、“固守”、“死守”的不同命令，打还是不打？真打还是假打？打打松松？还是松松打打？

谁也弄不懂。弄不懂能不输吗？

“妈的，反正输赢都是他‘蒋该死’的。”官兵们开始骂娘了。这样的军心能挡得了如虎如狼、志在必得的日军吗？

其实，这段时间身为中国最高统帅的“蒋该死”也够可怜的，他原来想借淞沪之战而引起国际上几个大国的支持，从而与日本坐下来“商议”维持“七七事变”前的现状，可是人家几个大国各有各的打算，况且这个时候他们都在忙着自己的事——希特勒方面正在抓紧对欧洲邻国虎视眈眈，第二次世界大战更大的战役尽在瞬间爆发，顾得了你中国吗？

日本大本营也是看准了这一点，所以更无顾忌地把目标盯在灭你首都南京之上。

地面部队的进攻比江面上的要顺利得多，松井石根的部队不仅顺利地踏平苏州、常熟一带防线，而且也很快收拾了无锡之中国守军。另一支进攻南京的部队在西太湖那边虽有些苦战，但自突破长兴、广德之后，芜湖已是早晚可以“拿下”的城池了！蒋介石不急才怪，故此刻他的命令出现混乱也属正常——方寸已乱，纸令怎不颠三倒四！

这可苦了我前线将士。

11 月 25 日，无锡失守。日军开始由锡澄公路直向要塞背后进犯，守军第 112 师和第 103 师坚守数日，苦战抵御，打得异常激烈。而日军此时已经大军压境，轻型坦克等也在前沿阵地出现，初始时，我炮台用炮火强压对方，尚能产生作用，但时间一长，两个师的守军渐渐吃紧。

12 月 1 日，江防新任司令刘兴召集江阴要塞地的各军、师长及要塞司令开会，讨论对付战局之策。112 师师长霍守义提出：我们步兵与敌人激烈战斗一个星期了，伤亡惨重，现在既无部队来接替，又无人来补充，要求撤退。103 师长何知重也有此意，电雷学校教育长欧阳格则表示：留下打也行，撤退也赞成。

“那不行。江阴要塞是南京的门户，我们撤了，就等于给南京开了一扇大门，无论如何我们不能撤！”许康怒了，拍着桌子嚎起来。

正在争执不休时，南京方面来电话，不用争了，最高统帅部决定你们撤离江阴要塞。而且还布置了具体方案：一、从现在起（当日晚 8 时），要塞炮兵火力，向江阴西门外射击，掩护步兵突围，到 12 时为止（意思是说，步兵守军必须在 4 小时内全部撤离江阴要塞，否则死活自保）；二、12 时后，要塞进行破坏自毁，结束后要塞炮台官兵从靖江向镇江撤退；三、江防司令部准备快艇和船只，载司令部向南京撤退。

“各部队受命后立即行动！”南京方面加了最后一句。

呜呼！要塞将士听到这样的命令，哭的哭，骂的骂，更多的人则忙碌着收拾行李，准备后撤。炮台的官兵还有一个重要任务是：那些装了没多久但还珍贵的德国“甲炮”不能留给敌军。拆！把所有零件能拆的就拆，不能拆的用炸弹炸毁！

可怜“固若金汤”的江阴要塞，在日军强力攻击下巍峨挺立的要塞，最后还是被我军自己用铁锤、用炸弹，毁了个七零八落……

江阴要塞失守！我中国海军和守军丢下一片狼藉，或向芜湖方向撤逃，或向南京城后撤退，但等待他们的命运则更悲惨——

江防司令许康本想往南京撤，结果到仪征时就被日军堵在江边的一片沙滩上，差点丧了老命，后在几位下属的全力掩护下，改道到了武汉。据说到武汉时，堂堂许司令像只“落汤鸡”一样狼狈。许自己说：“能活着从那边出来，就是当一百回落汤鸡也不算最差的命了！”

可不是，他属下的几千江阴守军不仅没有当成“落汤鸡”，而且多数最后成了日本鬼子屠刀下的冤魂……

“师长、参谋长不知到什么地方去了。我们的团长战死了，副师长带着我到镇江打了两天又失守，之后我们撤向南京。”时任103师618团团长万式炯回忆说：“12日我们赶到南京江边的下关。到了下关，那个混乱状况非我所料。到处是为寻找渡江器材而在奔跑的人群，官不识兵，兵不认官，谁也不听谁的指挥。我团早被冲散，身边只剩下吴凯。我们看到下关的情景，实在无法过江，就回头向南，随人流越过秦淮河，走到唐社附近，遭到敌军阻挡，情势十分危急。我急中生智，大声喊道：‘弟兄们，我叫万式炯，是103师的团长，我愿带大家冲出去！但要组织好队伍。’大家齐声说‘好’。于是我把队伍分成两队，一队我带，一队吴凯带，我们沿小巷走。这时敌人来了个反击，枪林弹雨，我们的人如惊弓之鸟，四处散去，我反而被甩到最后。这时七八个日军端着刺刀向我扑来。好在我从小有武术功夫，打死4个敌人后我赶紧逃跑。发现又回到了江边，并与正在寻找船只的吴凯他们遇上，在上新河处我们搭上了别人的木筏，上了江心洲……自是捡了一条命。”

团长万式炯是庆幸的，他上了江心洲，可是他所在师的其他将士基本上没有搭上过江的船只，后来皆成了日军大屠杀的第一批对象……

4. 孤城哀鸣

不知蒋介石是真不知南京早晚会失守，还是着意拿出一副与日本决一死战的姿态。自淞沪失利之后，首都南京城的一切都陷入极度混乱之中。日军三路进犯南京，虽说我方也有三道防线，前线将士也确实浴血奋战，但终因武器装备和战斗力远不能相比，加之主力部队并没有全部压上，南京失守其实是谁都清楚的事，只是身为一国之主的蒋介石无颜向国人和世界交待，同时一国首都的丢失与沦陷，其实多少也意味着一个国家的失败。为此蒋介石和他的国民政府咬断牙根也要支撑到最后一刻。

从1937年11月12日上海失守到12月13日南京城落入侵略者魔掌，仅一个月时间。这一个月时间里蒋介石和他的同僚们就没有在守卫南京上下点真功夫?

显然下了些功夫，但绝对不是什么真功夫。蒋介石在“七七事变”后，清楚地告诉同僚：得作纵深持久作战的准备，并且指出后撤的地方乃是四川一带。

“我看你们成心要丢我大上海！”

“骂你是轻的！饭桶！饭桶！”

“你不用回来了！与守兵一起死在外滩算了！”

这一连串的骂声，都来自南京中山陵特设的蒋介石办公室。上海吃紧的那些日子里，老蒋天天骂："你们顶不住，我就亲自去上海跟松井石根拼一回！娘稀匹，就不信拼不过那个老贼！"

这一天是 11 月 13 日，地址：中山陵蒋介石办公室。在场的只有蒋介石和他最亲近的幕僚：何应钦、白崇禧、徐永昌和军令部作战厅厅长刘斐。蒋介石还在一旁的窗口前站着，愤愤地生着闷气。

"……既然上海我们没有落实持久消耗敌人生力的战略精神，也没有达到我们调整战线、保存部队的目标，那么现在就不应该在敌海陆空军便于协同作战的长江三角洲跟日军胶着太久，且再看看所谓的'九国公约'，那些一向示好我们的国家也并不想真正出手帮助我们，导致今天我们的极度被动。既然如此，依卑职看，我军应该继续坚持落实总司令的持久消耗战略原则，不该再为一城一地的得失争强好胜，而要从全盘战略着眼，同敌人展开全面而持久的战争。如果拖到日本对占领国每一个县要出一个连甚至一个营的兵力来守阵地的话，那时即使日本在战术上有某些胜利，但在整个战争上它非垮台不可！"齐斐滔滔不绝地说了一通。

"我觉得刘厅长的意见有道理。"白崇禧手指刘斐道，"依你意见，说说我们如何处理首都南京的战事。总司令今天让我们来讨论的就是这事。"

刘斐获得了白崇禧的支持，便继续振了振精神，道："鉴于上述判断，我认为南京是我国首都所在，不作任何抵抗就放弃，当然不可，也不妥。但不应以过多的部队争一城一地的得失，只用象征性的防守，作适当抵抗之后就主动撤退。在兵力使用上，用 12 个团，顶多 18 个团就够了，部队太多将不便于机动，那样会消耗我更多生力军……"

"刘厅长这个主意还是有道理的。南京一役看来只有这样了，只是苦了守军和南京市民啊！"何应钦长叹一声，转头问蒋介石："总司令，你看这个思路怎么样？"

蒋介石似乎还在火头上，并没有马上回答。

那一刻，整个中山陵似乎都寂静一片——因为这座古老而历经沧桑的名城，还有城内几十万赤手空拳的市民的命运，将由这个光头蒋先生决定——"我看也只能这样了。不过，你们几个听好了：对所有人不能说我们不死守南京，那样我们不好交代，对市民、对军队，还有对留在这儿的总理——"蒋介石说到这儿将目光移至近在咫尺的那座白色建筑孙中山陵墓说道，"都不好交代。"

说完此话的蒋介石，似乎一时悲情难解。最后还是由何应钦收场："大家听好了，刚才总司令最后一句话特别重要。记牢了吧？"

白崇禧、徐永昌和刘斐同声点头回应："记牢了！"

11 月 15 日，第二次高级幕僚会再次在中山陵蒋介石的办公室召开。

这次会议多了几个人，除了前面几个人外，军委会执行部主任唐生智和南京市警备司令谷正伦等参加。主题仍然是讨论南京的问题。刘斐把上次会上的意见重复了一遍后，蒋介石让大家发表意见。

“我看不妥，南京非固守不可！”唐生智首先回应刘斐的话，他说话时有些激动：“南京是首都，为国际观瞻所系，又是总理陵墓所在，如果放弃南京，我们这些一直跟随总理革命的人何以对总理在天之灵？我不同意刘厅长的意见，坚决不同意！”说完他两眼盯着蒋介石，意思你老蒋到底什么态度。

没有人再说话，因为除了谷正伦外，其他人其实早知道蒋内心所想了。

蒋介石出声了：“孟潇的意见是对的，值得考虑，我们再研究研究吧！”孟潇是唐生智的别号。

这一天幕僚会没有最后决定正式方案。

第二天晚上，幕僚会又在中山陵召开。唐生智的意见居然占了上风，因为似乎谁提出不守南京，就有些对不住总理孙中山的在天之灵！唐生智是什么人？读者也许不知，其实唐某人过去一直是蒋介石的老对头，曾经参与过“讨蒋”，失败之后就一直称病，蒋也没有好心对待过他。唐生智在失去兵权多年后，一直耿耿于怀，欲求再执兵权。他在军委会任执行部主任，虽在核心层，其实也是听命行事的角色而已。有人说此次“病鬼”唐生智那么慷慨激昂地要固守南京，目的是想从蒋介石手中夺回些兵权。到底是真是假，蒋介石心里有数。

好嘛，老唐你不是想固守南京嘛，那就由你来吧。开第三次幕僚会之前，蒋介石已经想定主意。不过，蒋介石毕竟是蒋介石，会议一开始，他仍然问几位高级同僚：“你们的意见想好了吗？”

唐生智还是第一个发言，固守南京的口气比前一天还要坚定。蒋介石瞅瞅何应钦等，问：“你们几个呢？”

没有人回应他。

蒋介石若有所思地说：“我看孟潇兄的意见是对的。”突然，他转而又问：“那——谁来负责固守南京为好？”

谁来固守？

大家看看何应钦，何应钦冷笑一声没吱声，心想：我是总参谋长，留下来总不太合适吧？

徐永昌摇头，没有说话。

谷正伦直着脖子，倒是想挺身而出，可又觉得自己可能还不是这块料，便把目光移到了刘斐身上。刘斐心里明白，他是个“主撤派”，委员长加总司令肯定不会让他留下的。

“说啊，谁留下来固守最合适？”蒋介石又问。

继续沉默。

蒋介石生气了，说：“如果没人守，那就我来守吧！”

唐生智坐不住了，他站起来：“委员长，你是一国之元首，全军之统帅！这回你不能身先士卒、独守孤城。若真没有别人负责，我愿意勉为其难，而且我向委员会和各位保证：我一定坚决死守，与南京城共存亡！”

蒋介石一听，似乎真的有些激动地走到唐生智身边，右手用力地拍拍这位曾经要把他“千刀万剐”的老对手的肩膀，说：“可贵可嘉！孟潇兄精神可嘉！很好，就由你孟潇兄负责了！”转身，蒋介石对何应钦说：“就这么办，有什么要准备的，马上办，可让孟潇先行视事，命令随即发表。”

“明白。”何应钦道。他心想：老唐你这头病马出任南京守备司令，实在是太合适了，一是我们有个理由向外交代，二则你这个可有可无的老贼即便被日军打断四肢，仍未真正伤及我军我国之有生力量也。

南京守与不守的大事便这么定下。几天后，关于唐生智出任南京卫戍区司令长官的命令在军内和《中央日报》上公布。其实在这个时候，南京城已经出现一片混乱之势，原因是除了上海不断传来的坏消息外，《中央日报》已经在上海失陷后，发表《告（南）京市民众》社评文章，把中央政府移驻重庆的消息正式向世人宣布了。社评说：

> 此次政府移驻重庆的理由，是适应战况，统筹全局□□，而且是制敌不是怯敌，这一层在本报昨日社评中，已经解释得很明白。京市党部□□及各界抗敌后援会昨日发表告本市同胞书，希望大家凝定意志，勿自惊扰，为民族复兴而奋起，为国家独立而抗战，我们在这里尤其有阐明的必要。
>
> 第一，政府是处理全国政务的最高机关，它必须有行使职权的最大自由，不受任何威胁和牵制，所以政府的驻在地要适应环境，不能站在抗战第一线上。至于南京地方，除原有市政当局及军警机关依旧尽职服务外，政府并已设立了南京卫戍司令长官，统率文武机关及全市民众作守土自卫的打算，这个给我们全市人

民以莫大的安慰和兴奋。

第二，长期抗战本来不必过于重视一隅的进退和一时的得失，但是抗战的最后胜负，每每不决于前方的军事行动而决于后方的持久力量，谈□□□□，后方民众比前方将士所担负的更为重要。南京是前方的后方，对于前方的需要□□□□知道得很清楚，对于后方的援助，我们更居于集中策应的重要地位，所以我们目前所关心的，不是本身的安全而是如何使前线得到民众的援助而更加巩固，更加奋励。

第三，首都的拱卫既然设有专责机关，市面的治安，又同样能够维持得很周密，他如食粮充足，日用品源源而来，这都是抗战中最稳定的好现象。抗战已到了这个关头，国力的支持全靠民力作后盾，民众能多出一分心力和物力，政府不仅可以从容应敌，并且还有转败为胜转弱为强的把握，也是我们民众报国的最好机会。现在，全首都的市民应该把自己感觉到的责任和如何尽责的方法，做出一个榜样来，给全国人民看看。大家照着这样凝定意志，为国奋斗，这种力量的总和是绝对不可侮的，我们期待着前途的光明由这种力量发挥出来。

老蒋都走了，我们留在南京不是死路一条吗？！迁都消息一被证实，南京市内人心惶惶，出现严重混乱现象。“仗还没有打，日本人还没有来，堂堂一国之首都乱成这个样子还行吗？”蒋介石听了特务组织戴笠等人的报告，非常气愤。

“我要跟外面说一说！”蒋介石决定召开一次记者会，表表自己对南京和时局的态度。于是11月25日，当时的路透社这样报道说：

南京电：今晚蒋委员长接见外国新闻记者时声称，吾人坚信，公理终必战胜强权，抗战到底至最后一寸土与最后一人，此乃吾人固定政策云。蒋委员长偕其夫人入招待室，具有信任与决心之气概，绝无失败者颓唐形象。蒋委员长续称，中国拟维持决心抗战之政策，吾人将防卫南京，但在远处为之，外人之生命财产当予以保护，外传南京如有陷于敌手之危险，将付诸一炬之说，仅属谣言云。继言及停战之可能性，蒋委员长称此事决于日方。蒋委员长后言及日机近掷下一盒，内载一函事，谓此函不载寄者姓氏，其内容希望早日停战，并声明日本不欲提出严厉条件，仅欲得中国防共之合作，此种言论，殊与事实相反云。记者询以和议如何可开，蒋委员长称，讨论此事，今尚非其时，第一日本必须觉悟云。记者又询以是否希望苏联扶助，蒋委员长答曰，余所希望者乃国联机构内所规定之扶助。记者复询以九国会议既无助于中国，中国能希望他方面之援助否，蒋委员长答称，渠确信九国公约签字国将援助中国，如无此援助，则所有条约悉属无效，而破坏条约之举动反得奖励矣云。

都到什么时候了，蒋介石还在自欺欺人：九国会议假如真想出手救你中国，何必要让你蒋介石连首都也要丢掉？这么个道理，蒋介石能不清楚？他这么说，无非就是尽力想“安抚民心”，然而，用句老百姓的话，他这叫“睁着眼说瞎话”！

不管怎么说，该准备的还是要准备一下。就在同一日，蒋介石密电唐生智，对南京守备部队的战斗序列作了部署：1. 司令长官唐生智，副司令罗卓英、刘兴，参谋长周斓。2. 主力部队为第 72 军孙元良部、第 78 军宋希濂部，首都警备军谷正伦部及教导总队、宪兵部队，及从前线退至南京的 112 师、103 师，还有几个防空炮团等兵力。

之后蒋介石又为唐生智调来了叶肇的 66 军、王敬之的 71 军、孙元良的 72 军、俞济时的 74 军、邓龙光的 83 军部队，总兵力超过 10 余万人。

民国政府部门和公务员们，能走的都在忙着搬家运货，市民们怎么办？守卫部队军心如何安顿？身为守备司令的“病司令”唐生智那些日子好像一下来了精神，27 日，他向报界发表了“与南京共存亡”的声明：“首都或在最近之将来成为战场，最高军事当局已拟定死守首都之意志。吾华人必须牺牲，今有两事可决者：一余为中国军人，拟为国家牺牲己身；一为吾人之牺牲，将使敌多所丧亡是也。”并坚定声称，他唐某人与南京“共存亡”！

好一派豪言壮语！但到底是真是假，百姓和守军有些糊涂，因为他们所看到的是蒋介石的精兵在撤离南京，换防进来的多数是新兵部队。另一方面，日本军队三路进攻势头，一天比一天迅猛，前线的血腥和硝烟已经弥漫到南京城内外……

南京啊南京，你还能坚守几时？苍天在问。

致大臣阁下：据 26 日夜驻南京纽约泰晤士报（今译为纽约时报）通讯员阿边德谈称：26 日，除蒋介石夫妇外，所有政府要人全都急先乘船去汉口，从其狼狈状况看，给人以南京陷落迫在眉睫的感觉。目前，南京市内军队和军需品通过，难民四处乱窜，混乱不堪……

这是一份发往日本大本营的密电，提供情报者是日本冈本总领事。他这样发往东京的密电已经编号到“第 2441 号”，南京的每一个细节都在他的密电中被详细记录下来，并且源源不断地发往东京，而像他这样的谍报员在中国还有几百个。

日本人干事有一点值得称道：认真。侵略他国和屠杀别人前，都是经过精心策划与准备的。中国人能做得到吗？最高司令蒋介石还在期待国际支援的梦想中，日本人把所有吞侵中国的每一个细节都研究得透彻又精致，而且几乎不偏一二。

中方守军这些天忙碌不堪，总司令唐生智今天跑中华门检查城门工事是否牢固，明天到雨花台给守军打气，而在城内，实行了全城戒严，所有出入重要部门和军事要地的人必须佩戴“卫戍长官部”大印的臂章。另一个任务就是派兵员和宪兵队在大街小巷内到处张贴各种布告和命令。尤其是晚上，全城实行警报制，统一熄灯，一派战时紧急状态。

一日，唐生智在雨花台检查工事，随行的警备司令部参谋们都来了，唐生智向他的参谋人员们宣布了一件事：“谷正伦司令前几天向委员长递交了辞去首都警卫军长的报告，现在就我一个人担起了南京全城的守卫任务。”唐生智说此事时的声音非常低沉，随后长叹一声，颇有些悲壮地说：“我是统帅，守土有责，决心与南京共存亡了。南京失守，我亦不生。你们还年轻，又都是我的幕僚，和我所处的地位不同，我不要求你们和我一道牺牲，万一城破，你们到时还可以突围出去……”

说到这里，唐生智闭上眼睛，继续轻声说着：“我只要求你们在我还活着的时候，坚持工作到底。”

“唐司令，你别这么说，我们誓死与你一起战斗到底，决不后退一步！”程奎郎等年轻参谋们被感动了，纷纷站起来向他们的司令表态。

唐生智点点头，眼里闪着几星泪花。

“孟潇兄，我是大钧呀，委员长请你下午 4 时到他官邸……”来电话的是交通部长钱大钧。

“好，谢谢钱部长。”唐生智当日来到蒋介石的官邸，以为委员长要撤出南京，结果是蒋介石说要唐生智陪他去巡视守卫部队及城防工事。

“委员长，外面已经非常不安全了，你还要去视察，实令孟潇感动不已啊！”唐生智的鼻子真有点儿酸。

蒋介石边戴手套，边微微一笑，说：“我知道，把南京城守卫的重任搁在孟潇你身上实在是有劳你了。我作为三军统帅，一国之主，我不能让你独自承担这么重的担子。

只要我能做到的，一定全力支持你。”

“谢谢委员长。”唐生智下意识地用手擦了擦眼圈。

显然，蒋介石视察城防和留守部队，一是为了给唐生智他们打气，二更是为了自己的脸面，后者才是他在大战将至时出现在南京公众面前最主要的目的。据第二天的《申报》称，蒋对城防和市内的秩序“甚为满意”，同时他还有意透露他的夫人宋美龄跟他一起依然留在南京。

“领袖夫妇在南京一天，南京就会平安一天。”市民们和官兵们这么议论。

“慕尹兄啊，你知不知道委员长到底何时离京呀？”12 月 4 日，唐生智突然给交通部长钱大钧打电话询问。

“我没有看出他要走的意思……”钱大钧回复说。

“再不走，我可是要担当不起了呀！”唐生智是真急了。

“怎么啦孟潇兄，出什么事了？”

“你不知道，今天我的城防部队发现日本的便衣特务已经进城了，要不是我官兵警惕性高，还不知日本特务惹出什么大麻烦来呢！”

“南京城真是危险、危险了啊！”钱大钧在电话那头说：“孟潇兄，你也要多加注意些哟，实在扛不住就向委员长提出来……”

唐生智对自己冷嘲一声，道：“我已经把与南京城共存亡的话都说到家了，眼前的路只有一条，等着日本人来给我收尸了。”

“壮哉！壮哉也！”

唐生智放下电话，心想：壮哉不壮哉，还要看老蒋和日本人了，我唐某人只是个顺势而为的小卒，天真要塌下来，我这把病恹恹的老骨头，能顶得住？笑话！

不过，无论如何，唐生智自己知道，与蒋介石比起来，他这位湘军头领还差了些计谋。事实上也是，唐生智一直不明白：南京已经没老蒋什么事了，他干吗不带着娇妻宋美龄赶紧撤到武汉，却要冒着被敌机炸的危险留在中山陵呢？

“说孟潇一直是个天真的人你们还不信。”蒋介石在妻子面前几度如此嘲讽唐生智。留在南京当然有我的道理嘛！这回蒋介石正在密谋的一件大事并没有告诉这位守城总司令。什么事？等德国驻华大使陶德曼商量与日本“和谈”条件……

早在 10 月、11 月初，国民政府就努力在私下里与日本谈“停战”条件。最初想出此计的是汪精卫，这位后来被定罪为“大汉奸”的人，与日本国有天然亲密关系，所以日本挑起“淞沪战役”后，他便主张“和谈”，其实就是体面地投降。开始蒋介石虽有不悦之意，但“淞沪战役”越打到后来，蒋介石越觉得早晚会输给日本，于是心底里也慢慢有意与日本“和谈”。这样的谈判，条件肯定是强者一方开。日本早已想吃掉中国，你想谈条件当然好啊，于是开出六个条件送给蒋介石看。

“不行！他们这样明明是想我让、让我的国家蒙辱！”蒋介石一看日方提出的包括国民政府必须承认满洲国和蒙古独立的条款时，气得把杯子都摔了。

日本的信息传来了：我们大日本帝国就是要你中国丢尽脸！

“和谈”不下去，汪精卫干脆跑到武汉清闲起来。南京城剩下委员长蒋介石唱独角戏。

“实力为王”，这个道理军人出身的蒋介石非常明白，既然如此，那我也拿出点实力让你日本人看看。蒋介石心想：我在首都南京拿出决一死战之势，也让你日本人看看我大中国虽实力不够强，但我人多、地广，让你有所畏惧！

行啊，只要你有所畏惧，我们就可以再来“和谈”，那个时候你就别再逼我承认这、割让那了。蒋介石真正的底牌是这个！当然，现在跟日本人是属于撕破了脸的冤家间“和谈”，中间人缺少不了。正是在这种情况下，当政府决定西迁重庆，南京城交给唐生智之后，蒋介石留下来的唯一目的，就是等着老朋友、德国驻华大使陶德曼先生。

“日本人说话不算数，美国和苏联也不是信得过的国家，我相信你们德国，德国和你都是我们的好朋友，希望你始终担任中日两国的调停人，并且期待成功。”蒋介石在12月2日晚上独自与匆匆赶来的陶德曼进行了长时间的密谈，具体讨论日本有可能接受的若干条件——当然，这些条件也是在日本提出的那“六条”基础上的商议。

“委员长不提走，我哪能问嘛？”钱大钧对唐生智几次问他为何老蒋不走时，这样为难地回答老友。

后来陶德曼从日本那里获得了一些让蒋介石感到满意的“礼物”了吗？没有，一点儿也没有。因为就在蒋介石再度授权和托付陶德曼大使去跟日本人谈条件的当天，日军总司令松井石根按照大本营的指令，向全线部队发布了进攻南京的战斗命令。命令要求西线的第10军于12月3日、东线和长江水域部队于12月5日正式向南京城进攻。此命令一出，三线日军“如脱缰之野马，日夜兼程，强度行军，目标——南京！”

“我亲爱的委员长朋友，日本人不同意你提出的修改条件，他们坚持原来的六点条件，不能动一个字……”陶德曼再次把日方的意见告诉蒋介石时，连人都没有出现在中山陵，而是用电报告知的。

“娘稀匹！娘稀匹！我知道日本人是要让我丢足脸面！我决不再与他们谈任何条

件了！”蒋介石接到陶德曼的报告后，像一头怒狮，恨不得把小客厅两头的玻璃门都撞碎……

“洁民，你过来坐下。”晚上，蒋介石坐在小客厅的沙发上，脸色极其灰暗，十分沮丧地把卫队长俞洁民叫到身边，问：“现在你们还有多少人？”他指的是自己的卫队和侍卫官。俞说只有十几个了。蒋说：“你给这些人造个名册，交侍从室。”随后长叹一声道：“你们都是党国的精英，也是我的最忠诚官兵，现在国难将至，我作为一国之主、三军统帅，本该留在首都南京，但抗战的日子还长，我不得不要离开南京了。可是南京是首都，也是我的尊严所在，理当我该守城，但身不由己啊！所以我想尽可能尽一分力量——你能干，会带兵，所以我想让你带两班军装卫士，暂时留在南京，听唐司令指挥，主要任务是看守停泊在下关码头的小兵舰。”蒋又说：“别小看那些小兵舰，它是用来稳定守城军心的。”

“明白，我一定完成好任务！”俞洁民自然清楚蒋的用意，因为停在下关的小兵舰，是蒋介石专用兵舰，军队只要看着小兵舰在，就意味着蒋介石他在，蒋介石要给守城军队和市民一个“形象”力量。

“走，我要到唐司令家一趟……”蒋介石起身。

唐生智后来回忆说：“蒋介石在离开南京的前夕，和宋美龄到我家里来。蒋对我说：‘孟潇兄，你身体还没有恢复，有劳你守南京，我很难过。’我回答说：‘这是军人应该干的事嘛！我还是要重复前几天对你说的话，我可以做到临危不乱，临难不苟，没有你的命令，我决不撤退。’”

这回蒋介石是要走了。

12 月 7 日，晨曦之中，一队车辆在严密的警戒下飞驰，驶向中山陵。车至孙中山陵墓前，蒋介石在夫人宋美龄搀扶下从车中走出。

蒋介石脸色凝重地绕孙中山灵柩一圈，然而三鞠躬。之后，与在场的留守南京的官员一一握手，至唐生智时，特意点点头，说：全仗孟潇兄了！说完，蒋介石举目远眺，望了一眼南京城，默然合上双眼……

车队随即奔向明故宫机场。早已停在那里的“美龄号”等蒋介石夫妇登机后，即刻滑向跑道，随后腾空而起。一队守卫飞机紧随其后，飞向天空，很快远远地离开了南京上空……

“现在只剩下我们了。”唐生智在心里轻轻哀叹一声。

南京开始哭泣。日本人的刺刀已经在一些城墙上闪着寒光了。

老蒋走了，但并不意味着唐生智不用给他报告守城的军事形势了，“一日一报”的综合战况报告必须照常送到蒋介石手上。从国民党在1949年离开南京逃往台湾时扔下来的秘密档案中，我们可以更清晰地了解唐生智是如何在蒋介石那里“半报忧半报喜”的——

12月7日

午前二时，据六十六军不确情报，进据孟塘、大胡山之敌突然失踪，似有向北转进进攻龙潭模样。当命三十六师之一团暂控制在麒麟门附近待命。四十一师照常占领阵地，并向孟塘前进，与六十六军左翼确实联系。七十一军径开高桥门附近待命。拂晓后，得知大胡山附近之敌仍盘踞未去，因令各部继续联系前进，迅将该敌消灭。终以通讯困难及敌机之骚扰，各部队未能同时进展，未克奏效。是日，我汤水镇前面第一线阵地受在炮兵营房展开之优势敌军攻击，各处被敌突入，不得已于入暮后撤退至第二线，固守汤山及汤水镇。同日，龙潭、拜经台、保国山之线亦到处发现敌踪，与四十一师发生混战，双方各有伤亡。

淳化镇之敌，本日以步炮飞机协同向我阵地猛攻，机枪掩体亦被击毁十余座。我五十一师守军奋勇抗战，杀敌甚多，阵地屡失屡得，我部队伤亡甚大，嗣调该师预备队前往增援，得维持原状入暮。

秣陵关前面之敌分两路向我进攻，本日已进至杜桥、杨山之线，并有向我右侧大山迂回模样。

第四十八师部队本日到达南京，即命开往杨坊山、乌龙山之线占领阵地，赶筑工事。八十七师之一团乘车到达高桥门，准备在河定桥、上坊门、高桥门线上接防原五十一师第二线阵地。

在东昌街之一五四师，本日攻击前进，到达白兔镇、行乡镇附近，惜因汤山方面情况变迁，半途中止。

12月8日

本日，敌以主力及炮兵机械化部队进攻汤山第二道防线，与我守军发生混战。至8时许，汤山镇状况不明，汤山及两侧高地始终在我手中。其后方珠山、青龙山之线复经一五六师派部队接防（该师已有二团于7日晚间由镇江到达麒麟门，归六十六军军长指挥），阵地渐形稳固。惟占领大胡山、高家庄之敌昨晚得增援后，本日拂晓向我进攻部队激烈反攻，并调主力向栖霞山方面包围。我四十一师及三十六师之一团反复冲击，毙敌甚多，终以敌机轰炸及炮兵优势，到处呈苦战状况，未能将侵入之敌依限解决，我进攻部队伤亡很大。

淳化镇方面，本日敌进攻愈烈，并分向东樵村、西庄附近包围，企图截断归路。我五十一师部队奋勇抗战，伤亡累累，其中五营官兵几全部壮烈牺牲。后援不继，该镇遂于午后四时失守。

本早，进攻牛首山之敌以战车四十余辆为先导，向将军山附近猛扑，经我战车防御炮击毁六辆，即迅速后退，全日战况极为沉寂。惟右侧支队受敌有力部队攻击，渐呈不支状态，下午自动向板桥镇后移。

八十七师本晚大部到达指定地点。一五六师余部及一五四师正向南京转进中。

鉴于上述情况及集中兵力固定南京起见，是晚下令退守复廓阵地，其部署要旨如左：

右侧支队固守板桥镇大山之线。

第七十四军固守牛首山一带据点至河定桥之线。

第八十八师固守雨花台。

第七十一军之八十七师固守河定桥至孩子里（江南铁路北）之线，右与八十八师及五十一师、左与教导总队联系。

教导总队固守紫金山。

第二军团固守杨坊山、乌龙山之线及乌龙山要塞。

第三十六师固守红山、幕府山一带。

第六十六军至大水关附近集结整理待命。

第八十三军之一五六及三十六师之一团在青龙山、龙王山线掩护撤退。

在镇江之一〇三、一一二师向南京急进。

12月9日

敌乘五十一师撤退、八十七师当时仅到二团、阵地占领尚未稳定之际跟踪而来，高桥门、七瓮桥及中和桥均不及破坏，敌遂得，于拂晓进至光华门外，将大校场、通光营房占领（敌约步兵二千、坦克车十余辆）时，光华门附近仅有教导总队少数守兵，见情势紧急，比将城门紧闭。敌将野山炮推进高桥门附近，向光华门轰击，不一时，洞穿二穴，敌军小部突入，当被我军击灭。此后随堵随破，几濒于危者凡三数次，赖八十七师后续部队之反攻及直属特务队之增援，至午后四时，始将大校场之敌击退。

但盘踞通光营房内及城门洞内之少数敌人则始终顽抗。

同日，牛首山方面五十八师与敌激战竟日，因八十八师派出之右侧支队过早撤退，敌军一部进占大胜关，且有沿江北犯模样。我五十八师阵地形成孤立，入晚下令撤退，与五十一师联合担任双涧镇至宋家凹守备（在八十八师右翼延伸线上）。

12月10日

敌向雨花台、通济门、光华门、紫金山第三峰同时攻击，战斗较九日为激烈，光华门复被敌突破二次，但冲入城内之敌百余人，悉被歼灭。比以一五六师增援通济门及光华门之城垣守备，一面于城内赶筑工事，并以一五九师控制明故宫附近，策应一五六师作战，另以新由镇江撤退回京之一〇三师任中山门附近城垣守备，归桂总队长指挥。是夜，一五六师选敢死队坠城，将潜伏城门洞内之少数敌军焚毙，将盘踞通光营房之敌歼灭，光华门及通济门方面遂得转危为安。但雨花台八十八师阵地右翼稍形动摇，失去阵地前要点三数处。至第二军团方面，本日情况稍缓，不甚紧急。惟该军团四十一师以攻击孟塘方面受挫，正撤退收容中。

12月11日

敌以主力一面向紫金山、雨花台攻击，同时以一部攻占杨坊山及银孔山，并以一部由大胜关渡江至江心洲，向我七十四军右侧背射击。至午后二时，我八十八师雨花台右翼阵地为敌突破，中华门城门亦被炮击毁，有少数敌军突入，但被歼灭。我第二军团因银孔山失守，与城内联络已断，午后战况不明。是夜，令八十八师缩短阵线，固守城外主要阵地，右与七十四军、左与八十七师密切联系，其城垣防务（除中华门、雨花台附近外）由一五六师及七十四军分担。原拟将六十六军或八十三军诸部队转移攻势，但考虑各部队疲惫已甚，无此力量。至一一二师、一〇三师因新自镇江方面撤回，其疲劳则过之……

在敌我激战时刻，中日双方都有自己的每日“军事报告”，这些“军事报告”在战后的1938年相继被公开。有关日军进攻南京的“每日军事报告”是在1938年2月出版的《日本国际画报》上刊登出来的，现在南京市档案馆里已能查到这些资料。在此摘录南京遭日军大屠杀的前几天的日军“军事报告”，可以一窥敌我双方对当时军事的不同记录——显而易见，这些军情资料十分可贵。

12月7日

进攻南京的战幕终于拉开了。担任进攻的助川、片桐、大野、胁坂、富士井、人见、下枝、千叶、山田等部队，所向披靡，从东、南方向收缩包围，已经攻到了敌人的城下。今天下午一时，在隆隆炮声中开始了对南京的总攻击。郊外的部分敌军凭据碉堡拼死抵抗。从南京城东边的中山门到郊外高桥门的公路附近的房屋燃烧着熊熊大火。除海军航空队外，陆军飞行队、渡江部队也全部出动，从昨天中午开始发动总攻，对南京郊外之顽敌断然进行猛烈轰炸。目前，南京攻防战的生死决斗尚在进行之中。

12月8日

南京的末日即将来临，顾祝同也协助唐生智，进行指挥，似乎仍在顽强地抵抗。现在，南京郊外正在展开激战。在东边，汤山附近的敌军据守高地继续抵抗。因此野田、片桐、大野等部队正在对之进行围击。助川部队则比之先进一步，已经开始与紫金山的敌军交战，山脚下的中山陵陵园附近的建筑物被敌军点燃，大火熊熊。在南方，从句容方向突破索墅镇的下枝、胁坂等部队，下午三时击退了扼守位于通往南京要道的淳化镇的敌军，占领了该镇，并继续向青龙山附近的高地进击。在西南方，从溧水方向进攻南京的千叶、山田等部队，突破秣陵关的险阻，与牛首山的敌军展开了激烈的山地战。在这场历史性的进攻战中，我军中岛中将于七日下午光荣负伤。……

12月9日

全体国民翘首以待的最大喜讯即将传来，现在，南京进攻战已达最高潮。从汤山向紫金山进击的大野、野田、片桐等部队，作为东线的先锋，业已抵达紫金山东面仅两里的麒麟门。由于夜里敌军开始撤退，昨日晨该地已完全落入我军之手。我军离南京城只有一里半了，片桐、助川各部队仍在继续向前推进，以进攻中山陵附近的敌军，逐步逼近作为南京东大门的中山门。从东南方向进攻的胁坂、下枝、富士井、伊佐等部队一边攻击驻守通往南京要道两侧高地的守军，一边向前推进，到达了位于南京城外的著名的大校场飞机场，下午又向南京城东南角的光华门挺进。南路的长谷川、竹下部队，经过夜战终于占领了牛首山及其附近地区，坦克队下午已接近了通济门，炮兵阵地向靠近南大门的中华门的雨花台进行猛轰。这样，我军的三方面包围已经逐步收缩到了城墙边。松井最高指挥官昨天中午对南京防卫司令唐生智投了劝降书，为了等待答复，在十日中午前暂缓进攻。在宣城方面，藤山、野副、片冈、浅野各部队昨晨抵达芜湖南郊，转入正面进攻，于下午五时终于攻克芜湖。长野、山田的突袭部队昨夜到达当涂以东，特别是冈本（镇）部队出现在通往芜湖的交通要道上，并占领了离南京很近的西善桥及其附近要地。至此，南京敌军的退路终于被切断了。

12月10日

南京守军不仅不听从我方劝降，反而继续抵抗。我军断然转入总攻，各部队以城墙为目标开始猛攻。来自广德方面的藤山、片冈、小界、野副各部队占领芜湖，同时长野、山田部队占领距南京不远的当涂。同夜，这两支部队分别在当地渡过了扬子江，登陆后昨晨袭击了乌江并占领之，随后向津浦线急进。因此，南京守军由于当涂、芜湖的失陷而被切断退路，向江北的逃窜也被阻塞，业已陷入绝境。

12月11日

总攻第一天，我胁坂部队占领了南京城东南角的光华门，南京城头竖起了太阳旗，并击退了为夺回该城门而反扑夜袭的敌军，巩固了阵地。第二天，各进攻部队经过奋战，扩大了战果。与胁坂友邻的伊佐部队下午一时许占领了光华门东南的高地，与城墙上的守军进行了近距离的枪战。下枝部队也同时接近了南京东南角。从紫金山东北侧进攻城墙的野田、大野、片桐、助川等部队从清平开始一直在激烈战斗，相继临近了和平门、太平门。大野部队的一部占领了紫金山麓的中山陵，随后和富士井部队一起在坦克的掩护下，与中山门守敌接上了火。进攻中华门（南门）的长谷川、冈本（保）部队从昨日早晨以来持续在这一地区鏖战。竹下部队继续进攻南京城的西南角，冈本（镇）部队与竹下部队一起在城西的莫愁湖畔激战。从紫金山及附近一带的高地的火炮群中倾泻出来的炮弹，全部命中目标，发挥了令人恐惧的威力。海军航空队于上午、下午在城区上空对敌军进行了毁灭性的轰炸。

从这几天日军的每日“军情报告”中，可以看到日军在进入南京前几天对南京进攻的概括性描述，其中有两件事值得指出：

一是7日那天，日军的中将中岛今朝吾被我军击中负伤；

二是9日松井石根兵临南京城下时给我方守军唐生智散发最后通牒“劝降书”。

第一件事发生在激战时刻，有一名日军中将负伤，确实让唐生智等中国守军士气为之一振。中岛今朝吾是日第16师团长，南京进攻战时日军的四路前线指挥官之一，他带领的部队负责城南一线的主攻任务，结果在9日下午3时40分左右被苏联志愿军飞行员的轰炸击中腰部。情报传到南京城的唐生智司令部，让中国守军好一阵欢呼。

但随即另一个消息就很让唐生智等憋气：有情报送来，说日本东京正在准备80万人的“夺胜南京”庆祝大会。

“太猖狂！太猖狂！我近20万大军还在南京城里巍峨挺立着，它小日本凭什么就认为胜利一定是他们的？”唐生智对参谋们说：“命令全城守卫部队，给我死死守住城门，绝对不让敌人进城的阴谋得逞——！”

当日，南京守军司令部发出两道“死守令”：一、我军目下占领的复廓阵地，为固守南京之最后战线，各部队官兵应抱与阵地共存亡之决心，全力固守，不许轻弃寸土；若有不遵命令、擅自后移者，定遵委员长命令按连坐法从严惩办。二、各部队所有船只，一律交本部运输司令部负责保管，不准擅自扣留。着派第78军军长宋希濂负责指挥沿江宪警，严禁部队官兵私自乘船渡江，违者即行拘捕严办，倘若违抗，准以武力制止。

“死守令”刚刚发出，参谋颤颤巍巍给唐生智递上一份花花绿绿的纸——

“什么东西？”唐生智从头到尾扫了一遍，顿时怒发冲冠，“嘁里喀喳”撕了个粉碎。“门都没有！松井他把我老唐不当人了！去告诉他们：只要我南京在，我唐生智就决不言‘投降’二字！”

原来，参谋递上的是一份日军最高指挥官松井石根用飞机散在南京城内外的“劝降书”。上面这样写道：

百万日军已席卷江南。南京城将陷入重围之中。观之战局大势，今后交战唯有百害而无一利。盖江宁之地乃中国故都，亦为民国之都城，明孝陵、中山陵等名胜古迹猬集。有宛若东亚文化精髓之感。日军将严厉处置抵抗者，不予宽恕，然对无辜民众及不怀敌意之中国军队，则宽以待之。乃至东亚文化亦有保护保全之热忱。然若贵军继续交战，南京势必难免战祸，千载之文化归于灰尘烬，十年之经营化为泡影。故本司令官代表日本军劝告贵军，立即和平开放南京城，然后按下文所记处置。

对本劝告书之答复，应于12月10日中午，在中山门至句容道路之步哨线，由我军收领之。若贵军派遣司令官代表，应准备于答复收领处，与本司令官代表达成关于接收南京城之必要协定。若于指定之时间内未得到任何答复，日本军将不得不开始攻占南京。

“劝降书”落款是：大日本陆军总司令官 松井石根。

“再传我令：决不投降！坚决死守！”9日当晚，有部下来探司令官口气的，被唐生智一顿臭骂：“谁要当汉奸，谁就去向敌人投降！我唐生智决不带头干这事！”唐生智大有破釜沉舟的决心。于是在松井给出的10日“最后通牒”这一天，中国守军不仅没有放弃一扇城门的守卫，而且奉命将所有的城门用上各种可能的“武器”——比如沙石、水泥，或者木头、砖块，甚至百姓的门插等，总之只要能抵挡和堵死城门的东西都可以用上。“实在不行，就准备汽油——等敌军攻城门时，烧它个焦烂！”

10日，日军见中国军队拒绝投降，便向雨花台、通济门、紫金山第三峰等阵地发起全面进攻，战况较前几日更为激烈。尤其是城东南方面，因复廓阵地已基本丧失，故日军干脆直接攻城垣，南京城陷入极其危险的境地。而当日包抄守军后路的日军第18师团占领了芜湖……此时的南京城三面临敌，十万火急。

狗急了也要跳墙。南京已到孤城一座，守不住就是两个出路：一是死，二是降。后者已经没了，那么只有死路一条。此时的死对守军来说，也只有两种情况：一是跟敌人拼死，二是让敌人杀死。

拼死当然光荣！当然值一点！

“拼啦——！”

“拼啦——！”

中国守军们有的人心头冒着火在喊，有的人眼里流着泪在喊，也有人撕扯着自己的头发在疯叫，也有人摔着枪在偷偷哭泣……

这就是战争。

拼了。中国军队“流尽最后一滴血”的时刻到了！

5. 血染“双十二”

这一天是12月12日。

日本东京这一日有报纸发表社论说：“去年的今天，是西安事变爆发，蒋介石性命危在旦夕的日子。一年后的今天，我军将入南京城区……”

日本人要彻底地辱没蒋介石，并且要让他“享受”超过西安事变十倍的耻辱。他们似乎胜券在握，志在必得。

为什么？为什么见不到青天白日？
为什么，为什么折断的刺刀上还在不断流血？
看一眼身边堆积如山的战友尸体，
抚摸一下自己断残的胳膊，
我眼里的火，我心头的火，
我身后千千万万兄弟姐妹的火，
正等待着入侵的强盗来到。
我们在城门边拼个最后赢输！

这不是诗，这是1937年12月12日那些守卫南京城的中国军队将士们在阵地前的最后呐喊。

事实上，松井石根对最后进攻南京城的军事部署与军事命令是在12月12日的前五天就制定好并正式发出了。我们现在有机会能从当年日军留下来的军事档案中查阅到这份军事命令：

一、两军进至“中方作命第27号”所示一线。准备其后之攻城战。

二、在南京守城司令官或市政当局尚残留在城内之情况下，当劝告对方开城以谋求我军和平入城。

此时，各师团当首先让抽选出来之步兵一个大队，作为基干部队入城。在城内分地区进行扫荡作战。

三、若敌之残兵仍负隅顽抗，则以抵达一线之全部炮兵布阵炮击，夺取城墙。各师团以一个联队为基干部队扫荡城内。

以上之外之主力，集结于城外示意之地点。

四、城内扫荡战时，应指定作战区域，令部队严加防范，确保不发生友军相互间误伤之事件，且令其明确对不法行为应负之责任。

五、两军于城内作战区域如下：

共和门—公园路—中正街—中正路—汉中路。

六、各军警备之城门：

派遣军：中山门，太平门，和平门。

第十军：共和门，中华门，水西门。

松井石根选择的南京这6座城门，既是进南京的要道，也是中国守军重兵把守的关键军事要地。松井石根把最困难的任务交给了柳川部的第10军。日第10军仿佛也跟中国军队特别有仇似的，接受任务后，他们便与中国守军展开了死战。

日第10军最先进攻的是紫金山和雨花台，因为这是通向南京"中华门"的外围屏障，失紫金山、雨花台，便意味着南京城被撕开一个大口子。中国守军在此布了重兵，其中有孙元良的88师和蒋介石身边装备最好、实力最强、兵员最足的"御林军"——教导总队。孙元良是72军军长，他兼任88师师长。而教导总队下有3个旅和直属部队，共3万余人，如此两支部队把守紫金山与雨花台，可见此处多么重要。

12日前，这两个要处，敌我双方已经展开多场生死搏杀。日军先对守军薄弱的麒麟门一带阵地进攻，结果阵地先失。之后敌人集中兵力攻南紫金山老虎洞阵地，由于该阵地地势明显，炮火容易袭击，因此老虎洞阵地激战一天后，守军主动放弃，退至紫金山第二峰高地。日军以为中国守军不堪一击，有些得意地直向紫金山第二峰阵地进军，哪知这儿驻扎的是蒋介石的精锐部队——教导总队。这支队伍在这一带驻扎已4年，平日天天在此实战练兵，熟悉地形，加之工事牢固，日军首攻惨遭失败，留下一片尸体。吃了亏的日军，迅速调兵遣将，与守军在紫金山第二峰和西山一带再度展开拉锯式激战，枪炮声在山谷密林中呼啸怒号，震天动地，双方死亡俱众，但阵地依然在中国守军手中牢牢把着。久攻不下的日军急了，不仅不断增兵，且调来加农炮穿甲弹直射中国守军阵地。巨大的爆炸声震耳欲聋，水泥和巨石筑铸的工事被掀起数丈之高。但是令日军不曾想到的是，如此轮番轰炸，又一次次出动战车横扫，还有敢死队三番五次出击，结果均被中方打退。11日，又是几番死杀硬拼，扒去厚厚一层皮的紫金山虽在流血淌泪，但仍然不肯垂下高昂的头颅。

12日拂晓，日军重新调来几个中队的飞机轰炸之后，又从左右两侧向紫金山北侧高地直射重炮……顿时，山峰间火球飞滚，乱石扬天，一片杀声和叫喊声。

"挺住！兄弟们，只要再挺住几小时，援军便到，我们就能守住紫金山防地……"教导总队第3团团长李开西被炸弹掀出工事之后，抖了抖头上的泥土，点了点身边的兵士，将最后几十位残部领到一片废墟的阵地上，准备与敌人决一死战。

"团长，援军不会来了！中华门那边听说失守了……我们团处在前后夹击之中，怎么办哪？”属下向李开西请示。

“我打电话给旅长！”李开西拿起电话，拼命地摇，但就是没人接。“旅长！旅长！我请救支援！请求支援——！”

“团长，别打了。旅长他们早就溜了……”

“妈的，他们溜了？仗还没打完他们先溜了？”李开西不敢相信，但没人接电话，又没增兵，再看看阵地前后其他友军的乱象，他终于信了：“我的天哪！国军能不败吗？南京啊，我可怜的南京……”李团长叫天天不应，叫地地不灵。最后，他只得向身边数百具阵地上战友的尸体磕了三个头后，仓促离开了紫金山北侧的一个阵地。

“奇怪，敌军的主阵地还在激战之中，为何此处他们反倒撤离了？”日军指挥主攻紫金山阵地的是王牌军佐佐木少将任旅团长的第 16 师团步兵 30 旅团。打了两天没有拿下的紫金山北侧阵地的佐佐木此刻有些弄不明白。“务必不能大意！在攻打南京最后一天的伟大时刻，我旅不能给总司令长官丢脸！”佐佐木警告下属。

随后，他把一部分队伍转移到旁边的一个叫兴卫村的小高地，准备向紫金山左翼进攻。

“必须在今天拿下主峰！”佐佐木的上司中岛今朝吾中将虽然受了伤，但仍然执掌着 16 师团的大权，这位杀人魔王肯定也不会放弃“夺取南京城”头功。

“重迫击炮运来了没有？没有重炮攻不破紫金山主阵地，更攻不破城门！”佐佐木叫嚷。

“调你重迫击炮大队 2 个中队，33 联队配合你们进攻！现在就等你们拿下紫金山了！”中岛回答。

接下去的进攻战是佐佐木所没有想到的，后来他在“日记”中记道：“阵地一片火海，突然一阵激烈的枪声从后面袭来，我奔出去问：‘怎么啦？’下官回答：‘刚刚击退敌兵，怎么又从山上黑压压地下来一大群？’我觉得有些不可思议，问：‘是不是败兵呀？’‘不像。’下官答。我便亲自上阵，指挥杀了一阵后，刚想歇息，下官又在惊叫。”后来佐佐木如此记录道：“敌军还在不断地从紫金山上向下冲，一群又一群，铺天盖地，满眼是敌军。他们都是驻守在紫金山顶的教导师的士兵。他们试图从我支队的缝隙间杀开一条血路，进行反攻，突围出去……这支部队是蒋介石最骁勇的嫡系部队，因此也是顽强战斗到底的最英勇的部队。”

岩崎昌治是日派遣军独立工兵第 1 联队的上等兵，他在给家人的信中也曾这样赞叹中国军人：“真不愧是支那的正规军，有些人死得大义凛然，甚至还有人堂堂地站在我们的枪口下微笑着赴死。如果像这样的男人占支那总人口十分之一的话，那么日本与他们作战应该是相当艰苦的。”

日本人尝到了苦头。

雨花台在南京中华门外南一公里处，是个丘陵地带，最高海拔为60米，是南京城南隘口，旧称“金陵南大门”。自古雨花台就是英雄洒热血的地方，南宋杨邦乂在此抗金兵遭敌剐心，留下千古绝唱；辛亥革命女英雄尹维峻在雨花台抵抗清军十天十夜，终为革命军夺取最后胜利，留下不朽美名。而大革命时期，共产党早期领袖人物恽代英等为共产主义而不屈斗争，最后被国民党反动派枪杀于此……雨花台从来就是流血的地方。日军企图突破南京的这座南大门，不料遇到中国守军的顽强抵抗。

9日上午，日军派出一个联队向雨花台进攻，哪知惨遭重创。后又增一个联队，再度进攻。原守军88师527团、528团前仆后继，寸土不让，两千多米长的阵地前，与日军展开轮番肉搏战，结果又一次击退敌袭，阵地前留下六七百具日军尸体。

10日一早，日军派出飞机和战车一起向雨花台扑来，企图一下消灭守军。哪知阵地上的中国官兵越战越勇，日军久攻不下，再度失利。

11日，敌人压上南线重兵，同时也对雨花台后路的中华门实施包围性进攻。结果当日中华门没攻破，雨花台更是依旧巍然挺立在守军那边，倒是日军在这块南京有名的坟地上痛苦地丢下了千具以上的尸体。

“好样的！我88师个个都是好样的！”师长孙元良为此骄傲了很长时间。

12日下午，日军先破中华门。破中华门之前，日军以为雨花台已经不在话下了，谁知中国守军88师将士们竟然在雨花台和中华门之间继续顽强抗击，又让日军丢上了足足四五百具尸体……守军88师死伤自然也不轻，262旅旅长朱赤、362旅旅长高致嵩及两千多官兵殉国牺牲。

在这场紫金山、雨花台的保卫战中，与日军拼杀的还有后来增援上来即战伤的团职军官、74师305团团长张灵甫，51师师长王耀武等名将。其中张灵甫的305团打得最为惨烈，全团折损官兵千余人，连长以下军官所剩无几，张灵甫身负重伤，是被王耀武硬从前线拉下阵的。张灵甫出名也是因为在此次守城战斗中，他令手下抬着棺材上阵地，可谓悲壮之举也！但由于这些“抗日猛将”错站了队，若干年后他们与中国解放军作战，皆或战败为俘，或成命归西天。邱清泉将军是在1949年1月在平津战役中突围失利后被自己的警卫营营长开枪打死的。南京保卫战中紫金山之役的教导总队第3旅旅长马威龙，则是在半年后在河南兰考与日军的战斗中阵亡……那位在南京保卫战时担任教导总队最高指挥官的“常败将军”桂永清，由于与蒋介石、何应钦关系特殊，倒是有了另一种命运：抗战结束后连连升迁，直至到台湾后成了“国军”海军总司令、参谋本部总参谋长、一级上将，但寿命不长，1954 年便病逝，终年 54 岁。

国民党的败将一般都能在蒋介石那儿卖好，且每次战事中又溜得快，这也是个常例。但留在一线守城的勇士则仍在战火中厮杀血拼……

这一天是 12 日。12 日的南京保卫战主要集中在各个城门内外。

光华门之战是又一处血流成河的地方。

此地为南京城郭要地，气势非凡的城门有八扇大门，在它的外壕 35 米宽、5 米深的护城河水形成一道坚固屏障。当日军伊藤大队的副官中川少佐乘轻型装甲车偷偷前来侦察观望光华门时，暗暗倒抽了口冷气：妈呀，这怎么过去呀？此时的光华门，守军严阵以待，通往城门的道路被防御战车的战壕及五条路障挡得密不通风，道路两侧又有五道密密麻麻的铁丝网拦在水面上。城门西侧及城墙上有 28 个重机枪射击孔，把守此地的又是蒋介石最精锐的教导总队等“国军”王牌部队。

但想闯进南京城，光华门是必经的一道门关。

日军同样志在必胜。他们进攻光华门的首战在 9 日拂晓打响，由精锐的第 9 师团配合多辆战车，先向城门外的红毛山一带守军发起猛攻。教导总队一个营在此守战，结果伤亡近半，不得不退至光华门城墙处。天刚亮，日军又派飞机，直接轰炸光华门，雨点般的炸弹，守军无法躲避，死伤百余人。眼看城门要失守，唐生智司令得知后急调教导二团火速增兵支援。

“马上出发，坐公共汽车！”教导二团援军带上武器，上了由他们控制的几辆公共汽车，直奔光华门。

“你们是来支援的吗？”援军排长向鸿远刚抵城门，门墙边一个满脸乌黑的头颅竖起来，激动得大哭，“你们总算来了！我让给你来指挥吧！”

向排长总算搞清他是守军长官，便说：“那不行，我们还没有弄清楚敌军情况，你得帮助我们。”

“行，你们来了就好！来了就好！”那军官一边擦着眼泪，一边指着城门外说：“敌军就离这儿百十来米……千万别探出头看，我的士兵好几个都是这样死的。”

就在这时，向排长的头顶响起飞机声。“卧倒——！”刚出口，几颗炸弹即落在他们身后的城门内。

“奶奶的！小鬼子太欺人了！他们的炸弹落到城门内的监察部院墙内了，我的两个新兵连兄弟死的死、伤的伤，我没人啦！老子到这儿跟他们拼了！”这时，一位四川口音的守军连长扑到向排长身边，端起冲锋枪就往城门外扫射了一通。

“嗒嗒嗒……”

“轰隆隆——”

冲锋枪声惹来了日军好一阵炮弹和机关枪子弹。

“不要乱开枪！”向排长急忙制止说，“现在敌人的兵力比我们多，我们万不能轻易暴露自己的火力，否则会吃大亏的。”

怎么才能弄明白敌情呢？向排长身边的机枪手说：“我有办法。”说完从口袋里取出一面小镜子，然后用两根步枪通条绑接，再在上面绑上小镜子，随即小心地向城垛口仰卧移动。这一照了不得，向排长他们发现敌人在 9 辆战车的掩护下，正悄悄向城门这边移动过来……

“不好！敌人是想占据那边的小面粉厂，然后再通过那里居高临下袭击我们城门！”向排长朝日军移动的左侧前言一看，发现距光华门城楼百余尺是一座面粉厂，而且木质厂房的楼顶比城墙高出一截，一旦被敌人占领，后果不堪设想。

“一定要先平掉面粉厂，否则我们不仅守不住城门，而且都得被他们打死！”向排长急出一身汗。

“那怎么弄啊？”守军官兵惊呼。

“抢先把这个面粉厂烧了！”向排长说。“我们组织敢死队去。谁愿意去？如果完成任务，回来后士兵的升排长！”

“我去！”

“我也去！什么升不升的，只要把城门守住，死了也甘愿！”

当即有十几个士兵站出来。

“好样的！”向排长无比激动地，“人多了冲不过去，你们排成一队，每人抱上稻草、带上火柴，沿城墙过去，再用绳子吊下去，点火烧着就行……”

行动开始。第一名士兵刚从城垛上放下一米左右，就被日军发现打死。第二名上去，又被打死。

第三名士兵说：“现在轮到我了！但不能照老办法，需要换个地方。”此人机灵，一是改在另一处城垛下绳，二是在放下一半时，突然纵身跳下……

“掩护——！”向排长立即命令战友向敌阵射击。

“嘭！”在敌我双方激战之中，只见面粉厂那边蹿起一片火焰……“成功啦！”“成功啦！”光华门守军连声欢呼。

日军怎能吞得下此亏？见正面进攻受阻，他们便改变战术——趁着硝烟弥漫的黄昏，一支日军便衣敢死队沿着护城河冲向光华门，企图瞬间与阵地上的守军展开肉搏战，从而突破城门。

“光华门十万火急，还有什么办法顶住敌军呀？”教导总队队长桂永清在电话里像是在向属下谢承瑞团长求助。

光华门是由教导总队谢承瑞团长带的人负责。“没有什么其他好招了。官兵们两天下来已经死伤无数，别无他法。我看就用最后的绝招吧！”谢承瑞咬咬牙说。

“啥招，你快说，谢团长。”

“请总队支援几车汽油来！我亲自背汽油过去。”

桂永清那边突然沉默。稍许，又说：“好！我马上让参谋长调汽油！”

汽油调来了。谢承瑞亲率二十几名敢死队员，背着油桶，飞步赶到光华门，趁着夜色，将一桶桶汽油顺着城门朝外倒出……

狂妄自大的日军哪知我守军有这一招，他们也在趁着夜色进行所谓的“最后决战”。然而这回他们吃了大亏——

“点！”一束火苗突然在光华门城口亮起，然后如一道火墙似的朝外闪电般地散开，直冲敌阵——

“呀呀呀……”火光中，只见日军像着了魔似的狂跳乱舞，很快又变成了一团团火球，然后便倒的倒、焦的焦……

“死啦死啦的——！”后面的日军一边骂一边四处抱头仓皇逃窜。

“冲啊——”突然，数日纹丝不动的光华门猛地开启，只见谢承瑞带着守军官兵，端着十几挺机枪向敌群狂扫过去。

好一个痛快的歼敌反击战！光华门前从此留下抗日英勇的美名。

这是光华门阻击战中的一个片段。中国守军打疯了，日军进攻也发疯了！

“八嘎——！”一队队头扎白带、上面写着“必胜”字样的日军敢死队，一手端着轻机枪，一边挥动着大刀，在坦克的掩护下，不管死活地朝城门方向冲来……

“手榴弹！手榴弹打坦克——”守军长官见横冲直撞而来的敌方坦克即至城门口，急中生智地组织起手榴弹火力网，使得敌坦克最后瘫痪在城门口。这个时候，已有十几名日军敢死队员趁机钻进了城门洞内。

“堵杀他们！快堵杀他们！”守军的敢死队见状，一边喊着一边凭着对城墙地形的熟悉，用绳子从城墙上徐徐下吊，出其不意地将来犯之敌杀了个精光。

“长官，给我们赏功吧！你们看——”第83军军长邓龙光部属的那个守军营长带着十几名士兵，挑着农民卖菜的竹篮，装着十几个日军的首级，以及缴获的轻机枪、左轮手枪和三八式步枪和战刀，无限荣耀地跑到长官那儿请求领赏。

“奖！该奖！”唐生智司令听说后，连连应道，不过他的奖赏还没有来得及发给这些光华门的英勇守军官兵，就传来光华门被敌人攻破的消息。

战后的中国军队都说光华门守卫战是整个南京保卫战中打得最惨烈的一役，其前后持续了三天多时间。双方拉锯式的战斗远比笔者叙述的要激烈和惊险得多，而且在此留下了一大批勇士。团长谢承瑞是其中之一而已，这位可怜的守军团长，在开战之前便抱病在身，后又在这两天的城门保卫战中被战火灼伤，在光华门失守后的数小时即12日的下半夜，谢团长随撤向江边准备渡江逃生的部队散兵路过挹江门时，因拥挤而被自己的士兵活活踩死……

“那是谢团长！你们不能踩他呀！不能……”一起逃亡的教导总队参谋处参谋刘庸诚见谢承瑞团长被数不清的乱兵踩得血肉模糊时，跪在地上痛哭求情，然而根本于事无补。

这是12日最后几小时里发生的悲剧。

刻骨铭心的悲剧在1937年12月12日这一天的南京城内外比比皆是。

被奴役前的南京城处在窒息的时刻。

中华门是敌人最想进入的地方。中华门—南京城—中国政府，它们在中国人的心目中是这样相连的。日本人也是这样认为的，因此日军司令松井石根下达的最后命令中就把这场战斗作为进攻南京的“收笔之作”——显然，攻破中华门的实际意义和象征意义都特别重要。

日军派出的是第6师团主攻中华门，同时配合的还有几个飞行中队、2个战车大队及几个联队的步兵和工兵。

中国守军是王耀武师等重兵。中华门的城墙比起光华门来似乎还要坚固，防守力量更是“固若金汤”，这非形容之词，你看那城墙上，每隔50米，便有一挺机枪，机关枪之间大约架着30余门迫击炮。而在城墙外，原来是一片密集的居民房，如今因战斗防御的准备，在日军到来之前，全被毁为平地。这样，站在城墙之上，可以一览

200 多米外的前方，敌军稍有动静，皆在守军眼里。这一招算是中国守军的高明战术。

然而，日军不傻，他们在安排有针对性的进攻战术——

12 日天色刚有些晨光，地面的高炮、天上的飞机投弹，如山呼海啸般地在中华门城墙内外一顿猛烈袭击，于是中华门前后火光冲天，硝烟浪潮一波又一波地席卷而来……

十几分钟过去了。日军想看个究竟，结果大失所望：中华门和城墙岿然不动，丝毫没有要倒塌或失守的迹象！

日军指挥官愣了一会，突然大叫一声，令几辆 75 吨重的坦克向城门冲去——企图用它们来撞开大门。结果是：除了几声“咚咚”回声外，城门安然紧封。

日军指挥官再度傻眼。“八嘎——”这回是一队抱着炸药包的工兵上了：只见他们在重炮的掩护下，贴近城墙根，点燃了几十包炸药……

“轰隆——”

“轰隆！轰隆隆——”

硝烟过去，再看看城墙：除了几处掉下些墙皮和砖块外，大城墙依旧傲然挺立，如大象被小虫子咬了几口而已！

日军傻了，日军疯了，日军玩彻底了——他们开始什么都不用，只用一队队士兵和一把把亮光耀眼的刺刀……

武士道精神是日军最后的武器，也是他们认为最能战胜敌方的力量。

然而在这里——在中华门的中国守军面前，这回日军的武士道精神也不再顶用。

守军 153 旅旅长李天霞和所属 306 团团长邱维达轮换着指挥官兵，一次次或用枪炮或用身躯，将进攻之敌挡在城墙根下和城门口。

战斗进入了白热化状态。敌我双方全都杀红了眼，只有倒下的一排排尸体在挡着他们进攻和坚守的每一寸土地。

“撤！唐司令来电要求我们撤……”

负伤的团长邱维达不相信。旅长李天霞也不相信。但这是真的，接近傍晚时分，司令部好不容易派来一位参谋传达唐生智司令的要求：153 旅等中华门一带的守军全部撤离到长江边，准备渡江。

“我的两个营长都死了！全团 1 300 多人就剩下我等一二百人了，我怎么向死去的兄弟们交代呀？我怎么交代呀！”邱维达痛哭流涕，就是不愿放弃中华门。

可是，撤离的命令是真的。

十二日十三时于南京司令部：

一、本部各部队奉命向徽州附近地区转进。二、本司令部直属部队及三十六师，着于今（十二）日晚渡江，向乌衣、花旗营附近先集结待命。三、各部队之行动，如另表规定。

右令

附各部渡江次序规定表一份（略）。

签署此令的是南京卫戍司令长官唐生智。根据唐生智和其他国民党将领们的回忆，11 日中午时，唐生智便接到参谋本部参谋总长顾祝同打给他的电话，顾转来蒋介石关于要求守军撤出南京的命令，要唐生智渡江向津浦路撤退，其守军借机突围。

“这个时候撤退，前线将士恐怕不会听令的！”唐生智为难道。

顾祝同说：“委员长已经下令，你就别顾三盼四了。你赶快到浦口，我现在要胡宗南在浦口等你。”

唐生智连连摇头：“不妥不妥，此时让我撤退，部队怎么办？我不能走！”

“你不会留个参谋长交代一下？”顾祝同说。

唐生智没有当晚走，他盘算了一夜，觉得自己一走，实在对不起正在血海之中决战的全体守军将士。

12 日下午 5 时许，唐生智将守军司令部军、师长级军官紧急召集到他办公处，然后宣读了蒋介石的命令，又将准备好的撤退部署令用油印纸发给每个守军将领，末后他拿出一张纸，要求将军们在“同意撤离”的字样下面签上自己的名字。

“他这样干明明是想推卸责任，而且根本不同我们商量，硬逼着我们在上面写上自己的名字。”当时在场的一位师长后来回忆起此事时，依然非常气愤唐生智的行为。

唐生智在 12 日夜里撤离南京后，不日到了武汉，向蒋介石呈了一份南京战役概要，说了句“一切责任都是我的，请求处分”。蒋介石什么话都没说，之后唐称有病在身，回了老家湖南养老……这是后话。

但是唐生智的命令下达时，除了广东新增援过来的邓龙光、叶肇两个军按计划突围撤离外，宋希濂部撤到了浦口，其余中国守军没有多少人是按命令撤退了，因为他们大多数根本就不知道 12 日下午司令部已经下达了撤离的命令，而有的部队在火线上与敌人胶着在一起，更不可能接到什么命令，蒋介石的通讯与电台部队在 12 日中午后就已经收拾家当先走了……

呜呼！哀哉！我可怜的前线将士们，等待你们的12日这个最后的夜晚和明天的命运是什么呢？

也许谁都想了，但谁又都没有想到——其实只有简单的两个字：死亡。

12日之后的中国守军官兵们十有八九是死亡在等待着他们。等待着他们的是苦战、血战的最后命运……

啊，1937年12月12日的南京城上空飘着团团白雪，可是那里的地面却被一片片火焰和一摊摊被火焰烤沸腾了的鲜血燃焦着、抽搐着……

第二章　红了长江水

“双十二”过去，13 日到来。

13 日对南京的守军和市民来说，是个末日，是个屈辱的末日，是个悲愤的末日，是个足可以让人铭记千年的日子——1937 年 12 月 13 日，全世界所有爱好和平的人都应当记住它。

在今天的中国，许多高级公寓的楼层里没有“13”层，人们说是一些“崇洋媚外”的中国人搬来了西方人的洋腔和习性。西方人忌讳“13”这个数字，是因为基督教里有个传说：基督是被自己的第 13 位门徒犹大出卖而死的，信奉基督教的西方人因此特别忌讳“13”。1495 年，著名画家达·芬奇创作的《最后的晚餐》给了这个传说最形象的表达。

13 日这个日子真不是什么好日子：拿破仑逼西班牙投降的日子是 13 日；沙俄军队占领中国旅顺口的日子也是 13 日；日军占领上海的日子也是 13 日——这是一个月前的事情。可蒋介石及同僚不曾想到的是，自己的首都——南京的沦陷日又是在 13 日！

对南京人来说，1937 年 12 月 13 日是个忌日。77 年后，“12 月 13 日”，成为全中国人的公祭忌日。

80 年前的 12 月 13 日这一天发生在南京城里城外的惨剧，是整个“南京大屠杀”的序幕——

6. 守军的记忆

无论如何，12 月 13 日对那些原本在南京驻防的中国守军来说，这一天的结局是所有人都不曾想到的。当然，12 日当晚被人提前乘船接走的十几万守军最高长官唐生智及几百名随行人员除外。

南京大屠杀除了追究日本人，国内曾有人多次谈到蒋介石和唐生智的责任问题。蒋介石的问题，中国共产党人对他有过自己的看法，总体来说正如前面所提到的，用毛泽东说的话是：1936年之后，蒋对抗日还是“比较努力”的，故他的责任似乎也就如此了。至于守军最高司令唐生智，多数人认为，他本来就是个摆设，只是南京处在虎狼威胁前没有谁敢站起来直着腰杆抵挡一阵、承担首都守城之职时，他这位病体掩身者的一番“慷慨激昂”成就了他当上总司令。能让唐生智担什么责任呢？蒋介石后来在武汉听唐生智汇报南京守城的过程时，没有吱一声，其原因也在此。

作为十几万守城大军的最高指挥官，唐生智在日本人进攻南京、守城部队每分钟都在成百成千死亡的时候，他做了些什么，也应该是记入历史的。由此，笔者看到了当时一直在唐生智身边的司令长官部参谋谭道平的一篇回忆文章，里面倒有非常详情的记载：

> ……当日下午四时，在极度危急中，唐生智召集罗卓英、刘兴、周斓、佘念慈及师长以上各将领在唐公馆开会，这是南京卫戍战中的最后一次会议。唐生智首先宣布说：“……南京现已十分危急，少数敌人业已冲入城内，在各位看来，尚有把握再行守卫否？”
>
> 大家都彼此面面相觑，空气冷寂到使人寒战，至是，他向大家公布了蒋介石的两份电文：“如情势不能久守时，可相机撤退，以策后图。”同时，把撤退命令，突围计划以及集结地点，分别作了指示。到会将领都默不作声。不能言说的静寂刺激着每个人的感情，大家沉浸在悲愤的深渊里。
>
> 在这样的气氛下，唐生智又说：“战争不是在今日结束，而是在明日继续；战争不是在南京卫戍战中终止，而是在南京以外的地区无限地延展，请大家记住今日的耻辱，为今日的仇恨报复！各部队应指出统率的长官，如其因为部队脱离掌握，无法指挥时，可以同我一起过江。”
>
> 突围计划下发后，不久就快天黑了。从长官部的窗口往外望去，远远可见紫金山满山都在焚烧，雨花台、中华门、通济门一带，也全是火光，南京城里异常混乱……
>
> 是夜，城东南隅，已发生激烈巷战。我和李仲辛还在唐公馆迅速搜集文件，等我们赶出来时，卫士们正将汽油向这所屋子浇洒。原来唐生智在上车时，拿了

500 元和 20 瓶汽油交给卫士，要他们把这所屋子焚毁。我们离开唐公馆，立刻赶到铁道部办公室，那里除了几个散兵在无聊地来去走动以外，什么人也没有。我们走进地下室，看见一元一张的钞票，零乱地散在地上，一具死尸倒卧在那里。我和李仲辛把遗留的文件烧掉后，急急地离开铁道部。

我们想从挹江门出城，可是走到挹江门，看见两边却布满着铁丝网，中间仅留有一条小径。第 36 师的士兵们举着步枪，作着瞄准的姿态，禁阻任何人的进出。第 87 师、第 88 师和其他部队退下来的官兵正向他们吵闹着，中间还夹杂一片老百姓哭叫的声音，四处断断续续的零乱的枪声。紫金山上火光照天，后面难民们扶老携幼还在络绎地过来，我们也只得在工事前面停住。我忽然想到第 36 师的这一团是奉命开来城中准备巷战的，因此，我就走向前去，对那守卫的士兵说：

“团长在什么地方？我有重要命令要交给他！”

“你是谁？”他问。

“卫戍长官部科长，我有符号在这里。”

他检查了我们之后，准许我和李仲辛通过铁丝网。我们到了挹江门口，见到了第 36 师的一位连长，我便把他们应担当的任务告诉了他。

我们已安然地出了挹江门，看见沿江码头上，秩序异常纷乱，枪声这边停了，那边又响了起来，人是成千成万，渡船却只有两三只。长江此时已成了生和死的分界线。一只船刚靠岸，便有一群人跳跃上去，冒失的坠入江里，也没有人来理会，几百只手紧拖住渡船的船缘。船上的人们怒骂着站在岸上不让他们开驶的人群，有的向天空鸣枪。水手经过一番好言劝说，竭力把船撑动。可怜！有好多人，还紧攀着船沿，随着渡船驶到江里，也有的跌在水里随着江水流向东方。在这时人与人之间什么也没有了，战争的过失，黩武者的罪恶，让万代子孙永远诅咒吧！当渡船驶到江心时，对岸浦口，又在开枪了，他们禁止南船靠近江岸，渡船只好在江心里团团旋转。因为过去唐生智曾指示第一军军长胡宗南，不准南京的人员擅自过江。这次撤退，虽已有无线电通知第一军，可是当时胡宗南部驻在滁州，命令还来不及传到北岸的守兵，所以有此误会。

当时，日军也有一部分在江浦县境内渡江，所以隔江枪声很密，我和李仲辛也不知道这些消息，在枪声中向煤炭港匍匐前进，终于到达了海军码头，那里有江宁要塞司令部特务连驻守，停留着一只船。我们登船后，见船里已有三四百人，都是长官部的官兵，可是却不见唐生智、罗卓英和佘念慈。许多人主张立即开船，我尽力阻止他们，一定要等唐生智他们来后再开。等待了一小时以后，果然唐生智由南京警备司令部一个副官陪同着来了，一会儿罗卓英和刘兴也来了，佘念慈和廖肯却还没有来。唐生智命令又等待一个小时，后恐误了渡船的计划，所以只得下令开船。

现在再来谈谈这艘船的来历。原先在卫戍战发动时，唐生智为防止守城官兵私自渡江起见，把所有的船只交第36师看管，不准留有一船，违令即以军法论处。12月7日，江阴江防司令部装运一部分人员和军用品开到江宁要塞外面的乌龙山，停留在封锁线外，后来周斓参谋长坚持把这艘船暂时取来，所以由我通知江宁要塞司令邵百昌，由小筏引港进入，停泊煤炭港，此次卫戍长官部人员得以逃生，全仗这艘船。

夜里十点钟到达浦口，沿铁道北行，想到滁州，可是行不多远，在花旗营遭到伏击，据报江浦日军正向我们进行包围。因此，就改奔扬州向顾祝同部靠拢。唐生智因身体没有复原，行路困难，他的随从副官想了许多办法，只觅得一辆板车，车上还有牛粪。唐生智见了说："这辆车如何可以坐呢？"因此，仍旧由卫士们扶着前进。走不了几里路，唐生智委实走不动了，又问副官有没有车。副官报告说，还是那辆板车。唐生智叹道："我带兵二十年，大小百余战，从未有今日之狼狈。"无奈，只好上车向前行进，不时停车问左右："长官部人员都过江没有？""佘参谋长和廖处长来了没有？"态度异常沉痛。

由浦口向扬州，走不多远，途中有一座大木桥正着大火，我们一行共四五百人，在燃烧中的桥上艰难地通过。回望南京，火光烛天，尤以紫金山一带照耀如同白昼，数架日机在南京、浦口、乌龙山上空盘旋，枪声、炮声、炸弹声仍然在吼叫着……

唐生智走了，这位守城的最高司令长官走时心头肯定也很沉重，然而仅如此而已，他唯一感觉闷在心里很不舒服的是：他是作为蒋介石和国民政府的"替罪羊"、很没有面子地在自己手中丢了首都南京、从南京城败阵而走。

从史料和国民党高级将领的回忆文章中都可以看到，当时蒋介石只对唐生智和他身边少数几位要员作了"撤离"的安排，其余人员和守军都是要求他们"突围"。如何突围，突围到何处？唐生智的参谋人员虽然制订了，但那份草草制订出的"计划"，基本上没有人按此实施，最要命的是许多正在前线与日军激战的部队根本就没有接到这份“计划”的通知，当他们的最高司令长官其实已经从长江搭船远走了好几个小时之后，才开始听人说“上峰”已经下达撤离的命令。但那时日军的屠刀已经架在了他们的脖子上，即使想走也无法脱身。更何况，僵持在城门口的守军官兵怎能忍心拍拍战袍上的尘埃，扔下那些成片成山倒在血地里的战友就跑了呢？

不能。一般部队的官兵都不太可能这样做。但不这样做的结果又是什么呢？象征南京市失陷的那一刻，当中华门被日军占领的13日零时30分钟左右，之前随着紫金山、雨花台、工兵学校等险要相继失守后，日军的大炮立即向城区内展开猛烈轰击，中华门血战数小时后，被日军扬扬得意地插上了太阳旗——南京城至此宣告正式失守。瞬时间，侵略日军如汹涌的洪流，迅速冲进城区，部分守军与日军即刻进行白刃相加、拼死肉搏的巷战和就地战。但同时，一队队听说唐生智司令已经下达“撤离”命令的中国守军乱了阵脚，甚至多数还没有弄明白在激战时刻突然要“撤离”是怎么回事时，就被潮水般的人流夹着、卷着、推着向城外的下关方向大逃亡……一时间，整个南京城陷入了绝望和恐惧之中。如果除去连日阵亡的一两万人，那么此时撤离的守军总人数仍应有十二三万！这十几万大军，此刻或有三三两两是有人带头在有序撤离的，但后来这些有序撤离的官兵仿佛溪水遇上了海啸，转眼被冲散了。此时的将军找不到自己的警卫，成营成团的士兵更找不见自己的长官，是炮兵的扔下了炮台化装成了伙夫，是机枪手的捡起了拐棍，是步兵的干脆把军装一脱穿上了百姓的便衣，军官已经沦落成“落汤鸡”无人理会，只凭自己的本事能走在前面的就可能捡条命，但走在前面的人发现比后面的人死得更惨——通向下关长江渡口的挹江门却不知何故死死地紧闭着，城门口，一位中校指挥官站在城墙上，握着手枪，向洪流般涌来的友军官兵，高喊着：“不准撤！统统回去——！”

“妈的，我们是奉唐司令的命令撤的！赶紧让我们过去！”

“再不能过去我们开枪了！”

乱成一片的逃亡队伍中有长官、有士兵，有拿枪的、有扛箱带包的，一看被自己的人堵住去路，便骂开了，甚至有当官的举枪就朝天开枪。

“我是上校团长，你个小小中校，给我让路！”

这下惹火了守城门的中校，只见他一挥手，命令自己的机枪手：“谁要敢过来，统统枪毙！”

“妈的！竟敢朝自己人开枪！给我冲啊——！”

“冲啊——”

城门内的逃亡大军，举枪的开枪，持棍的挥舞着向挹江门口冲去……

“打——”城门口的机枪、步枪齐鸣，一条条火龙袭向毫无准备的人挤人的洪流之中，于是赤手空拳的撤军队伍一片片倒下了，前面的倒下了，后面的人不仅没有后撤，反而更多、更猛地向城门口拥去……

“兄弟们，师长命令过我们，我们就是要守住这城门口，不让一个守城部队的官兵从这儿退逃！这是命令！决不能手软！给我打啊！狠狠地打啊，把他们都赶回城里去打小鬼子去——！”中校疯了，自己人打自己人的士兵疯了。

冲向挹江门的撤军们弄不明白为什么逃亡路上竟惨遭自己人的残杀?

“营长！发惨，好惨啊！”教导总队“六勇士”之一的张勇隆，身强力壮，撤离时他跟营长郭岐一行分散了，不想以为走得快的他，竟然最先遇上了最惨烈的一幕：

宋希濂的36师没有接到撤离的命令，于是守在挹江门的官兵死活不开城门，源源不断拥到那里的几万官兵只有拼命冲向城门，企图撞开围挡，获得生路。而把守城门的官兵死死不放，最后只得双方出手开火……开始是朝天鸣枪，后来变成相互对射。墙城上的守军凭着居高临下的位置，机枪扫射下来，一片一片地倒在地上……但是后面蜂拥而来的人，身不由己，只好在惨死弟兄的尸体上践踏往前。君不知，刚刚死去的尸体是软绵绵的，一踏上去立脚不稳就会摔倒，这前面的人一摔倒，后面的人又把摔倒的人踩死了……如此一批又一批的新尸体倒在地上，又有一人又一个踩在尸体上摔倒的人成了新尸体……惨啊！谁也无法挡住这失控的局面。

朝挹江门方向来的逃亡人潮势头越来越猛。那些急于冲出城门口的官兵人群中，有人自作聪明，搬来木门和木墙板壁，铺在成堆成堆的尸体上，然后成千上万的逃生者跳上这些木板与木门，继续往前冲。殊不料，木板下的尸体顿时腹破肠裂，加上你一蹬、我一脚，那热乎乎的鲜血溅起好几尺高，溅得逃生者个个如头面分不清的血鬼一般……前面的人一边抹着脸上的血，一边拼命奔跑，后面的人却以为再不走快些就更没有命了，于是又把前面的撞倒，前面的人又成了成堆成堆的尸体，成堆成堆的尸体又血肉模糊，溅到了更后面冲过来的人身上……有人估计，被宋希濂部队的守军开枪伤亡与人挤人踩踏者不下几百人。

然而，更可怕的是由于前面堵塞，耽误了大量守军的撤离与突围时间，使得后面的日军追兵有了足够的时间来收拾这些已经丢掉枪炮、毫无组织、实际上沦为逃亡难民的中国军队官兵。

于是，更多中国守军官兵们成片成片地倒下、成片成片的鲜血向长江边流去……

毕竟，当夜日军还没有全部进城，赶在逃亡大军后面的鬼子们还不算多，所以大部分的中国官兵最后还是撤到了下关的长江边上，然而等待他们的命运却比在挹江门时前有堵军、后有追兵的处境更悲惨——这就是南京大屠杀中最严重的血腥一幕：多达十来万的中国俘虏被日军集体杀害！

关于日军在长江边屠杀中国俘虏的现场情形和怎样造成如此残酷的血腥事件，后来有些幸存者——国民党军队老兵，在大陆和台湾都留下过不少珍贵的回忆。当笔者从中国第二历史档案馆和相关地方获取并看完这些回忆文章时，内心的那份震撼与恐惧数天不能平静——

田兴翔，当时的国民党陆军103师613团排长，1937年8月底随部队从湖北罗田调到江阴，先在常熟阻击日军，后一直撤到镇江，最后随师部到了光华门参加与日军的决战。103师进南京城时共七千余人。副师长对田兴翔等官兵们说："唐总司令说，南京是国家的首都，国际观瞻所系，我们这里有十几个师和特种部队，十几万人。我已下决心和大家一起，战到一兵一卒都要和首都共存亡……这是我们杀敌报国的好机会。"这番话，对官兵们振奋很大，大家都作了为国牺牲、与小日本鬼子拼死到底的准备。

田兴翔这样回忆道：

我们接防按常规作战法，以主力布防第一线城垣内外，但这里是日军主攻方向，他们的炮火、坦克、空军、步兵配合轮番向我方轰击，造成我军极大伤亡。后来我军改变战法，把大部队后撤，一连一营地轮换坚守。可是敌人的攻势更加迅猛，城墙城门都被摧毁出数段缺口，部队既要堵击敌人，又得不断用沙袋等障碍物堆堵住击破口，这样伤亡更严重，一连一营换上去，不到20分钟即伤亡殆尽，尸横遍野。阵地前，敌人也留下许多尸体。

"12月12日入暮后，日军的坦克、骑兵数路冲入，师部电话紧急通知：'总司令部电讯中断，不知去向。'此时电厂停电，全城电灯熄灭，而紫金山等地方燃着熊熊大火，城内炮火交织，房屋燃烧如同白昼。可失去指挥的部队却呈溃散之势，纷纷向挹江门逃往下关，企图渡江。我们退到新街口，中山路上已被军队车辆、逃难民众挤得水泄不通，行李什物抛塞满地，敌人的坦克骑兵又从后面追杀过来，故人群死伤遍地，原来成建制的连营甚至是团的部队彻底被冲散了，各自挤在乱成一片的人群中向下关奔逃。我挤到挹江门附近时，数万人不能出城，因为守城的36师宋希濂部没有接到守城部队撤离的命令而不让我们出城，且三道大城门洞口都用沙袋严严实实地堵塞了两米多高，人群出不去，于是急红了眼的城上城下官兵对射，造成遍地死尸，血流成河……”

田兴翔说：“正在这当口，我偶然碰上了师部副官主任王景渊、少校参谋岑元彪等十多个贵州老乡。见前有堵后有追、无法出城的情况，有人提议从城墙上吊逃出去。于是我们几个手忙脚乱地从街上绸缎铺里拿来几匹绸布拴在城墙垛口上，然后拉着绸布吊出城外，总算到达了下关，这已是午夜时分。不想到，江边已有数万军民混杂在一起，简直就是人山人海。大家到这儿只有一个共同的目的——找船渡江，可根本没有船。所以为了活命，大家各使奇招，有用木杆的、有用桌椅的、有用床架的、也有用门板的，等等，人就骑在上面，企图渡向浦口。但已到12月中旬了，江水特别冷，那天夜里风浪又特别大，溺江而死者不计其数。王景渊主任见状，便对我们说，趁早离开下关，向燕子矶方向去找船。于是我们几个贵州老乡搭肩共行，费了很大劲才算到了燕子矶。在那里，我们在江边的小渔村里找到一只小渔船和一船夫。”

“我们以为我有活路了，于是把船拉到江里，哪知突然小船上一下跳上几十个人来，小船即往下沉……”田兴翔说。当时算王景渊官职高，他说：我先到对面的八卦洲叫副官开大船来接你们，你们先不要抢。田兴翔等几位下官只好下船。

该船到江心时，这边岸上的散兵越聚越多，有人冲着王景渊开走的那船高喊：“把船开过来呀！”但岸上的人喊了一阵见无人回应，便端起机关枪就向小船射击。

田兴翔等一看渡江无望，便夹杂在其他逃亡散兵中向下游的芦苇滩乱窜。

“到13日中午，几十里长的大芦苇滩遍地都是散兵、乱马和逃难的老百姓。这时日军海军出现在江上，天上的日军战机也飞来了，他们从天上、从舰上，向我们芦苇荡狂轰扫射，芦苇顿时着火燃烧起来，我们这些逃兵，还有百姓，顿时被烧死的烧死、跳到江里的不是被淹死也是被敌人用机枪射死了……”田兴翔他们一起逃出城的贵州老乡此刻一下走散十来人，只剩下他和另外两人。他们躲在一个小山脚，既冷又饿，走投无路，只能等到天亮后再想办法。谁知黎明前，一队队日军扛着太阳旗到处搜寻中国逃亡守军，就在田兴翔他们躲藏的几十米处，近百名刚刚逃来的中国军人恰巧被日军搜索队碰上，全部被枪杀。田兴翔等立即装死躺在芦苇里，这才幸免于难。

“不能再待下去了。”田兴翔说，无论如何要渡江过去，就是死在江里，也比被日军枪杀好。船找不到，他们便找来一只农民用的采菱盆——当地妇女们用来到池塘里采菱角的大木盆，又拣了两个散兵丢下的搪瓷饭碗作划水。

“下江时天已入暮，浑身又寒冷，不到半小时，一阵风浪吹来，我们被掀倒在长江里，一下失去了知觉……”田兴翔说：“我我醒来时，已是第二天中午，见太阳正射在我头上，再定神一看，发现原来自己连人带木盆被一片芦苇拦住了！命大啊！我想哭都哭不出声……”

田兴翔确实命大。他后来被路过的一位老大爷搭救了。

“一年多后，我才知道了当时我们103师官兵逃出南京后的一些情况：师长何知重也是死里逃生从下关到了武汉，副师长戴之奇是化装成渔民脱险的，但全师活下来的只有一千来人，其余六千人全都被日军杀害在下关一带。师部的“军士训练队”四百多学员兵被俘后遭日军集体屠杀，只有一个中校队长蔡国祥和一个身中七弹的学员兵劫后余生。”

这支在南京保卫战中立奇功的“贵州军”，幸存的人为了纪念死去的战友们，抗战胜利后在贵阳市三桥那儿修了一座“抗日阵亡将士纪念碑”，上面刻上了在南京阵亡的连以上人员的名字，但新中国成立后由于阵亡者是“国民党军官”的身份，这个纪念碑被拆毁了。

13日发生在下关的大屠杀事件，需要靠当时少量的幸存者回忆，而有些幸存者后来继续留在国民党军队里，解放战争结束时，多数到了台湾。这些幸存者虽然人在台湾，却对南京大屠杀时日军犯下的罪行，始终记忆犹新，并且写下了不少回忆录。笔者在访台时，有幸获取了一些珍贵材料。其中台北的《新生报》在20世纪五六十年代就发了不少这样的内容。下面是其中的一位署名“老兵”的回忆片段[1]——

12日上午，敌军已经进入南京城内。此时，我守城部队，仍然各自为政，沿途与日军作激烈的巷战，唯因日军的坦克车队已经进城，我军与之抵抗，当然都是有死无生。

当日军沿中山北路，向我朝挹江门下关方面撤退之军民追击时，其中甚至发生我军自相残杀的现象。死伤累累，沿途尸首遍地皆是。

这时由新街口向下关方面撤退的人潮达数里之长。挹江门原来是关闭着的，待这一汹涌的人潮到达后，城门只被挤开了一半，其余一半，仍未推开。而一些急于求生的军民，便如潮涌似的，争先恐后一齐向下关江边奔驰。由于你争我夺，大家反而都不易出去；这时后面的逃难者，也想争到前面，于是你推我拉，大家打成一团。在后面的乱军当中，更有的用枪向前面射击的，再还有用汽车向前面冲击的。如此一来，前面的人潮，有的死伤了，有的倒下了；凡是倒下去的，即使你是活人，也永无机会

[1] 载台北《新生报》，1964年4月29日。

使你再爬起来。因为后面的人们，便会毫不犹豫地一齐向你身上踏了过去。据说被人踩死的男女，就有好几百人。我那时也在撤退的行列后面，到了城门一看，挹江门前死伤的尸体，几乎砌有一个人那样的高，后来清查其数不下五千余人。我看大家很难由此出城，才转回水西门方向，另找出城的路径。

大家到了江边，这里混乱和悲惨的景象，更不是以言语可以形容的。因为大家都想利用船只向浦口方面逃生;但是这时江边的大小船只，少而又少了，这些麇集在江边的数万军民，如何可以敷用？负责运输的几只比较大的轮渡，开走以后，再也没有方法靠岸。刚才几只小轮才一靠岸，大家都如狂蜂似的一齐向上爬去;轮船一离码头，因为载重过量，连船带人即刻沉入江中。还有的人，看见自己还未上船，而船已经开走，他便用枪甚至机枪向船上射击，一人如此，人人如此，直把那船打漏得下沉为止。有人自雇木船，欲向对岸划去，或因超过重量下沉，或因被人打翻死亡，也没有一人可以渡过江去。更有的自用木板桌面做成临时木筏，以期脱离虎口，终因江中浪高数尺，空中风雪纷飞，结果仍然翻倒江中。于是满江都是人头，水面全是尸身：呼爹叫娘之声震动天地，救命叫子之音充满宇宙。世界上悲惨的事，还有比这一景象更甚的吗？

我由水西门从城壁上用绳子吊出城外，一到江边，正看见一只小木船离开岸边不远。因为装得太多，即刻沉了下去，其中有一位十分漂亮和打扮入时的小姐，掉下江后，左手提着一口小皮箱，右手抱着一块木板，大声在江中呼救。她说，如果有人能够救她性命，她愿意将她带的珠宝首饰以及现金二十万元奉送，而且也愿意嫁他。但是这时人人自顾尚且不暇，谁还能去作急公好义、人财两得的事？

下关江边数万军民，正在作生死的挣扎，意图渡过长江的时候;日军的炸弹和机枪又在向这群毫无抵抗能力的军民头上，大肆扫射和轰炸。顷刻之间，卧身血泊横遭惨死者，其数当以千计。大家惊魂甫定，蓦然，一队队骑兵和坦克车队，又分由长江上下两游以及挹江门方面，直向下关江边扑来。一阵枪炮声后，大量的人群，顿时减去了一半;而长江水中，则又陡增了成千成万的惨死之鬼。

我看时机迫切，即选择江边的贫民区去躲避。幸而离开江边不远，我用五元大洋买了一套破烂的贫民衣服，急忙将军服换去，并用灰土把脸上弄脏。恰好附近有一个八十岁左右的老乞婆，坐在那里哭泣;我便一把将她背在我的背上，代她提着篮子，慢步向下游走去。口中塞着一块红薯，边走边嚼。突闻身后铁蹄声起，二十余个敌人，已经迫近我的身后，但我头也不回，仍然往前直走。一个十分凶恶的日本兵，一把将我抓住，嘴里叽里咕噜不知说的什么;这时我的心里，反而异常镇静。我“呀呀”的装成哑巴，而且又把我的左臂伪装成残废。那日本兵见我只是一个完全残废的乞丐，他就使力把我一推，将我“母子”二人摔倒在地，这群强盗这才呼啸而去，过了许久我再给了这老乞婆二元大洋，把她放在地上，我又另作打算。

水陆交通既已完全断绝，一时当然没法逃走。我虽然暂时逃脱了敌人的残杀，但久了又将如何呢？多方考虑的结果，于是在这天的下午，我便又到鼓楼医院外国教会所办的难民收容所去登记，意欲躲过几天再说。谁知收容所里，已经收容了五六千个男女，真是人满为患，但为了自己的生存，又有什么办法呢，仍然只有挤下去。听说像这样的收容所，全南京城不知有好多个，而且全都人满为患哩！

这天晚上，我们正挤在一起睡觉的时候，大队的敌兵，忽然来到我们收容所里搜查。他们的目的，一方面是为寻找年轻漂亮的女人，一方面也是为看收容所里有没有我们的官兵。我们大家排成数列，一齐站在鼓楼医院走廊的前面，由敌兵的队长，逐一加以检查，稍有姿色的妇女们，都被拉入敌人的军车中，凡是光头的青年男子，或者头上有戴过军帽的痕迹的男人，都一律被他们押入军车。我因为是干炮兵的，平日已经留上了西装头，这时已是一头乱七八糟的散发，再加上我穿的是破烂衣服，所以当时才侥幸逃出了他们的魔掌。凡是未被抓出的，以为自己的灾祸可以避免了，谁知敌兵正要撤去时，竟有一人大叫“立正”口令，敌兵看见男子当中，有谁听到“立正”而站好的，又被他们拖上车去。我虽然受过严格的军事训练，他们突呼“立正”口令时，我也曾立了正，但我站的是中列，比较隐蔽，同时我立刻就已明白敌人这声立正口令的用意，所以我又马上装成毫无所闻的样子。于是，我又逃出了敌人严格搜查的大关，但我有一同学，就是因此罹难……

这位老兵后来在一个星期之后，趁着水上交通刚恢复，于当月 21 日再度偷偷从下关渡过了长江，沿铁路转入长沙，重新回到了抗战部队。

解放后一直生活在南京的唐广谱，也是南京大屠杀中从下关渡口死里逃生的少数“老兵”之一，1937 年他是守城部队中的教导总队三营营部勤务员。这位“机关兵”也亲历了 13 日的劫难与之后死里逃生的那一幕。他给我们讲——

1937 年，我才十几岁。当时在国民党教导总队第三营营部当勤务兵，驻守在上海江湾。自蒋介石下令国民党部队全部撤出，我也随教导总队从江湾节节败退，一路逃到南京。我们逃到南京不到一个月，日寇又进逼南京。教导总队被布置在城内担任城防任务，指挥部就设在新街口原国民党交通银行地下室，我做警卫。

我们进驻交通银行地下室不久，日军攻入了中华门。当得知日军冲到太平路时，教导总队的头脑们就拔脚先逃了。我和六个弟兄，也连忙向下关方向奔逃。这六个弟兄中有一个叫唐鹤程的，是盐城人，与我至好，故相约结伴逃命，至死不离。

我们六个人跟着逃亡的人群，向挹江门跑。一路上，逃命的国民党败兵像潮水。当我们来到挹江门时，挹江门口被人流堵得水泄不通。有的人在拥挤时被摔倒，人们就从他身上踩过去，再也起不来了。看到这情况，我们六个人相互用绑腿把彼此的手臂绑在一起，相约如果谁倒了，两边的人就把他拉起来。就这样，我们六个人一道硬挤出了挹江门。

溃逃的士兵把整个下关的大街小巷挤得水泄不通，望着眼前的大江，人们不知往何处逃是好，我们也随着人流盲目乱跑。这时，有一个当大官的，骑着大马，冲进人群中，用话筒高喊："……弟兄们，要活命，跟本人冲！"乱兵们看到有当官的指挥，也就镇定些了。那个当官的叫轻、重机枪在前开路，步兵随后，往上新河方向奔逃。当大量溃兵奔到上新河桥时，桥窄人多，很多人都挤不过去。我和唐鹤程没有挤过桥，其他四个人也和我们挤散了，不知去向。我俩没法，只得跟着没有来得及过桥的溃兵，沿着长江向龙潭、镇江方面跑。

我们利用高高的芦苇作隐蔽，在江边芦苇滩高一脚低一脚地向前奔逃，当我们逃到一座桥前，鬼子已在离桥不远的城墙上，架上几挺机枪，把桥封锁住了，许多想冲过桥的人，都被打死在桥头、桥尾，血流满地。我们趁鬼子扫射停歇的片刻，冲过桥，往燕子矶跑。到了燕子矶街上，已见不到一个人影。我们找到一块厚厚的肉案板，两人使尽吃奶的力气，好不容易把它抬到江边，放在水里，想扶着它渡到江北去。可是我们忙得筋疲力尽，它还是在南岸边转溜，没办法，只得又回到燕子矶。

天黑了，日本鬼子杀人的枪声越来越近。我俩没命地跑上山，蹲在坑里，不敢发出一点声音。天还没亮，日本兵搜山时发现我们。鬼子把我们押至街心的一个空场地里，背靠背，手臂对手臂地绑起来。此时，场地上已站满了像我们一样被绑着的人，而且还有许多人陆续被鬼子赶到场上，捆绑起来。后来，我俩随着这一大群人，被赶到幕府山原国民党教导总队野营训练的临时营房里。这所临时营房共有七八排，全是竹泥结构的棚子，里面塞满了被鬼子抓来的人。我们被关在里面，连饭也不给吃，到了第三天，才给喝水。鬼子稍不如意就开枪杀人。到了第五天，我们被饿得肚皮贴着脊背，都只剩一口气了。很明白，鬼子要把我们活活地饿死，有不少大胆的人，认为饿死不如拼命，就暗中商定以放火为号，各房的人一起冲出去。那天晚上，有人烧着了竹屋。火光一起，各房的人都一起向后冲去。当大家推倒营房竹围时，见竹围外是一条又宽又深的沟，人们急忙地跳下沟，泅水或涉水逃命。可是，沟外却是一堵绝壁，大家都傻了眼。这时，鬼子的机枪向人群扫来，血把沟里的水染得通红。逃命的人又被押回房里。因为房子被烧掉了不少，只得人靠人、人挨人地挤着，像塞人罐头一样，透气都十分困难。

第六天早上，天还没有亮，鬼子就把我们都赶到院子里，把所有的人臂弯对臂弯地用布条捆绑起来。等到全部人都绑完，已经是下午两点多了。然后，鬼子用刺刀逼着这一大群人排成队，向老虎山方向走去。当时，人们已饿得一点气力也没有了。日本鬼子在队伍两侧，看谁走慢了，就给谁一刺刀。走了十多里，天已经黑了，敌人改道把我们赶到上燕门离江滩不远的空场地。六天六夜没有进食，又走了许多路，一停脚步，大家就瘫坐在地上，再也站不起来了。一时间，场地上黑压压地坐了不知多少人。

虽然如此，求生的欲望使人们觉察到鬼子要集体屠杀。我们相互用牙咬开伙伴的结头，准备逃命。人们还没有全部把结咬开，四面探照灯亮了，漆黑的夜一下亮得使人头发昏。接着，江面上两艘轮船上的几挺机关枪和三面高地上的机关枪，一齐疯狂地向人群扫射过来。大屠杀开始了。

枪声一响，我和唐鹤程赶忙趴在地上。只听见许多人高喊口号："打倒日本帝国主义！""中华民国万岁！"随着枪声、口号声，许多人纷纷中弹倒下，许多尸体一下把我压倒在地上，他们的鲜血染透了我衣裳。我憋着气，动也不敢动。二十多分钟过去，枪声停息，我战战兢兢地摸着唐鹤程，拉拉他，低声问："你怎么样，受伤没有？"他说："没有，你呢？"话声未落，机枪声又响了起来，我吓得伏在死人堆里，一动也不敢动。等到第二次扫射停止，我发现唐鹤程一点动静也没有，就紧张起来。我用力摇他，他还是不动。当我摸到他头部时，才发觉他头上中了一弹，鲜血直往外涌，吓得我连忙缩进死人堆里……

过了许久，不听枪响，我想：要赶紧离开这里，才得活命。我慢慢地、轻轻地从死尸中探出头来。前头尸体七横八竖，挡住了我。我想：向前爬，敌人一定会发觉，就用脚勾住后面的尸体，慢慢地一点一点向后缩，缩到了死尸堆边，我再也不敢动了。

探照灯早已熄灭，黑沉沉的夜，淹没了大屠杀惨绝人寰的现场，江水哗哗，真像凄惨的哭声。不知过了多久，我才听到鬼子收拾东西的声音，接着便是他们走的声音，汽船也突突地开走了，我才大着胆，慢慢地连走带爬，向下游走了十几里。我爬到一个窑洞边，只见窑洞口也横七竖八地躺着被鬼子杀害的同胞。我也顾不得许多，爬进能避风的窑里。

迷迷糊糊地等到天亮，又迷迷糊糊地待到中午。当我看到一艘小船直向窑洞方向摇来时，吓得心都要跳出来了。当小船靠岸时，才看见船上有一老一少，都是中国人。原来，他们是南岸的人，为躲鬼子到对岸八卦洲去，现在趁鬼子巡逻船不在，过江来装牛草。我立即跑出窑洞，奔向船头，请求老人家救我一命。老人见我满身是血，一副狼狈样，让我藏在船舱里，用稻草盖好，把我带到八卦洲……

13 日这一天，对中国守军来说，是个绝命之日，也是日军残暴实施南京大屠杀过程中杀戮人数最多和最集中的一天，主要针对逃出城却没能渡江而不得不滞留在下关江边的那些已经放下枪的中国军人。

当数以十万计的守城中国官兵冒死向长江边逃难时，所有人都在急切间忽略了一件要命的事：天堑长江胜于百万雄兵。撤退官兵如潮水般涌至下关之后，突然发现江边根本没有渡江所用的船只，于是只得在下关以西的三汊河和再往东的煤炭港这么几里路之间的长江岸边来回奔跑逃命……沿江的大船和小船几乎全被日军击沉，于是中国官兵们只好千方百计自行渡江，他们从老乡家里抬出一口口棺材，当作渡江木舟，哪知由于想逃命的人太多，一口棺材下水后，总有十几个，甚至几十个人跳上去，抢啊、闹啊，又相互争夺往江中划去，结果不出十几米或几百米后就被汹涌江涛翻沉于江心之中，棺材成了无数官兵们藏身于大江的陪藏品——那些溺水的官兵们多数喂了鱼，即使有些侥幸存活者，偏偏又迎来逆江而来的日军舰艇不分青红皂白、毫不留情地，甚至是在哈哈大笑中用机枪横扫，于是我可怜的中国官兵死得体无完肤……

言心易，上士，曾是教导总队公认的一位勇敢、忠诚的士兵，打仗时每每冲锋在前，杀敌无数，营长郭岐特别喜欢这位无敌骁勇的士兵。13 日那天，言心易与撤退的部队在挹江门失散，便仗着他天不怕地不怕的胆量，怀着求生的意念，夹在去下关的人潮中东奔西跑。到江边后，一心想随便找一件漂浮物，再凭自己过硬的泳技和体力，希望能够游到长江对岸。可当他站在江岸上一瞅后，简直吓坏了：这么多人啊！哪儿去找漂浮物呀？哪怕是一块木板在那种情形下都是稀罕物。怎么办？正当言心易不知所措时，突然听到有人在高喊："鬼子来啦！鬼子来啦！" 顿时，江岸边更是一片混乱，跳江的跳江，往芦苇荡里钻的钻，更多的人则在岸头上无方向地奔跑……

言心易踮脚想看清日军到底从哪个方向来，可他的双脚还未站稳，就见头顶上火光闪闪——日军的炮火和机枪子弹已经“嗒嗒嗒”“轰隆隆”地在他身边和周围开花了！

毫无战斗力和反抗能力的中国官兵立刻成了日军枪炮的活靶子，弹雨之中，成千上万的肉躯一排排倒下，而更多的人仍在奔跑和绝望地哀号。言心易见势不妙，便跟着抱头就跑，但他感觉自己的双脚不听指挥，怎么也踩不实，低头一看，原来都是那些被敌军机枪和炮弹击中的伤亡战友。“救救我，别踩我……”言心易觉得有人在他脚下哭喊着，也曾有人拉住他的腿，他想俯身看一眼，可很快又收回自己的目光——因为躺在他脚下的人太惨，惨得甚至连看一眼都不忍……还是逃吧，逃出去就是活路！

那一刻，言心易觉得自己就是罪人，因为在踩踏过程中他见过几张熟悉的面容，但此时此刻，他无法停止自己的脚步，否则另一个倒下去的一定是他言心易。

逃！没命地逃！言心易在千千万万混乱的逃亡官兵中寻找着自己的生路。突然，他听到一个声音：“立正——！”

奇怪，谁在这儿喊这样的口令？言心易一惊，回头一望，见一名挥动着战刀的日军官威风凛凛地站在一个高地上，用中国话在喊口令。

为什么要“立正”？言心易没有反应过来，却看到许多奔跑中的中国官兵突然止停了脚步，条件反射似的站住了。一个站住了，便有十个跟着站住了，随后有更多人站住了……言心易也不得不跟着站住了，因为他看到那些没有站住的人，被飞来的雨点般的机枪子弹击中倒下——子弹是从那个日军军官身后的至少有一个排的日军机枪手那里射出的。

“立——正！”日军官再一次喊口令。

言心易趁机扫了一眼停下来的中国官兵人数，约有两三千人，这都是些劫后余生的命大者。小鬼子让我们立正后想干什么？正在言心易想着的时候，第二个口令又从那军官嘴里喊了出来：“向后——转！”

向后转是——是长江呀！言心易本能地跟着所有人往后转身，而转身的第一眼，他和所有人都看到了滔滔不绝的长江。

“开步——走！”日军官发出第三个口令。

言心易迟疑了一下，却又把腿缩了回来，他见多数人顺着口令往前走，走向寒冷刺骨的大江之中……那些“扑通”“扑通”跳进大江的人很快有的挣扎，有的想往回游，有的则继续往前游，但无论往前还是往后游的人，都在雨滴般的枪弹袭击下慢慢地躺在江面上一动不动，只有身边的水渐变成一团团红色，直至一片红色、一江红色……

那是鲜血，那是水和血搅在一起的 1937 年 12 月 13 日的南京下关段的长江。

我的天哪！言心易看着自己几千名战友仅在十来分钟时间里便纷纷丧失了生命。他想喊、想哭，可是没有力气、也没有机会。就在他迟疑和止步的瞬间，日军的子弹已经飞向他和那些停止脚步没有往大江里走的人……言心易的脑子里一闪：快卧倒装死也许还能活一次！但他的反应并没有子弹飞得快，骤然间他感觉后脑被什么东西重重的一击，身不由己地栽了下去……完了，一定是中弹了！迷迷糊糊间，他有一丝意识——他扑倒在一个尸体堆里。

是死了？言心易觉得自己也快到地狱了，但感觉好像没有，因为他意识到头顶有一股很腥很腥的东西在往嘴边流淌……啊，是血！是自己的血？脑袋开花了？言心易紧张地想着。

他轻轻地用左手到后脑一摸：黏糊糊的，是脑袋受伤了，但没开花。那流到嘴边的血是其他人的……其他人都已经不能动弹了！他们一定是死了，或者跟自己一样——半死不活。

"统统的枪毙！"

"死啦死啦的！"

言心易听到耳边又有声音了，一定是日军，他们说的中国话不利索。不能张开眼睛了，装死可能是唯一逃命的机会了！言心易慌忙闭眼，佯作死状……日军的皮靴声已在几米之外，那骂骂咧咧的听不清楚的日本话就在耳边。言心易知道日军正在检查尸体，给那些没死和装死的中国官兵补枪补刀。

日本兵的靴子声已经在他身边停住，似乎有半秒钟的时间没有声音。言心易的心吊在嗓门口：日军一定在审视着这具"尸体"……突然，言心易的腰部被重重地一击：日本兵猛踢了他一脚！言心易只有脑子是有意识的，所以他的身子顺着那重重的一脚翻了个身，顿时他觉得自己的头是朝下了，只有两只脚在上面，又过了半秒钟时间，突然身上被重重地压了两下：是什么？啊，一定是另两具尸体——真正的尸体。

言心易觉得自己被压得有些窒息。但他宁可这样被深深埋压，因为这样他就有可能逃过日军的眼睛。

他成功了。

日本兵骂骂咧咧地用刺刀在言心易的上面刺了几刀后，跨过了他这堆尸体……

后面的时间是怎么过来的，言心易自己都记不清了，反正后来一直是迷迷糊糊的，似乎是睡了又似乎是昏过去了，总之等言心易再度清醒过来时，听到一个声音："阿弥陀佛，罪过罪过……"

会是谁？言心易的心一惊，闷住呼吸听……

不像是日军。于是他轻轻地睁开眼睛：是一个老人。

"你还没有死呀？"那个老人与言心易的目光碰到了一起。

言心易这回把眼睛睁大了："老伯，鬼子走了吗？"

"走了，全走了！"老者点头，又俯下身子问，"你伤了哪儿？"

"好像是后脑壳。"言心易有气无力地说。

"没死就好！赶紧起来吧！"老者扶起言心易。

言心易这回可以左右看了。这一看，他彻底傻了：怎么全死了？死了这么多人啊！

"喔呕——！"言心易心头一阵恶心，肠根子立即像被钩子拉扯了一下，喉咙里顿时翻江倒海般倒着混浊的水儿……

那一眼谁都会吐断肠根。在言心易的身边，是堆积如山的尸体，多数还在冒着血泡，有的头裂开了，脑浆白花花一片；有的脑袋与身子只连着一层皮，还在水里摇晃着；有的赤身裸体，身上的衣服不知到哪儿去了；更多的尸体被血与泥搅混在一起，分不出谁是谁了。

"老人家，这里都是死人，你来这儿干啥？就不怕？"言心易一边四处观望，看看有没有日军，一边问。

老者长叹一声后，说："我老了，没啥可怕的。我想一下死了这么多人，总有个把活的吧。不想找了半天，就找到你一个……"

"谢谢老伯了！"言心易觉得自己有千言万语，但就是说不出来。

"走吧，小鬼子正在到处杀人呢！死人堆里不安全的。"老者拉起言心易。

"可南京还有啥地方是安全的呢？"摇摇晃晃站起来的言心易看看尸体如山、江水如染的下关江岸，忍不住"哇"的一声大哭起来。

"别别！千万别出声呀！我们走，走！"老者一把捂住言心易的嘴巴，拉着他快步离开了江边……

此刻，时间应当是 1937 年 12 月 13 日过后的第二天早晨。

1937 年 12 月 13 日中国守军到底被日军杀死了多少人，一直是日本少数右翼分子几十年来想赖账的，他们甚至说“根本就是中国人编造的故事”，那么我们就来看看当年参与此地大屠杀的日本军人是怎么回忆的——

7. 日军的记忆

其实，日本军人的记忆是非常清晰甚至非常详尽的，大到指挥整个进攻南京战役的大将松井石根、师团长中岛今朝吾中将，小到普通士兵，他们对13日攻进南京城有太多、太深的记忆了。

这一天对日本人来说，简直就是“过大节”一样“欢天喜地”。在东京，这一天早早准备了80万人参加的庆祝大会。这是天皇的旨意：好好庆祝一番，大和民族自建国以来，第一次胜利占领另一个国家的首都，且是几千年来一直在世界上独领风骚的邻国——中国的首都。

在给读者阅读日军自己所记录的进入南京第一天的大屠杀之前，笔者在浩如烟海的《南京大屠杀史料集》第61卷里首先看到了一位东京日日新闻社陆军随军记者铃木二郎撰写的一篇题为《我所目击的“南京悲剧”》的文章。铃木二郎曾作为见证者在同盟军远东国际法庭东京审判战犯时出庭作过证。他在“虐待毫无抵抗的俘虏”一段中这样说——

> 无论是日本军部还是我们，都认为如果南京陷落，国民政府就会投降，这场战争就能结束了。所以南京占领军的士气十分高涨，另外再加上“胜者”的骄傲和精神上的松弛，以及日本军的“三光作战”（烧光、杀光、抢光）政策，仅仅在南京就对多达30万的市民进行了屠杀。
>
> 第二天即13日，包括画家中川纪元、已故的大宅壮一在内的大阪每日新闻、东京日日新闻社的后续记者以及摄影师等一行数十人，将市区内的一家不见人影的砖结构的旅馆作为前线本部，并搬了进去，而我则又一次返回中山门。
>
> 在那里，我第一次看见了惨绝人寰的悲惨的大屠杀。
>
> 在25米宽的城墙上，俘虏们排成一列，被刺刀一个接一个地刺倒在城墙外侧。
>
> 其中许多日本兵挥舞着刺刀，大喊着向城墙上的俘虏胸部、腰部刺去。鲜血在空中飞溅，那场面如同地狱一般……看着这一惨景，我长时间呆呆地站在那里。
>
> 但在这残酷的场景中，有一个我不理解的现象，让我一直无法忘记。那就是被刺的俘虏们的态度和表情：即将面临死亡的人们，露出冷冷的微笑，有的人有

时还哈哈地大笑着，等待着“依次死亡”。

在这个战场上，手持红缨枪的一群人，不畏死亡，一次接一次地袭击，持续着让日本兵感到困惑的肉搏战。

……思维已经凝固，我离开了那个现场。回来的路上，我再次潜入“励志社”的院门。院内有一棵之前没有注意到的大树，在那里有10余名俘虏被铁丝捆绑着。每个人的脸像纸一样苍白，光着膀子。有的人坐着，有的人站着，用无神的眼神看着我。

这时，吵嚷嚷地进来几个日本兵，其中有两三个人拿着镐，由此我知道了是他们的工兵。他们没有向站在旁边的我看一眼，其中一个人往大树前一站，叫道：“这些家伙竟然也想攻击我们的同伴。”完说就举起铁镐，对准这些毫无抵抗的俘虏中的一个挥下去。闪闪发亮的镐尖“咔嚓”一声砍下后，血就“咕噜咕噜”地喷了出来。其他人看了之后挣扎着身体，但是什么也做不了，任由其他士兵进行暴力行为。这简直是惨不忍睹的瞬间惨剧。在这些俘虏中，既有穿着军装、扎腰带的人，也有看上去像是市民的人。

看到这些，我没有办法阻止，只好逃了出去。

被日军逮捕的守城军和普通百姓，在这种情形下是无法逃跑的，他们的命运只有一个：死亡。

我们还是来看看那些占领南京后的日军官兵们是如何施行暴力以及他们的心境是怎样的——

这是1937年8月才应征入伍的高岛市良写的13日当天和第二天所看到的南京城的景象：

黎明前，枪声戛然而止。看来在山上死守了三天的敌军撤退了。第6中队为尖兵向天文台高地进发。

天亮了，炮声停了，昨天还笼罩在炮火硝烟里的南京城就清晰地浮现在眼前。

“啊，南京！”长长的城墙轮廓分明。这时的喜悦，令大家眼里不由得泛起泪光……

尖兵激动地在天文台竖起日本国旗。

半开的太平门上写着“13日上午9时，野田队占领”几个字。

解除了武装的几百名俘虏跪在战壕里，都是些瘦家伙，眨巴着眼睛看着我军。

……立刻又要出发。第1小队抓到了两百多名残兵。他们是不知道南京已经陷落而逃来的吧。我去问大岛副官如何处置这些俘虏。大岛副官说:“不管是200还是500,随便拖到什么地方都杀了!”于是把他们装入了车站的空置车厢,决定由小队协助重机枪队在扬子江边处理俘虏。

货车中的俘虏“哇哇”地叫唤起来。货车里冒出蒙蒙热气。把俘虏一个一个地拉了出来,都光着身子,呼吸困难,“哇哇”地叫着,指着水壶说:“大人,大人,水,水。”“混蛋!”我怒骂道。他们捧着积在凹地中的泥水喝。俘虏排成4队,两手举起。我们拉着50人来到江边。

因为是在他们的脚下放上手榴弹,所以危险性极小。只是小分队人数少,下级军官也只有我和近藤两人,如果他们拼死骚动起来的话我们就控制不了了。把人从货车和仓库里拉出来,共1200人,让他们面朝江水坐在没膝盖的泥土中。命令一下,躲在后面战壕里的重机枪就一齐开火。他们便像骨牌一样倒下去,血肉横飞。跳进水里的数十人被等在栈桥上的轻机枪全部打死,鲜血染红了泥水。啊,多么残酷的情景啊!这种情景在人世间哪儿还有呢?还会蠕动的人,就用缴获来的枪再打。军舰漂浮在扬子江上,水兵们在甲板上眺望着这一情景。

经过车站往城里扫荡。城外几乎都烧为灰烬。战前一定很繁华吧,而今人影不见。在挹江门外休息,被烧了瞭望台的城门被沙袋和铁轨堵住了。城墙上垂下几根绳子,可能是利用绳子和网逃走吧。城墙下逃难难民的衣物丢了一地。有的士兵从河里抓来漂在水面的鱼,早早在享受进城后的美味了。

扛着一面大国旗进入挹江门,门上写着:“12月13日下午5时,助川部队占领。”在焦黑的尸体上铺上沙袋走上城楼。不知城楼为何被烧的。烧了一半的尸体散乱在街头,衣服、刺刀、弹药满地都是,还有被遗弃的高射炮。电线杆倒了,电线像蜘蛛网似的绊脚。整修好的宽敞的道路也是没有可踏脚的地方。我们的战车拉着缴获的高射炮,威武雄壮地开过来。草地上有“忠孝、信义、和平、仁爱”八个大字,画着大大的抗日标语、漫画。海军部、铁道部等官府林立,海军部成了陆战队本部,飘扬着军舰旗帜,伫立着水兵的岗哨。

宽敞的官邸内,雄伟的建筑上飘扬着英国国旗,挂着“大英国驻中华大使公馆”的牌子。这就是每次对我们的作战做出不利的奇怪举动的英国大使居住的公馆吗?扫荡市内。说是市内,除了政府所在街道外,都像是农村街道。第88师司令部仓库、学兵队兵营,几乎什么也没有。因为有电话机,就塞进放地图的包里带了回来。手榴弹丢得到处都是。

二三十人一组，反绑着手的俘虏有好几组。到处可听见轰响声，还烧起火来。想必是在用手榴弹处置俘虏吧。

进入南京城后，各个部队都面带喜悦，精神焕发……

上等兵井家又一记忆中的13日：

看到南京了！没想到真的见到了迄今一直进攻的地方，将日本国旗绑在机关枪上，抑制不住地喊出了响彻云霄的“万岁”声。

南京城墙沿着右手方向延伸到远处的山脚。远远看到了南京街道。霞光遮住了视野。“万岁”的呼声一遍遍地响起。城墙上一面接一面地飘起几十面日本国旗……

应征入伍90多天，在上海战场上多少次徘徊在生死之间。结束上海战役后前来南京并登上城墙……当想起天皇，想起父母、兄弟姐妹，祈祷平安无事，欢呼万岁之时，禁不住流下了止不住的泪水。

日第9师团一等兵水谷庄的记忆停留在13日7时20分登上南京城门的一刻：

站在城墙上，双手举着枪，向着东方声嘶力竭地不停高呼“万岁”！取出哥哥给我的日本国旗系在枪上，反复高呼着“万岁”，大家都激动得泪流满面。呜呼！盼望已久的南京城头，能够沉浸于这种激动之中的只是包括我们在内的极少数人。全身洋溢着军人的幸福感，我们百感交集。生为日本男儿真是好啊！

日军第16师团第20联队第2小队第3分队士兵增田六助这样回忆13日：

昭和十二年十二月十三日是攻陷南京的日子，在我国历史上永远是辉煌灿烂的一天。不用说，南京是国民党的大本营、中国抗日排日的中心。南京的一面临着扬子江，另外三面为山和丘陵包围，地势天然险要，易守难攻。凭借防御工事，蒋政权欲与皇军一决雌雄，试验一下其政权是存还是亡。可惜蒋介石没有坚固的盾牌来阻止我皇军，在我正义之剑面前，蒋介石的军队不堪一击，仅三日即告城破。城门上飘扬着我日本太阳旗，皇军的勇士们如决堤的洪水般涌入城内，脸上的热泪泛着光。

最先占领中山门并扬名军中的是大野部队的明星部队——坂清中队。下午1时，这位血达魔队长（日军第20联队第4中队队长坂清中尉，其在南京市东郊的战斗中右腕负贯通伤，故有此别名）带头走在前面，队伍里的士兵捧着阵亡者的遗骨，雄赳赳地开进了城内。中队官兵无暇休息，随即在田中少尉的指挥下，开始了对城内残兵败将的扫荡。我们进入了距中山门五六百米远的南京大众医院。这是一家有着好几栋四层楼房的医院，是用钢筋混凝土建造的，非常宏伟壮观。医院是用来收容来自上海、常熟、无锡方面的伤病员的。

各分队都不许自己的士兵单独行动，而是集体去的。医院里只剩下沾了血污的军服、破帽和毯子等东西。尽管这只是可恶的支那军的一处收容所，但也让我们很生气。不管是柜子还是桌子，全被我们砸掉。药柜、器具和箱式时钟等也被砸掉了。各种照片、标本之类都无一例外地被刺刀捅破。

退出来后，在去中山北路的途中，我们看见满地都是逃亡士兵扔下的武器、弹药、被服，以及马、车之类。鳞次栉比的商家已经被支那军劫掠一空，街上别说人影，连只狗都看不到。

当晚决定住在室内，这对于我们来说已经久违了。掠夺本来不是出于本意，但连日来几乎不吃不喝、不眠不休的持续战斗，不都是为了能有今日吗？为了能有今日，不是有许多战友光荣牺牲了吗？庆祝攻陷南京！庆祝占领南京城！

日第13师团伍长目黑福治对13日的回忆：

凌晨3时起床，4时出发。前往南京幕府山炮台实施攻击。途中，到处都聚集着敌军俘虏，据说其人数大约13 000人。年龄从十二三岁的孩子到五十岁左右的人都有，其中还有两个妇女。敌军还在不断地投降，各队抓获的俘虏总数约100 000人。下午5时，看到了南京城墙，部队在城外宿营。

中村弥关在1991年7月10日《沼津朝日》报上对令他终身感到“罪孽”的那一天是这样记述的：

12月13日，天气晴朗无风，明镜般的长江水缓缓地流着，我们船队和陆军相互协作，以南京为目标快速溯江而上。3时许，冲到下关栈桥并靠了岸。在这之前捕获了7名中国俘虏，半夜里就在甲板上将他们杀死并踹进长江。我所见过的残酷景象就从那时开始了。

我们很长时间没有上岸了，经允许我们上岸观看战场。整个南京城除了一面朝着长江下关城门外，其他部分全被城墙（高10米、宽4.5米）所围绕。许多地方有坚固的城门。陆军从外面控制着所有的城门，城里的人一个也出不去。进城一看非常吃惊，南京这个大城市成了一座死城。国破山河在。没有人、车和马，就连猫狗都看不到。能见到的只是连绵不绝、无限延伸下去的累累尸山。道路上、广场上、河堤上，都是一堆堆的尸体。有军人、有商人、有农民，不分男女老少，全都死了。因天冷的原因，干固的血液呈黑色，而尸体下方还有鲜血。

海军很少上岸，也很难见到女性。也许是这个原因，其中竟有狠心的人，用木棍挑开女尸胸部的衣服，还有人撩起衣服下摆看。

次日清晨，看了栈桥边上的河滩。这里也是尸体累累的尸山，还没有腐烂。沙土上还有鲜血流淌过的痕迹。尸体没有一点刀伤，看上去都是被枪杀的。

以上是我见过的真实情况。但是，这些是谁造成的呢？其数量是 30 万？ 10 万？还是 1 万？我不知道。我认为，在那种混乱情况下，看来没有人能确确实实了解这些事。但肯定不止数千人。

第二天往后就没听到过一声枪响。舰艇边上，有中国孩子在天真地嬉戏。他们胳膊上套着日章旗臂章，大概是妈妈做的吧。我非常喜欢他们。

我现在手边还有当时因作战有功长官奖给我们部队的感谢信复印件、炮战中我们舰艇的照片、那天晚上处理俘虏的照片以及来到我们艇边玩耍的孩子们的照片。

日第 6 师团士兵赤星义雄这样回忆他参战的 13 日这一天：

……在中华门的城墙上，每隔大约五十米，敌人就架着一挺机关枪，机关枪之间大约架着三十门左右的迫击炮。

在那样的猛烈攻击中，我们前进到了离城墙约两百米的地方，冲进了被破坏的密集的民房。这里也是空空如也。

12 日黎明之前，5 时左右，开始了对中华门城墙的协同进攻。在轰炸机波浪式进攻的同时，野战炮也对着城门一齐开火。但是，紧闭的城门和 20 米高的城墙岿然不动，没有倒塌的迹象。接着试图用 75 吨的轻型坦克（原文如此，75 吨显然不是轻型坦克。）撞开城门，但是城门仍不为所动，没有任何变化。另外，前进到离城门 50 米处的工兵部队在城门上摆放了炸药试图爆破，但也告失败。敌方大量的迫击炮和机关枪从坚固的城墙上持续对我们进行着无情的攻击，我军则从后方不断发射野战跑弹，另外在马路上用轻型坦克应战。白热化的战斗进行了整整一天。

我们无法前进，只能在中华门右前方两百米的民房里待命，度过了一个晚上。

12 月 13 日，从早上开始对中华门城墙发起了总攻。野战炮对着曾被认为坚不可摧的中华门，不断从城墙下方向上方集中开炮，不久，垂直的城墙开始变形，人可以爬得上去了。

在轰炸机对中华门及城墙上的迫击炮和机关枪进行了波浪式攻击之后，手拿轻机枪和步枪的三人组成的敢死队冲上前去，在变形的城墙上挂上绳梯，在我们的掩护射击和敌人的攻击下爬了上去。其后，在猛烈的枪声中，约有40名步兵跟着上去了;敌人的反击好像仍在持续。

过了一段时间，日章旗在中华门上高高飘扬起来。这是13日上午10时30分左右。

那一瞬间，所有人都举手高呼："万岁！万岁！"都大叫："太好了！太好了！"感动的同时我在想，能够平安无事地到这一步真是太好了。我们把"首先攻陷南京"作为口号。

敢死队爬上城墙后足足过了两三个小时，中华门的城门终于被打开了。随着小队长一声"入城"的命令，我们走向城门，然后进入了城内。城内堆满了长10米，宽4米左右的沙袋。民房被无情地破坏或者正在燃烧。到处都留有明显的轰炸和炮击的痕迹，空中弥漫着硝烟的味道。

另外，到处都被血染得鲜红，地上散落着被炸掉头或者内脏外露的尸体，以及粉身碎骨的肉块，令人目不忍睹。

城内除了红十字难民区，已经看不到一个游击队或者残兵败将模样的人了。

现在南京城已经真正落入了日军之手。

我们在市内反复进行扫荡，但几乎没有遇到抵抗。那天晚上，即13日晚，在城内的一角进行警备。

到了第二天，我们通过城内，向扬子江岸边进发。我们从那个炮台远望下方的扬子江，可以看到无数的木棒状的东西在流动。

我们下了狮子山，向着扬子江岸边走去。途中看到中国士兵的尸体倒在地上，有些没有头，还有些只有上半身，向人们诉说着攻击的恐怖。

扬子江岸边和普通的码头一样，是船出发和到达的地方。但站在那里看扬子江水的时候，展现在眼前的是一幅令人难以相信的情景。

在2 000米，不，可能更宽阔的江面上，漂满了无数的尸体。放眼望去，除了尸体，看不到别的东西。岸上有，江里也有，那不是士兵的尸体，而是普通百姓的尸体。大人、孩子，男男女女，就像漂浮在江上的木筏一样慢慢地流淌着。把目光移到上游，后面还跟着尸体堆成的山。我觉得好像后面跟着的尸体是无穷无尽的。

少算点也有 5 万人以上，而且几乎都是普通百姓的尸体，扬子江真正化成了“尸体之河”。

关于这件事我听说了如下情况。

前一天，从南京城撤退的多达几万人的中国军队和难民在前方 8 公里处的扬子江流域的下关港挤上可容纳 50 人左右的渡船，想逃往对岸。

在进攻南京战斗最激烈的时候，海军带着大炮、机关枪沿扬子江逆流而上，准备伏击撤退的军队和难民的船只，在他们的渡船到达对岸之前，所有的枪炮一齐开始射击。随着轰鸣声，炮弹和子弹像雨点一样射出。船被直接命中，炸得粉碎，所有的船都被击沉了。

我在听说这些事的时候心里想：“为什么连无关的人都……”后来我想，可能这就是被称为“南京大屠杀”的真实情况吧。

日海军新兵三谷翔当年在舰艇上见证并参与了 13 日的大屠杀——

当时我 18 岁，参加了日本海军，是舰上年龄最小的一名新兵。我所在的舰艇是当时被称为日本海军最新锐的驱逐舰“海风”，它属于第 24 驱逐舰队。舰队由“海风”、“山风”、“凉风”和“江风”四艘舰艇组成。这四艘舰艇均参加了进攻南京的逆流作战。

1937 年 12 月 13 日，攻占南京的消息传到了舰上。那天早上，开始大家都有点紧张感。我们停泊在南京对岸的浦口一带，一边等待命令，一边与南京岸边的炮台进行了炮战。那时，因为日本海军的舰炮射击非常精确并具有极大的威力，所以没花多少时间岸上的炮台就被摧毁了。

后来炮战及其他进攻结束了，我们看到江上从上游漂来几个竹筏，上面整整齐齐地堆着看上去像是中国人的尸体，尸体有一米半至二米高左右，堆得非常整齐，就像画出来的几何长方体。大家都觉得非常奇怪，生怕是伪装物，里面藏着什么东西，所以甲板上的约 20 人都举起枪朝着竹筏拼命胡乱射击。也就是说根本不特别瞄准，而是大概朝着目标用手支撑夹在腰中射击。

我们拼命地射击，但竹筏上没有一点反应。4 个竹筏就这样漂了过去……后来才知道，那上面尽是中国人。

铃木春男（是个化名），也是个日军参战老兵，当时是日军第 66 联队的重机枪手，他在战后参加了日本创价学会青年部反战出版委员会的出版工作，并在 1983 年 8 月

出版的一部书中很细致地这样回忆了那个“13 日”——

……正因为有了前面已经说到过的理由，在部队要转移的时候，将俘虏杀掉成了一种惯例。将四五个俘虏关进一间小屋，由一个分队二三十个日本兵将小屋包围起来，用枪对着小屋射击，直到小屋里完全没有声音发出为止。这种情景让人有一种说不清的感觉。

“救命！”

他们也许是在这样呼喊。射击一直持续到听不见这种声音为止。在作战时什么都不去想，只管开火，而对着手无寸铁的人射击，当然不会有什么好心情：等到小屋里安静下来之后，由于急着要去追赶在这之前已经出发的大部队，所以只好不再去理会小屋中的俘虏。如果放火烧小屋的话，冒起来的烟就会成为中国军队的目标，所以也不能放火烧。由于没有确认小屋里俘虏的生死，据说在日军离开之后还是有人从小屋里逃出来。部队在离开一个村落之前会一直听见从各处传来“砰、砰”的枪声。

每当听到这样的枪声，我们就会说：

“干得真漂亮啊。”

那是昭和十二年八月，在马桥发生的事。步兵们说是要杀俘虏来试一下枪。要试的是步兵手里的来复枪，它的性能可以将子弹打出 4 000 米，再穿过 3 厘米的铁板。我想那天应该是个大晴天吧。事情是这样开始的，步兵们为了要证实一下枪的性能，便饶有兴趣地谈论着：

“打打看啊。”

“行，那就打打看。”

好像就是这样心血来潮地开始的。俘虏有十三四人。在棉花地里打上一排木桩子，将反抗的俘虏绑在木桩上。接着站在一边开始看能射中几个人。俘虏中既有放弃反抗，有气无力地耷拉着脑袋的人，也有叫喊着拼命挣扎的人。日本兵有的站着射击，有的单膝跪地射击，也有的趴着射击。随着第一个日本兵开始射击，在“砰——”的枪声响起的同时，子弹击中俘虏的身体，一个、两个、三个……宛如击在沟堤上，发出“噗、噗”的声音。

被击穿身体的俘虏口里发出“哦”的一声，脑袋一下子垂了下来，立刻毙命。俘虏一个接着一个身体被击穿，身体没被击穿的俘虏，他们发出的痛苦呻吟声至今我还记得。尽管到了这种地步，日本兵仍然交替着射击。射击完了的日本兵被问道：

“怎么样啊？”

“像打在豆腐上。”

“好厉害的手感。”

等等。他们这样回答道。这样一来其他的日本兵则说：

“那我也来试试。”

就这样，又有几个日本兵开始试枪射击。周围的日本兵饶有兴趣地嘻嘻哈哈地观赏着。等到所有人的射击完了之后，在地面挖了个坑，将被打死的俘虏尸体埋了起来。日本兵也许有着战场上的某种集团主义的心理吧，让人产生一种明天连生命还是否存在的自暴自弃的心情，现在回想起来，当然也不会令人愉快。

还有一件事发生在同年9月，是在朱家宅发生的。吃过早饭之后，我为了与中队商讨作战时机枪的配备位置之事，离开大队本部去两公里外的中队。为了完成任务，我在村中小路上小跑了起来。农田和农田之间有条用于灌溉的小渠。小渠对面有一户农家，院子里种着一些用来晾晒衣服的高大树木。其中的两棵树木之间有什么奇怪的东西垂挂着。我定神望去，原来是三个中国兵，被一根很粗的铁丝从两耳穿过吊在那里。俘虏看上去已经死了。我只是经过时看到的情景，其原委就无从得知了，但据我猜测，要将三个人抬起来的话至少要有十个左右的士兵，我想应该是昨晚将他们吊起来的。要将铁丝穿过活人的耳朵，俘虏也一定经过了拼命反抗吧，一定也叫喊了吧。这只是我的猜测。现在想来，干这种事的日本兵的心理大概也可以称作恶魔心理吧。我为了自己的任务马上离开了现场，之后的处理工作也许是按照中队长的命令，立刻将他们放下来埋了吧。因为这事如果传到大队长耳朵里的话，想必会引起一场很大的骚动吧。在我周围也有日本兵在说：

“搞得好过分啊。”

像这样残杀俘虏的行为，除了我前面提到的理由外，还有就是在支那事变中，住在北京的普通日本人被中国兵残杀的消息经常传到日本。年轻的士兵们说：

“干掉他们。”

“过去，日本人也被这样干掉过。”

“如果我们被敌人抓住了也会被这样干掉的。”

就这样，一半是兴致、一半是愤懑，还有就是集团主义心理所驱使。虽说将校们对此不加以制止是违反军规的，但他们不会说一些严厉的话，看见了也装作没看见。说到为什么会这样，因为如果他们出来制止的话，反而会被说：

“子弹不一定从前面飞过来，也会从后面来哦。”

我再稍微说一下野战医院的事。战斗结束后，我们回到原来作战的地方，收拾战友的尸体，给受伤的人治伤，将重伤员送往野战医院。虽说是野战医院，也只是在烧剩下来的农家的土屋里铺上稻草而已。只是让伤员在这种算不上医院的房子里躺一下，处理一下伤口，之后再处理伤口也不知道要等到什么时候了。好不容易再一次轮到处理伤口，也就是在化脓长蛆的伤口上用竹片刮一刮而已。尽管如此，到了那种时刻还是有一种说不出的高兴。如果是死了的话，挖一个坑，一次性地将十几个人放进去烧掉。经常会发生由于火焰蹿得很高而招来中国军队袭击的事情，就靠还能动的伤兵和军医以下的卫兵同他们交战。医院的船在回日本时，有很多人就死在了船上，有时候早晨醒来后发现战友已经死在自己的身旁。结果当我被收容到日本医院去的时候，所认识的人只剩下很少了。

岩崎昌治是日上海派军独立工兵第1联队的上等兵，后来在1938年6月9日死于安徽的一场与我军的战斗中。这位日本上等兵在进攻南京后曾写信给他在日本国内的女友山口富美子，对进入南京前后特别是13日这一天有这样的描述——

……在南京看了12月14日的报纸新闻。在国内，人们现在正举着旗子排着队伍游行，热闹得不得了吧。你们在欢庆之时，是不是想着在支那的南京也是如此呢？我们穿着破旧的军装，由于寒冷而冻得有好几夜都没能睡着呢。吃的是不是南京米呢？弄不到日本大米吃，要不然我们是不会吃南京米的。因为行军过快，后续部队都没有跟上，从10日到13日这三天，我们吃的是干巴巴的饭加咸菜。支那的饭菜吃不惯，很让我们伤脑筋。12月12日，我们接到了进攻南京城（虽简单地说南京城，恐怕国内的人没法想象吧。据说城墙高约35尺以上，周长4里）的命令，我们就赶赴前面约两公里的工兵学校。这所学校果然是因为一位支那的名人担任校长而相当壮观。12日深夜，这所工兵学校已经完全落入我们工兵之手。当时我方有一人负伤，他们丢下几十件兵器就逃走了。我们俘获了77名败残兵，当场都把他们枪毙了。

即使听说过日清之役（即1894年爆发的中日甲午战争），但支那好像也不像这10次那么强大。支那人相当顽强，我们向他们冲去，他们也决不逃跑。这次攻占南京城的时候，也是由友军的炮兵从后方不断地向城墙猛烈射击，连宽6米、高10米的城墙也渐渐地被摧毁了。如果20分钟或30分钟不进行轰击，他们就立即用沙袋重新堆起来。12 月 13 日黎明前，我们绕过南京城，在其后方的扬子江边缴获了交通船只，以及附近的 15 辆汽车、3 辆坦克、2 辆摩托车。当时，海军来到了扬子江上并不断地开火，在陆地上，枪弹也不断地射向城内，真是壮观。工兵队占领南京下关车站是在 14 日黎明前。当时在扬子江边，我们工兵亲手射杀了大约800名败残兵。我们甚至都不知道自己是在杀人，还是把竹子放入江中漂流。

今天一上午都在附近巡查，下午休息。在陆上杀死支那兵后，把尸体堆积到一处，浇上油烧掉了。大概就像相川小学广场那么大的地方，支那人的尸体堆积了两三层。

今天举行南京的入城仪式。自己未能参加（中队只有 1 名军官、12 名士兵参加）。因此，将昨夜在城内搜捕的大约 2 000 名支那人集中起来，在今天黎明前把他们全部杀死，仅扬子江边上就横七竖八地躺着大约 5 000 具尸体，一种相当于海里的“海豚”的江鱼不断地游来啄食尸体……

作为中国人，笔者相信每一个读者看到此处，都会对日本侵略者当年在南京犯下的如此暴行而感到悲愤。从上面的这些日军官兵的描述中，我们可以清楚地看出，无论是日军在进攻南京成功后“三呼万岁”的“激动心情”，还是在江边或者其他地方任意残杀中国俘虏及百姓的罪孽时所流露出的“欣赏感”或是“罪孽感”，都铁证如山地证明了日军在南京大屠杀的历史事实。

我们再来看看最有说服力的“大日本帝国将军”们的记述吧。这是日第 16 师团师团长、中岛今朝吾中将的 1937 年 12 月 13 日这一天的日记中所记载的内容：

12 月 13 日　天气晴朗

清晨，步兵第 30 联队的将校侦察队（日军以将校〔少尉以上〕为领队，并带上必要的士卒以侦察敌情和地形等的部队）进入中山门，没有发现敌军的踪影，得知至此南京已全部被占领。

一、步兵第 33 联队从主峰下来，上午 8 时占领了天文台，各队随后逐步接近城墙。命令炮兵防备万一，又命步兵和工兵做好协同机动作战的准备，以期万全，以便逐步扫荡城内。

另外，自昨日以来，佐佐木支队方面与从南京逃出的敌兵以及从镇江方面退却的败兵遭遇，前进受阻，并在后方留下了相当数量的兵力进行掩护。

由于有可能失去占领下关的时机，命令步兵第33联队迅速进抵太平门，然后以其主力立即经玄武湖东北侧追赶旅团。

（昨日已派出一个大队）

此外，命令已向前方追击的野炮第2中队和轻榴弹炮[1]第1中队返回，立即追赶佐佐木支队。

二、骑兵联队于下午1时许才到达下麒麟门，命其立即追赶佐佐木支队。

三、日间，败兵从仙鹤门附近进入紫金山东侧林中道路，骚扰我后方部队。乃命令预备一个中队予以扫荡。又命片桐部队扫荡紫金山西南及南侧。

四、正午过后，步兵第20联队之先头大队进入城内开始扫荡。

我原想抢在第9师团之前入城，由于初衷未能如愿而失去面子，心中颇为不快。因而决定放弃从中山门入城，让给他们这群乡巴佬。为指挥下关方面的战斗，决定向该方面转移。

派中泽大佐[2]去草场少将处，查明中山门方面的情况，并委托其采取下一步措施。但估计在紫金山东方公路上很有可能同败军遭遇，而富贵山附近更为安全，故从该地转移为宜。为此，等待中泽大佐回来后再出发。下午1时，根据中泽大佐报告，太平门已被我军占领，草场少将同意从富贵山方面转移。于是，当即决定向西山战斗司令所转移。

今天，为指挥战斗，前进至此地，通信设施业已齐备。

五、在天文台附近的战斗中，俘获一名敌工兵学校工兵少校教官，得知他了解地雷埋设垃置。经讯问，该教官声称，他并不了解全部地雷的位置，于是当即被步兵砍死……

六、如上所述，在西山邮局进行善后处理，直至下午6时。今夜在此地宿营。

七、据报告，下午3时30分佐佐木支队占领下关。

八、中午前后，南京市内遭敌轰炸机轰炸。

昨夜，当步兵第33联队占领第一峰后，军司令官立即致辞表彰，并赐酒一桶、威士忌三瓶和水果等，将其分赠给步兵第33联队和与之相配合的炮兵队。

前天夜里，为向前线各部队的艰苦奋斗聊表谢意，将携带之酒分赠给前线部队，作为攻克南京后的祝酒。

---

[1] 10厘米榴弹炮。

[2] 中泽三夫，日军第16师团参谋长。

九、今日中午高山剑士来访，当时恰有七名俘虏，遂令其试斩。还令其用我的军刀试斩，他竟出色地砍下两颗头颅。

十、下午，司令部前进，移至西山脚下的邮局内，在此进行善后处理。

十一、今日得闲视察了西山战场遗迹。

东侧有一圈散兵壕阵地，大概是属于应急工事。由此看来，中国当局也未曾料到南京会遭到攻击。事后得知，南京的电灯公司直至13日清晨尚在运行。

十二、阵地内有12号猎枪用的子弹，将其收集回去，但没有找到猎枪。事后兵器部员大中少佐发现了12号白朗宁猎枪。

这可能是士兵为近距离防御而携带的，或者是出售枪支的商人主动参战带来的。无论怎样，都是在近战中用于发射霰弹的。这一设想同我在天津和大连时，为了自卫曾寻找过猎枪的想法颇为相似。

十三、傍晚住在附近的一幢独屋（似乎是医生的别墅）中。

十四、12日夜，对仙鹤门和尧化门附近的敌炮兵和骑兵发动了夜袭，使其蒙受重大损失，而敌军斗志也相当旺盛。后来，敌军逐渐丧失战意，终于投降。

十五、12日夜，据说在汤水镇附近也同败军遭遇，军司令部卫兵和警备中队参加战斗，恰好师团辎重队途经那里，于是要求师团辎重补给弹药。

十六、深感有必要加强宫殿下的安全保卫工作，参谋长准备增派一至两个中队。在向军参谋长请示后方才得知第9师团已经派出一个步兵联队。

这里既不属于第九师团的作战区域，其部队又不比第16师团的距离近。为了对付残兵败卒竟然派出一个步兵联队，其居心实在令人同情，为此，我方决定放弃增派保卫部队。

十七、今日，关于城内的扫荡，基本上以佐佐木部队监守作战地区内的城门。以草场部队的两个大队从南京老城区向下关方向推进，进行扫荡。

十八、然而，城内几乎未曾发现敌军，只有第9师团地区内有一难民营，多属妇孺和老人。当然，也不难想象其中一定有许多换上便衣的败兵。

十九、在中央大学、外交部和陆军部的建筑物内设有支那军的临时医院，支那的医护人员已全部逃走，只有部分外国人在勉强护理伤兵。

由于被禁止出入，物资匮乏，伤兵迟早会自然死去。

之所以利用上述建筑物收容伤兵，可能是外国人同支那的中央要员达成的协议。因此，师团如果需要这些建筑物，就要求他们撤出。另外，日本军方面因自身的伤员颇多，拒绝兼顾其他。

二十、败逃之敌大部进入第16师团作战地区的林中或村庄内，另一方面，还有从镇江要塞逃来的，到处都是俘虏，数量之大难以处理。

二十一、基本上不实行俘虏政策，决定采取全部彻底消灭的方针。

但由于是以1 000人、5 000人、10 000人计的群体，连武装都不能及时解除。不过他们已完全丧失了斗志，只是一群群地走来，他们现在对我军是安全的。虽然安全，但一旦发生骚乱，将难以处理。为此，增派部队乘坐卡车负责监视和引导。

13日傍晚，需要大批出动卡车，但由于战斗刚刚结束，计划很难迅速执行。因为当初从未设想过将采取这一措施，参谋部忙得不可开交。

二十二、事后得知，仅佐佐木部队就处理掉约15 000人；守备太平门的一名中队长处理了约1300人。在仙鹤门附近集结的约有七八千人。此外，还有人不断地前来投降。

二十三、处理上述七八千人，需要有一个大壕，但很难找到。预定将其分成一两百人的小队，领到适当的地方加以处理。

二十四、这些败兵的处理，大多由第16师团负责，因此，师团无暇顾及入城或宿营等，只是一味地东奔西走。

二十五、在扫荡敌残兵的同时，还要寻找和处理危险的地雷，还必须收集被丢弃的武器弹药，其数量似乎也相当大。

处理上述问题，今后可能还需要数天时间。

看一看日军中岛今朝吾中将的这份“阵中日记”，面里所述的关于“处理”（枪杀）我中国守城俘虏的事实再清楚不过了。这是无法抹去的历史，当时的情景也只有这些当事人最最清楚。中岛提到的负责“处理”中国俘虏的佐佐木部队，其实就是大刽子手、日第16师团第30旅团旅团长佐佐木到一少将，此人也是南京大屠杀的主犯之一。

说来有些让中国人不敢相信的是：佐佐木到一与南京大屠杀日军最大罪魁祸首松井石根一样，都是“中国通”，并且都与中国民国革命有着“深厚友谊”及种种千丝万缕的关系。我们前面说过，松井石根不仅是蒋介石的“恩师”，而且还是孙中山革命主义的积极支持者。

这个佐佐木也是年轻时就对中国革命充满同情与向往的“热血青年”，1911年军校毕业后就踏上了中国大地，后来成了孙中山在广州领导大革命的军事顾问，唯一一位可以在孙中山的大本营里一挥“出入证”即可随便进出的外国军事专家。也就在给孙中山当军事顾问时，佐佐木认识了当时在参谋处任处长的蒋介石。据佐佐木自己讲，孙中山的“中山装”是他佐佐木应孙中山之邀而在一家日式西服店里特为国民党员们设计的。

松井石根是个很瘦小的干老头——他指挥“淞沪战役”和进攻南京时已经59岁，所以日本军队里的少壮派们暗地里都称他是“干老头”。别看“干老头”双手沾满了中国人民的鲜血，却还是个喜欢舞文弄墨的假秀才，在他侵华的日子里，每每取得一个“决定性”胜利时，都要赋诗作词。比如在进攻南京途中取得太湖一线“胜利”之后，他便作了两首七律诗：

一首叫《湖东战局后》：

枭敌运生日渐穷，旌旗高耀湖东空。休论世俗糊涂策，不拔南京皇道倥。

另一首叫《语拜受即吟》：

湖东战局日渐收，圣虑昭昭人未酬。遥望妖气西又北，何时皇道洽亚洲。

这位军国主义者对我中国早已有“不拔”便是“皇道倥”的野心。

佐佐木虽不像老松井那样瘦巴巴的，而是个看上去满脸横肉、杀气腾腾的标准型军人，可他平时也十分喜欢舞文弄墨，不仅写日记，还同样喜欢赋词吟诗，笔调颇有些细腻之处。可惜现在的日本人对这位进攻南京的“大功臣”有些微言，因为佐佐木当时用了太多细腻的文笔，将南京大屠杀的史实记得一清二楚，且格外详尽和“富有感情”。我们来读一读佐佐木记录1937年12月13日占领南京第一天的情形与心境：

12日夜里，到处都是激烈的枪声，到后半夜，还传来炮声。根据总的形势判断，攻陷南京的时刻正一步步逼近。如果预备队的正左方高地上出现敌军的话，该部队即陷入困境。并且，由于兵力少，只在那儿勉强部署了一个中队兵力。尽管如此，他们的情绪还是极为坦然的。然而，他们整夜用无线电费劲地与师团司令部维持着断断续续的联络，以此获取师团的命令和情报。追击命令于清晨6点前下达。

此时，枪声就在耳边作响。这是大量子弹打在城墙上的缘故……

上午8时，近处枪声大作，把我从梦中惊醒。通信员、运输队员和勤务兵都拿着枪噼里啪啦地射击。

“怎么啦？”我奔出屋子问道。

“刚刚才将他们击退。从紫金山上黑压压地下来一大群敌军。”

“是败兵吗？”

“正在搜寻时，突然就从上面攻下来了。一群一群地冲下来，每次都足有五六百人。”

“缴他们的枪了吗？”

“哪有工夫让他们投降啊，全杀了。”

敌军还在不断地从紫金山上向下冲，一群又一群，铺天盖地，满眼是敌军。他们都是驻守在紫金山顶的教导师的士兵。他们试图从我支队的缝隙间杀开一条血路，进行反攻，突围出去。

由于敌军想与其困在屋里无休止地抵抗，不如尽快换上便衣逃走。因此，那些三三两两来投降的敌军都将武器扔进水塘里，或扔进房子里放火烧掉了。他们这点做得很彻底。这支部队是蒋介石最骁勇的嫡系部队，因此，也是顽强战斗到底的最英勇的部队。

……上述是局部混战的情况。此后，综合各部队的报告得知，从半夜到上午10时的战况是：拂晓前，我前线部队插入敌军阵地，继续紧逼敌军。轻装甲车在上午10时左右首先攻进下关，向云集在江岸的或逃进江里的敌军败兵扫射。估计打完了15 000发子弹。在此期间，步兵第38联队占领了城北的五个城门，截断了敌军退路。联队长和第33联队的一个大队紧随着装甲车推进到挹江门附近，同未来得及逃跑的敌人进行战斗。

司令部的预备队一个步兵中队，也从左翼和后面向前突击，与敌军进行了数次激烈交火。通信兵、运输兵，甚至传令兵都参加了战斗，歼灭敌军。随后，又追击到敌军后方；野战炮大队一直苦于道路不好而行进困难，那天夜里又遭到袭击，进行掩护的一个步兵中队和一个工兵小队，大家不分彼此共同奋起应战，进行了长达4小时的战斗。其后方，原来部署了两个步兵中队作为后卫，半夜后，也与来自两个方向突围反攻过来的敌军部队进行了战斗，并将该股敌军歼灭了。另外，驻守在后方卫生所附近的骑兵团，黑暗中遭到敌军袭击。敌军冲进院内，使他们损失人员二百余名，马六十余匹，他们当时是慌作一团。该骑兵团其后又不断要求重炮增援，根本无暇考虑自己是否有自卫能力。而我们的部队拉开的战线长达数里，还要不断与两侧蜂拥而至的敌军进行激战。

上午10时，从为了掩护而部署在我左翼高地的中队阵地后方，突然飞来了几发重炮炮弹。接着就是打击性的集中火力射击。“哎呀，怎么了？”队伍一下子炸了锅似的乱了套。紧接着密集地又打过来30余发炮弹。山顶瞬间被硝烟笼罩。我看见该部队损失惨重。被血水搞晕了头的炮兵竟然向自家人开起了炮。幸运的是只被炸飞了一个背包。之所以造成这种局面，也是由于该中队是从山上袭击敌军背后的。

如前面所提到过的，上午10时左右，我支队的轻装甲车首先攻进下关，完全堵住了敌军退路。此外，我步兵又占领了北面的所有城门，并全部封锁起来，使得敌军成了瓮中之鳖。

随后赶上来的第六师团的部分兵力从南边来到江岸，海军第十一舰队溯江而上，对顺流而下的敌船进行扫射，并于下午2时，抵达下关。国崎支队于下午4时抵达对岸的浦口。其他向城墙进攻的部队，都攻进了城里并不断进行扫荡。这场战役演绎了一个实实在在的包围歼灭战。

今天，在我支队的作战区域内，遗弃的敌人尸体达一万几千具。此外，还有在江面上被装甲车击毙的士兵和各部队捉到的俘虏，合在一起计算，仅我支队就已解决了敌军两万以上。

下午2时，扫荡结束，我们背后也有了安全保障。于是，部队边集中，边向和平门方向前进。

其后接连不断地有俘虏前来投降，其数量高达数千人。情绪亢奋的士兵丝毫不理睬上级军官的劝阻，将俘虏一个个地杀死。回想到许多战友流的血和十天来的艰难困苦，别说士兵了，我自己也想说“全都干掉吧”。

目前，白米早就一粒不剩了。尽管城里能找到，可我军不可能还携带着给俘虏吃的粮食。

我们登上和平门，高呼三声“大元帅万岁”。今天的天气十分晴朗。金陵城墙头到处飘扬着日章旗。看着这一切，禁不住眼角发热。（今晚可以睡个好觉了。）

这一天佐佐木太激动了，他后来实在兴奋得睡不着，因为南京曾经是他十年前“战斗过”的地方，与孙中山、蒋介石等中国国民党人士“生死朝夕干革命”的往事历历在目，让佐佐木不由得再度拿起笔，写了一首题为《进攻南京之歌》的邪诗：

绵延无尽的护城河啊，
七日十日这些日子，
渡啊，渡啊，不断地渡过护城河。
于心不忍啊，
草丛下铺满尸体，
河水中浸泡着尸体。

悠悠四千年，
千古流淌的长江啊，
江畔是不断行进的马队。

耸立在天边的紫金山啊，
明孝陵就在它脚下，
谁不感慨国家兴亡。

夜将过，黎明将至，
旭日沐浴着金陵，
城头高高地飘扬着旭日旗。

那遥远的东方之海，
是旭日升起的地方，
万岁声响彻云霄。

诗写完，佐佐木觉得仍然不解心头的“万千感慨”，便继续写道：

我敢肯定，站在南京城头最有感慨的人，莫过于我了。这不仅仅是因为我曾在这儿长住过两年半，南京是我曾经熟悉的地方。也不是因为八年前我离开时，南京城郭内还有三分之二的农田，并可以猎到山鸡和野兔，而如今已面貌一新，建设成了令人吃惊的、蔚为壮观的现代化城市。实际上，当我还在弱冠之年，即明治四十四年时，就以解决满洲问题为目标，并暗地里一直对国民党产生好感了。但由于他们实行了容共政策，特别是蒋介石的投靠英美政策，令我非常不快。我深深地为皇国的前途感到忧虑而愤然离开了此地。昭和四年之夏的经历，至今还历历在目。

“看如今吧！”

我绝不是泄私愤，背信弃义的人终究要受到上帝的惩罚的……

安息在紫金山中的孙文之灵，一定对蒋介石的鼠目寸光扼腕叹息并哭泣吧。现代化城市一朝便成黄粱梦。战火还在城中熊熊燃烧，浓浓黑烟直冲云霄。

此时此刻，更深刻地感受到“国破山河在”之意。

佐佐木这一天真可谓“心花怒放”又“心潮澎湃”。他感慨万千之后，久久无法入睡，第二天在日记里写道——

现在，我完全掌握着两个联队，对城内外实施扫荡。部队将到处潜伏着的残兵败卒全搜寻出来。但是，他们已将武器全部丢弃或藏匿起来了。500 乃至 1000 人的大批俘虏被接二连三地带来。看上去他们虽不是特别害怕，但个个都已筋疲力尽，也许没有任何吃的东西了。

直到 12 月 11 日夜，城外下麒麟村一带还曾有电灯和自来水。据情报称，当天的军事会议结束后，敌守城司令唐生智便渡江逃走，大批文武官员及其家属也大多乘民船逃往下游方向。

关于桥本欣五郎大佐的重炮是否轰击过外国船，是一度争论不休的问题，可能就是满载拥挤不堪的军民溯江而上的英国船（实际上船上到底装着什么，谁也不知道）。

金陵大学收容了上千名年轻妇女，原外交部收容着数百名伤兵，号称受到治外法权庇护而在接受外国医生的治疗。

没有比守将逃走，被抛弃的支那兵更悲惨的人了。他们有无斗志谁都清楚，更确切地说，他们之所以拼命抵抗，是由于没有退路。

虽说是残兵败卒，但仍有人潜伏在村落或山里进行狙击战。因此，对于那些继续顽抗、拒不顺从者，毫不留情地当即杀死。枪声终日不断。

太平门外的大护城河中堆满了死尸。

空荡无人的房屋都被搜刮一空。军装等物品散乱一地。手榴弹和步枪子弹丢得比比皆是。加上要害地点都被埋上地雷，真是危机四伏。

城内大道上为了进行巷战和防空，全部构筑了大型工事。发动机全被毁或被烧的汽车，一排排地被丢弃。其间都是乱七八糟丢弃的被服和器材，遍地狼藉。我方的空袭，将国民政府、军官学校，以及其他军事设施炸得体无完肤。城外机场也是一样。

民房被烧成一片废墟，有的火势至今不减，仍在熊熊燃烧着，看不到一个居民，只有丧家犬盲目地游荡着。

下关原来的闹市已被烧成灰烬，沿江马路上丢弃着数百辆汽车，岸边数百具尸体一个个被水冲入江中。

自从民国十六年（即1927年）二月国民革命军进入南京城已整整十年了。城内人口从当时的30万增加到现在的80万。通过剥削农民成功地建成了一个炫耀自己的现代化城市。然而，如今已成为过眼云烟，任何人目睹首都被破坏的惨状，都会感慨万分的……

一个刽子手，能把由自己亲手指挥的一场灭绝人性的大屠杀写得如此“有感情”真乃罕见！而这，又恰恰完全又彻底地证实了南京大屠杀的事实无可置疑。

还有什么可以置疑的呢？倘若还有置疑，那么请看下面的来自日本国自己人做的“访谈证明”——

8.“热线”里的记忆

用被害方的话来佐证，有人或许会说是不是掺了水分，那么这些日军士兵自己当年实时记下的“日记”难道不是最强有力的事实证明吗？其实，参与这场大屠杀的现场目击者和实施者至少有数万日军，对刀枪尖上的罪孽他们中间有人并不以为然，而有的则终身备感负罪，有的则在离开战场后再不愿在他人面前提及当年的这份罪孽，有人则出于良心上的强烈自责而在日后以“倾诉”的方式坦白了自己的罪孽，于是这些人或多或少地最终获得了内心的某种释放。这些日本老兵后来的行为应当得到尊重，并可以获得中国人民的宽恕。

这样的事情其实在战后的日本军人和日本国民中也有不少。在此，笔者必须给读者介绍一位名叫松冈环的日本女子的事迹。松冈环出生于战后的1947年，是个日本教师。1987年后，松冈环女士开始研究近代日本侵华史，南京大屠杀事件触动了这位年轻而善良的日本女子的心，后来日右翼代表人物石原慎太郎等一帮政治家不断在日本国内发表言论，说“南京大屠杀是中国人编造的”，出于正义的良心，松冈环越来越强烈地觉得自己有一份责任让日本国民了解历史的真相，于是在她的发起下，于1997年10月10日至12日三天里，她同“南就大屠杀60周年全国联络会”的同伴们一起设置了一个面向参加南京战役的原日本士兵的“南京大屠杀信息热线”，令松冈环没有想到的是：“热线”竟然产生了意想不到的效果，成百上千的当年参加南京战役的老兵纷纷来电，要求“倾诉”他们经历的“那些事”。这让松冈环激动、感动不已，从此她开始了一项长达5年多漫长而艰难的被中国南京大屠杀遭难同胞纪念馆馆长朱成山称为“勇敢不屈、坚韧不拔的伟大工作”——采访日本老兵。

“老人们都过80岁了，即将迎来人生的终点，如果现在不查明真相，这段历史将被埋入黑暗中，一旦失去调查南京大屠杀高峰期日本兵对中国人民实际做过的无数暴行并取得资料佐证的机会，将不会有第二次。”松冈环的工作就这样开始了，但在日本要做这样的一件被右翼分子骂作“卖国行为”的事，何谈容易。“调查虽然开始了，但即使找到了老人们，许多人也是有的不讲南京，有的顽固得连见过尸体都否认，有的说自己的部队什么也没干。除了反复访问，用足劲采访之外，没有别的办法。”松冈环没有放弃，她继续前行，“反复访问期间，触及南京大屠杀核心的证言增加了，协助我们调查的原士兵也出现了，这给了我们勇气。我们认为必须收录更多的证言”。于是又增加了访问原士兵的次数，到日本各地去录访。

5年间，松冈环和同事们访问了200多位老兵，并且一定要访问清楚是不是刺死了不使用武器的中国市民和有无强奸等残暴行为。她常常不得不与那些成心想否认暴行的老兵及其亲属们大吵大闹，直到最后他们“吐出真情”为止。后来，松冈环在采访200多名老兵的基础上，正式整理出了102位老兵的亲口讲述材料，编册成书在日本出版。松冈环视自己的这一工作是“黑暗中将有一道微光照到历史”。

2002年，由松冈环编著的中文版《南京战：寻找被封存的记忆——侵华日军原士兵102人的证言》，由上海辞书出版社出版，朱成山给该书作了序。

松冈环之举甚为可贵，朱成山先生出于对这位日本女子的崇高敬意，特意在“南京大屠杀遇难同胞纪念馆”的展墙上开辟专栏，介绍了松冈环的事迹和她的书。

笔者因此也得到了如下的珍贵材料：日军老兵回忆1937年12月13日那一天他们所看到和直接经历的——

町田义成（原日军第16师团33联队上等兵）：

12月13日中午时分，开始扫荡在下关的敌人。到了下关，扬子江旁边有个车站（下关火车站——笔者注）。没有炮弹，我们就用步枪击毙各处残留的一群群中国败兵。我这个小卒虽然不知道，但想来大概16师团的大多数都集中在这里了。进南京时和第7中队在一起，但想来有数千以上的日本士兵攻进了下关（16师团的久居33联队与奈良38联队的大部分中队由下关往城内去了）。下关岸壁因炮击而遭到毁坏。

我们中队到下关车站广场的时候，日本友军的炮弹连续不断地落下来。这里还在与敌人进行大的战斗，敌人这时已经准备逃跑。他们已经失去了战斗力，枪也不拿，捡了小木船、木筏、木材，乘这些东西沿扬子江顺流而下。有5—8人乘的小船，也有30人左右乘的船，船里还有女人与孩子，没有能力抵抗日本兵。前方20—30米处有逃跑的败兵，这边的日本兵都举起机枪、步枪瞄准他们"嗒嗒嗒"地射击。小船、木筏上是穿着普通百姓衣服的中国人，畏缩着身子尽量多乘一些人顺江漂去。船被击翻了，那边的水域马上就被血染红了。也有的船上中国人被击中后跳入江中，可以听到混杂在枪声中的"啊、啊"的临终惨叫声。水中流过一沉一浮的人们。我们机枪分队与33联队的其他中队一起连续猛射，谁也没有发出号令，只是说："喂，那个那个，射那个。"数量相当多的日本兵用机枪和步枪的子弹拼命射击。但对方并没有全部都死，也有顺流而去的中国败兵。我身边的士兵们对我说："不用担心，在下游有部队在等着他们，一个不留，全部射死。让他们下去吧。"就这样，射击了不到两小时。

这时，南京城内和下关的中国兵在逃跑，他们换了普通居民的服装，也不持枪，所以日本兵基本上没有遭到攻击。13日是日军单方面的攻击……战地已是白雪一片、冷风刺骨的季节，首都南京的城墙上是高高飘扬太阳旗的美景。寒冷算不了什么，反而更令人勇气倍增，热血沸腾。敌人最大的阵地紫金山仅仅数日就陷落了，他们丢下10多万具尸体逃跑了。我们看到好多被弃的步枪，散乱的迫击炮、高射炮，以及其他武器、被服时，感到十分痛快。特别是……下午，败兵四散逃跑，走投无路，乘小船沿扬子江而下，其数5万，我军不失战机，将其全部消灭。情不自禁地高呼万岁。

古川康三（原日军第16师团步兵第33联队第2机枪中队机枪手）：

我们虽不知道地形和详细的地名，但下关这个地方却是去了。我至今还记得下关。为了去那里，我们（边看着地图边确认）经玄武湖畔，由北转到西，进入下关。

紫金山激战中，仅三天就战死了大量的士兵。下了紫金山，联队里有很多同乡和朋友，遇到时就相互说："啊，还活着。"这成了打招呼的话。

下了紫金山以后中队在南京集中，平静了两三天后，接到了"使役"即收拾中国败兵的任务。我们扛着重机枪去了下关扬子江尽头的货车站。那儿货车排成一大排，里面挤满了中国士兵。打开车门，由于挤得太满，虽然是在极其寒冷的冬天，但他们都热得喘不过气，脱掉衣服光着身子。这（情景我）还记得。我们让衰弱得东倒西歪的光身子士兵下了货车，乘上在扬子江上漂流的筏子，用重机枪向他们射击。

筏子能载二三十人。我们在对岸用重机枪对准从激流中漂过来的筏子上的中国败兵射击。有的败兵"叭"一声跳起来后掉入江中，也有好多兵就这样顺流漂去。最近距离的机枪射击那当然是百发百中。败兵被击中就痛苦地落进江中。谁做的筏子我不知道。大队本部的命令下到我们第 2 机枪中队，我按中队长的命令当"使役"的。

一个大队中有机枪中队，一个中队有 4 小队，一个小队有重机枪 2 挺。我是代理小队长，所以拿着 2 挺重机枪去执行"使役"的任务。

"使役"做过两三次，每次都是把中国败兵从货车里拉下来装上筏子让其漂流，我命令小队用机枪射击。对准漂流过来的筏子多次射击。筏子有各种各样，有的是绑起铁桶，把圆木排在上面;有的是用木材拼起来的。有做筏子的士兵，做这些东西的是工兵队吧。"使役"做了一星期左右不到两星期的短时间，但我还记得"使役"的经历。其他部队对败兵也不捆绑，体弱的就这样载上筏子，我们只是用重机枪射击漂过眼前的败兵。

用重机枪击毙的败兵，无法区别他们是军人还是民众。有的光着身子，有的穿着像日军那样的军服，有的穿着普通的衣服，败兵中是否有农民不清楚。但大致都当作败兵来处理。

据说除了用机枪处置以外，还有在外城墙埋下地雷，在这上面集中败兵，一爆炸就炸死几百人。南京陷落后，我们日军的任务就是收拾中国败兵。总之，收拾败兵用了相当的日子，做了这些事。在南京听说了大量其他中队这样那样杀人的事件，这就叫南京大屠杀吧。我们执行了这样残酷的任务，那是真实的事。

除了用机枪、地雷以外，还目睹过残杀行为。参加战斗的日本新军官、从干部候补生升上来的军官中的绝大部分，成为任官制少尉（受一年的培训后任官）后当上小队长的，他们常常说一句"试砍"，就以败兵为名把中国人抓来砍头。在士兵前是新小队长砍，而且说砍后脖子上留下一层皮最好。我清楚地看到过近在眼前的砍头。在南京陷落以前我也看到过好几次，进攻村庄抓败兵，小队长将败兵的脖子砍了。

现在想来，对中国人确实做了太残忍的事。提起这样的话，那情形就会在梦中重现。直至数年前，晚上还无数次做到被中国兵追赶的战争梦。梦境极其可怕，我被噩梦魇出了一身冷汗。甚至半夜常被妻子摇醒，问我“怎么了”。现在再想起来还要被噩梦魇住的。

平山仁三郎（原日军第16师团第33联队第2中队轻机枪手）：

南京的下关挤满了日本兵，2大队3大队都在。大量坐着筏子、门板的中国人随扬子江漂流而去。大的筏子上坐60人左右，也有几个人的筏子。漂过眼前时日本兵就“啪啪”开枪射击。很容易命中，船上的人翻一个筋斗掉进河中。死人接连不断地从上游漂来，挤满了江面，筏上还坐有穿黑衣服的人，大概是从城里逃出来的支那兵吧。停在扬子江上的日军舰也参加射击。我们从陆上，“啪啪”射击，军舰上也发炮，可能打了两三个小时，被击中的人身上流出来的鲜血染红了扬子江。

南京陷落以后，我们马上开始了扫荡。13、14日在城内扫荡。从挹江门入城，可以看到大量尸体。尸体堆积得有五六尺（1尺约30厘米）高，载着重炮的马车轧过尸体。我们士兵也踩着轧烂的尸体进城。城墙上挂着中国兵逃跑时用的缆绳，缆绳上有很多结。入城一看，各处道路上都分散着尸体。

进了城我们就开始扫荡。扫荡的部队分搜索队与引导队，我们是搜索队。中国败兵接二连三地举起双手走出来，也没有白旗。我们也进屋扫荡，中国人自动地从屋里出来。仅我们一个分队第一天就扫荡了支那兵三个中队左右，也就是说抓了700人左右。我们没有将他们绑起来，因为人太多了。这是一个惊人的数目。这以后他们怎样了不清楚，引导队将他们带走了。

（此人没说实话，其实他和他们中队参与了把这几百个中国俘虏集体枪杀——笔者注）

大川俊介（原日军第16师团步兵第33联队第1机枪中队机枪手）：

我们用重机枪射击渡过扬子江上逃跑的中国兵。扬子江很宽，很多人都在逃，我们是从后面开的枪。我当时是射手，因为是战争，所以开了枪。部队渡扬子江时我担任掩护射击，说是掩护射击，但对方没有还击过。我们“嗒嗒”地追赶着射击。当时只有我们一方射击。……没去收拾尸体，在激战中死去的支那人的尸体到处躺着……

佐藤睦郎（原日军第16师团步兵第33联队第1机枪中队机枪手）：

南京陷落后（13日——笔者注），我们马上转向下关。在临近下关时，从镇江、紫金山逃来的中国兵东跑西窜。中队长发出命令“参加扫荡”，我们数人一组，有步兵、机枪部队、炮兵，端着步枪、刺刀沿宽大的马路向下关进军。攻入时，成群的中国兵飞奔出大马路又逃跑了，我们必须射击。逃跑的不只是士兵，有男有女，也有年轻人。我们也顾不上这些了，只是盲目地连续扫射，在固定角度从左到右“刷”地扫过去。只要看见前面有人，就马上装配起重机枪将他们全部杀死。

那天到了下关，已是胜利在望，但因为说是前面还有敌人，我们就连续猛击。没有发动机的摇橹船从扬子江上游不断漂流过来，乘着大量的人，我们对准就射击。中间有穿着普通衣服的良民，但是也将他们全部击毙了。在下关的步兵各个部队都在到处射击。

同时扬子江岸大量的中国人拥挤进来，人数不断地在增加。没有逃到对岸的人群集中在岸边，已经有数千人以上。我们对着那里，不管他是谁，只管用 92 式重机枪连续射击。机枪中队每一小队有两挺重机枪，一个中队有八挺。我们拼命扣扳机（扣一下子弹就飞出来）。港口挤满了大量的人，男女老少都有。我们面对前面四五百米的中国人，考虑射击角度，决定射击范围，然后射击。人墙倒了下去。要是他们举起白旗来的话……我们可怜他们的话，就不是战争了。我们马上接到小队长“射击”的命令。（只要是中国人都杀）这个命令，大概是师团长发出的。

第二天，仍然在下关用重机枪射击。我们杀害了大量的人。机枪中队很少与步兵一起行动，但也参加了扫荡。逃得晚的中国士兵举起白布，大多数仍穿着军服。我们把他们集中起来带到了司令部。中国兵穿的便服各种各样都有。

为了处置抓来的俘虏，我们把他们集中到扬子江岸，又是用机枪扫射……

南京陷落后的第二天，在南京城内一个仓库区，士兵带来大量的中国兵，把他们塞进仓库。说是要杀中国人“子弹已经不够了”，就在仓库周围堆上容易燃烧的东西点火。仓库里充满了烟，中国兵拼命地撞破房顶，日本兵又将他们击毙。我亲眼看到过这样的情形。

田中次郎（原日军第 16 师团第 33 联队一大队上等兵）：

逗留是不可能的，马上就出发了。

……在扬子江岸俘虏的 1 200 人一次处置了……处置完毕后，从挹江门进入城内扫荡。挹江门被沙袋堵着，仅留下可容二三人通行的宽度。门边的道路上到处散乱着中国人的尸体。被遗弃的手榴弹、武器遍地都是，我们捡了起来，顺手拔掉手榴弹的引线，接二连三地扔进要扫荡的屋里。有些躲在家中的人受惊跑了出来；有的屋里没有声响，没有人的气息，往里一瞥，全被杀了。抓来的俘虏，连数人数的时间都没有，连续不断地抓来。说是俘虏，其实都是些穿着中国衣服的男子。扫荡时都是中队长指挥的，也没有什么注意事项。我们被告知上级命令“有可能抵抗战争的人全部杀了”。但并不记得直接听到过这个命令，大概是中队长或大队长发出的吧。实际情况是把男子当敌兵抓来，也不一个一个地调查。中国人即使老实投降也全部杀掉。手榴弹不仅扔进家中，而且还用来处置俘虏。城内到处都是手榴弹的爆炸声。在城内连仓库等也一间一间地扫荡。许多仓库里关着俘虏，怎么样了不知道，但从最初我们将大量俘虏全部射死这一点来考虑，大概也全部被处置掉了吧。大规模的扫荡不仅有 33 联队，还有 38 联队参加。扫荡开始后，从中国人的家庭和商店中什么都可以得到。

三上翔（原日军第 3 舰队 11 战队海军士兵）：

12 月 13 日，早上就有“南京今天陷落”的情报，我们在离南京最近的浦口附近待命的时候，南京陆上的炮台与舰炮正在交火。那个时候，日本海军的舰炮射击相当准确，威力很大。不用多少时间，炮台就沉默了。

这正是南京陷落的时候，我们停泊在中山码头的江面上……我们全副武装，乘汽艇在中山码头登陆，然后徒步从中山北路穿过被沙袋堵得严严实实、只留下一个小孔的挹江门，进入城里。那儿巨大的城门口高高地堆积着沙袋，只留出一条能够通行的缝隙，从城外看是在右侧。

……去的路上，附近的小公园、小广场，或者曾是网球场的地方，可以说没有例外，到处都堆积着山一样的遗体。那些人是中国兵还是市民，完全不清楚。有光着身子被杀的，有像念珠那样串在一起的，或者是数人被绳子拴在一起的。枪杀或刺刀刺杀的痕迹，多得太过分了。还有，不可思议的是，隆冬季节却堆积着大量光身子尸体。

泽田好次（原日军第 16 师团第 33 联队防化兵）：

12 月 13 日，从紫金山追赶逃跑的中国兵下山时，看见好多被踏烂的尸体躺着，也许是被坦克轧的，跨过尸体，我们中队追击下山。在进入下关以前，路上全是死尸。南京陷落是跑得快的部队先攻下的。步兵前进得太快，一下蜂拥至城门，后面的重炮、大炮误把步兵当作敌人打，因此有的士兵中了友军的枪弹。

我们跟在后面，从拥有大城墙的挹江门入城，扫荡民宅里的败兵。我们指挥班几乎没有扫荡，但其他的部队抓住了全部可以称为男人的男子。“这个奇怪，这个可能是士兵”，边说边拉扯着抓起来带往仓库去。这样的事一直反复进行着。

在下关码头有一大排大仓库，里面扔满了被抓来的中国男子。哪个仓库都塞满了中国人，人头黑压压一片，不知塞了几百个人。

扫荡结束后，听说要处置中国人，我们就跑到码头边，去看杀中国人。

仓库的入口处有 9 中队的一个分队，10 个左右的兵，架着两挺轻机枪，枪口对准仓库里面警戒着，以防发生暴动。第 9 中队担任监视的任务，另外两挺轻机枪是用来杀中国人的。把塞在仓库里的男人拖到外面，让他们每五人左右一批由码头往栈桥上跑，从后面用轻机枪“嗒嗒嗒”地射击。还有的是，让五人左右站起来，面对码头跑，这样反复着将他们全部杀害。男人们穿的是当地人的服装，有的是工作服。不管是好人还是坏人，都让他们从码头开始跑，然后从后面将他们击毙。我们相互说“干得太惨了”。遭射击的中国人往扬子江中跳，因此不需要收拾，任其随江流去。

扬子江岸被飞溅的血染得通红。仓库里被两挺机枪瞄准着的中国人坐着，日本兵“哦”地举起手，就让中国人站起来往码头跑。不听日本兵命令的绝对是当场被杀，往江边跑也遭射击，跳入江中的也许有一丝得救的希望，其概率是极低的。

……扫荡时，师团发出“必须一户不漏地扫荡。如发现敌人潜入有外国权益的房子时，可以进行临场检查”的命令。由联队划分扫荡区域。联队全部参加扫荡，我们受命令去这处那处，在被分配的街头一角挨家挨户地临场检查。说是抓敌人，但不知道谁是敌人，就把感到可疑的称得上是男人的男人都抓起来了。什么地方都进去。我们进了挹江门就在紧靠边上的地方扫荡。

挹江门附近一带到处散乱着死尸。由于日军攻击的速度很快，所以敌人没有逃跑的间隙。死尸有的穿着正规军制服，也有的穿着普通衣服，各式各样。不但是城门附近，连扫荡进南京城内也全部是死尸到处躺着的状态。不仅是我们部队扫荡，其他的部队也在扫荡，所以有重复的地方，先到的先将中国人杀了。有时觉得那家中没有人的气息，一看里面的人全被杀了。也有的是看到日本人踏进来了想要逃，被从后面“砰”一枪射死的。各种各样都有，非常凄惨，想起来真的毛骨悚然。觉得可疑的人都杀了，又杀气腾腾地将逃跑的人带来扔到码头上。所谓南京大屠杀，我看到的就是让中国人往码头上跑，然后从背后用机枪将他们全部射死。码头这个地方很大，一个仓库能装多少人呢？中国人黑乎乎地坐着，有几百人吧。那样的仓库有许多，人数非常惊人。听说用机枪杀不光，最后点火烧仓库把他们都烧死的。那么多的人全部用机枪杀的话，花几小时也不够。

……扬子江表面流速缓慢，深处是急流，落水的中国士兵一个也上不来。听说扬子江畔有在中国人尸体上浇油焚烧的事。那么多的人，一下杀不完吧。（杀的人数）

大概有几千几万，因为把称得上男人的人都抓来了。仅仅我们一个中队是处置不了的，其他部队都干的。南京的屠杀一直成为问题，可能指这些吧。不是士兵的好人也被杀了很多，职业与士兵没有关系的人也都被当作了士兵，邮递员也被抓走了。在日本，不知道的人很多，他们是怎样想的呢？连与士兵没有关系的人都被当作士兵抓去杀了。

秋山源治（原日军第16师团第33联队第1大队士兵）：

攻打南京的时候，在紫金山，黎明时我们拿着步枪发动了总攻击。在紫金山的战役中，一小队死了很多人，10个左右，分队死了两个人左右，可见紫金山是我们的鏖战地。翻越高山的时候，从最顶上能看得到南京城。黎明时我们一口气跑下了山。

下关的追击是因为有总攻击的命令。“就算战死，也不要去管伤兵。”分队长说。因此，就没人去管伤兵了。我们集中射击，南京城里冒烟了，火舌也蹿起来了。在野战炮集中射击的同时，我们发动了突袭。

对方投降了。在扫荡中，有的中国兵被解除了武装，枪都没了。他们挖了土沟，我们也没去抓他们，就只见他们全都集中到江边来了，人是多得数也数不清啊。他们有人穿着士兵的衣服，也有人穿着一般的衣服。我们这边“哗”地逼近江边，然后卧倒射击，距离有100米左右。

当时也有机枪，不过我们用了步枪。其他中队也在，也有野战炮班给我们掩护射击。中国人挤得满满的，然后我看见他们“咚咚咚”倒下去了。

在我们到达南京城的时候，还有炮弹在掉下来。我刚想着要是城内发动反击的话就危险了，上头就说，不要躲到战壕里，躲到弹坑里去。我们一口气从山上下来以后就到城内了。城里面都是烟，野战炮还在轰炸。我们不是从城门，而是从城墙坍塌的地方翻进去的。

进到城里的时候，我看见了许多中国人的尸体。他们是被枪打死的。我们当时没去管这些。后来护城河发臭了，我们就挖了坑把尸体给埋了。坑是叫中国俘虏挖的，就在城门外面，尸体事先集中好了，堆得跟座山似的。坑有好几处，口子有一扇拉门那么大，大小有两间屋子那么大。坑里不够扔的尸体堆成了山。后来城门能进出了，机枪中队他们都进去了。

……我们去了南京政府和陆军监狱。那里还有服刑的人，戴着脚镣，被锁锁着。在城内扫荡中抓的俘虏有几百号人吧。有1 000个。我们搜了他们的身，以防他们暗藏着什么，然后男的管男的送走，女的就送到难民区去了。俘虏的区分，别的中队也在干。我们叫他们排成一排来区分。他们当中有的人怀里还揣着炸弹或手枪什么的。

没藏武器的站在那儿别动——可你跟他说了，他也听不懂。我们不会从俘虏身上拿走手表什么的，因为我们征发时去搜查商店跟百姓家，一看，那儿什么都有。

我不知道俘虏后来是怎么处理的。把他们送到了下一个地方以后，我们还要去执行我们自己的任务。把俘虏排成排枪毙的场面我是见过的。说是给中队上死去的那么多人找“替身”，就5个人排成一排把人给杀了，说是“报仇”。杀了之后，他们就叫支那俘虏把人埋在城内的空地上。我们扫荡了扬子江周围，把抓到的俘虏集结起来，集中到了扬子江岸边的一个地方。我当时也放哨了。我站岗站了一个钟头左右以后就跟人交接了。至于他们第二天把集中起来的俘虏怎么样了，我不知道。

冈崎茂（原日军第16师团第38联队第1大队上等兵）：

33联队是先头部队。那天晚上12点，33联队和38联队进行了交接。那里可以看见两公里前的和平门。上头下达命令说，上去三个分队拿下和平门。我们身后山炮和联队炮都开打了，这时就有人叫我“快上！”可其他两个分队的人却说：“冲得太快只会丢了性命，还是先在这里休息。”所以，三个分队中只有一个分队上去。我给轻机枪上了500发子弹后跑了50米。子弹“啪啪啪”从城门上打下来，我们已经分散射击了，可还是有人被盯上了，结果我们牺牲了很多人。当时南京最先陷落的是和平门。而最先进那座和平门的是我们！我们是挥舞着太阳旗进去的。1 000名左右的支那兵还不知道，扛着军旗排成四排从城门外进来，我们抓住了这些支那兵，接着把俘虏装上卡车带到下关，让他们排成四排，开炮打死了他们……

在南京，我砍了5个人的头。那感觉就跟杀苍蝇一样。诀窍是留着脖子前面的皮不要切断。我们让他们盘腿坐着，双臂交叉在胸前，所以头被砍掉的时候人就往前倒了。他们是朝着紫金山的方向倒下去的，这等于在日本朝着皇宫倒下去。我们也曾经把中国人绑在房子烧剩的柱子上，叫部下用刺刀把他们刺死。大别山的战役很激烈，平均有一个人战死就有三个人受伤。当时38联队的第2大队全数覆灭，被杀了1 000个人。我们当时认为，马是武器，士兵是消耗品，很悲惨。所以我们在杀中国人的时候比杀一只鸟还要轻松愉快。我当时就想，只要打下南京，日本就能结束战争了。

德田一太郎（原日军第16师团步兵第33联队第2大队上等兵）：

12月13日，早上8点左右进入南京的太平门……士兵没有接到命令不得乱动。记得当时分队长说过“把男人都杀了”。进了南京以后，我们被提醒“有外国权益的地方绝对不得进去”，因为如果不注意的话，就会发生国际问题。我们只抓男人，因为没有命令抓女人，只有命令把男人全部抓起来。只要是男人都带来检查。“以前是当兵的吧”，就这么随便地说着就抓来了。太平门附近有大量的俘虏，一个个都是惊惶不安的样子。接着不管男女老少，三四千人一下都抓了起来。在太平门外，门右的一角工兵打了桩，然后围起铁丝网，把那些支那人围在里面，底下埋着地雷。在白纸上写着“地雷”以提醒日本兵不要去踩。我们把抓来的人集中到那里，一拉导火线，“轰”的一下，地雷被引爆了。尸体堆成了山一样。据说是因为用步枪打来不及，所以铺设了地雷。接着，我们登上城墙，往下边浇了汽油后，点上火给烧了。堆成山的尸体交错重叠在一起，非常不容易燃烧。上面的人大多死了，但下面还有大量活着的人。

……分队长命令新兵“刺致命的一刀”，检查尸体，把还活着的人刺死。我也踩在软绵绵的尸体上查找还活着的人，发现了只说一句“这人还活着”，接着就有其他的士兵上来将他刺死。刺刀往喉咙口猛刺下去，血就像喷水一样喷射出来，人的脸色“唰”的一下就白了。经常听到“啊呀”的惨叫声。支那人非常不容易死。其他中队的人也在，中队长也在，我们中队主要刺致命的一刀。是以中队规模干的。那些尸体的处理由其他部队干，暂时先放在那里。据说是把尸体用电线拴在一起，让马和卡车拉到下关去处理。堆成山的尸体占地面积用农田的尺寸来说的话，大约有 100 坪（一坪约合 3.3 平方米——笔者注）。

穿着军服的俘虏拿着枪，我从中队去跟后方的大队长联系时，有五六个俘虏在，我就说“把你的大枪放了吧，放了”。在南京陷落后，枪对他们来说性命攸关，他们当然不肯放下，于是他们就往下关方向逃去。我想反正在扬子江上也会被杀，就随他们去了。投降的敌兵很多。因为太多了，也就不去跟大队联系了，回来把附近的投降兵都抓起来，带到工兵事先埋好地雷的地方去。还有一部分支那兵换了便衣躲在避难所里，后来也全部查出来拖出去。现在想想觉得他们非常可怜。大概其他的城门也有，有城内的人，也有从外面来的人。我们部队只把在太平门附近的人抓起来杀了，太远的地方没有去。我们干了相当残酷的事。听说现在南京城墙上刻有死亡的支那人的名字，想去看一次，但很害怕，去了也会被认为是无益之举，所以没去。

听说过在下关将活着的人用机枪处置的事，但没有看到过。据说那是因为支那人太多了，在下关用机枪杀不完，所以在太平门引爆地雷杀死了。

下村宇一郎（原日军第 16 师团第 33 联队炮兵手）：

尸体最多的大概要数太平门附近了。太平门前有敌人的壕沟，壕沟里埋了大量尸体。那时是早上，有的“尸体”还在抽动。可以想象敌人在那里抗击日军的情形。

我们挖了壕沟，把土盖在尸体上面埋了。我们的车辆部队在那上面通过。只有车辆通过的地方才盖上土，其他地方还是老样子留着，所以可以看得到尸体。在不长草木的山背处，尸体就埋在那儿，还可以看到脚露在外面。尸体当然是中国人的，日本人的早已全部挖出来，火葬后成为遗骨。

壕沟大致是宽2.5—3米左右，长度就不知道了。深度大致是一个人高，2米左右吧。那样的沟挖了多少完全不清楚。

埋的人数有多少？根本没有注意在那里埋了多少人。我们已经很疲劳了，摇摇晃晃的。听说那时光6中队就杀了大批的人。

在经过太平门时看到了城墙。大概壕沟就在那附近。没有其他的部队，就只有我们中队。不知为什么，好像俘虏不是在那儿处置的。因为我没有看到实际情况，所以不知道。但是，恐怕就是这样的。那尸体的一部分，好像还在抽动……

在引用这些日军当事人的材料时，笔者曾经想过是否用第三人称来对他们所说的话进行“文学”的叙述，后来发现无论怎么“艺术”、怎么“真实”，也比不上刽子手们亲口讲述的那样鲜活与血腥……战争是可以改变人性的，战争让犯罪的人并不感到罪恶，这是最大的悲剧。我们除了从这些老兵的口述中知道了1937年12月13日南京大屠杀第一天的一幕幕“现场实景”外，还可以清晰地感受和触摸到这些刽子们在杀害我中国同胞时的那份狂欢、那份平静、那份自然、那份处心积虑以及那种麻木。没有什么比这更可怕的。这就是战争。这就是与魔鬼打的仗。这就是失败国的悲剧。

好了，无须再多将日本老兵们的“记忆”一个又一个地取出来作为大屠杀第一天的“日方”证明了。仅仅上面这些人的“记忆”就足够让我们看清日军暴徒的残忍和歇斯底里了！

其实，松冈环小姐向我们提供的102位日本原老兵的“口述”史也仅仅是被中国守军的尸体染红的长江水中的一些点滴支流而已。真正的血流大潮被另一个记忆者永久地深藏着，它就是南京城——

9. 城市的记忆

日军到底在进城的第一天杀了多少已经放下武器的中国军人，似乎从浩如瀚海的史料中也很难找出一个准确的数据，不过笔者在采访中，发现了今天南京城中有一些专门为当年大屠杀而建的“遇难同胞纪念碑”。这些纪念碑大多数是20世纪80年代由南京市政府统一根据大屠杀时的遇难同胞人数和地点建立的，但也有纪念碑是在抗日战争结束后由民间人士自发捐建的，它们都以自己的方式见证了那个地方曾是日军残害我同胞的地点。如今这些纪念碑，恰似一个个不朽的记忆，稳稳地耸立在这个城市的躯体上，格外引人注目，特别提醒人们——

北极阁附近遇难同胞纪念碑（碑文）

一九三七年十二月，侵华日军屠杀我南京同胞达三十万众。仅此北极阁毗近之处，惨遭杀害者即达两千余人。其时，鼓楼至大石桥，北门桥至唱经楼，太平门、富贵山及蓝家庄等地，伏尸残骸，盈街塞道;涂膏凝血，触目生哀。翌年一、二月间，罹难同胞之遗骸经南京崇善堂收殓，丛葬于此山之麓及近山之城根等处。爰立此碑，永志不忘，藉勉后人，奋发图强，振兴中华，图运其昌。

（此碑立于城中鸡鸣寺西侧）

燕子矶江滩遇难同胞纪念碑（碑文）

一九三七年十二月，侵华日军陷城之初，南京难民如潮，相率出逃，内有三万余解除武装之士兵暨两万多平民，避聚于燕子矶江滩，求渡北逃。讵遭日舰封锁所阻，旋受大队日军之包围，继之以机枪横扫，悉被杀害，总数达五万余人。悲夫其时，尸横荒滩，血染江流，罹难之众，情状之惨，乃世所罕见，追念及此，岂不痛哉?！爰立此碑，永志不忘。庶使昔之死者，藉慰九泉;后之生者，汲鉴既往，奋发图强，振兴中华，维护世界之和平。

（此碑立于长江旁燕子矶公园内）

东郊遇难同胞丛葬地纪念碑（碑文）

一九三七年十二月，侵华日军疯狂实施南京大屠杀，我东郊一带，惨遭杀害之同胞，尸蔽丘陇，骨暴荒原，因久无人收，而致腐烂腥臭。迨至翌年四月，始由崇善堂等慈善团体从事收殓，计于中山门外至马群镇一带，收尸三万三千余具，就地掩埋于荒丘或田野。越数月，察及于丘壑丛莽间尚遗其余，故时或恶气四溢。一九三八年十二月，复经伪市政督办责成其卫生局，又于马群、茆山、马鞍、灵谷寺等处，收集死难者遗骨和残骸三千余具，丛葬于灵谷寺之东。嗣于一九三九年一月，立“无主孤魂墓碑”为志。考其碑文拓片犹在，惜乎原碑久已湮没无存。

爰特重立此碑，以示悼念，且告方来。

（此碑立于东郊南京体育学院北侧）

金陵大学难民收容所及遇难同胞纪念碑（碑文）

一九三七年十二月，日军占领南京时，留在南京的外侨代表，为了收容我未及撤离的大批难民，以原金陵大学等处为中心，在城内设立了“国际安全区”，占地三点八六平方公里，内设二十五个难民收容所，收容难民约二十五万人，其中，原金陵大学校园本身就是较大的难民收容所之一，收容难民多达三万余人。

原金陵大学附近，也是侵华日军对我遇难同胞实施集体屠杀的场所之一。一九三七年十二月二十六日，日军以办理难民“登记”为由，将避难于原金陵大学图书馆内之两千余名难民，迫令集中于网球场上（现该地已建为地质实验楼）从中搜捕了三百余名青壮年，驱至五台山及汉中门外悉加杀害。

原金陵大学校园内，也是我遇难同胞尸骨丛葬地之一，据当时慈善团体红卍字会埋尸资料记载，一九三八年一、二月间，该会曾先后在城北各处收殓，于金银街原金陵大学农场及阴阳营南秀村埋葬遇难者尸体达七百七十四具。五十年代，南京大学在南秀村建设天文台时，还曾掘出过这批尸骨。

前事不忘，后事之师。今立此碑，永志哀痛，藉慰死者，兼勉后人，自强不息，振兴中华。

（此碑立于城中南京大学校园内）

草鞋峡遇难同胞纪念碑（碑文）

一九三七年十二月十三日，侵华日军攻占南京后，我逃聚在下关沿江待渡之大批难民和已解除武装之士兵，共五万七千余人，遭日军捕获后，悉被集中囚禁于幕府山下之四五所村。因连日惨遭凌虐，冻饿致死一批；继于十八日夜悉被捆绑，押解至草鞋峡，用机枪集体射杀。少数伤而未死者，复用刺刀戳毙；后又纵火焚尸，残骸悉弃江中。悲夫其时，屠刀所向，血染山河；死者何辜，遭此荼毒？追念及此，岂不痛哉？！爰立此碑，谨志其哀。藉勉奋发图强，兼资借鉴千古。

（此碑立于长江边上元门）

中山码头遇难同胞纪念碑（碑文）

中山码头系侵华日军南京大屠杀遗址之一。当时避居国际安全区之青壮难民，在此惨遭杀害者，共达万人以上。其中，一九三七年十二月十六日傍晚，日军从避居于原华侨招待所之难民中，搜捕所谓有“当兵”嫌疑者五千余人，押解于此，用机枪射杀后，弃尸江中。十二月十八日，日军又从避居于大方巷之难民中，搜捕青年四千余名押解于此，复用机枪射杀。在此先后，日军还于毗近之南通路北麦地和九甲圩江边，枪杀我难民八百余人。悲夫！其时码头顿成鬼域，同胞悉罹枉死。惨矣！呜乎，政阁国弱，何可安全？欲免外侮，唯赖自强。今虽时殊势异，仍当“前事不忘”。爰立此碑，勖免后人：牢记历史，振兴中华。

（此碑立于长江边中山码头）

煤炭港遇难同胞纪念碑（碑文）

煤炭港系侵华日军南京大屠杀主要遗址之一。一九三七年十二月十七日，日军从各处搜捕我已解除武装之士兵及平民三千余人，拘禁于煤炭港下游江边，以机枪射杀;其伤而未死者，悉被押入附近茅屋，纵火活焚致死。内有首都电厂职工四十五人，即死于此难。兹值中国人民抗日战争胜利四十周年，特立此碑，悼念死者，永戒后人，铭念历史，振兴中华。

（此碑立于南京线路器材厂对面）

普德寺遇难同胞丛葬地纪念碑（碑文）

一九三七年十二月，侵华日军南京大屠杀惨案震惊寰宇。血沃钟山，水赤秦淮，我无辜同胞不幸遇难者逾三十万人。普德寺系我遇难同胞尸骨丛葬地之一，经南京红卍字会先后埋葬于此者共达九千七百二十一具，故亦称“万人坑”。附录其年月及埋尸记载如下:

一九三七年

十二月二十二日　葬二百八十具。

十二月二十八日　葬六千四百六十八具。

一九三八年

一月三十日　葬四百八十六具。

二月二十三日　葬一百零六具。

三月二十五日　葬七百九十九具。

四月十四日　葬一千一百七十七具。

五月二十六日　葬二百一十六具。

六月三十日　葬二十六具。

七月三十一日　葬三十五具。

八月三十一日　葬四十八具。

十月三十日　葬六十二具。

兹值中国人民抗日战争胜利四十周年，特此刻石纪念，旨在告慰死者于地下，永励后生于来兹：不忘惨痛历史，立志振兴中华。

（此碑立于城南雨花台共青团路）

上新河地区遇难同胞纪念碑（碑文）

一九三七年十二月，侵华日军攻占南京后，我大批被解除武装之士兵和群集上新河一带之难民，共二万八千七百三十余九，悉遭日军杀害于此处。日军屠杀手段极其残酷，或缚之“弱水，或积薪而活焚，枪击刀劈，无所不用其极，对妇女乃至女童，均先强奸而后杀害，惨绝人寰，世所罕见，致使尸积如山，血流成河。劫后，湖南木商盛世征、昌开运两先生目睹惨状，于心不忍，曾由私人捐款掩埋一批遗尸。嗣于一九三八年一月至五月，又经南京红卍字会在上新河一带收埋死难者遗尸计十四批，共八千四百五十九具。分记如下：

一月十日　葬于黑桥九百九十八具。

二月八日　葬于太阳宫四百五十七具。

二月九日　葬于二埂八百五十具。

二月九日　葬于江东桥一千八百五十具。

二月九日　葬于棉花堤一千八百六十具。

二月十四日　葬于中央监狱附近三百二十八具。

二月十五日　葬于观音庵空场八十一具。

二月十六日　葬于凤凰街空场二百四十四具。

二月十八日　葬于北河口空场三百八十具。

二月二十一日　葬于五福村二百一十七具。

三月十五日　葬于甘露寺空场八十三具。

三月二十三日　葬于甘露寺空场三百五十四具。

四月十六日　葬于贾家桑园空地七百具。

五月二十日　葬于黑桥五十七具。

“前事不忘，后事之师。”爰本此旨，特立此碑，特藉慰死者，兼勉后人；爱我中华，强我祖国，反对侵略，维护和平。

（此碑位于城西上新河镇棉花堤）

清凉山遇难同胞纪念碑（碑文）

一九三七年十二月，侵华日军制造了震惊中外的南京大屠杀事件，我数以千计的无辜同胞在本院境内，即清凉山附近之原吴家巷、韩家桥等地遇难。为纪念死者，激励后人，振兴中华，维护和平，特立此碑。

（此碑立于城中河海大学校园内）

江东门遇难同胞纪念碑（碑文）

一九三七年十二月十六日，日军将已被解除武装之中国士兵和平民万余人，囚禁于原陆军监狱院内，傍晚押至江东门，藉放火焚烧民房照明，骤以轻重机枪向人群猛烈扫射，受害者众声哀号，相继倒卧于血泊之中。遗尸枕藉，盈衢塞道，直至蔽满江东河面，且抛露风日之下，久无人收，情至惨烈。迨逾数月，因天暖尸腐，始由南京慈善团体收尸万余具，掩埋于就近两大土坑内，故称“万人坑”。爰立此碑，藉志其哀，悼念死者，兼勉后人，热爱祖国，奋发图强，反对侵略战争，维护世界和平。

（此碑立于侵华日军南京大屠杀遇难同胞纪念馆内）

鱼雷营遇难同胞纪念碑（碑文）

一九三七年十二月十五日夜，侵华日军将被其搜捕之我市平民和已解除武装之守城官兵九千余人，押至鱼雷营，以机枪集体射杀。同月，日军又在鱼雷营、宝塔桥一带再次杀害我军民三万余人。死难者之遗骸，直至次年二月，犹曝露于军营码头等地，惨不忍睹。后由红卍字会就地掩埋，仅二月十九日、二十一日、二十二日三天，埋尸即达五千余具。惨史难忘，忆往志慨，特立此碑，正告方未。

（此碑立于长江边金陵造船厂内）

挹江门遇难同胞丛葬地纪念碑（碑文）

挹江门附近，是侵华日军南京大屠杀中我遇难同胞尸骨丛葬地之一。从一九三七年十二月至一九三八年五月，南京崇善堂、红卍字会等慈善团体先后六批，共收死难者遗骸五千一百多具，埋葬于挹江门东城根及其附近姜家园、石榴园等地。特立此碑，以志其事，藉慰死者，兼励后人，牢记历史，振兴中华。

（此碑立于城北绣球公园内）

正觉寺遇难同胞纪念碑（碑文）

一九三七年十二月十三日，侵华日军在武定门正觉寺，将该寺僧人慧兆、德才、宽宏、德清、道祥、刘和尚、张五、源谅、黄布堂、晓侣、慧璜、慧光、源悟、能空、倡修、广祥、广善十七人集体枪杀；与此同时，日军还在中华门外将尼姑真行、灯高、灯光等杀害。兹值侵华日军南京大屠杀事件五十周年，特立此碑，悼念死者，永戒后人，铭念历史，振兴中华。

南京市人民政府立

一九八七年十二月

（此碑立于武定门新华玻璃厂门前）

五台山遇难同胞纪念碑（碑文）

在侵华日军南京大屠杀血腥事件中，五台山一带是我受害同胞尸骨丛葬地之一。据崇善堂、红卍字会等慈善团体埋尸记录记载，于一九三七年十二月至一九三八年二月，曾在此先后四批埋葬我被害同胞尸骨共二百五十四具。特立此碑，以志悼念。

碑头题字“纪念碑”三字由当年被害的幸存者王如贵书

南京市人民政府立　一九八八年七月

南京市鼓楼区人民政府承建　一九八八年七月

（此碑立于城中五台山体育场南侧）

汉中门外遇难同胞纪念碑（碑文）

一九三七年十二月十五日下午，避难于“国际安全区”是本市平民和已解除武装之军警共二千余人，遭日军搜捕后，被押赴汉中门外，用机枪扫射杀害；其伤而未死者，或乱刀补戳，或纵火活焚。尸骸蔽野，惨绝人寰。至次年二月十一日、十八日两天，始由慈善团体南京红卍字会收殓得遗骸共一千三百九十五具，掩埋于汉中门外之广东公墓及二道埂子一带。悲夫，今人孰料于此熙来攘往之地，曾是往昔日军肆虐之场，而有众多同胞罹难于此者乎？！爰立此碑，以志其事。庶我国人，牢记惨史，国难毋忘，居安思危，奋发图强，同心同德，振兴中华。

（此碑立于汉中门桥旁）

如今这样的大屠杀纪念碑在南京城里已有二十余块，每一块上的文字都很简洁，但它们却如一座座埋葬遇难者的“万人墓”，所有站在它们面前凝视这些文字的人都会心颤，因为它让我们活着的人瞬间在眼前浮现起人类史上最悲惨的那一幕……

我们有理由让纪念碑上的文字活起来，永远走在现实生活的前台，让制造罪恶者在历史的长河里不忘赎罪、不忘忏悔……

第三章　窒息的金陵城

如果说日军第一天进入南京城内心还有几分恐慌的话，那么到了14日之后当他们发现这座中国六朝古都完全掌控在他们的铁蹄之下，如同一个被一群豺狼包围住的裸女时，大和民族强盗的那种放纵、无耻和以胜利者姿态自居的狂妄心态，简直到达了极点，因此在之后的一周里，日军不再是人了，而是一群随意屠杀、奴役和欺凌中国人的野兽，甚至比野兽更残忍……

"日本兵举枪冲来，我举双手，从车子里出来。经日军同意，我爬过残破的城门，穿行在布满中国军人尸体的街上。见到日军的恶作剧——被砍下的头颅平放在路障上，嘴里放了块饼干，另一个嘴里插了支长长的中国烟斗。"美联社记者查尔斯是13日后少数被日军允许进入南京城的西方记者，他在发往《芝加哥每日论坛报》的报道中记述了最初两天的见闻：

"14日，目睹日军洗劫全城……沿着横陈着人、马尸体的街道走到北门，见到第一辆日军车子驶入城门，车轮在碾碎的尸体上打滑……

"15日，陪同使馆的一位仆役去看她的妈妈，在沟里发现她的尸体。使馆另一位男工作人员的兄弟也死了。今天下午，看见几位我协助解除武装的士兵被拉出屋去枪毙，再踢进沟里。夜里，看到500名老百姓和解除武装的军人的手被捆绑着，由手持中国大刀的日本兵押着……没有人活着回来。

"16日。去江边的路上，见到街上的尸体又多了许多。路途中遇到一长列中国人，手都被捆着。一个人跑出来，到我跟前双膝跪下，求我救他一命。我无能为力。我对南京最后的记忆是：死难的中国人，死难的中国人，还是死难的中国人……"

查尔斯只在南京待了几天就离开了，他实在无法待在这样的“人间地狱”里，他告诉他在美国的同行，说如果再待上一两天，他“必定窒息而亡”。

查尔斯的同行记者斯蒂文，比他早一天离开南京。斯蒂文在15日那天给《芝加哥每日新闻报》发了一篇题为《目击者叙述沦陷城市“四天地狱般的日子”街道上尸体积有五英尺高》的报道：

（南京12月15日电）“地狱中的四天”，是形容攻占南京经过最恰当的字眼。

我刚刚和攻城开始后第一批离开首都的外国人一起登上“瓦胡号”军舰。离开南京之际，我们最后见到的场面是一群300名中国人在临江的城墙前井然有序地遭处决，那儿的尸体已有膝盖高。

这是近几天疯狂的南京景象最典型的写照。

南京城陷落的过程也是在城中的中国城防军人难以言说的惊恐、混乱的过程，以及接踵而至的日本占领军造成数以万计的生灵，其中许多都是无辜老百姓遭屠杀的恐怖统治的过程……

日军口口声声要寻求中国人民的友谊，但他们在南京的残暴行为使他们失去极好的赢得中国民心的机会。

在中国军队的士气完全崩溃和继之而来的盲目惊慌之后，日军进城时南京城里似乎有种模糊的、松了口气的感觉，人们觉得日军不可能比被他们打败的军队更差些。顷刻之间，他们的幻想破灭了。

日军只要宽恕困在城里的大多数已经放下武器准备投降的中国军人，就几乎可以不费一枪一弹地占领南京其余的部分。然而，他们选择了有计划地屠杀守军的做法。

屠杀犹如屠宰羔羊。很难估计有多少军人受困，遭屠杀，也许在5 000—20 000人之间。

由于陆路已切断，中国军人通过挹江门涌向江边，挹江门迅速堵塞。今天经此城门过，发现要在积有5英尺高的尸体堆上开车才能通过城门。已有数百辆日军卡车、大炮在尸体堆上开过。

城里所有街道都布满着平民百姓的尸体和被遗弃的中国军人的装备与军装，许多没有找到船只过江的军人径直跳入长江，十有八九遭溺毙……

美国记者的客观报道与他们的敬业精神，历来叫人尊重。南京大屠杀的历史真相，很大程度上要感谢查尔斯和斯蒂尔，他们当时冒着生命危险在南京实地采访获得了第一手新闻材料。然而日军很快发现，他们的罪恶行径太露骨，因此对继续留在被他们占领的南京城的外国记者给予了清除，故而接下去的日子里，日军的屠杀行为大多被掩饰了。但有道是：世上没有不透风的墙，尤其是几十年后，我们可以获得的信息来源也广泛了，因此关于日军占领南京城后几周里的所作所为，并未因为时间的久远而消失，相反却越来越清晰地被我们了解。

人变成了兽，就是野兽都不如的魔鬼，因为这种魔鬼最叫人害怕的地方是他们具有高智商和强悍的能力，故而日军后来在南京城所犯下的罪行，只能用四个字来形容：罄竹难书！

10. 见了男人就杀

除了13日进城第一天日军在下关一带集体屠杀渡江不成的中国守军官兵外，14、15日是日军在南京城内屠杀中国俘虏最疯狂的两天，这样的屠杀出于两种目的：一是日军害怕剩下的中国军人抵抗他们，二是游戏式的虐杀。故而出现了见年轻男人就杀的一幕幕惨剧——

14日，日军一个大队从紫金山上下来进城前，他们抓到了一位中国少校军人，逼他带路通过太平门进了城里。这时突然迎面遇见一队中国军人，于是日军联队迅速将其包围。通过翻译，日军告诉中国军人：你们的司令长官们都逃跑了，缴枪投降吧！中国军人便纷纷把枪缴了。问这些中国军人哪个部的，他们回答是刚从镇江那边撤退过来，以为南京城还有安身之地。日军听后大笑，以为这些中国军人都成为他们的瓮中之鳖。但日军联队很快有些紧张起来：自己才不足一百来人，“敌方”的俘虏却渐渐多达一千多人！怎么办？开始日军把俘虏过来的中国军人用绳子一个个绑住，让他们站在城墙一角，后来人太多，根本绑不过来，且一千多个人，吃什么？请示上峰关于给不给吃饭的问题，回答：不给吃。不给饭吃倒不是大事，反正俘虏饿几天也不算虐待。但几十个人要看守一千多人，什么“好事”（指抢奸盗乐玩）都干不成了，于是日军联队的官兵再次向上峰反映怎么处理俘虏。上峰回答：“就地处理掉。”

“送你们走喽！”日军嘻嘻哈哈地把中国俘虏统统赶到城墙根下，让他们排成队，然后机枪、冲锋枪、步枪一起上……

一千多人用了十几分钟全部“处理掉了”。这个日军中队便扛着溅满鲜血的刺枪和太阳旗，扬扬得意地走向金陵城的大街小巷。

同一日，日军的一个机枪中队从紫金山往下走，一条铁道沿着山谷向远方延伸，警惕性很高的日军既紧张又害怕，担心有残余的中国军人阻击，于是机枪手们赶紧卧下身子，架上机枪。果不其然，不多时，只见一队约一个旅的中国军人从尧化门沿铁道向日军机枪中队这边逃亡而来。因为队伍是举着白旗，所以日军没有开枪扫射。

10 000 多人哪！怎么办？日机枪中队请示上峰，回答是：将俘虏带进城来。

“我们才几十人，押送这么多人不行呀！”日机枪中队请求增兵支援。很快联队又派来一个中队，并要求连夜将俘虏押进城里。

200 来人押 10 000 多人，依然是个大问题，且已夜幕降临。日军尽管表面上气势汹汹，心头小兔子直跳。

进城后，机枪中队的日军发现，他们押来的俘虏被塞进早已停在一块空地上的一辆辆货车中，说是分批送到一个地方去“处理”——俘虏们当然不知情。

这 10 000 多俘虏就这样被货车运到下关的长江边，然后再由那里的日军实施集体大屠杀。“处理”的方法各不相同，有直接用机枪扫射的，也有用另一种办法——“那边有个山坡，大家稍稍用力一推，货车就会往下滚。上头说：‘把这些家伙扔到江里去！’于是大家就把货车连人一起推下了扬子江。”这是一个叫朝仓正男的日本老兵说的。

在城内搜索出来的中国俘虏越来越多，他们有的被货车运到下关江边直接“处理”了，有的是整编制的一营一团甚至一旅的俘虏，日军也有些顾忌，所以先把俘虏押送到江边的那些废弃的仓库里，骗俘虏要给他们“安置”，其实也是为了掩耳盗铃地实施更残暴的“处理”——“仓库被塞得满满的。过了几天，工兵往那里点上火。虽然是命令，但还是可怜，全给杀掉或蒸烤死了。南京的仓库是用砖和镀锌铁皮做成的，所以从仓库的窗户里到处冒出滚滚黑烟。仓库里全是中国人，再也没有（装人的仓库）了，于是让中国人排成 4 列，不是几十米，而是更长。他们密密麻麻地排成队，数量惊人。我们排好几挺重机枪和轻机枪。随着一声‘打’的命令，就‘啪啪啪’地开始扫射了。不仅是我们中队，是所有在那儿的联队都干了。”原日第 16 师团第 33 联队第 3 大队老兵大田俊夫如此说。

日山炮兵第 19 联队 8 中队伍长近藤荣四郎在他的《出征日志》里也记录了他参与 12 月 16 日的一次江边“行动”：

……今晚两万俘虏收容所起了火。去和警戒中队的兵换班。终于决定今天把俘虏之三分之一、约七千人在扬子江畔枪杀。我们去护卫，于是全部处置完毕。残余未死者以刺刀刺杀。

月亮挂在山顶上。在皎洁清幽的月光下，临死者痛苦的呻吟声真是无比凄惨。如若不是在战场上是见不到这种景象的。九时半左右回来。这番场景终生难忘。

日军在16、17、18日三天内，对从幕府山下来投降的17 000多名中国俘虏，用同样的方法实施了集体屠杀。

为了求证这样的血腥事件，笔者从史料中找到了当时的日军现场记录。比如与近藤四郎同一个联队的黑须信忠在16日的“日记”中这样说：

午后一时，从我炮弹兵抽出20名去幕府山方面扫荡残敌。二三日前俘虏的支那兵之一部分五千余人被领到扬子江岸边用机关枪射杀了。其后再以刺刀恣意刺杀。我也在此时刺杀了绝对可憎的支那兵约30人。

登上成山的死人身上去突刺时的心情，就是要拿出压倒魔鬼的勇气，用足了力气去突刺。支那兵在呜咽呻吟，既有年长的，也有小孩，一个不留统统杀死，试着用刀把头砍下来。这样的事真是迄今从来没有的稀罕事……回来已午后八时。手腕相当疲劳。

听听，这样的魔鬼杀中国人时的心境是何等残暴，把他们的暴徒与魔鬼心态表现得淋漓尽致！

士兵目黑福治的“日记”记得简单，却把日军犯下的事实和杀害中国俘虏的数量说再清楚不过：

16日：午后四时山田部队枪杀了俘虏的敌兵约七千人。扬子江岸上一时间成了死人山，其状极惨。

17日：午后五时去执行任务，枪杀了敌兵约一万三千名。这两天内山田部队杀了近二万人。各部队的俘虏似要全部枪杀。

18日：午前三时左右起风下雪。早上起床见各山顶都顶着白雪，这是初雪。南京城内外集结的部队约十个师团。休养。午后五时枪杀残敌一万三千余人。

19日：本来应该休息，却于六时起床。把昨天枪杀的敌尸体一万数千名扔到扬子江里，一直到午后一时。

没有比这样的暴行更残忍的了！杀人在日军眼里已经变得很平淡很平常，中国人甚至连猪狗都不如。

俘虏兵的可怜无法想象。当时从幕府山等其他地方败下阵来的中国军人投降以后，他们以为日军至少会按国际惯例尊重俘虏的基本生存权利，但日军根本无视国际法和基本的人道主义。在俘虏们被押至江边关进仓库后，仍不知即将到来的死亡，中方俘虏中还有人向看管他们的现场日本军官写纸条恳求给一点点饭吃，从其文字里我们可以看到这些俘虏的悲惨情形和日军根本无视他们直至残杀俘虏的暴行。保存这份中国俘虏恳请纸条的是日军少尉天野三郎，当时他将这份东西寄给了国内的亲属：

报告

我们离了队伍投到大日本军队缴枪，希望给我们一个安置的办法。但是到了这处已有三天，究竟有没有办法处置？数万可怜的人，饿了四天多了，粥水都没有半点食，我们快要饿死了，在这生死的顷刻中，要求大日本来拯救我们数万人的命，将来服从大日本的驱使，报答你给我们的恩惠，赴汤蹈火，我们也甘愿，恳求大日本维持我们一粥一饭……

大日本长官　鉴核

投降军临时代表呈

啊，我可怜的投降了的中国官兵兄弟们，你们太天真和幼稚了！身为“胜利者”的日本皇军不可能发出“大日本”的慈善之心，带着屠刀来到中国的他们，根本就没有这样起码的善良！永远不可能！

饿着肚子，被骗到江边，等待死亡是中国军人唯一的命运。

这一点，数万放下武器的中国守城军人是不曾想到的，他们的悲哀也在于此。

当时的日军认为，除了在13日晚和14日上午逃亡到下关一带的中国守城军人外，南京城内应该还有2万左右隐藏着的中国军人，因此日军见到街上50岁以下的男人不管你穿着什么衣服、什么打扮，或者你自己说什么职业，基本上都被作为“中国军人”而抓起来。抓起来的若是人数在几个、几十个和一二百人的，便随意找个地方“处理”了。

日军第16师团步兵第33联队松田五郎等人，14日在城内参加“扫荡”，在一个巷子内抓到了25名俘虏。抓到后怎么办成了这些基层日军碰到的难题，问长官，长官说不知道，又说：“反正由你们自己处理吧。”

于是分队长就下令：让俘虏们排成队，然而每人前面有一个持刺刀的日军。“我拿刺刀‘嗬’的一声刺去，哪知那人穿着棉袄，刀刺扎不进去，反而给紧紧地拽住了。我想这怎么行，就扣动了步枪的扳机，‘砰’的一响，那人马上死了。”松田五郎说。

“我进城后只抓败兵，结果就有年轻男人把衣服给换了。那时候是各分队长去听取命令，我们士兵不明白具体内容。分队长当时光说了一句‘现在去抓俘虏’。你说怎么区分那是不是便衣兵？所以我们就把年轻的给抓起来……”松田五郎对自己在南京城内做的事记得十分清楚，几十年后他非常肯定地说：“在城里杀人，都是就地而杀的。”

那一天他们中队抓了250多个中国俘虏，统统“处理”了。

有个日军海军，是个新兵，他是17日才被允许上岸。上岸后的心情，可谓“兴高采烈”：“每艘舰上都有十七八个士兵从中山码头上了岸，由不到100人组成的陆战队沿着中山北路徒步进城，在中山北路路面上可以看到无数散乱的衣服，好像是谁脱了扔掉的。”上岸后走了一段时间，他们终于从被土草包堆得严严实实的挹江门门洞中的缝隙中进了南京城。进城后，这位日本新兵也被自己的“战友”所“干”的事情惊呆了：“我们到周围转了转，在看上去像是网球场的广场和看上去像是儿童公园的广场上看到尸体堆得很高，俨然是尸体堆积成的山。尸体有的手被反绑，有的四五人被绑在一起；有被刺杀的，有被枪杀的。另外当时怎么也觉得不可思议的是大冬天竟然在尸体堆中发现了很多赤裸的尸体。枪杀、刺杀所留下的痕迹非常明显，从中可以看出杀人方法多种多样。明显是被屠杀的尸体堆得到处都是，有的广场上有2个尸山，有的广场上有3个。另外，在一个家里我看到了两具无首尸体倒在已凝成糊状的血海中。被砍去头颅的脖子基本上收缩进了体内，被砍的伤口小得已几乎看不到。真是惨不忍睹……这对于年仅18岁的新兵的我来说是无法承受的打击。”

“使我无法忘记的是位于南京城北这一带的死一般的寂静。这里已没有生命，不用说已看不到活着的中国人，就连自由飞翔的鸟我都没有看到。”这位日军新兵后来看到的事，更令他终身难忘：“应该是12月18日。正在舰桥上站岗时突然听到了机关枪的声音，于是我猛然向中山码头望去，这时听到了射击声夹杂着似惨叫似怒吼的叫声，看到了人应声倒下的情景。这就是日军占领下的南京发生着的事。凭直觉我觉得被杀的是中国人，但为什么会发生这样的事，我的脑海里一片混乱。”

回到舰艇后，这位日本新兵道：“只要船上站岗，每一天，从早到晚，一次又一次地看到分辨不出是俘虏还是一般中国人的一群群人被卡车运来，在中山码头被赶到河中后被机关枪射杀。尽管因为只离开几百米即使用肉眼也能看清楚，但我们放哨时很认真，都带着望远镜，所以用望远镜就看得更加清楚。卡车一车 20 人、一车 30 人地把人运到中山码头，日本兵就用机关枪扫射将他们屠杀在岸边的斜坡上。惨叫、怒吼，这样的叫声被轰响的枪声淹没，数十秒后一切恢复平静。遭射击的一部分人跳进河中以求逃生，但一会儿后就憋不住气浮上了水面，于是他们就又成了日本兵射击的目标，被击中的人要么当场沉入水中，要么顺着水流漂流而下，这样的状况一直持续着。他们有的穿着白衣服，有的穿着黑衣服，单凭衣服不可能辨别以前是否当过兵，但就这样被 20 人一车、30 人一车地用卡车运了过来。为什么会被卡车运到被屠杀的地方呢，这对于我们来说是个疑问，只能想象成被命令干什么活，或者是做什么差使而要带到某些地方去。不然的话，怎么不会在途中从卡车上逃跑，或者不一定要到这里，可以在其他地方屠杀。不管怎么思考，答案似乎只有一个：他们是在某种情况下被骗到这里的。

这样的情况每天都持续着。到了晚上偶尔会从对岸传来吵嚷声。看到的是火焰摇晃着突然横向飞奔，仔细一看是放火杀人的情景。到了第二天，用望远镜可以清楚地看到被烧焦的像人形状的东西就像火灾后烧焦的木桩一样倒在地上。当时扬子江已进入枯水期，水位每天都在下降。所以有时前面被屠杀后陷入淤泥的人的尸体在岸边会层层叠叠地显现出来。有时我们看到日本兵强迫七八个中国人收拾层层叠叠的尸体，有的是挖一个坑，用绳绑住头或者尸体的其他部位后拉到坑里，也有扔进河里的。当时我一直在想，被强迫收拾尸体的这些中国人的生命后来到底怎么样了呢，生命的长久保障不会有吧？”

这位日军新兵特别强调：“我所看到的中山码头的大屠杀是 17 日以后发生的事……但我觉得日本兵的枪击一直持续到我离开那里的 25 日。站岗大体一天两小时，第二天的时间就会变化。因为机关兵等其他的士兵并不上甲板，只有水兵等兵种站岗，所以每天都会轮到自己，一天至少一次，有时是两次。站岗期间，每天、每隔一段时间枪杀等的杀人行为、大屠杀一直持续着。站岗时，不时有其他的机关兵等士兵嚷嚷着‘让我们也看看’，过来一起观看……”

屠杀中国人，在占领南京后，日军如同观看和参与游戏一般，时时处处，流露出

“自然而兴奋”的心境。显然，这种游戏式的大屠杀，对“鬼子”们而言，刺激又亢奋，完全是兽性的、野蛮的，毫无人性可言的。

见年轻男人便杀，这是日军进城后最丧心病狂的屠杀——这过程中，失去组织和无处可去的中国守军官兵是最可怜的人，只要遇到鬼子，他们便成了枪下鬼魂。

江东门，原国民党“模范监狱”门口，一群50多人的中国守城官兵举着白旗，赤手空拳地在街上走着，迎面走来一队日军。“我们是俘虏了，我们来听从你们的安排。”中国军人以为这样就可以逃过一劫。

日军不分青红皂白地用枪将这50多中国军人赶到监狱附近的一个菜地，并命令他们排好队。突然其中十几个日军举起大刀就往这些中国军人砍去……

“我只记得有一个日本兵高举着军刀向我砍的凶恶形象，别的什么都不知道了。”刘世海是唯一幸免于难的人，他苏醒过来后发现自己被两具尸体压着。“同行的50多个人仅有我活着，现在我的脖子上还有一条10厘米长的刀疤。”

投降的中国军人再不敢成群结队在大街上出现了，所有三五人结队而行的男人们都在日军就地枪杀的范畴内。

守城军某部的十来个士兵跟着他们的连长装成一队拉粪的民工，欲躲过强盗耳目，逃入附近的一个垃圾场。几个日本兵将其拦住，令其放下粪具，拿着扁担，搁在脖子上，列队成行。然而几把亮闪闪的军刀像剥蒜头似的砍下这些中国军人的头颅……当无首的身躯血柱喷涌时，站在一旁的鬼子们哈哈大笑，称之为“臭熏红泉”。

这时一位中国男性市民路过，又被日军拦住，查他手相，见手掌有茧，便解下其棉袄上的带子，在其脖子上绕了一圈，然后由两个日军各执一头，开始“拔河”……

待这位中国市民气绝命断后，这两个日本兵又举起军刀，砍下其首级。当血淋淋的头颅在街头滚动时，日本兵又玩起了“踢足球”。

大街上，顿时血浆四溅，而日本兵竟然“笑逐颜开”。

日军猜测和试探败阵与散落的中国军人非常有一套。验手相——看是否有茧，有茧者不由分说，统统视为曾经的握枪军人，不管你如何辩解，被刀砍、吃子弹，全由鬼子想玩什么花招而定。

但有时也不尽然。有人在大街小巷里行走时，一见日军，吓得拔腿而跑时，日军便会举枪射击，直到看着你中弹而亡。这并非完结——加砍一刀、两刀，甚至十刀八刀，皆随兴致而言。

落魄的中国军人在城中东躲西藏，仍有很多人无处可躲、无处可藏，只好在街头佯装无辜市民。

日军见之，突然一声："立正！"

习惯在军队里听长官命令的中国军人，被这样的"命令"一下收住脚步，直挺挺地立正在原地。

"哈哈哈……"日军见状，兴奋地狂笑。接着，便是"嘭"的一颗子弹完事，或者上前"剥蒜"、"开瓜"。

于是，红红的血和白白的脑浆，流淌一地。

中国军人便在强盗口中一个个"立正"口令中命丧黄泉。

有一个中国军官，反应颇快。当日军突然发出并不太正规的汉语"立正"时，他知是诈，刚刚收住的腿，立即松下，佯装跛疾。

"你的，军人的干活！"日军将军刀劈下。

中国军人的左腿断了。

"你的立正的不？"日军令少了一条腿的中国军人站直。

肯定不能站直。于是，"咔嚓"，军刀下又一条腿断了，血水一片……

"你的立正！"日军再度令中国军人用断了下肢的残腿做立正状。

肯定又是无法"立正"。于是，军刀当顶劈下……

许多"立正"的中国军人就是这样倒在强盗的"口令"之下。

有些中国男人并非是死在日军吆喝"立正"下的，他们是被扒光了衣服，在寒风凛冽的光天化日之下被残忍屠杀的。

一日，两个中国男人从小巷里走出，神情有些慌乱，因为他们确实是中国守城兵，两人是部队上的机枪手。

他们遇上了日军。

"把手伸出来！"日军比划着。

两人把手伸出。日军左看右看，似乎并不像整天握枪的人。这两个中国男人也算机灵，同样比画着手势，不断地指指肩头的担子，示意证明自己是小贩。

日军才不信，令他们把衣服脱光。

12 月下旬的南京，第一场雪飘落而下。两个中国男人光着身子冻得浑身发抖。小日本兵看着哈哈大笑，令中国男人转圈，不停地转圈。然而突然令其“停住”！

两把军刀搁在中国男人的右肩膀上。“你们的，军人的干活！”

“我们不是，我们军人的不是。我们是商人……”中国男人恐惧地分辩。

“你们的肩上有茧！扛枪的干活！”日本兵用军刀，开始在中国男人的肩膀上挑剥，血顿时流淌到中国军人的胸前，又流到下身……

军刀搁到中国男人的下身并慢慢移到生殖器上。

血又顺着生殖器淌下，如雨滴，但不是雨，是鲜红的“雨”……中国男人浑身开始抽缩抖动。

日本兵又是一阵大笑。瞬间，更残酷的一幕出现：只见两把军刀一个飞旋……那两个男人的生殖器不见了，落在了地上。

“哎呀呀——！”中国男人还未来得及叫疼，他们的头颅已经落在了地上。一旁的日本兵在比试着各自军刀的锋利。

一个身子，分成三截坠落在泥地上。

日军们轮流地用脚踢着三样东西：头、身子与生殖器。

许多中国男人就是这样被日本兵残害的。

这是另一种“见了年轻男人就杀”的情形——

上等兵井家又一与队友一起在一户民房里做饭吃，因为天冷，几个日本兵想吃面粉拌葱汁，葱在何处？于是他们见街上有行走的中国男人，抓到了中队，说是让他们去附近的菜地拔葱。下午 5 时许，天快黑时，井家又一等被通知到大队部集合，“把拔葱的中国人一起带过去。”上司让他们把 15 个中国男人一起押到大队部。

“过去一看，只见 161 名中国人老老实实地待在大队部的院子里，他们望着我们，全然不知死神的降临。”井家又一回忆说。

后来这些中国人被连打带骂地赶到了古林寺附近的一个地堡处。那里有几所民宅。161 名中国男人就被关在池塘边的一间单独的民房内。

“然后 5 人一组被带出来用刺刀刺死。有的哇哇叫着，有的边走边嘟囔着，有哭的，有的知道死到临头而失去理智。吃败仗的士兵最后的归属就是被日本军队杀死。”井家又一参与了整个屠杀的全过程，他这样记述这一惨剧：“用铁丝捆住他们手腕，扣住脖子，用木棒敲打着拉走。其中也有勇敢地唱着歌迈着大步的士兵，有跳入水中挣扎的，也有的为了逃命，紧紧抱住屋梁藏起来，任凭怎么喊也不下来的士兵。于是我们就浇上汽油烧房子，两三个被烧成火人的人刚跑出来，就猛地被刺刀捅死……”

片刻间，这里又成一处人间地狱。为了掩饰，井家又一等日本兵往遍地的尸体上浇上汽油，再点着，连民房一起烧个精光。

井家又一他们的干法并非最出奇的。住在雨花台的幸存者傅礼勤亲眼看到当时住在他家附近的十几个穷苦百姓，因为他们是男人，所以日本兵硬将他们当作“中国兵”而抓了起来。然而令这十几个排成一队，这回日本兵不是端起枪扫射，而是用一颗子弹，顶着第一个人的脑壳射击。再对准第二个、第三个……当日本兵发现有时一颗子弹一下能打死两三个“中国兵”时，便手舞足蹈地嚷嚷起来，一脸“欢欣鼓舞”。

“有一个人没有被击中要害，解放后还活着，外号叫‘四卵子’。”傅礼勤说：“能在日本兵枪口下活下来的男人，实在算是奇迹。”

11. 堵住防空洞就杀

在日军进攻南京之前，守军和国民政府为了防止日军轰炸而利用各种设施挖掘了大约 5 000 余个防空掩体。这些掩体有军事用途的，也有的纯粹为躲炸弹所设，更多的是民间百姓自己在院子和房屋下自挖的地洞，大致可藏几百人，小至一家几口人所用。

一日，日军进城后发现，一些国民党政府和军事部门皆有坚固的地下工事，开始他们以为是蒋介石等珍藏宝藏的地方，因为这些洞穴一般不易被发现，皆有地表掩蔽物，有的深不可测，有的是水泥钢筋大门紧锁，有的曲径通幽，更有地堡式的军事设置。日军对此十分惧怕，干脆见到这样的建筑，就用炸药爆破或直接掩埋。

“有人！我们这儿有几十个活人哪！”日军某联队把重磅炸药放在一处地下工事的出口处实施爆炸。“轰隆”一声巨响后，只听倒塌的洞穴内传来几声乞求的哀号声，稍后见几个浑身血肉模糊的“泥人”从残洞口滚出来，举着双手。

“死啦死啦的！”日本兵见状，迅速后退几步，端起冲锋枪和步枪，一阵扫射。

洞口平静了。后来几个胆大的日本兵进去一看，里面躺着几十具尸体。有军人，也有百姓，他们都是中国人。

在原国民政府交通部的防弹掩体里，日军搜出 100 多名放下枪的中国军人，然而让他们站在一起，用坦克上的机枪扫射，不足 3 分钟时间，100 多具肉体全部倒在血泊之中。有个日军坦克手觉得射杀的时间太快，一点儿不过瘾，于是他把同伴拉到一边，自己拿机枪，再度对准已经躺倒的尸体，猛烈地射击了 2 分钟，直到把几串机枪子弹打光。他一边打，一边看着机枪子弹扫射下的中国军人的尸体血肉横飞的情形，哈哈大笑，这就是他们玩的“砸西瓜”。

后来日本兵对这样的防空掩体不再进洞搜索，一律用炸药将掩体轰塌封死，不管里面有多少人，也不管是死是活，统统掩埋。

百姓的小掩体太多太杂，这是日本兵非常讨厌和无奈的。但他们也有办法——夫子庙附近有个澡堂，澡堂的大门口有个地洞，日军进城时，十几个来不及逃跑的守军伤员和几个老百姓与 5 名孩子躲在里面。日本军进入澡堂，发现了地洞，对准洞内就是一阵扫射。怕还有人活着，于是在澡堂浇上汽油，一通大火，烧个精光。房子和地洞一起被埋掩在火海之中——不可能有活着的人存在。

李秀华，住在城郊西干长巷的幸存者。11 岁那年，除她父亲外，所有的家人都藏在家里旁边空地下的防空洞内。日本兵来搜索，不见大人，便给小孩发糖，让小孩告诉他们大人藏在何处。小孩不敢吃糖，于是日本兵又继续搜索，结果发现了李秀华家的一个防空洞。日本兵威胁里面的人再不出来，就堵住洞口，用火烧，用烟闷死里面的人。李秀华的哥哥当时 19 岁，刚刚结婚没几天，衣服穿着整齐，头发也理得有模有样，他第一个从洞里出来，日本兵一见，便认定李秀华的哥哥是“中国兵”，于是便用军刀砍死了。第二个出洞的是李秀华的堂哥，也是 19 岁，这回日本兵用刺刀将其捅死。第三个出来的是李秀华的堂叔，命运同样。日本兵将 3 个男人杀害后，似乎仍不解气，“他们把尸体扔进洞内，又放进黄颜色、四方块的像肥皂一样的东西，然而点着火……”几十年后，李秀华回忆说。

第一批日本兵走了不到 2 个小时，第二批鬼子也来到李秀华家，这回日本兵逮到了李秀华的嫂子，将其强奸。李秀华的另一位亲戚大娘，以为五六十岁了，日本兵不会拿她怎样，结果还是被野兽们奸杀了，并且还将扒光衣服的尸体“展览”……

长白街头条巷 18 号，住着魏廷坤一家。日本兵进城后，魏廷坤的父亲带着老婆躲藏在成贤街的一座尚未竣工的楼房底下的地下防空洞内。当时的洞里已经藏了三四十人。一位炸豆腐干的老乡听到外面有动静，便在洞口张望，结果只听“嘭”的一枪，炸豆腐干的人就死了。日本兵这下发现了地洞，用枪逼着里面的人一个跟一个地走了出来。就在大人往外走时，人群中有个小机灵鬼趁人不备，钻进了墙边的一个烟囱里，这个小机灵鬼就是魏廷坤。躲进烟囱内的魏廷坤不一会儿，使听到外面一阵阵枪声……深夜时分，魏廷坤从烟囱里悄悄探出身来，暗淡的月光下，他看到自己的父母和

30 多个人全都躺在地上，已经被日本兵统统枪杀了。

日本兵对待这样的零星掩体，他们总结为“掘洞、打洞、埋洞”的“三洞”战术。首先在市面的商店和市民家里，发掘有掩体的地洞，倘若见是男人便就地枪杀或刺死，倘见是“花姑娘”就进行强奸——这叫“打洞”，然后把强奸、轮奸后的妇女扔进洞内，用手榴弹或炸弹，将洞穴掩埋。这就是所谓的“三洞”。

多少市民和俘虏被日军处死在防空掩体里，无人统计过，这仅仅是日军实施大屠杀的一个形式而已。

12. 闯进宅门大院就杀

这是日军进城第一个星期里在全城范围内犯罪最多的行径——

中华门内新路口一个院子里住着一户 4 口之家的回民，另一户是 9 口之家的夏家。夏家的三女儿叫夏淑琴，7 岁，妹妹 3 岁，因为她和妹妹还小，所以幸存。

12 月 13 日日本兵突然闯进夏家的院子，先将回民家的男人和夏家的男人枪杀，然后将夏淑琴的母亲和两个姐姐强暴后又枪杀掉。

夏淑琴和 3 岁的妹妹躲在被子里，妹妹被吓昏过去。夏淑琴由于恐惧大哭，被日本兵用刺刀在背上刺了 3 刀，当时就昏过去了。黄昏时候，小淑琴醒来，才知自己还活着。除了她和 3 岁的妹妹，其余 7 个大人全被日本兵杀害。

家住城南的秦老板，因为家里有三进房子，是祖上传下的家产。日本兵进城前，许多邻居都逃命远走了，秦老板舍不得家业，便带老婆和孩子一家 6 口躲在家里。15 号那天一早，几个日本兵端着枪一脚踢开秦家大门。秦老板虽惊恐，却依然装笑脸迎候。日本兵见秦老板戴眼镜、理平头、穿长衫，文质彬彬，不像是“中国兵”，又见秦的后面站着一位白发长者，“你们的什么的干活？”日本兵气势汹汹地问。

秦赶问回答：“我是生意人，开豆腐店。他是我们的房客，我们这儿的邮政局长。”

“你们家有中国兵的没有？”日本兵问。

“没有。我们都是良民。”秦回答。

“有花姑娘的没有？”日本兵继续问。

“没、没有。”秦回答得心虑，因为他老婆和孩子都在家里躲着。还有长者的老婆也在里面。

日本兵似乎生气了，将秦和姓徐的邮政局长一起拖到巷子口，然后用枪托猛击两人，秦老板和徐局长当即倒在街上。日本兵不甘心这样空手而归，便再次踏进秦家，很快将秦夫人和徐老太搜出。“哈哈哈，花姑娘的有！”

几个日本兵不管三七二十一，一拥而上，将半老徐娘的秦夫人和徐老太扒光衣服，当着秦家 4 个孩子的面实施了轮奸……

被打昏在街头的秦老板和徐局长这时醒来，两人一听家里小孩哭、女人叫，知道出事了，赶紧往回走。年轻的秦老板走得快，一踏进门见自己的女人被日本兵糟蹋，欲想上前与日本兵拼命，哪知还未动手，便被两个日本兵用刺刀一下捅死在家门口。

得逞的日本兵扬长而去。徐老太觉得自己一把年岁还被日本兵污辱，没有脸面活着，便要跳塘自寻。“你干啥？我没有走，你不要寻死嘛！”年近 60 岁的徐局长一声叹息，叫住了自己的老伴。

赤身裸体的秦夫人觉得自己在孩子面前给日本兵奸污了，无颜活在世上，于是边哭边拉着最大 11 岁的 4 个小孩子先后跳进了附近的水塘里……幸巧被路过人见着并救起，可怜最小的 1 岁孩子因溺水而亡。

玉带巷 22 号住着李福义父子俩，其他人家早已逃往乡下，李福义不舍两间旧居，所以日军进城后没有离家。

李福义平时胆小，一日，日本兵敲门，李福义不敢前去开门，敌怒，即向屋内连开数枪。李福义不得不踱着步子前去开门……“八嘎！”日本兵不等李福义将门全部打开，便已飞腿一脚朝他胸前踢去，然而又把倒地的李福义拖到玉带巷口，拖一步刺一刀，一连刺了数十刀，直至他断气。

待在屋里的儿子李学才早已吓得浑身发抖。日本兵并没有放过他，在弄死李福义后，折身回到李宅，端枪直冲里屋，几把亮闪闪的刺刀戳向李学才的胸口。

“啊！啊啊——”李学才痛得死去活来，拖着血体，打算往后院逃跑。日本兵大步追来，直逼李学才至墙根，然后对准他的喉咙与脑袋，连开数枪，直至脑浆四溅……

新街口有一深宅大院，里面住着一位姓杨的老先生，他是个旧式老知识分子，也是富有家庭的后裔。据说杨老先生的祖上明清时曾有人在朝廷里当差，故而其老宅是有模有样的大院子。国民政府成立后曾想征用作为一个军事机构所在地，但由于杨老先生“根子硬”，所以连政府都没能征下杨家的这块风水宝地。

日本人来了，杨家的上上下下纷纷逃到了外地，唯杨老先生坚持不走。“不就是小日本嘛！有啥可怕的，我又没欠他们啥。”杨老先生满不在乎。

无奈，杨家只留下两佣人陪杨老先生守院。

日本人进城，大搜索、大抢劫到处可见。自然，像杨家这样的大院也难免。

“咚咚咚！”日本兵用枪托猛砸大门。

岿然不动。

“咚！咚咚！咚咚咚——”

“咚咚咚！咚咚咚！咚咚——！”

日本兵的砸门声响如雷震。

“老先生，好像外面有人在敲门。开不开？”佣人请示。

“开吧！不开非礼也。”杨先生抽着水烟，半闭着眼睛说。

佣人赶紧去开门。五六个日本兵瞪着眼珠，冲向开门的佣人就是几刺刀。“先——”佣人“生”字还没喊出，就一命呜呼倒在血泊之中。

日本兵闯前庭，进二院，再入杨老先生安坐的后庭。

“你的什么的干活？为什么不开门？”日本兵的刺刀逼到杨老先生的鼻子尖上，并且用枪刺挑掉了他手中的水烟。

杨老先生眼皮一抬，不冷不热地：“我，中国人。南京市民。在自己的家里，什么的不干！抽烟的不行？”

日本兵大为惊骇，因为杨老先生是用日语回答的。

“你的，我们大日本的朋友？”日本兵张着惊恐的眼神等待回答。

杨老先生轻蔑一笑，说：“我的不是你们的朋友。我的爷爷是与你们日本国当年谈判甲午战争后续条约的翻译秘书……”

“哟西！你的了不得！”日本兵相互对视后，发出一片嘘声。

“你家的，私藏中国兵没有？”日本兵追问。

杨老先生摇头，说：“我们家从不问政治和国事。”

“那你为何迟迟不开门？”日本兵又问。

“你说什么？”杨老先生耳朵一侧，似乎没有听清。

“问你为什么不快快开门？”日本兵粗暴起来。

杨老先生听明白了，淡淡一笑，说：“我耳聋，听力不便。”

日本兵感觉眼前的这位会说日语的中国老人在耍弄他们，于是战胜者的强盗占有欲上来了，不由分说，几把枪刺直向杨先生胸膛刺去……

“你们这些狗——！”杨老先生怒发冲冠地瞪大眼睛，大骂日军。

“死啦死啦的——！”日本兵抽出血淋淋的刺刀，又重新向这位不屈的老者刺去。

“鬼子！”倒下瞬间的杨老先生这回又用了日本兵听得懂的语言骂道。

以为神圣不可侵犯的杨老先生被剥夺了生命，他祖传数百年的杨家老宅也被日本兵一把火烧成灰烬……

家门难挡日本强盗。佛门又如何呢?

中华门外的长生寺，位于方家巷内。日本兵攻克雨花台后，也就是十四五日便逼近寺院。小僧宏量问师父梵根，“要不要闭门躲躲？”师父告诉他：“日本人也信佛教，都是佛门弟子，善哉善哉。”

梵根令宏量等所有寺院的大小和尚上大殿念经，香烛梵音。于是宏量等和尚们一个个跪在蒲团上，向慈善的佛祖顶礼膜拜。

这时，一阵皮靴声传来，一队持枪端刀的日本兵将和尚们团团围住，其中一个军官模样的家伙走进大殿，拍拍一个和尚的肩膀，意思是让他到院中的丹墀上跪下。

这和尚在院中跪下后，口中仍然念着“阿弥陀佛”。

“砰！”跪着的和尚被日本兵一枪击毙。

第二个和尚又被叫出，同样跪在地上念经。又是“砰”的一枪……

如此，一个个和尚被叫出，又一个个被杀害。

17个僧人先后倒在血泊之中，他们的黄色袈裟，被鲜血染尽。

“你——念经的有！”日本兵发现有个人并不像和尚，也令他念经。

那是俗家人，是当地卖油条的吴老汉。由于日本兵来得快，吴老汉没处躲藏，便来求梵根师傅。救人一命，胜造七级浮屠。梵根师傅好心，便收留了吴老汉，也临时给了他一件僧衣伪装成和尚。哪知露馅，不会念经的吴老汉当场被日本兵用军刀砍在后颈上，结果颈骨砍断了，气管还连着，头耷拉了下来，血流如注。吴老汉疼得在地上翻滚……这时，一旁看热闹的另外两个日本兵上前，“咔嚓”连刺两刀，吴老汉顿时头断气绝。

“哟西，你的花姑娘的好！”日本兵突然被一位皮肤白嫩的和尚吸引住了。此和尚叫隆慧，是旗人，40多岁没长胡子，几个日本兵以为他是女人，于是好一阵高兴，七手八脚地扒掉隆慧和尚的衣服，结果一看是个男的，小鬼子气坏了，把隆慧和尚赤条条地拉到陀罗尼门的大石坎上，然后几个人一起将其抬起，又猛朝石头上摔下——隆慧和尚顿时脑浆四溅，一命呜呼。

平安数百年的长生寺，瞬间人亡寺毁，只剩下十三四岁的宏量和比他更小的妙兴徒弟二人。

年少的宏量吓得无处可避，于是逃到普照寺。位于莫愁湖的普照寺为千年古刹，当时有不少百姓也躲进了寺庙里面，包括不少老人和妇女。也就是十五六日，日本兵便踏进了这座佛门圣地。他们逮住一位60岁多的老婆婆欲奸，结果引出了一群躲在佛像后面的年轻妇女，其中最小的才十一二岁，女人们没有一个逃出魔掌。可憎的日本兵仍不罢休，非要玩花招——让和尚与那些妇女“快活快活”。一个和尚双手合掌，口念“阿弥陀佛”。日本兵讥笑他“没有用”，于是便用刺刀将其生殖器割下，可怜那和尚疼得在地上乱滚，最后还是气绝丧命。

日本兵的铁蹄无论何门，皆一脚而进，暴行施绝。南京小心桥百岁宫有位70岁的隆华老师太，她见日本兵无视教规，作恶多端，虐杀生灵，便让尼姑们在大殿上架好柴火，自己盘腿独坐其上，当日本兵冲进宫后，隆华老师太点火自焚，与百岁宫一起化为灰烬……

日本兵目瞪口呆，即鸣枪致敬。

家门佛门皆挡不住日本兵的屠杀刀枪。徐长福的家是在江边的拖船上，他的家会被日本兵闯上来吗?

日本兵进城第二天，徐长福带着一家7口人搭上一条破“小划子”，顺着惠民河往上准备到水西门一带躲一躲，结果半途小划子漏水，徐长福赶紧又带着全家人上了堤岸，在江滩上临时搭了两个芦柴窝，相距几十米远。徐长福与二女儿、三女儿一个窝，其妻带着四个小儿子住在一个窝。入夜，徐长福的小儿子才几个月，因母亲没奶水，便哇哇直哭，这声音给日本兵发现了。电筒照到了徐家的芦柴窝。

日本兵一见徐妻，顿起淫心。徐妻死抱着几个月的小儿子就是不放，日本兵连打两枪，将徐妻和小儿子当场击毙。

就在几十米外的另一个芦柴窝里的徐长福及两个女儿不敢吭声，只能低泣流泪。待日本兵走后的下半夜，徐长福才带着女儿来到妻子的窝棚，含泪将妻子和小儿子装在用门板钉成的木盒内，露放在堤上。等待天亮后再作处理。哪知天亮后，又一群日本兵路过，见了徐长福，抓着他便走了，从此徐家儿女再也不知父亲的死活。

没了父母的徐家5个孩子，只得由最大的13岁的二闺女带着，在堤岸寻吃的找活路。第三天天黑前，二闺女想给弟妹们寻些吃的，便上了堤岸，结果刚露出身子，就被日本兵发现。

“花姑娘！”日本兵一见徐家二闺女，立即令她站住。小姑娘吓得拼命往河运学校方向跑，小女孩哪是日本兵的对手，几下便被贼兵抓住。日本兵欲扒她衣服强奸，哪知小姑娘死活不从，还抽了一个日本兵一耳光。这下惹怒了小鬼子，拔刀就将徐家二闺女的头劈成两半……

徐家只剩下可怜兮兮的 4 个娃儿，从此 11 岁的三闺女成了“家长”，她身后是 3 个五六岁的小弟弟。不日，三闺女被人领走当了童养媳，因受不了虐待而上吊身亡。徐家 3 个幸存的小儿子也分别被人领走，皆改姓易名。

徐家的悲剧代表了日军占领下的南京市千百个家庭的命运。

13. 为迎“入城式”的大绝杀

对作为侵略者的日军来说，占领南京是他们“自建国以来第一次占领他国之首都”的“千载盛事”。为了迎接这一“千载盛事”，占领军遵照上司的指令，从进城的 13 日开始的数日内，便开始了所谓的“整治市容”和消灭“残敌”的扫荡军事行动。

原定的入城式是在 15 日。据说因为司令长官松井石根大将那几天身体欠佳，常卧床难起，加之“城内秩序尚未稳定”的缘故，就决定拖到 17 日。

13 日到 17 日，这也是日军实施南京大屠杀人数最多的几天。在军事用语中，“扫荡”是非常清楚的字眼，那就是见敌人便消灭之意。“整治”这样的词是对外面说的新闻辞令，其实对拿枪的人和杀红了眼的人来说，连日军的将士后来也都认为，这就是“屠杀”的同义词。

掌握和了解这方面的史实，有个意外的发现是：笔者基本上看到的是日军方面的史料。

因为中国人——处在生死边缘的守城军人和百姓，在那些日子里但求能够保住一条命，不太可能还有谁能心平气和地记录身边所发生的每一个细节。只有爱记日记的日军将士倒是非常认真和清楚地记录了当时他们自己每天干些什么事——这也从加害者的角度使我们清晰地看到了南京大屠杀的真相。

比如在进城前的 12 月 7 日最高指挥官松井石根，就在向部队发布的命令中专门提到了在进城后要“各师团以一个联队为基干部队扫荡城内”这样的明确指令。13 日进入南京城后，各部队下达的关于“扫荡”的命令就更多更具体了。如佐佐木的第 30 旅团在 14 日就下达了“扫荡”命令的十条内容，其中有“旅团于本日（14 日）要彻底扫荡南京北部城区及城外”、“各部队至师团有指示前，不得接受俘虏”和出动“独立轻型装甲车”等内容。显然这样的“扫荡”对平民和放下武器的中国守城军人来说，就意味着被屠杀——“不得接受俘虏”的话很清楚：你即使是投降者，我也不接受你的投降，其结果当然是“死啦死啦”的。

进城的日军下属联队在13日后，也都相应做出了更具体的自己的“扫荡”命令。比如笔者看到一份《日步兵第38联队战斗详报第12号》报告，这份表明“昭和十二年十二月十四日”出笼的军情报告，详细记录了该联队14日下午下达“扫荡”命令的具体任务分配和全天战况及其“扫荡”结果，签名的是联队长助川大佐。在这份14日的“扫荡”报告后面还附了3个表，其中第二个表中列出了该联队当天出动的兵力和消耗子弹的情况，共消耗步枪机枪手枪子弹3 097发。在第三个附表的“备注”一栏里有一句话非常特别和醒目：“第10中队奉命守卫尧化门附近而驻守该处。但14日上午8时30分左右，几千名敌人举着白旗来到该地。下午时解除武装后护送7 200名俘虏到南京。”

关于这第10中队在14日所“接受”的7 200名俘虏，另一个日军士兵的“日记”里清楚地告诉我们，这些俘虏后来迅速被押至下关的江边，全部被枪杀了。

在日军“步兵第7联队战斗详报”中，笔者还看到了出动山炮和坦克的内容，如“步七作命甲第105号（绝密）步兵第7联队命令”中有“应使用三分之二左右兵力”、“坦克中队（配合工兵小队长指挥的两个小队）应负责扫荡有特殊标记的道路”。这个联队在之后的15、16、17号等日子里，都有相关的“扫荡”命令。也就是说，在那些日子里，进城的日军，基本上有三分之二的兵力主要用于在城内外“扫荡”——参与屠杀。

其间日军借“扫荡”之名到底屠杀了多少放下武器的中国军人和平民百姓，还是日军“军情”报告和他们的将士“日记”透露了部分内容：

国崎支队，是日第10军的王牌部队，用我们的话，它是一支刽子手特多的“魔鬼部队”。在这个支队的12月14日“军情报告”中有这句话：“了解到江心洲上有不少残兵败卒，就让该守备部队在独立山炮第10联队的协助下负责扫荡该岛。扫荡队这夜到达该岛开始扫荡。岛上解除武装的人大约有2 350名……”也就是说，这一天他们打死了俘虏2 350名——“解除武装”紧接着的结果就是枪杀，没有掩饰，日军将士自己多次这样记述。

15日的国崎支队“军情报告”中又这样“报告”道：“……江心洲还有不少残敌，

又派出第三大队再去该岛扫荡。”这份“报告”没有具体说当天他们“扫荡”了多少中国军人和百姓，只是提到了存留的“敌军番号及兵力”：（一）江浦附近：以第58、78师为主，以及第18、80、85、88、138、178师各一部，总兵力约3 000人；（二）浦口附近，以第78、88师为主，以及第10、18、73、80、85、117、178、181各一部，总兵力5 000人。上面这两个地方新发现的“残敌”共8 000余人，后来被俘后都到哪儿去了？自然只有就地被杀，血染长江……

因此我们可以这样认为：真正的南京大屠杀，是因为日军决定为迎接17日松井等最高长官进城的所谓“至高无上”的“入城式”前的13日开始的。拉开大血幕之后的悲惨情景，本章前面已有所叙述——但多数讲到的有关“扫荡”是在下关长江一带和城内，其实在南京广大的市郊的“扫荡”行为，也是不胜枚举。

这里有一名参加南京城郊村庄扫荡的日军回忆：

> 有一次，我们因为怀疑某村庄有游击队潜入，于是就放火将它烧毁，一户也不留。另一次，单凭直觉认为村庄上有敌情，就将村庄烧毁，村民全部杀光，不留一个活口。
>
> 对居民而言，这实在是无妄之灾，但是，日军却单凭自由心证，在无重大理由的情形下，做出这种丧尽天良的事。
>
> 我首次犯下烧毁民房的大罪，是在入侵南京的途中，一处名为“句容”的邻近村庄。当时我所属的大部队，以预备队的姿态跟随在第一线部队的后面。
>
> 随着接近南京，中国方面的抵抗也愈来愈顽强，在句容前方不远之处呈现胶着状况，于是部队就暂时停留在当地。在那一段短暂的停留期间，分队中的野吕一等兵伙同其他分队的士兵一行五人，不知前往何处去征收食物。
>
> 当时在附近仍有许多战败的敌兵潜伏着，他们少数人到离开街道的地方去行动，实在很危险。而且在战况不明，不知何时就要前进的情况下，他们竟然忽视这个道理，私自外出行动。
>
> 我心中突然有一种不祥的预感。如果他们平安无事地回来还好，万一发生问题，事情就闹大了。不巧的是，总攻击的行动正要开始，大部队也接到了前进的命令。
>
> 此刻我再也无法隐瞒了，于是怀着恐惧心向中队长报告。虽然中队长非常愤怒，但事情既已发生又不能不处理。

如果是不懂人情的队长，也许会以“大事为重”的理由，不理会他们而率队出发，但是很体谅部下的大岳中尉，却立刻召集干部商量后，派出搜索队。

这个临时的搜索队，是由发生问题的本分队和丹羽分队的队员组成，由身经百战的三宅班长担任指挥。

仅两个分队的兵力，就敢进入敌方和游击队潜伏的地区，实在很危险。途中经过两三个小村落，未发现任何迹象，再继续前进约八公里后，看到一座周围用土墙围成的村庄，约有五六十户人家。

“这个地方很可疑。”说着班长就在村庄前方下令停止前进，然后自己带着三名士兵不知要前往何方，约三十分钟后就抓回三名状似当地居民的男子。

班长似乎打算从他们口中探出消息。结果不出所料，他们一回来就叫翻译人员沟口一等兵进行问话。

“你们有没有在附近看到几名日本士兵？坦白说。他们到哪里去？现在又怎样？如果有任何隐瞒，你们就没命。”

那三个居民看到班长拔刀在恐吓，可能是惊吓过度，一时竟答不出话来。班长却以为这是无言的反抗，而大声呵斥道：“臭家伙，你竟敢不合作，我要你的命。”同时高举军刀，做好砍首的准备姿势。

也许是因为我不认为他会真的砍下去，所以当我看到他那把锋利的军刀掠过居民的头部时，我的确吃了一惊。

锋利的刀锋不偏不倚地砍断其中一位居民的首级，滚落在草丛中，从切口喷出的鲜血染红了附近的草木。其他两位居民此刻非常害怕，于是就将自己所知道的一切道出。根据他们的说词，住在前方那座村庄的都是普通老百姓，但最近有几十名中国游击队员潜入。今天白天里，突然来了几个日本军人。不久就响起一片枪声，但是因为事情发生在村庄内，他们不知详情，也不知道那几个日本士兵的下场如何。

听到这里，大家都判断野吕一等兵可能是因为征收而遭到杀害。下一步只需前往确认，然后准备收尸。但是不超过30名的兵力，想要从正面挑战实在太危险，一不小心很可能全部被歼灭。

于是班长就决定等到入夜村民全部熟睡后，放火烧毁村庄，趁居民们狼狈逃亡之际，一举将他们全部消灭掉。班长是一位沙场老将，作战经验丰富，他的作战策略从未失败过。

等到深夜，认定村民都熟睡时，我们就越过土墙，到处放火。不久，火势迅速蔓延起来，火光到处乱窜，将整个村庄烧毁。酣睡中被大火惊醒的民众，争先恐后地仓皇出逃。

这个时候，我们乘虚而入，展开突击行动，见一个杀一个，只在十几分钟内就再也看不到一个会动的人影，到处散落着死尸。其中也有类似游击队的武装人员，但我们并未遭到抵抗。也许是因为在睡眠中遭遇突袭，慌张过度而误将两个分队的兵力视为一个中队，以致丧失战斗意识。

战斗结束，在火光照耀下检查死尸后，才发现几乎都是普通民众。尸体中有抱着婴儿的母亲，也有 10 岁左右的小孩，以及老婆婆、老公公……

其实日军在向南京市郊“扫荡”中，是杀害无辜百姓最多的一段时间。通常情况下，日军到市郊的“扫荡”都是突然袭击，而乡村的百姓又缺少防范能力，他们不像城里人东躲西藏——因为几间草棚在这些农民看来，是他们唯一可留、可躲的地方，因此日军一到村里，他们大多数还留在家中，几乎是任杀任害。

笔者翻阅了几篇由朱成山等 2005 年编著的《南京大屠杀幸存者口述》内部材料，这是一批大学生利用假期进行的社会调查完成的成果，其中多数是那些居住在市郊的南京大屠杀幸存者的自述。此处挑几份供读者一阅：

陶昌漫（85 岁，永宁镇东葛村人）：

日本人把我们这里的 8 个人绑在凳上，旁边放上脚盆，把他们刺死以后血就流在盆里面，盆都装满了血，和杀猪一样！鬼子还把村里抓来的 4 个人用绳子绑起来，背面还加上大柱子，把他们从山上推下来，人都断气了。村里一个叫陶陇和的，当时 50 多岁，被日本人开枪打死了。村里还有一个叫叶维荣的，神经有些不正常，也被日本人开枪打死，另外一个叫余休金，当时 50 多岁，日本人烧房子，他待在里面，日本人不让他出来，结果烧死在里面了。

方有均（84 岁，永宁镇东葛村人）：

我们家有草房上十间，一大家族住在一起，有上十口人，包括叔叔婶婶，兄弟十几个都住在一起。鬼子一来，我们都跑到河那边，房子和家里的东西全被鬼子烧掉了。我当时 17 岁，是家里四兄弟中老大，我有个 11 岁的兄弟，小名叫龙孩的就被日本兵打死了。我母亲是被日本人炸死的。村里有个叫刘知军的，鬼子看见他，他就吓得跑，鬼子就打枪，我亲眼见他摔倒死了。

邹万波（80 岁 永宁镇侯冲村人）：

鬼子来的时候到处打鸡打狗，打死了就拿走，鬼子叫小孩帮他们逮鸡，逮不着就揍人。我亲眼看见王家楼子整个村子被烧掉了。有个叫萧家和的，当时 40 多岁，日本兵用装刺刀的长枪把他捅到水里刺死了。村里还有一个人是陈德教的父亲，他名字我记不住了，当时他是个读书人，鬼子见他像个知识分子，就绑起来，浇上汽油，在张家堡把他活活烧死了。

丁成英（76 岁 永宁镇高丽村人）：

我原籍在上周八队。入冬，鬼子突然进村放火烧村。那天有一家正在办喜酒，鬼子来后堵住门，说里面的人是“坏蛋”，架起机枪就扫射，打死了 13 个人，其中有李绑国的父亲李常安、他二哥李邦友等。

张家林（永宁镇河北村人）：

鬼子进村那年，我大约六七岁。只知道鬼子见人就杀，一村子人被杀死一百多个还不止。当时鬼子占据了整个铁路，大人要是穿过铁路线，鬼子就以为你是坏人，就让狼狗咬，活活把人咬死。我看见一个跑反到此地的南京城里人，就让日本人一刀刺死了……

…………

永宁镇是个小镇，而且也不是日军重点“扫荡”的地区，即使如此，这里在日军占领南京后的初始时间里，也多次惨遭“扫荡”，数以千计的平民百姓死于非命。

而日军在“扫荡”中所实施的残暴花样，更令人发指。在这许多日军的“日记”和“回忆”中都有足够的描述与记载。下面这位叫田所耕三的日本老兵，是日军第 10 军第 114 师团重机枪部队的一等兵，他曾对人说：

> 我在城里扫荡残敌，把俘虏绑在树上，军官们一面教导我们怎样枪杀和刺杀的方法，一面把他们弄死。军官和下士官把蹲在挖好的坑前的俘虏脑袋砍下来。我嘛，那时是二等兵，只让我用刺刀刺……这样的屠杀在城里外一连干了 10 天左右。
>
> 当时，我们的部队驻在下关，我们用从铁丝网上折下来的铁丝，把抓来的人每 10 个捆在一起，堆成井字形的垛，然后用煤油点起火来烧，这叫“捆草袋子”，这简直和杀猪的一样。干了这样的事，再杀人就不算什么了，司空见惯！为了使俘虏们有所畏惧，也曾用割掉耳朵、削下鼻子，或者用佩刀捅进嘴里再豁开等等

方法。要是把刀横着刺进眼睛下面，立即就有鱼眼珠一样黏糊糊的东西耷拉下来。从登陆以来，好久好久才有这么点消遣，如果这些玩意儿都不干了的话，还有什么别的乐趣呢?

用“惨无人道”来描述日军的残暴似乎远远不够。

15日那天下午，盘城乡丁解村史家有的父亲刚从家里走出，就被日军拦住，也不问什么事，日本兵举起刺枪就往史家有父亲的喉咙、两肋、胸口连刺4刀，受害人当场死亡。刘庆英说，她儿子韩小斌和邻居张家的两个儿子，因为身体长得壮实，“日本兵硬说他们是当兵的，当场被日本兵杀害。张家兄弟被砍掉头，死在家门前;我的独生子被日本兵用刀捅死，共捅了9刀，肚子两边各4刀，手臂上1刀”。另一位幸存者许金凤说，日本兵把她家房子烧后，又把其丈夫拖到塘边，“用刺刀戳进心窝，这还不算，又向头部打了一枪，直到脑浆出来后，鬼子才哈哈大笑地放手”。

郊区如此，市区更是日军施暴“展显身手”的地方。

碑亭巷的侯占清是个幸存者。那天4个日本兵抬着他“在火上燎，用以取乐。把他燎得浑身是泡，然后扔在一边……”如果不是因为日本兵当时看到街上另有几个年轻的中国男人路过去追杀，侯吕清说他“肯定也会被当作‘烤猪崽’烤焦了”。王府巷的王二顺就没有这么幸运了，他被日军捉住后，剥去衣服，先打断一条腿，再放出一群军犬撕咬他。王二顺拖着残腿边逃边与军犬搏斗，可那猛兽似乎饿极了，疯狂地扑咬王二顺，很快王二顺不是它的对手了。血肉模糊的他乞求一旁的日军指挥官放了他，哪知这日本军官不仅不制止军犬的撕咬，反而抽出军刀，又砍下王二顺的另一条腿。完全丧失抵抗能力的王二顺就这样活活地被军犬撕咬至死，直到肠子五脏拖落一地，如此呕心反胃的一幕，则让日本兵在一旁乐不可支。

写到这里，笔者不得不把臭名昭著的当年日本战地记者自己报道的，近几十年来又一直被日本国内以为不大可能的“斩人比赛”的两名刽子手的事在此叙述一遍。

其实这件“斩人比赛”案最早是日本自己的新闻媒体报道出来的。在日军进攻南京途中的1937年12月5日，日军打至南京郊区的句容时，两位日本随军记者浅海与光本给《东京日日新闻》发了一篇题为《“百人斩”大比赛勇壮！向井、野田两少尉！89:78》的报道。

以南京为目标进行“百人斩”竞赛的两名青年将校，即片桐部队的向井敏明、野田毅两少尉，在突入句容城时都奋战在最前线。入城前的战绩是：向井少尉斩杀78人，野田少尉斩杀89人，难分胜负。

6天后的12日，日本随军记者浅海与光本又在南京紫金山处向国内发了新一篇报道，1937年12月14日，也是日本占领南京第二天，日本《东京日日新闻》又在重要位置上刊出：

斩百人竞赛“超纪录”向井：野田　106:105

两少尉进入加赛

［浅海、光本、铃木特派员发自紫金山麓］片桐部队的勇士——向井敏明、野田毅两少尉于入南京前开创了“百人斩竞赛”这种比赛的先例。二人在10日紫金山攻略战的忙乱中创出了106:105的纪录。10日正午，两少尉单手提卷刃的日本刀会面。

野田说：“喂，我杀了105个，你呢？”

向井说：“我杀了106个。”

两少尉哈哈大笑起来。结果，不管谁何时先杀超过百人的，二人马上达成一致意见：“那么就算我们平手吧。但是我们再杀到150人，怎么样？”11日果真开始了斩150人的竞赛。11日中午，在俯瞰中山陵的紫金山上，正在搜捕残败军的向井少尉说起了“斩百人平局竞赛”的始末，“不知不觉中两方都超过了百人，真是愉快啊。我的关孙六刀崩刃是因为我把一个人连同他的钢盔一起砍了。说好了战争结束后，就把这把日本刀赠给贵社了。11日凌晨3点，在友军的珍奇战术下搜查紫金山残敌时，我也被敌人发现了，我站在弹雨中，心想：唉，听天命吧。可是却一次都没被击中，这都多亏了这把关孙六刀。”向井少尉给记者看了这把飞来敌弹中吸了106人血的“关孙六”。

在这篇报道旁，《东京日日新闻》还刊登了向井手持军刀的照片。毫无疑问，这样一篇报道不可能有假。后来为什么没有了“150人斩”的报道了呢？因为当时这两篇“百人斩”报道出来后，引起了西方世界的极大反感，日本方面为了保护自己的军队形象和国家声誉，这样的“杀人比赛”报道便被禁止了。

禁止并不说明没有“150人斩”的继续，从后一篇报道中向井的“豪言壮语”，及日本军人的争胜好斗个性，及至日军占领南京后集体对中国人民实施大屠杀的客观情况看，笔者可以肯定一点的是：这两名日本刽子手必定又疯狂地屠杀过无数中国人，至于是否杀到了 150 人，还是 200 人，我们无法证明，但又有谁能证明这两个日本少尉进城后就什么事都没有干呢？谁能证明他们在看着“友军”大开杀戒时自己则突然不动手了？那是绝对不可能的事！日军在南京屠杀 30 余万中国人是指他们占领南京后的时间里所残害的人数，向井和野田比赛“百人斩”纪录时，只到 12 月 10 日，距大屠杀开始还有 2 天时间，之后的几周恰恰是日军几乎人人参与屠杀、奸淫和抢劫的“大好时候”，比赛中誓言要杀“150 人”的两个凶神会突然停止不杀了？即使是向井和野田不杀了，“山本”、“松井”就不杀了？“山本”、“松井”杀的人就没有 100、150 人？那南京大屠杀“30 万人”是谁杀的？简直是自欺欺人！

问题的关键是：日本人近几十年来为了掩盖他们的滔天之罪，竟然连这两个遗臭万年的刽子手在 10 日之前已经杀了 106 和 105 人的事实都想抵赖！一说“报道虚假”，一说“再好的关孙六刀也不可能一下子能杀 100 多个人”，又说“即使一天杀 10 个人，也难以创造百人纪录”云云。

日本有些人的无耻也是在人类史上少有的！我们虽不知向井杀百人是否就是用的一把“关孙六刀”，也不知“关孙六刀”到底能不能在几天、十几天里因砍百人的脑袋而“卷”了刃——据说“关孙六刀”是日本的名刀，因曾受过天皇的赐名而负盛名，但有一点总是基本事实：浅海等随军记者的战时报道并非写一两篇，如果他们的报道有虚假存在，相信日方和日本军方绝对不会随意让其刊登；再说，一把刀杀一百个中国人，与用十把刀杀一百人有什么区别？

向井与野田杀中国人的“百人斩”是铁证如山的事实，即使日本有人以各种方式企图掩饰或想随着时间的推移而抹杀真相的话，我们只能用这些词语回答他们：无耻！无赖！

一个国家对另一个国家的犯罪，其本身就应该彻底地受到惩罚与谴责，而当这个犯罪的国家还想在事实面前抵赖与否定时，它只能被全世界所唾弃！

日本真的永远想做这样的国家吗？

正义终究战胜邪恶。历史也总是公正和客观的。1947 年 12 月初，由中国开设的南京审判日本战犯的特别法庭对刽子手向井与野田提出起诉：

> 向井敏明、野田岩（即野田毅）在作战期间，隶属日军第十六师团中岛部队，

分充少尉小队长及副官。田中军吉隶属第六师团谷寿夫部队，充任大尉中队长。于民国二十六年十二月会攻南京之役，因遭遇我军坚强抵抗，衔恨之余，乃作有计划之屠杀，藉以泄愤。田中军吉在京城西南郊一带，以“助广”宝剑，连杀俘虏及非战斗人员达三百余名。向井敏明、野田岩则在紫金山麓，以杀人多寡为竞赛娱乐，各挥利刃，不择老幼，逢人砍杀，结果野田岩戮毙百零五人，向井敏明则以杀百零六人获胜。日本投降后，野田岩等先后在东京被盟军总司令部缉获，经我驻日代表团解送来京，由本庭检察官侦查起诉。

历经一个多月的审议，法庭于1948年1月27日对这两个战犯做出了死刑判决。当日的法庭布告如下：

战犯向井敏明等人执行死刑的布告

（1948年1月27日）

查战犯向井敏明、野田毅（即野田岩）、田中军吉等（即南京大屠杀案共犯），在作战期间，共同连续屠杀俘虏及非战斗人员，罪证确凿，业经本庭依法判决，各处死刑，并呈报国防部参谋总长陈转。奉国民政府主席蒋，本年壹月廿六日（37）柱胶字第OOO五号子寝代电核准，饬即执行，具报等因。遂于本月廿八日正午十二时，由本庭检察官将该犯向井敏明、野田毅（即野田岩）、田中军吉等三名提案，验明正身，押赴雨花台刑场，执行死刑，以昭炯戒。除陈报外，合亟布告周知。

此布

计开：

战犯向井敏明，男，年卅六岁，日本山口县人，炮兵小队长。

战犯野田毅（即野田岩），男，年卅五岁，日本鹿儿岛人，日本第十六师团富山大队副官。

战犯田中军吉，男，年四十三岁，日本东京人，日本第四十五联队中队长。

中华民国三十七年壹月廿七日

庭长：石□□

检察官：李□

1948 年 1 月 28 日，这两名臭名昭著的刽子手被中国法警押向雨花台刑场枪决。南京市民一片欢呼。这是罪有应得的结果。

历史无须再为这样的鬼魂招魂了。为鬼魂招魂者一定是心怀鬼胎的人。

笔者在写完前面这些文章时，有一天翻阅“日本军国教育·百人斩与驻宁领馆史料”获得了一个意外的发现：1939 年 5 月 19 日的《东京日日新闻》其实又刊发了一篇题为《宝刀“关孙六”向战死的竞争对手敬献的锋刃 向井中尉在汉水战线》的报道。这篇发自日军占领我汉水东部地区的报道中，有这样的一段话：

> ……随军记者某日在一个叫寺庄的小村庄偶然见了在此奋勇作战的向井中尉。
>
> 向井中尉在前年的南京之役中与战友野田中尉订下斩杀百人之约，并用爱刀“关孙六”斩杀敌兵 107 人，是一个勇敢的年轻军官。南京战役之后，他剃去留了很长的胡子，与战友野田中尉再次约定要斩杀 500 人，并转战徐州、大别山、汉口、钟祥各地，砍杀敌兵 305 人。可是野田中尉在海南岛战死（其实野田没有死，战后也被作为战犯在南京被审判处死）。现在他（向井）为了实现斩杀 500 人的约定，一个人在奋力作战。
>
> 实际上向井中尉的愿望是斩杀 1 000 人。记者询问他“关孙六锋利吗？”朴实寡言的中尉回答道：“很锋利。刀尖有一点不顺手，但我有自信，所以没关系。出征以来，我没生过病，总是在最前线，却从未负过伤，很不可思议。大概身体生来就是能够坚持长期战争吧……”。

啊，这就是日本军国主义者一直想包庇的刽子手！当年南京审判时肯定没有获得上面这篇我所看到的报道，否则必定还会在对向井和野田的起诉书上加进去更多的罪行。而另一种情况的猜测可能是：由于当时对这两名“百人斩”的起诉是限于南京大屠杀的时间段，因此可能没有包括他们在后面几年内在中国所犯下的滔天罪行。写到此处，我内心的悲愤不由再度提升，因为日本军国主义者包括现在的一些日本人，他们对自己人当年在中国犯下的罪行，其实一直采取的是能隐瞒就隐瞒、能抵赖就抵赖、能不说就不说、能少说就少说的态度，这就是今天为什么对南京大屠杀这样十分清楚、历史早已定论的事实却总有日方发出完全不同的否定与歪曲的声音的原因所在！

其实，在中国进行“斩人”比赛在当时的日军中十分普遍，绝非只有向井和野田两个人。因为在战场上用军刀杀人，这也算是日本军人的一个传统和特点。可悲的是，日本人用的所谓的“日本刀”起源则是我们中国的刀。1939年2月28日，当日本军队横行中国时，《东京日日新闻》上还刊发了一篇文章，名为《解析日本刀》，文章这样写道：

日本刀之名，原本是800多年前由支那（中国——笔者注）人所起，而日本人自身开始使用，则是在幕府时代末期国难之时。在国家危急之秋，日本人脑海中必将油然浮现出日本刀之名，这也是对日本刀之信念使然吧。不管现代武器有多先进，在决定最后胜负的短兵相接中，日本刀绝对不可或缺。此外，其对激发人的斗志也是非常重要的。

日本军队侵略中国一开始，军刀成为日军的重要武器，尤其是与武器落后的中国军队交手之后，日军官兵更觉得使用军刀“斩杀”对方，“实在过瘾”。一位名叫侍岛圆次的日军准尉在汉口战场时对他们的随军记者简井这样说：

“在上海、南京、徐州、汉口等战斗中，我斩杀了大约75名敌人，出征时我带来两把战刀，一把无铭（刀名——笔者注）的新刀，在南京战斗的时候，在幕府山只斩了8人就砍豁了口不能用了。第二把就这把铭为“武藏大禄藤原忠广”的新刀。这把刀的刀尖部八寸的地方已经缺损了。根据我的经验，刀柄长一点儿的刀好用。按照我所学过的剑道，要求落刀时要注意向外推一点，但我觉得向里拉着些则更好。”

在同一篇报道中，日军随军记者又采访了另一个名叫酒井正元氏的士兵，这个士兵也谈了自己用军刀杀中国人的“经验”：

“一年半的时间里，我大约杀了100人了，刀是相州助定的，是祖传的腰刀，在距刀尖3寸的地方仅有一处小小的豁口。古刀虽然会砍豁却没有损坏，而且不生锈，在杀死3个人之后我终于有了自信。”

“泽渡勇敢踏上征途，因为在南京附近的追击战中，杀入敌阵，一气砍了15人而扬名全队。”

“登陆以来他第一次拔刀马上就杀入敌阵，出色地砍杀了 7 人……”

“要塞攻击战斗中，我与队长角田荣一中尉杀入敌阵，连砍了 26 人……”

这样的报道，在南京大屠杀后期，日方的国内报纸上不断有这类宣传“战果”的新闻，刊出过不胜枚举的军刀“斩人”“事迹”。

显耀啊！魔鬼的本领！

日本人在炫耀从中国老祖宗那儿传来的宝刀的威风时，并没有思考一下应该不应该杀无那么多无辜的中国人，相反他们把这样的锋器用来屠杀一个个中国平民与放下武器的中国军人，且以此为乐、以此为耀，真是恶魔！

日本军刀下的一个个幽灵将永远不会饶恕这等罪人！最最可恨的是：日本军国主义者和屠杀者竟然还要抵赖！

我们再来回头说日军进入南京城后所实施的大屠杀情况——

其实这样的大屠杀并非只在日军进城后的前几周，而是在整个南京陷落后的全部日子。这与日本国内大本营和前方最高指挥官们的默认与纵容有直接关系。20 世纪 30 年代曾最早揭露日军在南京残暴行为的记者田伯烈所著的《外人目睹中之日军暴行》一书的结尾处便有过关于这一问题的代表性见解：

日本军在中国所犯下的种种暴行，难道是士兵们在胜利的高潮中之越轨行动的结果吗？还是在多大程度上反映了日本军当局所采取的有计划的恐怖政策？也许有读者产生这样的疑问。事实告诉我们，结论是后者。军队的暴行更发生在占领城市后不久，尤其是在这种占领使疲惫不堪的军队的军事行动将要结束之后，即使没有分辨的余地，也是能够了解其情况的。可是以南京为例——这是一个明显的例子，日本军的暴行在占领市区后持续了三个月时间，直到作者于 1938 年 4 月上旬离开中国时尚未停止。

事实确如田伯烈所言，日军的暴行基本上一直处在无人管束的状态下，或者说日军当局明知其所为却睁一只眼闭一只眼。

日军和日本大本营对南京发生的事一直是严密封锁的，即使对日本自己的国民也是“尽说好话”，不说坏话，“杀人”也被冠以“英雄杀敌”之类的鼓舞“斗志”和国民士气的美丽光环。而外界对日军在南京的暴行，其实了解很少。当时留在南京的外国记者只有十来位，在日军施暴最疯狂的十五六日后统统被日军赶出了南京。即使如此，仍有一些零星的报道让全世界为之震撼，而这些也都是那些撤离南京的外国记者们通过极其困难的途径发出去的——

“在外国人的统治下，今天的南京，受到惊吓的人们生活在面临死亡、折磨和抢劫的恐惧之中。数万中国军人的坟墓，也可能是中国人反抗日本征服的全部希望的坟墓。”

“12 月 14 日，目睹日军洗劫全城。看见一个日本兵在安全区用刺刀威逼老百姓，共勒索了 3000 块钱。沿着横陈着人、马尸体的街道走到北门，见到第一辆日军车子驶进城门，车轮在碾碎的尸体上打滑。最后到达江边，登上日本舰艇，并得知‘帕奈’号被击沉。（笔者注：当时在长江有英国、美国等国家的军舰，“帕奈”号是美国军舰，12 月 12 日正载运着美国等外国侨民和中国难民在长江行驶时，被日军轰炸击沉，死伤多人，由此引发了西方世界与日本的一场外交仗。）

12 月 15 日，陪同使馆的一位仆人去看她妈妈，在沟里发现她的尸体。使馆另一位男工作人员的兄弟也死了。今天下午，看见几位协助我解除武装的士兵被拉出屋去枪毙，再踢进沟里。夜里，看到 500 名老百姓和解除武装的军人的手被捆绑着，由手持中国大刀的日本兵押着，没有人活着回来……”

“日军像用一把细齿梳子仔细地在城内搜索中国军人和‘便衣人员’。数以百计的人从难民营中被搜出并遭屠杀。临刑就戮的人们被两三百人一群地押往就近的屠场，被用步枪、机枪扫射枪杀。有一次，坦克被调来处决了数百名俘虏。

“我目睹了一场集体屠杀。一群几百个行将处死的人举着一面大幅日本旗穿街而过，他们被三三两两的日本兵押着，赶入一块空地，被一小组、一小组地枪杀。一名日本兵站在越积越多的尸体堆上，用步枪补射仍在动弹的躯体。

“对日军来说，这可能是战争，然而对我来说却像是谋杀。”

这就是谋杀，而且是日军上下在十分清醒和理智的状态下的屠杀。这样有目标、有计划的屠杀才是最最要命和恐怖的。

杀人恐怖，边淫边杀、先淫后杀更恐怖。

第四章　莫愁湖的哀号

战争似乎都离不开对妇女的残害，强奸与污辱她们成了一种惯例。这也是人们厌恶战争的原因之一。毫无疑问，日军在占领南京城后的强奸与淫杀中国妇女的行径，是人类史上极其罕见的，其奸淫之广、淫杀之残暴，骇人听闻！

由于太令人恶心和太野蛮的缘故，笔者原本一直想放弃这一章的内容，可又实在无法回避日军在这方面的罪行。

日军的罪恶让我没有选择的余地。

“从占领的第三天开始，强奸事件以每天 1 000 起的频率发生。有许多妇女被强奸多次后又被杀掉。被害者的年龄小到 10 岁，大到 70 岁不等……”这是《南华早报》1938 年 3 月 16 日报道中的关于日军在南京城强奸妇女的一段话。

其实，日军从进入中国战场开始的第一天起就有了强奸中国妇女的罪行，只是在“淞沪战役”结束后向南京进攻的路上，这种罪行更加频繁，尤其是进了南京城后，他们以占领者自居，强奸便成了“像吃饭和收获战利品一样的随便与必需了”（日军老兵语）。

检阅当年中国审判日军战犯军事法庭（1947 年）“审字第一号”判决书中有一段话这样写道：

日军陷城后，更四出强奸，一逞淫欲。据外侨所组国际委员会统计：在民国二十六年（1937 年）十二月十六、十七两日，我妇女遭日军蹂躏者，已越千人。且方式之离奇惨虐，实史乘所未前闻。如十二月十三日，民妇陶汤氏，在中华门东仁厚里五号，被日军轮奸后，剖腹焚尸，怀胎九月之孕妇萧余氏、十六岁少女黄柱英、陈二姑娘及六十三岁之乡妇，亦同在中华门地区，惨遭奸污。乡女丁小姑娘，在中华门堆草巷，经日军十三人轮奸后，因不胜狂虐，厉声呼救，当场被刀刺小腹致死。同月十三日至十七日间，日军在中华门外，于强奸少女后，复迫令过路僧侣续与行奸，僧拒不从，竟被处宫刑致死。又在中华门外土城头，有少女三人，因遭日军强奸，羞愤投江自尽。凡我留京妇女，莫不岌岌自危，乃相率奔避于国际委员会所划定之安全区。讵日军罔顾国际正义，竟亦逞其兽欲。每乘黑夜，越垣入内，不择老幼，摸索强奸。虽经外侨以国际团体名义，迭向日军当局抗议，而日将谷寿夫等均置若罔闻，任使部属肆虐如故……

如此罪恶，充分说明日军对中国妇女的残害之空前。中国第二历史档案馆研究员、著名南京大屠杀研究专家马振犊先生在《日本军队对被害国妇女实施性暴行及原因探析》一文中，这样指出："日本军队在被害国对民众的性暴行在人类历史上是罕见的与空前残酷的，其普遍性、暴虐性及危害性甚至超过了德国法西斯军队的性暴行……我们可以说，凡日军所到之处，就有各类性暴行。最典型的事例如1937年底至1938年初，在侵华日军'南京大屠杀'中，日军不仅屠杀了30万以上的南京居民，其性暴行与性犯罪也达到了顶峰状态，总计有数万名南京妇女被日军强奸、虐杀。经1948年11月4日远东国际军事法庭判决书的认定，'在占领后的一个月中，在南京市内发生了2万起左右的强奸事件'，实际上这一统计数字是远远不足的。同时有资料说南京'全城中无论幼年的少女，或者老年的妇女，多数都被奸污了'。到1938年'5月初，在南京有三分之二的妇女被奸污'。这样看来南京的妇女'被奸污者达8万人，可谓保守的估计'，且据日军士兵田所耕造自己的记载，'没有不强奸的兵，而且大都是强奸以后再杀死'，先奸后杀竟然仅仅为的是'免得麻烦'。在一次战役之后发生如此大规模的集体屠杀与不分地点、场合、时间，不问对象的集团式强奸虐杀，这在全人类的历史上是罕见的。"

马振犊先生等研究专家认为，在性暴行的方式上，日军的残暴行为可以说是总括古今犯罪之大成，其通常的方式是轮奸，"我们自从登陆以来，还没有碰过女人的身体，所以大肆轮奸。当时'奸虐致死'成了我们很喜欢说的话"。日军一位士兵说得很直白。

中国妇女被日军掠去，绝大部分人都遭到数人以上的日本兵轮奸，许多人遭到数十人次以上的轮奸，甚至有一夜之间被轮奸了40次以上的例子，日本兵的惨无人道由此可见。除了强奸外，更下流的是各种各样的变态虐杀，包括用各种随手可得的东西——酒瓶、木棒、砖块甚至燃着的蜡烛塞入女子阴部；拍摄各种女子裸照及变态奸虐照片；强奸孕妇、幼女、老妇、尼姑、修女；强掠“慰安妇”设立“慰安所”；强迫母子、父女、翁媳乱伦、僧尼性交；威迫口交直至割乳破腹……凡一切能够想到的兽行无所不为，无所不有。

马振犊进而指出：日本军队在各地的性暴行绝不是个别的或偶然的、地方性的暴行，而是整个日本军队进行的有组织的集体犯罪。在第二次世界大战中，凡有日本军队之处，便有性暴行。从派遣军司令到小队长，各级日军军官都公然放纵甚至“身体力行”，使日军性暴行成为极其普遍的事。“在一线部队……干坏事的，不仅仅是士兵，有时军官干在前头。厉害的中队长、大队长什么的，他们在去南京之前，即使是战斗中，有的也带着女人。这些女人反正都是随便抓来的……据说他们天天晚上同女人睡觉。”日军第16师团第30旅团旅团长、南京西部警备司令官佐佐木“更无人性地每日奸污中国少女”。据在南京的金陵女子大学美籍教授贝德士证实说：“日军入城后曾连日在市内各街巷及安全地带（指南京安全区）巡行搜索妇女，其中且有将校参加。”难怪就连作为日本的盟国纳粹德国驻南京外交秘书罗森，在目睹了日军官兵集体的兽行之后，也指责日本军队为“兽类集团”，他在给德国外交部的报告中写道：“日本军队放的大火在日军占领一个多月之后至今还在燃烧，凌辱和强奸妇女和幼女的行为仍在继续，日军在南京的所作所为为自己树立了耻辱的纪念碑。……这不是个人的而是整个陆军，即日军本身的残暴和犯罪行为。”

这就是为什么日本侵华军队如此让中国人民仇恨的重要原因之一：抢占别国的领土、杀害无辜百姓、抢夺别人的财产，无节制地强奸和轮奸后继续残害妇女的生命，蹂躏她们的肉体……法西斯和魔鬼就是这样被定名的。

14. 不堪入目的现场

日军进入南京城后，强奸和轮奸中国妇女并随意将其杀害的极恶兽行，可谓“遍地皆是”，而诸多场面惨不忍睹、不堪入目——

地址：东阳街

“嗒！嗒嗒嗒！”天色蒙蒙亮，城内的大街上，既有持枪的日本兵在追赶落荒而逃的人群，更有那些胆小的市民在自己的屋子和院子内坚壁锁门。但这没有用，铁蹄和枪弹势如破竹，想进哪就进哪……

“花姑娘的多多！”一群日军堵住一个巷口，“砰砰”两枪打死3个男人，同行的两个衣着破碎的“黑脸女”（脸上抹着锅灰）边叫边逃;但没出十几步，便被日军拦住。

“快活的有！”日军七手八脚地像扒鸡毛似的三下两下就把那两个“黑脸女”的衣服扒个精光，露出洁白玉体。

“哈哈哈……白，白白的！”日军兴奋异常，将枪一扔，解开自己的裤子，挟起女子就往街边的一间房檐下干了起来。另两个日军则在一旁持枪放哨。

8个家伙，先后轮奸了这两个“黑脸女”，然后分别对准其胸口和脑壳，“砰砰”就是两枪。

这时，另一个房子里传出一声婴儿啼哭。几个日本兵的脸上立即堆起笑，前面靠近房子的两个鬼子抬起双腿，猛踢紧闭着的房门，后破门而入。

婴儿的哭声戛然而止，却传来另一个女人的一声大叫：“啊——！”随后听得屋内传来“砰砰咚咚”的响声。

“作孽作孽啊！”是另一个沙哑的女人声音。

鬼子从里面走出，带着几分淫欲之快。

后面的几个日军迅速替换而入。不一会儿，他们一人拖一条腿，将一个一丝不挂的老妇人从屋子里拖出。

“你们不要脸！不要脸啊！”老妇人的双手拍着地，一边哭喊着：“你们打死了我的孙儿，还有我的儿媳……畜生啊！”

日本兵似乎恼了，一枪托砸在老妇人的嘴巴上。而其中一鬼子拿来一根绳子，绑住她的两只乳房，又在绳子两端拴上两块石头，然后令老妇人在地上爬行：“你的前进！”

老妇人怎能爬动？日本兵则在一旁哈哈取乐。

突然一把刺刀朝老妇人的阴部捅去……老妇人痛不欲生。接着又有另几把刺刀戳向她身子。

这一幕被街边一间房子内的一个5岁小男孩看到了。“老太太死得好惨啊！”2002年夏，许发广对一群在暑假搞“南京大屠杀调查”的大学生说。

地址：小礼拜寺

日军进城的第一天，南京城内一片混乱，住在草桥清真寺内的15岁回族姑娘马芳（化名）像以往一样，清早起来，正准备出去帮父母到街上买些菜，哪知刚出门，就见街头一群日军围住一个中国男人，几把刺刀从五个方向向他戳去，顿时那男人的头、前后背喷出血柱来。

“啊呀——”姑娘吓得一声大叫，抱头便往家跑。

“爹，鬼子杀人啦！”马芳进屋后跟父亲说了一声后，直往后屋躲藏。

父亲见状，一边招呼家人赶紧躲起来，一边把门掩紧。就在这时，外门的日军已经敲门而来：“咚！咚咚！”

“快快的开门！”鬼子在外面嚎叫。

无奈，马芳的父亲只好把门打开。

“你的花姑娘的有？”日军一边用刺刀顶着马芳的父亲嚷着，一边朝里屋走。

马芳父亲哪见过这阵势，早已吓得面容失色：“没，没有啊！”

这话提醒了后屋的马芳，只见小姑娘拔腿就往后屋的河边奔跑，说时迟那时快，身子一跃，跳进了一个防空洞内。

“花姑娘的那边——”不料被一个日军看到，于是他们狂笑着朝马芳躲进的洞口方向围袭击过去。

“花姑娘的，出来！”日军朝洞内瞅瞅，捡起旁边的砖块，朝洞内扔去。“不出来的，死啦死啦的！”

马芳边哭边从洞内爬出来。

“哈哈……花姑娘的大大的好！”两个满脸胡子的日本兵左右夹起马芳就往附近房屋里走。

“脱！你的脱！”进屋后，几把亮铮铮的刺刀顶着马芳微微隆起的胸部，逼着她脱衣。

马芳一边哭一边脱……

“下面！脱！”日军令她连裤子一起脱掉。

“哟西！”还不等马芳的裤子落下，一个日本兵早已按捺不住兽欲，一下上去扑在姑娘身上，连啃带抱将姑娘奸了。

浑身瑟瑟发抖的姑娘还不知是咋回事时，第二个家伙又上来了……如此 5 个家伙前后一起折腾了半个来小时，处女的马芳身上血迹斑斑，雪白的上身一块青一块紫的。

“小芳！小芳——”门外突然传来马芳母亲急切的叫喊声。

马芳突然大叫起来：“妈——快来救我！”

“哈哈哈……大大的花姑娘！”日军转身见马芳的母亲出现在他们面前，一阵狂喜。

“你们想干啥？我是来找女儿的，你们……”马芳的母亲还没有说完，就被两个日军按在地上，一人捂住她头，一人扒掉她衣服，便在地上干了起来。紧接着第二、第三个鬼子扑了上去……

“你们这些畜生！”马芳的父亲闻讯赶来，双手抡起木棍子就要往骑在妻子身上的那个鬼子打去，被一旁的另一个鬼子猛地踢了一脚，卧倒在地。他刚想起来，“砰”的一颗子弹击中他的肩膀……

“妈！爸——”见鬼子扬长而去，马芳拎着裤子从里面走出，见光着身子的母亲和血流一地的父亲，一下晕倒在地。

地址：王府园

一户民房内，住着临时在此躲难的小强一家人。

“走吧，听说日本人已经进城了，我们想法找个防空洞躲起来！”13日早上，小强的父亲对妻子和孩子们说。

“快跟上！”小强的妈一边抱着小儿子，一手拉着大女儿，一边催促着另外几个儿子。全家人刚走一段路，就遇上了一群日本兵。

“花姑娘的有！”日本兵“呼”的一下将小强一家围住。

“你的中国军人的？”前面的两个日本兵首先拦住小强的父亲，并且一脚将其踢倒跪在地。

“我不是。你们看看我这一大家……”小强的父亲极力争辩，哪知前后两把刺刀已经插进他的胸膛。

“他爹——！”小强的母亲见状，一声大叫，随手将小儿子掉在地上。

“花姑娘的干活！”一把刺刀顶在了小强母亲的胸前。另一个日本兵则用刺刀挑起摔在地上的小强的小弟弟的屁股，一下将可怜的小家伙扔得远远的，连一丝声响都没有。

“弟弟——”10岁的小强见状，扒开日本兵的枪刺，冲过去想抱摔烂的小弟，则被一个日本兵一脚踢倒在地。

这时，小强的另外4个小弟也跟着哇哇哭叫起来。母亲怕孩子吃亏，赶忙上前护卫。鬼子恼了，几把刺刀一齐对准母亲。小强和弟弟们不知哪儿来的勇气，突然一起扑向日本兵，连咬带叫，握着刺刀想保护他们的妈妈。

“反了！反了！”几个日本兵相互愣了一下后，立即用力从孩子手中拔出枪刺，

“霍！霍！”一把把尖锐的刺刀像切西瓜似的向5个娃儿脑袋、胸口刺去……

顿时，孩子们全都倒在血流之中。

“我的儿啊！”母亲疯了。

“弟弟——”小强的姐姐疯了。

可日本兵更来劲了。“哈哈哈，花姑娘的可以干活了！”

在血地上、在血地旁边的石板上，母亲和姐姐被这群日本兵轮奸了。

“妈！妈——”不知什么时候，小强突然从地上站了起来，死里逃生的他像触电后惊醒并四周寻找他最想保护的人。他看见了，首先看见的是躺在一边的还有气的身上挨了5刺刀的姐姐。

“找妈妈——”姐姐歪着头，有气无力地对小强说。

“嗳、嗳嗳。”小强隐约听到好像是小弟弟在哭。转头一看，果真是那个被鬼子用刺刀挑得远远的小弟弟还没有死，于是小强过去抱起小弟弟，随后又回到血泊中的母亲面前。

母亲下身一片血，躺在那里不能动弹。小强将不停哭泣的小弟弟抱到母亲的面前让她看。只见母亲轻轻地解开胸口，将奶头塞进小儿子的嘴巴，就在这时，小强见母亲的头突然一斜，再也没有动弹一下。

“妈——妈妈！”小强，哭个不停。可哭有什么用，他要看看倒在地上的亲人还有没有活着的。

他见到了一边双手拱着跪在地上的父亲。

“爸！”小强见状，以为父亲还活着，便上前推了一下父亲，结果父亲彻底倒下了。小强将其翻过身子，见父亲前后都是刺刀留下的仍在流血的窟窿……

现在，全家这么多口人，只剩下小强和姐姐及小弟。

10岁的小强先把小弟抱进附近的一间屋内，又将受伤的姐姐拖了进去。

“呜呜……”刚进去，小强便听到旁边的屋子里有女人在哭。

“谁呀？”小强进去一看，有个衣衫不整的女人坐在地上哭泣。一看便知又是被日本兵糟蹋过的。

“我男人是唱戏的，鬼子把他杀了。你们一家也怪可怜的，要不到我家去吧。”此女长得俊，又胖乎乎的，于是小强和姐姐称她为“胖妈妈”。

好心的“胖妈妈”帮小强将其姐姐和小弟一起拉扯到她自己家，给小强他们吃饭和养伤。第三天，3个日本兵闯了进来，不由分说，将小强的姐姐和“胖妈妈”又给轮奸了。

小强的姐姐被弄得下身数日不能动弹。“胖妈妈”的胸部则被咬啃得一片红肿青紫。

不日,“胖妈妈”听说金陵大学那边有难民营可以保护她们女人,小强便与“胖妈妈”一起扶着他姐姐到了难民营。

可是难民营并不安全,日本兵又多次进去将小强姐姐和“胖妈妈”奸污……

从难民营回来,小强不见了小弟,问邻居。人家告诉他:你小弟是冻死的,尸体被人拉走了。

几天时间,小强一家人,只剩下了他和姐姐。不多久,姐姐得传染病而死。小强成了孤儿。

小强真名叫常志强,原住燕子矶化工新村。1928 年 12 月出生。

地址:申家巷 17 号大院

这个大院住着好几户人家,家境稍好一些的人家逃到了外地或远方的亲戚家,那些无处可避的穷人则留在院内,听天由命。

一日,日军见紧闭的大门内有炊烟,于是铁蹄入侵,鸡犬不宁。

“花姑娘的有?”赵家独子赵廷栋因为新婚,故而小夫妻俩与母亲都留在院内没走。这回小鬼子进院一见十八九岁、年轻力壮的赵廷栋,便把他当作“中国军”押走,在大街上砍了。

赵氏婆媳怎能抵得住日军兽行?新娘和婆婆一并被 5 个鬼子轮奸。

隔壁的张玉龙妻子躲藏在床底下,日军一刺刀便将其逼出。随后三番五次奸了近一小时。末后张妻欲寻短见,被家人硬劝方止。

平时靠捡垃圾为生的李氏也没有逃脱魔鬼之掌,不仅被奸,且被拖至街上,逼其光着身子来回跑跳,然后日本鬼子打断其双腿,使她毙命于露天。日魔仍不罢休,将李氏平时捡得的啤酒瓶子插在其阴道之内,任其仰躺在大街上……

数日后,逃难回家的施秀兰还在现场见到了没人收尸的李氏惨状。

地址:淳化镇

这一天,小鬼子照例出来寻找“花姑娘”,而且是骑着大洋马,神气活现。

“花姑娘的有!”突然,他们看到前面有一高一矮的母女俩走在路上。天下着小雪,母女俩手中撑着雨伞。

日本兵见了女人就像饿狼见了肉食，不管三七二十一，扒光对方的衣服就奸。虽然猖狂，但鬼子也有害怕之心，同时又怕军马跑了，于是在强奸之时，用绳子一头系在马腿上，一头绕在自己的脚腕上。

被奸的母亲光着身子，见不远处有行人，便羞愧难当，下意识打开手中的伞。不想，黑布伞突然打开，惊吓了军马。只见那马一声嗁叫，扬腿而奔。这下把它的主人——两个小鬼子拖在地上狂奔了 100 多米。

“死啦死啦的！”被拖得血肉模糊的日本兵气坏了，扬着军刀，冲着这对被奸的母女跃马而去。

母女俩自知没有活路，跳进旁边的河里。

“砰砰！”“砰砰！”日军朝河中开枪扫射，母女俩中弹而亡。

这事可惹怒了这群日本鬼子，后来他们又增兵数人，对附近的两个村子进行报复。鬼子们将 30 多个男人抓到淳化小学后面，又将抓来的几名妇女当众奸污，其中多数是男人的妻子和他们的女儿。这还不够，最后将这些男人统统砍死，而被奸的女人也没有几个能活命。

地址：江心洲

此地紧抱长江，是日军屠杀中国战俘的主要现场之一，同时这里也是日军强暴妇女的重要犯罪地。

由于江心洲四面皆是江、河塘纵横，芦草丛生，加之不少农家有小船小舢，似乎是藏身良地。哪知这也是日军犯忌的地方，故而成了他们疯狂袭击与扫荡之地。其间奸杀中国妇女数不胜数。

一日，一排日军开着汽艇来到此地，见李永年家的锅窑里躲藏着 4 个从城里逃来的女人，便一一拖出来奸污。

有村民王学江女儿不从，日军举起枪刺欲加害于她。该女聪明，连忙罢手说：“要干，我们到林中的小塘里，那边没人。”

其中一小鬼子大乐：“哟西！”便跟着王女到了塘边。该女指指岸边的莲盆，说：“我们到水上好做事。”

小鬼子心头痒痒，再次上当，跟着上了莲盆。王女熟练地划着那小小莲盆，离岸几十米后突然将莲盆弄翻，然后在水中扣住日魔，直至他一命呜呼。

第二天，日本兵水陆齐进，一场报复便在江心洲开始——

先是积余村王华明、王月德等百余村民和逃至此地的难民被杀，尸体扔在大茅坑内。

后是南上村的男人们被强拉到田埂上，与扒光了衣服的本村女人性交。谁不从，就砍谁的脑袋。

西下村不少妇女藏在草垛里，日军用刺刀捅、用火烧，逼着藏身的妇女出来，然而拖到一边轮奸。奸完后又逼着她们用嘴巴舔干其生殖器，不从者砍头。

一由城内逃至此地的商人全家，躲在小舢上用芦草掩着，被日兵发现后迅速划向江中想逃跑。他们哪是汽艇上日军的对手！小舢被拖到汽艇旁，男人和 2 个孩子被一阵扫射，命毙于江中。女人被日军拉到汽艇的甲板上 10 余次强奸，最后扔到江里，一枪击毙。这商人一家 5 口人的血，凝住了小舢四周……

地址：汤山镇

这里是丘陵地带，日军来后，百姓或上山躲避，或在屋前宅后掘个洞藏起来。

日军不傻，上山搜索，带着狼狗，许多妇女纷纷逃走。有个老太太上山困难，被日军发现。小鬼子变贼了，用刚刚学会的中国话对老太太说："我们是中国军人，你让他们不要害怕，下山吧！"

老太太不懂，以为说中国话的都是好人，便向藏在山里的人喊话，结果下来五六个妇女。

"哈哈哈……花姑娘的好！"日本兵露出兽相，在草丛里就将这些女人一个个强奸了，最后连那个 70 来岁的老太太也没放过。

末后，3 个日本兵骑马来到孟塘，几把火将村子烧了个精光。他们站在后巷的山头上，见行人就开枪。毛氏一家躲在地洞里，小孩子不懂事，从洞里探出头，被日本兵发现，几个点射，将 7 个人打死在里面。其中毛家新媳妇怀孕已有七八个月，被鬼子从洞里拖出。

"你的脱！"日本兵命令她。

"我有身孕了。不能……"小媳妇哭着乞求。

日本兵根本不听她的，扒掉其衣裤，就在洞门口将她强奸了。第二个日本兵还想奸她时，这小媳妇突然疯咬日本兵，结果惹怒对方，一刺刀便向她的肚子戳去，连腹中的婴儿也被挑了出来。

小媳妇死了，已经成形的婴儿也很快断了气。

小鬼子淫心不死，欲火越烧越旺。

他们来到黄梅桥村西头的池塘边，从庞家的房子里拖出一个男人，让他找“花姑娘”。这男人平时在上海做皮箱生意，妻子躲在旁边的地洞内没有被日本兵发现。

男人似懂非懂地朝日本兵摇头。“咔嚓！”军刀向他脖子上横向挥去……

躲在洞内的女人不知外面的情况，探出头来往外看。日本兵见状，立即将其拖出，当着她还有一口气的男人的面轮奸了她。然后将夫妻两人一起扔到塘里，又补上两枪。

…………

类似这样一个个惨不忍睹的场面和情形实在太多，以至于笔者不想再往下叙述。还有许多更为恶心和无法形容的强暴行为，是极不宜见诸文字的。而所有这些，令我数日难从这样的“现场情景”中自拔，每每半夜常被噩梦所惊醒。

有一名叫郭岐的国民党老兵，是当年南京守城军的辎重营营长。首都陷落后，郭岐与部队失散，匿躲在城内3个月，目睹了日军惊世骇俗的暴行。脱险后的他，写成了一篇名为《陷都血泪录》的几万字亲历记。后在军事法庭审判日本战犯时，郭岐作为控诉日军罪行的证人出席。有关日军强暴中国妇女的情形，郭岐先生有过这样几段内容：

水西门烈女受辱记

水西门的悲惨故事，在南京大屠杀以后，永远都说不完。有一位读过点书，平时颇受人尊重的老者，膝下只有2个女儿，一个已嫁，一个未婚。南京陷落后先是女婿一时走避不及，被日军拉了去充夫子，自此不知下落：父女三人正在栖栖惶惶，不知如何是好。有一天，忽然有3名日军闯进门来，当时老者的二小姐正走过客厅，被首先进门的日军瞧见，顿时两眼发直，唇角流涎，连忙回头告诉他的同伙，他找到“花姑娘”了。

这位二小姐一看大事不好，吓得花容失色，忙不迭便向楼上逃。与此同时，老者跪下来，哭着求免，但是三名来势汹汹的日军，哪里来得及听。猛地一把，将老者推倒在地，然后，便嘻嘻哈哈、叽里呱啦说着日本话，相率直奔上楼。

老者的大小姐，当时也在楼上，一见3名日本兵色迷迷地抢上楼来，心知这一回万难逃得掉，她救妹心切，便泪眼涟涟，挺身而出。她原想拼死受辱，救下她尚未出阁的妹妹，然而，日军人多，一个捺倒了她，另两个便去满楼追逐那位二小姐，终以楼小人多，二小姐也落入了日军的魔掌。

老者摔在地上，放声大哭。他大女儿舍身救妹，在楼梯口出现的那一幕，是他亲眼瞧见的。紧接着大女儿大放悲声，二女儿又在急喊求救，楼上5人，乱成一团。“谁无父母，谁无儿女”，此情此景，叫那位老者耳闻目睹，怎生受得了？可是他已年老体衰，又被横暴的日军推了一跤，即使能够挣扎上楼，赤手空拳，怎斗得过三名凶神恶煞般的日本兵呢？因此，老者在2个女儿哭喊哀号声中，心如刀割，伤惨万分，他只好勉力地爬出门去。多一半，他是想图个眼不见为净。

然而，当他刚刚爬到大门口，听到楼梯上咯噔咯噔的脚步声，头一个逞了兽欲的日本兵，将老者的大小姐，让给他的同伙，手里拎着裤头，匆匆忙忙跑下楼来。因为，南京大屠杀后，日军固然四出淫掠，一见到中国女子，从十来岁的小姑娘到八十多岁的老太太，一律难逃魔掌。可是，在光天化日之下，当街强暴，连禽兽不如的日军，也难免神明内疚，做贼心虚，兼以害怕中国男子拼命报复，所以他们总是三五成群地四下搜索，一旦找到了中国妇女，也必定是恬不知耻地轮流逞强，逞强时，还得派一个人在外头把风，就怕有什么风吹草动。

这一名抢先上楼而头一个下楼的日军，原是为同伙把风而急急出外的。他一眼瞥见那位老者正在挣扎着往外爬，误以为他是乘施暴者无备，赶赴门外去求救的。当下不由分说，抢上前去，照定老者的脑心，砰的便是一枪，接着，又是猛一刺刀，刺进了老者的胸膛。

楼上的两姊妹，正被2名日军捺在地上，纠缠不清，突然听见楼下枪响，接着又是她们父亲发出的一声惨呼。身既被辱，父又见杀，刺骨椎心的深仇大恨，任谁也不能忍受。于是两姊妹不约而同地奋身而起，拳打脚踢，张口便咬，抱定了决心跟鬼子兵性命相拼。2名日军正在恃强逞欲，吃那两姊妹一阵穷追猛打，于是恼羞成怒，取过枪来，挺起刺刀，向那赤身露体的少女一阵乱戳，2位烈女终告双双殒命。

两姊妹受辱之后又遭残杀，3名日军仓皇地穿好军衣，呼啸而去。那时候，挨了一枪又一刺刀的老者，其实还没有死，他血流遍体，又挣扎着爬向楼梯口，想要探看一下那已经惨死刀下的两姐妹，究竟“怎么样了”。然而，他奄奄一息，体力不支，爬行到了一半，仍旧猝然倒地。直到他的左右邻居，看清楚了行凶逞暴的日军确已离去，鼓起勇气过来探视，听老者断断续续地说了惨案发生经过，再到楼上，替那一对遍体鳞伤，气绝身亡的烈女穿好衣裳，回到楼下悲泣着告诉老者两姊妹已双双罹难，老者方才悲呼一声：

“天啊，这是什么世界？”

终于血流殆尽，一命归阴。

耀梢下流不伦不类

在八年抗战以前，我没有到过日本，因而也不知道，日本这个国家这个民族，究竟淫乱到了什么程度？我只是在陷落后的南京，看见并且听说了不计其数的日军如何逞强施暴，淫人妇女，我可以断然地说：“日本鬼子兵的卑劣无耻，证实了他们是人类文明的一大污点，戳穿来讲，简直禽兽不如。”

无可讳言，在民国二十六年(1937 年)十二月南京陷落以后，日军的纵火焚城，集体屠杀、遍地劫掠、强暴妇女……在他们所作所为的、罄竹难书的种种罪行之中，最不可原谅，最令人切齿痛恨，永难湔洗，引起举世人士同声挞伐、鄙夷不屑的首先就得数日军的兽欲横流，到处奸淫了。

…………

我国素称礼仪之邦，自古以来长幼有序，男女有别，笃重伦理道德，女子贞操，高于一切。但是一到“七七事变”，中日战起，日本兽兵所到之处，恃强逞暴，遍地淫掠，竟将我国固有的伦理道德破坏罄尽。时至如今，我仍然弄不清楚，日本国内到底是人的世界，还是兽的境域？——即或说日本人是人不如兽吧，但是兽类也有“马不欺母”的美德呀。我真正不解，为什么普天之下唯独日本人大都是色情狂，一见到异性便无法自制，不顾一切地作跃跃欲试状。尤有甚者，即令今日北欧的性解放国家，男女和好至少也得以两情相悦为其先决条件，何以日本独反其常，每每都是男子徒知施暴，女子甘于受虐，双方都处于不正常的状态。

据我所见所闻，在距今不远的八年抗战时期，几乎所有的日军每每攻陷一地，便耀武扬威，不可一世，只是认真说来他们的官兵却令人见了徒觉其可嫌而又可怜。凡是曾在沦陷地区待过的人都知道：日军所陷之处，一旦逮到了中国人，首先便口口声声地索要“花姑娘”，“花姑娘”无处找，便退而求其次，要块金表，连金表亦不可得，索性再讨香烟。想不到在这芸芸众生，大千世界之中，居然也有像这样猥亵下流的人类。

我极其不幸地沦陷于日军入据后的首都南京，一住便是 3 个月。在 3 个月之间，头一次听到的日军淫掠之举，即为南京下关一位 80 岁的老婆婆当街受辱。因为那时候所有的少妇长女大都逃进了国际委员会所设置的难民区，偌大南京无一少女敢于抛头露面，所以这位 80 岁的老婆婆莫名其妙地遭了殃。

当一个两眼发红，快急疯了的日本兽兵在下关街头，撞上了那位80岁的老婆婆，一时情急，当街捺倒。他把老婆婆的黑布棉裤一脱，老婆婆一急之下，跟那比她孙子还小些的日本兵发了话：

“我这么大年纪啦，你还想胡闹些啥呀？”

谁料那个小日本兵偏就懂得中国话，能听也能讲，他在挺身向前时回答老婆婆说：

“嗨，我又不要你给我生儿子。”

接着就是一幕惨绝人寰，令人不忍卒睹的悲剧演出。而“我又不要你给我生儿子”一语，就此成为南京城里一句含悲忍泪方能说出口的笑话。

从80岁的龙钟老妪，一降而为12岁的未成熟少女。前一次日军的卑劣行为，到后一次的残酷暴行。前者为我耳闻，后者则系笔者目睹。时至如今，我一闭上眼睛，仿佛都能看到那位眉清目秀、天真无邪、黄毛丫头般的小姑娘。

十二岁女孩遭毒手

12岁小姑娘的父亲，姓周，姑隐其名，他和他的太太，还有这个掌上明珠小女儿，一家三口，全都和我们一起，住在意大利总领事馆里，成为共生死、同患难的伙伴。可是，周先生的母亲，却住在中华门外乡下。周先生孝思不匮，时刻以他独居乡间的老母为念。因此，有那么一天，他便邀集了6位难友，组成一个“下乡团”，打算渡过中华门的日军封锁线。周先生要下乡探母，其余6位也想乘此机会，逃出终日杀人如麻的南京城。

那一天，周先生把7人“下乡团”组织好了，方始到我这里来备一备案，当时南京城里风声鹤唳，草木皆兵。我当然无法阻止周先生他们冒死逃亡，自寻生路，所以我只问周先生道：

“尊夫人呢，她去不去？”

周先生一脸苦笑地回答我说：

“我唯恐她此去路上或有危险，所以不叫她去，我只带我的女儿同行。”

当下，我便脱口而出地说：

“依我看来，令爱也是不去的好。”

然而，周先生却丝毫不以为意地答道：

“我女儿不过是个黄毛丫头，不要紧的。充其量，把她打扮成个男孩子好了。”

连他做父亲的都这样洒脱地说了，我当然不便再置一喙，否则的话，岂不是我杞人忧天、多管闲事了吗？当天早上八九点钟，我们这一群难友便帮着他们化装易服，掩饰行藏。周先生、董先生和同屋而住的5位难友，7个人全都穿上了破旧褴褛的衣衫，装扮成为苦力模样。12岁的周小妹妹，照周先生的意思，干脆女扮男装，装束得如同男孩子一样。

我唯恐周先生身畔所携的路费，会被日军搜查出来没收，还别出心裁地替他想了个主意，把钞票卷在一张油饼里，让他手拿油饼，边走边吃，不能吃到钞票，尽量避免引起日军的注意。

临行之际，再给他们一行8人，详详细细地检点一番。同屋而住的难友们，人人都觉得满意，似乎他们一行，全无破绽可寻。出城下乡的7位的装束，很像苦力。周家小姑娘，更像是个半大不小的男孩子。

于是，我们和心忧如焚表面上却不动声色的周太太一起，直把这一队闯关下乡的8人，齐齐目送到街口，转一个身，倏而不见。自此以后，一心默祷但愿他们没有消息，便是顶好顶好的消息了。

然而，不到两个小时，我们便看见董先生神色惨沮，气色败坏地跑回来。我一见他，不由心中一紧，忙不迭地向他问道：

"怎么了，出了什么事？"

董先生眼中噙着泪水，他坐定下来，便愤愤不平地叫骂道：

"他妈的，日本人简直是禽兽！啊不！不！他们连禽兽都不如啊！"

周太太吓坏了，一迭声地追问：

"董先生，我先生呢，我女儿咧，他们怎样了，是不是也回来了呀？"

董先生眼睛望着周太太，又涌出了两股泪水。抽噎片刻，方始满脸苦笑地答道：

"周……周太太，请你放心，他们很好，而……而且都出城去了。"

但是周太太觑破董先生的神情，她仍旧惊疑不定，再三地追问详情。董先生却又碍在当着她的面，有口难言。一个盘诘不休，一个吞吞吐吐，局面越来越尴尬了。后来，董先生无可奈何，便只好一口咬定，他是挨了日军的耳掴，方始折回城来，憋了一肚子气，所以才说了那几句愤懑的话。加上我一个劲儿地敲着边鼓，才把周太太的满腹疑惑，给打消掉。不久，董先生眼见周太太回到她房间去，悄声地把真情实况一说，我们这才晓得，一出令人难以置信的惨剧竟然发生了。

他们一行8人，一路顺利无阻地走到中华门，方到中华门的时候，日军便喝令所有出城的人都得排起队来，接受他们的检查。董先生他们明知道这一道关口非过不可，只好硬着头皮，挨在人群里排起了队。日军的检查非常严密，每一个人都要搜身——其实呢，这便是日本兵的惯伎，所到之处，拦路打劫。董先生他们8个人先拿出了难民证，日军不过略看一眼，马上叫他们收回，然后便命他们自己打开衣服，一个口袋一个口袋地搜。幸好他们事先早有准备，人人衣袋里都有少数的钱，日本兵见钱眼开，花花绿绿的钞票一到手，立刻就挥手放行。他们当然无从料想得到，这8人绝大部分的钱都卷在油饼里面。

8个人全都毫无留难地过了关，仅只蚀了一笔小财，方自人人庆幸，心情轻松地走到中华门外金陵仓库，忽然听见后面有一名日本兵追上来，身上背着一支枪，他正用不纯熟的华语在吼叫:“站住，站住！”

8个人全都面面相觑地站停了脚步，不知道这一名追赶上来的日本兵，又有什么花样。他们万万料想不到，鬼子兵一见他们站住了，便大步向前，一语不发，单单把周家小姑娘往一间空屋里一拉。

剩下来的7个人，惊得魂飞天外，尤其是小姑娘的父亲周先生，更是又气又急，脸上都变了颜色。他正要急起直追，鬼子兵已经将大哭不止的小姑娘拉了进去，砰的一声，将空屋的门关上。当时，大家还以为日军纵使遍地淫掠，对于一位12岁尚未发育的女孩子，多半不会有什么非分之想的。然而，当他们七手八脚，把悲愤交集的周先生拉住，免使他遭了就在附近虎视眈眈的日军毒手时，蓦地，空屋里连续地响起了两次枪声，小姑娘顿时就停止啼哭，不再出声了，须臾，又有一声凄厉的惨呼，从空屋里传出，连小姑娘的父亲在内，人人都听得清清楚楚。一个方只12岁的小女孩，竟会惨遭鬼子兵的蹂躏！那时候，每个人的胸腔，都有熊熊的烈火在燃烧，周先生愤激得泪流满面。人为刀俎，我为鱼肉，在鬼子兵的枪尖之下，没有一个人敢于冒着生命的危险，把那个正受无情摧残的女孩子搭救出来。

苦苦等待的那几分钟，竟像几天几夜一样漫长。董先生想起那个小女孩的遭遇，以及自己的坐视悲剧酿成，无能为力，他憎恨自己。噙着满眶的热泪，他再也不忍看那惨绝人寰的父女相会一幕了，他愤愤然地转身回城，放弃了这一趟可能逃出虎口的行程。

事后回想，董先生方才憬悟，他们在城门口被搜身检查的时候，那一名无恶不作的鬼子兵，早就发现了周小姑娘是个女孩子。因为，日军明知在他们的淫威之下，全南京的少妇长女，逃的逃，躲的躲，易服的易服，连五六十岁的老婆婆，也没有一个胆敢在日军跟前抛头露面。他们为了防止女孩子女扮男装，居然施出最卑鄙、最下流的伎俩：每当检查行人，搜劫一空以后，还要在被检查者的裤裆里面捞一把。就这一捞一摸之间，少女长女就再也无法遁其形了。

半老徐娘大遭其殃

周家的惨剧发生以后，不上几天，居然就在我所住的意国总领事馆楼上，我亲眼目击了一幕人间地狱的惨剧。在意国总领事馆的隔壁，有一幢很完美的洋楼，门墙高大而坚固，在我所住的房间，凭窗眺望，可以把那边的情景一览无余。那幢楼房的主人也是走得不知去向，南京城陷，便有四五十位难民，搬了进去居住。其中有十几位女子，都是儿女成群，徐娘半老，总以为鬼子兵不会看上她们的。因此，当鬼子兵第一次前去搜劫时，她们和孩子都未曾躲避。

那一天，隔壁洋楼门外来了几十名鬼子兵，领章有黑有黄，却既无部队番号，又无官长。他们猛力敲门，一个难民开门略迟了些，便被他们一把揪住，拳脚交加，打了个半死。直到他们瞥见大客厅里还有女人，马上就放了那个奄奄一息的开门者。鬼子兵有的厉声叱喝，有的浪声大笑，先把大客厅里的男人统统撵走，再将半老徐娘们拉了过来，当着小孩子的面，光天化日，明目张胆，就在大客厅里，把半老徐娘们的衣裳剥得精光，然后集体演出丑剧，三对一，五对一，去而复来，周而复始。被凌辱的女人起先高声哭叫，往后便只有声声求饶。孩子们怎会见过这种骇人的景象，一个个的全都吓哭了。这时候，正淫其母，灭绝人性的鬼子兵，居然会腾出一只手来，拍拍孩子的头，肆无忌惮地说：“不怕，不怕！不要哭啊！你妈就来了噢！”

客厅外，庭院里，那些女人的丈夫们，一个个失魂落魄，面红耳赤。有人伏在墙上，哀哀地哭；有人双手抱头，木立不动；老年人直在摇头拨脑，唉声叹气；也有几个人背负双手，在院子里踱来踱去，他们一脸的焦躁羞愤，抓耳挠腮，跌足叹息。从客厅看到庭院，我但觉得胸口一阵阵地抽痛，怒发上指，握爪透拳，我只有紧紧地闭上眼睛。

还以为这一次集体轮奸，很快地就会成为过去的呢？殊不知，一个兽欲已达，裤带犹未系好的鬼子兵快步走出门来，上了大街，又遇见了一队鬼子兵，又是好几十名。于是，鬼子兵呼朋牵侣，轻佻诡谲，那一批还在辣手摧花，这一批紧跟着又一哄而来。一批又一批，川流不息，大客厅里备受荼毒的女人，已经有气无力，连呼救声都发不出来了。

日寇陷我南京，奸淫烧杀，无所不用其极，使南京城成为鬼蜮境域，恐怖地带，没有一个男人，敢说自己能活得到明天，没有一个女性，敢说自己能保得住贞节。固然，也曾有人在说，鬼子兵是相沿军阀时代攻城略地的恶例：纵掠三日，封刀安民，过三天就不会有事了。然而，三天，一个礼拜，一个月……犹仍不见停止。甚至于三个月后，都还在四处搜劫，遍地淫掠如故。在南京城里苟延残喘、忍辱偷生的同胞们，只有无语问苍天：何时能够重见天日啊？

日军占领下的中国妇女，怎能有天日可见？郭岐先生的感叹只能让苍天一起跟着滴血……

15. 日军自述：天天“花姑娘的干活”

日军侵华的整个过程，特别是像无辜地戮杀中国百姓这样的事，当时的日本军方和政府有相当严格的纪律，也就是说，不经军方和官方审查，绝对不能将在中国的所作所为——指杀人放火的事随便讲给家人和亲友听，更不能写文章。在日本侵略者宣告投降后，日方对所有回国的将士都有最为严格的审查措施，在战场上的“日记”、“笔记”等见诸文字的东西一律禁止带回，一旦发现是要受严惩的。因此现在想从日方获取这方面的第一手史料非常不易。然而，即使这样，我们还是获得了一些零零碎碎的日本老兵们当时留下的“日记”等。战后曾经有一段时间——包括现在，一些对战争有反省意识的日本老兵们，也随着年龄的不断增长，加之越来越悔恨战争，陆续有人开始写回忆文章，这样使得当年日军在中国包括南京大屠杀时的罪行有了更加真切的反映。另有一些爱好和平的反战人士，如松冈环女士等更是自己行动起来，亲自找日本老兵调查核实其在华时的罪行，故而笔者有机会获取一部分日本老兵自己写的反映他们在华时强奸和轮奸中国妇女的材料。

一个男人强奸或参与轮奸女人，在世界上任何一个国家都是要受到严惩的，但几乎没有一个强奸和轮奸过女人的男人会主动把这样的事说出来。战争中强奸和轮奸女人应该说不是只发生在日本军队里，但日本军队在中国特别是在占领南京时期对妇女的伤害，是特别残忍和可憎的。日本官兵自己也承认：几乎没有人干净过。强奸和轮奸女人就像“吃饭”一样，是他们“必须”和“随手可得”的事。

有事没事，“找花姑娘”；“征粮”、“征发”的主要目的也是“找花姑娘”；白天黑夜“找花姑娘”……当兵的“找花姑娘”、当官的“找花姑娘”，在南京沦陷的日子里，日本兵所做的最“来劲”的事基本就是这一桩。

“这场战争最糟糕的不是被烧掉的建筑和被摧毁的家园，虽然那也很糟糕，而是男人永远不会再回来，而妇女终生都要伴随强奸带给她们的身心痛苦和伤害。我几乎不知道男人被带走杀害和妇女在恐怖中幸存下来变成惊弓之鸟，哪件事更令人悲伤。”美国人米尔斯在写给他妻子的信中这样形容他所看到的日军给南京百姓留下的最悲惨的情形。

“搞女人的事，是不会随便写在日记里的。”一位日本老兵的后裔这样对笔者说。尽管如此，笔者还是在极其有限的日本老兵的“日记”里找过一些这方面的东西。如原侵华日军第16师团第33联队第1大队的田中士兵写过的《田中日记》中就这样记述过：

> 1月20日
>
> 分队的人终于带女人来了。她哭着说：“家里有婴儿，让我回去吧。”我们虽然没有父母的慈爱心，但觉得她很可怜。某某、某某家伙做了“好事”。
>
> 1月22日
>
> 又有姑娘被拉进来了。吵闹了一个晚上睡不着觉。
>
> 1月23日
>
> 清晨我大叫：“赶快让她们回去。”太过分了，令人生气。

下面是日本老兵在20世纪90年代前后接受调查访问时所自述的在南京强奸、轮奸中国妇女的原始材料——

秋山源治：

想要饭吃，就用性来换

我们在难民区也发现了姑娘。姑娘的征发，刚开始是闯进房子里搜查，一旦发现女的就干了。

攻陷后过了10到15天，我去了难民区。到了那里，我就说“剩饭跟 × 交换”。当时我是连锅端着去的，所以就说跟这个交换。跟女人，你就说：“饭、饭、性交”或者“×，交换。”这么一来，女人就说把那剩饭给她。（很多人逃走了）房子哪里都空着，所以我说一声“走吧”，就干了。那时候局势已经稳定下来很多了。

鬼头久二：

发现女的便就地强奸

扫荡的时候是挨家挨户进行搜查，如发现女孩子，当场就给强奸了。女孩子们大概都躲在床下或窗帘后边。被发现的时候，不知是害怕还是什么原因，反正没有反抗。因为没有受到宪兵队的阻止，所以可以随便干，没有限制。女人们脸上都涂着墨水之类。想不起来自己强奸了多少女人，只有一件事有印象，那是抓到逃跑的母女俩时，母亲说女儿还小，所以求我们只对自己来，我说了句“笨蛋”，把母亲推开了。干的时候是两三个人一起干。干的时候当然觉得不好，也想过，如果日本被占领，自己的女儿或者是女人被强奸该怎么办。但是，当时是自己也不知道自己什么时候死，所以趁还活着的时候干自己想干的事情，这跟天皇的命令什么的没有关系。这成了理所当然的事。我在南京当然有过强奸的经历，并且是不分场所，有很多空房子，就在空房子里的床上干。平时也拿着米去向母亲要女儿。还有，有的女人是自己从难民区走出来，用自己的身子换大米。米是我们自己吃的大米，一回给装满一只袜子的量[相当于5合（日本的计量单位，一合约0.18升。）]。不是在南京城，而是在南京郊外，如果被宪兵队抓住的话比较麻烦，所以就杀死了女人。我是只在扫荡时进城的，也杀过人。

从这些事情来看，我认为南京大屠杀是有过的，我认为是干了坏事。

井户直次郎：

扫荡时的主要兴趣是强奸

（强奸）是所到之处都有。这是少不了的事情。在所到之处都目睹过扛着女人和强奸妇女的场面，连老太太也抓。强奸后就给杀死了。残酷极了。

陷落后过了两天，到下关进行征发的时候，在民宅征发过米和食物，那时也征发女人。打开屋里的衣箱盖时，发现里边藏着年轻的媳妇。因为是缠足，所以逃不快，就抓住了，就地扒掉衣服强奸。因为只穿了一条裤子，里边没有穿内裤，所以马上就可以干了。干完后，对方虽然说了“不要”，但还是对准胸口开枪杀死了。这是一种默契。如果以后宪兵队来了，事情败露的话要算作罪行的，所以给杀掉了。大家都知道这个道理，所以干完就杀掉了。

过了好长时间，治安有所好转，宪兵队让部队所有的士兵排成一排，把受到强奸的妇女带过来，让她们指出是谁干的。跟平时不一样，这次不算有罪，只是被骂了一句“不要再干了”。不算有罪，也不算别的什么，只是挨骂而已。我们随心所欲地作恶，10 个人里竟然有 9 个人干过强奸，还自吹自擂引以为豪呢。

大部分的部队都带着称为慰安妇的 30 多名妇女一起行动。几乎都是朝鲜的妇女。我们的部队也设置过慰安所。不是设在中队，而是设在野田部队的联队里。在南京（驻屯地）的光华门附近也设置了慰安所。

对城里女人藏身的地方也是了如指掌。年轻的、年纪大一点的都干过。干完后如被发现的话会惹来麻烦，所以就给杀掉了。不管是进南京之前，还是进南京之后，强奸妇女可以说是任你随便干，干多少都无所谓。还有的人自吹“干了 70 岁的老太婆，腰都变轻了”。在城里也有很多妇女被留下来了，几乎都藏在洞里边。即使设立了慰安所，也没有减少强奸事件。慰安所的妇女都是朝鲜人，分为军官用和一般用。费用大概是 1 日元或 2 日元。一般士兵的工资是 8 日元左右，我因为是伍长，所以有 15 日元左右。我们的分队还算好的，别的部队更是乱来。分队的士兵们几乎都经历过（强奸）。如果去城里干的话可以“白干”的。

还去过只收容女人的难民区（估计是金陵女子大学吧）。在屋里指手画脚地任意挑选，并且当场就干了。跟我同一个部队的，忘了是谁，在强奸的时候，被中国的败兵打了头部。从那以后强奸时，都会有人给你放哨的。是不分昼夜地干的。一般是以一个分队为单位行动。可能去过十几次。几乎所有的分队都是这样。同伙相互说“给我盯这边”、“给我盯那边”，干的时候也不顾虑旁边有没有人。说什么“结束了吗？这回该我了……”就是这样的情况。

士兵是一边说“死了，死了”，一边把女人带出来。女的也害怕被杀，所以立刻答应了。脸上虽然涂着锅底的灰，但是马上可以看出来的。每天净抓女人，虽然也害怕，但有意思的事情更多。

东征雄：

即使饿着肚子，看到女人就来精神了

……当时我 25 岁。从神户港出航，叫“利根川丸”的船上装载着 1 000 人左右的士兵到达了南京。从那儿开始，参加了大别山和汉口战役。在我前面的士兵都参加过南京进攻战。听说过 9 师团的杀人，是让支那人往栈桥上跑，他们从后面开枪打死的。

在支那，根据队长的命令，为了给国内来的人壮胆，用刺刀刺死过捆绑着的支那俘虏。支那人“呀”地发出了叫声。第一次是在安陆战役时干的，在讨伐中也放火、征发，干尽了坏事，都是跟先来的士兵学的。闯入老百姓的家里，只要见到好一点的东西，不管是什么全部都偷回来。在支那是就地征发，所以任你想干什么就可以干什么，偷什么都可以。

大家都把领章（所属的部队不同，领章的颜色也不同）摘掉后去抢东西。肚子虽然饿得受不了，但只要看见女的就立刻来了精神，一把就把女人给抓起来了。……部队里的所有人都干，就算默认吧。把女人打得半死不活的，因为反抗嘛。女孩子往往是不会让放过去的。反抗的就打，乖乖让干的就可能不杀，不让干的人就要杀掉……

有战友战死就产生了复仇心，想对中国人干残酷的事。不知杀死了多少人，记得有一回用手枪杀死了女的。冲进民宅让父母交出女儿，不交出来，就开枪打死了。受惊吓的女儿蹦出来看究竟，把她抓起来，大家一起干了，是6个人干的，最后女孩子好像死了。我没觉得可怜，认为“要恨就恨蒋介石”。在征发和强奸的时候也是认为“坏的是蒋介石”。我一直认为日本是“神的国家”，所以干什么都可以。当时我还一直想“干人们都干不了的事”。

大东亚战争的时候，在苏门答腊也跟荷兰的妇女睡过觉。不是在慰安所，是在俘虏收养所。跟那里的（被收容的）女的干的，干了与支那时一样的坏事。因为女人都饿着肚子，所以就用吃的引诱她们。日本战败准备回国的时候，受到了收容所二三十名妇女的“验明脑袋”，就是说要揪出干坏事的家伙。我因为剃了胡子，所以漏网了。可怕极了。

在支那，进村子之前，如果是进行抵抗过的村子，就放火烧掉。这是报复。杀死的支那人有10人或20人，这以上就记不起来了。只有一个是开枪打死的，剩下的几乎都是用刺刀刺死的。几乎都是男的，也有两三个女的。因为没有交出女的，所以给杀了。用刺刀刺很不容易死，就是说一刀下去也死不了人的，有的刺两刀也不死，过了一个小时左右去看还在“噗噗”地吐血沫。这时候，我就说“你要恨就恨蒋介石吧”。对于（杀人）没当回事。不是我一个人干，而是大家都在干。大家都很年轻，都想女人，最大的愿望就是喝一口国内的水，抱一抱国内的女人。支那女人身上发出的味儿不一样。台湾有台湾的味儿，朝鲜有朝鲜的味儿。可能是吃的东西不一样吧？（强奸过的中国女人）有10人以上，大概是30人左右吧。记不清楚了。……第一线部队就是这样的。第一线部队是无情的部队。说是去讨伐，其实是去抓女人。因为讨伐往往是突然袭击，所以女人来不及跑掉，抓起来比较容易。当时的目标就是这个。对老人和小孩子没有动过手，我只干年轻的女孩。

田所耕太：

把女人抓到驻屯地，由分队养起来再……

到 12 月 15 日为止是进攻战，从 16 日到（次年）1 月 11 日是在南京附近当警卫。南京郊外开始出现了慰安所。是用玉米皮编的小草屋，窄得只能放一张床。女孩子有十五六个人，都是朝鲜女孩。士兵都站在外边排队等着。我因为是下级军官，所以等士兵们（从女人那里）走了以后才去的。价格是 1 日元 50 钱到 2 日元左右，是用军票支付的。日本的钱是一分钱也没有。在分队里训练的时候是把女人抓到驻屯地，分队养起来。待一星期或两星期就给放了，再去抓替补的过来。去寺庙里的话有很多，因为寺庙大，所以周围的女孩子都逃到寺庙里避难。去那里的话就有了。普通老百姓的家里也有，只要毁坏二楼，就会发现藏在那里的女孩。女孩藏在二楼稻草堆里，由父母每天给她们送饭。

分队是在民宅驻屯下来的。带来 3 个左右的女孩子，供住供吃，玩腻了就给换掉。刚开始姑娘们只是哭。但是，只要带到分队给她们饭吃就没事了。行军时（在去南京的路上）只要发现（女人）就干。就是说把背囊放在旁边，就地给干了。有年轻的也有 50 岁左右的，都是农家妇女。父母没给藏起来，放东西的阁楼里和寺庙里藏得最多了。进军的时候自己心情会变得粗暴……干了 50 个人以上。现在想起来简直不是人干的事情。自己也不知道是死是活，成了真正的畜生。上司们不会注意你的，因为自己也在干。也没有宪兵来，在中国的时候一次也没有见过宪兵。至于干完了给杀掉的事情，我们是没有干过，而且也没有听说过。所以不知道有没有那种情况。但是，在上海和南京经常可以看见女人的尸体。在北支也见过，是裸着身子的。进攻南京和徐州的时候，因为忙于战斗，所以没有时间去干。那时候，最要紧的是吃，每天只是拼命地去找鸡蛋和鸡。因为我忙于照顾队长，所以没怎么去偷。

三木本一平：

护卫朝香宫时，部队特意去征发姑娘

因为朝香宫到了离南京不远的句容，所以我们一个小队同中队长一起，不分昼夜地执行护卫。南京到句容离开几十公里，听不到炮弹的声音。虽然躲在后方，但报纸

上却写着“朝香宫视察第一线大本营公告”之类内容。中队长天野乡三虽然是中尉，却不听野田联队长的话，在护卫朝香宫的时候竟然抱着女人睡觉。那时，天野对我们士兵说:“抢劫、强奸、放火、杀人，什么都可以干。”

在句容的时候，晚上分队的其他人都出去找姑娘去了，我认为“不能干那种愚蠢的事”，就没有出去。突然，交叉着架起来的枪支受到什么震动倒下来了。听到这个声音，天野就叫着“你这个东西”走了过来。因为我没有去找姑娘，所以他很生气。当时我在想，如果再说我就杀了你。这时，从外边传来士兵“有了，有姑娘了”的喊叫声。一听到这个消息，天野心情好了，也不生气了，说:“什么？有了！嗯。”一下子恢复了情绪。如果带来不愿意的女孩，就在士兵前面说“要调查一下”之类的漂亮话，自己把女人抱去睡了。天野每天让我们抓不同的女人。抓来的女人里有年轻的也有已经当妈妈的。睡过就给放了。

进入南京后，也是派整个分队去抓姑娘。16 师团要离开南京前，分队全体士兵被禁止外出，受到了调查，天野也是因为这个被送上军法会议。离开南京时，身为中队长的天野不见了。据邻村的 1 分队的朋友说，天野回到日本后，也被叫到东京受审，但因为他矢口否认一切，最终还是逃脱了责任。

以抓阄儿的方式轮奸女孩子

在南京，因为闲着没事儿干，就强奸了女孩子。部队的士兵们随便出去征发女人的事情，其实军官是知道的，但什么也不说，等于是默认了。因为男人嘛，有一年半载没有跟女人睡觉，是憋不住的。如果是男人的话，那是理所当然的事情，是人的话总想跟女人睡觉。闯进民宅的话，到处都有女人藏着。有藏在家里的，也有藏在稻田里的。几乎所有的女人脸上都用锅灰把脸涂得很黑。支那的女人因为不洗澡，所以很脏，但像住在南京那样的都市里的女孩，很多是弄得挺干净漂亮的。只要说一句“×看看（露出性器官的意思。士兵们使用的中国话）”，几乎所有的女人都老老实实地把衣服卷起来，露出来让我们看的。在挂着国际红十字旗的地方，南京的女孩子都逃进了那里。街上没有女孩子，所以搜查女孩是在到郊外进行扫荡的时候抓的，在稀稀拉拉地连接在一起的村落里干了坏事。

找姑娘是以分队为一个单位或几个人成伙一起去的。只要抓到了，分队的几个人就上前按倒，以抓阄儿的方式决定强奸的顺序。如果抓到第一的话，要把姑娘脸上涂的灰擦干净，然后才能干。五六个人轮流按着，姑娘已经吐白沫了。士兵们是如饥似渴。女孩子怕被杀死，所以全身直打哆嗦。在南京两三个人一伙去找姑娘的时候，房子里躲着一个穿着漂亮的中国衣服、像是国民党高官的夫人似的女人。我们对她说“× 看看”，她是害怕被杀死吧，丝毫没有抵抗，老老实实地把衣服下摆拉上去让我们干了。事情结束后，因为让我们干得舒服，我们还向那个夫人说了声“谢谢，谢谢”，握手道别了。士兵们都很年轻，想到明天可能死掉，就更加急切地想和女人睡觉。抱女人是谁都愿意干的事情。我认为上边的人是觉得士兵可怜，所以把朝鲜人和伴伴女郎带来供士兵们玩儿了。

听说过干完女孩子后，为了封口而杀掉的事情。还听说，有的部队让支那男女交媾，他们看着取乐。

拉来十九、二十岁的姑娘的时候，他们的父母就跟过来，把头磕到地面上，做出求我们放过女儿的样子。但求也没有用，因为士兵们都是如饥似渴，没有一个人去听他们的。三五个人按住还没有跟男人睡过的女孩，那女孩当即就昏过去，嘴上直吐白沫。父母说“不要”，但我们还是非干不可。我也干过，但干这种事是没有一点好处的。全日本的士兵都干过这种事，只看你说不说出来罢了。因为是男人嘛，分队里如果有 10 个人，就有 10 个人干过。战争拖得越长就越想女人，别的部队也一样地干。人嘛，都一样。

现役士兵没有多少经验，还算老实的。召集兵更厉害，因为都结过婚，知道女人，所以更想睡吧。一张红纸，为了天皇，大家都是被骗到战场的。

大田俊夫：

抓来做豆腐的，让他找“美女”

一般的女孩子不得不都听从我们的话，只要反抗就收拾掉。如果碰到有力气反抗的，就认为是娘子军，也给杀掉。也有不就地杀死，而是让她们扛行李，带到别的地方强奸的。队长发现了，也只是轻描淡写说一句“不要干坏事啦”（嘿嘿嘿地笑）。队长也是男的，所以知道部下们在干什么，也不会去追究的。我们“是、是”地答应，一般是干完后几乎都放姑娘们回家。

做饭也使用中国人。我们一个分队抓的中国人是一男二女，让他们烧饭、洗衣服。倒是抓了能做事的中国人。男的是做豆腐的，刚抓住时他很害怕，全身直打哆嗦，拼命地求我们说“饶我一条命吧”，还在纸上写了“饶我一条命”，看上去有点儿学问。我们觉得这个男的可以用，就给他发了写着“公用”字样的臂章，留在分队里使唤了。

做豆腐的带路带得很好，因此可以偷来好多肉和鸡、毛毯及短裤等东西。因为他是做买卖的，所以对街里是了如指掌，加上有日军的臂章，所以不停地偷来手表和肉什么的。别的分队都很羡慕我们的分队。他还带来做豆腐的锅给我们烧饭。

接着让他去了绸布店里把我们的短裤和被子都偷过来。那个人还叫来两三个同伙，从店里偷了东西后竟然倒卖起来了。大模大样地把支那人的好东西偷来，干得还挺起劲儿呢。虽然店里的人挺可怜的，但我们还是得了好处。

我们在纸上写了"美女"二字，交给做豆腐的，用手势命令他去带来。男的马上说"挺好，挺好"，就出去了。"挺好"就是好的意思，说女孩子"挺好"是漂亮的意思。他去了难民区，很快就带过来两个漂亮的女孩子。是穿裙子的女子学校的学生。给她们每人一间房子，白天让她们洗衣服，晚上当然不放她们回去，留在分队里供我们玩儿。我们都很年轻，所以免不了要"洒一高"（性交）的，也是理所当然的事情。分队在南京是十来个，两个女孩子足够玩儿了。但只放在我们的部队里，关起来不让她们出去。外边到处都是日本兵，她们也知道如果逃跑的话会被抓回来杀死，所以不会逃。我也同做豆腐的一起去绸布店里扛来绸缎、闪闪发亮的衣服给女孩们穿，让女孩子高兴。别的部队都很羡慕我们，也抓来女孩关起来。在南京去征发姑娘的时候，女孩子们都在脸上涂锅灰，涂得很黑，扮成了老人。但我们还是能辨认出是年轻人，因为是敌人的女人，所以都有想强奸的念头。

只要说"没有命的、开放"，拉开胸口的话，女人就猜到要干什么了。我们拉走女孩时，女孩子的父母或祖母跟出来求饶，我们不是给刺死就是放火，然后才回来。这是命令，听说如果不服从命令的话，就送到军法会议去。我们进南京的时候，那边的人是挺可怜的。

我们是轻机枪队，所以分散行动，在步兵掩护下打枪，不打的话不行。一定要在别人先动手之前杀掉对方，想活着就得杀人。只要放开胆子去杀就有功劳，就可以得到勋章。死了就不行，活着就要尽量多杀对方。13日，在扬子江边，步枪队一开枪，轻机枪也扫射起来了，只要谁说一句"下一批"，就把人排好打死。那时候我是以给战友报仇雪恨的心情扫射的，兴奋得连女人和孩子也杀。"南京是敌人的首都，大家都很辛苦，许多战友战死了。这回该让你们尝一尝苦头了，你们这些兔崽子。"因为战友死了，所以看见活着的中国人就恨。

南京大屠杀是存在的。说没有的人都是后来进来的人，是从东京过来稍微看一看、转一转便去南京的人说的。我们士兵是看见过的。

现在中国和韩国提出赔偿的问题，可怜的人真是太多了，日本让他们受到了残酷的遭遇。被谴责是理所当然的，因为南京大屠杀是存在的，是我们亲手在扬子江边开枪打死了好几万中国人。

泽田小次郎：

扫荡的首要目标是女人

无论哪里的部队，当时只要是最先冲进了城，就肯定干得很彻底。强奸妇女、征发物资、杀人什么的，恐怕任何一个部队都做过吧！

我想，强奸妇女的行为相当普遍。战役结束后去扫荡，我们有的士兵被中国人扔进小河杀死，有的被扔到水井里。也就是说，一两个人去征发妇女，反而自己被干掉了。妇女不大出现在第一线上，扫荡的时候却到处都能见到。可能是战争一结束，她们就回到后方来了的缘故吧。妇女们经常躲在旱地里。有时候你一拿起水缸的盖子就能看到有女的躲在里面。我们的士兵好像是经常在这些地方发现她们，然后把她们强奸的。南京进攻战当中，大家一发现稻草堆就放火，里面就有妇女跑出来。战争发展成那么大的规模，所有的事情都能够想象得出来。那和两三天的战役不一样，时间长，休息时间也长，休息期间给人的感觉是随你怎么玩都行。部队一驻扎下来就马上去附近的村庄进行征发。扫荡的话，首要目标就是妇女。我们这边尽是男人，而且又都是20来岁的年轻人，所以事情也是很容易想象的。

慰安所被认为是士兵所必需的设施。部队刚驻扎下来不久，就有从军慰安妇被带过来了。如果没带过来，就会对居民犯罪了，所以我想，她们是为了防止不好的事情发生而被带来的。慰安所是部队驻扎下来后10天或15天设立的，南京城内热闹的地方就有过。下关也许没有。虽然我们联队没在城内干过，不过我想胁坂部队附近肯定有过。虽然没有亲耳听说，但是想来一般是设在部队附近的。慰安所到处都有，分不清是哪个部队设立的。慰安妇当中有朝鲜人，也有日本人。一旦治安好转，日本妇女也会不断进来。部队里要去慰安所的人每天都有。我们中队没有慰安所。我当时还认为慰安妇是由专门负责慰安所的部队带来的呢。我也不知道他们从什么样的地方把人给拉来的。

川中洁一：

征发姑娘时两三个人去，征发粮食时则是一大群去

战斗开始的时候，随身口粮分到10天的量，除了米还有副食，所以想想带着走也很不容易吧。我有马帮忙，倒是很轻松。在来南京的战斗过程中，分队也进行了粮食的征发。就是赶赶鸡，赶赶猪，靠在当地置办生存了下来。

南京还多少有点米，可还是稻谷，所以我们也曾经自个拿臼舂了吃。攻陷以后，部队的流通也好起来了，这时候就靠军队的粮饷过活了，再适当征发一些猪呀鸡呀的副食。

征发物资是大家一起去，如果去征发姑娘，就只有少数两三个人去了。这些人尽管知道姑娘躲藏的地方，但是偶尔也会中埋伏的。

经过艰苦的战斗建立了赫赫战功的人当中，也有误入这种地方死的。为了不在那种情况下白白牺牲，见到败兵我们就袭击讨伐他们。去征发物资的时候，我曾经偶然看到外面的小屋里藏着二三十个女人。她们在屋里盖了稻草藏着，不过我什么也没干就把门给关上了。

每个联队都设立慰安所。我想，如果不正式设立慰安所的话，我们就会去征发女人，干下坏事，所以慰安所还是必要的。我们没在那儿待多久，所以也不太清楚南京的情况，不过，下天津的时候我曾经去那种地方玩过。因为大家全都是年轻人，有一种一时半会儿也忍不住的感觉。当然每个人的情况也许多少有点不一样吧。上了第一线，吃饭睡觉全在一块儿，相互之间谁也不知道今天或者明天谁会死掉，所以不管新兵还是军龄两年的兵，都去征发妇女了。

下山雄一郎：

越是有老婆的人越要去强奸

我们是从上海乘船沿长江去的南京。过了一座小山，马上就进了南京。我们在埠头让人把马拉下来，骑马进去了。最初是乘很大的汽船。那时候离南京陷落已经很长时间了，我没有看见过尸体。

进了南京，我们在城外的步兵学校负责警备任务。攻陷以后进去警备，出城以后又布置了航空和飞机的警备任务。我只去干了航空的警备。当时是爬上步兵学校所在的山头进行警备。

城里没有一个活人。到了城内警备放哨的时候就毛骨悚然。听说还有败兵，所以挺担心自己是不是会被干掉。

早会的时候，9 师团曾经发出“禁止去难民区”这样一条命令。

也有人去征发女人。可能越是有老婆的人就越是忍不住吧，他们经常强奸女人。骑兵当中也有这种人。他们抓住女人就在百姓家里干了，我甚至亲眼见过在路中央干的，就是我们中队的。师团不是有过“不准强奸”的命令吗？听说宪兵也进城了，不过最终还是没来。

他们强奸过女人之后就杀掉。听说我们师团也有这种事，我还听他们扬扬得意地讲过。说什么他一个人在路中央强奸，支那人都见到了。

我们因为是新兵，所以没去那种地方，但是肉和吃的东西是征发过的。他们告诫过我说，征发“会中埋伏，别单独行动”。征发的是鸡啊什么的。因为人必须得吃东西啊。征发是要去农家的。鸡、米、玉米等，就成了大行李到来之前的粮草。

联队长经常说：“不准调戏妇女。”妇女到处都有，都藏在普通百姓家里。一旦进入了我们占领的地方，她们就往脸上抹锅底灰。抹上了锅底灰，看上去像老人，不过我们还是看得出哪是年轻人的。一次，四五个人去村里征发，女人吓得动弹不了，是敌人进来了的缘故吧，我们就轮奸了屋里的女人。

大山护男：

我是新兵，负责找女人，自己也干

我们干的尽是后方的事情，在第一线过去之后，搜查躲着的那些人，搜出了很多女人。女人和女孩子往脸上抹了脏东西，把自己弄得很丑。有的士兵做得很过分，抓到年轻的就杀掉什么的，我见过。我也经常看到裸体的女尸，其中有一具那里（性器官）插了根竹枪一样的东西，一丝不挂，摆成了“大”字形。看着这些，我就想，我们在干恶劣的事情啊！

驻扎下来以后，我也曾经去搜过慰安性质的女孩子，当场干了。部队里有人说，这种时候哪怕稍微干点坏事，之后被人知道了也很危险，所以干脆杀了她，干了坏事就把人杀掉。听说有的部队说是他们抗日思想顽固，就下令统统杀光。比如说，只要怀疑他藏了武器，或者觉得有点可疑，就把房子统统烧光。从上海到南京这段时间，我们一直都属于后方部队，所以经过的都是已经烧成了灰的村庄。

在南京，我们在城内以分队的形式驻扎了大约一个月。南京当时是中国的首都，繁华极了，有丝绸，有棉被，什么都有。房主逃走以后，房子里还有好东西没来得及带走，只要是能吃的，我们什么都征发了。在分队，分队的10个人轮流出去征发女人或者食物。我们也去征发，乡下虽然有人，却没人抵抗。就算还有男人在，他们也只是怕日本兵，怕得跪地求饶。

我是个新兵，所以就负责去找女孩子。不去找就会挨骂，所以我们也顾不得其他了。上头说的话绝对不敢违抗，所以我就拼命去搜女孩子了。她们藏的地方不是房子，什么也不是。她们藏在墙呀砖头之类的后面。除了房子，连竹林和田里的稻草垛也躲。

如果带回来两个女人，就必须送给中队长一个。剩下的一个，就从分队 10 个人的头头——班长开始轮奸。我们是新兵，所以想都别想了哪。就这样，轮奸完了女孩子，就把人给杀掉了。

我参加了战争，也曾经被扣押在西伯利亚。

这场战争，我想，是场日本人自我感觉太过良好的战争。日本的军队太为所欲为了。在西伯利亚这个地方，我们不得不劳动干活。军官待在别的宿舍里头，情况怎么样我不清楚。但我们这些下面的小兵是一样的。做下恶劣事情的人得到了同等的报应。

不能再发动战争了。

森田太郎：

把女孩子拉来放进中队的私设慰安所

支那事变开始时，我在 3 大队本部。

到南京光华门前后走了一个月，一路上都有战斗。去南京途中的战斗，敌人一副要逃跑的架势，根本没打头。到达南京是在 12 月中旬吧。结果光华门是急着赶到了，可行李又重，粮草又没跟上。两三天的话还能有米吃，可没想到接连一个星期到 10 天左右都没来。这种时候就要在当地征发了。去当地征发的是士兵。进了中国农户家里一看，也没个人影：逃了。不过，女孩子什么的倒是有的。居民很老实，都没反抗。

征发姑娘我们也干了。农家的女孩子爬上天花板躲着。只要看一眼这家的家具，我们就能晓得里面有没有女孩子。说是去征集食品，其实就是食品跟姑娘一块儿找。可能是语言不通的缘故吧，我们也没遭到反抗。女孩子都浑身发抖。这种事是各分队独自行动的。也有的分队把女孩子拉过来私自设立了慰安所。基本上一个大队有 10 个左右的姑娘。姑娘们由军队管理。我不知道他们是从哪里把女孩子给拉来的，可我知道里面有很多朝鲜姑娘。在淳化镇，女孩子都是征发的时候抓的，所以没有设过慰安所。在淳化镇，也发生过士兵去征发的时候强奸女孩子的事情。

小寺忠雄：

当地掠夺和队长玩女人

（辎重 16 联队）某个中队长是带着女人逛大街的。因为上司都这个样子，所以只要想干坏事，不管多少都能干。我也喜欢女人。分队的士兵们把抓到的女人带来，说“玩吧”。不管女人怎么不愿意，我们只说“好好”，大家就躲起来干了。像我们这样年纪大的兵确实干了不少坏事，但也有不干的士兵，因为在家里是全心全意拜神的。士兵里也有各种各样的人。

类似上面的日军老兵“自述”，只要心态正常的人，读了这些文字都会有想吐的感受。这就是日本侵略者的兽性。

16. 独一无二的“奸情报告”

关于南京大屠杀，其实除中国之外，在美国、英国等国家的一些大学档案馆也保留了很多珍贵的历史资料，这些史料大部分是当年留在南京城内的那些新闻记者、神职人士和公司外籍职员保存下来的，而其中多数是当年坚守在城内、用自己的生命和宗教信仰保护了无数中国难民的“安全区”里的国际友人，关于“安全区”和“安全区”里的国际友人如何保护中国难民的事笔者在下一个章节里有专述，笔者把当年这些国际友人亲历所见并专为控诉与揭露日军强暴与残杀中国妇女的情况而形成的实录式《日军暴行报告》摘编出来供读者参阅，以便公众更真切地看到日军的野蛮罪行。

从历史档案中所查阅到的“报告”内容是以条目形式出现的，文字非常简单，且这些“报告”是多个人收集起来最后合成在一起，作为向日方提出抗议的材料，因此条目秩序与时间顺序上并不统一。整个《日军暴行报告》包含了日军杀人放火残害中国百姓的内容，其中日军强奸和轮奸妇女相关的内容就多达400多件，由于篇幅有限，下面摘录一二十件，一窥日军的暴行——

（说明：一些没有编入的号序，一般都是日军抢劫百姓的案情。）

…………

第4件：十二月十五日夜，七个日本兵闯入金陵大学图书馆，绑去妇女七人，其中三人当场被奸。

第5件：十二月十四日夜，日本兵屡次闯入中国人的住宅，凌辱妇女，或索性把她们绑去。于是大起恐慌。昨天又有妇女数百人迁入金陵女子文理学院。美侨三人不得不在该校过夜，保护三千妇孺。

第10件：十二月十四日，中午，日本兵闯入铜银巷某宅，绑去四个姑娘，强奸两小时后释回。

第12件：十二月十四日夜，十一个日本兵闯入铜银巷某宅，轮流强奸四个女人。

第15件：十二月十五日，日本兵闯入汉口路某宅，强奸一个少妇，并绑去三个女人。两个丈夫尾随呼号，同遭枪杀。

第 18 件：十二月十五日夜，大批日本兵闯入金陵大学校舍，当场强奸妇女三十人，有几个妇女被六人轮奸。

第 20 件：十二月十六日夜，七个日本兵破窗而入，劫掠难民，因校内职员既不献纳财物，又不供应姑娘，故加以戳伤，并当场强奸妇女。

第 22 件：十二月十六日夜，日本兵痛击大学附近的警察，要求供应姑娘。

第 28 件：十二月十六日下午四时，日本兵闯入莫干路十一号住宅，强奸妇女。

第 33 件：十二月十七日，日本兵闯入珞珈路五号，强奸四个女人，抢去脚踏车一辆，被褥及其他物件。我和哈兹（Hatz）前往，日本兵鼠窜而去。

第 37 件：十二月十七日，在小桃源我的住宅后面，日本兵强奸一个女人，并加以刺戳。她今天如能获得治疗，性命可望保全。她的母亲的头部也遭痛击。

第 39 件：十二月十七日，金陵大学对面，靠近二条巷田香（音译）先生住处附近一带，发生日本兵强奸的事件，前来报告者接连不断。

第 40 件：十二月十七日，珞珈路对面琅路上，日本兵把一个年轻的姑娘拖入室内强奸。

第 41 件：十二月十七日，司法院附近，日本兵凌辱一个年轻的姑娘后，再刺伤她的腹部。

第 42 件：十二月十七日，日本兵拖去一个四十岁的妇人，加以奸污。

第 43 件：十二月十七日，许多日本兵在建三圆路附近，强奸两个姑娘。

第 44 件：十五日傍晚在三条巷，一群日本兵闯进民房，强奸了几名妇女。

第 45 件：十二月十七日，日本兵从五台山一个小学校内拖去许多妇女，彻夜加以奸污，第二天早晨始获释放。

第 46 件：十二月十七日，吴家花园内，男子三人被杀，女子两人失踪。

第 47 件：十二月十六日上午八时，日本军官两人和士兵两人，闯入干河沿十八号，先把男人逐出，邻近的妇女纷纷逃避，室内无法逃避的妇女则被轮奸。一个日本兵的衬衣，遗落室内。

第 50 件：十二月十七日上午十一时前，山西路姚清思来报告说，日本兵闯入他家，把他的儿子姚蜀旗（首都警察四分局副局长）和十九岁的孙女抓走了。

第 52 件：十二月十七日，两个日本兵闯进莫干路九号住宅，抓走了王伯生的儿子，儿媳和姨娘。

第 53 件：十二月十七日下午三时，日本兵轮奸大方巷十号难民住宅内的三个姑娘，并有一个妇人受弹伤甚重。

第 55 件：十二月十八日黄昏，四百五十个饱受恐怖的妇女，逃到我们的办公处要求保护。许多妇女已遭奸污。

第 57 件：十二月十六日，日本兵架去陆军大学内的七个姑娘，从十六岁到二十一岁，五个释放回家。据十八日所接报告，她们每人每天被奸污六七次之多。十二月十七日，日本兵越墙而入，架去两个姑娘，三十分钟后又把她们送回。

第 58 件：十二月十七日，拉贝报告，十五个左右日本兵，闯入他的住宅，有几个攀墙而入，刺刀出鞘，声势汹汹，抢劫助理员韩祥麟（音译）身上的钱币和几种文件。他开具失单，向永井少佐报告。承蒙永井少佐的好意，他写了一幅大布告，贴在拉贝的大门上，禁止日本兵擅自闯入。拉贝是德国人，四面国社党旗飘扬屋上。可是，什么都没有效力，拉贝于下午六时回去时，又有两个兵闯入了，其中一个日本兵正在解衣，准备强奸一个姑娘。拉贝叫他们滚出去，他们仍越墙而出。日本兵窃去拉贝住宅内的一辆汽车，留下收条如下：“谢君厚礼，日军佐藤。”拉贝要求正式的收据，当遭拒绝。汽车的价值约三百元。

第 59 件：十二月十八日，永井少佐访问小桃源十号国际委员会主席拉贝的住宅，四个日本兵却闯入对面人家，其中一个正在强奸女人，因此大声呼救，永井少佐赶去，批其颊，叫他滚开。其余三个日本兵因见永井少佐走来，就溜之大吉。

第 60 件：十二月十九日上午十时三十分，黑兹（音译）先生报告说，他发现两个日本兵在靠近宁海路的一所防空壕里，正准备强奸几名妇女。这个壕洞里有二十来位妇女，当黑兹先生听到妇女求救的呼喊声时，立即跑进壕洞里，把日本兵驱赶走了。

第 61 件：十二月十九日上午十时许，裴志博士、菲济（音译）先生和我（史密斯博士）三人前去会见谭拉克（音译）先生，谈论灾难情况后，即去金陵中学看看昨夜难民们是怎样度过的。到了那里，发现昨夜有三名姑娘已遭日本兵强奸。其中一名是在校门旁边的房子里，被三名日本兵轮奸的。当我们正向大门走去时，见到日本兵仍在那里。这时，吴宝兰女士来到校门内，三名日本兵和一个骑马的军官紧跟其后。我们当即阻止日兵的行为，并叫吴小姐赶快坐进我们的汽车。那个骑马的日本军官，就气愤地将乘马拦阻我们的汽车，企图阻止我们的汽车行走。但马匹害怕汽车，我们就出了大门，把吴小姐带到日本大使馆，问他们，今天这位吴小姐在何处才能安全。最后她决定去鼓楼医院帮助工作。

第 63 件：据十二月十八日报告，宁海路上，日本兵向一孩子强夺半桶柴油，孩子因不愿继续运送，痛遭鞭挞。平仓巷六号的一只猪失窃。五个日本兵强抢许多匹小马。颐和路十二号内的几个姑娘被凌污。七个日本兵轮奸某茶馆内的姑娘，十八日香消玉殒，年仅十七岁。昨夜六时至十时间，三个日本兵奸污四个姑娘。日本兵数人轮奸莫干路五号的一个姑娘。昨夜，日本兵从金陵女子文理学院绑去三个姑娘，今晨释回，均憔悴不堪。平安巷的一个姑娘被三个日本兵轮奸而死。在阴阳营一带，奸淫掳掠搜索的事情，不断发生。

第 64 件：据十二月十八日报告，广东路八十三号八十五号收容难民五百四十人，自十三日起至十七日止，日本兵三五成群，前往搜掠，一天有许多次。今天仍继续抢劫。日本兵每晚用卡车架去年轻的姑娘，第二天早上释回，被奸污的妇女已在三十人以上。妇女和小孩彻夜号哭。凄惨的情形，不胜毕述。

第 69 件：十二月十九日，据报告，日本兵闯入北平路五十九号第八区卫生调查主任的住宅，昨天六次，今天七次。前天，该处有两个姑娘被奸污，今天又有两个姑娘被奸污，其中之一，因摧残过甚，性命难保。今天，日本兵还架去一个姑娘。宅内难民所有财物，悉遭搜劫。

第 72 件：十二月十九日，日本兵闯入属于金陵大学的农村师资训练学校，向工役勒索法币十元，昨天已经勒索过两元五角，下午，日本兵当场奸污妇女两人，夜间又奸污妇女五人。

第 77 件：十二月十九日下午六时左右，裴志、费煦和史密斯三人赶往汉口路十九号金陵大学职员的住宅，四个日本兵正在底层强奸妇女，他们赶出了日本兵后，把所有妇孺护送到金陵大学的总院，晚间，日本领事馆将派警察一人驻守。

第 78 件：十二月二十日上午七时半，李格斯经过汉口路二十八号时，被邀入内，得悉昨晚日本兵闯入该宅，因所有妇女已送往金陵大学，日本兵大为愤怒，射死一人，重伤一人，其余三人伤势较轻。

第 81 件：十二月二十日上午三时左右两个日本兵闯入金陵女子文理学院第五百号房子，强奸两个妇女，该时曾有日本领事馆的警察一人驻守门口。

第 86 件：十二月十七日，日本兵从陆军大学架去南京青年会总干事某君家内的三个姑娘。她们本来是住在阴阳营七号的，为安全起见，才迁往陆军大学。日本兵把她们绑到国府路，加以奸污，于半夜释回。

第 87 件：十二月二十日，阴阳营四十七号，一天内被日本兵洗劫七次，很多文物全被抢走，全家人都被搜查。昨天再次来到这家，抢去三千元，并搜寻妇女。从此，全家无人敢再待在家里。

第 89 件：十二月十八日，日本兵闯入金陵大学农场(有难民百余人)，绑去妇女四人，奸污终宵，第二天早晨释回。十九日，又绑去妇女两人，一人于二十日晨释回，还有一人迄无音讯。

第 93 件：十二月二十日，下午两点半，当菲济先生正准备动身到动力学教室去接两位女生来校办事，这时机工跑来说日本兵已经发现她们了，正要奸污她们。于是我们立即去平仓巷十三号，看见三名日本兵正在门房奸污这两位赤身妇女。我们当即制止他们，其中两个日本兵立即逃跑了，另一个日本兵还在寻找那位看大门的男人，检查他的手、背和足部，怀疑他是当兵的。这时两位被奸污的妇女赶快穿上衣服，跑进了菲济先生的汽车，驰往金陵大学。

第 94 件：十二月十七日夜，日本军官一人领导搜索队强迫金陵女子文理学院收容所的职员齐集大门口，约一小时之久，该军官撕毁证明已经搜索的文件。同时，日本兵则闯入收容所，绑去妇女十一人。

第 95 件：十二月十七日，金陵女子文理学院校舍内的某避难人家的媳妇，当场被奸污。一个教员的女儿给日本兵拖去。

第 98 件：十二月十九日下午七时半，两个日本兵轮奸怀孕九月的十七岁少妇，九时，阵阵腹痛，十二时，婴孩落地，今晨二时送入医院，产母神经错乱，婴孩无恙。

第 99 件：十二月二十日下午，日本兵闯入汉口路五号邓尼尔医生的住宅，该宅前门贴着日本大使馆的布告。他们奔到楼上的房间内，把两个女人拖到楼下，加以奸污，先后共达三小时之久。他们还从地下室中取去脚踏车三辆。邓尼尔不在南京，故该宅现由威尔逊使用。

第 101 件：十二月二十日下午三时，三个日本军官闯入汉口路小学难民收容所的办公室，职员偕翻译和他们谈话，但他们置之不理，叫职员离开办公室，白昼宣淫，强奸了两个女人。

第 102 件：十二月二十日，日本兵闯入国际委员会德侨舒尔茨 – 潘廷（Sohultze Pantin）的住宅，该宅现由马吉牧师、进行恢复电力的波德希沃洛夫和给日方修理汽车的齐阿尔三人合居。日本兵在马吉牧师的许多中国朋友面前，强奸几个妇女。那些中国朋友目睹兽行，惊骇不已！

第 103 件：十二月二十日，下午十时，鼓楼新村(音译)陈蓝宝(音译)先生住宅里，闯进来两个日本兵，躺在妇人的床上。于是陈先生立即喊叫曾经在日本使馆待过的斯文（音译）先生，他用日语对两日本兵说了一番，方才离去。

第 104 件：十二月二十日下午四时，四个日本兵闯入江苏路二十三号办公处的邻宅，将男人驱入一室，强奸三个妇女。他们到我们的院子里过夜，第二天早晨，日本兵又去要一个女人，午后四时半，两个日本兵再去强奸一个女人。一个男子想加以阻止，日本兵就开枪射击，幸子弹滑过，未受伤害。

第 105 件：十二月二十一日下午，约有妇女一百人拥到我们的办公处来躲避。她们都住在附近，昨夜迄今，统遭奸污。

第 107 件：十二月二十一日下午三时，史波林先生被请到莫干路八号，当他抵达时，两个日本兵就跑走了。接着，发现一个日本兵把一名青年妇女锁在房间内。史波林先生立即拍门，该日本兵穿好军服后才打开房门，史波林先生当即把他赶出去。

第 112 件：十二月二十一日下午四时五十分，日本兵数人爬墙而入我们的总办公处，想把一个女人拖到墙外的防空壕。史波林驱走日本兵，据那女人说，一个日本兵已经去过两次。

第 144 件：十二月二十三日，日本兵续施劫掠，一个日本兵击伤难民的头部，并强奸一个女人。今天日本兵闯入三四次，架去妇女数人。

第 145 件：十二月二十三日下午八时十五分，七个日本兵绑去四个姑娘。

第 146 件：十二月二十三日下午三时，两个日本兵闯入汉口路小学收容所。搜索财物，并强奸女职员黄小姐。我们立刻报告特别宪兵队，宪兵到达收容所时，日本兵早已逃逸无踪，他们便把黄小姐带去，作为人证。黄昏，又来几个日本兵，轮奸王太太的女儿。七时左右又来三个日本兵强奸两个姑娘，一个仅十三岁。

第 148 件：十二月二十五日，七个日本兵闯入圣经师资训练学校收容所，滋扰终宵。上午九时曾来四人，下午二时，又来三人，搜索财物，并强奸两个姑娘，一个仅十二岁。

第 151 件：十二月二十二日，两个日本兵闯入金陵大学蚕桑系校舍，强奸十三岁的小姑娘，母亲想加以阻止，当场被击伤。另有二十八岁的少妇也遭污辱。二十三日上午四时，日本兵拖去两个姑娘，路遇宪兵，鼠窜逃逸。

第 153 件：十二月二十五日，日本军官一人和两个日本兵绑去鼓楼新村十四号内十五岁的李小姐。

第 154 件：十二月二十六日下午四时，三个日本兵轮奸陈家巷（音译）六号内十三岁的小姑娘。

第 169 件：十二月三十日下午，两个日本兵闯入北平路六十四号意大利使馆某职员的住宅，抢劫法币百元，并绑架两个姑娘。经恳商后，他们释放了一个，被带去的一个叫尚雪珠（音译），十六岁，身穿皮衣。

第 170 件：十二月二十八日夜，一名日本哨兵闯入附近人家，强奸了一位姑娘。而在二十七日夜，一名酒醉的哨兵就曾来过这里寻找妇女。

第 171 件：一月一日下午三时，史波林步行于宁海路，走到广州路转角处，一个老太婆从屋内狂奔而出。史波林奔入屋内，窜出一个日本兵，在卧室内另见一个赤裸的日本兵和一个半裸的姑娘，奸污完毕。史波林叫他穿上衣服滚出去。

第 173 件：一月一日下午，三个日本兵闯入金陵女子文理学院，其中一人追逐一个姑娘，直入花园的竹林中。魏特琳女士赶往花园，救出将遭摧残的姑娘。其余两个日本兵则竟自认为宪兵。

第 174 件：一月一日下午一时四十分，两个日本兵闯入珞珈路十七号福斯多牧师的住宅内，强奸一个姑娘，并痛击一个拒绝强奸的姑娘。福斯多牧师适在费煦家中午餐。闻讯后，即偕费煦夫人和梅奇驱车前往，把两个姑娘送到鼓楼医院去治疗。

第 175 件：一月一日下午四时，三个日本兵闯入汉口路二百十一号属于金陵大学的房屋内，轮奸一个十四岁的幼女。母亲奔到校门口叫宪兵去解围，但他们走得很慢，已经太迟了。

第 176 件：一月二日上午十时半左右，一个日本兵闯入陈家巷五号刘培坤（音译）住宅，合家七口。日本兵向刘妻缠扰不休，刘妻正想脱身，刘培坤因气愤而掴日本兵的面颊，日本兵怀恨而去。下午四时，日本兵携枪重来，邻居跪求无效，刘培坤被击毙于灶间。

第 177 件：一月二日下午三时，四个日本兵在宁海路十三号奸淫妇女，劫掠财物，史波林和费煦二人赶往。日本兵看见了史波林的黑卐字臂章，大呼“德意志！德意志！”鼠窜而去。

第 178 件：一月三日，据报告，日本兵在几天以前架去铜银巷六号内的妇女六人，名义上是给军官去洗衣服的，其中一人于十二月三十日入鼓楼医院。据她报告，日本兵把她们带到城中某处，那里好像是伤兵医院。白天洗衣服，黑夜遭强奸，年纪较大的每夜被轮奸十次到二十次，年纪较轻的和面貌漂亮的每夜最多被轮奸四十次。一月二日，两个日本兵又把她绑到一所荒凉冷落的学校内，戳伤十处，计后颈四刀，臂腕一刀，面部一刀，背上四刀。日本兵以为她已伤重毙命，舍之而去，后经旁人发现，再送入医院，也许可望恢复，但颈项恐难灵活旋转。

第 179 件：一月三日，发育未全的十四岁小姑娘，被日本兵强奸后，受伤甚重，须动手术，加以治理。

第 180 件：一月八日，五六个日本兵强奸了沈举人巷二十二号内的妇女后，复开枪射击，李氏受伤，年三十二岁。

第 181 件：一月八日，四个日本兵昨夜闯入高家酒楼附近住宅，强奸三个妇女（二十一岁，二十五岁，二十九岁）。因为她们的行动稍缓，日本兵便以手枪射击。

第 182 件：一月七日，两个日本兵要强奸慈悲社七号内的一个小姑娘。张福熙（音译）拟加以阻止，当被戳害。

第 183 件：一月八日下午六时，三个日本空军驾驶员轮奸华侨路四号内高姓的姑娘（十八岁），事后任意开射手枪。

第 186 件：一月九日下午三时左右，密尔斯和史密斯两人到城西南去视察情形，遇见一个女人，手抱婴孩，恰遭两个日本兵轮奸。

第 187 件：一月九日夜，一个宪兵闯入汉口路二十五号史密斯的住宅，劫去一个女人，并从另一住宅劫去另一女人，路遇李格斯，以刺刀吓禁声张。

第 190 件：一月十四日，一家难民从金陵大学附中回到自己的住宅，将登记证张贴门上，据说日本兵不会再去骚扰。不料在一小时之内，就闯入了五个日本兵，逐出男人，轮奸一个女人。第二天早晨，合家重返收容所。

第 191 件：一月十六日，吉先生报告说，从金陵大学回家去的学生都遭奸污了。因此她们宁愿返回学校同校友们一块住。

第 192 件：一月十六日上午八时多，几辆载有日军的卡车驰来金陵大学图书馆，要找工人和六名做饭的妇女。当时就去了六位妇女。但日本兵说她们太老了，明天上午就叫她们回去，一定要准备调换年轻些的。这群日本兵就在当天傍晚又来硬要妇女，但无一人肯前往。到十七日上午八时左右，日本兵乘卡车、汽车各两辆再度来此，其中还有军官两名，车上还载有中国男子数人和从蚕业公会弄来的七名妇女。

第 194 件：一月十六日下午。密尔斯牧师去修安堂，发现星期六和星期日是最糟的两天，日本兵正是在这两天来到此地并奸污妇女。密尔斯牧师当场赶走了两名日本兵。

第 195 件：一月十五日，金陵大学附属中学收容所内，有一男一女同返城南住宅，日本兵一人欲加以奸污，她坚拒不肯，当遭日本兵戮杀。

第196件：一月十九日，日本警察参赞搭客搭马（音译）来到金陵中学要六名妇女前去洗衣。当即回答说：只要有人自愿前往，是可以去的。但那位参赞接着说：去的人必须是年轻的。于是反问他道，既然要洗衣的，为什么必须要年轻的？他的回答是要漂亮些的。

第200件：魏特琳小姐报告，日本兵从金陵大学劫走了许多妇女。

第201件：一月二十日，三个妇女从南京神学院被劫去。

第210件：一月十一日夜，两名日本兵闯入高家酒馆四十四号，索要妇女。幸该家妇女先一日已到金陵中学难民区了。日本兵未达到目的，便到隔壁邻居家，劫持了两名妇女，当她们丈夫的面轮奸。

第211件：一月二十五日下午，鼓楼医院来了一个女人，据她报告，夫妇两人住在难民区圣经师资训练学校附近的草棚，十二月十三日，日本兵把她的丈夫捉去，同时把她带到南城某处，每天奸污七次到十次之多，夜间则予以休息的机会。她已身染三种性病：梅毒、白浊和下疳。五天以前，始获释放，重回难民区。

第212件：一月二十九日下午，一青年妇女从难民区前往莫愁路买面粉，途中被日本兵拖上卡车，这是被拖走的第二卡车妇女。

第213件：一月二十九日，三名妇女在金陵中学南边的安乐里被日本兵强奸。

第216件：一月三十日下午，一名日本兵闯进金银巷一一三号院里（美国人住宅），四面张望，搜找妇女，随即跑到对面圣经师资训练学校，劫持了一名妇女。

第217件：一月三十日下午四点三十分，我从住处乘车去平仓巷（音译）礼拜堂，经中山路转汉口路时，遇到五十来位中国老百姓，把我的汽车拦住，大家告诉我说，一日本兵在司法部附近正劫持一妇女，把她拉进薛家巷四号去了。我立即被这群人引到那里。一进门，我发现很多抢来的家具，地板上堆满了各种各样的东西，极为凌乱。头一个房间是空着的，另一房间放着两副棺材，到第三个房间，我看见那个日本兵正从那位裸着身体躺在床上的妇女身上跳起来，企图阻止我走进房间。我即用手臂向大门口指着给他看，当他望见这群中国人和我停在大门口的汽车时，就四面张望，沿后院爬院墙逃走了。这时，被奸污的妇女也离开了。我继续前往教堂。

第219件：一月十三十四两日，日本兵杀死南城某姓家中十一人，妇女被奸污后，再加以残害，只有两个孩子保全性命。

第221件：一月三十一日，住难民区的一位二十四岁的中国姑娘，上午十一时回到广州路四十六号的家，给留在家里的叔父做午饭。一日本兵看见了即尾随着她，用刺刀威逼，把她强奸了。

第 222 件：一月三十日，日方命令金陵大学蚕桑系校舍收容所内的一家难民，回到二条巷自己的住宅。当夜，三个日本兵破门而入，唤起男人。据他们解释，他们是侦探，一人携刀，一人携枪，一人徒手，吩咐大家不要惊慌，再叫男人睡下。搜索后，携刀的日本兵强奸十二岁的幼女，其余两个日本兵则轮污一个老妇，直到半夜始去。三十一日，全家重返收容所。

第 223 件：二月一日上午六时半，又有一群妇女向裴志恳切表示，她们不能够回去。昨天有一个妇人恐怕收容所封闭后，将失去所有被褥等物，携了两个女儿回到西华门家中。晚上，日本兵前往，欲强奸两个姑娘，她们不肯，便给日本兵杀死。所以，该妇人表示，回去是没有用的。与其在家中给日本兵杀死，不如于二月四日拒绝离开收容所而给日本兵杀死。

第 224 件：一月三十日下午五时左右，妇女数百人恳求桑纳取消成议，她们不愿于二月四日离收容所回家。据她们说，与其回到家中后被奸被劫被杀，不如直截爽快就在收容所中送掉性命。她们这样说："你们已经救了我们一半，如果现在不再照顾我们，就等于前功尽弃。送佛送到西天，好事做到底！"六十二岁的老妪回到汉西门附近的家中，当晚日本兵前往，欲加以奸污，她表示年纪太大了，当遭日本兵痛击。她不得不重返收容所。

第 226 件：一月三十日上午十一时，返回到旧锁巷（音译）二号的两位年轻姑娘，被日本兵强奸了。

第 227 件：二月一日下午，大约两点半钟，一中国儿童向我住处跑来告诉我和秘书福斯多牧师说，日本兵还在附近的外侨住宅隔壁邻居里搜找妇女。我们便立即跑往那里，到了居民家时，居民指着一锁着的房门，我们推门，里面没有回应，硬破门而入，当场发现两名日本兵，一个正躺在床上，另一个则坐在床头边。那位被奸污的妇女则躺在两日本兵和墙壁之间。一日本兵这时立即跳下床来，去拿他的皮带和手枪，通过墙洞向外逃去；另一日本兵还在酒醉中，没穿下衣，这时，连皮带也找不着，无法立即逃脱，看来是十分慌张的。我们这时也只得让他通过墙洞逃去。他出了洞口，回过头来还想同我握手。这时，福斯多牧师跑在前头去找日本宪兵，我则紧跟在这个醉汉日本兵后面。最后，我们把他交给在上海路与中山路交界处的两日本哨兵，并把情况给他们作了证明。

第 228 件：一月二十九日，一位二十四岁的妇女去通济门，她一到家，一日本兵把她拉到一间空屋里强奸了她。

第 230 件：一月二十九日，某姓少妇（二十二岁）从难民区回三牌楼三号住宅，被日本兵奸污二次。几天前，她的丈夫回家时，被日本兵刺伤。

第 232 件：一月二十九日，陈王氏（二十八岁）回家，并有女伴同行，路上遇三个日本兵，百般恳求无效，被拖入店堂强奸，陈王氏连续污辱三次。

第 233 件：一月二十八日，张杨氏年三十七岁，回到家里，被日本兵两次强奸。

第 234 件：一月三十一日，赖洪氏年十七岁，回家后正在池塘边淘米，一个日本兵扔掉了她的米，把她拉到桑树地里强奸了。

第 235 件：一月三十日，姚彩珍（音译）小姐年十六岁，随母亲去鼓楼医院探视友人，走近鼓楼时，被两个日本兵拖到广场强奸了。

第 236 件：一月三十日，徐秦氏年三十六岁，正同丈夫和几个邻居一道回家，在花牌楼太平巷里，被两个日本兵拖到一间小屋里强奸了。

第 238 件：一月二十八日，魏陈氏年四十五岁，同邻居女友一道回家，走近太平门时，都被日本兵拉走，她虽脱险，然而邻居女友已被强奸。

第 240 件：一月三十日，周陈氏，年三十六岁，回家途经通济门时，被两个日本兵强奸了。

第 241 件：一月三十三日，秦王氏，年二十二岁，被日本兵拉走，一直未回安全区。

第 242 件：一月二十八日，白吴氏，年二十七岁，回家时被两个日本兵强奸了。

第 244 件：一月二十九日，秦马氏，年三十五岁，回到北门桥的家后，被日本兵强奸了。

第 245 件：一月二十八日，张卫氏，年二十岁，回到家里被两日本兵强奸了。

第 246 件：一月二十八日，徐周氏，年三十二岁，回家后被日本兵强奸了，她丈夫的衣服也被抢走了。

第 247 件：秦方氏，年三十六岁，家在通济门附近，房子被日本兵烧毁了，她刚回到被毁的家，就被两个日本兵轮奸了。

第 248 件：一月二十九日，姚王氏，年三十四岁，刚刚回家，被两个日本兵轮奸了。

第 249 件：一月二十九日，蔡家英（女，已婚），年十八岁，由母亲陪同回到马台街家中，被两个日本兵轮奸了。

第 250 件：一月三十日，朱张氏，年四十岁，回家后，被两个日本兵轮奸了。

第 251 件：一月二十九日，吴殷氏，年十九岁，刚分娩四天，被日本兵强奸了。

第 253 件：一月二十五日，王张氏，年四十五岁，家在新桥，她到家后，就被日本兵强奸了，丈夫则被日本兵用刺刀戳死。

第 256 件：一月三十日，一女孩回家去，她家在国府路，中途被两日本兵拖到一间空屋里轮奸了。

第 257 件：一月三十日，一位四十四岁的妇女，家在大中桥，她在回家途中被日本兵拖到一间空屋里强奸了。

第 259 件：一月二十九日，许清太太，年四十二岁，回热河路的家，被两日本兵轮奸了。

第 260 件：一月三十日，一妇女阿太氏在看到了可以回家的告示后，就同她的两位女儿回到门西饮马巷家里，途中被三名日本兵拦阻搜查了她的身体，把身上仅有的三元两角钱抢去了。

第 263 件：一月二十九日，一老妇苏卢氏（音译）年六十四岁，回国府路二四七号的家。次日晨，六名日本兵前来在她屋里全面搜查、抢劫……

第 266 件：一月二十九日，周必清在老米仓（音译）目睹日本兵奸污妇女和女孩。后来日本兵把他们都集合在那里，要他们带鸡鸭来换取大米和面粉。周说，日本兵的这些话全是欺骗人的。

第 268 件：一月三十一日，顾吴氏，住安品街秦家巷 13 号，她回家拿米，被日本兵奸污并遭抢劫。她立即跑回难民区了。

第 273 件：一月三十一日，三茅富后街十三号天主教堂的周姓家，日本兵经常不断地前来搜查，寻找花姑娘。

第 276 件：一月三十日，两个日本兵闯进上海路四十六号，强奸了这家的一位寡妇。

第 277 件：一月三十日下午一点三十分，三个日本兵闯进柴北市（音译）一慈善机关里，在闵姓家第二间屋子里，把全部男子逐出，强奸了同住的全部妇女。这些日本兵还不许她们立即返回难民区去。

第 278 件：一月三十日，三个日本兵闯进了糖坊桥三十号，搜查了在家的男子，并强奸了刚分娩才半月的一位妇女。

第 281 件：一月二十八日，三个日本兵闯进大纱帽巷一号姓宋的家，抢劫了全部衣物，并强奸了一个幼女。次日，日本兵再次来到这里，要这家给一年轻的姑娘，回答说没有，他们就在室内到处点火烧屋子。

第 282 件：一月二十九日，内桥附近一家当铺的对面，一位年约二十岁的少女，被日本兵强行拖进一条小巷里去了。

第 283 件：二月一日的一份报告说，住在田村街（音译）三八四号的一位孀妇周氏，年五十许，被日本兵以暴力强奸后，继续被拘留，并强迫她在那里为日本兵做饭。

第 287 件：一月二十九日下午八时，五个日本兵（三人穿军服，两人着便衣）闯入慈悲巷十一号，将刺刀尖对准马良慈胸前，要她跟他们走，并威胁她丈夫，把刺刀放在他头上，还威胁她的嫂子，但最后这五个日本兵没有达到目的。

第 289 件：一月三十一日上午，四个日本兵闯入莫愁路十三号杨姓家搜查，当搜查出一张女子的照片时，就向这家老奶奶要这位姑娘。老奶奶说没有，立即激怒了他们，但老奶奶的冷静安宁的情态，竟平息了这一不测的场面，四个日本兵最后离开了。

第 290 件：一月三十日上午十一时，金陵女子文理学院收容所内的一个小姑娘（约十一二岁），回到朝天宫黄泥巷十九号家中，被四个日本兵轮奸。

第 291 件：一月三十一日上午，几个日本兵在东瓜市附近，闯进某姓家里，企图抢走这家的两个女子，当时某人立即把这情况告知了宪兵，等宪兵来到时，日本兵早已跑走了。

第 292 件：一月三十一日傍晚，城内五台山附近某家的两个少女，被日本兵拖走了。

第 293 件：一月二十八日傍晚，两个日本兵闯入江苏路附近某姓家里，搜寻妇女，他们在一无所获的情况下，用刺刀刺伤了一位六旬老人的左肩。

第 294 件：一月二十九日傍晚，三个日本兵在一位老百姓屋里，轮奸了一名妇女。

第 295 件：一月二十九日傍晚，三个日本兵在珠江路一个老百姓屋里，轮奸了一名妇女。

第 296 件：一月二十九日傍晚，三个日本兵闯进吉林寺九号，轮奸了一位二十岁的少女。

第 297 件：一月二十九日晚，阴阳营二十一号附一号，一妇女被日本兵轮奸了。

第 298 件：一月二十九日晚，阴阳营四十三号、四十四号、四十五号、四十六号均遭日本兵搜查，抢劫财物，奸污妇女。而在第四十四号这家里，一妇女遭四个日本兵轮奸，其丈夫遭到毒打。

第 299 件：一月二十日上午，四象桥太平旅社里一妇女，被几个日本兵拖到房门口，当场杀害了。

第 300 件：一月三十一日，广州路两个日本兵轮奸了一妇女。

第 301 件：一月三十一日，在彩霞街一海货店隔壁小巷内，一位年逾六十的妇女和十二岁的小女孩，都遭日本兵强奸后，又被用刺刀刺进她们的阴户而惨死。

第 302 件：一月三十一日，鼓楼二条巷一位十二岁的女孩，被日本兵强奸了。

第 303 件：一月三十一日，四象桥一位年过六十的妇女，被日本兵强奸后，又被用刺刀刺进她的阴户惨死。

第 305 件：一月三十日，两个男性难民，一个叫李望才，一个叫李山日，回到新桥家后，日本兵先后到他们家搜查十余次，遭受毒打五六次，并威胁他们给“花姑娘”。

第 306 件：一月二十八日上午八时，一个日本兵闯进卫清里（音译）七号，登上二楼，砸坏房门，寻找妇女。

第 307 件：住三牌楼火车站附近的一位年过六旬的妇女，已被日本兵强奸十多次。

第 311 件：二月二日上午七时三十分，刘宋氏年三十五岁，在宁波同乡会后面，被两个日本兵轮奸了。

第 312 件：二月一日夜十时，苏王氏年二十岁，住阴阳营四十九号，遭四个日本兵轮奸了。

第 326 件：二月一日下午一时，三个日本兵在紫麻葱（音译）轮奸了一位二十九岁的妇女。

第 327 件：二月一日下午一时，三个日本兵在鼓楼五条巷，抢走了刚满十岁的一个小女孩。就在前天，即一月二十八日，三个日本兵已经在这家轮奸了两名妇女。

第 330 件：二月三日上午十时许，江先生夫妇俩，回到自下路的家。日本兵七八个人，破门而入，首先威胁江先生出去，企图强奸他的妻子。后来日本兵发现江先生手臂戴有国际红十字会的臂章，就都跑走了。

第 331 件：二月二日上午十时，马先生的妻子在中华门城门附近被一日本兵强奸。

第 333 件：一月三十一日下午八时，两个日本兵闯入三牌楼某宅。他们先爬上屋顶，窃听屋内是否有年轻的姑娘。七十一岁的老妪闻屋上有响声，走出门外，日本兵便从屋顶上跳下，闯入屋内，索取姑娘。老妪无从应命，他们即加以殴击。他们还想剥去她的裤子，她坚决不肯，头部又遭殴击。

第 336 件：一月二十九日，李女士携儿子一块儿回四条巷的家。三个日本兵闯进她家，抢走了五角钱。母子二人即返难民区了。

第 337 件：一月二十九日下午，姚某及其家人回张府园住宅，日本兵前往，劫去火柴若干匣。三十日，日本兵再往，剥去全家大小的衣服（八十岁的老妇也未能幸免），搜索银钱，一无所得。同时，邻居徐家，被劫去法币三元五角。二月一日，日本兵又来搜索。他们因骚扰不堪，想重返收容所。

第 338 件：一月三十日上午，王女士回家后，三个日本兵闯进她家，要年轻妇女。由于她那里根本没有，日本兵就用短刀威胁她，并想抢些现金，终于落空。王女士在这种情况下，决定仍回难民区了。

第 340 件：一月三十日上午，四个日本兵（其中一人着便服）来到阴阳营四十九号王姓家，从王身上搜去大洋一元。当晚这四个日本兵再度前来，从屋后破门而入，幸而家里妇女及时地从前门逃出隐藏了。

第 341 件：日本兵经常来江一楼（音译）三十号找妇女并抢劫最好的食品。

第 342 件：一月三十一日下午，一个日本兵在齐肖营（音译）闯进一位四十一岁的罗姓妇女家里，幸而当时有些男子在家维护了她，幸免于难。但放在桌上买米的一元钱，却被抢走了。

第 343 件：一月二十七日下午八时，四个日本兵闯进华安里吴姓家，家中有两姐妹，姐年二十四岁，妹年二十一岁，她们在刺刀威胁下被轮奸了。家里一只金戒指也被抢去了。两天后（即一月二十九日），这四名日本兵再次前来寻找两姐妹。

第 344 件：一月二十九日，朱女士在黄泥岗遇到日本兵抢劫她家财物并用刺刀威胁她要年轻妇女。

第 345 件：一月三十日，几个日本兵抢劫石鼓路蔡福安的家并强奸了一妇女。

第 346 件：一月二十七日，日本兵在中山东路抢走了田女士的行李。

第 347 件：一月三十日，一位叶女士在南京神学院被一个日本兵强奸了。

第 348 件：一月二十七日，一个日本兵企图在草鞋巷强奸田姓母女未遂。

第 349 件：一月二十八日，两个日本兵在评事街企图强奸一汪姓女士未遂。

第 350 件：一月二十九日，马小姐在林秦巷的家中，被日本兵抢劫。

第 351 件：一月三十日上午十一时，两个日本兵从草鞋巷（音译）肖先生家里，抢走了两少女并强奸了。

第 352 件：一月二十九日，一个日本兵身带刺刀，向住在黄泥岗的白林氏要年轻妇女。

第 353 件：一月二十九日，三十九岁的黄陈氏，被日本兵轮奸十次以上。

第 354 件：一月二十日，刘李氏，年三十一岁，家住紫尔巷（音译），被日本兵轮奸了一整天，现在身体不能行动。

第 355 件：一月二十九日下午，日本兵闯入平安巷林姓女士家里，抢劫衣服及其他物品。

第 356 件：一月三十日下午，三个日本兵闯入太平桥莫姓女士家，用刺刀威胁，要年轻妇女。

第 357 件：一月二十九日下午，日本兵在石鼓路用刺刀威胁一张姓妇女要年轻姑娘。

第 358 件：一月二十八日，汪秦氏回到柳叶街的家，正遇到日本兵来她家抢劫财物，并向她威胁要妇女。

第 360 件：一月二十八日下午，日本兵抢走了朱女士家的铺盖、衣服和现金。

第 361 件：一月二十七日下午，三个日本兵在通条巷包围了辛女士的家，要年轻妇女。

第 364 件：一月二十八日，日本兵在林庆巷抢走了刘女士的现金一元并恐吓她要姑娘。

第 365 件：一月二十九日上午，日本兵闯入评事街马强林家索要妇女。

第 366 件：一月二十九日，五十八岁的何女士，返回新街口的家中，被日本兵两次强奸，因而又回到难民区了。

第 367 件：一月三十日，周女士在公园路被日本兵三次强奸。

第 368 件：一月二十九日，年二十二岁的杨女士，在船板巷被三个日本兵轮奸。

第 370 件：二月二日下午二时，两个日本兵闯入王府巷汪先生家，威胁他要姑娘。当汪先生回答没有时，被痛打。

第 371 件：二月一日，汪先生报告说，五时三十分，三个日本兵闯入天目路一家，要姑娘，幸而他的妻子已藏进厨房里了。于是，日本兵从他身上掏走现金八元六角。

第 372 件：二月三日，白夫人回到西徐北路（音译）的家后把一个小凳从家里向门外搬出时，遇到三个日本兵，被他们立即拉着拖走。她当即跪在日本兵面前，哀求说，老娘病重。在旁的邻人也都来作证。接着，日本兵就进入她家，看见老娘躺在床上，确在病中，就离开了。但白夫人的一个大拇指已被刺刀刺伤。

第 373 件：二月三日上午，刘女士回家走到西华门附近的一家门前时，被三个日本兵拖到楼房里强奸了，衣服被刺刀戳破，右手食指被刀戳伤。

第 374 件：二月三日，秦女士回麦糖街（音译），刚到家门口，一个日本兵站在门口拦住她，不准进门，要拉她企图强奸。经一再哀求才被释放。但已遭受痛打，右手食指被刀戳伤。

第 375 件：二月三日，马氏回家，途经同仁街时，遇日本兵三人，拖入空屋，轮流加以奸污。(报告上有马氏的手指印)

第 376 件：二月一日，戴女士回家去，走到来高街（音译）附近时，遇到两个日本兵被抢去银耳环一只。她的右手食指亦被刀戳伤。

第 377 件：二月三日，陈先生回家去，走到车关道时，遇上几个日本兵向他要姑娘。他回答说没有。日本兵用刺刀刺伤了他的腰部，左手食指亦被砍伤。

第 378 件：一月三十日，陈氏回家视察，在石板街遇到四个日本兵，拖入恒茂酱园，轮流加以奸污，事后释放。

第 382 件：二月一日，吴金生（音译）回到光华门外家中，七个日本兵拖出一个老妇，强迫两人性交，他们在旁欢笑。

第 383 件：一月二十九日下午六时，日本兵来通关集八号要“花姑娘”。

第 384 件：二月二日，易李氏回沈家巷东端的家后，深夜里两个日本兵闯进她家，企图奸污她。

第 385 件：二月二日，易张氏在饮马巷被两个日本兵轮奸。

第 387 件：二月二日，马奶奶回到家里后，日本兵闯入向她要姑娘。

第 388 件：二月三日，吴罗氏回家途中，在户部街遇到日本兵，企图强奸她，未遂。

第 390 件：一月二十九日，张马氏被数名日本兵拖到明星戏院后面强奸。

第 391 件：一月二十九日，李费氏被两个日本兵轮奸多次。

第 392 件：一月二十九日，蔡罗氏在新评弹（音译）和九江路前面被日本兵用短刀威胁，向她要两只银戒指。

第 397 件：一月三十日，杨秦氏回家，深夜闯进一日兵，强奸了她，并用匕首威胁，向她要钱。

第 398 件：一月三十日，张王氏回到中华门外的家，数名日本兵闯进，强奸了她，并向她要钱。

第 399 件：一月三十日，王江氏在红庙被数名日本兵搜查，并向她要钱。

第 400 件：一月二十九日，天目路的魏金生先生报告说，下午二时，闯来两个日本兵。一守在门口，另一上楼去要强奸他堂兄弟的媳妇，她母亲立即向日本兵跪下，苦苦哀求，这样，日本兵把母亲打了一顿，刺了一刀，就走了。

第 401 件：一月二十九日上午十时，阴阳营的陈先生报告说，两日本兵前来向他家要姑娘，他母亲恳切地解释没有，并热情款待了他们。可是日本兵走后，她发现家里一元多钱被拿走了。

第 402 件：一月二十九日下午八时，两日本兵身穿便衣，来屠宰桥（音译）马姓家要姑娘，并说他们只要一夜，第二天早上就让她回来。又说，他们还愿意给全家提供大米、现金和衣服。尽管他们对很多人都说过这样的话，但得到的回答仍是“不行！”估计明天早晨可能还要来。

第 403 件：一月三十一日上午，几个日本兵在大方巷企图强奸一位十四岁的女孩。一月三十日，几个日本兵来七家湾秦先生家，企图强奸一位十岁的小女孩。经家人苦苦哀求，才得幸免。

第 404 件：一月三十日，家住虎丘关的胡女士，正在家中煮饭，差一点被几名日兵强奸了。因她母亲说服了日本兵，她才得幸免。

第 405 件：一月二十九日，几名日本兵来到某姓家，企图伤害一位十岁的女孩。经她父亲恳切哀求，日本兵竟以刀尖刺伤了他的颈部，并用脚踢了女孩，这才走了。

第 406 件：一月三十日上午十一时，两个日本兵闯进高家滔馆苏先生家，他是一月二十五日刚搬到这里的。日本兵向他要姑娘，他回答“没有”，日兵即以刺刀指着他，劫去金戒指和手表各一只。

第 407 件：二月五日下午七时三十分，五个日本兵闯入天桥路（音译）梅女士家，遍搜家中男子的全身，劫夺现金后，企图强奸梅女士，但梅已乘机逃脱。

第 408 件：二月五日下午七时四十分，两日本兵闯进颐和路一位齐姓的女士家，抢去现金五元，并企图强奸，未遂。

第 409 件：二月五日上午八时，两日本兵闯进艾李氏家。她是前天回到夫子庙附近家里的。此时，酒店里的男子们已全被拉去做工去了，日本兵即把她拉进酒店一间房间里，将房门关了，她被迫脱去了衣服。她分娩刚十天，但婴儿已死去。同时在这房间里，还关有另一妇女名叫冯何氏，她故意撒谎说自己刚分娩四天，婴儿当时就死了，这样才免于难。但该日本兵走时，向冯何氏讲，稍迟他还要来检查她。

第 410 件：二月五日上午十时，四（或五）名日本兵，闯入黄泥岗王刘氏家要姑娘和未成年的孩子。同日下午五时，另一群日本兵前来，狠狠地敲门，王刘氏及全家人，即从后门逃出了。

第 412 件：二月四日下午四时，三个日本兵（其中两名持枪）闯进宁海路东边的华新巷一幢屋子里，搜抢现金和姑娘。但原来在屋子里的年老妇女，非常恐惧，全逃走了。日本兵一无所获。

第 413 件：三月四日下午，一冯姓妇女回到跑马巷（音译）的家，当她到达福明凡（音译）时，被两个日本兵拖进附近一掩蔽壕里。由于她带在身边的孩子高声哭叫，日本兵才离去了。

第 414 件：二月三日上午，吴姓全家人回到新北里（音译）家里，一日本兵两度闯进这家，抢走大部分东西后，赶走了家里的男子，把一妇女衣服脱光，强行奸污了。

第 415 件：二月三日下午五时许，在大中桥附近，三个日本兵前来威胁一妇女，把她怀抱的婴儿甩在一旁，轮奸了她。之后，日本兵笑着走了。

第 416 件：宋曹氏报告说，正当她离开安全区走到水西门时，被城门口的日兵搜查，拿走了身上的现金三元八角。出城后又被日本兵拉进附近一掩蔽壕里。她没遭到暴行的原因是当时日本兵看见另一位大约三十来岁的年轻些的妇女，于是，她又逃到城内了。

第 417 件：二月四日，在门西太平桥，三个日本兵闯进杜姓家，硬要强奸这家的一个妇女。当这妇女听见日本兵声音时，立即躲藏在织布机后面。日军搜找了大约三十分钟没发现她，然后就走了。这位妇女接着就来难民营，并作了这份报告。

第 418 件：二月三日下午八时，四个日本兵在北平路翻越一家院墙，抢去徐先生现金三元，并两次强奸了乔先生的妻子和刘先生的妻子。

第 420 件：二月三日下午一点，已回家的姚罗氏，年二十三岁，被日兵强奸了。

第 421 件：二月二日上午，王玉林带妻子回家去，中途遇到一卡车，上面有三名日本兵，卡车刚从身边驰过忽然停止，车上日本兵跳下来，把这夫妻俩的箱子连同其妻子都弄上车。幸而妻子立即从车上跳下，但箱子却被抢走了。

第 422 件：二月二日，王杨氏回家，上午十一时许，四个日本兵闯进她家，企图强奸，经全家人跪下苦苦哀求，这位妇女才被释放。但是这家人却遭日本兵的痛打，家里现金十元也被抢走了。这位妇女在恐惧日本兵再来的不安心情下，携孩子返回难民营了。

第 423 件：二月二日，谢钱氏，年二十四岁，正走在回下关家的途中，被日本兵阻止，并拘留在一住宅里，遭强奸。随即她跑出了住宅，正往下关走去时，被另外三（四）个日本兵拉住，幸一海军军官过此，才得幸免。这时，她通过帮助，仍被送回难民营了。

第 425 件：二月七日，据报告，日本兵于二月六日下午五时左右，在百子亭后面击毙了三个男人和一个女人。今天午前，死者的邻居到我们的办公处来证实此事。下午四时半，一个姑娘来报告，被击毙的女人就是她的母亲，恳求我们予以援助。她的母亲于几天以前从收容所回家，携带所有现款，准备克勤克俭，另立门户。所以，她希望从母亲的尸体上觅取现款。

事实的经过是这样的：一个老年人携带椅子两只，沿铁丝网而行，为日本兵所拦阻，并立刻开枪射击。同行的女人因发觉老年人并未殒命，故唤来两个男人，随带木门一扇，拟将受伤者抬回。不料三人到场时，日本兵又开枪射击，无一幸免。

拉贝和密尔斯两人偕该女前往出事地点，看见尸体四具，横陈血泊中：第一具尸体是老年人，第二具尸体是女人，第三第四两具尸体是两个男人，身旁是长方形的木门。

因为时间太晚，无法进行必要的手续，拉贝和密尔斯两人决定于明晨报告自治委员会。

八日早晨，据自治委员会声称，他们已经知道这一件事情，他们的警察已经报告特务队。因此，我们决定再去看看实际的情形。德国大使馆的罗森博士适在我们的办公处，他表示也愿同往。

罗森、拉贝、史波林和史密斯四人同往调查，发现尸体四具，已于今晨由红卍字会移往附近小丘，准备掩埋，但地上和门上依然血迹斑斑。木门和椅子还在出事地点。出事地点和一池塘相近，离马路约二百码，离驻兵的地方更远。我们在出事地点时，附近并无日本兵。据该处一个乡民告诉我们，已有许多人回去从事耕种，但这一次事件又把他们吓走了。四具尸体用芦席包扎，老年人头发灰白，女人满手是血。

第 426 件：二月五日上午，一个日本兵闯入汉西门五十六号曹曾氏家中，拟加以奸污，因家人唤到宪兵，未遂兽欲。下午五时，该日本兵又往，以刺刀戳伤曹曾氏的面部，送院治疗。据威尔逊说，面部伤势甚重，病人陷入半昏迷状态，头盖骨恐已碎折。

第 428 件：二月七日，十二岁的幼女半夜被奸污，她是于昨天才和父母重返大方巷家中的。今天她的父亲又把她送回收容所。她的下体发肿，不能行动。

第 429 件：二月四日，五十八岁的王卢氏，回城北太平桥家，四五名日本兵闯进该家，先将屋里男子全部赶出……

第 430 件：二月五日，一个日本兵闯入西华门附近大中桥陈姓（音译）住宅，索取姑娘。因室内并无姑娘，该日本兵乃鸡奸十七八岁的青年。

第 431 件：二月五日上午，西北角的陈女士报告，三个日本兵闯进她那里要姑娘。当天下午，这群日本兵又乘卡车来，车停在门外，车上装有妇女十多人，日本兵要陈女士参加，经陈恳切请求后，才被释放。

第432件：二月五日，一妇女回家途中，由金陵女子大学至香铺营。当她抵达家门时，一日本兵立即闯进，向她要姑娘，她害怕，开始逃走，日本兵一把抓住她，扭伤了她的脖子。她在极端恐惧的心情下，终于又回到难民营了。

第434件：二月五日，一位老奶奶在利录福（音译）遇一日本兵，企图强奸她，把她痛打。

第436件：二月五日，三个日本兵闯入三牌楼郑姓（音译）老妪家中，一人把守大门，两人轮流奸污。这老妪已经六十多岁了。事后，一个日本兵还强迫老妪以舌舐拭阳具上的秽物。她的孙儿因为哭泣不已，被戳两次……

上面的这份原生态的"奸情报告"，尽管对每一起日军的暴行用了非常简单的文字描述，然而我们依然强烈地感受到侵略者犯下的滔天罪恶，可谓举世罕见！当我们有机会再通过被害者的亲历诉说，感受"强奸"、"轮奸"、"奸杀"时，它是多么的残忍、卑劣、无耻与血腥——

17. 被害者的自述

不管是自己，还是自己的母亲或自己的亲姐妹，被人奸污、被人蹂躏，尤其是被一群异国的野蛮侵略者一次又一次地强奸与轮奸，这样的事是谁都不愿意再从自己的口中说出来的。当年南京大屠杀时那些被害受难的人们是这样，几十年后仍然是这样。然而，为了清算日本侵略者在南京大屠杀时的无耻行径，在20世纪40年代、80年代、90年代和21世纪初，中国政府和民间人士，为了核实清楚日军在占领南京时到底犯下了多少罪行，先后数次对当年那些被日本兵强奸和轮奸过的受难者进行了面对面的调查，目前南京市政府、南京大屠杀遇难同胞纪念馆和中国第二历史档案馆及南京大学等单位都保存和收集了数以千计的日军强奸和轮奸中国妇女的当事者的口述材料，这些材料极其可贵，证明了日军犯罪的事实。更可贵和值得尊敬的是这些受难者丢弃了自己被辱的脸面而勇敢地站在世人面前控诉日军的暴行。如果不是为了清算和证明日军的暴行，笔者相信不会有哪个中国妇女和中国男人愿意将自己和自己的亲人被奸污的事袒露在世人面前。下面选择了几位受害者当时的口述，她们（他们）接受采访时都已是年逾七旬的老人。在此笔者先要向她们（他们）表示最诚挚的敬意。当笔者阅读这些"口述"时，忍不住与她们（他们）一起流泪，一起愤怒——

郑桂英：女，1921 年 11 月 9 日生

1937 年 12 月时 16 岁，家住雨花台邓府山

我叫郑桂英，日军南京大屠杀时我 16 岁，住雨花台邓府山，家有大伯伯、丈夫和我三口人，叔叔、婶婶与我们分开过。

日军进城时，我们“跑反”到了南京郊区沙洲圩。我们几十个人住在一个四周有水的洼地中间搭建的简易大棚子里避难。有一天，一队日本兵来了，在河对岸“喂！喂！”地喊，要我们划船过去接他们。把他们接过来后，日本兵就坐在凳子上笑。我们不知道他们来干什么，开始还不怎么害怕，等到日本兵把一个小姑娘抓进屋里强奸后，才突然感到害怕。日本兵挂着东洋刀，端着枪，一个日本兵突然“砰”地打了一枪，我们吓坏了，很害怕，就从沙洲圩往山里跑。那个被日军强奸的姑娘则一路上边跑边哭，十分可怜。后来日本兵又跑到另一个小村庄，村里留下的 9 个人被他们打死了 8 人。为什么呢？因为日本兵进村时，村里的姑娘们都逃难跑了，日本兵找不着“花姑娘”，就开始杀人。活下来的那个人让我们“快走，快走”，吓得我们连忙往山里跑。

我们在山里躲了将近一个冬天，到了第二年（1938 年）开春“安定”时才回来，村子里二三十家房子被烧光了，20 多个人集中住在半间未倒塌的破房子里。我当时 16 岁，个子比较矮，穿着破套裤，脸上涂上灰。一天，有辆日本兵的汽车开过来，停在路边，下来一群日本兵，挂着东洋刀，都很年轻，大约 20 多岁。有个日本兵要抓我，村上有一位叫小二子的人对日本兵说：“她还小，才 10 岁，是个小孩！”当时还有几个姑娘躲在床底下，日军发现床下有人，就过去抓她们了，我就乘机跑掉了。这些姑娘就没有像我那么幸运了。

有一天中午，我走在泥泞路上，碰上一个日本兵，被抓住了，没办法，我对他说：“先生，害怕，害怕！”他拉我往没有人的房子走，我知道他要干什么，如果按他的要求办，就没有人救我了。我很害怕，就往我家的方向走，到了一处破房子，里面躲着一些妇女，我干奶奶也在其中。她为我向那个日本兵求饶，被打了两个嘴巴后，日本兵放了一枪就走了。

后来，又来了一群日本兵，拖着一个姑娘进屋里强奸，外屋的人都吓得不敢去救她。有一个老太向另一个日本兵求饶，因为这个女孩是她的侄女，那个日本兵就往这个老太太身上乱摸。日本兵强奸以后就走了。后来我们又躲在坟摊里，结果又被日本兵发现，吓得我们拼命跑，尿都撒在裤子里，与我一起的那个姑娘，就是前面所讲的那个姑娘又被抓住，再次遭到日军强奸。那个日本兵要我走开，姑娘要我陪着她，可是我太害怕了，就逃跑了，我踩着壕沟里遇难者已发泡的尸体，翻过两个山头，才逃脱。

日军还杀了很多人，有个姓李的，还有个姓方的，另一个记不清了，三个都被杀了。日军还用绳子捆着很多人，用机关枪扫射，有的妇女被奸后又被杀死。有个大妈，大雪天里被日军强奸后又推进河里，她向岸边挣扎，日军又嘻嘻哈哈地笑着把她推进河里……我有个婶婶的母亲，躲进防空洞里，日军就放火用烟熏她，从洞里拖进拖出共三次，反复地折磨她。

在雨花台普德寺一带，有两三处“万人坑”，一个坑就有一间房子大；我亲眼看到，红卍字会在这里埋了许多老百姓的尸体，死人中还有小孩。

唐润珍，女，1925 年 3 月 31 日生，汉族，祖籍江都

1937 年 12 月时 12 岁，家住南台巷 2 号

我叫唐润珍，1937 年时我住南台巷 2 号。家中有哥哥、弟弟、妹妹、父母和我，我父亲是织绒的。

我哥哥名叫唐正年，当时 30 多岁，是瓦匠。日本兵进城后，他正在南台巷巷口，被日本兵抓住，用乱刀戳死。当时我爬到别人家楼阁上躲着，一直等日本兵走了才下来。家里人都害怕日本兵，不敢出去替哥哥收尸，后来是红卍字会把他的尸体运走掩埋了。

当时与我哥哥一起被日本兵用刺刀杀死的还有三个邻居，其中一个姓井，他的母亲在乡下也被日本兵糟蹋死了；另一个是拉黄包车的，40 岁左右，还有一个记不清了。

我们院子里还被日本兵杀死了一个人，院子里的墙上写着他临终前的血书，即他的名字和住址——颜料坊，死者是求好心人为他向其家人报信的。

有一天，我们便跑到颜料坊去找，终于找着了死者的后人，住颜料坊 11 号，他们过来把字铲了下来，用死者的衣服包起来埋了。原来这个人看到鬼子来了，便往院子里跑，结果还是被日本人追上戳了数刀，死前他在墙上用自己的血写下名字及住址，有些字看不清楚，但“颜料坊”几个字是看得很清楚的。

在干河沿难民区，我还见到日本兵带走了两个姐妹，十六七岁的样子，都被糟蹋了，姐姐是被弄死了，妹妹井红宝不久回来了，现仍健在，住南台巷。

我还知道，铁管巷有一个日军慰安所，两层楼小洋房，里面的妓女全为日本人。

我哥哥被杀当天晚上，我们全家逃到干河沿难民区，住在楼梯过道里，每天靠领稀饭度日。日本兵有时爬过墙头找中国姑娘，我曾亲眼见到一位妇女被抓走（这个人现在还活着）。

丁伯祥，男，1924 年 10 月 12 日生，汉族，祖籍南京

1937 年 12 月时 13 岁，家住佛心桥 8 号

日本人进南京那年我 13 岁，家住佛心桥 8 号，我家有 7 口人：祖母、父亲、母亲，还有我们兄弟四人。日本兵进城之前，父母带着我们兄弟四人逃到江宁县陶吴去了。60 多岁的祖母留在家中看门，日本兵来了，向她要“花姑娘”，她说没有，日本兵便用脚踢她，还打她的嘴巴，后来她跑到难民区去了。这些都是我们从江宁回南京后，她告诉我们的。

我们家门口死的人很多，有个姓陈的老太，60 多岁了，她儿子是皮匠，她被日本人强奸，还被用瓶子塞入下身阴部，尸体被扔在水塘边。有个外号叫夏三秃子的，四五十岁了，在家看门，日本人要他找“花姑娘”，没找到，也被戳死了。

日本兵还强奸了一个姓黄的妇女，并叫一个名为朱漆的男人和她发生性关系，朱磕头求饶，不肯干，日本人就戳了他一刀，血流得一地，幸好没死。

王华治，男，1926 年 10 月 25 日生，汉族，祖籍南京

1937 年 12 月时 11 岁，家住沧波门街后村 48 号

我叫王华治，1937 年侵华日军侵占南京前，我家住南京沧波门街后村 48 号。家里有 8 口人，母亲王曹氏（48 岁）、哥哥王华林（24 岁）、嫂嫂王曹氏（18 岁）、姐姐王华珍，还有表姐、堂姐、堂兄弟和我。

1937 年 12 月 13 日，侵华日军攻占南京时，我们逃到江宁县的茅山寺庙里。在庙前树下，我看见有三个和尚被日军砍死了，他们的血还是热的。

1938 年正月初七，我哥哥王华林和我家帮工梁东来（时年 23 岁，南京板桥人），与同村另外两人，共 4 个人，从沧波门到龙潭挑粮食，路过麒麟门时，4 个人被日本兵杀死 3 个，另一个人也受了伤，腿被打折了。其中我哥哥王华林、帮工梁东来都被杀身亡。

当时我哥哥被日本鬼子杀 7 刀，在他还未断气时，向着我家沧波门的方向，忍着伤痛在雪地里爬了两里多路，到了湾营村旁因伤势过重，流血过多而死去，他的 10 个手指都磨掉了一节，棉裤膝盖处都磨通了，沿路留下了斑斑血迹。

我亲眼看见了收埋哥哥尸体时的惨状。哥哥他们遇难的消息，是和哥哥他们同时遭劫的 4 个人中那个受伤的唯一幸存者爬回来告诉我家的。

1938 年 4 月，嫂嫂王曹氏被日本兵强奸了。因丈夫被杀、她本人受辱，受到极大的刺激，嫂子的精神失常了，后来还生下一个女孩，是日本兵强奸留下的孩子，那孽种两岁时病死了，嫂嫂在 1988 年去世。

堂姐王华英也被日军强奸过，她当时才15岁，堂姐于1984年去世。

王秀兰，女，1914年8月1 1日生

1937年12月时23岁，家住南京草场门

我家原来是在草场门种菜的，我是独生女。南京要打仗了，中央军将我们撵到城里。我的干爹赵永兴，当时50多岁，也是种菜的，他住在鼓楼四条巷6号，我们一家便搬过去与他同住。

我从农历九月份开始就到金陵女子大学做旗帜，那里招募了很多小姑娘，共有二三百人，10人为一班，我们所做的旗帜挂在难民区周围。

日本鬼子是冬月十一日进城的，到处杀人，抓妇女，当时我与母亲躲在金陵女子大学，住在三百号楼，母亲有时到四条巷6号看看。冬月十八日，也就是日本鬼子进城后的第8天，几个鬼子到四条巷6号，他们先是搜东西，我父亲王仕和当时50岁，鬼子在他身上没搜到钱，就将他打倒在地，在他肋下戳了两刀，我父亲捂着伤口忍痛逃到隔壁5号躲了起来。第二天，他被送到鼓楼医院治疗，肺全戳烂了，半年后他就死了。我干爹赵永兴的头上也被砍了几刀，当时没死，用烟叶子敷伤口，过了几个月也死了。

住在我干爹对门的人家姓邵，邵姓老夫妻俩舍不得在水西门开的药铺子，没离开南京，他们20多岁的小儿子又舍不得老两口，就留了下来。邵少爷在冬月十八日那天被日本鬼子戳了12刀，叫喊了一夜，第二天就死了，他妈妈也哭死了。邵小姐，也就是邵少爷的妹妹，在几个鬼子轮奸她时反抗，还打鬼子的耳光，她的乳房和下身被鬼子残忍地割掉了。

鬼子经常拖妇女到四条巷6号家中强奸，邵大妈名叫邵张氏，当时已经50多岁了，多次遭到日本人强奸。

鼓楼附近和上海路的死尸很多，都是老百姓，还有妇女，山西路的塘里也有很多尸体。

我父亲有一次外出买东西，在回来的路上经过鼓楼下坡时，看到日本鬼子在那儿把一个中国人的头皮割开，用药水往上洒，扒人皮，还逼我父亲看，我父亲吓得要死，回家后饭也吃不下去。鬼子太残暴了。

夏淑琴，女，1929年5月出生于南京，汉族

1937年12月时8岁，家住南京新路口5号

我叫夏淑琴，日军进攻南京前，家里共有9口人。外祖父聂佐成（70多岁）、外祖母聂周氏（70 多岁）、父亲夏庭恩（40 多岁）、母亲夏聂氏 (30 多岁)、大姐夏淑芳（16 岁）、二姐夏淑兰（14 岁）、大妹妹夏淑芸（4 岁）、小妹妹夏淑芬（1 岁）和 8 岁的我，一家人租住在城南新路口 5 号一哈姓（伊斯兰教徒）的房屋里。

1937 年 12 月 13 日上午，一队日本兵（约有 30 人）来到我家门前敲门，刚刚打开门的哈姓房主就遭到枪杀。我父亲看到这个情况就跪在日本兵面前，恳求他们不要杀害其他人，也被日本兵用枪打死。母亲吓得抱着 1 岁的小妹妹躲到一张桌子下面，被日本兵从桌子下面拖出来，日本兵从母亲手中夺过小妹妹，把她摔死在地上。接着他们扒光了我母亲的衣服，几个日本兵对母亲进行了轮奸，然后用刺刀把她杀死，并在她下身里塞进一只瓶子……

后来，几个日本兵闯进隔壁房间，那里还有外祖父、外祖母及两个姐姐。日本兵要强奸两个姐姐，外祖母拼命护着她们，也惨遭枪杀。日本兵撕下两个姐姐身上的衣服，她们分别遭到几个日本兵的轮奸。大姐、二姐被轮奸后又被日本兵用刺刀刺死。日本兵还用一根木棍插进了大姐的下身里。

当时我躲在床上的被子里，由于恐惧，吓得大哭，被日本兵用刺刀在背后刺了三刀，我当时就昏了过去，不省人事。也不知过了多久，我被 4 岁的小妹妹的哭声惊醒，看到周围全是亲人的尸体，我们俩哭喊着要妈妈。

我们到处找吃的东西，幸好家里有些炒米、锅巴，就这样，我们与亲人的尸体一同生活了 14 天。

后来，我俩先后被“老人堂”（慈善机构）和舅舅收养，舅舅一家生活也很贫穷，从 12 岁开始，我不得不自谋生计，卖过菜，做过佣人。

就这样，我家 9 口人在很短的时间内被日本兵杀死了 7 口，我一想起，就忍不住流泪，眼睛都哭坏了。

朱秀英，女，1925 年 6 月 16 日生，汉族，祖籍南京

1937 年 12 月时 13 岁，家住中山门半山园 2 号

1937 年，我家住在中山门半山园 2 号，日军空袭南京时，我们经常躲进防空洞，我哥哥被送到乡下姨妈家。后来日机轰炸越来越厉害，中山门也被堵起来了，母亲带着我与邻居一起去了难民区避难。

我记得是夜里去的，天亮时才到豆菜桥。我们带了点米，还有两只鸡。当时五台山、华侨路那儿难民很多，没地方住，我们只好自己动手捡破毯子之类的东西搭棚子，后来又找来一些破芦席用。棚子里一下子住了那么多人，生活很成问题，没有厕所，大小便就在露天地里，那时也不怕丑。

三天后，日军进城了，汉奸让我们把太阳旗插在门外迎接日军。日本兵经常到豆菜桥来找“花姑娘”。一天，他们找了一个老头，逼着让他带路去找女人，看中了一个 30 多岁的妇女，老头乞求那个妇女说：“去吧，去吧，救救我的命吧。”

没办法，那个妇女就跟日本兵走了，后来她回来的时候，喉咙都哭哑了。我还看到一个女的，一边走，一边哭，手捂在屁股上，她的裤子被刺刀划开了。

我妈手上戴的金戒指也被日本兵抢去了，一开始，她还不知道日本兵要戒指，后来她看到日本兵拔出刀来，连忙把戒指给他，吓得要死。有一天，我与邻居的一个小姑娘去新街口，在新街口日本宪兵队门前，我们看到有个人被抓去，衣服被脱光了，只穿一条短裤，日本兵用长刀在他身上比划来比划去……我们见此情况吓得赶快往家跑。

我姑妈家住在东流，日本兵进南京后，我姑爹被杀害了。有一次，我姑妈与表弟上厕所，看到日本兵来了，掉头就跑，结果都被日本兵戳死了。我表弟叫席小牛，当时十二三岁，我姑妈名叫席朱氏，当时 50 多岁。这一情况是我母亲跟我讲的。

我家的 3 间房子被炸毁了，中山门到新街口的很多房子被烧了。我们回中山门后，仍不得安宁。有一次，门口有个姓陈的 60 多岁老太太，在家睡午觉时，被日本兵强奸了，哭得要死，我妈与邻居去劝她想开一点。

我们住在山上没水吃，有一次，我与哥哥下山拎自来水，那个水龙头本来就是坏的，关不紧。有个日本兵来了，认为是我们把水龙头搞坏的，我哥哥被打了两个嘴巴，水桶也被踢翻了，我们哭着跑回家去。

张慧如，女，1923 年 11 月 7 日生，汉族，祖籍南京

1937 年 12 月时 14 岁，家住门西老虎桥

1937 年我家住门西老虎桥，住的房子很小，是租的。我父亲在国民党部队当兵，母亲张严氏（今年刚去世）当时带着我和比我小 7 岁的弟弟（张金浦，现居住在台北）留在家里，母亲靠给人家做针线活谋生。

日本兵进城前，母亲带着我与弟弟到金陵女子大学避难。华小姐（魏德琳）是个大个子，她对我们难民非常好，照顾很周到，发米发菜给我们，日本兵有时半夜翻墙进去，找“花姑娘”，她不允许，尽力阻挡，放狗咬，还开枪打。快过春节，我们才回家。

日本兵杀人很多，在回家的路上，走到中山东路上碰到一队日本兵，我们看到一个孕妇的肚子被日本兵剖开，肚子里面的胎儿被日本兵用枪挑着玩，我很害怕，躲在母亲身后不敢看，弟弟吓得直哭，母亲捂着他的嘴，不让他出声。我们年纪小，日本兵没把我们怎么样。我们回家后，整天关着门，不敢出去，日本兵的皮靴声让人很害怕。

文孙氏（化名），女，1919 年 10 月 7 日生，汉族，祖籍南京

1937 年 12 月时 18 岁，家住南京下关

我叫文孙氏，我家原来住在下关。我于 1936 年农历十一月结婚，爱人原来姓郭，因他是我家招的女婿，结婚后便改姓文。

1937 年 12 月，日军进城前那一天，不少败退的国民党兵企图过江逃命，有的还到我家要门板。天快黑的时候，我们全家进了附近的和记洋行避难，途中看到日军军舰对着过江的士兵进行扫射。

在和记洋行避难的人很多。有一天，来了六七个日本兵，带着枪，腰挎东洋刀，从避难人群中抓走了五六个姑娘，我也在其中，还有一个姑娘我也认识，她的小名叫小巧子。一个日本兵将我拖到一间空房子里，我记得他胖胖的，还有胡子，他一进去就用刀逼迫着要脱我的裤子，如果不顺从的话就没命了，没办法，我就这样被强奸了。强奸过后，那个日本兵对我说“开路开路的”，我被放了回来。

为了逃避日本兵再来骚扰伤害，当天晚上，和记洋行的负责人便将我们十几个妇女转移到打蛋厂的地窖子里，其中有几个姑娘还是从苏州逃来的难民。我在那里躲了半个多月，家里人偷偷给我送饭。后来，“安民”了，局势稍“安定”后，我才回到原来的住处，与父母住在一起。我在和记洋行待了一年多才回家。我的丈夫知道我被日本兵强奸的事，同情我，他于几年前去世了。在家里，我不敢与子女讲，还担心别人知道了，会看不起我。

我的表弟当时才十几岁，被日军抓走后，再也没回来。我亲眼看到很多人被日军杀害，我们有个邻居沈奶奶，80 多岁了，她以为年龄大了，留在家里没事，结果被日本兵杀了，肚子都被剖开了。还有一个烧茶炉的，他舍不得家产，没有走，在家里也被日本兵杀了。

马玉秀（化名），女，1928 年 11 月 6 日生，汉族，祖籍南京

1937 年 12 月时 9 岁，家住南京建邺路

1937 年我家住建邺路，家里有奶奶、父母和两个哥哥。我家穷，日本兵侵占南京之前，父亲帮人踹布，后来就卖酒酿。不少有钱人都跑反走了，我家没有钱，到外地去坐船乘车都要钱，还要吃饭，所以就没有去外地。

日本兵进城时，我们就躲到泥马巷我家舅奶奶家开的铜艺公染坊，当时有不少邻居都躲在那里。日本兵在我们隔壁杀了很多人，我们听到“哎哟”、“哎哟”的叫喊声，后来就听不到声音了。当时，我年龄小，大人们躲在房间里面，我在房间外面，我还喊“妈妈，妈妈，你在哪里”，日本兵已经站在我身后了，我吓死了。一个白发老太向他求情，说我是她的孙女。后来日本兵走了，我吓得躲在大厅的地洞口，浑身发抖。当时，日本兵来到我们住的地方，要找“花姑娘”，那个老太拿鸡蛋给他。后来，又来了一个日本兵，叽里咕噜的，也不知说的是什么。当时，有不少人躲在楼上，有的人就躲在染缸里，老太一边给躲难的人报信，“我带他去找‘花姑娘’去了”，一边引着日本兵到后面去了，楼上的人乘机下来逃跑了。但我舅爷爷被一个日本兵带走了，从此再也没回来。他姓王，当时有 70 多岁了，是个大个子。到了晚上，大家一起出来商量，说这里不能待了，一同结伴去难民区吧。大家用大红巴巴往白纸上一贴，做了面日本旗举在手中。我的两个姑姑用锅灰抹在脸上，把衣服撕破，还把衣服反过来穿，头上顶着棉花胎，像“讨饭人”似的。我们是踩着尸体去了难民区，看到笪桥那儿死尸很多。

我妈没去难民区，她的脸上有麻子。我父亲去难民区后，在粥厂烧大灶。难民区里面的人很多，年轻的妇女住在金陵女子大学。我们住在学校外面。我就睡在水泥地上，连走廊里都住着人，打点粥吃。当时，我姑姑在金陵女子大学。她有个小女孩没带在身边，还在摇篮里，我帮着带，摇摇篮。姑姑家有点钱，我帮她带小孩，给我一点饭吃。有一次，日本兵来了，看到小孩，意思可能是要找小孩的妈妈，我又不知道他的意思，结果，他就将我糟蹋了，我那时才 9 岁……

彭善荣，男，1918 年 8 月 20 日生，汉族，祖籍南京

1937 年 12 月时 19 岁，家住南京洪武路 50 号

我叫彭善荣，出生于 1918 年，但在我的身份证上写的是 1920 年，当年日军统治南京时，我怕被抓差，少报了两岁。我父亲曾在游府西街开了一家“彭荣记搭棚店”，我 14 岁那年，他去世了。两年后，我母亲又去世了。我与哥嫂、姐姐、姐夫一起生活，住在洪武路 50 号。我与哥哥彭善芝，都是电工。我姐夫叫陈文举，是送公函的差役。1937 年，我已经订婚了，爱人姓谢，是小学老师，订婚才一个多月，日军轰炸南京，局势很混乱，不能举行婚礼了。

由于日本飞机不断丢炸弹，我们全家搬到夫子庙，当时那里的很多人都搬走了，对我们的搬迁，周围的人很奇怪，我们在那里住了一夜，第三天，就搬到难民区，住在延安剧场边上的兴业里。当时，我姐夫的一个同事已经逃离南京，他的妻子，大约 30 岁不到，带着一个十一二岁的女儿，与我们住在一起。因怕那里不安全，有危险，我姐姐、嫂子住进了金陵女子大学，那里有华小姐的保护。我姐夫同事的妻子没去那里，她在脸上抹上锅灰。过了几天，日军就进城了。

日军进城后，烧了很多房子，大华戏院、交通部等都被烧毁了，我们躲在房间里不敢出来。一天，一个日本兵来找“花姑娘”，我们说没有，碰巧我姐夫同事的妻子出来，被那个日本兵看见，他便将我们几个人赶出房间，关上门将我姐夫同事的妻子强奸了，当时她哭得很伤心，我们都劝她。过了几天，她就带着孩子离开了我们到别处去了。

一个多星期后，我哥哥被日本兵拉走了。一天，我姐夫到金陵女子大学给嫂子她们送饭去了，我与四个年幼的侄子、外甥女待在家里。日本兵带着翻译又来找“花姑娘”，没找到，他们又到楼上，将门砸开，东西翻了一地。日本兵下楼后，又来盘问我，问我是做什么事的，我说我是电工。他们检查我的手、我的头，日本兵让我把棉裤卷起来，检查我的腿，用刺刀戳了一刀，鲜血直流。他们走后，隔壁姓杨的邻居拿了几支香烟，用烟灰敷在伤口上，才将血止住。到现在，我腿上的伤疤仍清晰可见。

我哥哥被日军抓到句容，过了一个多星期才回来。没过几天，我又被日军拉走，与我一同被抓的共有23个人，推着独轮车送东西到汤山。到汤山后，天已经黑了，日军让我煮饭。我从没煮过饭，不知道放多少水，结果煮了夹生饭，我被日军打得半死。现在每遇阴天，腰还疼，耳朵也被打“背气”了，所以现在我的听觉很不好。一天深夜，我们趁日军不注意，全体逃了出来，大路不敢走，就走田埂小路，连续走了十多里地，天快亮时，我们走到何家塘，又不敢走了，碰巧遇见了一位老大爷和一位老大娘，在他们的帮助下，我们找到一间空房子，里面有很多稻草，稻草下面有不少死尸，我们就睡在上面，能摸到下面的死人头。天黑后，我们又上了路，在麒麟门，遇见了日本兵，又被抓了，被拉去挑东西，我们跟着日本兵进了城，把东西送到鸡鸣寺的考试院里。我们中的两个人逃跑，被当场打死，后来又有一人被打死。

在兴业里，我们的一个女邻居，30多岁，被日军强奸了。

城里面没菜吃。一天，我与几个人一起到水西门外找菜，被日本兵抓住，威逼我们与他们一起去找“花姑娘”。一个女的躲在一个棺材旁边，被他们发现了，四个日本兵轮奸了那个妇女，日本兵还不让我们走，逼我们在一边看。

一次在门东找菜时，又遇见了出来找“花姑娘”的日本兵，一位妇女躲在家里，被发现了，四个日本兵进去强奸，并命令我们在外面等着……

王维青（化名），女，1920年2月17日生，祖籍南京

1937年12月时17岁，家住南京升州路

我今年82岁，属猴。1937年家住升州路，我父亲经营一个杂货店，母亲是家庭妇女。我有一个姐姐，当时已经出嫁。我哥哥被国民党部队抓壮丁当兵去了，直到50年代才回家。我有两个弟弟，一个15岁，一个10岁，我是家里的老三，当时17岁。

南京被日军轰炸时，我们隔壁184号被炸死了好几个人。日本兵进城前，我姐姐随夫家跑到乡下，我们一家躲进了难民区。难民登记时，我大弟弟王道生因为个子高，被日本兵当作“中国兵”抓到一边，我母亲还不敢去认领，央求旁边一个老太去认领了。那些被当作“中国兵”的全被拉走了。

在难民区避难时，我的大弟弟被日本兵用枪拐打得吐血，病了很久才好，但结果留下了后遗症，他70年代去世时，也是吐血而死。

1937年，大约在元旦前，我去了金陵女子大学。当时到处都是尸体，我们去打饭时都不敢走。

过年后的一天下午，我与另外两个姑娘外出找东西吃，刚走出大门没多远，就遇见两个日本兵，醉醺醺的，一个比我大一点的姑娘逃走了，一个日本兵前去追赶，我与另一个姑娘躲在一个店铺里，那个姑娘躲在柜台下面，死活不肯出来，被日本兵杀死了。我躲在店后面，被日本兵抓住糟蹋了，我不敢反抗，吓死了。

因为有这段经历，我结婚很晚，在我26岁的时候，经人介绍，我姐姐和我妈将我嫁到外地。他是矿山会计，我跟他走南闯北走了很多地方，受了很多苦，现在住在贵州六盘水，我至今还埋怨我姐姐。

我的丈夫知道我的经历，但我的七个儿女至今仍然不知道，我一直将这段痛苦的经历藏在心里。我是老南京，我很留恋南京，70年代，我丈夫去世后，我将他的骨灰迁埋到南京，我自己也准备日后葬在南京，我将小女儿嫁到南京。

我这次来南京是给丈夫上坟的，我很痛恨日本人。今天我本来准备回贵州了，想了很长时间，我还是推迟回去的时间，决定今天到纪念馆讲述我的这段苦难经历。

许大昌，男，1923年生，汉族，祖籍南京

1937年12月时14岁，家住通济门外米行街

1937年，日军进城前后，我们在通济门外米行街的家被烧光了，整条街被烧毁了，堂兄许大钧住信府河的家也被烧光了，堂兄被敌人的炮弹炸死了。姑表兄石朝义、石朝年被鬼子杀害了，表嫂遭到轮奸致残，他们在光华门外小山头开设的粮行及所有家具也全部被烧光了……

南京城破失守，日军疯狂杀进城来，到处烧杀淫掠，火光冲天，见人就杀，见女人就奸。日军杀到泥马巷林姑母家中，这时石氏兄弟全家藏在家内，两位表嫂被这群野兽从草垛里拖出，遭到这群野兽残酷的轮奸，惨叫不已。两位石氏表兄也被发现拖出，见他们都是20多岁的小伙子（石朝义婚后刚生个女儿、石朝年结婚不久），不由分说，推到大门外的防空洞旁（在踹布坊口）惨遭杀害。此后，两位表嫂再被残酷蹂躏后，下部肿胀，痛得死去活来，不能动弹，后经邻里老人建议用土方治疗，流出大量脓血脏物，才幸免一死。此事因被害人羞于告人，从未公布，但她们改嫁后都终身不孕。如今数十年过去，她们都相继亡故，就连战前所生的婴儿石慧如也早已夭折，他兄弟两家人全都后继无人。

万秀英，女，1928年3月18日生，汉族，祖籍宝应

1937年12月时9岁，家住下关二板桥

我叫万秀英。1937年，我家住在下关二板桥，家里有父亲万学华、母亲万于氏、哥哥万来刚、姐姐万凤英，我那时才10岁。我家是做生意的，日本兵进城前，我们跑反到江浦西家店，那里全是柴洲，后来我与哥哥回到南京。

日军南京大屠杀的时候，下关一带被杀了很多人。我的哥哥万来刚比我大7岁，我们躲在地洞里，他出来找东西吃时被抓到和记洋行，那里被抓了很多人，许多人被机关枪扫死了。我看到日本兵把死尸往长江里扔，潮水一来，尸体就被冲往岸上。

在二板桥，我看见有三个日本兵轮奸一个19岁的姑娘，强奸后又用刺刀挑开女孩的下身，她的妈妈在那里拼命哭。

为了躲避日军的强奸，我把头发全剪了，脸上抹得脏兮兮的。一天早上，我与哥哥到江边捞小虾子吃。在路上遇到日本兵，日本兵拽我哥哥，我不肯，就去拉哥哥的褂子，日本兵穿着大皮靴，踢了我一脚，把我踢伤了。当时日本兵一刀就把我哥哥的膀子砍下来，顿时鲜血直流，哥哥就这样被活活砍死了。

我父母回南京后，父亲给茶房帮工，我们没吃的，就吃小虾子、豆腐渣。我母亲万于氏到三汊河柴洲里拾柴火，走在鬼脸城附近的路上，被日本兵的炮弹炸死了，弹片炸进她的右边腋下。我们去找她的时候，看到柴洲里死尸很多。

母亲和哥哥被日军杀害后，姐姐万凤英天天躲在地洞里，不敢出来。她13岁，个子长得比较高，就怕日军糟蹋。我长得很瘦小，每天出来讨饭吃，天气很冷，有时我的脚磨破了，就跪在地上爬……每当想起这些，我就想大哭一场，那真不是人过的日子啊！日本兵给我家带来的灾难，我一辈子也不会忘记。

张秀英，女，1914 年 4 月 16 日生，祖籍山东曹县

1937 年 12 月时 24 岁，家住滁县五余街

我叫张秀英，丈夫叫李春田，老家是山东曹县。1937 年日本鬼子侵占南京时，我 23 岁，全家 4 口人，那年逃难来到滁县五余街（南京近郊）。这是个 300 多人的村子，我们逃难在一家大户人家做帮工。

日本兵过来了，有钱的人跑了，我们没有钱跑不掉。第一天，鬼子兵来时没有动静。第二天，他们抓住我们四五十个妇女，逼着我们脱去棉衣裤，只穿着短衣短裤，强迫我们在一个大空场上跑，不跑就用枪打死你，三四十个日本兵在一边拍手笑。我有两个孩子，大的是男孩，才 3 岁，小的是女孩，刚有个把月。我抱着 3 岁的男孩，有个日本兵要我跟他走，要不就要打死我。有个陶奶奶说："你就跟他去吧，不去他会用枪打死你的。"

我只好丢下孩子跟他走。他把我带到陶家行的一个房子里强奸了我，我不断地哭。等我回家后，鬼子放火烧毁了我们住的房子。我说："陶奶奶，没命了！孩子才个把月，还在那个房子里！"房子烧了，衣服被子全烧光了，女儿也烧死在里面。

我抱着 3 岁的儿子，后来跑到一个庙里，又被另一个日本兵逮到了，差点儿没有被他打死。我不懂他的话，他找到床，想要强奸我，那时我正来月经，那个日本兵对我脸上狠狠地打了一巴掌，又用枪托子捣，他说："你的心坏了坏了的，死了死了的！"接着又用一把短刀来刺我，我用左手一挡，手指被刀划开一个寸把长的大口子，骨头都露出来，到现在还有一个伤疤，手指也弯了。我没命地哭，有个老太太说："你赶紧走吧，那边又过来了鬼子的马队！"天上还下着雪，又没得吃，我后来躲进地窖里，患了伤寒病，有个把月不能吃东西。后来，有人给我介绍一个偏方，把稻草灰捂在肚脐上，然后就渐渐好了。

后来，我找到了丈夫，他被日军抓到江边码头做苦力，抬煤炭到老江口。一次我送饭去 9 号码头，经过 4 号码头时，遇见鬼子哨兵，要查"良民证"，他缠住我 1 个多钟头，不让我走。这个日本鬼子说：你是我媳妇，我是你丈夫，要跟我睡觉，并说太君要"塞古、塞古！"我不肯，他用力把我往水里推，我一哭一叫，他才放过我。因这个日本鬼子当时在站岗，这次没能糟蹋我。从那以后，我再也不敢去码头了。

那时江边到处都是死人，不敢看。日本兵抓来苦力，看你不顺眼，就把人装进草包扔到江里淹死。日本兵的狼狗很厉害，动不动就上去撕咬中国人。船边走的小跳板很窄，掉进江里就没命了，死了也就白死，你到哪里喊冤去？

那时我 23 岁，剃个光头，脸上涂黑灰，真不是人过的日子！我受的罪简直难以言表。日本兵到处杀人，陶家行有一家人就死了三个，陶家老三、老二见鬼子来，就趴在田埂下，一抬头就被日本兵用枪打死了，陶老大也死了，这是我亲眼看见的。我那个小女儿被日本兵烧死了，如果还活着，今年也有63岁了。

船上有个妇女有4个孩子，她丈夫是个船员，跑到外地没有回来，她一个人走不掉，被三四个日本兵轮流强奸。还有个年轻人，日本兵强迫他糟蹋一个老太婆，他不干，日本兵就开枪打死他，这是我听人家说的。我还看见长江边被日本兵杀害的人很多，见有不少人在那里扛死尸。

新中国成立后，我当过居委会主任。1958年，我又在万里红木器厂当厂长。这段历史，过去忆苦思甜时我也讲过，我就是南京大屠杀的证人。

李素芬 女，1923年3月12日生，汉族，籍贯南京

1937年12月时14岁，家住城南新村船板巷

我叫李素芬。1937年我家住在南京城南新桥船板巷，和堂叔他们一家人住在一起，一共住有近20口人。1937年12月13日，日军进城后，无恶不作，我们全家都非常害怕。我的养母就带着我的小妹躲到金陵女子大学难民区收容所里，我们几个女孩子就躲在我们自己家的地下室里。可是没躲两天，日军就开始放火烧房子，从新桥一直烧到我们家，我们没地方躲了。于是就趁夜里，几个人结伴到金陵女子大学难民收容所去找我的养母。找到了养母和小妹，才知道我的小妹被日军强奸了，她当时只有10岁，丧尽天良的日军连一个10岁的小女孩都不放过。由于身心受到创伤，可怜的小妹没几天就死了。

我父母不放心家里，有一天晚上跑回家，可没有想到还是碰到了日军，我母亲被日军强奸了，我父亲受了刺激，得了脑溢血，没有几天就去世了。我母亲经过这场灾难的刺激，精神失常了，不久也去世了。我婶婶被日军逼问有没有看到中国兵，她不肯说，被日军杀死了。

这血海深仇我永不会忘，日军害得我变成了孤儿，我要控诉他们！

杨明贞，女，1931年2月9日生，汉族，祖籍南京

1937年12月时6岁，家住南京市东文思巷

我叫杨明贞。1937年，我家住在南京市东文思巷（靠近大中桥），家中有三口人：父亲杨光源，53岁，是个编织竹器的篾匠；母亲杨宋氏，51岁，没有工作，在家里做家务；我本人当时6岁。现在，我家住在南京市罗廊西村16号。

日军是1937年12月13日（农历冬月十一日）进城的。进城第一天，日本兵到我们家来了好几趟。先是来了一个，我母亲招呼他坐，被他一脚踢倒在地。第二次来了两个日本兵，向我们要“洋火（火柴）”、“香烟”，我们没有，他们就拳打脚踢，没办法，我父亲就给他们包了一些旱烟叶，才把他们打发走。接着又来了两个日本兵，抢走了我家挂的咸肉。到了中午，又有五六个日本兵端着枪和刺刀冲进我家院子，他们先是对着一位看门的老头连开几枪，这个老头叫浦狗子，50 多岁了，因流血过多，到了晚上就死了。接着，又对着房东朱老太太开了一枪，打在腰上，当场就打死了。当时我父亲在堂屋里也被日军打了一枪，左臂受伤，子弹头留在里面。到了傍晚，又来了一批日本兵，抢走了我母亲的金首饰、银圆和钱，还抢走了我们的棉被。

12 月 14 日（农历冬月十二日）早上，天还没亮，我们一家准备到难民区去躲难，谁知刚走到大中桥，就被日本兵拦住了，日本兵用枪对着我们，我们只好又回到东文思巷。这天下午约 3 点钟，有一个骑马的大胡子日本兵带着枪，手握军刀，闯进我家院子。他一把将我抱住，解开我的棉袍扣子，脱掉我的裤子，我吓得又哭又叫，日本兵就用刀对着我的额头连砍两刀，至今刀疤还在。父亲看见了，用右手从日本兵手里把我夺了回来，日本兵见状，打了我父亲两个嘴巴，并使劲用脚将我父亲踢倒在地，还对着他的脖子砍了 3 刀。父亲为了救我，身受重伤，不久就去世了。他的尸体是被红卍字会拖走掩埋的，至今也不知道埋在哪里。

12 月 15 日，日军进城第 3 天（农历冬月十三日），我和母亲躲在家里，为躲避日军的强暴，母亲在脸上涂满锅灰，用布包着头。这天下午约 1 点钟，来了两个日本兵，端着枪和刺刀。其中一个用刺刀挑开妈妈的衣襟，脱下她的裤子，把她糟蹋了，还用手抠她的下身，又用枪拐子捣（母亲的下身）。母亲疼得又哭又叫，苦苦求饶，可日本兵就是不放过。另外一个日本兵也强行解开我棉袍上的纽扣，将我强奸了。

之后，我母亲因受到严重的刺激、惊吓，得了精神病，眼睛也哭瞎了，不久就去世了。父母亲被害后，我成了孤儿，无依无靠，先是到处讨饭，后来做点小生意，卖烧饼、油条，勉强维持生计。日军糟蹋了我们，对我影响很大，不仅在生理上造成小便失禁，在心理上也受到了极大的创伤。

我父亲的一个师兄弟的儿媳妇，是个童养媳，当时才 18 岁，日本兵强奸她后，还用刀捣她下身，当场给活活捣死了。她遇害的地点在建康路。日军见到妇女就强奸，还有个 12 岁的女孩，被两个日本兵强奸后杀死。

李秀华，女，1926 年 5 月 13 日生，汉族，祖籍南京

1937 年 12 月时 12 岁，家住西干长巷

我叫李秀华，我家住在西干长巷正巷里，家中有母亲、哥哥、嫂嫂、姐姐、姐夫和我，父亲在船上做工。

日军进城后，冬月 11 日那天，我姐姐被日军飞机投下的炸弹炸死了。我哥哥叫李万民，也在那天中午被杀了。日本兵把哥哥从地窖里拖出来，说他是“中国兵”，用长刺刀砍他脖子，把他砍死了，死时年仅 19 岁。我有个姨哥叫周万强，当时 21 岁，原先在粮站做事，他聪明，个子又高，身材魁梧，日军硬说他也是“中国兵”，便把他杀死了。我还有一个叔伯哥哥也被日军抓走杀害了。我姐夫也曾被抓走，半个月后才逃回来。冬月十一日那天，我姨奶奶一家几个人也死于日寇的魔爪中，她家的二儿子、姑娘、大媳妇、小姨奶奶都被日寇飞机丢的炸弹炸死了。

我嫂嫂小名叫张丫头，当时 17 岁，与我们一起逃在沙洲圩七里墩。有一次，我嫂嫂躲在草垛里，两个日本兵用刺刀把她从草垛里挑了出来，把她强奸了。隔了 3 天，又闯来了一个日本兵再次把她强奸了。后来她就逃到大胜关去了，现在她仍健在。

我亲眼见到两个日本兵抓了一个老太太强奸。还有一个十几岁姓方的女孩子也被强奸了，奸后把她刺死，扔在马路边，身上一丝不挂，老百姓晚上用东西把她的尸体盖上。第二天日军又把盖的东西挑开，让其尸体裸露。半个月后，家人才把她掩埋了。银桥这一带死人成堆，有中国兵，也有老百姓。因为我姐被炸死，哥哥被杀，待“平定”后，姐夫便和我嫂嫂结婚了。

日军占领南京城后对中国妇女犯下的罪行可以说上三天三夜，其丑恶的行径你想得到的他们都做了，你想不出的他们也做了，是人不敢想的事他们也全都做了，这也是为什么中国人骂这些禽兽不如的日军叫“鬼子”和“妖孽”的真正原因了。因为即使是鬼，也未必有那么残忍和恶毒。

在那么多女人惨遭奸淫与残杀的“奸情”档案里，我看到两位女性经历了两个不同的“37”这个数字，其中一位女性一天中被强奸了 37 次，另一位因为不从日军的强奸而被刺了 37 刀……

啊，1937 年，中国南京的那个寒冬里的这两个数字“37”，让我为中国的女性而悲愤，让我为中国的女性而心痛，更让我对侵略者的兽性充满仇恨！

忘记这仇恨我们就不是人。是人就该把仇恨牢牢地铭记在心。

然而，在南京大屠杀的整个事件里，这还仅仅是一小部分的内容……

第五章　拉贝和他的“南京安全区”

关于南京大屠杀事件，有一个人是绕不开的，这就是德国人约翰·拉贝先生。这位德国船长的儿子，在60多年前的1950年1月5日因中风而去世，离世时的年龄并不大，67岁。

18. 关于“纳粹”的他

认识拉贝先生，我们可以逆时进行——

1945年，当苏联红军占领法西斯老巢——希特勒所在地德国柏林时，对所有德国纳粹分子施以最严厉的惩罚和清洗。有人向苏联红军报告：约翰·拉贝也是纳粹分子，于是此时仍在柏林西门子当普通办事员的拉贝先生被红军逮捕了。

审讯是严格的。审讯的目的是为了清算以希特勒为代表的纳粹分子的所有罪行与余党残孽，但拉贝获得比任何纳粹分子都要好的命运——他被无罪释放了。

苏联红军的理由是：你是一个对反法西斯斗争作出特殊贡献的德国公民，你在日本法西斯残酷统治下保护了中国南京数以万计的平民。

拉贝由此重新获得了一般德国人很少可能获得的工作机会。1945年苏联红军和盟军占领下的柏林，一片废墟，几乎见不到一座像样的房子。西门子公司作为给纳粹制造战争工具的企业也不例外地成为红军和盟军将士们清洗和报复的对象。然而，为了给同样受难的德国人民有一个生存的机会和可能，红军与盟军还是保留了这家“百年老店”。这样，一部分没有参与纳粹战争的工人和市民被留在了工作岗位上，拉贝可能是唯一有“纳粹”身份却重新获得工作的德国人，西门子公司以极大的热情保留了他的工作岗位。

西门子所在地位于柏林西北区，当时被英国军政府接管。德国重建工作极其繁重，可以重用的德国人对苏联红军和盟军来说，并不太好找，而拉贝这样的人便成了英国人比较放心的少数德国人之一，他被英国人雇用为首席翻译。但由于重建德国的过程中遇到了一个特别难解的问题，即到底谁是最危险的人，德国内部也出现了巨大的困惑。因为战后的德国人彻底放弃了任何与战争相关的欲念，纳粹和希特勒分子都必须得到清洗和惩罚，所有政府部门和重要企业，一律不得有纳粹思想和纳粹背景的人参加工作，更不用说重要工作岗位。于是意见不一，拉贝最后还是被英国人解雇了。

出于对拉贝的一份尊敬和照顾，他获得了在公司提前退休的待遇，但仍可为西门子公司做些零工。据熟悉拉贝的人讲，拉贝回到德国后的日子非常艰难，全家六口人没有任何收入，就像他在南京所负责的20来万难民一样，有上顿没下顿，可谓饥寒交迫。为此中国方面曾设法帮助这位“活菩萨”，可是远水救不了近火，拉贝晚年的心境与生活都极其糟糕。

在心境不好和生活困难等多重压力下，拉贝突然有一天中风不起，最后不治身亡。即使这样，拉贝也算是体面地离开了这个人世，相比其他德国人战前战后的命运，他还算好的，最终有尊严地闭上了眼睛——德意志人非常讲究这一点。

拉贝是1938年4月回到西门子公司的总部柏林的。之后的十余年时间里，他一直生活在柏林，但日子并不好过。原因有两个：一是他因揭露日本法西斯在南京的暴行而受到希特勒政府的多次迫害。二是他因为“纳粹党员”的身份，被战后非纳粹化的新德意志社会歧视，承受着生活艰辛和心理压抑的双重之苦。

拉贝是个信仰和行为具有双重性的德国人。他并没有背叛自己的国家，甚至没有背叛他心目中的国家理想主义，对纳粹党领导下的国家也保持了独立的作为一个德国人的那份坚定，因而他必然遭受来自敌方和自己国家内部的双重挤压，压抑的心情导致了他失去身体上的最后支撑——中风而逝。

在拉贝回国之前，正值德国法西斯与日本法西斯、意大利法西斯同盟轴心国家联手对付世界和平的白热化国际环境之时。1938年2月23日，在柏林总部的西门子公司受到了来自纳粹政府的重压，让拉贝离开了南京。

拉贝在这之前的三个多月时间里，经历了南京大屠杀的全过程。而这三个多月，是他人生中最杰出、最伟大、最闪光的一段经历，他由此也成为中国人民永远怀念的好朋友和国际爱好和平的人士。

在南京的日子里，拉贝是个圣人，我们中国百姓称他是“活菩萨”。但拉贝毕竟是个德国人。德国人的性格不允许他彻底地背叛自己的民族与信仰。作为人的拉贝，他的善良、正义和爱心，使他成为在异国他乡拥有千千万万人去朝圣他的纪念雕像（当年拉贝居住过的南京大学校园内的房子前）的伟大人物；而作为德国人，他具有当时德国社会、政治文化及民族所带来的心理和信仰上的缺陷——但并不能简单地认为是他个人政治品质与人格上的问题，然而这恰恰又是导致他晚年悲剧命运的主要因素。

拉贝确实是个“纳粹”党员，可历史已经告诉我们：不是所有“纳粹”党员都一定是坏人，拉贝加入纳粹党一方面是由于他对自己国家在20世纪30年代初希特勒刚上台时所推行的政策的本质没有认识清楚，身为西门子公司海外职员的他，以德国人严谨而有些古板的民族意识，恪守着要“为国家服务”的信仰，同时还因为有特殊的原因，促使拉贝在并不了解国内政治和希特勒到底是何许人也的情况下，于1934年在南京加入了国社党（后来演变成纳粹党）。

这一年，已经在中国工作了20多年的拉贝，为响应和配合德国政府与中国政府之间建立良好关系的政策（事实上蒋介石的国民政府与当时的德国政府关系一直不一般，如前文所言，即使在南京大屠杀前后，蒋介石身边的军事顾问基本上都是德国军人，而与日军决战的中国军队的重兵器和精良武器，基本也是德国人卖给中国的），作为西门子公司在中国首都的负责人，他在南京创办了一所德国学校，这学校主要是让在南京和中国其他地方的德国人子女有读书的场所。身为中国地区的德国学校理事长，拉贝在海外办学，必须得到国内当局和执政党——希特勒的国社党的批准，这样才有可能申请政府给予的教学经费。

拉贝是在这种情形下加入了纳粹党。

“国社党”的全称为国家社会主义工人党，如此名称对于长期在海外工作、对国内情况基本不太了解的拉贝来说，是一个工人阶级的政党，而且拉贝也看过许多作为这个党的领袖的希特勒的讲话，这样一位正直的德国人完全相信了他的主观判断：国社党是代表工人阶级利益的，领袖希特勒是“好人”。拉贝的入党与对纳粹党的信仰便是如此，简单而直接。法国历史学家克莱斯勒女士，在其研究“纳粹主义在中国”的过程中，证实了像拉贝这样的人并非因为真正信仰和崇拜希特勒而在远离本土时加入纳粹组织的。根据克莱斯勒女士的调查，在当时的中国，几乎每一个德国人办的学校的理事会里，都有一个国社党的党员在代表德国国社党行使领导职权。这位专家因此认为：“一位德国的外交官、记者或者是国家企业在国外的代表，是很难避免不加入国家社会主义工人党的。”

应该承认，拉贝先生对自己是国家社会主义工人党党员的身份颇为看重，并且在如何维护“党”的形象上具有自觉意识。正如他在1937年9月21日的日记中写的那样：“在我的潜意识里终究还有一个最重要的，不是重要的，但对我显得是理所当然的原因，便坚持留在了这里。我是一名德国国家社会主义工人党党员，是有职务的，甚至当过短时间的地区小组副组长。”从这话中可以看出，拉贝看重自己的党员身份，也有其内心存在的一种必须维护“党的荣誉”的自觉意识。

可悲的是，拉贝虽为“纳粹”党员，其实他对自己的党并不了解，更对希特勒的真面目知之甚少。

拉贝一生有30年时间在中国，其间有两次回国经历，但时间都很短。对国内的情况和国家社会主义工人党及希特勒到底是什么样，其实根本不清楚。

从拉贝加入“纳粹”党开始到他生命的最后时刻，都显示出他对这个其实并不了解的党的认识和天真的信仰。远在东方的拉贝对自己国家内部的事和他所加入的党的了解，仅仅是靠一些从上海转到南京的英文报刊上零星的文章和新闻获得的。这些文章和新闻中的内容，多数是希特勒在上台初期蒙骗德国人民的东西，当然这样的东西也蒙骗了拉贝这样的海外德国人。拉贝从心底对自己加入的党和希特勒怀有特别天真的态度，这可以从他的日记中看出——

> 是的——
> 我们是劳动者的士兵，
> 我们是工人们的政府，
> 我们是工人们的朋友，
> 我们不会抛弃困境中的工人（穷人）。

这是拉贝日记中所写的诗句。像所有德国人一样，拉贝富有革命的激情，他对自己成为工人阶级的“先进分子”——国家社会主义工人党党员怀有崇高的神圣感。也正是这份“崇高的神圣感”，使得他终究没能认识到纳粹的本质。因此拉贝在揭露日本侵略在中国的暴行后所受的种种“背水”命运，连他自己都弄不明白到底是怎么回事。

首先是回国之前，拉贝在上海举行了第一场记者招待会。这场招待会上，拉贝首次在公开场合把日军占领南京后的暴行公之于世，且是以他的所见所闻形式进行的。这对当时让全世界认识日本侵略者的真面目起到了不可代替的作用。

拉贝始终认为这是他作为一个“有良心的和有责任感的”德国社会主义工人党党员必须做的事情。事实上拉贝到上海做的这次揭露日本侵略军暴行的行动，也得到了包括当时德国驻中国大使的赞赏。拉贝对别人的赞美并没有沾沾自喜，从他的日记中可以看出他是一个十分质朴、忠厚、谦逊和纯粹的德国人：

现在，我已在上海舒适而暖和地（像树与树皮之间的一条蠕虫）坐着，觉得很像是“胜利部队进入柏林后的吹牛家”。每个人都相信我是一位英雄，这使人十分难堪。因为我看不出自己身上或者在内心有什么堪称英雄的东西。每当有人唱起赞歌时，我就会一再想起一首美丽的诗歌。这首诗歌是说有一个汉堡少年，他救了一个快要淹死的伙伴的生命。晚上被救者父亲去拜访他(他已经躺在床上)，感谢他救了他儿子的命，他说:“救了命？嗯，没有的事！”满不高兴地又翻身去睡了。

他的朋友也都几乎一致这样认为，拉贝是一个“质朴的人，只要能做一个正派的汉堡商人他就已经心满意足了”。“他乐于助人，谦逊可亲，充满理智，诙谐幽默。这后一点尤其体现在艰难困苦的时期，他总有办法让自己心平气和地与别人达成共识。他从不高高在上，而是相处随和。”当然，拉贝也像其他德国人一样，“虽然谦逊，但有时也会表现出一点儿虚荣心，例如身着燕尾服，胸前别各种奖章，在柏林名摄影师的镜头前摆弄姿势表情”。这样评价拉贝的人，是拉贝的德国朋友埃尔温·维克特。

“质朴忠厚，仁爱之心待人，工作严谨而热情，富于强烈的同情心”，使拉贝作为典型的德国人而受到朋友们的一致赞赏和信任。维克特说:“拉贝在中国生活了近30年，他的家乡与其说是德国，不如说是中国。他属于那种富有传奇色彩的老中国通，说一口纯粹的英语，但不会说中国话，和中国人打交道却用洋泾浜英语。”洋泾浜是上海的一个地名，那里有外国人在中国的租界地。拉贝他“用中国人的思维方式进行思维，理解中国人，而且欣赏和热爱中国人”。这也给后来拉贝在日本军队残暴对待中国公民时能够挺身而出保护他们提供了重要的精神支撑。

拉贝看不惯太多富人欺负穷人、强者欺负弱者的事。1930年，拉贝回到柏林时在街头看到西门子公司工人上街罢工时，有军队用机枪架在街头镇压，令他极其愤怒：

……我对家乡的政治局势一无所知，因此也就看不出个所以然。后来我才明白，当时德国的实际情况比我自己感觉的要糟糕得多。我的左边是施泰因广场音乐厅，里面是帝国国防军；我的右边是乌兰德大街的跑马场，里面驻扎的是共产党人。到了晚上，双方交火对射，我只好和家人从卧室跑出来，在走廊上过夜。柏林的日子很不舒服，那一段时间正好是总罢工，技术救援组织到处出动，填不饱肚子的女大学生沦为娼妓，歌剧演唱家图几个施舍任人包唱，投机商囤积居奇造成商品短缺，买荤油要凭票，西门子内部甚至还有专买皮靴后跟的票券。我是该领的票都领了。布伦德尔是我西门子的同事，也是我的朋友，他有一次告诉我，西门子城里有个地方可以买到各种豆子，价格便宜。我买了两大袋豌豆想带回家，但偏巧赶上下雨，一路上又没有有轨电车，慢慢地袋子被雨泡软了。结果到家的时候，豌豆只剩下了一半。我是一点也不适合于在柏林生活!

在电车上，一个姑娘饿昏过去了，我把我的食物分给了她一部分。在那个人人日子都不好过的困难时期，还有一件事情在我的脑海里一直记忆犹新，西门子在上海办事处的会计布朗先生回国休假，邀请我和布伦德尔，还有其他几个朋友一块儿去波茨坦广场旁边的普绍酒馆喝杯啤酒，就酒吃的是他从老家巴伐利亚带来的小吃——白面包、香肠和黄油。当时在旁边有一个 8 岁左右的小姑娘，用围裙捧着火柴，每盒要一个马克。我们酒足饭饱之后，布朗把剩下来的食物全部送给了这个小姑娘。小姑娘突然大声哭了起来，将围裙里的火柴全部抛撒在地上，如获至宝似的捧着食物奔向正在门口等候的母亲。我们的啤酒顿时索然无味了。

当我得到消息，可以重新回到中国发挥我原有的作用时，我不禁轻舒了一口气，我想别人不会为此而责怪我吧。

事实上，长期在海外的德国人拉贝，已经对自己的国家根本没有多少了解了，曾有的一点儿印象也纯粹是内心的某种虚幻的理想主义的东西。正是基于这一点，1938 年初，刚刚经历了人世间罕见的日军在南京的暴行的拉贝，他的意愿是让全世界了解日本法西斯所犯的罪行。而这也注定了他对同为法西斯的希特勒德国从渐渐失去崇拜与幻想到彻底决裂。

拉贝天真地以为他在中国南京的善行和义举可以让自己在德国获得同等待遇。他肯定是想错了。

不过，起初并非如此。因为 1938 年的德国和希特勒还保持着很多假象，与中国的关系仍处在“半热恋”状态。读者也应当清楚一个时间点：这时的德国法西斯还是比较隐蔽的，而它跟日本、意大利成为法西斯轴心国的时间是两年多之后的 1940 年。这阶段的希特勒，不仅蒙骗了像拉贝这样质朴而单纯的德国人，连斯大林、罗斯福、丘吉尔这样老练的政治家都被他蒙骗了。

所以说从拉贝对希特勒怀有信任感这一点就断定他骨子里的“纳粹”血脉是不客观的，也是不公正的。

1938 年 4 月 15 日，经历近一个月的海上旅程，拉贝与妻子一起回到了自己国家的首都——柏林。

毫无疑问，此时的拉贝已经属于除日本国之外全世界都公认的英雄，报纸上的宣传和他在上海和香港等地举行的几场公开揭露日军在南京的血腥暴行的报告会震惊了国际社会，而他在南京的义举也受到世界爱好和平人士的普遍赞扬。

离开中国时，中国政府授予他一枚蓝白红绶带玉石勋章。德国外交部也授予了他一枚红十字功勋勋章。

回到德国后的拉贝，忙于到处做报告，介绍和揭露日军在南京大屠杀过程中他的“南京安全区”内所发生的真相。这些报告会引起了德国朝野的巨大反响，甚至让德国军方都十分感兴趣。5 月 25 日，拉贝被邀请到国防部做报告，反响仍然很好。德国军人最感兴趣的拉贝带回的由友人约翰·马吉先生拍摄的日军士兵在南京施暴的影片，拉贝后来明白了他的国家的军人们原来已经悄悄地视日本法西斯军队为自己的“榜样”了。

很快，拉贝就收到了“纳粹”党大区党部负责人的口讯：你不能再到处做报告了。

“为什么？”拉贝不解。

“你的内容影响到我们与日本国的关系问题。”人家这样告诉他。

拉贝沉默了。也开始痛苦。

“先生的经历和这些珍贵的影片资料，你应该让元首了解和知道。这也是你的责任。”这时有人向拉贝建议。

“确实我应该这样做了。”拉贝觉得自己在这个时候回到德国，能够亲自向“元首”汇报中国正在发生的事的真相，是他的使命。之后的时间里，他在做了充分准备后，于 1938 年 6 月 8 日将平时做报告的文稿，寄给了希特勒，并且还附了一封信：

元首：

我在中国的大多数朋友都认为，迄今为止还没有一份完整的有关南京真实情况的报告面呈给您。

在此附上的是我所做报告的文稿，其目的不是为了公开发表，而是为了履行我对身在中国的朋友们许下的诺言，即向您通报南京的中国平民遭受的苦难。

如果您能让我知晓，此份文稿已面呈给您，我的使命也就此完成。

在此期间，我已被告知，不得再做此类报告以及展示相关的照片。我将谨遵此项规定，因为我并无意和德国的政策以及德国当局唱反调。

我保证坚定地追随并忠实于您。

约翰·拉贝（签名）

然而，事与愿违。正当拉贝一心期待“元首”带给他的好消息时，一天，他的家里来了几个盖世太保，告诉他：“你被捕了！”

两名盖世太保官员搜查了他的家，并且带走了拉贝的6本日记和约翰·马吉的影片资料。

在警察局里，拉贝被审问了好几个小时。

“我有罪吗？”拉贝非常生气。

“从此以后你要保持沉默，不许做报告，不准出书，不违反党员的纪律和责任，我们会马上释放你。先生能保证吗？盖世太保盯住他眼睛问。

拉贝沉默片刻，点点头。

就这样，他被释放回家。4个月后，他被扣的日记还给了他，马吉送给拉贝的影片资料则被永久地扣留（这套极其珍贵的关于南京大屠杀的影片资料在战后被发现并成为证明日军犯罪的有力证据之一）。此后的他，直到柏林解放，一直在他自己的“纳粹”党监视下过着不自由的生活，远在南京的中国人和南京安全区国际委员会的朋友们所期待的他回到金陵城的希望彻底破灭。

一直到去世，拉贝再没有离开他其实并不熟悉的祖国。

19. 好人当“主席”

一个德国人，原本与中日战争是无关的，而且当时的情况下他完全可以置身事外，然而拉贝没有。正是他这个“没有”，成全了作为德国人的他在别人看来不可思议的人生辉煌：一个纳粹，做了世界上一般人都做不到的事——他和他的同事在日军屠刀下救了数以万计的中国人。

这自然得从1937年日军占领南京前后担任南京安全区国际委员会主席这个角色说起。

当这个“主席”角色，对拉贝来说完全没有想到，因为日军与中国军队在上海打大仗时，拉贝和其他在南京的德国人几乎都在忙着准备撤离，只是拉贝是西门子公司在南京的负责人，他手头的事太多，加上南京城当时太乱，到底走还是不走，他所在公司还拿不准主意。西门子公司更多的是关心他们的生意及留在南京和中国的财产在日军占领后是否还能保住，或者说更远一点的话，就是当日本占领南京后，他们西门子是否还可以留下来做中国的生意。这对当时的西门子和像拉贝这样忠于职守的生意人来说是第一位的事。

也许德国人可以说是世界上做生意最认真和最能干的一个民族群体。拉贝就是这样一个人。

1882年出生在汉堡的拉贝，早年丧父，初中毕业后就当学徒，后来到了非洲的莫桑比克的一家英国公司，在那里他学会了一口流利的英语。1908年，他来到中国，一干就是30年。他的妻子也是在北京认识的，俩孩子皆在中国出生。来中国之后的第三年，拉贝成了西门子公司的代理。第一次世界大战期间，中国在相关国家的压力下，曾与德国宣战，即使如此，拉贝还是留在中国。“他很有策略地让中国官员相信，战争期间继续由他来经营西门子驻中国代表处不仅符合他们自己的利益，而且也符合中国的利益。在中国，要做到这一点并非容易。”拉贝的朋友这样评价他。

但是一战开始的两年后，中国在英国的压力下，仍然把拉贝等德国人挤出了中国生意场。不过拉贝本事不小，一年后他又重新上路，回到了中国，为西门子开辟中国市场立下汗马功劳。1931年他担任西门子驻中国首都南京办事处经理。西门子在南京的业务，主要是在中国的首都开设电话业务和建几个发电厂，拉贝的工作非常有起色，公司总部对他的业务开拓充分肯定。但对拉贝来说，如果不是后来发生的事，恐怕他一辈子也仅仅是西门子公司一名优秀的驻外代表而已，世界上不会有几个人知道他的名字。

日本侵略中国，进攻南京，让拉贝变成了另外一个人，他的经商才能、统筹能力、领导才干、为人的优秀品质，在一场大屠杀的背景下获得了彻底的释放，并且放射无限光芒，从此让世人瞩目与怀念。

我们的笔下也因此有了拉贝这个人。

一直有人将拉贝比作拯救了数以千计犹太人的辛德勒先生，这有一定道理。但在笔者看来，拉贝或许更加伟大和了不起，因为拉贝是一个生活在中国的外国人，他又是以公开的纳粹身份在与日军周旋的情况下，拯救了众多苦难的南京市民，而且拉贝根本不知道他这样做其实随时都有可能受到自己同胞的检举和告密。“拉贝当时完全没有意识到自己所做的一切是违背德国利益的，因而处境危险。”他的另一位德国友人这样说。

拉贝的壮举比辛德勒先生的壮举要早好几年，毫无疑问他救的人数远远超过了辛德勒救的 1 200 多名犹太人。笔者认为拉贝更杰出和伟大之处，在于他对中国的贡献不仅仅是拯救了那么多人，且他用完整的方式记录了日军南京大屠杀的种种罪行，这是他的另一个历史性贡献。“在当时的情况下，拉贝竟然还能安排出时间来记日记，简直不可思议。”德国同行们一致称赞他这一点。

南京人说拉贝是个好人自然不用说。而拉贝的朋友们在南京大屠杀出现之前早已这么说他了。这样的好人才是最了不起的。

道德、正义、爱心、仁慈、热情……我看到拉贝的友人都几乎用共同的词汇来形容他的品质。我们中国人认为，一个人的品行，全在于他平时的养成。拉贝能在日军施暴时挺身而出保护中国人，这与他身上长期养成的正义感有直接关系。他的好友埃尔温·维克特这样说：“拉贝 1908 年离开德国的时候，还是威廉二世皇帝统治时期。1919 年他短期回国，此时德意志帝国已处在共和国时期，但动荡的局势还没有稳定下来。在汉堡，他看见一个人被暴徒殴打倒地，他的性格驱使他上前把那人扶了起来，结果他也遭到了殴打。在柏林，西门子工人上街罢工的时候，他看见街上架起了机关枪。于是从那时起他开始记日记，久而久之成了他的一个习惯。”

从看不惯，到以记日记的形式控诉不公正和暴行，拉贝从一个精神公正者，成为行动正义者。

拉贝在中国的 30 年里，仅两次回国，且时间也很短，但即使如此，他对假期里回国所看到的街头不平，十分敏感和愤怒。在得知要很快离开故乡、重回中国的消息后，拉贝又如此爱憎分明说道：“当我得到消息，可以重新回到中国发挥我原有的作用时，我不禁轻舒了一口气，我想别人不会为此而责怪我吧。”

多么诚实、天真与可爱的德国商人！

应该说，在中国做生意的日子里，德国人以他们先进的技术、严谨的作风及诚实的信誉，很受当地人喜欢。政府、军方和市民对德国都颇有好感，这一点德国人自己有深切的体会。

然而，20 世纪 30 年代后的中国，所有的事情都被另一个国家干扰与打乱了。这个国家自然是日本。

拉贝这时在中国的首都南京。1937 年夏天，素有火炉之称的南京实在让人难以忍受，拉贝的妻子在 6 月底就到了北戴河。那时有钱人和外国商人已经把北戴河当作消夏好去处。“七七事变”发生，拉贝他们认为“这起发生在北方的小小的事件会在当地加以调停解决的”。因此他在不久之后便向公司请假，搭乘轮船到了秦皇岛，去与妻子度假。

“我亲爱的乌鸦，你总算来啦！”妻子搂着丈夫，一边亲吻一边用手指刮着丈夫高高的鼻子说，“瞧瞧，工作又把你弄瘦了！”

“这不，我现在可以安心与你休养一段时间了！”拉贝回敬妻子一个热烈的吻。

“乌鸦”一词在德语里与“拉贝”是同一词，所以妻子和朋友常把拉贝称为乌鸦。

美丽的蓝色海湾幽静而浪漫，似乎感受不到此时中国北方的京津地区和南方的上海正在酝酿着中日激战的气氛。但显然人们在议论中还是表现得十分紧张和担忧的。

“上海快要保不住了！”

“上海保不住，南京还能生存吗？”

拉贝的耳边每天都是这样的声音，这让他心里很不爽。“我必须要回南京了！”8 月 28 日夜幕下，拉贝告别妻子，登上南去的火车，15 小时后到达天津。

这时的天津，已是日军占领区，到处都是逃难的中国人。夹在难民中的拉贝，开始感受到了日军的侵略给中国人民带来的悲惨遭遇：“只要火车一停下来，乞讨民众的凄惨的哀求声就从各个窗口传进来。”

平时只需要 40 来小时就能从北戴河到南京的路程，这回拉贝整整用了 10 天时间。

9 月 7 日，拉贝回到公司经理办公室，看到一堆信件，其中有德国驻中国使馆寄来的，也有朋友寄来的，甚至还有南京政府防空委员会发布的关于防空警报信号以及空袭注意事项的通知等。

“拉贝先生，我们要走了。你也该离开这个鬼地方了！再不走，弄不好日本人的炸弹就会扔到我们头上。”公司的同事都在忙着打包，或准备回国，或搬到其他地方。他们告诉自己的头儿：前天，日本的飞机扔炸弹，其中有一颗就离他们的公司所在地 100 多米远。“几个中国人被炸死了！”同事们用夸张的手势对拉贝说。

“呜呜——”就在说话时，防空警报响起。“快快，拉贝先生，快到防空洞里去！”已经吃过几次日军飞机轰炸之苦的同事们，似乎已经很有经验了，他们一听到警报声，拉起拉贝就往公司院内的一个防空洞跑。

在蹲进防空洞的那一瞬，拉贝发现：自己公司的院子的地上，撑着一面约 6 米宽、3 米高的德国国社党党旗，那个纳粹符号“卐”异常醒目。

“管用吗？”拉贝问同事。

“管用。”同事们有些骄傲地回答道：“美国和英国人都非常羡慕我们，说只有你们德国现在跟日本关系好，其他国家就难免不被日本飞机扔炸弹了。”

拉贝凝视了一会儿旗中央的那个黑色“卐”字，会心一笑，因为他想到了一件事：假如日军有一天进了南京城，或者这是个极好的挡箭牌。

防空洞很拥挤，30 多个人在里面几乎是鼻子挨着鼻子，而且里面积了许多水。“这可不像是我们德国人干的活！”拉贝借蹲在洞内的几小时时间，细细地观察了这个在他到北戴河时同事们挖的防空洞，觉得它水平低了些，“应该作战时准备”。拉贝对所有事情都非常严谨。

回南京的第一夜，拉贝其实没有睡多少觉，他辗转难眠，主要是在想：时下公司上下都闹着要回国或搬到比较安全的汉口，但真要一走，公司和洋行的财产比如房子等等怎么办？都丢下不管了？不能。我是一个“正派的汉堡商人”，而且我身边有那么多中国雇员，他们都是华北人，他们的家已经被日本人占领了。“先生如果不走，我们坚决跟着你留在南京！”中国雇员的话令拉贝感动万分。“在这种情况下，我能走吗？”这里是有个道德问题的。拉贝在责问自己。责问的结果是：“必须留下来，让别人走吧。我拉贝不能走。至少不能这样轻易就走了。”

“还有一个原因。我是一名德国纳粹党党员呢！拉贝的心底里闪过一个在他的意识里“特别崇高”的理由。

社会主义工人党党员应该做什么？就是永远不会放弃困境中的工人和穷人嘛！在拉贝的心目中，他加入的德国纳粹党就是这样一个为工人和劳苦大众服务的党。

“今天善待了我近 30 年之久的东道主的国家遭遇到了严重的困难，富人们逃走了，穷人们不得不留下来，他们不知道该到哪里去，他们没有钱逃走，他们不是正面临着被集体屠杀的危险吗？我们难道不应该想法帮助他们吗？至少救救一些人吧！假如这些都是我们自己的同胞呢？”德国驻华大使馆派人来催促拉贝走，“今天再不走，我们就很难保证你的安全了”。拉贝听了就生气，向使馆的人这么说。

“那就请先生自便吧。”大使馆的人无奈地摇摇头。

“韩，再带几个人，我们一起把防空洞重新整修一下去。”第二天一早，送走一批回国和撤离的同事后，拉贝叫上中国雇员韩湘琳等人，钻进防空洞，又是排水，又是加固，一直忙到下午。

“除了准备吃的食品外，还要尽可能地多找些药品来。到我家里搬药品去。”拉贝毅然成了一名指挥官。他带人从自己家里搬走了全部药品，还要防毒气的浸醋绷带。

“小鬼子怎么今天不来扔炸弹了啊？”忙碌了一天的几个中国雇员望着天空，觉得奇怪。

拉贝也在寻忖。他打开收音机，一听便明白了：上海那边在下雨。

“今天他们不会来了。”拉贝对大伙儿说。

“你怎么知道的？”中国雇员们问拉贝。

“那边有雨，飞机飞不起来。”

原来如此。中国雇员心目中的拉贝就是了不起，干啥事都比一般人聪明和有办法，关键是他心眼好。

“可我是近视呀！而且这里——”拉贝指指自己的腹部说，“还有糖尿病！”他对中国人说他“心眼好”一知半解，于是幽默道。

“先生不仅心眼好，而且还境界高。”对韩湘琳的这句话，拉贝更有些糊涂了。

“亲爱的韩，你到底是在骂我呢，还是在夸我？”

韩笑了。一天，他俩路过夫子庙，韩对拉贝说：“我说你心眼好，又有境界，就等于说你像我们伟大的老祖宗孔子一样！”

“……”这回拉贝脸红了，很不好意思地说，“我跟孔圣人差十万八千里远呢！我要永远向他学习，他是真正的道德楷模。”

9 月 22 日这一天，拉贝第一次真切地感受到了日本战机轰炸南京的威力和给在南京居住的所有人造成的心理伤害。这一天，日军战机从上午 10 点 30 分开始，一直轰炸到下午 2 点 30 分左右，拉贝感觉那几个小时里，地动山摇，28 个人待在狭窄的防空洞里，除了他和来此做客的克莱因施罗特，其他所有的中国人在防空洞内一声不吭，吓得甚至连气都不敢出。

“憋气！无论如何，谁发起了战争，谁就是罪人。”一向很有修养的拉贝显然也生气了。他是经历过一战的人，知道今天日本人在南京投下的炸弹数量不少。下午第二次空袭警报解除后，拉贝决意要去城里看看轰炸的情况到底如何——他当然更多的是关心德国在这儿的财产损失情况。

坐在小车上的拉贝，看到了城内一团团火焰，于是他就往那个方向驶去。

国民党中央党部起火了。

国民政府中央广播电台行政大楼和播音室那栋楼起火了……

显然日本飞机有备而来，针对国民政府的要害部门投下炸弹。但令拉贝担忧的是，日军的炸弹并不长眼，其中有一颗炸弹就扔在距施罗德博士（一位德国人）家不到200米的地方。拉贝走过去看了看弹坑，约6米宽、三四米深。“上帝，要是施罗德全家不是在前一天搬到汉口去，能保证不擦破皮、震坏脑袋吗？”望着朋友家玻璃窗破碎不堪的惨状，拉贝想：使馆要求侨民们早日离开南京并非没有道理。

离开施罗德家，走上繁华的中山路大街，拉贝看到距德国驻华大使馆不远处也有好几个弹坑。这里的情况似乎还好，没有人员伤亡。但在通向交通学校的那个街道拐弯处的情况就不妙了：一大群人正围在那里，嚷着哭着的都有。拉贝过去一看，一片房子成了废墟，旁边有个巨大的弹坑，许多人在坑内的废墟里刨挖，说是有人压在里面。

“上帝哟！”拉贝看到有好几口棺材放在坑旁，显然有人被炸死了。

女人们一边哭泣，一边咒骂“小日本鬼子”。

“中央党部那边一个炸弹下来，就炸死了8个市民……好惨哪，有个脑袋都不知飞哪儿去了。”拉贝不会说中文，但能听懂一些。

22日的轰炸，令拉贝亲眼看到了战争的残酷，同时也对南京市民多了一份同情心。他觉得自己也是南京市民之一，日本人不该对无辜的市民乱轰炸。

“我们不走！留在南京，看他们日本敢拿我们怎样！”日本人轰炸南京，除了威慑中国国民政府外，还有一份威慑是做给同情中国和支持中国抗日的英国人和美国人看的。它的这一轰炸，不仅没有达到目的，相反让英国、美国还有法国使馆非常生气，这些国家的大使一致商议：不走了，就留在南京。令拉贝有些兴奋的是他的德国大使也决定暂时留在南京。

“很好，除了谢尔先生走后我们没有面包吃了之外，我并没有因此被日本人的炸弹吓倒。”拉贝对自己的朋友讲，这一天令他高兴的还有他从国民政府资源委员会那儿带回了一张价值1 500英镑的订单。这个时候还能拿到这样的订单，西子门公司洋行上海总部对拉贝的工作表示极大的赞赏，并且在信里表达了对他在南京的安全的担忧。

“根据该信的意思，我可以采取一切我认为对我个人安全有利的步骤，也包括离开南京。多谢了！信使我感到高兴。但是，假如我留在这里，此刻怎么办理战争保险呢？”拉贝在这一天的日记里道出了自己内心的一份忧虑。

保险意识在西方人的头脑里要比我们中国早了七八十年甚至更长时间。

日本的这次大轰炸，把整个西方世界激怒了。拉贝通过上海朋友的信件和电报，在第二天知晓了当时西方各国政府和世界媒体一致谴责日本无视平民和国际法，严重损害平民和外国驻华使馆的权益——

合众社 22 日电：

因为日军的轰炸和中国军队高射炮的弹雨，包括了 7 名女性在内的 20 名美国人被暴露在危险之中。

尽管美英两国对轰炸平民及私有财产提出抗议，并且法国、德国稍后也进行了交涉，市内人口最集中的地区还是受到了轰炸。其中包括美、意、德、荷的各大使馆或公使馆，以及事实上全部是美国等外国人居住的新住宅区。

首都的 30 多个地区中，平均每处落下了 3 枚炸弹。中国的两大重要铁路——津浦线和京沪线的车也未能幸免。不远处的长江上停泊着美、英、法、意各国军舰。

美国政府对日本在南京城的大轰炸给予了最严厉的抗议，这已经是在短短的几天时间内的第二次正式的强烈抗议。而且在 22 日日军轰炸南京后，美国国务院不仅立即代表政府向日本国提出严正抗议，且马上派驻东京大使到日本外务省提交了美国政府的抗议书。23 日的《纽约镜报》报道如下：

国务卿赫尔抗议：轰炸南京是威胁

9 月 22 日，发自华盛顿（国际通讯社 INS）。今天，美利坚合众国第二次向日本送达了强硬的抗议通告，对日军向中国首都软弱无力的居民连续进行“不恰当的”空袭提出警告。

这次警告是针对日军昨天晚上对南京进行残酷、毁灭性的轰炸，作为迅速反应而提出的。

…………

美利坚合众国让日本强烈记住以下几点：(1) 美国对给本国国民以及所有非战斗人员的生命带来危险，以及对本国官员和国民发出劝告撤离南京表示“反对”。(2) 轰炸普通居民地区“是不当的，是违背法律和人道主义原则的”。(3) 当该市受到全面轰炸时，日本所谓保证不会损害各国国民的生命和财产是虚心假意的蒙蔽。(4) 因日本在南京地区的军事行动而发生的不管什么样的美国人员的伤亡及至财产的损失都应当由日方承担责任。

通告要求日本以后不要再进行轰炸。在表明“强烈反对”以后，美国政府表明道:“衷心希望日本停止对南京及其周围地区的轰炸。”

作为外交惯例，以书面形式正式提出抗议通告要求日方予以正式的回答。

赫尔国务卿还公开发表了美国政府通告正文。其中一部分内容如下:

本政府一直保持这种见解：不论在什么情况下，对众多人口从事和平活动的广大地区进行全面的轰炸是非法的，是违背法律和人道的。

尽管一再保证“在实施预定攻击期间，要密切严加注意友好国家的国民生命及其财产”，但是本政府如果根据经验所示则不得不说：在进行空袭时，无论在任何时候，而且在任何地点，不管责任当局如何注意，在保证这些作战地区内的人民生命、财产安全方面都没有奏效。

鉴于南京是中国政府的所在地，在该地美国大使等在美国政府机关执行重要公务这一事实，美国政府会强烈反对作为结果出现一种像强行选择要么放弃美国使馆等工作的本政府机关及其设施，要么置身于极大的危险当中那样的情况。

因此美国政府对于因日军在南京地区的军事行动而产生的损害，为了政府自身以及美国国民，应该保留所有的权利，并应该衷心希望日本不要再对南京及其周围地区进行轰炸。

外交辞令很有讲究，美国政府对日军无视他们在南京的利益和人员安全确实非常愤怒。拉贝则通过西方的媒体也了解了更多关于日军大轰炸更真实的情况。比如《纽约邮报》对9月22日的大轰炸这样记述：

尽管英美两国提出抗议，上海的日本当局仍然宣称，日本从未放弃摧毁中国抗日中心南京的意图。在发表这一声明期间，空袭依然持续。

…………

超过一百万的南京市民们顿时像发疯一样冲向已准备好的防空洞以及其他掩体，有的人则到小山上躲避。恐惧中的人们拼命地向四处逃散，街道上呈现着极度混乱的景象。

日军飞机尚未出现，13台中国年轻飞行员驾着的美制歼击机在隆隆的引擎声中飞上天空，朝着西北方向飞去，以迎击敌机。

然而没想到的是，30 至 40 架日机突然出现在西南方向 10 000 英尺的空中。日机随即俯冲下来，向政府中枢所在地城南地区投下了雨点般的炸弹。

设置在古城墙边丘陵上的中国军队高射炮立即开火，炮弹在空中形成了名副其实的钢铁飓风。

中国歼击机猛烈冲入日军飞机群。不久，4 架冒着火焰坠毁下来。

几乎与此同时，另一支数量相当的日军飞机编队从西北方向集合冲下来，集中轰炸了南京鼓楼地区的住宅区……

记者笔下的大轰炸呈现激烈状态，惊心动魄。西方报纸的记者还观察了另一种现象并提出批评。如 9 月 22 日《纽约每日新闻》：

美国人被愤怒的南京市民侮辱

9 月 22 日，星期天，经上海发自南京（美联社）。今天，仍有少数美国人留在空袭威胁下的首都，当他们向大使馆撤退时，正在不安地等待着日军飞机来临的、愤怒的南京市民对他们进行了多次侮辱……

其实，这一天大轰炸后，美国驻中国使馆的大使等人已经逃到了停泊在长江上的“吕宋”号炮舰上。

然而拉贝对这样的国际态度和事实真相有自己的看法。他在 9 月 24 日的日记中这样说：“今天下了雨，云层很低。因此我们都高兴地走了出来！”他指的是下雨天，敌机不会来南京轰炸，他们从防空洞里出来到了地面，吸到了新鲜空气。“所有报纸上都刊登了全体欧洲国家及美国对日本违反国际法空袭南京平民的抗议。日本人对此平静地答复说，他们只是一如既往地轰炸了建筑物或是军事目标，绝对没有伤害南京市民或者是欧洲友好国家侨民的意图。其实根本不是这么一回事！至今绝大部分的炸弹并未命中军事目标，而是落到了平民百姓的头上，而且调查表明，所有平民百姓中最贫穷的人受害最严重。挤满难民的火车和仓库，受到了最猛烈的轰炸……”

“日本人不讲信誉！他们滥杀无辜！可耻！”当晚，拉贝在应邀出席德国大使馆的座谈会时愤怒地控诉了日本人的罪行。但对大使劝他早日离开南京表示了保留意见。

“你应该走，所有留在这里的人都不安全。”大使陶德曼博士耐心地劝拉贝，并且告诉拉贝：德国政府已经向怡和洋行包租了一艘英国轮船“库特沃”号。

“每天 1 000 墨西哥比索，价格尚可。将搭载所有准备离开南京的人逆江而上，到汉口。很安全的。”大使悄悄在拉贝的耳边说道。

拉贝还是摇摇头。

“你太爱中国了，拉贝先生！”陶德曼博士叹了一声，又道：“那么至少你还有些物品需要送回国吧？”

“这个我需要。我和公司还有不少物品得离开南京，不能留给日本人当作轰炸的目标。”拉贝说。

“商人！真正的德国商人！”陶德曼博士几分敬佩几分嘲讽地对拉贝说。

拉贝笑道：“我就是一个真正的汉堡商人。”

日本人对美国、英国等国家的严正抗议并没有放在心上，他们照旧轰炸，且越来越厉害。

9 月 25 日，从早上 9 点开始，连续四个时段拉起了防空警报，拉贝和同事们几乎一天没有出洞，这让他很难受很生气。下午 4 点多后，他拉上韩湘琳往下关方向走，想到江边看看大使馆给他们德国准备的船舶。路上，警报又响起，这让拉贝无法忍受，且吓得不轻。

下关电厂是拉贝一路上看到的日军飞机重点轰炸目标之一，8 颗炸弹落在那儿，一个女人和一个孩子被炸死在电厂门口，显然这对母子是想躲避轰炸却还没有来得及跑进防空洞就被日本人炸死了。

“野蛮！最无耻的野蛮行径！”拉贝看着现场的惨状，悲愤无比。

在电厂，拉贝看到几枚炸弹击穿了房顶和配电设备上方的混凝土板。炸弹显然是正好在配电房里爆炸的，因此所有配电设备被炸得粉碎。厂里的办公室也完全变成了废墟，只剩下两根钢筋水泥柱像一个 80 岁的老人弯着腰。西门子公司的职员都是优秀的工程师，对设备异常敏感。拉贝发现，电厂现在基本上彻底被毁，整个机房地板上的玻璃碎片大约积厚有几厘米高，爆炸当时的冲击波肯定十分厉害。

下关电厂是南京主要的供电来源，蒋介石对此次日军轰炸电厂给予了高度关注。拉贝作为西门子对该厂的电机供应商，其责任是如何恢复它的发电功能。

“没有电的城市等于回到中世纪。”拉贝在回来的路上一边叹息，一边如此对韩湘琳说。

“哎，电灯亮了呀！”韩突然兴奋地指指城区的街头。

竟然有电灯亮起来了！拉贝也觉得奇怪。一打听，原来是浦口铁路照明电厂拉过来的电呀！

“老蒋看来是有所备战的。”拉贝觉得中国政府对防日轰炸是蛮下功夫的。毕竟，南京是中国的首都。

“快快，拉贝先生快起床！”半夜，拉贝突然被韩等人叫醒。混乱和仓促之中的他，戴上眼镜后，才听清楚了外面是警报声。

“现在是午夜 2 点 31 分哪！这日本人也太坏了吧！”拉贝看着表，极端生气道。

“别系领带了，先生！”中国雇员扶起拉贝就往屋外走。

拉贝这次是穿着睡衣和睡裤进的防空洞，如此穿着不正规，令这位德国绅士很不爽。

第二天，下雨了，下得还不小。

“乌拉！今天是和平的日子！”同事阿德霍尔特高兴地过来对拉贝说，今天我们好好睡一觉吧！

“对，和平的日子为何不享受一下？”拉贝极表同意。“和平的日子”——下雨天，南京市民和拉贝他们这些待在南京的外籍人士都太热爱下雨天了。因为这样的天气小日本的飞机是不会来骚扰的。

“我补睡了一觉。美美地，多么高兴！”拉贝在日记中欢呼。

阳光灿烂的日子，人们感到恐惧而得不到舒畅心情，下雨的天气反而欢呼“万岁”，这是侵略者日军给中国人民和像拉贝这样的在华外国人士带来的畸形心态。

当关切着德国人利益和西门子公司利益的拉贝，再一次跑到中山路时，他又一次震惊了：在德国人开的黑姆佩尔饭店的不远处，在天生药房和远洋办事处的对面，一片中国民房被日军的炸弹夷为平地，房子前面的一个防空洞没有能保住里面的平民们的生命，30 多个男女市民被炸成一团团碎烂的肉泥，惨不忍睹。

“卑鄙！无耻！屠杀！侵略！”拉贝把能骂出口的愤怒全都倒了出来。面对日本人的无耻行径，拉贝对中国的热爱与对日本人的蔑视程度似乎是成正比例上升，尤其是对中国和中国雇员的敬佩之心。这一天晚上，西门子洋行上海总部的中国工程师周先生的到来和所说的一番话，令拉贝好一阵感动。周是应国民政府交通部的请示，冒着两边的战火，用了 26 小时才抵达南京的，可见战火下的两地之间仿佛隔着千山万水。

拉贝作为西门子南京方面的负责人，自然要接待好上海派来的同事。

“周，南京的炸弹每天都有可能在我们头顶上面爆炸，你来此，你家人不担心呀？”拉贝问。

周笑笑，说："我对我妻子说了，万一我遇到不幸，你不要指望西门子洋行，决不可对西门子洋行提出任何要求，你要回北方的老家去，和孩子们一起在那里依靠我们自己的薄田为生。我这次出差不仅仅是为了洋行的利益，而首先是为了我的祖国的利益。"

拉贝听完周的话，感动得快要流眼泪了。"好样的，周！"他为此热烈地拥抱了周工程师。西门子在中国之所以能够生意越做越大，除了有一大批像拉贝这样的优秀职员外，中国雇员对公司的支持和献身精神也起了重要作用。而拉贝对周这样的爱国主义者的真诚与无私，表示了极大的敬佩之情。

留在南京的外籍人士越来越少。德国使馆租借的船，已经在感恩节这天载着首批离京的人士起航。为了表示庆祝，大使在船上为所有可能出席的在南京的德籍同胞搞了一个"感恩节"庆祝活动。拉贝自然也去了，他有一个重要的任务：请完成任务后回汉口的周工程师带走他记下的 16 本日记。

"你把这些东西交给德伦克哈恩先生，请他帮助我保管它。"拉贝指着 4 个箱子，吩咐周。

船上的感恩节虽然冒着被日机轰炸的危险，但依然开得很浪漫。德国驻华大使陶德曼博士在庆祝会上发表了讲话，对所有准备离开南京的德籍女士和留在南京的德籍男士们表示了敬意。最后大家一起喝着咖啡，唱着《国旗之歌》，三呼"德意志"和"元首"万岁。

"怎么听《国旗之歌》就像听贝多芬的《葬礼进行曲》似的。"拉贝和几个朋友窃窃私语道。可不，因为他们身后的南京城里又在响着一阵阵日军轰炸引发的爆炸声……

接下去的日子，除了指望下雨天外，就是待在防空洞里无聊地默对着自己的同事和雇员。这不是勤奋工作的拉贝所希望的，他内心时常出现某种焦虑，但有何办法呢？拉贝在这个时候学会了另一个本领：除了写日记外，他在试着给一个朋友主办的德文版《远东新闻报》写留守南京的特写，并且因为感恩节那天他写的一篇《发自船上的报道》引起了德国国内读者的广泛关注和好评，被朋友扯进了该报的"兼职"圈内了——《远东新闻报》聘他当"名誉职工"。拉贝是个谦虚的人，换了别人也许很是高兴，他却有些郁闷地回信给这位朋友——胡尔德曼先生，因为这位胡尔德曼先生由于拉贝写的报道而把拉贝抬举成德国人的骄傲之类的"英雄"人物了。

拉贝有些受不了。他如此回信，并在信中进而说明了他留在南京的原因和时下心态：

尊敬的胡尔德曼先生：

感谢您10月6日的亲切来信。任命我为贵报“名誉职工”是您的一番美意。我深信，我的没有头衔的名片上在名字后面有了“《远东新闻报》（名誉）职工”这几个字一定会十分好看，何况我的英国朋友们十分重视字母多的名片，他们一定会羡慕死的。但是，尊敬的胡尔德曼先生，我担心，您这是自找麻烦。您一点也不了解我！并且，我担心您也有点低估了您的读者。他们自称对此“极端认真”，而我对此却毫不介意。我正是有这个可怕的“才能”，多半能在不恰当的时候，以我的所谓幽默让我周围可爱的人高兴一下。我想在此以我们家人之间的通信方式为例，我的男孩子，20岁，目前正在德国参加青年义务劳动，他在给我的信中写道：“亲爱的父亲！要是你能听到这里收音机里对中国都说些什么（简直令人难以置信！）就好了。报纸的报道还要糟糕，我根本不愿瞟上一眼。此外，我深信你的身体肯定非常好，我决不怀疑！向你致以亲切的问候……”我不会去说什么现在的局势不严峻，目前的局势的确非常严峻，如果有人不承认这一点，那么他的头脑肯定是太简单了。局势不仅严峻，而且会变得更加严峻。那么怎样才能对付目前这种严峻的局势呢？我认为，应当拿出自己的最后一份幽默，对着自己的命运说上一句：“对不起，我就留在这里不走了！”天如果整个塌下来，那么大家都知道，所有的麻雀都会死去；如果是一枚炸弹掉下来，而且正巧掉在一只乌鸦的头上，那么死的则只有乌鸦一个，它再也不会去“呱呱”叫了。但是真要到那个时候，我想，扬子江还是会一如既往地尽情流淌。现在我每日的晨祷和晚祷的祈祷词是这样的：“亲爱的上帝，请你保佑我的家人和我的幽默，剩下来的小事情就由我自己去保佑了。”

现在你们一定想知道我们到这里来是干什么的，目前我们的生活怎么样以及我们是怎样甘于忍受这些轰炸的。

是这样的，我个人是9月初在北戴河休假后，从水路绕道回到这里的，因为我：

1. 作为一个德国商行的代表，要在这里代表它的利益。

2. 我在这里还有许多放心不下的破旧东西。（尽管有个柏林女士恳切地劝告我：别胡闹！你不该为那些不值50芬尼的破东西操心！）

3. 那好吧，我问心无愧地承认，我想永远做一个负责的人，不忍心在这样的时刻对洋行的职工、佣人及其家属弃之不顾，而是想要全力帮助他们——这本来就是理所当然的！

对第 1 点还必须指出，我们十分尊敬的中国客户还想不断向我们订货、签订合同，但必须按照下述条件：

支付条件：(1) 签订合同时预付 5%。

(2) 我们取得战争胜利后 4 周再支付 95%。

供货时间：2 个月以内运抵南京，送货上门。

保战争险：没有必要。但如果你们愿意投保，我们同意！

这当然不行，我得苦口婆心说服客户！

对第 2 点还必须说明，那位柏林女士说的是对的。

对第 3 点来说，首先还要有一个十分安全的防空洞，显然我们并没有。我在这里所见过的防空洞，没有一个是很安全的，但它们看上去全都是防空洞，而这就足够了！

…………

我们都知道拉贝建立南京安全区并拯救了数万南京市民的生命，其实在日军进城之前，拉贝还有一个重要的贡献，就是“拉贝式防空洞”。

从 1937 年 8 月开始，日本人在上海挑起事端并引发“淞沪大战”的 3 个月里，日军飞机不断袭击南京等地，大轰炸让无数无辜的生命逝于炮火之下，而这也是日本人犯下的屠杀之罪。“南京大屠杀”日本人“杀害中国 30 万人”，实际上并没有包含在 1937 年 12 月 13 日日军占领南京之前的这几个月的大轰炸中死亡的中国平民人数。而防空洞几乎就是平民们唯一可以防身保命的设施。但许多民间防御设施不够牢固，有不少人在轰炸的震荡之中被倒塌的地洞压死。拉贝发现了这个情况，他是德国工程师出身，德国人做事严谨认真，技术能力超群，他摸索出一套修建坚固耐用防空洞的经验，“拉贝式防空洞”先是在德国同事和驻京外籍使馆人员与传教士中流传开后，后又被南京市民甚至部分守城军队及政府部门所采用。这让许多人免于因防空洞的不坚固而丧命或受伤。这个功劳，应当给拉贝记上。

拉贝是这样把自己的这一经验通过信的形式告诉朋友的，而朋友又通过报纸给传播了出去——

人们是怎样建筑防空洞的？如果他有许多钱，就委托一位中国的防空洞建筑师承办一切（自然，首先是因为他本人一窍不通方可选择这一方案），付给他

——建筑师500元～3 000元。这样建筑师便可分别按照付款的多少，运来大方木料、厚木板、沙袋、铁轨、陶土水泥管，以及我也不知道是什么的大堆大堆东西，事情就完了。我是自己操办这事的，就是说，我雇用了10名苦力，吩咐他们挖一个深坑（矩形的），一直挖到双脚浸水为止，坑深1.5米时就出现了水。于是，我们在坑底铺一些墙砖和圆木头，然后再铺上地板。地板上必须留一个洞，以便我们能够取到地下水。你们一定听说过怎样降低地下水位，真是简单极了！只要每天放一只桶或是空的食品罐头下去。我们还在墙边竖了几根柱子，支撑住上面的横梁，再把方形厚木板放在上面，然后覆盖泥土，要许多许多泥土和沙，堆成一个约1.5米高的土丘，再把妻子的花盆放在上面，我们称这花盆是伪装，日本飞机就不会识别出下面藏着什么。更使日本人不易察觉的是我们把这个巧妙的地下坑洞建筑在一棵树的底下，树根这时可能就长在它的上面。我们给四周的墙壁蒙上干净的草垫子，开了两个门，一个门供人们进出，一个门专供运送货物。后来还在这两个门外垒了沙袋路障，保护不受炸弹爆炸产生的气浪破坏。

人们都跑到我这个防空洞里来占位子！为什么？我不知道！它有这样的名声：特别牢固。

我在建筑这个“英雄地下室”时，估计最多可坐12个人。但在建筑好以后发现我大大地估计错了。我们共有30个人，坐在那里就像罐头里的沙丁鱼一般。所有这些人是从哪里来的呢？十分简单！我的每个勤杂工都有妻子，有孩子，有父亲、母亲、祖父和祖母，如果他没有孩子，就收养一个！（顺便说一下，多么兴旺的业务！）此外，我还得接纳一个邻居和他的家人。他是一个鞋匠，战前我曾对他发过火，因为他把20%的扣头计算在制鞋价格之中。后来突然发现他是我佣人的一个亲戚，我能怎么办呢？我让他们都进来了。我不能让自己丢脸呀！我在这个地下室里给自己放了一张办公室的椅子，其他人都蹲坐在低矮的小凳子上。我自己理所当然地也得进入这个防空洞，至少在轰炸离得很近而且很厉害的时候是如此。并且，我坐在里面时，孩子们和女人们会由于看见我也可怜巴巴地坐在里面而感到放心。这时我发觉，我在北戴河下决心尽快地赶回来是做得对的。

假如现在我这么写，说我一点也不害怕，那我一定是在撒谎。在防空洞开始剧烈震动时，也有一种感觉悄悄爬上我的心头，类似“哎呀，我们要再见了”！在我的防空洞里有一只家用药箱、手提灯、铲子、十字镐和榫凿，但是，坦率地说，当我想到，我们大家有可能都会被埋在这个老鼠洞里时，那些东西并没有给我提供多大的安全感。说真的，是害怕了。可是，为了消除害怕，说几句快活的话，或编造一个笑话，大家跟着笑一笑，炸弹的威力就大大减小了！老实说，只要炸弹没有刚好落到自己的头上，人们逐渐地也习惯了狂轰滥炸。每次轰炸的间隔时，孩子们都迅速地跑出去。这是可以理解的，但你无法想象得出，这时会发生什么事。

夜间轰炸既有弊也有利。第一次警报信号响过几分钟后，电厂拉断了电。领带可以不要，但在这几分钟内我至少必须穿好裤子和皮靴。然后，当我把所有要保护的伙伴安全地藏进地下室后，才可以悄悄地在暗处坐下。继而我经常会摸索着回到我的起居室里去，悄悄地找一张最舒适的椅子，转眼间便睡着了。这是我在孩提时代练就的功夫，那时，只要下雷阵雨，我就常常这么做。

可是（我们的室内生活写得太多了）只要危险一过去，防空洞里的客人们和我之间的家庭式关系自然也就中止了。必须是这样。除去工资以外，必须有一个区别，不至于会失去纪律。

现在再写一点有关这个城市和警报信号的情况：

谁要是在战前即两个月前，熟悉这个重新繁荣起来的南京城的，谁要是在当时，特别是中午时分，观察过市中心繁忙的交通情况的，如果他听说过大约100万～120万居民中至少已有80万人离开了这个城市，那他对现在城里到处是死一般的寂静和几乎空荡荡的街道和广场就不再会感到惊讶了。所有红色的砖瓦屋顶都刷成了黑色，就连整个红砖瓦的住宅区也都刷成了黑颜色。每隔50米～100米就有供行人躲避用的防空洞，有些只是上面堆些土的洞，刚好够一个人爬进去。

所有的电影院、大部分旅馆、绝大部分商店和药房都已关闭。有些小手工业者还在半开着的大门和百叶窗后面悄无声息地干活。

一排排的房子之间，可以看到一些缺口，面积大约有6所～12所房子那么大，这是轰炸造成的破坏。但是事情过后呢，人死了（虽然不是很多，但也够多了），现场清理干净了，于是便几乎不再有人注意这些缺口，事情也就忘记了。

同样也漆成了黑色的公共汽车还在行驶，在中央各部等单位下班时车里挤得满满的，因为政府官员都照样工作，星期天也如此！街上的秩序是无可指摘的。军人、警察和平民纠察队谦和而正确地履行着他们的义务。在两枚炸弹炸开了中山路主干道的碎石路面半个小时后，就已填补了那些坑洞，修复好了路面。修路时交通一点也没有中断。

没有一个外国人（这里的外国人已经不多，德国人约有12名妇女和60名男子）

受到过干扰。相反，人们都怀着惊讶的好感注视着我们这些还坚持留在这里的外国人！

警报突然会响起。以前我们用作报时信号的电器汽笛响起了拉长的“呜——”声，这是第一次信号：警告信号。就是说敌机已经起飞，正在飞往南京途中的某个地方。所有的人都赶快奔跑回家，或者奔向附近的防空洞。住得比较远的人就坐人力车赶到安全的地方去。有幸坐在汽车里的人突然发觉，他们的老式小汽车在和平时期时速还跑不到10里，现在却一下子达到十六七里的速度。当我喜形于色地祝贺我的司机取得这个出色的成绩时，他露出一种调皮而尴尬的脸色。看来是我击中了他的唯一致命弱点。

回到家以后，我就派人在大门两边守着，以检查拥进来的人们。邮局和电报局的公务员受到每个人的欢迎，随时都得安置他们。除此之外，凡是与我的家庭没有关系的人，都拒绝入内：“真对不起，没有地方。请您别见怪，我们没有多余的位子了。”

抱着婴儿的妇女们受到优先照顾，允许她们坐在防空洞的中间，然后才轮到带着较大孩子的妇女，最后是男人。这是我始终顽固坚持的顺序，它使男人们感到无比惊奇。

几个大胆的男人——管家、佣人、司机（他穿着西式服装，必须有相应的举止）以及其他人，还有本人只能暂时留在外面。

第二次信号！一再重复的一长三短的“呜”声，表示敌人正在南京上空。现在全城空荡荡的，一片死寂，无丝毫动静。街道上不时有步行或开着车的哨兵在巡逻，也有城市民众应急队队员。

我们数着敌机的架数，同时为正在追赶它们的中国歼击机感到高兴。在高射炮（防空火炮）开始射击时，肯定有纷纷落下的炮弹碎片，我们便慢慢走近防空洞的入口。轰炸机向下俯冲时，发出巨大的呼啸声，紧接着是100公斤～500公斤炸弹猛烈的爆炸声。当炸弹接连不断地落在不远处时，大家都张大着嘴，一声不吭地坐在防空洞里。我们给孩子们和妇女们在耳朵里塞了棉花团。只要稍一平静，就有“英雄”一个接一个地从地下室里走到外面去，想看看周围的情况。每当有一架敌人的轰炸机被高射炮击中后燃烧着摇摇摆摆地栽下来时，中国人就高兴得热烈鼓掌。只有这个滑稽的、让人琢磨不透的“主人”的表现又一次令人不可思议，他一声不吭地抓抓帽子，喃喃地说：“别吵，死了3个人！”鞋匠嘀咕道：“怎么啦，他们可是想要你的命呀！”

在云层后面，撤退的日机和追击的中国飞机还隆隆地响了好长时间。然后响起了缓和的“呜——”声，警报解除了，危险过去了！大家平静地却是大声地谈论着重去干活。

这段时间确实很有意思！没有谁埋怨无聊。现在已是晚上10时了，警方的戒严时间开始了，街上一切交通都已停止！

德国学校已不再存在（它已关闭），解聘了教学人员，退掉了校舍。孩子们均已乘飞机离去，去了安全的地方。这是过去的事了！但是不要担心，我们一定会再办起来的。

老鸹

“老鸹”是德国驻南京领事科德尔先生给拉贝起的诨号，意思是“老拉贝”。

“谢天谢地，我们仍然健康。”

“感谢上帝，我们仍然活着。”

在上海中国军队与日本军队打得越来越激烈的那些日子里，这是南京城里的拉贝和市民们每天都在重复的两句话。

然而，毕竟南京已经不再安全，尤其是敌机的轰炸，人们的心情已经被彻底地搅乱了。比如10月19日这一天，拉贝甚至非常愤怒了——

开始是不到凌晨2点钟，警报就响起。睡眠中的拉贝刚刚穿上第二只靴子，炸弹就已经落了下来，整个房子都在抖动。

“里贝，你怎么还在睡呀？”拉贝见自己的伙伴躺在那里一动不动。

“呜呜——”第二次警报再度响起。

“喂，里贝！第二次警报了！”一般情况下，第二次警报响起，意味着更大的轰炸即至。拉贝见里贝还没有动弹，有些生气和着急了。

“是是是，我听到了！听到了！”里贝这回才开始起身，动作依然漫不经心似的。

这一夜，拉贝看到他们西门子舒克尔特厂生产的探照灯大显神威。

走进防空洞，拉贝看着洞内挤得满满当当的就来气了：有个远洋公司的胖家伙，一人占了几个人的位子，把身边的妇女和小孩子挤在一边。

“我希望你调整一下。这里的位子本来就不多，你不能一个人占了女士和孩子的三个位子……”拉贝走过去，冲那胖子便说，结果话还没说完，不小心脚底一滑，掉进了洞内的地下水沟，臂部湿透。

见鬼！早晨，拉贝从洞内出来，第一件事就是写了一份“公告”式的通知：

致我的客人们和本洋行成员的通知

凡经常使用我的耐轰炸的防空洞者，必须遵守下述规定：即应该让孩子们和妇女们（无论是谁）占用最安全的位子，也就是防空洞中间的位子。男子们只可使用两边的坐位或站位。

有违反本规定者，今后不得再使用本防空洞。

约翰·拉贝

“通知”贴在防空洞入口处，非常醒目。

“这个老鸹，他做事真够认真啊！”周围邻居们看了拉贝的“通知”都笑了，说拉贝就是个“好人”，唯独那胖子脸上露出不高兴的样子。

日本人够折腾人的。凌晨4点来钟，警报刚刚解除，还不到半小时，警报再起。拉贝疲倦地穿上衣服，往洞里刚站上不到几分钟，警报又解除了。原来，是一次虚传敌情：天上飞着的是蒋介石自己军队的巡逻歼击机。

“乱套了！”人们的嘴里都在埋怨。但又能怪谁呢？拉贝安慰大家说：“非常时期，非常状态也算正常。”

话虽这么说，拉贝自己心里也很闷气，因为刚躺下，外面突然传来高射炮声——地面的部队朝天空激烈开炮开枪。“彻底乱套了！”拉贝心想，“千万别自己的炮打着了自己的飞机哟！”

反正炮弹落不到自己的头上，睡吧！拉贝将被子往自己的身上一拉，蒙头照睡。可似乎又睡不着——大早晨的，怎么办？起来洗个澡吧。

拉贝走进了浴室。

8点55分，警报又响起。“这么下去，今天就别想再干什么工作了！日本人真是太没有教养了，连起码的信誉都不讲！”里贝站在门口对着天空直骂。

9点55分时，警报又解除，敌机没有在天空出现，据说日本人的飞机飞过南京，到了北边什么地方去了。

真是活见鬼！

中午12点15分，警报再次响起。“别管它，估计又是放空炮！”许多人对此漫不经心了，连一向认真的拉贝也没了多少警惕性，慢吞吞地不想管警报不警报了，反正第二次警报响后还来得及进洞里。

“轰隆——”突然，一声巨响就在拉贝他们的附近。“快快！快进洞！”这回是真轰炸了！

拉贝等惊慌失措地刚钻进防空洞，便听见天空中激烈的炮击声。有胆大的人从洞口探出头往上面看——阳光下，数架飞机也搞不清是敌机还是蒋介石的空军部队，反正在天上打成一团，地面的炮火更是雷霆万钧般射向空中……

日军飞机在这一天袭击了南京城北和城南，甚至连与拉贝他们有密切业务联系的电厂也惨遭轰炸。而最受破坏的是浦口铁路局及附近的煤场，有9个死亡，10余人受伤。

第二天，这样的轰炸在继续，死伤的人数也一直在上升。然而南京人似乎对这样的情况变得很习惯了，只要小日本鬼子的飞机不是过度的轰炸，空袭便成了他们的家常便饭一样。

拉贝他们可以看到一些从上海转邮过来的德、英、美等国的外文报刊，这些报刊都不时有文章说，南京人对日本人的飞机空袭已经习惯了，“这太夸张了！让他们来试试看！”拉贝有些生气这样的报道不负责，不过当里贝问他难道你不是也习惯了进洞出洞时，拉贝又苦笑着点点头。

可不是，你不习惯又能怎么样呢？拉贝心想。

10月24日，星期天。拉贝认为他的中国伙伴韩湘琳做其他事、说其他话都很到位，唯独说日本人不会星期天“下蛋”——轰炸，是“胡扯”。这不，在今天这个“一碧如洗”的星期天里，炸弹在城北、城南如雨点般地落下，比任何时间里“下蛋”都多。

“今天日本人是为了纪念他们下蛋700枚才这么干的！”韩向拉贝解释。

“700枚了？！”拉贝跟着韩趁中午时间空袭刚过的间隙，跑到一家中国人开的“德国肉店”，在那里他发现了9瓶“爱福”牌啤酒。“统统要。”拉贝像见了珍宝一般，全部买了下来。晚上与前来看望他的一名德国朋友痛饮了一通。

大轰炸的第二天10月25日，拉贝十分高兴，因为这一天是他和爱妻结婚28周年纪念日，他收到了远在北平的妻子多拉托韩先生为他送来的4盆菊花，还有爱写诗的妻子的诗，这让他兴奋不已。

妻子的诗这样写道：

朦胧的预测已经变得明晰，

命运从不是偶然幸运的产物。
人生的道路如同行星的轨迹，
唯有大智之道在宇宙中运筹，
才能决定是合是分。

是啊，一个智者也决定不了与家人的合与分，这就是战争下的世界。拉贝对自己妻子的才情深感佩服，同时也为自己身处战争的旋涡中心颇有些伤感和担忧。

南京电厂是拉贝他们西门子公司在华的一个重要生意项目，里贝就负责这一块工作。由于日军的飞机不断轰炸，电厂的维修成了头等大事。作为西门子洋行的南京办事处负责人，拉贝有高度的责任担负起电厂的正常运转。让他欣慰的是，几台涡轮机运转一直正常，而且那台老式的博尔齐锅炉还在正常工作着。“这是 6 年前的货，你们看清楚了吧：我们德国的货比美国锅炉强吧！”拉贝对那些总认为什么东西都是美国货好的中国人很不理解，他用事实告诉他们，真正过硬的货是他们德国人造的。

结婚纪念日的第二天，拉贝拉着已经出色完成公司交代的维修任务的里贝一起到电厂，原本里贝是要走的，但上海西门子洋行驻华总部发来一份被拉贝认为是“最好的电报”说：里贝暂时可以继续留下来工作，不急走。“伙计，你得留下来陪着我天天吃日本人下的蛋啊！”他与里贝已经很有感情了。

到电厂的路上，拉贝他们听说了一个准确的消息：日本人已经占领了太仓。这就证明，中国首都南京的外围防线又被撕破了一道。好在还有一个令人振奋的消息：日本人在上海已经战死了 1 万人。

看来蒋介石的军队在上海干得不算太烂！

但从友人那里获得的南京情况又让拉贝情绪低沉：日本飞机在过去的 60 多次空袭中，已经造成 200 多人死亡，400 多人受伤，还有大量难民纷纷逃亡……

“听说了没有，蒋夫人昨天在去上海的路上，汽车驶进了一条沟里，她被扔出车子好几米，肋骨断了好几根！”这个消息让拉贝感觉对中国而言，是不是意味着凶多吉少？

“看，拉贝先生，你公司总部又寄来一大包圣诞礼物！”韩先生从车子里抱回一大包邮件，交到拉贝手里。

“太美了！”拉贝一看，是辛施兄弟公司从汉堡寄给他的 100 份 1938 年的德国新日历，这日历可以用作日历，又能记事，所以很受拉贝他们欢迎，也可以作为礼物送给相关客户。

看着一张张精美的汉堡冬季风景明信片，拉贝的那颗心“变软了”。

圣诞节又快要到来了，怎么在中国就没有一点儿感觉呀！如果在自己的故乡，现在这10月份就该忙碌圣诞节的事了，然而在南京——战火下的南京，他这个汉堡人几乎把这事给忘了——拉贝想到此处，不由热泪盈眶……“喂喂，别哭呀拉贝先生，过去你可不是这个样的！！”

拉贝自己勉励自己。这一夜，他坐在防空洞里，想起自己的家乡汉堡，又想起自己的妻子与儿女，不由感慨万千——

我一再有把握地说：
哎呀，要理智，
蹲在防空洞前，
这可是缺乏理智！
首先，因为轰炸机的炸弹
大都是从上面落下的，
高空也会掉下碎片，
击中谁，痛得要命，
如果噼啦爆炸，不及时走开，
你肯定会说：啊——我想，
还有足够时间躲开，
我只想看一下……
别说废话了——快些吧，
走进你的“英雄地下室”去！
你的理智在命令你！

德国人爱写诗。不过比起拉贝妻子的诗，这首似乎缺了点我们中国人所讲的韵味，不是吗？这个冷面红心的“纳粹”！其实他内心还是炎热的，只是他的表层如钢铁一般。

进洞，出洞。天天无数次的折腾，还要冒着生命危险去工作，催账、收款，以及帮助中国人恢复设备等等，拉贝终于病倒了……病得还不轻。

医生给他开了许多药，价格是平时的三倍多！精细的拉贝注意到这一点。他想让妻子寄些药来，可又不敢发电报给她。如果那样的话，妻子一定会毫不理会日本人的飞机和炸弹跑到南京来。“那样又太傻了！”拉贝内心深深地责备自己。可是人家陶德曼大使的夫人就留在了南京，她能做到，我的妻子为什么就不能？

“不行不行，我有这个念头就是犯罪。是对妻子的犯罪念头。”

拉贝拿起阿司匹林，猛地往嘴里塞，然后喝上满满的一杯水。他在日记上写道：“如果一个汉堡人和一个柏林人走到一起，通常会产生意见分歧。这肯定是出于古代他们好争论的原因，就是说，他们每个人都自称有最伟大的‘快舌’，即最伟大的辩才。我当然站在汉堡人一边。汉堡人说话也许会夸张，他们的话也许要打些折扣；但柏林人纯粹是‘吹牛皮’，这就更差劲了！例如柏林人说：‘傻瓜就是傻瓜，是无药可救的，即使阿司匹林也不顶用！’这不对！阿司匹林对我就起了作用，今天我感到已有起色……”

拉贝感谢阿司匹林——他的病明显好转了。日记还没有写完，防空警报又响起，拉贝被韩湘琳等人从床上拉起，飞步躲进防空洞。

“先生，我听上面说，要让市民们准备三天的饭……”韩对拉贝说。

“为什么？”拉贝不解。

“这不你病的几天日本人的飞机没有来过……”

“这是下雨的缘故吧！可不是日本人对我的照顾。”拉贝说。

“是的。但你知道，下过雨后，日本人一定会大规模地轰炸南京，而且肯定要比平时轰炸得还要猛烈和时间长。”韩说。

准备三天饭，就是说要在暗无天日的洞里待三天？！拉贝摇摇头，又非常无奈地长叹起来。他翻开日记本，继续写道：“一场现代化的战争就是地球上的一座阎王殿，我们在中国正经历着这场灾难，若与欧洲一场新的世界大战相比，也许它只是一场儿戏。但愿善良的命运之神保佑我们免受此难！”

炸弹仍然在洞外发出巨响。拉贝和南京人并没有受到上帝的保佑，日本人强加于他们头上的战争之苦，正在不断加剧，更深的苦难还在后面……

雨后的南京，人们感觉头顶上的炸弹像过节放鞭炮一样，“噼里啪啦”乱响。令拉贝感到奇怪的是，中方应对日机的防空战斗机不知什么时候竟然销声匿迹了。这是怎么回事？

“老蒋在上海已经打得没力气了！南京看来也快保不住了！”还是韩湘琳等中国人了解情况。

如此看来，剩下的时间只能是听天由命了！拉贝参加过一战和非洲的战事，明白自己所身处的南京着实命运不佳。这种日益多变的形势，可以从种种迹象判断出来：他身边的中国帮工——那些办公室的勤杂工和佣人纷纷被征召去当兵了，而且年龄都在 30 岁至 35 岁之间，他们可能只是早上受训几个小时，中午就被拉往前线与日本人打仗去了，其命运大多也是凶多吉少。

“蒋先生真是扛不住了！”拉贝和留在城里的几个德国伙伴私下里议论着，剩下的问题只有一个：他们这些“老外”到底今后在南京还能干什么事？这是拉贝等人最关注的。

雨，仍然下个不停。对拉贝来说，他最讨厌下雨，因为一下雨他的防空洞里面就会渗进许多水，这对一个德国人来说是绝对反感的事，尤其是对像西门子这样大公司的职员来说，凡是与“工程”和“机械”相关的事，有瑕疵是不行的，无论你有什么理由。但在南京，下雨对多数人来说是好事甚至是极好的事——日本飞机就不会再出现在头顶上了。

11 月 12 日这一天日本飞机还真没有来，南京市民们与拉贝都认为是下雨的原因。其实这一天日本人就没有打算到南京来，因为他们此时此刻正在上海庆祝“伟大胜利”呢——他们在铁蹄和刺刀的共同努力下，已经把国民政府在上海市的牌子扔进了黄浦江里，换上了他们的太阳旗……

“升旗！今天你要升中国国旗！”办公室留下来的一名姓蔡的勤杂工一早过来向拉贝传达上面的指令。

“为什么？我是德国人，我不可能把德国的旗降下来，换上你们中国的青天白日旗的！”拉贝断然拒绝。

“这、这……这又不是我的意思，是政府的意思嘛！”蔡很委屈地说。

“我不管是谁的命令，在我的这块地盘上，谁也别想降下我们德国的国旗。”拉贝气呼呼地嘀咕道，“这是我们公司一贯的立场！也是我们公司与贵国贸易条约的内容之一。谁都不能随便破坏！”

又一位姓张的过来了，他拉住拉贝说：“不是的。是蔡搞错了。今天是孙中山先生的诞辰纪念日，政府要求我们下半旗以示哀悼纪念。”

“我到底听你们哪一个的？”拉贝似乎真生气了。

“是他错了。听我的没错。”姓张的堆着笑脸，对拉贝道。

拉贝总算明白其意，于是道：“那就把德国旗和你们的国旗一起升上去，再降半旗。”

拉贝亲眼看着两位中国勤杂工把旗帜升上后才摇摇头，进了屋。心想：这些中国人，办什么事都不能说个明白。

上海失守，受难的不止中国人，拉贝他们也惨遭损失和伤害。从上海运输公司那里他得知：前日离开南京的里贝在路途上遭到日本飞机的袭击，人没有死，身边的几个箱子全被炸烂了。“你们给我记个单子，等战争结束后，我一定要让日本人加倍赔偿！”拉贝这回真是气得眼镜几次从鼻梁上掉下。他托里贝随身带的东西丧失殆尽，能不叫他心疼？

南京的日子越来越难过。中国政府部门的人都像暴雨前的蚂蚁，人人都在忙着打包搬家——南京国民政府要害部门基本要搬空了，剩下的政府部门和各种机构也都你争我夺地在动用各种可能的运输工具为自己忙碌。有钱的市民则在千方百计投奔亲友或往香港、汉口甚至更远的地方搬迁。留下的穷人们越来越没有指望，他们的脸部表情都是呆滞的。

拉贝他们这样的外国人，已经是少数了。每个国家都有大使馆在协调各自的侨民撤离，下关口的长江上停留着十几艘洋船，随时在准备着出发。德国人也仅剩一艘“库特沃”号船，是大使馆作为最后运送德国侨民撤离南京的唯一机会。“库特沃”只有50个卧铺，于是能够挤上“库特沃”的也算运气了。

“无论如何，请拉贝先生帮忙了，我和妻子想搭你们的船到汉口，求求您了。请您跟船老板说说，加倍给钱我们也愿意。”一位姓王的工程师来找拉贝，他是军事通讯学校的工程师，与西门子有业务往来，也算是拉贝的生意伙伴。

“你等等，我去请示一下大使先生。”拉贝是热心人，能帮助别人的事他一定想尽办法去做。可这回他是垂头丧气回来的。

拉贝似乎很没有面子地向王先生报告：“大使坚决拒绝，说只能给德国人留位子……”“不过，大使还算给了我一点面子：你的妻子是奥地利人，大使答应她可以上船，但王先生你不行。”拉贝补充说。

王先生征求妻子：“行吗？”

“不行！你不在我身边，我无法活下去！”洋妻子像摇拨浪鼓似的晃着头，眼泪都要出来了。

拉贝只得双手一摊：“这就没办法了！”

看着朋友伤心地离开，拉贝紧握拳头，咬着牙根，道：这些账都该算在日本人头上！

11月17日，还是雨天。南京人比较喜欢，用拉贝的话说：“我们现在真的不需要炸弹了，这里已经乱成一片。”

不管是白天还是黑夜，南京大街上熙熙攘攘、乱七八糟，汽车、马车、三轮车……凡是能滚动的东西都用上了。甚至还能看到成群结队的大卡车和坦克车在街头行驶，它们都在做一件事：装运东西，撤离南京城。在这个撤离和装运队伍里，拉贝是其中的一个——他本人已经做好为公司留在南京到最后时刻的准备，但他的同事和朋友都要走了，还有拉贝自己家的许多物品也需要搬运到另外的安全地方，故此刻他也成了忙碌人群中的一员。拉贝想不到的还有一件事，就是诸多朋友听说他要留在南京，纷纷找他，请求他帮助看守和照看他们的房子及搬不走的物品。

“我的这台收音机很贵的，但它太重了，搬不走了。拉贝先生请你无论如何想法保管好它。”说这话的是大使陶德曼博士的夫人。这夫人客气、亲切，且细声细语，一次一次地请求拉贝原谅她的“打扰”。

“应该的，应该的。”拉贝笑脸迎送这位大使夫人之后，回头直骂自己是“充大头”，像死要面子活受罪的中国人一样。

下关码头上的乱象已经到了极致。拉贝感觉自己似乎又回到了当年在非洲的苦难岁月里。他自己的6个箱子放在朋友的一个包厢内，一看，还成。结果他刚想闭舱，就遇到了熟人西格尔先生。此兄运一大卡车的皮箱要上船，又找不到地方。“拉贝，快想办法帮帮我！”

拉贝摊摊手，意思：你看这个乱象，我能有什么办法？

“不行，你得帮忙。这些箱子其中一半是你老朋友里尔茨先生的。你得帮助他。”西格尔说。

一听是老朋友里尔茨的东西，拉贝眉头一皱，一挥手：“跟我来吧！”

两人把5个里尔茨的皮箱塞进了拉贝买下的舱位里。

“闪开！闪开！”突然岸头一片嚷嚷。拉贝探头一看，有人扛着一个长长的卷桶式的东西，蛮横地从岸头冲向船的甲板，站在两边的行李搬运工躲闪不及，有人落水，有人开骂，一片混乱。

这不是欺负人嘛！拉贝岂容此等行为。他冲过去责问那人：“你不能这么干！上船得有秩序！”

不想那人冲着拉贝，嗓门更高了：“闪开！这儿你说了不算！我扛的是德国大使阁下的地毯！他必须第一个上船！”

“大使也不行！”拉贝一听就急了，一边大声制止，一边用手封住那人的嘴。

“你——”扛地毯的人一下被拉贝吓住了，涨红了脸，半天说不出话。

“你可以先走，但不能抬着大使来压人！明白吗？”拉贝悄声在那人的耳边说道。

那人点点头，终于明白了。

雨，还在下个不停。码头上、甲板上，雨水夹着泥水，弄湿了所有人的衣服与鞋子。拉贝跟大家一样狼狈，这时，在船上居然又一次遇到了工程师王先生夫妇。

是王的奥地利夫人先发现了拉贝。她说：“拉贝先生，他受不了在行李舱的那个罪，没吃没喝的，他想换火车到汉口……”

拉贝一边甩着脸上的雨水，一边瞪着眼睛问王夫人：“既然如此，那就上岸吧！改乘火车可能还来得及！”

王夫人又哭了：“可我不想换乘火车，‘库特沃’号是你们德国的船，日本人不会轰炸你们的船，乘火车太危险了！我不愿意。”

“你们！……”拉贝实在想发火了，可又觉得像他这样的绅士是不该对一个女士发火的，于是只得放轻声音再问，“那你们到底怎么办呢？”

“我们也不知道啊！呜呜……”女人哭了。

拉贝的心软了，伸开双臂，将这个奥地利女人拥抱了一下，说：“我建议你们还是跟着这船走吧！”

“那好吧，听你拉贝先生的！”女人不哭了，回到行李舱里去找她的男人。“有事我还找你啊，拉贝先生！”末后，又传来女人的声音。

拉贝望着她的背影，无可奈何地摇摇头：“拉贝啊，你活该，这都是所谓的乐于助人的好心肠造成的！”当天的日记里，他写下这句话。

越来越多的迹象表明，日军进攻南京的日子已近在眼前，蒋介石守卫首都的决心也在发生动摇，南京到底还能坚持多少时间，日军进攻南京后会是什么样的情况等问题摆在中国人和留守在南京的诸多外国人的面前。随着中国政府机构的撤离，外国各使馆一方面随蒋介石的政府机构纷纷搬迁至汉口，另一方面又力图获取日方的友好态度，观望在日军占领南京后他们在南京的资产和权利能否获得保证。由于美、英等主要国家已经在政治立场上表现出同日本国决裂的状态，所以多数国家的使馆认为自己国家在南京的财产和权利恐难保障，故必须撤离南京。只是南京乃中国历史名城，且又是一国之都，自鸦片战争后，西方列强早已对这座城市有很深的渗透，尤其是各国的教会组织，布道人士和神职人员远比各国驻华使馆在此的根基深厚得多，教会所办的学校、医院、神职场所等遍及城市和乡村。另外，随着西洋现代科技文明在中国的不断传播，例如拉贝所在的西门子等外国公司也在南京有许多分设机构和业务代理，所有上述机构和人员，归结在一起，便形成了一定的外国势力。他们的立场和出发点也各不相同，在走与不走的态度上也不一致。即使留下来的机构和人员，其目的也各不相同。但有一点值得注意，即所有神职人员的出发点是为了不想自己苦心经营的“中国事业”轻易被日军破坏，期待以自己的慈善之心普度苦难的民众。另一部分是有职业使命的医生和在华传授知识的教授们，再者便是拉贝这样的生意人。

“既然留下来，我们就应该团结一致向日方提出要求，争取我们应有的尊严与权利。”其他的洋传教士、教授和生意人都这样认为。

“走的是明智者，留下的是英雄汉。”毕竟，战争是无情的，日本人的凶蛮与罪恶已经摆在这里。如何维护在炮火下的安全和为中国平民做一份有益的事，这让准备留下来的外籍人士们以及他们的大使馆在思考着。

应该说，最早提出仿效雅坎诺神父（Father Jacquinot）在上海设立“中立区”的，是几位留在南京的美国人。上海“淞沪战役”之中，上海“中立区”不仅为保护在沪外国人利益作了卓著贡献，而且也为保护数以万计的上海平民立下了汗马功劳。因此，留守南京的外籍人士也动了此念。关于整个国际委员会和“安全区”的提议过程，拉贝先生的日记里没有记载，但笔者从“南京大屠杀”史料中找到了一份当年美国国务院档案翻译材料，这份珍贵的史料详细记述了提议过程的始末——

关于暂定在南京设立安全区的提案

1937 年 11 月 17 日

下午 5 时 30 分左右，W.P. 米尔斯（Mills）先生、M.S. 贝德士（Bates）博士、刘易斯·斯迈思（Lewis Smythe）博士（后两位是金陵大学的教授）在约定好之后，来到了帕克（Peck）的住宅。

谈话首先由米尔斯先生和其他人对帕克作了如下说明：

(1) 在南京附近和市内进行战斗时，为了一般市民能避难，进行讨论，暂定提案设立安全区，或称为难民区、非战斗区域。(2) 关于场所，研究了几个地方，但决定城内西部地区较合适。(3) 当向大使馆罗勃兹上校（他处作上尉）征求意见时，他说，中国的军事当局会同意不把西部地区用做军事目的（因为实质上不会削弱他们的战略部署）。为什么呢？他说，假如在南京附近进行战斗，就要考虑战斗是在城市的东部或南部。(4) 关于这项计划，杭立武博士对王世杰教育部长作了说明。王部长不仅表示赞同，而且还主动向军事训练总监唐生智将军（现在为首都卫戍军司令）提出商量。唐将军没有陈述他的意见，但是他同意同蒋介石商量一下这个计划（蒋介石当时不在南京）。

接着，到访者们询问道：如果计划具体化了，大使馆会主动将它通知给日本当局吗？对此，帕克先生说，关于这件事今天已经有了结论。那就是回答金陵女子文理学院明妮•魏特琳（Minnie Vautrin）女士的信所说的内容，自己也会约定乐于接受这份功劳，将这一情报传达给日本。

接下来帕克先生指出如下内容：

如果有人知道了设定非战斗区域的计划是美国人想出来的话（也许会是这样的），其结果，两国任何一方破坏了协定的话，那么预定发起这项计划的人无疑就会受到大家的憎恶。因此，他主张提倡、推进这项计划的人为了避免自己受到失败的责难，采用一个没有误解的方法，应该由中国军方当局自己主动地尝试加入到这项计划中来。

帕克先生进一步说，美国大使馆当然在向日本当局传达非战斗区域计划是基于中方所接受的实际根据之前就想知道这一点。

到访者从内心里对这些见解表示赞同。

米尔斯先生提议说，正如帕克先生所说，如果大使在那天晚上预计见到孙科博士的话，试着向他探询一下这个问题也是一个好主意。到访者当中，不知哪一位决定明天再拜会帕克先生，商谈一下有关安全区的问题，谈话就此结束。

那天晚上，大使和帕克先生与孙科博士一起共进了晚餐，张群将军和南京市长马超俊也一起就座。谈话中，大使说道：说明一下上述计划的概要，话题是出自没有公务的平民，目前它还处于议论阶段，被问到了此事，就回答说如果计划具体化了，就乐于斡旋向日本当局传达等等。

市长好像对安全区的提案还没有听说过，就此他本人没有发表任何意见。但是，在整个晚餐中，他好像一直在思考那个提案，像是发现了其可能性。当问及他时，他说自己打算留在南京。说起来，推测像是否定。

应约翰逊大使的要求，帕克先生把那天中午同米尔斯、贝德士、斯迈思交谈的内容主旨向在座的中国人说明了一下。

一同进晚餐的张群将军是现国民政府处于非常时期最核心的人物之一。他建议道：对于安全区的计划，讨论这个问题还为时太早。但是，他的发言预示着一种黯然的假说，即日军一定会来到南京附近。我想他的发言只不过是想缓解一下当时严肃的气氛。

从中可以看出，这个提议首先是由几个美国籍教授有了想法，再征得美国驻中国大使馆意见后，口头向中国政府的高层相关领导通过气并获得赞赏后才提上议事日程的。

应该是11月18日，即斯迈思、贝德士等同张群这些国民政府实力派官员有了沟通后的第二天，他们又聚在一起讨论了一些实质性问题，比如请谁来当头儿。

这是让美国人感到有些头疼的事。按理他们肯定不会放弃这个国际委员会的主导权或者说领导权的，但严酷的现实摆在面前：现在与日本人打交道，美、英等国家已经没有什么约束力了，唯一让日本可能有所考虑“友好关系”的，只有德国人了。

“假如我们要在南京建立‘中立区’，就得选一位能与日本人打交道的人当我们的头，否则我们这些人将无所作为，弄不好还会被日本兵‘格杀勿论’呢！”为了筹备这件事，在金陵大学任教的贝德士博士想到了这一层。

“西门子的拉贝先生应该是个合适的人选！”斯迈思想到了他曾经接触过的这位德国人。

“这事非他莫属。关键他还是纳粹党员，日本人应该对他另眼看待。”

“我们接触过拉贝，他是个办事认真、细致，且不乏热心，又有商人机智的汉堡人。相信他能干好。”

几位美国教授和传教士为共同选中拉贝而欣慰。“日本人已经冲过中国军人设立的南京外围防线，设立中立区的事不可迟疑了。今晚我们就把拉贝找来商议吧……”斯迈思教授建议，“就到我家吧。这位汉堡商人来过我家，他会喜欢的。”

第二天，也就是11月19日晚饭时间。斯迈思教授家颇为热闹，在鼓楼医院和金陵大学任职的美籍医生与教授差不多都到场了。拉贝应邀前来。

贝德士教授代表美籍人士向拉贝介绍了他们事先商议的准备在日本军队占领南京之前成立一个安全区国际委员会，同时着手建立类似上海雅坎诺神父在租界设立的“中立区”，及其任务和所要做的事，并隆重邀请拉贝出任该国际委员会主席。

拉贝激动地听完美国朋友们的介绍后，惊讶地问：“为什么主席是我呢？你们可都是杰出的人物呀！”

“我们认为，目前只有先生你是最合适的人选。除了你本人的能力和有一颗善良的心外，你的德国国籍和国家社会主义工人党党员的身份，是我们所有人都不能相提并论的。”马吉牧师说，“当然，这是个光荣而艰巨的职务，需要拉贝先生你本人有此志愿。”

“对，这是我们这些人一致的看法。”贝德士等一齐向拉贝投来赞赏的目光。

拉贝认真地看了一遍到场的每一位“山姆大叔”（美国人）的目光，他确认了这些人是真诚和友好的，便十分慎重道：“大家认为我的德国国籍和纳粹党的党员身份在日本人面前十分有用的话，那我就接受你们的建议。”

“OK！感谢上帝！感谢拉贝先生！”

“我代表所有留在南京的美国人和其他国际朋友向拉贝主席致敬！”

“向拉贝主席致敬！”

这一个晚上，拉贝也是第一次有机会认识了诸多美国朋友，包括马吉牧师等，他们现在可都是他的“部下”了——国际委员会成员。

“好，太好了！祝贺拉贝先生！”回到洋行办公地，拉贝将这件事向他的中国同事韩湘琳一说，韩立即表示：“我代表南京市人民感谢您！拥护您——尊敬的拉贝主席！”

“我无法想象日本人占领下的南京将是个什么样子。更不知道我个人是否有能力承担如此重要的责任。韩，你是中国人，你一定要帮助我完成这个使命，这关系到我个人的荣誉，也关系到我作为纳粹党员和德国人的荣誉。”拉贝用期待的目光盯着他十分信任的韩湘琳。

“放心，拉贝先生，只要您一句话，我一定为您赴汤蹈火！”韩在此之前就曾对拉贝说过，只要拉贝留在南京，他就跟着留在南京，死而无悔。这回又听韩如此表决心，拉贝非常激动，给了韩一个结实的拥抱。

“韩决定与我同甘共苦。他是一个正直的人！”拉贝在当日的日记里如此赞赏他的中国同事。

现在，拉贝雄心勃勃，决意大干一场。上海那边不断传来的消极消息，使他不得不有这样一份雄心。“否则将毁掉德国人一切荣誉”，拉贝内心有股强烈的使命感。当他把这事报告给了德国驻华大使陶德曼博士后，得到了对方的同意。大使同时还告诉拉贝：使馆方面暂时也要留下3个人：许尔特尔、罗森博士、沙尔芬贝格。

“罗森这个人并不想留在南京，这样的人怎么可能做好事呢？”拉贝对罗森这人很不喜欢，觉得这人贪生怕死。他希望大使能撤掉对罗森的命令，但没有获得批准。

韩湘琳便劝他：“您得跟大使馆的人搞好关系，他们是些什么人，说不准在背后还会告您的状呢！”韩湘琳提醒他。

“我才不怕背地告状的卑鄙小人呢！我们所有留在南京的人都是英雄，都是要去面对日本人刺刀的英雄，他罗森如此胆怯的人，怎么可以跟我们战斗在一条战壕里呢？我弄不明白大使先生是怎么考虑的。”耿直的拉贝依然愤愤不平，“留下的每一个德国人，都应当像我们汉堡商人一样，用你们中国话说，是一个萝卜顶一个坑！”他说。

11月22日上午，大使馆打来电话，要拉贝去使馆开会。打电话的恰恰是罗森博士。“我必须有个汽车特别通行证，否则许多事都难办！”拉贝向对方提出，似乎带着某些情绪，但当时的情况确实如此：鉴于南京城内的情况，蒋介石政府已经在前几天宣布全城晚上戒严。作为德国方面的代表和未来国际委员会主席的拉贝提出这种要求也不是没有道理，可是使馆的罗森博士并没有这样认为，他觉得拉贝这人还没有上任“主席”，便开始“牛”起来了。

“这绝对不是可有可无的事，就像我们西门子的任何一台机器上的螺丝钉一样，少一个都不行，没拧紧也不行。作为德国利益的代表和国际委员会主席，我必须有一张汽车特别通行证！”在使馆与罗森见面后，拉贝不依不饶地提出上面的请求。

“那好吧。我同中国政府商量商量。”罗森直摇头。

“小子！你怕死，但去向中国人要个特别通行证还不至于让你生命有什么危险的。”拉贝心头有些乐。

当日下午5时，国际委员会正式成立，并作出了在南京设立平民中立区的决议。拉贝荣幸地当选主席。

“感谢大家的信任，我一定尽全力领导好这个组织，并愿同各位协作好。”拉贝的履职“演说”词并不多，这让听惯了德国人华丽辞藻的在场的人士多少有些失望。“非常时期，非常语言，重在行动嘛！”拉贝忙解释道，于是大家又都笑了。

办事向来一板一眼的拉贝领导下的国际委员会，立即就根据确定的任务，拟了一份声明给日本当局。这份声明需要通过美国大使馆的电台发给美国的上海总领事馆，再由上海的美国总领事转交日本驻华大使。

“我们的这份声明，在日本大使收到后，他们不能随意发表，这涉及外交，我们这个组织目前还没有得到中方和日方的批准，不然的话，我们有可能一下子陷入被动。因为一方面外交上会有些不顺畅，另一方面中方和日方反对我们这样做的话，所谓的中立区有可能反倒让我们成了日本军队的帮凶。”主席拉贝已经开始转动起他那缜密的脑子了。

“这个意见非常重要。”到会的全体委员一致同意。

国际委员会的第一份文件出笼，一式两份，分别是中文和英文版本，对象是中方政府和日方政府。声明的大致内容如下：

考虑到可能在南京或南京附近爆发敌对行动这一情况，由丹麦、德国、英国和美国公民组成的国际委员会特此建议中国政府和日本政府为逃难的平民建立一个安全区。

国际委员会有责任取得中国政府的特别保证：撤除拟建的安全区内所有军事设施和包括军事交通指挥机构在内的军事机构；安全区内不准驻扎武装人员，携带手枪的平民警察除外。禁止所有士兵与军事团体进入安全区，无论这些军事团体具有什么性质，无论其军官军衔为何种级别。国际委员会将努力使上述保证得到尊重和令人满意的执行。

以下具体标明的地区，国际委员会认为适合用来保护逃难的平民。这个区域位于城区的西部，迄今为止，日本空军在空袭时始终注意使其免遭破坏。

所建议的安全区界定如下：

东面：以中山路为界，从新街口至山西路交叉路口；

北面：从山西路交叉路口向西画线（即新住宅区的西边界），至西康路；

西面：从上面提到的北界线向南至汉口路中段（呈拱形）（即新住宅区的西南角），再往东南画直线，直至上海路与汉中路交叉路口；

南面：从汉中路与上海路交叉路口起，至新街口起点止。

国际委员会将负责用白色旗帜或其他有待确定的标志清楚地标出这些边界，并将其公布于众。委员会建议从收到双方政府表示完全同意的通知之日起，视安全区为正式建立。

国际委员会特别希望日本政府从人道主义出发，保证安全区的民用性质得到尊重。委员会认为，为平民采取这种人道主义的预防措施，将会给双方负有责任的政府带来荣誉。委员会恳请日本政府迅即回复，以便能够尽快结束与中国政府进行的必要谈判，为保护难民做必要的准备。

国际委员会满怀信心地希望此建议能够得到友善考虑。

15 位国际委员会成员按当时的顺序分别在声明上签下了自己的名字。他们是：J. M. 汉森、G. 舒尔茨·潘廷、P. H. 芒罗·福勒、约翰·马吉、P. R. 希尔兹、艾弗·麦凯、约翰·H. D. 拉贝、J. F. 皮克林、M. S. 贝德士、爱德华·施佩林、W. P. 米尔斯、C. S. 特里默、D. J. 利恩、查尔斯·H. 里格斯、刘易斯·S. C. 斯迈思。其中拉贝、马吉、贝德士、施佩林、米尔斯、特里默、里格斯、斯迈思等8人，在日军占领南京后留了下来。这些人身份都很特殊，有大学教授，有医生，也有神职人员，还有拉贝式的商人，他们所在国的大使馆其实并不支持他们留在南京，然而这些“富有良心和正义感且不怕死的”人——他们自己也这样认为，断然决定留在日本军队即将到来的南京城内。这是需要超越一般人的勇气和良心的，拉贝他们为什么会这样做？这个问题在日本人占领南京前和占领南京后的漫长岁月里，几乎无数次地被人问及。到底为什么？“南京安全区”提议者之一、金陵大学美籍教授贝德士先生在后来给友人的信中作过忠实的“自白”。贝德士先生认为，这是“残酷的战争所迫”。

> 过去一年半所发生的事情，使一个善于思考的人很难再相信那些仁慈的天意、善良的信仰。在残酷与贪婪席卷世界的浪潮中，我没有看到上帝的暗示。但人性的价值，人的生命需要和耶稣显示的景象，从未变得黯淡。在极端危险中手无寸铁地为人们的生命战斗，当你知道自己随时都可能被未曾注意的力量所毁灭而仍捍卫真理与人道——这是一种精神的激励与震撼。如果我们解除作为时间的奴隶状态，这样的生命可能是永恒的。这是一种新的自由感觉，在（上帝）给予的光明的指引下勇往直前赢得可能到来的一切。即使生命现在结束，它依然具有价值，仿佛是为他人的养育与机会所进行的投资，其价值之贵重永远不会消失。迄今为止，一个公开的紧急战斗的进程，一个化解狭隘宗派意识的企望，已经赢得了持续。但是，一个意欲报复的宪兵，一个心胸狭窄的密报材料的读者，就能粗暴地毁掉一个人的终身事业。
>
> “给全球以和平，给人类以慈悲。”（Peace On Earth，Good Will To Men）但是，我们前面的和平能成为慈悲的和平吗？每个性灵的观念似乎都不可抗拒地被置于严峻形势之下，接受考验，但我知道它不会错位与扭曲。“不要被邪恶征服”（Be Not Overcome Of Evil），这是直入心扉的召唤。“以善胜恶”（Overcome Evil With Good），需要比大多数人所能见到的更强有力的“善”，但这无疑是工作的正确途径……
>
> 有大量的爱，即使在毫无希望的粗暴与令人沮丧的地方也可发现。

说得多好！有爱的地方，那些善良和弱小的人们仍然可以发现自己力量的伟大之处。这样的人虽然在世界上并不是多数，但他们的能量却是不可低估的。拉贝他们便是。

“祝你生日快乐！祝你生日快乐……”这天是 11 月 23 日早上，拉贝一起床就收到了妻子托陶德曼大使夫人转送来的特殊礼物：一是妻子祝贺他 55 岁生日的电报，二是一条很漂亮的围巾。

“亲——谢谢妻子！”拉贝光着身子，浸在浴缸里，双手捧着妻子发来的电报和那条围巾，浴缸旁边的台式唱片机里正播放着《祝君长命百岁》的中文歌曲。

拉贝闭上眼，整个身子泡在温水中享受着。“清洁高于友谊”——他脑子里闪出这句话，连自己都忍不住笑了起来，因为今天一早不到 5 点钟，德国骑兵上尉洛伦茨先生给他打电话，这位在中国军队当顾问的年轻人说刚从前线到了南京，希望拉贝帮助他上“库特沃”号。“可是我们的船已经在昨天晚上就走了呀！”拉贝觉得非常对不起这位德国同胞。上尉的电话刚放下，胡尔德曼先生（《远东新闻报》编辑）又来按门铃……这一早晨让拉贝烦得不知所措。干脆，关上门，往浴缸里一躺，过自己的生日！

让拉贝哭笑不得的是：原本他准备让佣人做个生日蛋糕，好与自己身边的中国朋友和德国同事一起庆贺一下，哪知厨师病了，勤杂工蔡先生说他不会弄“蜡烛做的蛋糕”。

“这人，他全弄反了，蜡烛怎能做蛋糕？”拉贝越想越发笑，最后竟然在浴缸里自个儿哈哈大笑起来。

韩湘琳过来了，听到拉贝难得的笑声，轻轻推开浴室，打趣道：“先生今天的心情不错呵！”

“当然，今天是我的生日！”拉贝这才止乐。

“是吗？应当庆贺呀！一会儿我让佣人给您做碗长寿面！”韩湘琳兴奋道。

“丁零……”电话铃又响起。

“斯迈思打来的。说一定请您接。”韩报告说。

“喂——什么？他们、他们美国人做事为什么就……那好吧，我们发个电报去致歉一下，这个致歉必须办。”从拉贝的脸上可以看出，刚才的这个电话让早上的整个生日快乐气氛全都泡汤了。

“怎么回事？”韩问。

“斯迈思说，路透社在发电报时无意中把我们关于建立安全区的秘密给泄露出去了。才刚刚起了头，就弄成这样。日本人现在如此嚣张，如果我们不在私下里先通报他们，先向全世界公告我们要在未来他们的统治区内设什么安全区，日本人还不认为我们是无视他们的威严和存在吗？所以必须有个补救措施……”拉贝一边穿衣服，一边扒拉着桌上的纸，准备起草“致歉信”。

“拉贝先生，今天是你的生日，我个人已经无法给你准备什么礼物了。但我的一个朋友知道你要为我们的市民办安全区，他要送你两辆卡车，上面还有100桶汽油和200袋面粉……”韩湘琳向拉贝报告道。

“我的天哪！你这是给我最好的生日礼物！韩，太谢谢你了！”拉贝张开双臂，激动地拥抱住韩说：“你是最好的中国朋友，我为有你这样的朋友骄傲！”拉贝想起韩湘琳一家老少跟着他留在南京，今天又带来这么个“生日大礼”，禁不住热泪盈眶。

“很少有什么事可以打动我的，但韩，你所做的事常常令我感动。谢谢，上帝保佑你和你的全家。”拉贝说。

“要谢的是你！真的，拉贝先生，现在你要为我们办安全区的事许多人已经知道了，一旦消息公布出去，我想全南京市人民都会感谢您的！真的。”韩湘琳也激动了起来。

“好，我们一起为大家做好事吧！”拉贝放开韩，又立即摆开一副主席的架势：“什么时候能把这两辆车子开到这儿来？我必须让这么宝贵的‘礼物’停放在自己的眼皮底下！”

“这事交给我办就是了！放心吧，先生！”韩说。

拉贝依然抑制不住激动的情绪，在屋里踱着步子，嘴里嘀咕着：“不敢想的好事！不敢想啊！我这个主席看来有些权力了是不是？哈哈哈！”

这一天的事够忙的。

下午5点，也就是晚饭前，中国政府外交元老、当时南京政府实力派人物张群将军在其官邸里有个茶话会，此会显然是代表中国官方召开的。参加的人员有前几天走马上任的南京市国民政府守备总司令唐生智、南京市警察厅厅长王固磐和南京市长马超俊及各界著名人士。除此主要是留在南京城的50多位美、英、德等外籍人士。唐生智等都在会上致辞，拉贝他们自然最关心中国政府对时局的判断和打算，另一个就是一旦日本攻占南京，中国方面的一些考虑——这包括了对他们设立“南京安全区”的看法。

“蒋总统抗日的决心大家想必已经从上海的战役中看到，关于保卫南京的问题，我们在12日已经发表过一个声明，蒋总统和我们全体负责守卫南京城的将士们，抵抗日本的决心是坚决的、坚定的，而且要与侵略者誓死一战。”唐生智进而说：“今天请大家来，一就是想告诉诸位：我们的抗日决心和意志是不会动摇的；二是想借这种茶话会的形式，建立我们之间及时沟通情况的机制。随着战争形势的变化，我建议在张部长这个地方，每天晚上能够让诸位在此交流交流，相互沟通……”

"很好！我们非常赞成。唐将军想得很周到。"拉贝等鼓掌回应。

拉贝和出席会议的美、英、德等国的外籍人士觉得这个建议非常好，他们可以在"非常时期"与中国领导人、南京市政府方面保持畅通的接触，通过类似"圆桌会议"的活动。拉贝对中国政府官员说，第一次世界大战期间，在北京就采用过这样类似的形式。

回到自己的住处，已经很晚了，但当拉贝看到客厅里放着4棵非常漂亮的圣诞树时，开心地笑了——一定又是妻子托韩湘琳送给他的。

"多拉，我爱你，深深的！"拉贝拿起床头柜上的妻子照片，吻了又吻。

好事坏事在这一年的秋天里，拉贝可谓统统饱受了。第二天醒来，拉贝便得知因为路透社的一个不经意的错误，他们"民间"商议的在南京建立"安全区"的消息，被外界误读为是"美国驻华大使馆"主张要搞的东西，日本政府当即提出抗议。东京方面认为，美国驻华大使馆已经离开南京搬往汉口，为什么在这个时候提出在南京要建立"安全区"（中立区）？

敏感时期，美国人并不想与日本交恶，所以赶紧让留在南京的使馆人员与德国使馆人员即那个拉贝非常不欣赏的罗森出面写个电文说明，好让美国政府与此事撇开。罗森接受任务后赶紧通过自己国家驻上海的总领事馆把写好的电文通过美国海军电台，转给美国国务院，再由美国人去向日本方面说明此事过程。电文是这样写的：

> 由德国西门子的代表拉贝领导，其成员为英国、美国、丹麦和德国人的本市国际私人委员会，基于某些城区在以往的空袭中免遭破坏这一事实，请求中国人和日本人针对南京可能直接卷入军事行动这一情况，建立一个平民保护区。美国大使将此项建议通过总领事馆转交给了上海日本大使馆和东京。新的保护区在特别情况下只向非战斗人员提供安全庇护。与此同时当然仍旧希望以往受保护的城区今后也完好无损。
>
> 鉴于主席职务由德国人担任，恳请对这一人道主义的建议予以非正式的、然而同样热情的支持。

外交仗怎么打，这不是拉贝的事。他关心的是他所承担的责任，比如现在他这个"主席"到底能干些什么和将来一旦日本人占领南京后，他与同事们有没有这个能力来保护那些受战争之苦的平民和留在南京的外籍人士及他们的财产。眼下他最苦恼的事是：日本人声称"不再炸南京"的承诺根本没兑现，而拉贝院里的防空洞则又被雨水灌满了——“这是绝不允许的”，德国人办事的认真劲，让拉贝手下的人“全部出动”，拿盆、拿勺的，全都上洞里去舀水……最令拉贝不可接受的是，韩先生说好的那两辆卡车一辆被害怕日本飞机轰炸的司机开着逃跑了，另一辆装满汽油和面粉的汽车则被驻军 88 师扣住了。

“不行！物品必须运回来！汽车也要开回来，你看看现在从前线运回来的伤员，成百上千的，他们都在死亡线上挣扎着，救他们的命也是我们的责任！”拉贝要求韩湘琳尽一切力量把被扣汽车开回来。

在一位叫杭立武的国民政府高官的帮忙下，拉贝的要求后来实现了。

“你在车头上挂上德国旗，这样可以免被中国军方征用。”拉贝的办法多，但混乱的南京城每天也不断在增加麻烦。有时麻烦比办法还要多。因为南京市马超俊市长已经下了命令：市民尽量撤离市区。

后面的一句话马市长没说出：日本军队快要打到南京城来了！

百姓并不知道：此刻的日本军队一路凯歌，直逼南京城外。

“拉贝先生，今晚我邀请您来张群先生的官邸一聚啊！”是马市长来电。

“OK，我一定去。”拉贝回答。

从马市长那些获悉：蒋介石已经基本答应拉贝他们设立“安全区”的建议，但日本方面没有任何音讯。这让拉贝非常着急。回到住处，他辗转难眠，心想：作为国际委员会主席，尤其是作为一名德国“纳粹”党党员，如果不能很好地完成“崇高使命”，将是非常不幸和很没有面子的。怎么办？日本人现在又臭又硬，好像这个世界上谁说话他都可以不听，独断专行，霸气十足。

拉贝灵机一动：对，请我们的元首出面！日本人总该给面子了吧！拉贝忍不住从床上坐起，挥笔写就一篇电文，让德国驻上海“纳粹”党中国分部负责人拉曼先生通过上海总领事转交给柏林的希特勒——

致元首：

国社党南京地区小组组长、本市国际委员会主席请求元首阁下劝说日本政府同意为平民建立一个中立区，否则即将爆发的南京争夺战会危及 20 多万人的生命。

谨致德意志的问候

拉贝

西门子驻南京代表

元首能不能理会此事？拉贝坚信会的。但写完此电文后，拉贝担心的则是另外一件事：千万别因为发往柏林的电报费太高而上海的那位总领事不给他发这封“涉及几十万人生命”的“最最重要”的电报，想到这儿，做事一板一眼的拉贝还特意给德国驻上海总领事克里伯尔先生发了一封专电：

致总领事克里伯尔：

恳请您支持我今天请示元首劝说日本政府同意为平民建立一个中立区，否则即将在南京爆发的战斗将不可避免地引起可怕的血腥屠杀。

如有必要，我将支付电报费。请西门子洋行（中国上海）从我账上预支。

拉贝

一个做事细致、内心又极其崇高的人才会这么想，这么做。他是在为中国南京市民做事，却能无私地贡献自己的一切。中国人民为什么感谢拉贝也在于此。

晚上依然应南京市长之邀在北平路69号英国文化协会开碰头茶话会，没有新鲜事，这一天主要为英国上将霍尔特举行告别会。不过这机会对拉贝来说非常重要，因为他借机把发给“元首”和上海总领事的电报交给了美国大使馆的艾奇逊先生代为发出。

这一天回来从收音机里听的消息令拉贝更加着急：守卫南京的要塞——江阴要塞已近失守之险。

“如果情况属实，那么南京痛苦的日子就真的要来了！”拉贝对韩湘琳说。两人默然对视许久。

“愿上帝保佑南京，保佑我们吧！”拉贝在胸前画了个“十”字。

第二天——11月26日，是个阳光高照的日子。一早就有位中国人闯进拉贝的院子，请求见拉贝。

“有何贵干？”

那人便说：“我的亲戚经营首都饭店，让我来跟先生商量，能不能在我们的饭店上面升一面德国国旗？”

“干吗用？”拉贝警惕道。

“嘻嘻，现在全南京人都害怕日本人的炸弹往自己的头顶上扔，也都知道他们唯独不向你们德国人的头顶和房子上扔，所以……”那人笑嘻嘻地解释。

拉贝一听，脸和脖子一下全都涨红了：“这不行！绝对不行！”

“为啥？”那人傻了，似乎弄不明白这位人称“好人”的洋人为何如此动怒？即使不帮忙也犯不着发这么大的脾气嘛！

“这是原则！”拉贝气呼呼地说。

“原则？这还有原则？不就是借用一下你们的国旗嘛！”那人一脸不解地走了。

“绝对的原则！我不能容忍这样的事在我拉贝身上出现。”拉贝觉得人格和国格受到不小的污辱。

但拉贝又很快消气了，因为这个时候的南京几乎天天在传播各式各样的谣言，一会儿说蒋介石带着夫人宋美龄逃离南京了，一会儿又说日本的特务已经潜伏在中国守军几个关键营地了，一会儿说德国的希特勒帮助中国同日本和解……总之，什么好事坏事都在传，唯有一件事是真的。

唯一真的是：日本的飞机仍然天天在轰炸，而且已经把炸弹投向城区的居民区与建筑物，还有就是日本人的炮火似乎离南京越来越近了。

“先生，你们大使馆转来上海的一封电报。”韩湘琳告诉拉贝，“是不是你们的元首有回应了？”

拉贝两眼盯着电文，十分沮丧地摇头道：“元首没有来电，倒是公司催我尽快离开南京……”

“啊？西子门让你离开南京？这、这……先生你要走啊？”韩湘琳一下着急起来。

拉贝看看他，说：“我不会走的。请放心。”

韩仿佛心头落下千斤重石，但又担心起来：“先生如何向你的公司交代？”

“我有办法。”说完，拉贝坐在办公桌前，提笔起了一份电文：

转上海西门子洋行：

来电敬悉，谨表谢忱。我已决定留在南京主持国际委员会工作，以建立中立区保护20多万市民。

拉贝

这份电报，文字只有一句，但内容却重如泰山，语气也十分坚决。谁能在异国他乡承担保护20多万人生命这样的一个国际责任呢？拉贝坦诚而坚定，一丝不苟，认准的事，别人无法动摇他，这是内在的人格所决定的。随着日本军队越发接近南京，他认为自己的这个选择和责任是正确而不可推辞的。

晚上依然是“碰头会”——茶话会。中方的南京警察厅厅长王固磐通报情况，内容依旧，拉贝的感觉是中方有些“报喜不报忧”的味道。不过，这一夜让拉贝收获最大的是他一向不看好的罗森先生为他做了件大事：罗森是德国驻华外交官，前文讲到拉贝不欣赏此人是因为他觉得罗森曾明确表示不愿留在南京，这让拉贝一下有了“此人不够勇敢”的印象，拉贝认为这样的人很丢德国人的脸面。但今晚拉贝向罗森提出能否把张群将军的别墅留给他拉贝用——“当然我并非是为了自己享受，而是作为国际委员会主席，假如我有那栋房子，我的工作就很不一样了，最主要的是张部长家的防空洞比我那个不知要强多少倍！”

“你当真有此念？”罗森听后，认真地问拉贝。

“有。非常的有！”拉贝说。

“那我努力争取。”罗森答应试试。

第二天，罗森把拉贝做梦都想要做的大事“搞定了”！

“太谢谢罗森博士！你让我重新认识了一个心地善良、宽厚的好人！”拉贝不曾想到他曾经讨厌的人，竟然做了一件如此了不起的事：张群的房子本来是给罗森用的，现在罗森主动让出留给拉贝。汉堡商人能不激动吗？更令拉贝感动的事是：罗森还悄悄塞给他一张英国领事普里多-布龙的“介绍信”，凭这张“介绍信”，拉贝随时可以登上英国怡和洋行的三桅帆船，而此船是仅有几艘停靠在下关长江上的外国救急船，它可以逆流上行到汉口。

拉贝没有看错人，罗森不仅人好，而且家境也令人羡慕。拉贝这一天与罗森一下走得很近，这让他第一次知道了罗森的身世：罗森的祖父与伟大的音乐家贝多芬是朋友，罗森身边还留着贝多芬给他祖父的信。100 多年以来，罗森家族一直在外交战线工作。其父亲当过政府部长，然而罗森则不幸，他一直只能当驻外大使的秘书，原因是罗森遇到了希特勒时代——犹太人不受德国政府欢迎，甚至被严重排斥，而身为犹太人的外祖母，把罗森的前途给“毁”了。

拉贝知道上述情况后，一下对罗森曾经有过的一些消极情绪有了“完全的理解”。

这一天是 11 月 27 日。晚上的茶话会上又一次出现了唐生智这位大人物。身为南京守军的最高司令长官，他看上去似乎还很威武，并且当场做了“坦诚而重要的讲话”，内容大致有以下几点：

1. 决意要保卫南京，直到战斗到最后一个人。

2. 南京不久很可能将变成战场。

3. 外国人因此处境危险，建议他们离开南京。他将竭尽全力保障留守人员的人身安全和外国人的财产安全。

4. 估计再过几天，他的守城部队会关闭所有城门。如果有必要，他还将设法使外国人出城（从城门或从城墙上翻越），但是城外也可能有危险。

5. 南京城将由训练有素的部队保卫，已经采取特别措施以解决城内和城市周边50公里以内的违法军事组织。

末了，唐将军补充了重要一点：由于南京周围部署的军队来自许多省份，所以他就不能完全避免骚乱的发生。

在后来的私下交谈中，唐生智说如果日本人成功地攻陷芜湖，那么部署在南京地区的中国军队将会被围困，最后中国军队只有突围一条路。

作为南京城的最高司令长官，唐生智能这样坦率地讲“实情”，在拉贝等外籍人士看来，实属不易了。尽管大家对唐“决意战斗到最后一个人”产生怀疑，但南京城到底还能坚持多少时间，从唐的口气里也似乎拿不准。因为一方面唐誓死保卫南京城的决心好像很坚定，另一方面私下谈话里又明显地流露出情绪低沉的味道。其实拉贝他们心里清楚，他唐生智的底气到底还剩多少，也绝对不是他身为守城军司令长官说了算的。

南京城的命运，现在是日本人说了算——尽管日本人离紫金山还有一二百里路。可一二百里对装备精良、铁蹄横行的日军来说，也就三五天的时间。这才是拉贝最关心的实际问题。

国际委员会的又一次会议在斯迈思博士家召开。大家围绕着“日本方面对国际委员会提出的建立中立区毫无回应”的情况，就如何开展眼下日趋紧迫形势下的工作等问题，进行了激烈讨论。

主席拉贝认为，如果没有日方的答应，国际委员会即使建立了“中立区”，也是等于把一群温存和散放的绵羊圈在一起，反倒帮助赶来的野狼更方便地吃掉这些可怜的羊儿，这样我们这些所谓的“好人”，却给南京人民酿成了巨祸！

“拉贝主席的这种假设并非没有可能，现在的日本人就是一群疯了的野狼，他们一旦进城后，认为我们这个中立区根本不符合他们的想法，或者借着没有经过他们的同意等理由，从而彻底否定它的合法性，那么我们收留的人越多，可能犯下的罪行也就越大。这一结果不可认为是不存在的。”米尔斯牧师建议，“应当尝试一下，向中国领导人提出，能否考虑和平让出南京城，这样不至于日本人在硬攻之下再进城找到大屠杀的借口。从现在中日两国的军队及大趋势看，军事固守南京，其实是很荒唐的！”

刚刚当选国际委员会中方总干事的杭立武完全不同意这个提议，他说：“我们同日本人打到这个份上了，再让老蒋空手交出首都南京来，我想即使蒋介石有此心，全中国人民也绝对不答应的。”

“你的意思我们只能等日本人答复？”同样是新当选总干事的菲奇先生问杭立武。

杭点点头：“我看不出还有其他办法。只有耐心等日本人的肯定答复，否则就可能像主席所说的那样，用我们中国人说的一句话叫做：吃力不讨好。”

“不可思议！我们冒着如此大的生命危险，竟然还可能落个不好的名声！怎么办呢？”有人急躁起来。

会场有些乱，每个人都显得情绪有些失控。唯有主人斯迈思坐在一旁默语。

“博士，你的意见呢？”拉贝知道斯迈思是有名的“智多星”，便过来问他。

斯迈思站起来，从与拉贝一起来的施佩林手中要过雪茄，连抽了几口，说：“大家的意见都有道理。不过我想，我们这些人动议建立中立区，首先，本来就没有人授权给我们，完全是我们奉行上帝旨意，以自己做人的信仰去志愿为苦难的中国人民、南京市民们做一件有意义的事，这样的动议其本身没有错。如果有错，也可以理解为是上帝的旨意叫我们这些心怀仁慈的人的使命所致，也就是说，错不在我们。其二，从事情本身来看，日本人肯定是不爽的，因为我们这样做显然不符合他们的意愿，作为一个征服者在战胜另一个对手时原本可以采取一切自由自在的行径——犯罪和屠杀。日本人一定这样认为：一旦占领南京后，他们就理所当然享有这种权利。而我们建立了中立区，从某种意义讲，明显是限制了他们的这种权利。所以说，日本人对我们的反感是肯定和必然的。现在出现的问题是，我们把对他们的这种限制提前公告了出来，并且还要让他们亲口答应。设想一下，他们会有答复给我们吗？不可能。我想这个结果从一开始就注定了。所以，我倒以为，事情并没有我们最早想象的那么好，但也绝对不是那么坏。我的意见是：任其自然，我们照干我们的事！”

“同意！完全同意斯迈思博士的意见！”拉贝显得很激动的样子，双手举得高高的，“我们做我们的事，结果如何，上帝会保佑我们！”

“上帝保佑！”讨论的主题虽然是个未知数，但国际委员会的每一个成员尤其是主席拉贝对自己领导的这个组织有了更多的信心。他认为像斯迈思博士等这样高智商和大胸怀的基督徒，再加上像他这样富有强烈使命感且干事精细的德国商人，“中立区”必定会造福于南京人民，至少可以让大难临头的广大平民有了绝望中的一丝暖意。

回到自己的住处——广州路小粉桥 1 号，拉贝让施佩林在腾出来给自己用的宁海路 5 号——宫廷式建筑的张群将军的住宅大门口挂上一面大大的德国旗。“这么个好地方，至少可以多安置些难民，我们得保护好，千万别让日本人的炸弹给毁了！”拉贝认为现在所能做的就是像斯迈思博士说的“任其自然，干该干的事情”。如果现在不做好最坏的打算和最大可能地提前准备好建立“中立区”的事情，过几天后情况会极其糟糕。

“厅长大人，你是否留在南京？”拉贝今天曾悄悄问过警察厅厅长王固磐。王说：“能留多少时间就留多少时间。”

拉贝一听嘴噘了起来，心想：你这话意思就是想溜呗！

“现在留在南京的到底还有多少人？”拉贝其实最关心的是这个。

王固磐说：“都说有二三十万，其实现在谁也弄不明白。”“现在撤离的已经不少，自己投亲奔友的也相当多，但日本人一路从上海打过来的这些地方的难民又不断拥进南京城里来。百姓以为首都南京可以避难。天知道这里几天后就是大地狱！”

“几天后这里就是大地狱！”这话从警察厅厅长嘴里说出来，很让拉贝震惊。

上帝呵，我们这些人到底能在一群喷血的虎狼之口下有何作为呢？如此巨大而痛苦的心理压力一天比一天严重地堵塞在拉贝的胸口。

南京城里到底现在还有多少人？看来是个谜。那么，我们这个“中立安全区”，到底需要准备多大的地盘？假设是 20 万人，一天要用去多少食粮？如果是 30 万、50 万人呢？

上帝，我简直是在做个糊涂的“主席”啊！拉贝一想到这事，脑袋都快要发涨了。

日本大屠杀之前南京城里到底有多少人，这一问题一直影响着“南京大屠杀”死难者为 30 万人这个数字的准确性与可信性。中日两国为此几十年来争论不休。老实说，笔者目前所能查到的史料上，数字上也有不小出入。不过中国有个官方的材料值得重视。这个材料认为：

关于南京市人口，据民国时期南京市政府的档案资料记载，1937 年 6 月，南京城区与乡区人口总数为 101.545 万人。南京沦陷前夕人口变动较大，一部分随国民政府迁移，一部分有钱的人逃离南京。据南京市政府1937年11月23日致国民党军事委员会后方勤务部的公函称："查本市现有人口50余万。"这一数字，从日本有关资料可以得到佐证：1937年10月27日，驻沪冈本总领事以机密第2144号函致广田外务大臣称："南京市内公务员和军人眷属均已避难，人口剧减，据警察厅调查，现有人口53万余，都是各机关公务员、财产无法转移和当地商民等需要在南京坚持到底的人。"该公函是日驻沪总领事派谍报人员赴南京所作的调查结果。南京沦陷后，即1938年3月—4月，国际委员会成员斯迈思博士曾进行调查，结果是："1937年，南京市人口恰好超过100万，到八九月，人口急剧减少，11月初，又上升到50万。"从以上几个方面的资料可说明，南京沦陷前夕仍在南京的人口应是50余万。加上未能撤离南京的中国守军和从上海、苏州等江南地区流入南京的外地难民，则总人口数应为60余万。

像美国人斯迈思博士这样受到严格高等教育和教会熏陶的基督徒，精通中国语言文字，长期在中国工作，而且他们对自己的工作极其细致而严谨，笔者相信他们当年通过艰苦细致的调查工作而得出的结论是准确的、可信的。仅从这一点，我以为，上述关于南京城在日本大屠杀前留下的总人数60来万人的记载，应该符合实际。

"先生，看到您这些天的脸色不太好，估计可能血糖又高了。必须注意按时注射胰岛素。"韩湘琳对拉贝的身体特别关心，而拉贝则关心韩一家的安全。"你赶紧把全家搬到我这里来，再过几天恐怕来不及了。几天后，整个南京城都是不安全的，只有这儿可能稍稍保险些。"拉贝对韩说明事态的严重性。

"谢谢先生。我一定安排好。"韩说着，眼眶都有些红了："如果不是因为先生在，我不知道一家人到底会有啥命运。"

"我们生死共存。"拉贝拍拍韩肩膀，安慰他。

其实他们现在是相互安慰。佣人过来告诉拉贝：他所需要的注射胰岛素器械，已经全部煮好了，可以用一个月。

"您要准备这么多啊？！"韩一见那么多注射胰岛素的器械，惊讶地问拉贝。

拉贝说："这也是战备物资。你想想：未来的一个月里，我这个主席不知忙成什么样。不准备好它，一旦身体出现问题，将带给安全区几十万南京市民的是什么呢？"

韩湘琳动情地说："中国要是有先生这样的官员，日本人也不至于打到我们首都来。唉！"

"轰隆——"这时，外面传来一声震耳欲聋的巨响。

拉贝很快通过外交渠道得知：有 30 辆中国卡车在出城后不久，遭受袭击而爆炸，运输车的 40 余人全部死亡。

悲也。这样的事在南京城内城外，此刻已经不是什么大惊小怪的事了，因为全城都处于越来越混乱的逃亡状态。

拉贝迎来 1937 年 11 月的最后一天。这一天，拉贝任主席的国际委员会正式对外宣告成立。美国、英国和中国的新闻媒体上，已经公布了这一消息。拉贝在这一天获得了一好一坏的消息：

传说警察厅厅长王固磐已辞职，有的则说他被捕了。因为王自己不是军人，害怕不能承担当前的责任。

另一则消息是好的：斯迈思博士告诉拉贝，城里有 6 万袋米，下关那边有 3.4 万袋。

"天冷了，难民们恐怕还需要避寒的草席子等物品。"拉贝觉得这些事完全不应该是他考虑的，应该是那个马市长考虑的。

"他是市长，我只是个洋人、商人！"拉贝在韩湘琳等中国人面前半发牢骚地说。

"我看您马上要当市长了。"韩开玩笑说。

"我？当你们的市长？国际玩笑！"拉贝自嘲地笑了。

20. 市长走了，洋人拉贝成了"南京市长"

这事被韩湘琳言中。

12 月 1 日，山雨欲来风满楼的南京城此时已如漂摇在风浪中的一叶小舟，所有搭载在南京这只"舟"上的人，没有一个不在打自己的小算盘——包括蒋介石先生和他的夫人宋美龄女士。唯独拉贝等二十几个决意留在南京城的国际委员会的外籍人士反而相对淡定。

整个南京城都处在忙碌的搬家和逃亡状态之中时，拉贝等国际委员会的成员们，则在到处筹备物资，以备"安全区"所用。

9 点 30 分，拉贝带着助手克勒格乐、施佩林赶到平仓巷参加国际委员会会议。根据拉贝的建议，在这次会议上，委员会确定了下面的相应机构及其负责人，他们是：

主席：拉贝

秘书（其实是秘书长）：斯迈思博士

总干事：菲奇

副总干事：杭立武

财务主管：克勒格尔

中方秘书处主任：汤忠谟

下设五个分工委员会：

总稽查：施佩林

粮食委员会主任：韩湘琳

副主任：索恩

住房委员会主任：王廷

副主任：里格斯

卫生委员会主任：沈玉书

副主任：特里默大夫

运输委员会主任：希尔施贝格

副主任：哈茨

"拉贝先生，我行吗？我可从来没有当过官呀！"韩湘琳对自己被任命为"粮食委员会主任"一职非常意外和激动，这样问拉贝。

"你行。相信你一定能完成好你所负责的筹粮工作，而且我觉得你是我们所有人中最合适的人选。"拉贝拍拍韩的肩膀，说，"这几天你其实已经在履行职责了——你不是弄来好几卡车粮食了吗？"

"啊？！我……那我一定做好！"韩湘琳一听，心想：原来当官就是这样的啊！于是他暗暗下决心：要为拉贝先生多弄些粮食来。

"当然，难民最担心啥？就是两件事：吃、住！你的责任重大，所以我要把这样的任务交给像你这样最信任的人去做。"拉贝说。

"那——我这个粮食委员会的主任就这样算数了？"韩激动得还是有些不信。

"当然喽！你这个职务是我亲自任命的，怎么不算数呢？我是主席，国际委员会所有的任命都必须由我签发。"拉贝瞪大眼珠说。

"好嘞！"韩湘琳从未有过的兴奋，哼着小调去告诉自己的家人和那些中国朋友了。

南京的马市长今天也出席了拉贝他们的会，而且给拉贝带来了一个好消息：政府给未来的安全区 3 万袋大米和 1 万袋面粉。

"这是振奋人心的大好事！"拉贝和委员会的人都过来给马市长握手，表示感谢。

"要说感谢，是我要代表南京市全体市民向你们诸位表示感谢呢！是你们的无私帮助和牺牲精神，给几十万市民指出了一条生路……”马市长连连拱手相谢。

这一天的拉贝忙得不可开交。从平仓巷开会回来，便去安排韩湘琳给鼓楼医院送去12桶汽油，随即顺便带回了一台水箱放在他的院子里。

现在拉贝的院子里的第三个防空洞也建好，顶上是结实的铁板，入口是用砖砌的，比较坚固。

下午，拉贝赶到唐生智的司令部，在那里他收下了蒋介石统帅部答应捐献给国际委员会10万元中的第一笔2万元。

“剩下的什么时候给？”拉贝精明地问中方代表杭立武博士。杭耸耸肩，说：“也许很快，也许永远得不到了！”

“是这样啊？”拉贝愣了半天，心想：这点钱可能也就够以后难民们的一天伙食。唉，能拿到总比一点都拿不到要好吧！

宁海路5号，现在归拉贝他们的国际委员会总部所用，于是菲奇、克勒格尔、斯迈思等几个国际委员会成员一起来此，希望亲眼观摩一下他们“主席”的新办公处。

“拉贝先生，你现在应该把名字改成‘约翰·拉贝·洛克菲勒先生’了！”斯迈思博士看完美观、豪华的住宅，如此对拉贝说。

“哈哈……我成世界巨富了！拉贝·洛克菲勒！”拉贝满脸笑容。洛克菲勒是美国石油大王，20世纪初的世界首富。斯迈思之所以称拉贝是洛克菲勒，是因为拉贝现在“拥有”的住宅确实太漂亮和豪华了：这栋两层的中式建筑，以当时的南京城来看，绝对算是“大哥大”，尤其是正门前的那个大花园和平展展的大草坪，用作救助难民的场所，实在是求之不得的好地方！总之，环境好，地方大，整座建筑又醒目，加之里面有坚固的防空设施，太适合拉贝作为“办公”地了！

这天晚上6点，拉贝他们在英国文化协会所在地再次举行国际委员会会议，与前几次不同的是，这回请了不少新闻媒体。会上，拉贝代表国际委员会正式宣布了他们在南京设立“安全区”（中文翻译为“难民区”）的计划和相关人员的职务。

中外新闻记者对拉贝他们的国际委员会十分关注，当晚的各种询问也让拉贝有些招架不住：

“日本方面对你们的安全区设立是什么态度？”

“目前还没有日方的表态。”拉贝回答。

“这意味着日本方面有可能不同意你们的做法。如果这样的话，你们设立的安全区会不会反倒给日军屠杀中国人民提供了方便？”

“战争的进展我们无法预料，但安全区的设立是符合国际人道主义的。任何一个国家的军队违反人道主义必将受到全世界的谴责！”拉贝回答。

“日本人的行为已经无数次证明他们的军队是不会理会这种谴责的，占领中国首都南京又是他们的梦想，当他们以胜利者姿态进入南京、进入你们的安全区为非作歹时，你们有何能力抵挡他们的枪炮和子弹呢？”

“我们没有枪，也没有子弹，但我们有一颗正义的心，相信世界上还有一样东西比枪炮和子弹更锐利的武器，这就是我们的良心和正义。”拉贝平静而坚定地回答。

“听说你也给你的德国元首写信请求支持你的计划，元首有答复了吗？”

“还没有。但我相信他不会丢下我不管的！”拉贝说。

“果真这样？”

“我想是这样。”

全场哄笑。

拉贝突然涨红了脸，坐起来说：“我以德国国家社会主义工人党党员的名义保证：我们的元首会理解和支持这样的行为的！”

又是一阵哄笑。

事后证明，拉贝的判断完全错误了，因为希特勒说一套做一套的行为，不仅蒙骗了德国人，更是蒙骗了苏联人和其他各国人民，希特勒不久便与日本、意大利法西斯站在了一起，且成为了这三个轴心国中的主心国。一生以“纳粹”党为荣的拉贝也在晚年彻底地对自己曾经拥有这份荣耀而悔恨。

此时此刻的拉贝，依然充满希望：如果日本不搭理他的国际委员会，那么他希望他的元首至少能够出面说一句话给日本人听听。

新闻发布会后，委员会又换到首都饭店开会，会议的焦点仍然是在日本人没有答复的情况下如何展开工作。争论并没有统一，主席拉贝必须拿主意。

“我相信我们最初的动议不会有错，斯迈思博士他们推荐我当这个主席的原因之一，就是我背后还有一个希特勒——我们的元首，我依然相信：他不会丢下我不管的！”拉贝在当日日记里把这话写了进去。可见他当时对希特勒深怀信任。

“谢天谢地，我们有救了！”罗森告诉他，他给元首的电报，已经通过德国国家社会主义工人党中国分部负责人拉曼先生交了上去。拉贝得到此消息，几乎要欢呼起来。

会议开到晚 8 时左右，南京马超俊市长带一帮人来到首都饭店，与拉贝他们共进晚餐。

“尊敬的拉贝主席，各位先生：我今天来这儿，是来告别的……大家知道，日本人不久就会进入南京城，我们这里的人都将撤离。一旦撤离，整个南京城便没有了领导者，你们便成了几十万南京市民们唯一的依靠。拜托拉贝先生，拜托诸位了！”马市长说完话，连连喝了三杯白酒，然后与在场的国际委员会成员一一握手，他拉着拉贝的手久久不放，最后说：“拉贝先生，我这个市长其实在前些日子就已经不能发号施令了，现在，从现在开始，我要把市长的权力交给您了——尊敬的拉贝先生！”

“不敢不敢！市长是您！”拉贝受宠若惊。

回到住处，因担任重职依然兴致勃勃的韩湘琳过来对拉贝说：“我没说错吧！您现在就是我们的市长了！”

拉贝却一脸严肃地说：“我只是个委员会主席，怎么能是市长呢？不能。绝对不可能是市长，更何况是中国南京的市长！”

日本方面是否同意建立安全区，这一直纠结着拉贝。第二天即12月2日，法国神父雅坎诺终于从上海转来日本当局的电报：

> 转给南京安全区委员会：
>
> 日本政府已获悉你们建立安全区的申请，却不得不遗憾地对此予以否决。
>
> 若中国军队对平民（或）其财产处理失当，日本政府方面对此不能承担任何责任。但是，只要与日方必要的军事措施不相冲突，日本政府将努力尊重此区域。
>
> 高斯（美国大使馆官员）

电报在拉贝手上放了很长时间，他看了一遍又一遍，默默地呆坐在办公桌前一言不发。

韩湘琳焦急地问：“先生，这电报上的话到底是同意还是不同意我们的安全区呀？”

“不是说得非常清楚——不同意嘛！”另一个佣人说。

“但最后一句话说我们只要不与他们的军事措施相冲突，他们还是会努力尊重我们安全区的！”

“唉，外交辞令就是复杂，能说清的话非得绕来绕去的。”

施佩林过来说：“我刚才听收音机里的英国电台对此评论是日本方面断然拒绝我们的计划。”

“英国这样认为？”拉贝问。

施佩林点头。

拉贝从椅子上站起身，踱步道：“我不认为日本是断然拒绝我们的计划，因为从外交角度看，它的这个答复还是留了一条后路给我们的，就是说，日本人给我们的计划提出了一个前提条件——只要我们不跟他们的军事行动发生冲突，他们是可以允许我们安全区存在的。所以仔细分析日本方面的这个答复，对我们还是有利的。”

“先生你这样分析认为？”韩湘琳等脸上露出了兴奋。

拉贝频频点头。说：“反正我这么认为，至少我们与日本方面还有余地可谈！”

“这就好！这就好！”气氛顿时活跃起来。

“施佩林先生，我们必须马上请美国使馆再设法向日本方面转达我们的回应和善意。”拉贝对助手说。

“你的意思是……”

“以我的名义，马上向美国使馆发一封电文，声明我们得到日方表态后的意见。”拉贝重新坐到办公桌前，拿起笔，开始起草电文：

我们恳请您把南京安全区国际委员会的下列意见转发给饶神父雅坎诺：

衷心感谢您的帮助。日本政府承诺，只要与日方必要的军事措施不相冲突，它将尊重安全区区域，对此，委员会表示认可和感谢。中国当局完全同意严格执行我们原来的建议。因此，委员会将继续开展安全区的组织和管理工作，并通知您，难民已经开始迁入安全区。委员会将在适当的时候，在进行适当的检查之后，正式通知中国政府和日本政府安全区业已开放。

委员会恳请您，以最友善的方式再次与日本当局取得联系，促使对方注意：如果对方直接给委员会一个带有保证性的通知，将会大大减少陷于困境中的居民的忧虑。我们诚恳地希望不久便能收到日本政府相应的通知。

签名：约翰·拉贝（主席）

当晚，拉贝通过新闻发布会的方式，将日方以及他的这封电文的内容，向外界做了正式陈述，以此再次恳求日方对他们的国际委员会设立安全区的建议予以“友善考虑”，因为“由于必须事先采取措施以救助成千上万名只有在安全区才能找到避难场所的平民，委员会急需立即开始工作。出于人道主义，迫切希望即刻对此建议作出答复。”——新闻稿上引用了拉贝这段话。

什么叫日理万机？拉贝这位不是市长的“市长”，从跟马市长告别握手的那一刻开始起，他就深深地体会到了。12 月 2 日的新闻发布会上，罗森向他透露一件事：德国驻华大使陶德曼和夫人突然回到南京了。

“是来支持我的？”拉贝大感意外。

“不是。是帮助中国当局与日本方面周旋……”罗森说。

“晚上无论如何要请先生到福昌饭店去一趟。杭立武博士要走了！”韩湘琳急匆匆地前来向拉贝报告。

“杭怎么能走嘛！他是我们的副总干事呀！他可是个大人物，他走了我们怎么办？”拉贝急坏了。

“听说他是蒋总统亲自点名要去完成一项特殊使命才决定走的。”内部消息灵通人士向拉贝报告。原来杭立武被调去秘密押运故宫珍宝。

14 000 多箱珍宝呀！都是我们祖先留下的东西，这样的任务不能没有人去完成！与杭见面后，杭立武悄悄对拉贝说出了自己所承担的秘密任务。

“太可惜！太可惜了！你一走，我们损失巨大。我无法找出一个更合适的人来接替阁下的工作。”拉贝有些沮丧。

“国难当头，我们皆无可奈何！”杭叹息道。

“日本方面提出的条件就是希望我们的安全区不要与他们的军事措施相冲突，这显然告诉我们，在安全区内中方不能有任何军事行动和军事人员的存在。唐司令长官，我们安全区能不能公开成为南京市民的避难地，全凭一个条件了：你们的军队不能在区域里面有任何军事行动和军人。希望您看在几十万南京市民日后的命运的分上，给您的部队下达一道特殊的命令。”拉贝在新闻发布会上，拉住唐生智总司令，以恳切而坚决的口吻请求或者说哀求道。

唐板着脸，长时间不作回答。最后从口里吐了一句话：“拉贝先生，我尊重您的建议。明天我将向部队发布命令，让他们停止在你们安全区内的任何军事行动，包括立即停止修筑工事。”

“谢谢唐将军！”拉贝十分感激。他要的就是这句话。

但拉贝很快发现，唐生智的命令其实已经不能落实到下面的部队了，或者说他未必是真的按他晚上跟拉贝所说的那样行事了。第二天，拉贝及其他国际委员会成员碰面时，大家反映：守城部队的官兵依然还有人在区域里面挖工事，甚至有的地方在重新架设军事电台。

“我必须向你们严正抗议：如果再这样下去，我这个国际委员会主席只能辞职了！”拉贝气得直接给中方当局打电话。

得到“保证”后，拉贝才缓了口气。但拉贝相信，此时此刻，即使是蒋介石出面，南京城里的人未必都听他的，军队也是如此。从这层现实上去理解，拉贝算平息了一丝怒火——韩湘琳总是从中国人的角度给他解释类似的问题，令拉贝处事有了新的思考角度。为此，他一直非常感激韩。

不管如何，安全区的工作不能停止和拖延，每停止和拖延一天，灾难将会更大更可怕。拉贝决定：必须尽快让全市百姓了解和知道他们的安全区是怎么回事。于是也就有了当晚他们给新闻界和城市警方的一份标题为“在安全区安置居民及分发食物的暂行措施”的公告。内容为：

1. 安全区内还没有做好大规模安置居民的准备。目前的战局还没有到达必须这么做的地步。

2. 为了在紧要关头（也就是最后的时刻）将逃进安全区内的人数控制到最小程度，委员会建议，各个家庭可以和亲朋好友私下协商现在就安排好自己的住处。委员会保留在必要的情况下在这些房子里安置难民的权利。

3. 一个负责安置难民的特别委员会目前正在区内忙于了解所有可以考虑安置难民的房屋的情况。凡是无法通过私人关系在区内找到住处的难民，该委员会将通过协商解决。不到万不得已（也就是战局紧迫）时，将不实施该办法。一旦这个时刻到来，将会发布正式通告，正式宣布启用安全区。

4. 私下协商仅适用于私房，不包括公共建筑或学校。

5. 安全区内可供使用的空间有限，故家具或类似的财产不得带进区内。只允许携带铺盖、衣物和食品。

…………

这是国际委员会第一份给市民看的公告，其内容同时还对什么时候开放安全区作了特别说明，指出：要等“中方军事人员及其全部军用设施全部离开区域”之后。拉贝对这句话是作了认真考虑的，一是这样可以催促唐生智将军赶快下达最严厉的命令，二也是给日本人看的。

“德国人做事太精明！”据说唐生智在看了第二天的报纸消息后说了这么句话。后来他下达了一个死命令：守城军队全部撤出安全区域，不得再在那里安置军事设施，更不得在这些地方进行军事行动。

12 月 5 日是星期天。圣保罗教堂的钟声仍然低沉而清脆地响起。这一天是本月第一个主日，传教士福斯特照旧准备着教仪——

我今天为你祝福
耶和华必天天看顾
你在家在外你出你入
耶和华必一路保护
你当除去恐惧的心
因为这不是从神来
靠着耶稣 永不动摇
我们一生蒙了大福
…………

一曲《我今天为你祝福》轻缓中带着几分忧郁，在南京城区的上空飘荡着。

来教堂做礼拜的人比平时少，但比福斯特想象得稍多些，且妇女占了多数。离开教堂，福斯特乘车准备到牧师马吉家，结果一上路，3 颗炮弹从他头顶呼啸而过，随即不远处的地面高射炮齐鸣，福斯特赶紧带着一起从教堂走出来的妇女们迅速躲进街头一旁的防空洞。在马吉牧师家，福斯特与马吉等人激烈地讨论着如何建议中方不要再一意孤行守城了。

“既然没有把握能够抵抗日军进城，那么敞开大门让强盗进来也不失为一种智慧，何必非让惹怒的强盗再乱杀无辜。”马吉牧师也是这个主张。

“恐怕蒋介石先生不会接受这样的建议，他已经被共产党骂了几年不抗日了，所以现在蒋先生是豁出老本也要撑着干出点样子来。这回在上海就把所有的精锐部队全押了上去……”福斯特说。

“结果又能怎么样呢？”马吉说，“中国的国力和实力都比不上日本，大上海他蒋介石押上了，输了；首都南京他还想有何作为？我还是那句话：既然无力抵御，干脆打开城门……”

福斯特笑：“我们几个普通神职人员，怎能影响得了他蒋总统？来，还是一起在上帝面前为南京市民们祈祷吧！”

耶稣神像前，马吉和福斯特在心中默默地寄托着自己的那份对和平的期待。

“轰隆——”拉贝这一边的情况则不同，他生活在现实中——日本人的炸弹已经一次次逼近他办公室。有时爆炸声太强烈，他便让佣人将桌子搬到离窗口远一点的地方。收音机就摆在桌子上，这几乎成了他唯一最亲近的“伙伴”，一切最重要的消息都来自于收音机里的上海电台所发布的消息。

上海电台里讲，日本军队的先头部队已经到达距南京城只有13公里的地方了。“如果这情报属实，那么日本人将在两三天内进城，而不是唐生智将军所说的两个星期。”拉贝跟韩湘琳分析。

“有这么快吗？”韩不懂军事，一听拉贝这么讲，便着急地问：“我们的安全区还没有准备周全，市民也不太清楚我们的安全区到底怎么搞，是不是赶紧向外贴些公告一类的东西？”

“我也这么想。我们的委员会中有人还在继续做你们中国领导人的工作，希望他们在日本军队打过来时，干脆打开城门……”拉贝说。

韩一听，愣了半晌，问：“这不就是投降吗？”

拉贝看了一眼韩，说：“不设防，也是军事上的一种手段，并非绝对是投降的意思。”

韩还是认为：“我觉得与投降差不多，不打就开城门了，这等于是投降嘛！恐怕中国军队和南京人民有些不愿接受，太没面子了！”

拉贝摇头，喃喃地说：“中国人就是讲面子。要面子只会害死更多的人！”

“拉贝先生，据我们所掌握的情况看，你们的安全区内，还有不少军人的活动，这是很危险的。”德国大使馆留守人员罗森博士急匆匆地跑来对拉贝说。

“唐将军不是答应得清清楚楚，他要下令彻底让军队撤离我们的地方和停止其中的一切军事活动吗？”拉贝不信还有这等事。

罗森说：“唐将军下令不假，但下面的军人也越来越害怕日本人打进城来杀他们，所以正在以各种方式纷纷潜入你们的安全区……”

拉贝急得直搓手：“这太危险！必须制止这样的事！”他吩咐韩湘琳等筹备组织好人员在未来几天内在安全区各街口安排警戒，严防军人和换成便衣的军人进入。

12月6日，早上一起，空袭警报便不停地在响着。从芜湖方面传来的消息证实，停泊在船坞里的怡和洋行的“塔克沃”号轮船和太古洋行的“大同”号轮船，被日军战机击中，死伤数百中国人。停在附近的一艘英国战舰舰长也在空袭中负伤。

南京城的情况更紧张。日本人的炸弹落在浦口铁路站，一下炸死 20 多人。

拉贝来到中国守城军队的黄上校那里，与他商谈不准军人进入安全区事宜。

黄上校对拉贝设立安全区本身持反对意见。“设安全区本身就会从心理上让我们的守城部队瓦解了士气。”

“这是很明显的事。”黄上校解释道，“你想，过去我们是因为自己的过错才输掉了这场战争，现在到了我们对首都南京坚守的时刻了。这个时候，我们必须全力以赴，调动一切有生力量来迎接与敌人的殊死决战，不让日本人占领我们的一寸土地。可现在你们弄出了个安全区，百姓纷纷搬进去，连我们的一些军人也跟着往里面躲藏。这样，我们在与日本人打的时候谁来支援我们？这不是动摇军心吗？我不同意你们建立什么安全区！坚决不同意！”

黄上校显得很生气的样子，将身子转过去，有些不想理会拉贝。

“上校先生，是这样的。”拉贝觉得黄上校说的是奇谈怪论，必须让他明白建立安全区的目的和意义，否则误会大了。“是这样，想进我们安全区的人，都是留在南京城的人，他们之所以留下来，是因为他们没有钱带着家人和一点点财产逃走，他们是穷人中最穷的人，难道应当由他们这些穷人用生命弥补以往你们军方所犯的错误吗？”

“我什么时候说过让穷人去为我们所犯的错误负责和弥补什么东西？”黄上校生气地看着拉贝。

“对不起，是我表达得不确切。”拉贝赶紧道歉，接着说：“尊敬的黄上校，我想问的是，你为什么不命令南京那些富有的市民，那些逃走的有钱的 80 多万市民留下来？为什么总是要那些社会最贫穷阶层的人来献出他们的生命呢？”

黄上校沉默片刻后，又说：“即使像你所说的那样，建立所谓的安全区，也应该是在最后时刻，因为我们跟日本人打，就是到了他们进城后，我们的军队也还要与他们进行巷战到底！那时候建安全区可能比较有用。”

拉贝表示反对：“我不认为黄上校的想法切合实际。”他接着说：“如果不做提前的准备，一旦日本军队进入南京城比你们预期要快的话，巷战或许根本就没有打起来，中国军队就撤出南京城了，那个时候即便有人想建安全区，恐怕已经晚了！”

“不行，我坚持认为，不到最后时刻，建立安全区是动摇军心的行为。这个关系到中国的形象和中国军队的战斗力。我是不会同意的！”黄上校似乎没有回旋余地。

与黄上校的交谈令拉贝有些沮丧。回来后，他痛苦地伏在办公桌前沉默了好几分钟。怎么办？部分中国军人如同又臭又硬的粪坑石头，不切实际的中国军人，让他们的尊严和荣誉见鬼去吧！

拉贝想到了日本人。是的，只有求日本人了，他们才是关键。如果日本人同意建安全区，拉贝他们的国际委员会就可以放心大胆地把工作全面开展起来。对，日本方面不是已经有了一个表态吗？应该趁热打铁，进而向他们提出要求。想到这里，拉贝立即又一次起草了一份给日本当局的电文：

1937年12月6日致日本当局电

1. 日本当局的答复国际委员会已收悉，委员会对内容已作了记录。中国当局目前正在减少区内的军事设施的数量并从区内撤出军事人员。委员会已经开始用旗子标记出区域的界线，旗子的图案是白底红圈红十字（红圈象征安全区）。在安全区转角处的地上或建筑物的房顶上水平悬挂画有上述标记的大横幅。

2. 鉴于安全区内剩余的中国军事人员正在逐步撤离，同时考虑到数以万计涌进区内的难民和其他平民的忧虑和困境，委员会希望日本军队在安全区筹备期间以及设立后不要轰炸该区，也不要对该区域发动任何形式的进攻。国际委员会将努力尽快完成赋予其的工作。

3. 国际委员会获悉，日本当局在答复电第5段中作出了承诺，我们对此表示感谢。日方承诺内容如下：可以把下列情况看成是一种表态，日本军队无意对未被中国军队使用的地点或不存在军事设施或没有部署中国军队的区域发动进攻。

4. 国际委员会在此通知日本当局，共有15名～20名外籍人员志愿管理安全区。外籍成员继续留守在城市表明，他们认为中国以及日本当局在安全区方面所作的保证是诚实并且可信的，此外这还表明，委员会将坚定地负责将所有有关安全区的规定实施到底。

签名：约翰·拉贝

国际委员会主席

在完成给日方的电文后，拉贝想了一想：觉得光给一个方面还不行，毕竟现在要使安全区正常运转，南京还在唐生智的掌握之下，怎么能离得开他呢？再说，唐本人不已经在前两天表态支持我们的安全区了嘛！问题出在他的下属和一些像黄上校这样的军人身上。应该继续争取唐生智的支持。想到这里，拉贝又拿起笔，给唐生智总司令长官也起草了一份电文：

尊敬的唐将军先生：

昨天您十分友好地和委员会主席及代表进行了交谈，委员会在此就您对委员会工作的首肯以及在帮助南京难民和平民方面所给予的支持表示衷心的感谢。

委员会特别要感谢的是您就安全区事宜所给予的详细的保证：

1. 在安全区域内不设立新的军事设施、战壕或其他掩体，同时也不得在区内留有火炮；

2. 在安全区域作出明确标记后，下令禁止所有军事人员进入安全区：

3. 所有属于军事指挥所或其他部门的军事人员必须逐步撤出安全区。

对于您提出的为安全区作出明确标记的建议，委员会将立即执行，以便于中方军事人员执行您的命令。

委员会和受您指挥的警察局长方先生商定，张贴致中国军人的通告，向他们简要地介绍安全区的性质和作用，以便他们能理解禁止他们进入安全区的理由。

委员会关切地并充满理解地注意到了您的表态，即委员会的愿望具体实施起来会面临很大的困难。对此委员会要指出，接待大规模难民有一定的困难。他们寻求得到保护，但是只要安全区内布置有军事设施和军事人员，这种保护就不能得到。

委员会不否认您说法的正确性，即短时间内从安全区撤出武装军事人员比较困难。但另一方面请允许委员会冒昧地指出，由于通讯联系的难度越来越大，总有一天，当等到最后一分钟才开始从区内撤出全部军事设施时，几乎就不会再有机会通知日本人安全区开始启用了。而在这一段时间内日本人会轰炸区内的难民，并指责中国军方因滞留在所谓的安全区而必须对此负责。

为此，委员会希望您继续努力，尽快从安全区内撤出所有部队。委员会已经发表了一项声明，表达了对您所作承诺的充分信任。

最后，委员会在此对您充满同情地顾及平民百姓的利益表示感谢，请求能继续得到您的友好合作以及您关于安全区各项努力的建议。安全区维系着许多中国人的命运。

此致

崇高的敬意

签名：约翰·拉贝

拉贝送出两封电文，自己都觉得似乎有些异想天开：已经打到南京市郊汤山的日本军队能理会他这个德国“纳粹”党员的建议？唐生智将军恐怕正在忙着为自己逃命做准备，还有心思为他这个“汉堡商人”想事？

听天由命吧！拉贝安慰自己。不过7日这一天早上起来看到头顶上掠过的大批中国飞机，再次证明拉贝他们留下来的全部意义了——蒋介石总统先生向自己的首都告别了，那位与拉贝争执半天要“战斗到最后一刻”的黄上校据说也跟着最高统帅离开了南京。

现在的南京城内基本上只剩下三类人：没钱的穷人，手无寸铁却心怀信仰的外国的传教士、生意人和教授及医生们，以及不知如何打仗又随时准备撤离的守城中国军人。

守城军人们在做两件事：把多数城门封死、封结实；把城门外的居民房全部烧毁，不给日本进攻时带去方便。于是整个南京城外一片火海与烟雾，这样那些被烧掉房子的居民和农民们大批涌进城内，借居宿营，有的就直接进到拉贝他们的“安全区”内。“这些人还不是最穷的，他们只是先头部队。他们还有点钱，可以花钱借住在安全区内的亲戚家。真正一无所有的人还没有进来。”拉贝与韩湘琳都这样认为，他们在与先头进入安全区的难民们交谈中了解到这些情况。

“吃饭是个大问题。”拉贝要求粮食委员会主任韩湘琳首先考虑这点。

“同时还必须向学校的学生开放。”拉贝认为，大学生、中小学生是首先要保护的对象。

“这些学生的吃饭问题，可以提供集体膳食。”拉贝指示。

“我们给学生们提供什么食物？”韩见成队成队的孩子们进入安全区，有些不知所措。

“粥，当然是粥！谁提供得起米饭呀？”拉贝的眼珠子一下瞪大了。他觉得韩这样聪明的人怎么会想不到如此简单的问题。“我们让大家喝上一碗稀粥就不错了，谁还敢想在安全区里吃上米饭？上帝都不敢点头的。”

“是。我想也就是粥了！”韩松了一口气，他是安全区的粮食委员会主任，以后可能要有几十万人都要由他来解决吃饭问题，他老韩一辈子都没想到自己会担这么大的责任，“官其实也不是好当的呀！”老韩第一次有了当官的别样感受。

关键是，这个时候，常常说好了有人送来几卡车米，但最后到拉贝他们手上的有一半就阿弥陀佛了——中途被军人和不明身份的人拦截已经不是什么新鲜事了。

“今天才进了2117袋大米，比原来说好的少了近一半。见鬼！”老韩报告说。

“别怨了，怨也没有用。最高统帅部答应给我10万元，现在才拿到4万元。那6

万元肯定没着落了，怨谁？”拉贝倒是实事求是。

下午，他和委员会的全体人员一齐上阵，在安全区各个主要地段上都用旗子标了出来，并且在大街上向市民贴出了公告：

告南京市民书

在不久以前，上海战争的时候，国际委员会曾经向中日双方当局建议，在南市一部分的地方设立一个平民安全区。这个区域为双方所赞同的。中国当局允诺中国军队不进入指定的区域。这个区域既然没有驻兵，日方也就赞同不再攻打那个地方了。这个协定为双方所遵守的。在那个区域以外的南市各地方，虽然有恐怖和毁灭的事，然而这个难民区域却是被救了，而且又救了整千整万人的生命。

现在在南京的国际委员会也为本城作了同样的建议，这个区域的界址开在下面："东面以中山路北段从新街口到山西路广场为界；北面以山西路广场沿西到西康路（即新住宅区的西南界路）为界；西面以由西康路向南到汉口路交界（即新住宅区的西南角），又向东南成直线到上海路与汉口路交界处为界；南面以汉中路与上海路交界。"这个区域的边界都用了旗帜作记号。在旗帜上面有一个红十字，红十字以外再有一个红圆圈，并在旗上写了"难民区"三字。

为着要使上述的区域为平民成为一个安全地点，卫戍司令长官曾允诺在本区域以内所有的兵士和军事设备一概从速搬出，并且允诺以后军人一律不进本区。日本一方面说："对于规定之区域颇难担负不轰炸之责。"在另一方面又说："凡无军事设备，无工事建筑，不驻兵，及不为军事利用之地点，日本军队决无意轰炸，此乃自然之理。"

看到以上中日两方面的允诺，我们希望在所指定的区域内为平民谋真正的安全。然而在战争的时候，对于任何人的安全自然不能担保的。无论何人也不应当认为进了这个区域，就可以完全保险平安。我们相信，倘然中日双方都能遵守他们的允诺，这个区域以内的人民，当然比他处的人民平安得多啦，因此，市民可以请进来吧！

南京难民区国际委员会

民国二十六年十二月八日

这份中文公告书中把"安全区"译为"难民区"，是因为拉贝他们认为这个词更容易被南京百姓们理解。同时为了确保涌进安全区的市民有序地住宿，拉贝吩咐斯迈思博士给报纸提供了一份新闻稿详细地将住宿和膳食告示如下：

1. 住宿：

(1) 建议居民尽可能在安全区内达成私人住房协议。需交付的房租应尽可能的低，绝不应超过和平时期通行的价格。

(2) 安全区内的公共建筑以及学校是给没有能力签订私人住房协议的最贫穷的人预留的。学校只有在迫不得已的情况下才予以开放。

(3) 对于居留在公共建筑物和学校的家庭，其家庭成员可以共同安置在一起，但是寝室的安置将根据性别区分。该住宿的安置是免费的，为了能安置大规模的难民，向每人提供的寝室面积不超过16平方英尺。

(4) 在安全区启用后，若以上设施不足以安置全部难民，委员会将要求安全区内所有空房或仅得到部分使用的房屋的主人免费接纳剩余的无家可归者。

2. 膳食：

(1) 指定分发给委员会并由委员会储备的大米、面粉由经过委员会特许的私商出售。

(2) 穷人的膳食（稀饭）由红卍字会和红十字会负责管理的粥厂以低价提供。粥厂分别位于五台山、金陵大学附近，以及山西路交叉路口……

拉贝忙得简直焦头烂额：一会儿，有人报告他送米的车子在城门外进不来，一会儿有人告诉他安全区的几个地方有军人把小旗子拔了。

“这绝对不能容忍！拔旗等于告诉日本人这个地方可以轰炸，那我们的难民怎么办？太危险了！我去看看！”拉贝一听就急了，迈开双腿就往那些被拔掉旗子的地方走。

“看，南京市长来了！”有中国人看见拉贝，便悄悄说。

这话让拉贝暗暗吃了一惊：我真当南京市长了？他突然想起了两年前在北戴河的一次茶话会上，当时的德国大使陶德曼先生就曾向他开过这样的玩笑。现在我竟然真的当上“南京市长”啦！

拉贝尽管没去理会中国人的街头碎语，但心头有几分得意。

“当时陶德曼先生说这话时我还有些不高兴。可是现在，这句玩笑几乎要变成真的了。当然，一般情况下，一个欧洲人是不可能成为一个中国城市的市长的。但是现在出现了一个情况：前一段时间一直和我们合作的马市长昨天离开了南京。于是委员会不得不开始在难民区内处理市政管理工作和问题。这样，我真有点像一名'执行市长'了。拉贝啊拉贝，你得意忘形吧！"12月8日的日记里，拉贝写了上面这段话。

"现在我是这里的最高领导者。你们唐司令长官是亲口答应我们的，安全区的建立，中方是在11月22日就已经非常明确地同意了，现在你们再进入我们已经规划定好的安全区，并且未经允许就拔掉我们向市民公布的区域的标志，这就是背信弃义！我代表国际委员会，坚决抗议这种行为！希望你们立即纠正错误！"拉贝气呼呼地站在一批拔旗子的中国军人面前。

"你是什么人？竟敢阻拦我们的军事行动？"有几个下级军人见这位洋人在他们面前指手画脚，很不服气。

大概他们的长官认识拉贝，只见一位上尉过来，与拉贝谈和："先生不要冒火嘛！我们也是奉命行事。如果你不同意，我们这就撤。"

"当然不会同意！我有你们唐司令同意的安全区域图……"说着，拉贝拿出前一天的报纸，上面有"安全区"的《告南京市民书》和《安全区域图》。

军人们传递看了看，相互使使眼色，再也没有吱声。"走吧走吧。"军人不耐烦地吹着口哨，走了。

"简直莫明其妙！"拉贝笔直地站在原地，很是威风。

"先生今天可真像市长啊！"韩湘琳在一旁乐。

"像吗？真像吗？"拉贝来劲了，干脆把脖子挺得直直的，然后斜着眼，问韩湘琳。

"像！关键是您发号施令，连军队都不敢违抗。"

"哈哈……"拉贝好不得意，"走，到其他地方看看。"

"是，市长先生！"韩湘琳等前呼后拥地跟着。

日本人的空袭，已经是随心所欲了，因为中国军方的飞机显然放弃了空中的抵抗能力，或者根本就没有了战机。这是12月9日的景况——日军飞机在城南投下大量炸弹，使得拉贝他们的运米卡车无法正常进城。其中一辆卡车费了九牛二虎之力与守城军人说通经过城门后，日军战机的炸弹便随即落在这座城门口，当场有40余人被炸死……

下午2时许，拉贝和贝德士、施佩林等在中国军方一名上校的陪同下，巡视了安全区沿线。他们站在山丘上登高俯瞰，只见到处浓烟滚滚，正在燃烧的民房冒出的烟雾笼罩着城郊。

“那里有一个高射炮阵地！”施佩林眼尖，突然指着安全区西南界内的一个地方喊了起来。

“怎么还在我们的安全区内安置高射炮阵地呀？”拉贝扶着眼镜，也看到了那一排高射炮，很生气地质问随行的中国守城军上校。

“呜——”上校还未来得及回答，便有3架日军战机在拉贝他们的头顶呼啸掠过……“快卧倒！”拉贝动作迅速地滚倒在地上，同时招呼别人。

“哒！哒哒哒……”那安全区内的高射炮突然猛烈向日机射击。拉贝等仰头看着空中的一场近距离激战。可惜地面的炮火总是打偏。“或者说幸亏它总是打偏，否则日本飞机上的炸弹一定投在我们的身上。”拉贝事后认真地说道。

“你都看到了，上校先生，如果你们的军队再不从安全区撤走，我将向我的元首报告，报告你们的唐将军失信，而我们的难民区将无法继续工作下去，我这个主席也不想当了！”拉贝从地上站起来，连尘土都没顾上拍净，便冲着随行的中国守城军上校发火。

“我有什么办法？”上校悻悻然道，“都这个样子了，谁还有本事拦住日本军队？如果先生有可能的话，我倒是建议您应该直接向唐将军提出，让他下令把部队撤出南京，别再硬撑着打什么保卫战！根本就是鸡蛋碰石头嘛！”

拉贝愣愣地盯着上校，半晌没说话。

“对啊，我们找唐将军，看看他现在的态度如何？”末后，拉贝突然像缓过神似的说道。

“唐将军会改变主意吗？”施佩林等怀疑拉贝的想法。

“只要有一点希望，我们就该去争取。”拉贝坚定地准备试一试。

“可以啊，我本人没有什么反对意见，只要您能说服我们的蒋先生。”拉贝无论如何也想不到，在他把“停战”建议向唐生智司令长官提出后，对方竟然表示理解和同意。

“看来唐本人也已经对守城不抱希望了。现在就看蒋先生的决定了。”拉贝等兴奋地议论着，“既然如此，我们再努力一把，全力以赴争取停战的结果！”拉贝俨然是一个主宰南京城命运的大人物了，他匆匆地带着一行人，赶到停在下关的美国炮艇“帕奈”号——美国大使馆的艾奇逊先生在上面。

“艾奇逊先生，我以国际委员会主席的名义，想立即通过您请在汉口的你们的大使，给中国政府最高统帅蒋介石先生和日本当局提出停战的建议。”拉贝有些激动地对艾奇逊说。

“好啊，我的南京市长，如果你能促成此事，我们美国方面肯定乐见其成。”

于是，拉贝回头又分别将两封内容接近的电文发给汉口的美国大使馆，请其转交中日双方：

> 在国际委员会能成功地得到日本军事当局（中国军事当局——发向日方的电文则这样称。笔者注）在可能的情况下放弃对城墙内南京城的进攻（采取军事行动——同上）这一保证的前提下，已经在南京城设立了安全区的国际委员会将出于人道主义的考虑向中国当局建议（向日本当局建议——同上），在城内不采取军事行动。为了达到这个目的，委员会建议南京附近的所有武装力量停火3天，在这3天内，日军在现在阵地按兵不动，中国军队则从城内撤出。考虑到大量受到危害的平民的困境，委员会请求立即对此建议表态。

拉贝在电文的最后庄重地署下“国际委员会主席　拉贝”的字样。

中日在南京决战到最后时刻，双方都红了眼，这样的一份“停战”建议到底会带来什么结果，没有人知道。

拉贝像刚刚签发了一份几十万人的“生死状”，心情激动而紧张，激动的是他这位“汉堡商人”竟然在异国他乡能够有权去过问几十万中国人的命运，紧张的是如果一旦电文被蒋介石和日本当局当作废纸一张，他这个“市长”的权威性将受到极大质疑。

使命和虚荣心一时让拉贝内心涌起万丈波澜。

从“帕奈”号上岸后，他们穿过燃烧的下关回城。晚上7时的新闻发布会结束后，拉贝等听说日本军队的前方部队已经将炮火推到光华门了。这已不是什么可以瞒过大家的事了——南城门和光华门那边的火光肉眼都能看得到。

此刻的城内，路灯全被熄灭，夜幕中从前线抬回来的伤员和撤下的部队，三三两两，到处皆是，他们无目的地在街头流浪着。安全区各个进口处已经有大量的人涌入，其中不乏一些脱下军装的军人混在里面。这让拉贝他们很着急。

“日本军队一进来，发现这些人后，将对整个安全区带来不可估量的麻烦。必须采取措施，不让军人进来。即使是放下武器、穿着便装的军人。”拉贝说得非常严厉。

韩湘琳觉得不太可能做到这一点：“我们怎么可能去一个个核实其身份，再说他们也很可怜。”

拉贝的嗓门高了：“怜悯他们，就等于让更多的平民去送死！我们的任务是尽可能地保护更多平民！你们明白我的意思了吗？”

“明白，先生。”韩等人不再坚持了。但事情有那么简单吗？

又一份经拉贝审阅批准的公告，于9日当晚通过新闻媒体发出：

安全区安全措施

1. 战争期间没有任何地方是绝对安全的。

（即使在上海的国际租界也有1 000多人死于流弹、高射炮弹片、炮弹片和日本飞机及中国飞机误投的炸弹。）

2. 我们要记住，日本人从来没有保证过，不对我们的安全区进行炮击或轰炸。

3. 日本人仅仅保证在安全区内不存在中国士兵和军事设施的前提下不蓄意进攻安全区。

4. 为此我们紧急呼吁居民，空袭期间进入防空洞或地下室。（瓦房同样也能保护不受高射炮弹片的伤害。）

5. 一旦城市开始遭炮击或轰炸，只要可能人人都应当进入防空洞或地下室。

6. 即便只是听到城里有步枪或机枪声，也应当进入防空洞或地下室，或以围墙作掩护。射击时，在砖结构房子里的人不应当停留在门窗旁边。

7. 空袭、炮击、步枪或机关枪射击时，如果有人正好在街道上，而且无法很快找到安全的地方，如有可能，应当在坑里或围墙附近掩护自己。

8. 如果在城内或周围地区爆发战斗，行人不应成群结队，而应尽可能散开。

9. 伤员可以送到鼓楼医院，要救护车请拨打电话31624。

10. 发生火情请打下列电话：

大方巷消防站：31058

鼓楼消防站：31093

南京安全区国际委员会

“让我们进去！我们要进去！”在交通部门口，几百名带着铺盖和食物的老百姓，拼命往院内挤，却被安全区的“警察”死死拦住。

“怎么回事？”路过此地的拉贝看到后，责问那些护卫人员。他们告诉拉贝主席：里面两间房子里发现武器和弹药。

“那就先把难民们安置到另外的地方。”拉贝给出了解决的办法。

12月9日的夜间，所有南京城内城外的市民们没有人不被阵阵惊天动地的炮火声所惊醒。拉贝的国际委员会除了不停地接纳潮水般涌入安全区的难民和脱掉军装的男人们外，似乎只有等待两个字——等待日本军队进城后的可怕命运。

城内现在最多的是伤员，断腿缺胳膊的伤员到处都是。医生成了这个时候最受欢迎的上帝。中央军的军医金大夫前来向拉贝报到，说他手下8所军队医院还有80多名军医可为安全区提供服务。

“简直是奇迹！”拉贝高兴得拥抱金大夫，“越多越好，未来几天里，医生将最受欢迎。我敢肯定。”

马吉牧师已经向拉贝报告了他要在南京城成立一个国际红十字会南京分会。“这个建议很好。你在欧洲人脉好，如果他们批准你的请求，就可以公开招兵买马了！现在我愁的就是救助伤病员。”拉贝非常赞同马吉的建议。

“只要有利于为市区的难民服务，我们支持所有建议和行动。”拉贝虽然做事严谨，但思想又非常开放，他的这一主张颇有市长风范，让身边的韩湘琳佩服得五体投地。

“下关的士兵要烧我们的粮食，你说怎么办？”韩又报告不祥消息。

“这是胡闹！决不答应！”拉贝觉得中国军队疯了。他们企图通过烧光的手段来阻挡日本军队的进城，实在有些可笑，拉贝觉得。

“五台山上的那个炮兵阵地一直在向日本军队开炮，这样下去，日军将随时会用十倍的炮弹攻击我们的安全区……”又是一个可怕的信息。

拉贝无法忍受了！他让韩湘琳跟着他找到中方守城司令部，交涉的结果算是勉强成功。“你们假如要拿自己同胞的生命当儿戏，那我实在是没有办法了。”拉贝这回唱的是悲情剧，不过他说的也是实情，一旦军队继续在安全区内向日本军队打炮，日军的大炮更加猛烈回击是自然的事。何况，此刻的日军气焰异常嚣张。

拉贝最关注的还是蒋介石和日本方面对他的“停战”建议是否有回应。从汉口约翰逊大使那里传来的消息，拉贝得知他的电文已呈至蒋介石手中，而且约翰逊大使本人和美国大使馆对“停战”建议给予支持和肯定，但从大使非正式的口信中获悉：蒋介石批评唐生智同意“停战”，认为是个“严重错误”。这意思是说，蒋介石并不赞成拉贝的建议。

拉贝沮丧至极。他不甘心，绝不甘心！

于是他又向蒋介石发了一份新电文——当然还是通过美国在汉口的驻华使馆转呈。

致最高统帅蒋介石：

国际委员会在此诚挚地请求将此消息转达给蒋介石将军：卫戍司令唐生智将军出于人道主义的考虑欢迎停火建议。但由于唐将军必须奉命保卫城市，因此关于中国军队撤退的问题须交最高统帅决定。南京成千上万的平民百姓因为军事行动已经流离失所，还有20万人的生命正处于危险之中。在此紧要关头，国际委员会冒昧地再次重申自己的建议，望迅即接纳该建议。

签名：拉贝

主席

12月10日，南京城内已经感觉时时在地动山摇。拉贝这一天的日记也是非常特别，有几个分段：早晨的、中午的和晚上的……而10日这一天的南京，其实是异常沉闷，沉闷得令人喘不过气来，因为日军总司令松井石根已经向城内的守军通过飞机散发了"劝降"书，并且给了唐生智一天的时间回答。但以唐为首的中国守城军在松井石根规定的时间里没有答复。这样，日军便认为是中国军队没有投降的意思。于是，更加激烈的、南京最后的决战开始了——

拉贝的日记里记载了当日午夜后的情况：

午夜2时30分的时候，响起了猛烈的炮火声，其间还伴着机枪声。炮弹开始可怕地从我们的房顶上呼啸而过。我让韩先生一家以及我们的佣人们进入防空洞，我自己则戴上了一顶钢盔，头"最为高贵"，一定要完好无损。东南面起火了，火光将周围照得通明，前后长达数小时之久。所有的窗户不停地发出铮铮的响声，建筑物在炮弹爆炸的轰鸣中以几秒钟为一个间歇有规律地发出颤抖。五台山高射炮阵地遭到了炮击，同时也进行了还击，而我的房子就在这个炮击区域范围内。南面和西面也开始炮击。对这阵震耳欲聋的爆炸声稍微有些适应了以后，我又躺到床上睡觉去了。其实根本睡不着，只是打个盹。

在日本人攻城之前，南京人大概都不可能闭着眼睛睡大觉了。炮火连天的夜晚过后，当第二天的晨曦微露，拉贝从床上轻手轻脚起来，拉开门窗的那一刻，他有些心怯，担心门外会不会有日本兵持枪顶着他胸前吆喝着"八格牙路！"

还算好。日本兵没有在门口站着。但屋里的水电全部停了。往大街上瞅一眼，"市长”拉贝有些不习惯：他的市民仿佛全都涌到了街头——仔细一看：原来都是为了躲避炮火而向安全区转移的难民。

不知是喜还是悲。前些日子，拉贝等人整天忙着贴公告，插旗子，以标明何处是他们的安全区，现在看来，他的市民们完全清楚和熟悉哪个地方是“安全区”了。

“安全区”真的安全吗？在炮火连绵、势如破竹的日军进攻面前，拉贝突然反倒比过去那些日子少了几分信心，尤其是当他看到人群中夹着为数不少的士兵也跟着不顾一切地涌进安全区时，他感到自己的心脏就悬在嗓门口——多少次电文里和新闻发布会上，他作为国际委员会主席、一个一向标榜“说话算数”的德国汉堡商人，一而再、再而三地向世人声称他的安全区里没有军人！

不是在说谎吗？不是在日本军队面前明着说瞎话吗？这种说谎和说瞎话的结果是什么呢？拉贝不能不紧张，因为他知道日本军队等的就是这种结果：你的什么的安全区，原来是给败下阵的中国军队做庇护所！

死啦死啦的！

拉贝颓然地坐在椅子上，喉咙里直冒烟。

“韩，你赶快组织人，到安全区里，务必让那些士兵把身上的枪和其他所有武器全部、一样不少地丢在地上，我们把它们收拢起来……”拉贝的嗓子瞬间失声，严重沙哑地叫来韩湘琳。

“先生要武器干吗？准备跟日本人干？”韩觉得奇怪，有些不明白。

这让拉贝更着急，跺着双脚冲韩说：“你傻！你等着日本人来杀我们？”

韩猛然明白了，连连点头：“噢——你是说等日本人来了，我们把没收的武器交上去？好的，我马上去办。”

“轰隆——”

“轰隆隆——”

安全区终于迎来了第一批日本炮弹的袭击。施佩林马上给拉贝报告了他所负责管理的福昌饭店的情况：有 21 人当场死亡，12 人重伤。

“我自己的胳膊也被玻璃碎片擦伤，流了不少血……”施佩林同时还报告了安全区另一个地方——一所中学内的伤亡：13 名学生在炮弹攻击中死亡，20 多人受伤。

“我马上去安全区检查！”拉贝知道接下来的伤亡会更严重。他叫上马吉牧师，两人坐上车子，行至山西路广场附近，见不少士兵在那里挖壕沟等工事。问他们为什么不执行唐司令的命令“不准在安全区内从事军事行动”？士兵们根本不理睬他这洋人。

在中山路，更多的士兵在长官的指挥下，正在扛沙袋做路障，树木被大片大片地砍断横倒在路中央，并且用铁丝网联结着。拉贝与领队的军官交涉，军官尚算客气，但坚决地回绝拉贝“停止军事行动”的请求，说：“日军马上要攻城了，我们必须尽一切可能坚决地抵抗到底！”

拉贝无话可言，心想：要真能抵抗得了，他作为一战的老兵，愿意跟着他们一起干，但他绝不干痴心妄想的蠢事。

晚上依旧如故的“新闻通气会”还按时举行，可惜除了拉贝他们几个国际委员会成员和几家新闻单位的记者外，再无其他人参加。

记者没有从拉贝他们那里获得任何有价值的“军事情报”。斯迈思向在场的记者们报告了委员会成员在安全区抓到一个小偷。没事可做的记者们对此事反而有了兴趣，纷纷打听拉贝他们这个委员会如何处置这样的小偷。

是啊，我们该怎样处理？拉贝等有些不知所措。国际委员会对所有难民们的事一一有了事先的安排，唯独关于安全区内出现小偷这样的“违法”行为缺乏处理预案。

“我们没有法务机构。南京市所有的法院现在业已关门，怎么办？”最后几个聪明的洋人一商量，宣布道：根据国际委员会临时“陪审团”审议，判处该小偷死刑。

“哇！”记者们一片哗然。

拉贝紧接着又宣布：根据目前战时的南京市内缺少监狱和监押设施，对此小偷减刑为 24 小时拘留期。

“啊——”又是一片哄笑。

连拉贝他们都笑得前仰后合。其实，因为连拘留所都没有，这个小偷很快就被释放了。

12 月 12 日。一整天内，拉贝如同一名警察，一会儿在安全区的左进出口查问和挡着那些看上去像军人的男人们，希望他们自觉地将身上的武器扔掉，当然能不进安全区最好；一会儿跑到右边的进出口指挥那些老弱病残和妇女们进安全区内……他发现，即使他有十条胳膊、十条腿，也无法在如潮水般的难民队伍里做成几件事。

听天由命吧！

大街上，所有的人都变得无所适从，曾经有过的狂奔乱跑现象也似乎一下停滞了下来：原来市民们和败下阵来的守军们，都不知道该干什么。死亡，还是活路？活与死，都是一样，都不属于他们自己能定局的……

多么可怕！拉贝第一次感到恐惧：原来人没了任何可想的时候才是真正可怕呀！

拉贝突然觉得自己也不知该干什么了。他回到自己的屋里后，不停地将药品放入皮包内，还有洗漱用的工具，似乎明天也要被日本人抓到什么地方去度苦狱一般。反正，像个小丑似的。“表演吧，小丑！全都成了小丑！”日记里他这样说。

晚8时，全剧的最后一幕开始了——猛烈的炮击，地动山摇，六朝古都的所有城门仿佛都在开裂……

火光映红了整个南面的天空。院子内的难民一直挤到了防空洞的边上。有人在用力地拍打着两扇院门，妇女和儿童哀求我们放他们进来。一些大胆的男人从德国学校后面翻过院墙，想进入我的院内寻求保护。这种苦苦哀求我实在听不下去，于是我把两扇大门全打开，把想进来的人全放了进来。防空洞里已经没有地方，我便把人们安置在房子之间以及房屋的旮旯里。大部分人带来了自己的被褥，在露天席地而卧。一些机灵鬼把他们的床安置在水平悬挂的德国国旗下面，德国国旗是为防日本轰炸而备的，这个地方被看作是“防弹地带”！

炮弹和炸弹在不停地呼啸着，越来越密集，越来越接近。南西的整个地平线变成了火的海洋，到处是山崩地裂的声响。我戴上了钢盔，给我的中国助手、好心的韩先生也戴上了一顶，因为我们俩是不进防空洞的，再说那里面也已经没有地方了。我像只猎犬一样在院子里跑来跑去，在人群之间穿梭，在这儿训斥两句，在那儿安抚一下，最后大家都乖乖地听我的话了。快到半夜的时候，我的院门前发出了一种可怕的沉闷的响声。

我的朋友、礼和洋行的克里斯蒂安•克勒格尔来了，他是我们安全区的财务部长。“我的天，你来干什么？”我激动而紧张地对他说。“只是来看看你们。”他说得平静。然而又说：“刚才有人愿意出手一辆尚未使用过的公共汽车，只要20元，你说要不要？”我快要疯了，说：“都什么时候了，克里斯蒂安！”“如果你不反对，那明天我让他到我们办公室来办此事。”克里斯蒂安走了。我望着他的背影，感慨万千：国际委员会有这样的伙伴，我们还怕做不出一些伟大的事吗？

在北面，漂亮的交通部大楼正在熊熊燃烧。我感到浑身的筋骨都在疼痛，我已经有48小时没合眼了。我的客人们也都睡觉了，办公室安置了30人，储藏煤的地下室外安置了3人，有8个妇女和孩子睡在佣人的厕所里，剩下的100多人分别在防空洞里。在露天、在院子里、在石子路上……

这是南京大屠杀前夜的拉贝日记的部分内容。他这个“市长”院子里所安置和保护的200多人，在炮火的光亮中正向没有日本鬼子的最后日子告别。

第二天，他们迎来的将是人类历史上最惨无人道的一页——南京大屠杀的黑幕，伴着日本军队的铁蹄声，正徐徐拉开……

21. 屠刀下的“安全区”

“叽——咚！”13日大一早，拉贝在睡梦中被一声巨响惊醒，随即连续不断的同样响声充斥在他的耳畔。

“有没有人伤亡？”拉贝迅速穿上衣服，走下楼梯，奔跑到一层和院子里询问。小客厅和院子内已经挤得满满的，绝对不是昨晚的200人。

“应该有300来人了！”佣人告诉他。“要统计出准确数字，一一统计起来。”拉贝命令佣人。

此刻的街头，天上乱飞的炸弹如冰雹般倾泻而下，四周的房屋已有多处在燃烧……孩子哭，大人叫，平民们纷纷向拉贝的院内拼命地涌来。

“你告诉他们再往前面走，就是安全区了。我这儿住不了多少的，他们必须到更加安全的地方去。”拉贝担心他的院门什么时候被潮水般涌来的难民挤塌了。

无处可逃的一对老年夫妇拉扯着七八个看样子是他们儿孙的人，跪在拉贝面前请求进他的院子。“进吧！只许你们这一家进，其他的请往安全区那边走！十来分钟就可以到了，现在日本军队还没有全部进城，你们应该有个更安全的地方。快往那边去！”拉贝的身子贴在院门上，劝说着数以百计路经他院子的难民们，尽管他知道他的劝说并不十分有效。

“形势不可预期，我要到委员会的总部去开会。”拉贝再次命令佣人，“什么时候都不要开门。如果有日本军人来，你们就把这面旗帜举起来，这就行了。”他指指铺在院子里的那面“纳粹”国旗，好像这就是护身符，并且是唯一的。

“日本军队已经要全面进城了，眼下最严重的是大量伤员的出现，我们红十字会成立的事情不能再等了，所以今天正式宣布成立……”耶鲁大学毕业的传教士马吉先生在13日这一天是作为国际红十字会南京分会主席来宣布上述消息的。他进而指出，未来的南京城内，将是救济难民最紧迫的时期，一切可能出现的危急情况都存在，期待各理事会成员能够发挥作用。

拉贝也被选为该组织的理事会成员。马吉告诉拉贝，前一天他运送前线的中国伤员途经首都剧院的包扎中心时，一颗日本军队打过来的炸弹正落在街头，至少 11 人当场死亡。“后来我们路过金陵大学附近时，在华侨路见一处房屋也被日本炮弹击中，起码有 20 人被炸死，其中有七八个人是被炸弹的气浪抛到街上摔死的。一对可怜的老夫妇哭得死去活来，他们 33 岁的儿子脸上被炸了一个洞，躺在那儿已经死去了。今天早上我向总部过来的路上，则看到更多的中国军人被打死在工事里……安全区也未必安全。许多败下阵来的中国军人他们拿着枪，又不知干什么，有的就往安全区里躲，这让进城的日本军队看见后麻烦就会更大。”马吉提醒拉贝。

“这也是我最担心的事。”拉贝一听这话，脸色特别阴沉，“走吧，我们去安全区看看。”他叫上助手，驱车向他所担心的地方驶去。

大街上，呼啸的子弹和炸弹不时在头顶上飞过。挂有红十字会和德国国旗的车子，左闪右避着穿梭在大街小道上。在国民政府的外交部门口，横七竖八的伤员躺满一地，他们都在等待设在里面的一所军医院的救治。

车至上海路段，一队日本兵用枪拦住拉贝他们的汽车。一个懂德语的日本兵知道拉贝的身份后，勉强对他的车子放行，并且告诉他，他们的军官也会马上进城。“马上绕开他们，抄小道走！”拉贝一面装着与日本兵打招呼，一面悄声告诉助手赶紧开车走小道。

“坏了！他们怎么还拿着枪乱晃呀？”沿途，拉贝迎面遇上了 3 个分队的中国士兵。他赶忙跳下车子，要求他们马上放下武器。“否则遇上日本兵会把你们全部消灭的！快缴械吧！”拉贝喊道。

“为什么缴械？我们不！我们要同小日本鬼子拼杀一阵！”士兵们不干，尽管多数人听了拉贝的话觉得有理。

“你们必须缴械，否则你们所有人的生命都不能保证！”拉贝说。

“你们的安全区不是安全吗？让我们进去吧！”士兵们围住拉贝，一个个用乞求的目光看着这位洋人。

拉贝扫了一遍这些可怜的中国军人，直着大嗓门说：“安全区不为军队提供庇护，尤其是你们现在这个样。我必须保证对平民的安全负责。”

这话不知起了什么魔力，士兵们立即纷纷扔下武器，有的则像变戏法似的把军装脱下扔到旁边的水沟或垃圾堆里，然后嚷嚷着请求拉贝放他们进安全区。

“那么你们就往前走，到外交部和最高法院去！”拉贝只好这样说。

“为什么让我们到那儿去？”士兵们不知拉贝指的两个地方已经变成了难民区，所以一听说到“最高法院”便紧张起来，直到拉贝解释清楚后才放心地往前走。

在铁道部门口，拉贝又遇上了同样的中国军人，有400多人。他又以同样的方式劝说他们先放下武器。但有一名军官不同意，认为洋人的“馊点子”有损中国军人的形象，只见这位军官骑在马上，突然端起手中的卡宾枪，向四处猛烈扫射，末后说：“我们决不投降！”

拉贝觉得无奈，又无法阻拦这样的军人。“但，你们若要进我们的安全区，就必须缴械，否则我绝不会同意你们进去！”僵持几分钟后，多数士兵表示服从拉贝的建议，将手中的枪械扔在地上，然后向安全区逃去。

“后来的事实证明，是我把他们害了！”拉贝不曾想到，他苦心劝说中国士兵和军官们缴械的结果是，让日本兵在过后的日子里轻而易举地将这些赤手空拳的中国军人们统统地抓起来，活活地枪毙了。这是后几天里发生在南京大屠杀里的主要一幕，它十分惨烈。

“我们别无选择！如果安全区的边上发生巷战，那么逃跑的中国士兵毫无疑问会撤进安全区，这样安全区就不是一个非军事化的区域了。它即使不被日本人摧毁，也会遭到日本人的猛烈射击。因此我们一直希望这些完全解除武装的中国士兵除了被日本人当作战俘之外，不会有其他危险。”拉贝在当天的日记里这样解释自己坚持这样做的理由。

“把他的枪也给我解除了！”拉贝悄悄命令同行的哈茨先生对那位骑在马上的军官实施缴械行动。那个军官开始不从，后来竟然被哈茨制服了。“希望先生能理解，我们不能因为你一个人的意志而牺牲几百位你的士兵。”拉贝对这位不服气的军官说，“其实这也是保护了你！”

“去你妈的！你能保护我？”军官很生气地回敬拉贝。

拉贝确实无法回答和给这位军官提供任何保证。日本人能听他拉贝的？“但你要进我的安全区，我的话就是命令。”拉贝并不含糊。

那军官不再固执了，和他的士兵快步向安全区内撤。

安全区各个地方都出现了前所未有的难民潮——不是数以百计、千计的概念了！是数以万计！

如此巨大的人潮，中间夹带着数以万计的是败下阵的中国军人，这让拉贝伤透脑筋：不让他们进，就等于间接杀害他们——日本军人绝对不会客气。如果让这些中国军人进，等于让日本人有了侵犯和破坏安全区的理由。

“你们应该多派些人像施佩林先生那样守在大门口！”拉贝看着手持毛瑟枪，眼珠盯着每一位进出安全区的人的施佩林，对委员会成员们说。

“这是不可能的事，拉贝先生。”韩湘琳向拉贝建议，“应该马上在我们的安全区门口各处贴上布告，告诉想进来的人一些规矩。”

“很对，马上去办。”拉贝于是立即让秘书和助手们行动起来，这也就有了日本军队进入南京城后他签发的第一份文件——《致难民收容所难民的重要通知》：

1. 紧急呼吁所有的人尽可能不要在街上逗留。

2. 在最危险的时候，建议躲在房子里或不会被看见的地方为好。

3. 我们提请注意，难民区专为难民设立。我们不得不遗憾地指出，难民区无权为中国士兵提供保护。

4. 如果日本人来难民区检查或巡视，必须予以通行，不得向他们实施任何抵抗。

这位“南京好人”——后来南京人一直这样称拉贝，他期待没有任何战争防范意识的市民们千万不要轻易在日本军队进城时上街或到居室之外的地方“逗留”，以防不测。

果不其然。这一天，家住评事街的孙仲芳，听说日本人要进城了，便与几位女伴上街看热闹，哪知突然听到有人大喊“鬼子来了”！几个人抬头一看，四面城楼上站着的都是持枪的日本人。“叭叭叭叭……”子弹立即呼啸而来。孙仲芳命大，在一片哭喊声中，她跑回了家。22岁的她，在母亲劝说下，抱起不到两岁的儿子“小狗子”，与哥哥随溃败的部队辗转到了安徽，这期间她与哥哥及“小狗子”走散。为了生活，孙仲芳第二次嫁人，丈夫是国民党士兵黄世清。孙的首任丈夫是南京市的警察，没能逃出日本人的魔掌，母亲也惨遭日本兵的奸污，不久便去世了。抗战后，孙仲芳与丈夫一起回广西老家农村，一住就是50年。丈夫黄世清去世后，孙仲芳又嫁给本村农民何成才。1990年第三任丈夫又去世。80余岁的孙仲芳因为没有与后来两任丈夫有过生育，故她格外思念失散的亲生儿子“小狗子”。2000年夏，孙仲芳老人回南京寻亲的消息震动了南京、上海等地，上海公安局的同志在查阅户籍档案时发现了一个叫“孙家才”的人，觉得与“小狗子”情况接近。经联系相认，孙家才果真就是孙仲芳走失的儿子“小狗子”。此时“小狗子”已是66岁的退休工人。当年7月19日，离别63年的母子终于相见团聚。“小狗子，我终于找到你啦！”孙仲芳老人抚摸着已是皱纹满脸的儿子，悲喜交加。

然而，那些没有逃出南京城的市民们，则没有孙仲芳和她儿子那么幸运了……

长长的秦淮区王府里小巷，此刻只剩下3号的周湘莲一家9口人了，由于周家的老奶奶舍不得老房子，所以日本人进城后周湘莲的爷爷及父亲挡在门外。年轻力壮的周湘莲父亲自知应当保护全家，13日上午，炮火在街头飞舞，他出门到南门外乌桥时，就被迎面而来的日本兵一枪击碎了脑袋。有人向周家报讯后，周湘莲的母亲当场昏倒。爷爷说啥也要把儿子的尸体找回来，结果出门后再也没有回家。等再有男人进周宅时则是几个日本兵。他们端着枪，一见脸上涂满灶灰的周湘莲母亲，不由分说，一枪托打过去，然而扒掉其衣服，当着周家老老小小的面强奸了她。

“花姑娘的有！”日本兵并没有就此罢休，将17岁的周湘莲和13岁的妹妹周湘萍轮奸长达数小时……

闹市中心的新街口一民宅的防空洞处，一个五六岁的孩子不知日本人进城的危险，趁大人不备时，自个儿站到了洞口。走在大街上的日本兵向小孩招招手，嘴着“叽里哇啦”说着听不懂的话。孩子害怕了，于是赶紧往洞里缩头，结果“砰”的一枪，小脑袋血浆四溅。洞内突然传来孩子母亲的哭喊声，几个日本兵端着机枪，先是扔手榴弹，再是机枪扫。防空洞很快塌下，里面的人一个都没有出来。

一队日本兵走到鼓楼医院门前，见一群穿着军装的中国男人往巷子里躲，便迅速将巷子两端包抄堵断，随后一阵密集枪声……小巷子内满地鲜血。

拉贝已经无法制止这些日本兵的暴行了，他们的车子几乎每走一二百米，就能遇上一起血腥的暴行，中国军人和平民们的尸体横满街头。“我检查了这些尸体，发现多数是背部被子弹击中的。看来这些人是在逃跑时被人从后面击中而死的。”他在当日的日记中这样叙述。

沿路，拉贝看到无数民居和公共建筑被焚烧，而且在一堆堆大火中时常还能听到男人和女人那凄惨的叫喊声。当他企图去抢救时，日本兵用刺刀和枪托挡住了他。

拉贝只得去关切他所熟悉的德国人留下的财产——那个起士林糕饼店在他进去之前看样子已经被日本人洗劫了。黑姆佩尔饭店也被砸得一片狼藉。

有人提醒拉贝：应当告诉进城的日本军队，让他们了解安全区的位置，不允许其随便入侵。

拉贝认为这是对的。于是他带头举着德国国旗，手臂上还戴着红十字会袖套。有人向他建议还应当举一面太阳旗，并且这样告诉他：“日本兵不打举太阳旗的人”。

“我有自己的国旗就行了！”拉贝不从，因为他已经看到城内有人在家门口挂起太阳旗而被另一帮人骂为“汉奸”。

城门口，大批日本兵列成一个个方队正浩浩荡荡地开进城内。穿着西装系着领带的拉贝，站在路边，手中托着一张自制的地图，上前对一个日本军官比画着，指指点点地告诉他安全区的位置。

“你的德国人？你的大大的好！”满身都是血腥味和汗渍味的日本军人向拉贝竖着大拇指，既像表扬他，又像嘲讽他。

拉贝才不管这些，他认为能让日本兵了解他的安全区才是他的责任，这样可以避免更多的人受伤害。

“我已经命令手下的人在我们的安全区四周插上了许多小白旗，当你们见到这样的小白旗时，敬请一定不要进入。”拉贝苦口婆心地向一路走过他身边的日本兵解释着。真有人听他的？拉贝不知道，但他认为必须这样做。

离开城门口，拉贝搭上车子，飞速向城内的安全区驰去。路上，他们遇见了一队由日本兵押着的约200名中国工人队伍。

“先生救救他们，日本兵肯定会打死他们的！”同车人对拉贝说。

拉贝立即跳下车子，上前向日本兵亮了一下自己的身份后，提出要求释放这些工人。

一个日本兵上下将拉贝打量了一下，然后用枪托在他胖乎乎的肚子上一推：“你的，让路！”

拉贝对日本兵的粗暴无礼表示抗议。

日本兵朝他轻蔑地一笑，只管干自己的事。拉贝望着中国工人一张张可怜的脸，无能为力地耸耸双肩。他在胸前画了一个“十”字，祈祷他们平安。

“哒！哒哒……”拉贝没有走多远，就突然听到一阵密集的枪声和叫喊声。虽然视线被一堵墙隔着，但拉贝相信一定是日本兵对那些中国工人下手了。

12月13日，本应该向西门子创始人——恩斯特·维尔纳·冯·西门子先生做一次生日祷告，然而现在，拉贝这位虔诚的基督徒，却看到了一群群比豺狼更狠毒更残暴的野兽。

野兽！他们就是野兽！拉贝眼睁睁地在司法部大楼里看着四五百名放下了武器的中国军人被日本人捆绑着强行拉走枪毙。“这是惨无人道的屠杀！屠杀！屠杀——！”

在回自己家的那个小院时，拉贝的眼睛都要冒火星了：仅在离他院子50来米处，一个打死后又烧焦了的中国士兵被绑挂在竹竿上，尸体的焦味和炭黑的躯体，令拉贝呕吐。

“魔鬼也干不出这样的事！”拉贝咆哮着在屋子里骂了快半小时，如果不是斯迈思向他报告安全区面临的一大堆问题的话，估计这位汉堡商人这一天定会因这具家门口的焦尸而愤怒一夜。

“我不想说自己对艺术一窍不通，但是我不得不承认，在生活中我很少把时间用来阅读诗歌以及诸如此类的东西。我总觉得这和一个汉堡正派商人的职业协调不起来。但是随着时间的流逝，当‘教育的缺陷’最终令人难堪地表现出来时，我便开始时常从‘女性’书中选出这本书来，以弥补我知识上的缺陷，但我不免左顾右盼，确定不会被发现。但是不知是谁听到了风声——女士们已经发现了一切，她们面带着沉静的微笑对我们的过失并不理会，对我尤其如此。但是不管怎么样……某些特别有诗意的东西在我不知不觉、因而也就没有提出非议的情况下，被塞进了我的每日笔记本里，塞进去的纸条常常还露出点边。我今天对这样的一首诗格外钟情……”外面的枪声不停地响着，院子内时常有女人和孩子的啼哭声，同事们送来的一份份血淋淋的关于日本兵暴行的“报告”，都在此刻这位“汉堡商人”的耳边、眼前充斥着，喧哗着。

怪了，他竟然坐在办公桌前，拿着手中的一张纸条发呆着，默诵着：

脉搏的每一次跳动——必胜的信念
日光的每一次来临——不尽的奋争
生命。
死亡吓不住我们——
每一次沉寂
都萌发出生命的
意志。
我们切齿痛恨
虚伪、半途而废。
我们真切热爱
自由、光明。
这就是我们的生命。
脉搏的每一次跳动——必胜的信念
日光的每一次来临——不尽的奋争。
父辈和大地的神圣遗产

这个生命，人民和国家的造化。

这是妻子写的一首题为《生命》的诗。拉贝读着读着，眼圈里泛着泪光。

“亲爱的，我已经将你寄来的这张纸条上的诗，反反复复地看了好几遍，而且每天都放在我的面前。如果生命每时每刻都处在危险之中，那么读起它便会有特别肃穆的感觉——谢谢你，我的妻子！”拉贝今天的心头激荡，妻子的诗让他更加明白了生命的意义和可贵。

可是，在南京，在日本兵的屠刀下的中国人的命运又是怎样呢？拉贝感到痛苦，感到心尖上仿佛被针扎了一般的痛苦……

他要呐喊！面对日本兵的残暴，他要向全世界呐喊。

斯迈思博士赶过来告诉拉贝：铁道部和警察总部那边人满为患，安全区根本无法接受突如其来的各路溃退下来的中国军人，“最头疼的问题是，他们或者手里还持着武器，或者根本就没有脱下军装。日本兵坚持认为，这些中国军人会给进城的日本军队制造麻烦，必须将这些中国军队从安全区里拉走！但谁都知道，一旦被拉走，只有一个命运：死亡！”斯迈思问拉贝能有什么办法。

“找福田去，他是日本大使参赞，也是唯一可以对话的人。”拉贝说。

他们找到了日本大使馆的福田。“我相信我们的军队会采取合理的做法的。”福田这样表示。

离开日本使馆时，拉贝颇为几分得意。但几个小时后，拉贝就接到了消息，滞留在铁道部和警察总部的1 300多名中国军人，被日本兵强行地押走了，并且很快被全部枪决。“林理查和克勒格尔不是留在那儿监视日本人的行动吗？”拉贝听说后问斯迈思，因为事先他们怕日本人出尔反尔，便长了一个心眼，派了两位红十字成员留在现场盯着。

“林理查说，在我们走后，日本兵立即便把他俩驱赶走了。”斯迈思说。

“一个没有信誉的国家的士兵！他们彻底野蛮了！”拉贝无法容忍这种行动。他吩咐斯迈思，应当让所有国际委员会成员每人都把看到和听到的日本兵犯下的暴行记录下来。“这样我们就可以用一件件他们无法抵赖的事实，逼着纠正错误，制止犯罪！”

“日本人认为，城里还有至少两万中国军人，他们有的还在抵抗，有的则躲在暗处袭击日军，有的则混在平民中间，这样的人对日军威胁很大，所以他们采取了见军人便杀的措施！”斯迈思从安全区管理者口中了解到上述情况。

拉贝沉默片刻后对斯迈思说："无论如何，我们必须把我们的意见表达给日方听，即使是军人，只要放下武器，他们的生命就应该获得尊重，国际公约早就有了这方面的规定，难道日本人就可以为所欲为了？眼下我是南京市长，我必须出面提出抗议，否则我们将看到整个城市变成一个大屠宰场。"

难道不是吗？14日的南京下关，数以万计的中国军人死在长江边上，血水染红了滔滔江水，尸体堆积如山，惨不可睹！城内的情况也好不到哪儿去，斯迈思在汉口路上，亲眼看着50个中国男子被日军用绳子绑着，然后被押到一处墙根下，几个手持枪刺的日军像切西瓜似的朝中国军人的腹部捅去，没有死的人又被头上补上一枪……

"不行！我绝对不能容忍如此野蛮的暴行！"拉贝无比愤怒，伏在案头，向日本使馆参赞疾书道：

南京安全区国际委员会对已经放下武器的中国士兵的命运深感震惊。委员会从一开始就力争做到安全区没有中国军人，到星期一，也就是12月13日的下午之前，这方面的工作成效良好。但是在这一天的下午，有数百名中国军人接近并进入了安全区，他们（出于绝望）请求我们帮助。委员会明确地告诉他们，无法提供保护。但是我们同时向他们解释说，如果放下武器，放弃对日本人的一切抵抗，我们认为，他们可以期待得到日方的宽待。那天晚上，由于匆忙和混乱，再加上有些士兵已经脱下了军装，委员会未能将已经解除武装的士兵同中国平民区分开来。委员会当然认为，这些中国士兵，一旦验明身份，根据法律就应当被看作是战俘，但是同时又希望，不要因此而殃及中国平民！

拉贝继续写道，日军应当"根据有关战俘的战争法律规定，并本着人道主义的原则，给予这些过去的士兵以宽大处理"。而且他认为，"战俘适合充当劳工，他们自己也会因为能够尽快重新过上平民的生活而感到高兴"。

想得天真！日军师团参谋长原田看了看翻译过来的签名为"国际委员会主席拉贝"的信后，冷笑着问福田参赞："这些德国人、美国人搞的委员会想阻碍我军在南京城内的行动？"

"他们多数是些传教士，以救济难民为己任……"福田吞吞吐吐地对横蛮一世的占领军长官如此说道。

"那——中午就找个地方见见他们？"原田问福田参赞。

“是！我约他们。”

15日中午，交通银行所在地，拉贝和斯迈思、施佩林三人代表国际委员会第一次与日军高级长官会晤。

“我们的将军说，他只对你们昨天信上提出的问题表态，而不是回答你们的问题。所以就不要提出新的问题了。”福田参赞事先对拉贝他们警告道。

“傲慢的占领军！”拉贝心头暗骂了一句。

“我们大日本皇帝，对所有平民是保护的，但现在是战争，战争就必须有非常规的措施。因此，我向你们重申：一、我们的军队要在全城内搜索中国残留军人；二、要在你们的所谓安全区入口处设置我们的岗哨；三、你们应当协助我们动员居民们尽快回到自己的家中；四、关于解除武装的中国军人，你们应当把他们全部交给我方，并且相信我们的军队是讲人道主义的；五、你们雇用的警戒人员可以在安全区内巡逻，但必须服从我们的命令，即对我们正在执行任务的军人行动提供方便，不能有任何阻拦行为；六、关于你们储备的1万担大米可以供难民们使用，但我们日本士兵同样需要大米，也就是说，如果我们需要，你们应当迅速尽快地将大米交出来；七、你们应当协助我们实现城市内的供电、供水等事情的恢复；八、从现在起，你们要及时为我们提供劳工……”

“他把我们当作他的俘虏一样，根本没有认可我们安全区的组织者和领导者！”拉贝用英语轻声地对斯迈思说。

“尊敬的德国同志，你对我的指令有怀疑吗？”原田竟然用英语责问拉贝，这让拉贝吓了一跳。

“长官，你是胜利者，胜利者可以支配一切胜利成果。但我的任务是保护我们德意志人在南京的财产和战时平民的安全，关于我的使命，我的元首是知道的。因此也希望将军阁下能够给予支持和帮助。”拉贝这回用的是标准的汉堡口音的德语。福田参赞为他做翻译。

原田听后，点点头，脸上的表情表示了他对拉贝和希特勒的尊重。“先生能否下午陪我到你们的安全区看看？”

拉贝与斯迈思交换了一下眼色，认为这不一定是坏事，便答应了。

但是到了下午，拉贝失去了陪同日本原田将军的机会，因为有一队日本兵又要在安全区里带走一批已经放下武器的中国士兵。拉贝知道所有被日本人带走的中国士兵结局总是悲惨的，因此他立即驱车赶到现场，并且一再向日本兵声明：“我是德国国家社会主义工人党党员，我在这里的一切行动都曾向我们的元首希特勒报告过，所以我以一名纳粹党员的身份和一个德国人的名义，向你们担保这些中国士兵——一群已经放下武器的俘虏，他们决不会与你们有任何军事方面的行动，你们应当释放他们。如果你们坚持要带走他们，那么连同我一起带走好了！”

拉贝做出了让日本兵不知所措的姿态——他用胖乎乎的身躯挡在日本兵面前。

“你的死啦死啦的！”有几个日本兵生气地用刺刀对准拉贝的鼻子尖，企图吓唬他。汉堡商人仿佛根本不在乎，依然大义凛然地站在原地，面不改色。

最后还是一个日本军官出面解了围，命令他的士兵放下枪，并向拉贝表示歉意。

委员会的其他成员在总部等待拉贝，说有要事向他报告。于是拉贝不得不将现场交给了那个曾经表示“歉意”的日本军官处理，拉贝亲眼看到这个日本军官带着他的士兵离开了现场，才动身前往总部。

“不好了，先生，日本兵又回去抓走了 1 000 多中国士兵，而且这回来的武装士兵更多，100 多全副武装的家伙哩！”还没有进委员会总部办公室，有人便气喘吁吁地向拉贝报告道。

“走，我们马上回去！”拉贝一边嘴里生气地骂日本人不讲信用，一边对斯迈思和米尔斯说。三个人重新上车，疾驶至安全区。但任凭拉贝他们与日本兵费尽口舌，对方就是不放人。

又是 1 300 多人从眼前被强行拉走。拉贝涨红了脸，几次欲冲到日本兵面前去挡拦，皆被斯迈思博士拉住。

“你们美国人怎么就没有一点血性？你看看这些日本野兽！他们连野兽都不如！”拉贝简直愤怒至极。

斯迈思无奈地说：“拉贝先生你还有所不知，今天他们日本飞机甚至把我们的军舰都炸沉了，而且还炸死了两个人！”

“如此胆大妄为？”拉贝不敢相信。

“我刚刚得到消息，说日本人把我们的‘帕奈’号炮艇炸沉了，死了一个意大利记者和一名船长。我们的大使帕克斯顿先生多处受伤，休斯艇长断了一条腿……”斯迈思悲伤地诉说着。

拉贝拍拍朋友的肩膀，安慰道：“上帝保佑我们。”

“走，还是去找找福田先生，他是我们唯一可以结交的日本朋友。”拉贝拉上斯迈思，又一次去日本使馆。

福田参赞答应出面跟军队说说。

“如果这样处决中国人的话，我无法为你们的军队去招募劳工了。”拉贝拿出这个理由，是希望日本军人想一想可能带来的后果。其实日本兵才不管拉贝的想法，在安全区抓捕中国军人已经是日军进城后的首要任务。尽管日军攻克南京城后非常嚣张，但他们内心依旧惧怕中国军队的抵抗和袭击，尤其是不敢轻视巷战和游击战一类的战斗，所以当进城后听说安全区潜伏了大量中国军人后，“扫荡”的矛头直指安全区。

从 14 日开始，日本军队不断派出“扫荡”分队进入安全区，凡见 15 岁至 50 岁左右的中国男人，统统要一一查验身份，要验看他们的手、肩和头发等等，看看手上有没有握枪的老茧，查查肩膀上有无扛枪的印痕，头上有无戴过军帽的发迹。稍有发现，立即拉出去枪毙。于是有人传说戴过帽的人头上都会留下印记，因此许多男人就把头发统统理成光头。哪知第二天日本人专抓光头的男人，可怜那些本不是军人的汉子们也被日本兵无情地抓走枪毙……

更加可恶的行径还有更多——

15 日，安全区内的 6 名街道清洁工奉命在鼓楼一带打扫卫生，结果日本兵闯进去，见是一群男人，立即将其捆绑起来，押到一处墙根，用刺刀一个个捅死。

16 日，在拉贝他们的国际委员会总部工作的伍长德被日军抓走，理由为他是一名中国士兵。伍以前是南京警员，他被带至首都剧场对面的一片空地上，日本兵让他在那儿站了几个小时，此间又有 1 000 多个中国男人也被抓到那里。他们随后被带到汉西门，日本兵命令他们蹲在地上，后又被强行分为七八十人不等的几组，押至城外，用机枪处决。伍长德被分在最后一组，这时天已黑，机枪扫射时，他未受伤，随即装死。日本兵随后用燃烧之物将所有尸体焚烧。一名日本兵走到伍长德的身边，发现他没有死，便用锄头猛击其背部，并用柴火堆放在他身边。柴火点燃后，日本兵走了，伍才成功逃走。10 天后伍长德化装成乞丐才重新回到国际委员会总部，拉贝他们才知道了这一起日军暴行……

“把所有的日军罪行记录下来！”拉贝悲愤难忍，他让斯迈思整理出第一份《日本士兵在南京安全区的暴行》材料，决定通过福田参赞向日军提出严正抗议：

> 日本士兵昨天在安全区的暴行加剧了难民的恐慌情绪，许多难民甚至不敢离开他们所待的房子去旁边的粥厂领取每日的定量米饭，因此我们现在面临着向收容所运送米饭的任务，这就大大增加了我们向大众提供粮食方面工作的难度，我

们甚至找不到足够的脚力来将米和煤运送到粥厂。结果今天早上有数千名难民没有得到食物。为了让中国的平民能得到食品，国际委员会中的几个外国委员今天早上想尽一切办法避开日军巡逻队，把卡车开到安全区来。昨天，我们委员会好几个委员的私人汽车被日本士兵拖走了……

写出这里，拉贝有种不吐不快之感，他疾笔如风，愤怒见纸："不结束目前这种人心惶惶的局面，就不可能进行任何正常的活动！"为此，他向日本军方提出"立即采取的预防措施"：

1. 所有搜家活动由负责军官指挥，率领正规组织的小分队进行。（制造麻烦的大多是四处游荡的士兵，他们 3 人～ 7 人一伙，无军官带队。）

2. 夜间，最好也在白天，在安全区的所有通道口安排日军岗哨（昨天我们已经向贵军的少佐先生提过这项建议），阻止四处游荡的日军士兵进入安全区。

3. 立即发放汽车通行证，贴在汽车挡风玻璃上，以免我们的卡车和私人汽车被日军士兵扣留（即使在城市保卫战的最艰苦的时期，中方司令部还是向我们提供了通行证，虽然此前已有车辆被扣，但在递交了申诉后，所有车辆都在 24 小时内物归原主。此外，当时中国军队的处境已经十分艰难，但仍然提供给我们 3 辆卡车为平民百姓运送粮米。与此相比，日本皇军具有更好的装备，而且已经控制了全城，城内的战斗也已经全部停止，因此我们坚信，在目前中国平民百姓需要得到日军的关心和保护的情况下，日军会表现出更高的姿态）。

想起前一天与原田将军见面时的情景，拉贝不由更加气愤，他还有话要说："日军最高指挥官于昨天抵达南京，我们原以为市内的秩序和安宁会由此而得到恢复，因此昨天我们没有提出任何指控。但是昨天夜里的情况比前天还要糟糕，因此我们决定向日本皇军指出，这种状况不能再持续下去……"

真是忍无可忍！但不忍你又能怎样呢？拉贝觉得自己活到 50 岁，还没有一件事能比与日本人打交道更无奈、更令人气愤的！

他再次想到了妻子的诗句：

我们真切热爱

自由、光明。

这就是我们的生命。

脉搏的每一次跳动——必胜的信念

日光的每一次来临——不尽的奋争。

是啊，妻子说得多好！生命就是“必胜的信念”、“不尽的奋争”。面对强盗和野兽般的日本军队，你唯有坚持不尽的奋争，才会有必胜的信念。

拉贝讲究尊严，德国人一向讲究尊严，但在南京，在日本军队屠刀下的南京城内，德国人此刻已经没有了尊严。日本士兵可以想什么时候进来就什么时候进来;想抢什么东西就抢什么东西。屋子里的人已经不敢随便出门了，为了方便国际委员会和自己的汽车出入，拉贝有时叫佣人干脆把院子门打开，但又遇上了困难——守在门外的妇女和孩子们就会突然如放闸的潮水往院子里涌。拉贝无法劝阻他们，因为他们会集体跪在地上磕头救助。上帝也无法拒绝他们。拉贝只好“投降”。可是进院子后又能怎么安置他们呢？小小的院子里已经有600多人了！吃喝拉撒住都成问题。一个小小的卫生间上十几个女人和孩子，院子里的草坪上，躺满了人，有的甚至成了两层和三层——地上躺着的是一层，凳子上又躺一层，凳子上面还有一层门板上再坐满几个人……如此境况下，仍要不断遭受日本军人的骚扰。

“哐！哐哐哐！”有人在踢门。

“谁？”拉贝不得不放下手中的活，走下楼。

“是日本兵。他们想进来。”佣人胆怯地说。

“啪——”拉贝突然打开手电筒。一束亮光照射到院墙外几个探头探脑的日本兵脸上，他们见光而逃。

拉贝让佣人拉开院门，追赶出去。走过一段小巷，满地是血淋淋、臭乎乎的尸体。佣人们吓得往回就跑，拉贝虽然不怕死人，但气味实在难闻。回到院子，见女人和孩子们瞪着惊慌失措的眼睛一个个都在看着他。“他们希望我这个‘洋鬼子’能帮助他们驱赶凶神恶煞，我真有那么大的本事吗？”拉贝常这样自言自语。

又有两件事令他无法平静：一是日本总领事冈崎胜雄认为拉贝的国际委员会的存在没有“法律根据”;二是受命于国际委员会的50名安全区警察也被日本士兵当作中国军人强行押走并枪毙了。拉贝觉得这是日本军队对他和他的国际委员会的严重挑衅行为，为此他不能坐以待毙，“任何企图削弱或无视我们国际委员会存在的行为，就是一个目的：更随心所欲地屠杀中国人”。

“这是绝对不能让步的！”拉贝认为他与日本军方的斗争已经水火不相容了，必须严正地批驳日本人的阴谋。为此，17日，他又向日本使馆陈述自己的立场：

我们从未考虑寻求某种权力，与日本当局进行政治上的合作。在这里我们要指出的是，1937年12月1日，南京市政府马市长将城市在特别时期的几乎所有管理职能赋予了我们，这其中包括管理警务、看管公共机构、消防、管理和支配房屋住宅的权力、食品供应、城市卫生等等。1937年12月13日，星期一的上午，贵军获胜进城的时候，城市的管理权在我们的手上，我们是唯一尚在运行的机构。当然，我们所获得的全权不能超出安全区的界线，而且我们在安全区也无权享有主权。

日本驻上海当局曾向我们保证过，只要安全区内没有军队或军事设施存在，贵军就不会蓄意攻击安全区。鉴于我们是唯一的城市管理机构，贵军进城后，我们立即试图和先头部队取得联系。12月13日下午，我们在汉中路遇见了一位贵军大尉，他正率部进入预备阵地。我们向他作出了必要的解释，在他的地图上标出了安全区的界线，此外我们还恭敬地向他指出了3个红十字医院的位置，通告了解除武装的中国士兵的情况。他当时所表现出来的配合和平静增强了我们的信念，即我们得到了贵军的完全的理解。

当天晚上和次日早晨我们起草了12月14日的函件，并让人译成日语。为了将这封信转交给日本当局，我们的拉贝先生、斯迈思博士和福斯特牧师3人一直在忙于寻找贵军高级军官。关于这一点，日本大使馆参赞福田先生可以证明。我们一共和5名贵军军官进行了接洽，但是他们都指出，此事要等到第二天最高指挥官抵达后和他联系。

第二天，也就是12月15日，日本帝国大使馆福田德康先生和关口先生来访，关口向我们转交了“濑田”号舰长和舰队军官的致意帖。我们向福田先生递交了12月14日的函件，并向关口先生保证，我们愿意为电厂恢复供电提供帮助。同一天中午，我们荣幸地在交通银行和特别长官（参谋部和特务机关长官）进行了会晤。对我们12月14日的函件，他给予了口头正式答复。

……但是恰恰从这个时候起，只要没有欧洲人陪同，我们的卡车在街上就会被扣留。从星期二早晨起，我们领导下的红卍字会开始派车在安全区收殓尸体，但是他们的车不是被强行拖走，就是被企图扣留，昨天甚至有14名该会的工人被拖走。我们的警察在执行警务时受阻，昨天在司法部执行警务的50名警察遭逮捕。据在场军官称，要带走他们枪决。另有45名我方的“志愿警察”昨天下午也同样被带走（这些“志愿警察”是委员会于12月13日下午组织起来的，因为从当时的情况来看，安全区内的“着装警察”尽管必须日夜执勤，但靠他们仍然不可能完成安全区内的警务工作。这些“志愿警察”既不着装，也不拥有任何武器，他们仅仅佩戴臂章，而且从性质上看不过就如同欧洲的童子军，他们临时承担一些小型服务工作，例如帮助维持民众秩序，做一些清扫工作，在急救时帮帮忙等等）。

12月14日，我们的4辆消防车被贵军征收用于运输。

我们力争让日本大使馆和贵军明白这样一个事实：人们为了南京平民百姓的利益，将城市的管理职能赋予了我们。一旦日本当局成立新的城市管理机构，或者其他的组织机构，我们将移交我们的城市管理的职能。但是非常不幸的是，对于我们为了平民百姓的利益，为了维持安全区的秩序所进行的工作，贵军士兵横加阻挠。这样做的后果是破坏了我们为维持秩序而建立的体系，从12月14日早晨起，扰乱了我们必要的公务活动。具体地说是这样的，12月13日，当贵军进城的时候，我们在安全区几乎集中了城市的全部平民百姓，安全区当时只遭受到轻微的炮击损失，中国军队撤退的时候对安全区没有进行任何抢劫。完全可以说，我们为贵方和平地接过了整个安全区，在城市的其他区域恢复秩序之前，为使正常的生活能不受干扰地进行下去，做出了一切的准备工作。一旦秩序恢复，就可以在全城恢复正常的交通。但是到了12月14日，贵军士兵的抢劫、强奸和屠杀等等恐怖活动铺天盖地地压了过来，留下来的27个欧洲人和中国居民一样震惊了。

在拉贝的这封抗议信中提到安全区的“志愿警察”被日军杀戮一事，在过去揭露日军南京大屠杀的各种文章中很少提及。事实上这是日军在南京犯下巨罪的一个重要方面。

在日军接近南京时，拉贝他们的安全区建立后，考虑到维护秩序需要，原南京市长马超俊应拉贝的请求，于12月1日，调派了450名警力，担任安全区警卫，这支队伍由南京警察厅第六警察局长伍建鹏兼任警卫长。但后来拥入安全区的难民人数激增，原有警力不够。日军占领南京后的第一天，国际委员会便从难民中组织了一支既无制服又无枪械，仅佩戴国际委员会自制的臂章，类似童子军的志愿警队，由拉贝向日本使馆和日军代表口头应诺："难民区内留置警察，除警棒外，不准携带任何武器。"但在日军随之而来的追捕"中国军人"的大扫荡中，这些志愿警察几乎都被日军当作"中国军人"而被拉走枪毙了。1945 年 11 月，审判日本战犯时，警察陈永清就曾出庭做证："日本中岛部队在南京难民区中的司法院查出军民及警察等 2 000 余人，每行列用绳捆绑圈住，赶至汉中西门，用机枪扫射，已死者及伤者都被日军用汽油焚烧。"原中国军队 87 师副排长仲科也在做证时描述道："……忽来敌百余名，押我等及院内所住之难民千人，出诸室外，排列成四路队形，向汉中西门去，途中又有未及更衣的警察 400 多人衔拉而行。敌兵时顾余等作狰狞笑。距城关一箭之地，敌兵以手示止踵，并以粗如臂、长数十丈之麻绳围绕警察 200 余名，押往城外，十分钟后，闻机枪大作。接着，持绳之日军冉冉而来，分批圈杀。"据当年东京审判前的调查，日军杀害警察人数 2 000 余名，多为担任安全区警卫任务的警察专员和志愿警察。

我们把话题回到拉贝与日方交涉这一环节——

针对城内接二连三的暴行，拉贝等多次口头或书面向日方提出抗议或建议，希望日军派出巡逻和警卫，以维持基本的秩序。日军一方面表面上答应要重视拉贝他们所反映的情况，另一方面其实一直在怂恿其官兵的无节制暴行。这一点最让拉贝不能忍受。他指出："昨天晚上 8 时至 9 时之间，我们委员会的 5 名成员巡视了安全区。巡视过程中，不论在安全区内还是在安全区交界区域，没有看见一个日本巡逻哨。在贵军的威胁下，加上中国警察被拖走处决，我们自己的警察在街上已经消失得无影无踪。我们只在安全区的街道上看到了两三个一伙四处游荡的贵军士兵。我写这篇报告的时候，安全区的四面八方又传来消息，这些四处游荡、无法无天的贵军士兵正在奸淫掳掠肆意蹂躏。这表明，贵军没有考虑我们昨天（12 月 16 日）函件第 2 点中提出的请求，即在安全区入口处设置岗哨，阻止四处游荡的士兵进入安全区。"

"过去 3 天的蹂躏和破坏如果得不到制止，救济工作的难度必将成倍增加。我们组织安全区的原则是，鼓励每个家庭尽可能通过个人途径在安全区商定食宿事宜，以减缓突发局面给我们的组织机构造成的负担。目前的局势如果得不到改善，那么要不了几天大部分居民就要挨饿。各家自己储备的食品和取暖物资已经告缺，中国人的钱、衣物和个人财产都被四处游荡的贵军士兵抢走了，人们怕上街，怕重新开店做生意，因此正常的生意和其他的活动只能小规模进行。我们的供应也陷于停顿，从 12 月 14 日早晨起，货车运输可以讲几乎陷于瘫痪。贵军进城前，我们的精力主要集中在向安全区运送储备粮。我们准备过一段时间再分发粮食，因为我们已经要求居民们带上能维持一个星期的食品储备。为了防止一些收容所出现粮荒，我们委员会的欧洲委员不得不在夜幕降临后用自己的私人汽车给收容所运送粮食。”

想到日本总领事傲慢而无视国际委员会存在的言行，拉贝心情难以平静。“如果不能尽快恢复正常的粮食供应，居民将受到饥饿的折磨。另外一个折磨中国居民的因素是贵军无休无止的骚扰。一些家庭向我们诉苦，他们的房子被砸开，遭抢劫，他们的女人一个晚上被强奸多达5次。于是他们第二天早晨逃离住所，找一个希望能得到安全的地方住下来，这难道奇怪吗？”

而日军有些借机杀人的做法，也必须坚决制止。拉贝举例：“昨天下午，贵军指挥部的3名军官前来我处交涉，请求在恢复电话通讯方面提供帮助，就在这同时，一批电话工人被赶出了他们在安全区的住所，他们都佩戴委员会的袖标，我们不知道他们逃匿到什么地方了。如果任这类恐怖活动继续发生，我们就不可能提供必要的工人，从而帮助对民生至关重要的机构恢复工作。”

“如果市内贵军士兵的秩序不能立即得到恢复，那么我们就无法保证20万中国平民中无人饿死！”拉贝愤怒地写完最后一句话，在他看来，如果不对日方指出这样严重的后果，那么日本人是不会停止更大范围的屠杀的。

德国人做事的严谨和穷追不舍的作风也许永远值得我们借鉴和学习。拉贝认为自己的“严重声明”和“抗议”还不足以提醒日方改正暴行，由此他第二天又让另一位国际委员会成员给日本大使起草了一份更加详细、措辞更加严厉的信件：

致南京日本大使馆：

由于贵军士兵持续不断的抢劫、暴力和强奸，整个城市笼罩在惊恐和悲惨的气氛中。1.7万多人，其中很多是妇女和儿童，逃到我们的建筑物里来寻求保护。目前越来越多的人正在涌进安全区，因为外面的情况比我们这里还要糟糕。下面我列举在过去的24小时中在我们的建筑物中发生的暴行，这些暴行还不算是最严重的。

1. 学附中，干河沿：

一个受到惊吓的孩子被军用刺刀刺死，另一个被刺成重伤，即将死去。8名妇女被强奸。我们好几个试图帮助这些可怜的人并向他们提供食物的雇员，遭到了日本士兵的无端殴打。不论白天还是夜晚都有贵军的士兵爬过围墙。许多中国人已经3天睡不着觉了，他们的身心受到严重的损害，变得有些歇斯底里。如果有朝一日这种恐惧和绝望导致了对贵军士兵强奸妇女行径的抵抗，那将会发生毁灭性的大屠杀，对此贵当局要承担责任。

美国国旗被贵军士兵以污辱的方式撕扯下来。

2. 蚕厂，金银街：

两名妇女被强奸。

3. 农具仓库，胡家菜园 11 号：

两名妇女被强奸。

4. 系所在地，汉口路 11 号：

我们委员会的人员居住在此，两名妇女被强奸。

5. 系所在地，汉口路 23 号：

我们委员会的美国委员居住在此，一名妇女被强奸。

6. 农艺系，小桃园：

这座建筑物多次遭到日本人的恶意骚扰，因此所有的妇女都逃走了。今天早上我去那里察看时，6 个日本士兵站在我的对面。尽管我用极为客气的方式向他们提问，询问他们是否遇到什么麻烦，其中的一个日本兵仍然始终用手指扣着扳机，多次用手枪对着我。

以上未经修饰的事实还没有提到那些白天被四处游荡的日本兵骚扰多达 10 次、夜间多达 6 次的可怜人们的困难。这些日本兵出来要么是为了找女人，要么是为了抢劫，这些情况表明了立即实施管制的必要性。

贵方的一些代表声称，昨天夜里在所有这些建筑物的大门口，以及其他一些安置了大批难民的地方，都布置了军警岗哨。但是我们却连一个岗哨都没有看见。由于日本士兵到处都在翻墙越院，因此仅靠几个岗哨是起不了什么作用的，除非在日本士兵内部普遍恢复纪律和秩序。

如果贵军士兵的行为不能重新得到控制，那么设立在原何应钦公馆的日本秋山旅团司令部对周围居住的人就会构成极大的威胁。如果贵方的将军们能关心一下这些事情，那么这个地方甚至能变成一个能提供特别保护的地区。

不仅仅是在这里，在整个城市，居民们的食品和现金财物都被日本士兵洗劫一空，这些人已经被逼到了绝望的境地。除此以外还有许多人，他们的衣物和被褥也被日本士兵劫走，这些人因寒冷而患上了疾病。

贵当局打算如何来解决这些问题呢？

在城市的每一条街道上都有饱含着眼泪的市民悲痛欲绝，他们抱怨说，只要日本士兵一露面，就没有一个人，没有一栋房子会安全。这种做法想必不会是贵政府的意图吧？南京的居民希望日本人能给予较好的待遇！

如果贵方有机会，我建议，和我一起去查访一些地区，就在贵方院墙之下发生的一个个恐怖事件给这些地区带来了深重的灾难。

就在写这封信的时候，我被 7 个来我们这里检查的日本士兵打断了，我必须和他们打交道。所谓检查，无非就是看看有没有女人能让他们晚上拖出去强奸。

我夜里就睡在这栋楼里，而且我还将继续在此过夜，希望能给这里无依无靠的妇女儿童多少带来一些好处，能给他们提供一些我所能提供的微薄的帮助。

我和我的朋友们（欧洲人和美国人）在进行我们人道主义工作的时候，多次遭到贵军士兵的威胁。如果在此过程中我们被酗酒或失去纪律约束的贵军士兵杀害或伤害，那么谁应当对此承担责任，是没有任何异议的。

我一再努力本着友好和谅解的精神来书写这封信，但是却无法掩盖字里行间所反映出来的自贵军 5 天前进城以来我们所经历的绝望和悲痛。

只有贵方迅速采取行动才能整治目前的局面！

签名：金陵大学紧急委员会主席 M.S. 贝德士

信件发出后，拉贝觉得不能就此了结，要想让日方收敛其军队的野蛮行径，必须与其面对面地进行斗争。

18 日下午 5 时，拉贝和斯迈思作为德国和美国代表，决定再次去找那个傲慢的冈崎。

“今天我们是作为德国和美国民间人士的代表来的。希望冈崎先生充分注意到，斯迈思是美国著名教授，而我作为德国的一名纳粹党员，且是德国最高荣誉的获得者、德国在华人士的代表，来向你反映情况和表达我们的意见……”拉贝今天一身笔挺的西装，并且在西装上别着明显的纳粹标志，见了冈崎后，毫不含糊地递交了长长的意见书和早已准备好的《日军在南京所犯暴行的报告》。

这让冈崎感到气氛有些很不自然。其实这位日本政府的代表根本不惧怕眼前的德国人和美国人，他有所顾忌的是“纳粹”和纳粹领袖希特勒。因此，这一天的会面，冈崎变了些口吻，甚至后来确实让拉贝感觉日本兵不再像前几天那样任意到安全区拉走男人去枪毙了。

正是以拉贝为代表的一群欧美教授、商人、医生和传教士们以他们自己脆弱的身体作为武器和盾牌，在强大的日本军队面前，无私无畏地坚持着人类最基本和最原始的正义及良心，并且一次次地跟日方交涉，申诉理由，甚至直面抗议，同时通过“秘密”渠道将南京城里日军的残暴行为公之于众，令日本政府恼怒又有些无奈。尤其是17日后松井石根大将率部进入城内后，为了顾及他“英雄部队”的脸面，似乎也拿出了一些“整治军纪”的行动，比如不再进入安全区随意抓住男人当作中国军人而成群成批地枪毙，而这也是拉贝他们在阻止日军大规模屠杀中国人方面所作的重要贡献。

这来之不易。这个时候，拉贝每每回到住处，就会下意识地回头看一眼近在咫尺的那具悬挂在竹架上的中国军人的焦尸，心头便会涌起无比的悲怆——他为苦难的中国军人、为无助的中国平民们悲怆、痛苦，甚至暗暗落泪。

泪水像这个冬天的雨水一样多……

22. 拯救女人

拉贝此刻的双手在剧烈地抖动，这种情况对他来说是很少有的，他是一战老兵，在非洲的苦难日子让他对再残忍的现实也有了很强的心理承受力，但现在他捏着由广州路83号、85号内住着的难民们写给他和国际委员会的信，无法平静了。

致南京难民区国际委员会：

我们这些签署本信的540名难民被安置在广州路83号和85号，拥挤不堪。

本月的13日到17日，我们的房子多次遭到三五成群的日本士兵的搜查和抢劫，今天日本士兵又不断地来抢劫。我们所有的首饰、钱财、手表和各类衣服都被抢劫一空。每天夜里都有年轻妇女被抢走，日本人用卡车把她们拉走，第二天早晨才放她们回来。到目前为止，有30多名妇女和姑娘被强奸。妇女和儿童的呼喊声日夜不绝于耳。这里的情况已经到了语言无法形容的地步。请救救我们！

难民

1937年12月18日

老实说，这份由难民们自己写给国际委员会的信中所述内容，对拉贝来说，并非骇人听闻，问题的关键是：吃得太多苦的中国人一向不善言表，他们即使受尽非人的苦难甚至是死亡，一般也不会向人诉求，似乎一切都必须容忍。太多的血泪和苦难，让市民们变得麻木。而在这种麻木中，在无路可寻的情形下，有人竟然向拉贝他们这些“洋鬼子”求助，并且是带着完全沙哑的哭腔在乞求帮助，还能有比这更凄惨的吗？

一向冷冷的拉贝，看着这封信，泪流满面。他自责没能保护好他的“臣民”，尤其是妇女和儿童——因为他现在是“南京市市长”，中国人也早已认可这一点，所以拉贝更加觉得无法原谅自己。

“一个失职者无权为自己辩护。”拉贝坚持这样认为。

很少有人见过拉贝独自掉泪。这一天韩湘琳发现拉贝先生的眼睛红红的，长时间地伏在办公桌上哭泣，并且有时哭得双肩都在颤动。

“日本人！总有一天我要把你们的罪行让全世界人都知道！”拉贝一次次地诅咒魔鬼。

前些日子，拉贝为了急于保护数以万计的中国男人——因为在日本兵的眼里，几乎所有在南京城内活着的成年男人都是中国军人，而这个数字足足可以让南京城再一次血流成河，故而拉贝必须全力以赴挺身而出保护他们。现在他发现，自己过去的几天里，做对了一件事，却犯了另一个错——救了许多男人，但有无数女人被日本兵强奸、轮奸甚至杀害了……

这笔账一定要算。国际委员会成员们从安全区汇总来的报告让拉贝感到触目惊心：

13 日，约 30 名日本兵出现在门东新路口 5 号企图进入。姓哈的房主人是位伊斯兰教徒，他刚刚打开门，就被日本兵的左轮枪打死。另一位姓夏的先生跪在日本兵面前恳求他们不要杀害其他居民，也惨遭同样的命运。哈的太太质问日本兵为什么要杀害她丈夫，结果被“砰”的一枪结束了生命。先前抱着 1 岁孩子逃到客厅里的夏太太，被日本兵从桌子底下拖出来，她的孩子被刺刀刺死，夏太太则被十几个日本兵强奸和轮奸，然后她的阴道里被塞进一个瓶子，夏太太的下身血流如注，痛得满地打滚，日本人则在一旁继续强奸夏太太的婆婆和两个女儿。夏太太的婆婆想劝阻日本兵不要强奸她的孙女，结果被打死，被刺刀猛刺其下身。夏太太的大女儿 16 岁，被日本兵强奸后用刺刀刺死了，并被一根木棍插进她的阴道。14 岁的二女儿最后也被残暴地杀死。夏太太的公公因为救自己 74 岁的老婆，挨了日本兵五刺刀死亡。日本兵后来又在房子里发现了哈先生的两个小男孩，一个 4 岁、一个 2 岁，日本兵将大男孩用刺刀刺死，2 岁小孩的脑袋则被军刀劈开……这个房子里，只留下两个七八岁的小女孩，因为当时吓昏过去了，躲在隔壁的房间才免于遇难。

13 日上午，47 岁的朱女士，她的丈夫 9 年前已经死了，朱女士带着母亲和 10 岁的女儿住在离南门不远的一条很偏僻的街上。这一天日本兵闯入她家，抢走了她丈夫给她留的所有钱财，14、15 日，日本兵每天要去她家 10 至 20 次，朱女士因此被强奸达 20 多次。女儿和母亲也遭受同样命运。15 日后城南开始燃起大火，朱女士带着老母亲和女儿向城北逃跑，在离家不远处，老母亲走失。朱女士和女儿一路走着，又被日本兵多次强奸，母女俩悲痛万分，一并跳进了路旁的一口井里，幸运的是那口井很浅，她们在井里安全地待了一天，最后是路过的一位商贩发现并救了她们。16 日，母女俩进了安全区，才算活了下来。然而安全区并不安全，当晚 3 个日本兵又将朱女士强奸了，其中一个家伙还逼迫她张开嘴巴吞下他生殖器上的污秽物……

“恶心！人类历史上最恶心的事！拉贝先生，你不用看一个个具体的案例了，我这儿全部详细记录都有。”斯迈思抱来厚厚的一叠材料，他说他已经把各个委员从安全区内收集的日军暴行事件记录在案。“从 14 日开始，至少每天有 1 000 名以上的妇女被日本兵强奸或轮奸，这个数字还不包括大量我们没有发现和统计到的……”

“昨晚在我旁边的一栋房子里，发生了同样的事。那房子里面有个防空洞内藏了 20 多个妇女，几个日本兵闯了进去，拉出其中的几名妇女正在实施强暴时，有人跑到我们这边报告了，我们的哈茨就立即赶过去，这才把几个畜生赶了出来。斯迈思，你说我们怎么办？”拉贝摘下眼镜，用纸擦了擦眼镜，然后看着“智多星”——斯迈思。“有什么新的建议？我们必须立即制止日本兵的这种兽行！”

“还能有什么新的建议？日本人根本不会理睬我们美国人的任何建议。除非你——尊敬的德国人拉贝先生外，他们蔑视所有的人。”斯迈思耸耸双肩，一时无计可施。

“无论如何，福田先生还是一个可以为我们说些话的日本朋友，我们必须把新的抗议书送达他的手上，再希望他尽快转交给日军指挥官。目前最关键的是要在安全区内的 8 个妇女比较集中的地区让日本指挥官派他们的宪兵来保护。这是当务之急。”拉贝说。

斯迈思想了想，说：“这也是唯一的办法了！可据我所知，目前整个南京城里，日本军队只派出了 18 个宪兵，他们却要看住几万人的战友……”

拉贝摇头：“分明是他们的长官在放纵属下奸淫强暴、烧杀抢夺！明天我跟你们一起到他们的使馆去。”

但是第二天即 19 日上午，拉贝没有去成，因为当晚他的院子里差点发生了危险事情：6 个日本兵像贼似的爬过围墙，跳进了院内，想再从里面打开院门，好让院外更多的日本兵进院……

“日本人进来啦！”

“救命呀——！”突然，院子内哭的喊的闹成一团。

“八格牙路的！”日本兵生气地冲着那些叫喊的人拳打脚踢起来。情况万分危急时，拉贝出现在日本兵面前，他用电筒扫了一遍，然而直照在其中的一个日本兵脸上。

“八格！”那日本兵愤怒地从腰际拔出手枪，对准拉贝，“你的什么的干活？皇军的要花姑娘！你的滚蛋的！”

拉贝用英语骂道：“畜生！我是德国人！你——好好地看看这个标志！”他把纳粹袖章在那个日本兵面前晃了晃，随后又在所有日本兵面前晃了一遍，又怒斥道：“这是我的院子！我们的元首赋予我保护它的权利！你们如果不想找麻烦，就请立即从院子里出去！”

那个日本兵看见拉贝的纳粹袖章，一下愣住了，随后收起了手枪，朝一同跳进院子的另外5个伙伴挥挥手，向大门走去。

“不行，你们从什么地方来的，就请从什么地方出去！”拉贝一个箭步，上前拦住日本兵，用手指指围墙，示意日本兵爬墙出去。

后来的一幕实在让院子里所有中国难民也包括国际委员会成员欢欣鼓舞了一番——6个日本兵狼狈不堪地在拉贝的手电筒照射下从高高的围墙上连爬带滚地跳了出去。

“哈哈哈……拉贝先生，你是唯一能让日本兵滚爬着出去的人！太伟大了！德国人万岁！”韩湘琳和所有在院子里避难的中国人向拉贝又是磕头又是欢呼。

国际委员会的美国人、英国人无一不向拉贝竖大拇指。难得一笑的拉贝，这回站在梧桐树下扬扬得意了一番。他指指一人多高的围墙，说：“假如它再高出一米，他们恐怕即便能进得来，也不好再爬着出去！”

拉贝的话再度引得满院哄笑。这一天发生在小粉桥1号的故事，如同一曲经典小调，在拉贝的当天日记里和许多国际委员会成员们所留下的宝贵史料中都有记载。

但，当时的南京城毕竟已经是日本人的天下了，无恶不作的日本兵会轻易饶了令他们屈辱的“洋市长”？

“无论如何，拉贝先生您今天不能离开这个院子，小日本可不好惹，他们一定记恨在心，必定找机会来报复。这个院子里现在已经有200多位妇女，她们的命可全仗着您老了啊！”韩湘琳在听了难民的一片担心声后，向拉贝恳求道。

“可是……我是国际委员会的主席，我要对整个安全区的20万人负责。今天是约好要去见日本使馆人员的，这可怎么办呢？”拉贝搓着手，很是着急。

“拉贝先生，你不能走啊，你一走日本人再跳进来，非把我们全杀了呀！”拉贝正在犹豫之际，突然脚跟前围了几圈妇女和儿童，哭哭啼啼地跪在地上向他乞求着。

“上帝！”拉贝暗暗叫苦一声。只见他仰天一叹，双手从空中向下一掷，说：“好吧，今天我在家里给你们当守卫！”

“好人！大好人！”

“拉贝先生大好人！”

“好人拉贝”从此在南京市民中叫开，并且不断地流传开来。

此刻的日本大使馆内，斯迈思和贝德士、医生威尔逊等正向福田参赞等日方外交官递交两封事先准备好的“意见信”——在日本人面前他们不敢说“抗议信”，其实就是彻彻底底、名副其实的抗议书。

一封是威尔逊作为医生的“抗议信”。他“抗议”了18日夜在他所在医院发生的事：

> 在此请允许我向贵方指出12月18日夜间发生在大学医院的事件。这所医院里除了有医护人员和员工，还有150多名病人。这所医院以前曾经享有特权，为日本大使馆的工作人员提供医疗护理。
>
> 晚上将近8时的时候，3名日本士兵从医院的一个后门闯入，放肆地在医院的走廊里跑来跑去。医院65岁的护士海因兹小姐接待并陪同了这些闯入者，尽管海因兹小姐一再声明她的手表属于私人财产，他们仍然抢走了她的手表。此外被偷走的还有6块怀表和3支钢笔。3人中有2人离开了医院，而另外一人则不知跑到什么地方去了。
>
> 晚上9时15分的时候医院方面得知，剩下的那个日本士兵强行闯进了护士的寝室。我对这间房进行了检查，发现这个日本士兵和6个护士在房间里。当我赶到时，其中有3名护士已经被强奸。全体护理人员对此感到极大的震惊。
>
> 我们原先一直以为，医院能受到保护，免遭这类事件的侵扰，因此没有急于向贵方提出要求给予特殊保护。现在我们不得不提出这种要求，并请求在医院的入口处设置岗哨，或采取其他措施，防止这类暴行再次发生！

威尔逊，这位哈佛医学院毕业的博士，1936年获准到南京金陵大学医院工作，南京沦陷时，他是全南京城唯一留下来的一名外科医生，经历了大屠杀现场。威尔逊先生作为医生，其实从1937年八九月份开始，他一直在从事救治中国伤员的紧张医务工作。日本军队进城之后的日子里，威尔逊看到了无数平民和放下武器的军人惨遭日军野蛮和残暴的枪杀而致死、致伤的案例。这一天他向日本大使馆提交的“抗议书”，仅仅是因为拉贝先生临时通知他“准备一份最新现场材料”而完成的一份简单材料。事实上，在18日晚，威尔逊给他家人写的一封信则比较完整地记录了日军从13日至18日这一周中犯下的暴行。威尔逊这样告诉家人——

今天是当代但丁炼狱的第六天，是用血腥和淫秽的大字写成的。大批人被屠杀，成千上万妇女被强奸。看来没有任何力量能阻止这些野兽们的残暴、淫欲和野蛮。开始我对日本兵笑脸相迎，免得惹起他们的愤怒，但微笑渐渐就不起作用了，我的目光也像他们一样变得冷漠和怀疑。

晚饭后我返回住所时，发现三个士兵已经仔细搜查过这个地方。海因兹小姐（67岁的美国女护士——笔者注）陪着他们去后门。有两个家伙到了那儿，另一个却不见了。他一定是藏在附近哪个地方。我给外面的其他人打手势，明确告诉他们这是美国医院。你们怎么能这样呢？那两个家伙允许把他们领出去。他们抢走海因兹小姐和其他人的手表，还抢走了一些钢笔。

让我讲述在前两天所发生的一些事。昨夜，大学（指金陵大学）的一位中国教员的住宅被捣毁，他的两位亲属被强奸。一所难民营里的两位大约16岁的女孩被强奸致死。在金大附中有8 000名难民，昨晚日本兵翻墙进去10次，抢劫食物、衣服并强奸妇女直到他们满足。他们用刺刀捅死了一个小男孩。上午，我花了一个半小时为另一个8岁男孩做了缝补手术，他被刺了5刀，其中一刀刺穿了他的肚子，一部分腹膜流了出来。我想他能存活。

我快步走出去，因为发现了第三个日本兵。他正在护士宿舍的四楼，那里住着15位护士。她们一生中的这一刻给她们留下了永远的创伤。我不知道在我赶去之前他已侮辱了多少姑娘，但在我来到之后，他就没再做任何事。他拿了一只或两只手表，还想带走姑娘们的照相机。我让他把照相机还给姑娘，让我惊奇的是他居然还了。然后我陪他去前门，并和他“深情地”告别。不幸的是，他对我的注视并不领情。先前来的一名士兵耍弄着他那支令人恐惧的手枪，我很感激他没开火。

今天我收治了一位有3处子弹孔的男人，他是80人中唯一的幸存者，80人中包括一个11岁的男孩。他们被从所谓“安全区”的二幢房屋带到西藏路西边的山坡上，在那里被屠杀了。日本兵离开后他苏醒过来，发现周围 79 人全死了。他的 3 处子弹伤得不太严重。说句公道话，在这 80 人中只有几个是前军人。

这儿有个女孩子，我认为是个因出生而致伤的弱智人。她除了用手去抓抢她仅有的被子的日本兵以外，没有任何理智，但得到的结果是被军刀砍掉了颈部一边一半的肌肉。

另一个 17 岁的姑娘，颈部有一道可怕的又深又长的伤口，她是她家中唯一的幸存者，其他人都被杀死了。她是南京和记有限公司的雇员。

我查看完我所照料的 150 名病人后，离开医院回去吃晚饭，一轮圆月从紫金山上徐徐升起，夜色非常美丽，简直无法形容。但这时月光下的南京城却是太平天国以来最荒凉的时期。城市的十分之九被中国人抛弃，街上游荡的日本士兵四处抢劫。剩下的十分之一地区将近有 20 万惊恐的市民。

……难民在不久的将来将面临饥饿，冬天的燃料也没有着落。这不是我们期望的令人愉快的冬天。

1937 年 12 月的南京，迎来格外寒冷的冬天。尤其是在日军占领后的第一个星期里，南京市民们所受的苦难被威尔逊比作是“当代但丁”炼狱的一周，这一点也不过分。

在日本外交官面前，另一位美国人斯迈思所交的抗议书其火药味就更浓了，因为他递给日方的是一份列举了 54 起日军在安全区内所犯的奸情的报告——之前他和拉贝已经上交过 16 起案例。用事实说话，让细节做证，这是西方人在二战甚至更遥远的历史过程中一直采取的战胜对手的武器之一。

面对肮脏血腥的强奸、轮奸还有残暴、别出心裁的奸杀行为，一向十分傲慢和强词夺理的日方官员，也无奈地在斯迈思、威尔逊面前频频摇头。

“我们一定转告军方，希望他们严整军纪。”福田说。

“拉贝先生为了保护他院子里的 300 多名妇女和孩子，他不能在危难之际离开他们，所以今天没有能出席我们的会晤，在此我代他向你们表示歉意。而拉贝先生和我们一样，寄希望于贵方能满足刚才威尔逊先生提出的请求，在他所在的医院的入口处以及我们昨天提供的清单上列出的 18 个收容所的入口处设置岗哨，这样在洗掠抢夺的汪洋中，至少我们可以开辟出 19 个安全岛，向三分之一或四分之一的居民提供保护。”斯迈思向日方力争。

日方口头表示考虑，然而拉贝他们后来发现：日本人根本没有履行承诺，偌大的南京城包括安全区与医院附近在内，仅有十几个日本宪兵，而且这些宪兵本身就没有像样的在履行职责，故而放纵的日军变本加厉地到处“找花姑娘”，行兽性，杀无辜。

就在斯迈思等从日本大使馆出来的路上，他们正准备去金陵大学附中核实前一天晚上被日军拖走的 3 名女学生（其中有一名女学生在被拖走之前就被 3 个日本兵在门口轮奸）的案情时，发现美国的布洛姆莱小姐被 3 名日本兵押着。

“他们连美国姑娘都敢欺负啊！”斯迈思、菲奇等路见不平，拔刀相助。

“你们想干什么？”斯迈思从车子上跳下，朝日本兵冲过去，挡在他们的面前责问。

“八格牙路！”日本兵显然愤怒了，两把枪刺对准了斯迈思和菲奇。

“我们要求布洛姆莱小姐上我们的车。”斯迈思说，“她是我们美国人！”

“不行！”日本兵坚决反对。

“那好，你们如果坚持的话，我们一起到你们的大使馆去解决。”斯迈思的话起了作用。

菲奇趁机将早已吓得连话都说不利索的布洛姆莱小姐拉上他们的汽车。但日本兵依然不罢休，企图用战马拦住斯迈思他们的汽车，偏偏那些马不争气，见了马达隆隆的汽车发怵，结果斯迈思他们成功地搭救了布洛姆莱小姐。

“岂有此理！他们应当对这样的事件负责！”斯迈思认为，日军的无法无天必须让他们的使馆了解，于是他们又驾车到了日本使馆，向田中大使提出强烈抗议。

田中大使直皱眉头，喃喃道：“我们对贵国公民的安全是有保障的。”

“大使先生你认为现在的南京城里有什么地方可以让布洛姆莱小姐安全地安置下来？”斯迈思问。

“这个……”田中大使窘迫不堪，最后说：“还是你们自己将这位小姐安置吧。”

还有比这样的国家更无耻的吗？斯迈思一行离开日本大使馆后，一路气愤地诉说着，因为眼前满街的烧杀抢淫，活生生地告诉这些异国见证者：日本侵略军和纵容他们的日本政府已经完全不把南京人民当作人对待，而在这样的无节制的烧杀抢淫过程中，日本军人也实实在在地将自己变成了一个个魔鬼和恶棍。

把布洛姆莱小姐送到大学医院安置好后，斯迈思一行驶车准备到拉贝住处向这位“南京市长”汇报。一路上，他们的车子不断被求救的中国人拦住，不是向他们申诉日军的暴行，就是哭喊着求他们去救人……十几分钟的路，结果快到傍晚他们才与拉贝见面。

就在这时，威尔逊医院那边又传来一件更让这些国际委员会成员悲愤的事：一个怀孕6个半月的19岁姑娘，因为反抗日本兵的强暴，面部被砍18刀，腿部还有多处伤口，其腹部被军刀刺破一道深深的口子。姑娘生命垂危，腹里的婴儿流产……

令人发指！发指！拉贝听后，与斯迈思等一起赶到医院看望这姑娘，威尔逊正在全力抢救她……“你们还是不要看的好，太惨了！”外科医生出身的威尔逊这样劝拉贝等，他说从8月份以来，他看过数以千计的伤员，但这个姑娘挨的刀是最多的。“上帝看了也会颤抖的。”医生喃喃道。

这个当时19岁的姑娘叫李秀英，她在威尔逊和拉贝等人的全力抢救下，奇迹般地活了下来，后来她成为了南京大屠杀的重要见证者，曾经与朱成山馆长一起到过日本，用她的亲身经历向日本人民控诉了当年日军的暴行。

1999年9月8日，时年已至80岁的李秀英老人，在南京大屠杀遇难同胞纪念馆接受了德国学者哈璐特博士的采访，她为远道而来的拉贝研究者讲述了自己惨遭日兵残暴的情形和承恩于拉贝的亲身经历——

我于1919年2月24日出生。13岁的时候我的妈妈死了，以后我在家里带我的弟弟。1937年的时候我结了婚，我的爱人在上海做打字员。上海淞沪大战开打后，我打算回到南京。当时我准备过江，但那时候南京没有长江大桥，过江只能用小船划着过江，很危险。那时候我已怀孕6个多月了，所以船工不愿意带我走，因为我肚子大不能动，怕给他们带来麻烦。后来在一次次哀求下，他们才答应把我送过了江。

日本人进城后，南京的一些外国人组成了一个安全区，范围很大，我们老百姓都认为安全区是安全的，日本人不敢来欺负我们。哪里知道日本人进城以后就把机枪架在安全区的十字路口，不管是谁，一看见就开枪，或者用枪扫射，老百姓害怕得马上就乱了。日本人坏透了，他们看见远的人就用机枪打，走近的人就用刀刺。在安全区里就是这样。他们看见妇女就掳，狂得不得了！

当时我们在安全区住的地方就是现在的体育馆一带，那个地方以前是外国人办的学校。我们住在学校的房子底下，里面原来是储藏室，还放着桌子，我们进去后就把桌子等搬出来便住在了里面。

日本人是13号进南京的，18号的时候日本人来到了我们的地下室。18号下午抓了一些年轻男子出去。上面有几个老人准备了一些帐篷，每天做饭，早上天亮的时候我们吃饭，到了晚上日本人看不见的时候我们再上去吃东西。一天只吃两顿。一听到日本人来了，大家就会把老人和孩子推到前面，我们妇女躲在后面。

19号早上天一亮，那些老人把饭做好了给我们送下来，然后把门关上，再用椅子和桌子堵上。刚吃过早饭，我们就听见日本人的脚步声，大家都很紧张。日本人来了是要抓年轻的女人，我一看就知道不好，因为我是一个大肚子，没有力气跑掉，于是我就把我的头撞到墙上，结果昏倒在地。日本人就抓了另外几个年轻的妇女。他们走了以后，一个老人把我弄醒了，然后我仍然躺在床上睡觉。那个床很矮。那个时候我们没有手表也没有钟，房间里面什么也没有，也没有灯，很暗。冬天的白天时间很短，天黑得很早，我们的地下室只有小窗子那里有一点亮光。那一天晚上又来了日本人，几个老人看见日本人来了就叫我起来，他们说这个地方不能睡了，快起来吧。但是那个时候我的头刚刚撞过墙，头上有一个大伤口，所以我不想起来。因为我知道出去也是死，反正是准备死了，干脆不动。这时候进来两个日本兵，一个人各抓一个年轻妇女住外拖。当时我躺在床上，其他难民对日本人说我是个病人，那个日本兵看了看我头上的伤口，信了，就走了。可是还有别的日本兵没有走，他扑过来要动手扒我衣服，我知道逃不脱，就在他不注意的时候顺手把他腰间的刀拔了出来，然后我一翻身就坐起来背靠墙站着。那日本兵根本没有想到我一个女人竟敢这样做，他吓坏了，扑过来抓住我拿刀的手死死不放。但小鬼子个子还不如我高，所以我就把他的领子拉着，然后我就咬他的胳膊，他疼得哇哇直叫。这时候，一同来的另外两个日本兵听见了，就把他们手中的两个女人扔下后，端着枪刺就直奔过来，朝我腿上就刺，但我宁死也不放被我拎住领子的那个鬼子。那两个鬼子就拼命地用刀戳我的腿，见我仍然不放手，就用刀向我的脸上戳，顿时我脸上的血哗哗地直流，开始是眼睛看不见，后来又觉得肚子上猛的一阵痛，就再也不知道后面发生了啥事……

到现在已经60多年了。你看我的脸上，我的脸上外面已经缝起来了，但是里面没有缝。

估计当时日本兵以为我死了，加上当时天也很黑，什么也看不见，他们就灰溜溜地跑了。他们走了以后，我父亲回来了，那个时候我们的家离五台山也不太远，他正好趁天黑回来吃点东西和拿换洗衣服。一进屋我父亲就吓坏了，旁人告诉我父亲，说你女儿跟日本人打了起来，被他们刺死了。当时我满脸浑身是血，大家都认为我死了。父亲摸摸我，见我没有气息，也以为我肯定死了。之后有两个老人开始准备把我埋掉，他们用门板把我抬出了屋。那个时候因为冬天，外面很冷，结果我的嘴里还在呼呼地吐血。这两个老人一看，说我没有死，还有气，于是他们就把我送到了鼓楼医院……当时鼓楼医院是美国人开的，送到了医院以后，有一个外国医生来看我，把我的脸缝了起来。后来我知道这个医生就是威尔逊大人，他是我的救命恩人。

我肚里的小孩弄出来就死了。那个时候，有一个传教士叫约翰·马吉，他听说有一个被戳了37刀、小孩已经流产的女人还活着，就带了照相机，对我拍了几张照片。

当时医院里每天来的受伤的人很多，住不下。等我伤势稳定后，他们要我出院。但我没家呀，怎么办？后来是马吉先生和拉贝他们帮我在安全区找了个比较好一点的地方安置了下来。

安全区是拉贝当主席，大家都知道他是个德国好人。拉贝住的地方和附近有很多中国人住在那里，他们一有什么事就喊拉贝来挡驾，日本人很怕他。那个时候，我们也不知道拉贝是啥纳粹党员。在我们心目中，不管他是不是纳粹党员，这跟我们没有关系，反正他是好人。我们南京人记得他，谢他。中国人就是这样：你做一点好事，我们报答你十倍。那个时候能够和日本人打交道的人不多，如果没有拉贝不知道要死多少中国人。

“好人拉贝”是南京人自大屠杀之后几十年来一直广为流传的一句话。其实，“好人拉贝”，既是对拉贝本人的赞誉，也是对拉贝领导的所有留守在南京参与拯救中国难民的外籍友好人士的赞誉。

“好人拉贝”如一首经典歌曲，在南京市民口中传唱了几十年，这也确确实实再次证明了以拉贝为代表的国际委员会成员们在日军占领南京期间所做的卓著贡献。

然而，当年拉贝他们在面对日本军队疯狂和野蛮的屠刀时所要做的每一件事，其实远比我们想象的要艰难得多，光说“冒着生命危险”是不够的，拉贝他们清楚，整个南京城仅安全区内，他们20多个人就承担起了照顾20余万难民的责任，而散落在安全区外的市民又有多少呢？基督教教义和人的良心告诉他们：凡是受难者，凡是自我无力生存者，凡是受到野兽般侵袭者，他们都有天然的来自上帝召唤的责任去保护。自己死了何足惧？然而更多的平民和受难者怎么办？所以拉贝他们既要保护好所有可能保护好的难民，同时也不能让自己有所闪失，否则会有几倍、几十倍，甚至几百、几千倍于自己的生命将被涂炭——日本军队屠刀下的生灵遭灭亡。

拉贝他们知道，与日本人打交道，除了勇敢，还必须有智慧，还必须有超常的努力和奋争。

为了让妇女们尽可能地少被日兵官兵强暴，拉贝等决定：把分散在安全区各个地方的妇女们尽量转移到金陵大学来，把这些数以万计的妇女保护在自己的眼皮底下，这样日本兵就不敢胆大妄为，至少收敛些吧！

如此行动并不容易，首先是不能让日本官兵有所感觉是拉贝他们着意这么做——如果一旦明目张胆行动，兽性已盛的日本兵会以为拉贝他们是有意绝断他们“找花姑娘”的欲念，那一定会有大麻烦。即使如此，国际委员会成员之一的里格斯先生在汉口路28号转移妇女时，遇上了急于要“找花姑娘”的日本兵，争执之中，有1人被日军打死，4人受伤。斯迈思等在汉口路19号转移妇女时，发现正有4名日本兵在强奸一群妇女。斯迈思等洋人在一旁怒骂或有意弄些骇人的声响，结果把日本兵气跑了。斯迈思等又迅速将这群妇女转移到了安全地方。

日军在占领南京期间，到底强暴和杀害了多少妇女，其实连细心记录案件的拉贝等也难以搞清。斯迈思的“奸情报告”有400多例案件，而这也仅仅是日军强暴妇女的冰山一角。漏记与未报的还有多少？斯迈思自己估计至少有几倍数之上，因为这400多例只是他们国际委员会成员的所见所闻。英国《孟却斯德导报》记者田伯烈说的“至少2万以上”妇女被奸，其实也仅仅是粗略的数字。而且从时间上看，到1938年2月份拉贝走了之后，仍有大量日军到处奸淫残害中国妇女。不过，必须十分肯定地承认，如果没有拉贝他们竭尽全力、每天东奔西跑地出面制止，一次次到日本使馆甚至官方最高人物松井石根面前抗议，那么被强奸、轮奸和杀害的中国妇女将至少比田伯烈所估计的“2万以上”要高出几倍……

拉贝等洋人们对南京妇女们的救命之恩可与不尽的长江水相比，下一章还将专门叙述另一位杰出人物在这一方面的特殊贡献。这是后话。

我们现在再来看拉贝等洋人所做的另一个巨大贡献——

23.“洋菩萨”

毫无疑问，拉贝等动议设置安全区的目的，不仅仅是为了保护妇女和孩子，而是要保护所有遭受日军暴行的南京难民们。

这谈何容易！

20余个洋人，20多万难民，面对的是数万发了疯的持屠刀的日本鬼子——拉贝他们面临的是怎样的一种局面？

时至1937年圣诞节前夕，南京城里的日本军队开始了新一轮的疯狂：到处纵火焚烧这座千年名城。

那些日子里，不管是白天还是夜间，南京城到处火光冲天。难民们不明白为什么没有了日军飞机的轰炸，怎还会处处熊熊大火？原来是日本人在到处焚烧。

为什么要焚烧？开始大家不明白，后来终于有人揭开这一谜底：原来不断有西方记者通过种种渠道，或多或少地报道了日本在南京大屠杀的真相，日方有了压力，于是为了掩饰他们的大屠杀罪行，来了个彻底的“焚烧计划”，即将血流成河、抢劫掠夺、遍地奸情的罪证，统统借火一把抹尽……

“夜里2时30分，我被院墙倒塌声和屋顶坍塌声惊醒，大火已经蔓延到了主要街道中山路。这个时候危险是很大的，因为大火会蔓延到我的住处和中山路之间的最后一排房子……”这是拉贝在21日的日记中描述的一段话。从中可一窥当时日军疯狂焚烧南京城的罪恶场景。

为了顾及美国使馆和美国人在南京的一些财产，12月20日，由斯迈思、威尔逊、马吉等14名当时留在南京的美国人联名向美国驻上海总领事发去了一份紧急电报：

问题严重，急需在南京派驻美国外交代表！

话仅有一句，但足以表达美国人的严重恐惧与极度焦虑。公然抢劫大使，撕毁美国国旗，焚烧美国人财产，甚至对教堂等场所实施同样的抢劫与焚烧……日军无恶不作，即使是德国的使馆和德国人的私人住宅，日军照样“不给面子”。更何况让日本人不爽的美国人了！

笔者从史料中查阅到当年在日军占领南京后美国政府派往南京的外交官了解日军侵犯美使馆财产及美国公民人身安全的情况资料，看到了美国外交官爱利生先生向美国国务院有多份报告。其中一份报告里详尽描述了一天时间内的日军侵扰活动：“从昨天中午到今天中午，已有15件涉及日军擅自闯入美国人房产的事件报告到大使馆。擅自闯入的过程中除了抢走美国公民及机构的财产外，还强行将住在上述房屋里的10名中国女难民掳掠。最近的一次，也是最声名狼藉的事件，发生在今天上午：日本兵驾驶两辆卡车闯入属于统一基督教会的大院，搬走一架钢琴和其他财物。搬钢琴时，他们毁坏了一大段院墙……”

国际委员会则有一个记录南京城西南部双塘一天24小时内惨遭日军13次侵袭的报告：

13:50　3个日本士兵拉走并强奸一名妇女。

14:10　1个日本士兵带走3个中国人去干活。

14:30　4个日本士兵来收容所四处乱看，20分钟后离开。

15:25　3个日本士兵带走10个中国人去干活。

16:10　3个日本士兵把一名妇女拉到一所大门外面但仍属于收容所的小屋里强奸。

16:40　2个日本士兵闯入收容所找姑娘，找个15分钟后离去。

17:05　3个日本士兵闯入大楼，把所有物品扔得乱七八糟，20分钟后离去。

18:35　2个日本士兵要求2个难民为他们弄到姑娘，当这2个男子拒绝他们的要求时遭到了殴打。

23:00　3个日本士兵翻越围墙，抓到2名妇女并把她们拉走。

1938年1月7日：

10:00　1个日本士兵闯进收容所四处乱看，10分钟后离去。

10:15　1个带着武器的日本士兵来寻找姑娘，但未能如愿而离去。

10:30　3个日本士兵来拉姑娘，没有拉到，但是拿跑了门卫的棉鞋，给他留下了他们的旧鞋。

10:50　1个日本士兵闯进大楼，把所有物品扔得乱七八糟，10分钟后离去。

贝德士先生是金陵大学的美籍教授，他在日本占领南京后，就曾为日军闯入大学校园和他及其他美国人士的住宅施暴共给日本大使馆写了13封抗议书。其中12月15日的抗议书这样说：

“在我们照管1 500名老百姓的新建的图书馆里，4名妇女遭强奸;2名被劫持、强奸后放回;3名妇女被劫持走，尚未回来;1名妇女遭劫持，但因在你们的使馆附近碰上宪兵而放了回来。日本兵的行径给这些家庭、给他们的邻居、给住在城市这一带的所有中国人带来极大的痛苦与恐惧。今天下午又有100多起发生在安全区其他地方的类似案件报告给我。这些案件现在不该由我来管，但是我提及这些案件是为了显示在你们近邻金陵大学发生的问题只是日本兵抢劫、强奸老百姓造成巨大苦难的一个例证……”

美国大使馆的馆舍也没有逃脱日军的骚扰。12月的一天日本兵曾闯入馆内抢走3辆汽车、5辆自行车，并把使馆人员的钱财物抢走无数。日本兵甚至用枪刺顶住大使馆秘书的脖子，令其打开门，并企图在现场强奸中国妇女。其间撕毁和脚踩美国国旗的事件发生数起。更让美国人不可接受的是：当美国外交家爱利生到日本大使馆去提抗议时，还遭到日本人扇耳光。

“美国人确实是难受极了。到目前为止我很有派头地指一下我的纳粹袖章、我的党徽以及我房子和汽车上的德国国旗还能起到相应的作用，还能奏效（太捧了），但是日本人对美国人就丝毫不理会。”拉贝有些得意地嘲笑和同情美国朋友。

19日这一天，在鼓楼医院，美国特里默大夫和麦卡勒姆牧师因为与日本人发生争执，日本兵开枪差点把这两人打死打伤。这事在国际委员会成员中引起极大恐慌。

“拉贝先生，你们认真想想：我们目前尚能控制局面的‘假象’到底还能维持多长时间？这是斯迈思认真而严肃地提出来的。他进而说：“如果难民区里的一个中国人打死了一个正在强奸他妻子或女儿的日本兵，那么局面就会失控，我们这些人能否阻止日本兵更大的屠杀？”

这个问题让包括拉贝在内的国际委员会的成员们沉默无言。是啊，假如这样，安全区还有安全吗？我们所有的努力还有意义吗？而并非没有出现中国人看到自己的妻子或女儿被强奸后奋起反抗杀死日本人的……拉贝他们不敢吭声：因为他们就见过这样的事——有一次他们赶到一个地方去帮助一对正在被日本兵强暴的母女时，发现那两个日本兵被这对母女家的男人们杀死了。这还了得！国际委员会的人知道惹大麻烦了，他们将死掉了的日本兵扔在里屋，然后劝这家人赶紧逃跑，见四周没有人了，他们点了一把火，将这座房子连同那两个日本兵一起烧个了精光。

拉贝他们对此事守口如瓶，日方曾向他们询问过。“不知道。从没听说过。”他们摇晃脑袋时的“真诚感”让日本人无法判定到底是真是假。总而言之是躲过了一劫。

但这并不代表整个可能恶化了的局面。小心翼翼、千方百计实施保护难民行动，才是拉贝他们的聪明之处，也是他们顶着巨大压力和冒着生命危险的出发点。

圣夜清，圣夜静，
救主耶稣今降生。
博爱、牺牲、公义、和平，
圣容赫华犹如日初升。

恩光辉耀，照彻乾坤。

阿门！

1937 年 12 月那个寒冷的冬季，这曲《圣夜静歌》，终在南京著名的基督教圣保罗教堂（简称圣保罗堂）内传出，它高昂中带几分凄婉，随着日军进城后的日子渐久，这《圣夜静歌》也变得那么悲愤——悲愤这世界本应该多一些博爱、仁慈与和平、公义，然而现在只有一样东西还留着，那就是：牺牲。

为谁而牺牲？牺牲谁？圣主是为普天黎民与教徒们牺牲，教徒们为捍卫正义和公义而牺牲，这牺牲便是基督教价值的核心——博爱。

笔者无意传播和宣扬基督教教义，然而在战争与死亡面前，当年留在南京城的那些包括拉贝在内的洋基督教徒们，他们的牺牲精神和对异国他乡的难民如此奉献，就是因为内心有强大的博爱信仰。

说到南京的圣保罗堂，笔者不能不说到一个人，他叫福斯特。这位 1895 年生于美国宾州、毕业于普林斯顿大学的传教士，1920 年左右来到中国，先在扬州马汉学校任教。1936 年福斯特与美国著名律师汤森的女儿克拉丽莎结婚，夫妻俩在南京沦陷前的一个月到了南京城的圣保罗堂工作。战前的圣保罗堂非常气派，当时造价就达 1.2 万美元。这座朴素典雅的教堂后成为南京一景，为基督教开展教义活动的重要场所。

虔诚博爱的洋基督教传教士福斯特来到南京后，住在中国饭店对面。日军在 1937 年 12 月初就对南京进行大轰炸，中国饭店也被炸得遍体是伤，炮弹碎片将福斯特家的大门撞出两个大窟窿。12 月 14 日，圣保罗教堂也被日军轰炸，损坏严重。安全区成立，福斯特传教士加入了国际委员会。他遵照拉贝主席等指示，坚守在自己的岗位上，每天像守护神似的把着大门，严防日本兵侵入。但手无寸铁的传教士，怎能抵挡强盗入侵？每每此时，福斯特总竭尽全力与日本人周旋力争，也正是他的勇敢无畏多次让日本兵望而生畏。可福斯特一走，日本兵就偷偷闯入，并且当众强奸妇女。有位福音传道士卢先生，当时 40 来岁，文静温和又慈祥，可眼前日军的残暴，让他内心万般痛苦，每天嘴里不停地念着“恶魔降临到人间”、“恶魔降临到人间”……福斯特劝慰他，但仍然无用。不日，卢传道士投河自尽。福斯特发动教徒们到处寻找，几天后才在水塘中找到遗体。福斯特怀着悲痛给卢传道士买了口棺材，并用基督教仪式将其安葬。

从那时起，福斯特传教士几乎每天 24 小时盯守在他分管的那片难民收容地的大门口，时刻严防日军侵入和骚扰，为数百名妇女、儿童和其他难民保平安。

笔者还要提到一位丹麦人辛德贝格先生。这位曾在《拉贝日记》里多次出现的人物，他在南京大屠杀时用“最大的丹麦国国旗”庇护了2万南京难民，其功绩近几年才被公众所熟知。辛德贝格的事迹，在2014年4月27日，让正在中国访问的丹麦女王玛格丽特专程来参观了南京大屠杀遇难同胞纪念馆。女王在纪念馆工作人员弹奏《永远的南京——辛德贝格玫瑰》这首歌曲时，为自己国家的英雄献上了一束美丽的玫瑰。

这一天，有位南京大屠杀幸存者苏国宝老人向随女王而来的辛德贝格外甥女玛丽安讲述了当年这位丹麦英雄的事迹——

当时苏国宝只有10岁，日本兵侵入他所在的村子湖山村，一家4口人为了躲避日军暴行，逃进了辛德贝格先生负责管理的江南水泥厂。辛德贝格见小国宝可怜，便给了他一块大洋和18斤大米。苏国宝手捧大洋，跪在地上向辛德贝格致谢。“这块大洋让我们全家维持了好一阵生活。当时男人们被日本人杀死了太多，辛德贝格先生为保护我和让我养家糊口，叫我在他的水泥厂工作，还说以后等不打仗了送我去读书。他是个大好人。”苏国宝对辛德贝格的外甥女说。

辛德贝格的故事一直以来并不为人所熟知，2002年朱成山馆长率团到丹麦举办南京大屠杀展览时，无意间知道了辛德贝格的家乡就是展览地奥胡斯市，这让朱成山很是激动，他便通过当地报纸刊登了寻找辛德贝格的启事。结果是辛德贝格的妹妹看到了，便与中国大使馆取得联系，原来辛德贝格本人已经在1984年去世了。辛德贝格在南京的事迹让其外甥女玛丽安小姐感动不已，她决心为舅舅栽培一种特殊的黄玫瑰来纪念他。

“选择黄色是因为在丹麦文化里，黄色代表勇气。黄玫瑰是非常难以培育的。我想这正如我的舅舅：勇敢、独特，不易被复制。”玛丽安小姐如此说。2006年春天，辛德贝格先生的妹妹、80岁高龄的安德森和来自美国、黎巴嫩的6名亲属在南京和平广场栽下了这批黄玫瑰，次年又将这批玫瑰移植到南京大屠杀遇难同胞纪念馆，并在那里开辟了一个“南京·辛德贝格玫瑰圃”。

“正义是永远不会被忘记的。”玛丽安说。

南京人民自然更不会忘记辛德贝格这位“丹麦好人”。1937年至1938年，辛德贝格先生受雇于丹麦史密斯公司，赴中国南京负责江南水泥厂从丹麦购买的年产20万吨水泥生产设备。南京人都知道，江南水泥厂当时非常有名，除了它的设备是从丹麦引进的外，更主要的是日军侵入南京城之前，中国军方和南京市各界包括一些有钱的市民都在修建军事工事、防空洞等，水泥成了急需紧俏物资，所以江南水泥厂的生意自然极好。辛德贝格与另一位工程师京特，是1937年12月5日才到南京的，几乎一到南京，他们就承担着在日军炮火之下保护这套水泥设备的重任。

江南水泥厂在栖霞山附近，日军攻占栖霞山后，水泥厂由于是丹麦人开的，加上辛德贝格出了一招：他在水泥厂房顶上撑了一面达1 350平方米的丹麦国旗，同时又经拉贝先生同意，在厂区内插了不少德国国旗，以避免惨遭日本飞机的炸轰。当时栖霞山一带中国军队与日军决战后，不少中国军人和难民纷纷躲进了水泥厂。为了确保难民们的安全，辛德贝格向拉贝申请，决定将水泥厂作为国际委员会领导下的一个城外特殊安全区。这个城外安全区，采用拉贝他们在城内的安全区一样的管理模式，并始终与拉贝等紧密协作、统一领导，故先后收留了15 000多名中国难民。直到1938年3月，日军为了强化他们的所谓“统治有方”，硬逼辛德贝格离开南京，于是这个城外难民安全区也不得不随之宣布解散。水泥厂的工人和难民们为了感谢辛德贝格，特意制了一面丝绸条幅，上面写着“见义勇为”四个字赠予辛德贝格，有11个中国人在上面签上自己的名字。

在1938年的国际劳工大会上，由于辛德贝格向全世界工人代表们讲述了南京大屠杀的真相和在会上播放了马吉先生拍摄的记录日军在南京的暴行的影片，当时中国人十分感谢辛德贝格，特意在他的护照上写上了四个字：中国之友。

笔者注意到《拉贝日记》中多处对辛德贝格的赞赏，尤其是辛德贝格在城内的安全区严重缺粮时，送来大量粥给难民们吃，这让拉贝异常感激。

日军在杀人抢劫强奸高潮后的12月20日前后，开始了新一轮犯罪：大焚烧。这时，辛德贝格入城最多，他一方面与拉贝他们联络安全区的管理和共同与日方交涉，同时又帮助拉贝解决粮食问题，也及时把日军到处焚烧尸体、烧毁建筑等以焚烧消灭罪证的情况报告给拉贝他们。

21日，拉贝根据城内和辛德贝格提供的城外焚烧情况，以德、美、奥、俄4个国家的22名外籍留京人士的名义，向日本大使馆提出三点建议式抗议：一、制止在城市内大部分地区纵火，以免尚未被毁坏的其余城区继续遭到肆无忌惮的有组织的破坏。二、一周来，日本军队给城市造成了无法用语言描述的痛苦，这种破坏秩序的行为必须立即得到制止。三、抢劫和纵火已经使得城市的商业生活陷于停顿，全部平民百姓因此而拥挤在一个大难民收容所里，鉴于这一情况，同时考虑到国际委员会的粮食储备只能供20万居民食用一周这一事实，我们在此紧急呼吁，立即采取必要的步骤恢复安全和秩序，恢复市民的正常生活环境，补充粮食和燃料储备。

“目前的状况必将在短时间内导致饥荒。我们别无请求，只请求得到最基本的生活条件：住房、安全和食品！”拉贝这次拿着抗议书直接见到了日军的最高司令长官松井石根。

“如果贵军再纵容这样的大焚烧，那么这座城市将会被全部烧光。”拉贝对松井石根和日本大使田中这样说。

“不不不！南京是不会被烧掉的，我们大日本皇军在这里与你们一样需要住、吃和安全。”田中看看松井石根，十分怪异地微笑着否定了拉贝的看法。

与大胖子拉贝形成鲜明对比的“瘦老头”松井石根似乎装着很客气的样子，拍拍拉贝的肩膀，说：“我知道拉贝先生是我尊敬的德国朋友，有一件事我想请拉贝主席帮助我的军队……”

拉贝有些吃惊地问：“我能帮助将军阁下什么事？”

松井石根显得极为真诚地说：“你看，我的军队已经到南京城一周了，我们的警备机构也已建立，可是南京市民们还都在你的安全区里，这与城市的管理很难对称。我们希望市民们都能离开你的地方，回自己的家，这样他们才能安居和恢复工作是不是？”

拉贝警惕地听着，心想：你想干什么？是想通过这一招让难民们放弃生存？任凭你们的军队野蛮屠杀？

“放心，拉贝先生。”松井石根似乎看透了拉贝的心思，接着说：“我们马上要给所有市民发放身份证，这样可以确保他们的身份合法。有了合法的身份，才能有安全的保障，先生，你说是吗？”

他们又要搞什么名堂了？拉贝的眼珠瞪得更大了，紧盯着这个日军最大的魔鬼，沉默应对。

“哈哈哈，今天跟拉贝先生的会谈，非常有意义。我们日本和德国是伟大的朋友！我们永远地友好！”松井石根伸出干枯的双臂，紧紧拥抱了一下拉贝，“你的大大的健康！”说完，便叫警卫人员送走拉贝等人。

拉贝离开“永远友好的朋友”，回到住处，发现“永远友好的朋友”又多次光顾他的院子，甚至把他的私人办公室翻了个底朝天。

“无耻！真正的无耻！”拉贝气得嘴唇都发紫了，他发现那个内装23 000元的钱柜也被日本人用刺刀头挑划了许多道痕，好在那钱柜结实，铁锁没被撬开。

此刻，城内依然到处熊熊大火。拉贝一面让人保护好他的小院——他一直以为这里只有二三百难民，结果韩湘琳告诉他，现在院子里总共有 603 个妇女、孩子和老人。

“无论如何，我决不允许在我的院子里发生被日军施暴的事情。”就在他又一次准备出门到安全区救火时，又有 6 个日本兵翻墙欲进。

“出去！哪个地方来，就从哪个地方滚出去！”拉贝直挺挺地站在那些翻墙而进的日本兵面前，一手拍打着纳粹标志的袖章，一手指着围墙，命令“永远友好的朋友”离开院子。

日本兵悻悻而走，显然极为气愤，可又没有办法。

等入侵者滚出院子，拉贝十分得意地昂着头告诉大家：“我的‘朋友’走了，你们放心吧！”

“我必须再去现场制止他们的行为！”拉贝坐上车子，飞速驶向一个新的焚烧地。

“呵，这是一个无休止的恐怖岁月，无论人们怎么想象都丝毫不会过分。在雨中，我的难民们相互依偎着挤在院子里，无言地注视着美丽得可怕的熊熊火焰。如果火焰蔓延到我们这里，这些可怜的人们就没有了出路——我是他们最后的希望。”入夜，拉贝拖着疲惫的身子，回到自己的办公桌前，轻轻地推开窗户，他看到院子内横七竖八躺在雨中的难民们，写了上面这段话。

拉贝感到自己肩上压着千斤重担。此刻，他在想着白天松井石根所说的事……是啊，明天，明天日本军方弄出的招数，又会给可怜的难民们带来什么灾难呢？

明天是 1937 年 12 月 22 日。

12 月 22 日这一天，日本人用蹩脚的中文在市区各个地方尤其是在拉贝他们的安全区内贴出了一张张布告，其内容如下：

布　　告

本司令官由十二月二十四日起向难民及一般老百姓们发给安居乐业为目的的安民护照，故人民等各自向日本军发给所报到，领收护照为要。如有代领者，概不许可。须要本人自己报到。如有年老幼小有病人等均须跟同家人报到为要。后倘若没有（请）护照，有一经查出，一概不许在南京城内居住，切切特示。

右谕通知

昭和十二年十二月二十二日

大日本军南京警备司令官

“日本人又要花招想把我们杀掉？”市民看着日本人的布告心里直打鼓。但最心惊肉跳的是那些躲在安全区内的放下武器尚留存下来的中国军人：“这回是死定了！”

“求求先生们，无论如何我们不能去登记领证。去就是送死！”那一日，拉贝被难民们绝望的焦虑搅得心情异常烦闷。如果按日本人要求鼓励难民们去登记，势必又有一大批被日军认定为“中国军人”的无辜难民和其实已经沦为真正难民的前中国军人遭殃；如果难民们抵制登记，日军定借机解散安全区，后果同样不堪设想……怎么办？

国际委员会“总部”会议持续开了两个多小时，足智多谋的斯迈思也不知如何应对这场新的灾害。

沉默。

再度沉默。

“我看这样行不行……”韩湘琳举手发言，得到拉贝的鼓励后，他说，“显然，不去登记也是麻烦事。而去登记的话又有不知多少男人掉脑袋，多少妇女吃苦头。但我想，有一个办法至少会减少很多人的危险……”

“韩先生快说，你到底有什么妙计？”斯迈思有些着急了。

“不是现在我们安全区老人孩子比较多嘛！但实际上这些孩子和老人中间，他们的父亲或儿子早已在前些日子里失去了，他们肯定恨日本鬼子。而另一方面，我们安全区内又有大量妇女和放下武器的男人已经是单身了。这种情况，恰恰可以给相当多的人一个机会：让那些老人和孩子与这些没有丈夫的妇女和单身男人假装搭配成临时家庭，然后再去登记……”韩湘琳说出了自己的想法。

斯迈思张开双臂，拥抱住韩湘琳，在他脸上猛亲了一口，说：“韩，你太英明了！这是个绝顶好的主意！怎么样，我的主席，我认为这不失为一个好办法！”

拉贝思忖片刻，点点头，说：“韩的办法应该行得通。不过我们要防范日军的狡猾。”

韩湘琳解释说：“只要我们把工作做在前头，至少能在日本人刺刀下救出相当一批人的命。”

“马上行动吧！”拉贝用手指戳戳脑壳，说，“这是一项秘密任务，大家要多动动脑筋。”

22、23日，这本来是西方人忙于准备圣诞节的日子，但这一年以拉贝为首的20多名留在南京的洋人们，则假借筹备圣诞节礼物之名，与数百名雇用的像韩湘琳一样的中国工作人员，穿梭在安全区各个角落，向那些本不是一家人的男女老少牵线搭桥，组成一个个临时家庭，或是临时的母子、夫妻……

24日，天色刚亮。山西路广场上已经站着几十个袖上别着太阳臂章的中国人——他们是前一天刚被日军任命的“临时治安”人员，而在他们身边，是全副武装的日本兵。

“市民们，从现在开始，大日本皇军有令：每一个16岁以上的南京市民都必须领到一张安居证！就跟以前我们的居民证一样。有了这张证，你可以在城里走来走去，自由了！现在，皇军就要给大家发证了！发证之前，皇军要对你们的身份进行核对，所以——你们凡是一家人的，就一起上来验身领证；如果有人作假，那就格杀勿论！开始领证了——”

排队。赶快排队！

一家家男女老少前后跟着排队……或两人，或三人，或爷拉孙，或妻挽夫。

“大伙再听着——”别太阳臂章的人又在说，“凡你以前是中央军的，就站到一边。你们没有家人，也不能永远流浪下去了，只要你们站在一边，皇军会对你们另外安排的，愿意做工的做工，不愿意的就可以回家，皇军还要发路费！”

有男人兴奋地从人群中跳到一边；有男人则疑惑地前后张望着……

“嗯，你的军人的干活？出列！”突然，有日本兵架着枪刺，将那些疑惑张望的男人从女人或老人身边拉出来。

越来越多的男人排到了一边，4个人一排编列起来，赶到卡车上。“不要怕，皇军让你们去劳工的干活，有白米饭的吃！”日本兵哈哈大笑，那笑声听起来毛骨悚然。

这样的男人一卡车一卡车地被拉走。

“走！登记！登记去！”日本兵在逼着排队的难民们往前走。

“哒！哒哒……”不远处，传来一阵又一阵密集的枪声。

拉贝的眼睛里冒着火，低声对韩湘琳等说：“告诉大家，别上日本人的当！”

“明白！”韩等别着红十字会臂章的安全区工作人员，若无其事地假装帮助维持登记现场的秩序，悄悄地向那些单身成年男女传话——“不要动摇，坚持认定是夫妻，是一家人！”

“不要动摇，坚持认定是夫妻，是一家人！”

“我们是夫妻！我们是一家人！”

一个个临时家庭、临时夫妻领到了“安居证”，他们悄悄向站在一旁的拉贝等致谢。

登记处又出现了骚乱——“你的，把脸擦干净！”日本兵拉住一个满脸黑乎乎的女人，逼着她擦净脸部。

贼亮的刺刀面前，女人只得服从。“哈哈……美丽的花姑娘！”日本兵淫笑起来。“你的请到这边！”刺刀面前，女人被逼站到一边。

“你的把外衣脱掉，检查的有！”有一个妇女被日本兵的军刀拦住。

妇女无奈地把外衣脱掉。日本兵兴奋不已地双手往那女人丰满的胸部乱摸起来：“你的大大的好！站到这边，为皇军的干活去！”

另站到一边的女人的队伍越来越长。很快，她们被另一些卡车拉走，到了日本兵营……一天或者两天甚至七八天后才被放回，多数人被10次、20次地强奸或轮奸，而有的根本就没能回来——死在被强奸或轮奸的现场。

“日本兵借用所谓的发放身份证，又死杀了数以万计的中国男人，至于借机强奸和轮奸的女性更是不计其数，而全城实际领到身份证的只有16万人。也就是说，又有数万人被日军屠杀。”一位南京大屠杀研究专家如此说。

到底日军借登记之名杀了多少人，拉贝的日记里有这样一段话：“在我们安全区的其他地区，日本人把居民赶成百人一群，然后带他们到登记办公室外去。据我听说，清理出来的人有两万名，一部分送去做劳役，剩余的被枪决。”

笔者需要说明一下：事实上，拉贝他们同样也救下了几万人的性命，因为他们不管在登记现场还是暗里所做的工作都起了很大作用——让数以万计的原本是单身的中国军人和难民们通过扮成假“夫妻”、假“亲属”而得以获救。

日本人发身份证的意图，除了想更有效地控制南京城内的几十万中国人外，还有一个非常阴险的目的，就是彻底削弱安全区的作用，并企图达到解散安全区的目的。日军高层还通过自己的外交官，试图跟拉贝讲明其意，但被拉贝等国际委员会成员拒绝。

“日本人是一群不讲信誉的魔鬼，我们不能再听任他们摆布了！”马吉把自己拍摄到的影片放给拉贝等国际委员会成员们看。

“决不能答应！”斯迈思非常坚定地对拉贝说。

“我作为一个德国人，曾经向自己的元首和中国人表明过立场：我留在南京，就是为了这些难民的安危。所以，我的态度非常明确：任何解散安全区的阴谋不可能得逞，除非还有更好的保护难民的办法出现！”拉贝最终也亮出了自己的决心。

12月24日，是西方基督教徒们最重要的节日——圣诞节平安夜，然而1937年的圣诞节，对南京城里生活着的拉贝他们来说，是有生以来最不讲究和最令人不开心的节日。即使如此，拉贝觉得自己应该有一份责任让生活在“罪恶下的”难民们还能想起耶稣留给人世的一份仁爱，于是一大早他就把自己前一晚准备好的红色圣诞小星星整理得干干净净，然后重新包装好，连同西门子公司寄给他的日历簿一起作为圣诞礼物给安全区的洋同事们送去，他尤其想起要给一直在手术台上拯救生命的威尔逊医生送上一本日历簿。趁着这个机会，拉贝跟随威尔逊到病房看了一下几个伤员。在此，拉贝见到了被刺37刀的李秀英，现在她的情况已经好转。而拉贝看到的另一个伤员则令他极其难受：这位年轻的渔民，是前些日子被日本兵从金陵大学蚕厂的一栋大楼里带走的，连他一起带走的共有70多人，他们都被拉到一个地方用机枪或刺刀杀害，然后浇上汽油焚烧。这位命大的伤员被刺两刀，在浇油焚烧过程时滚了出来，幸免于难活了下来，但伤势严重，三分之二的皮肤重度烧伤，是他自己拖着血肉模糊的身子跑到医院的。威尔逊尽全力抢救他。“我无能为力。”经过几小时的连续抢救，威尔逊说此人希望不大（拉贝后来知道，该男子入院20小时后被宣布死亡）。拉贝还进了停尸房，在那里他看到了更多的被日本人的枪炮及刺刀等手段残害的尸体。其中有一个大约7岁的男孩尸体上有4处刺刀的伤口，其中一刀刺在胃上，伤口有三四寸长。威尔逊告诉他，这个孩子几天前送来时还能痛苦地呻吟，后来死了。

阴森的停尸房里充满了血臭味。威尔逊劝拉贝别看了，拉贝则说：“我所以要看，就是要目睹日本人的这些残暴行径，以便我以后能作为目击者将发生在南京的事向全世界说出来。”“对这样的暴徒是不能沉默的！”拉贝认真地对威尔逊说道。

威尔逊点点头，其实医生也一直记着日记。他们都是基督教徒，上帝赋予他们共同的使命。

从威尔逊处回到住处，拉贝突然感到眼前熟悉而陌生：整个房子不知被谁瞬间打扮得喜气洋洋，一派圣诞气氛！

“祝拉贝先生圣诞快乐！”姓张的雇员带领着全体难民同声向拉贝先生祝贺并请他点燃6支蜡烛……

“谢谢，谢谢你们！”拉贝激动了，少有地激动了！

“不知为什么，我突然发现大家都喜欢上了我！这很奇怪，以前据我所知是没有人能容忍我的。或者，难道是我的错觉？我的多拉，亲爱的儿孙们，我知道，你们今天都在为我祈祷，我感觉到了，我被爱的思念所包围。在过去的两周中我不得不经历了那么多东西，现在能有这个，真的太好了！请相信我，我也在心中为你们大家祈祷。

“我目前身陷其中的可怕灾难使得我想起了童年的信仰。只有上帝才能在烧杀淫掠、为所欲为的匪帮面前保护我，委员会的所有抗议都是徒劳的。日本人答应要纠正，但是到今天为止竟然一点也没有感觉到……

“我以下面这番祈祷结束我今天的日记：仁慈的上帝，请您保佑所有的人免遭灾难，也请您保佑所有像我们这样已经身陷灾难中的人！我丝毫不后悔留下来，因为我的存在拯救了许多人的生命。但尽管如此，我仍然感到极端的难受！

“阿门！”

拉贝写完当日的日记，然后在胸前画着“十”字，双目紧闭，只见其脸颊上落下两颗硕大的泪珠……

第二天一早，施佩林等委员会成员跑来，他们一定要亲眼看一看“南京城里唯一的一棵圣诞树”，而且另一位传教士克勒格乐还给拉贝带来一瓶白葡萄酒，据他自己说是从沙尔芬贝格家的废墟里抢救出来的。“可惜只有半瓶。”施佩林举着瓶子对拉贝说。

“为了我们家人的平安祈祷吧！”拉贝与他们一起举杯。

施佩林和克勒格尔非要拉着拉贝一起去平仓巷与另外几位美国朋友共度圣诞节，但拉贝说不行，他必须保护好自己院子里的600多名难民。

这一天，这一夜，拉贝一直佩戴着纳粹徽章，一步不离地坚守在安全区和自己的院墙内外，无论谁劝他都不行，他说他要看护好自己的“臣民”——“现在我是南京市长！”他骄傲而忧伤地说着这句话。

日本人用登记发证的手法企图使难民们就范，这一招很毒，让拉贝十分纠结。他生怕出更多的事，生怕更多的难民被杀害，生怕自己无法保护他们。

日本人甚至来到了他的院子。“他们必须登记！”日本兵告诉拉贝。

“他们全体都是难民。你们可以让他们登记，但他们是否愿意回家，必须由他们自己决定。另外，你们不能从我的院子里随意带走一个人！”拉贝站在日本人面前毫不退让。

他做好了死也要保护好院子里所有人的准备。

现场气氛极度紧张，甚至连孩子都不敢哭了。

日本兵拔出枪刺，对准了拉贝的胸膛……

“我已经说过了，这事没有商量的余地！”拉贝面不改色。

日本兵的脸部肌肉在颤抖。

“哇——”现场，一个孩子突然吓得大哭。

“哇哇……”突然，更多的孩子大哭。

“呜呜……”突然，现场更多的女人大哭起来。

拉贝的目光里射出火焰，一动不动地盯着日本兵。

“那么好吧，就按拉贝先生说的办！”日本兵终于妥协了，其实他们并非惧怕这位胖墩墩的汉堡商人，而是惧怕他袖子上的那个纳粹徽章。

韩湘琳和姓张的雇员及所有留在院子里的600多位中国难民在日本人离开的那一瞬，立即欢呼起来，他们簇拥着拉贝，纷纷跪在他面前，一个劲地感谢这位“洋菩萨”。

然而，拉贝的脸上始终没有笑意，因为他看到了那具近在咫尺的烧焦的尸体仍悬挂在那里，一直没有人敢将其收葬……还有他知道就在离他家不远处的金陵中学里又有20多名男子被日本兵借登记之名抓走枪毙了。

他要继续向日方抗议！

他拧亮煤油灯，拿起笔和纸——

致日本帝国大使馆：

在一个多星期前，贵方就向我们保证在几天后就会通过部队换防、恢复正常的纪律、加强宪兵队等措施来恢复城里的秩序，但这样的事情根本没有发生。恶劣的无秩序状态照样继续着，并且看不出贵方会做出认真的努力来结束这种混乱状态。请允许我在此列举发生在贵馆附近的一块大学辖区里的几起事件，大学范围里的所有其他事件暂且不谈。

1. 昨天下午，贵军一名士兵剪断了悬挂在阴阳营和上海路地段农学院的一面美国国旗的绳子，并把国旗拿走了。

2. 昨天夜里11时～12时之间，3名日本士兵乘坐一辆汽车闯进大学大门，并称受贵方司令部派遣执行检查。他们命令门卫不得报警，并令他陪他们去寻找姑 娘。3名姑娘（有一名才11岁）被这些士兵强奸，其中一人被劫走。

3. 到处闲逛的士兵不断强迫中国平民为他们干活。例如，昨天有一名士兵硬要我们医院的一名工人跟他走，我们自己的好些佣人和守卫被带走了。

4. 每天都有士兵闯进我们的住处，寻找妇女、食品和其他物品。今天早晨，一个小时中有2栋房子被抄。

5. 在铜银巷有一所圣经师资培训学校，这所学校长期深受贵军士兵为所欲为之苦。我记得，贵方曾答应要对这所学校加以特别保护，但在任何时候都看不到一个宪兵的影子。昨天有三四个人为一组的多组士兵7次闯入那里，从经过无数次抢掠还剩一点东西的人们那儿偷窃衣服、食品和钱，他们还强奸了6名妇女和

1 名 12 岁的姑娘。夜里，由 12 名～ 14 名士兵组成的较大规模的队伍闯入 4 次，20 名妇女被强奸。

贵军士兵给平民的生活造成了一连串的恐惧和苦难。贵军军官答应保护人们，但是贵军的士兵每天都在伤害和危及成百上千人的生命。的确有少数警察帮助了我们，我们很感激他们。但是和平与秩序并没有恢复，警察的帮助往往只导致士兵把暴行场地从一所建筑物转移到不被警察干预的另一所建筑物里去。

日本军队就不重视它的声誉吗？日本军官就不想兑现他们对中国人民作出保护的许诺吗？

就在我写这封信的时候，贵军的一名士兵奸污了我们一名教师家里的妇女，并威胁一名美国人，如果他敢进房间就开枪。

贵方就把这称作秩序吗？

许多人想返回自己的住所，但是人们出于害怕被强奸、被抢劫而不敢，因为人们看到，不管白天还是夜里，都有男子不断地被拉走。

如果贵方不作认真的努力，不投入更多的警察部队和不实行严厉的惩罚，秩序就不可能恢复。

我们承认城里几处地方的局势有一点好转，但是在军队的“每两星期一次的”恐怖之后，局势仍然是够糟的。

仅仅许诺是不够的！！

处于危急和焦虑中的
约翰·拉贝（签名）
1937 年 12 月 27 日

“这个汉堡商人他想要干什么？”

“干脆，把他的安全区抄底算了！”

“大日本帝国打下了固若金汤的南京，竟不能奈何他一个德国胖子！岂不有损我天皇威望吗？”在收到拉贝一封又一封的抗议书后，日本大使馆的外交官和日军高官坐在一起，大为光火。

“将军，您认为怎样做才更合适？”田中大使没有理会你一句我一句的争执，他希望松井石根大将拿主意。

于是所有的目光转向沉默不言的松井石根。

“本人深知中国的文化，而中国人现在并没有把我的话放在眼里，自觉自愿地跟着几个西方洋人待在安全区，这是因为他们认为我们大日本帝国的皇军是鬼子，他们洋人是菩萨。鉴于此，我认为我们应当尽快选出一个由中国人自己管理自己的自治委员会，以此来替代拉贝他们的国际委员会。这样一来，洋人们的安全区和国际委员会就自然没了在南京的合法地位，问题不就可以迎刃而解了吗？”

“高！实在是高！大将军的主意大大的好！”田中鼓掌附和，其他日本外交官和军方将领们跟着热烈鼓掌。

一个新的阴谋在日本大使馆内密谋筹划。而此时的拉贝及他的同事们则在忙碌着为过冬的几十万难民们准备取暖的煤炭及每天需要的食物。

煤炭从何而来？

“我们有……”斯迈思给拉贝发来一份详细清单。

洪武路156号的同怡公司里，储藏有煤炭50吨；五老桥东91号的庆泰公司有约100吨软煤；芦席巷36号的天元皇公司，储藏60吨～100吨煤；汉口路附近的慕兴会堂仓库内储藏约500吨煤。还有美国人管辖的一处藏有50吨煤炭。

“太好了！”拉贝一见清单，两眼放光，这是他最期待的宝贝！有了它，几十万难民至少不会被冻死或者少被冻死些人。不过他想到：应该留一部分煤给粥厂，否则难民们没有食品充饥，也会饿死一大批人的呀！

“我们已经想法提供部分煤炭让粥厂来运。”问题到了斯迈思处，他总会有提前的预案。

“可我最担心的是：怎么运输呢？一旦日本人发现我们在运送煤炭，他们肯定就会半途拦下，从而成为他们的了！”拉贝搓着手，踱步思忖。

“这就得靠你这个德国国家社会主义工人党党员的招牌了！”斯迈思盯着拉贝说。

“你以为我这个招牌什么事都管用啊？上帝可没有给予我那么大的法力！”拉贝苦笑道。

“但有能力与日本人争取的也只有你了！”斯迈思说。

拉贝摇头：“这就是你们美国人的狡猾之处，你们推荐我当主席就是要把我放在烧红的铁板上去烤，现在不都证实了？”

“哈哈哈……拉贝先生您是当之无愧的主席！”众人大笑。拉贝也跟着笑了起来，并说了一句中国谚语，“我是被你们拉到贼船上了。”

既然上了“贼船”，就得拿出胆子去“偷”几回——明的暗的都得“偷”。明的：

拉贝一次次出面与“还能说上话”的日本外交官福田先生拉关系，请求他从中与日本军方交涉，争取把部分储煤拉到安全区或粥厂去，当然这部分的煤至少有一半被日军借机打劫走了；暗的：借公开运煤的指标，实为多运多走几趟，将煤拉到自己需要的地盘上去。

德国人在这方面不缺智力。可是日本人也不是傻瓜，他们坚持要自己运煤，只要拉贝他们提供藏煤的地方，剩下的事由日方派军队去干。拉贝知道这事犟不过他们，于是就跟日本人谈条件：你们可以拉走部分煤，但必须按我们的要求提供给我们 4 个粥厂的煤量，否则安全区不能提供足够的劳役给你们日常需要。几万日军和官员们在南京城也要过日子，并且还要享受，拉贝的条件他们不会全听，也不得不听一点。

“生意”就这么做成的。“汉堡商人真的比我大日本人更精明啊！”日本人内心对拉贝还是有几分佩服的。

然而任何生意场上，强者总是欺负弱者。拉贝与日本人打交道的过程中，其实一直处在弱势地位。

1938 年 1 月 1 日是中国的新年元旦。日本人给拉贝又滴了几滴眼药水——他们已经在前一天就事先通知给了他：元旦这一天上午，在鼓楼广场举行“南京自治委员会”成立仪式，要求拉贝等人务必到会“祝贺”。

出于礼貌和战术考虑，拉贝带着斯迈思等国际委员会部分成员去了现场。当他看到自治委员会的会长和一名副会长、一名顾问都是隶属于他的红十字会成员时，吃惊不小。“汉奸！”拉贝用中国人的话暗暗骂道。

拉贝终于明白了日本人的意图：他们是想通过这个所谓的“自治委员会”来替代他们的国际委员会。

仪式没有结束，拉贝就悄悄离开了现场，他不想让日本人导演的闹剧影响了自己的心情。因为这一天早上起来，韩湘琳等中国人告诉他：他们几百名难民要以隆重的仪式，在新年到来的第一天里感谢拉贝给予他们的救命之恩。

汽车回到住处，拉贝就远远地听到迎接他的鞭炮声——这太难得了，后来据雇员张先生告诉他：鞭炮是他们从庆祝“自治委员会”现场偷来的。“他们那个玩意有啥庆祝的，我们这儿才重要！”韩湘琳兴奋地对拉贝说。

“我受到国王般的欢迎，他们夹道欢迎我，并用鞭炮和鲜花向我致意。然后 600 多个人围着我，向我献上了用红墨水写在白色包装纸上的新年贺信，所有人向我三鞠躬。当我点头致谢，把贺信叠起来放进口袋时，他们都很高兴。”拉贝在日记里这样描述当天的情景。

接过贺信之后的场面让拉贝一生都不能忘却：鞭炮声中，600多名中国难民，在韩湘琳的带领下，整齐地列成两队，齐刷刷地跪下，一起向这位“汉堡商人”致新年磕头礼……

拉贝的眼泪顿时夺眶而出——他从没有接受过如此隆重而恭敬的礼遇。

他深深地爱上了南京人，也深深地爱上了中国。他再次发誓要为这些苦难的平民献出个人的全部。

回到自己的办公室，拉贝忍不住从口袋中取出那封很大的贺信。上面写着如下内容：

Herrn Rabe

mit den besten Wünschen für

ein glückliches Neues Jahr.

Hundert Millionen sind Dir nah!

Die Flüchtlinge Ihres Lagers
1.1.1938

拉贝先生：

恭贺新年吉祥，亿万滚滚而来！

您收容所的难民
1938年元旦

“‘亿万’是什么意思？是我得了彩票？”拉贝兴奋不已，却不解其意，便把韩湘琳找来寻问。当明白那是恭喜他来日“发大财”时，拉贝欢欣鼓舞了好一阵。

“我爱你们！爱中国！”拉贝用自己生硬的汉语向恭贺他的中国难民们表示了由衷的感谢。

1938年新年来临，日军占领下的南京并没有一丝一毫的新气象，日军到处烧杀抢淫的暴行没有任何改变，而所谓的“自治委员会”只不过是挂羊头卖狗肉而已，不仅不作为，且令市民生厌。

与之相反，拉贝的安全区仍然聚集了巨大的人气，多数难民又自觉不自觉地回到这里——主要是人们发现回家后根本没有任何安全可言，尤其是妇女，她们开始以为拿着“安居证”就能重新开始过日子了，结果多数人在当天甚至在回家的路上，就被日本兵野蛮地强奸与轮奸，而且有的则被抓到“安慰所”充当妓女。于是这些妇女们又拖家带口回到了拉贝他们的安全区。

原本以为“自治委员会”的成立将使安全区渐渐消失，哪知鼓楼“庆祝大会”的鞭炮声尚在耳边回响，安全区里依然热热闹闹。尤其是那条原本弯弯曲曲、冷冷清清的上海路，竟然成了全南京市最红火的跳蚤市场——也有人把它称作“共产市场”：说是生意场，却都是难民们自己的东西，旧衣服、茶壶茶杯、草纸尿布……日常用品，样样都有，且便宜得很。

“一块钱，拿去吧！”

“老板可怜可怜吧，我只有这几个铜板。”

“行，就它了！”

生意交成。这就是大家所说的“共产市场”：不讲价钱，互相谦让，互相帮助。

“走！走走！”突然有一个早晨，几个穿皮大衣、戴黑眼镜、手臂上别着“太阳”标徽的家伙，张牙舞爪地走到摆摊的难民面前，挥舞着棍棒，拳打脚踢。

“你们要干什么？”难民们愤怒地责问。

“皇军有令，安全区必须解散！你们还想在这里摆啥摊子？快滚！”

“烧了，把这些旧棚烂摊统统烧了！”一群别“太阳”袖章的家伙竟然动起手来。带头的那人叫方浩，有难民认识他，姓方的过去是一个律师，此刻他得意扬扬地告诉认识他的人说自己现在“当官”了，是来“执行任务”的。

“烧！烧光为止！”姓方的见难民们并不买他的账，甚至有人悄声骂他是“汉奸”。这让姓方的大丢面子，于是直起嗓门，命令小喽啰们点火烧棚。

“汉奸！汉奸！”

“杀千刀！我们跟他们拼了！”

“拼了——！”

以姓方的为首的一群“自治委员会”小喽啰们哪想他们的烧棚毁摊行动惹怒了难民们，一时间，木凳、茶杯、鞋子甚至还有街头路边捡来的泥块、砖头等，雨点般地落在姓方的这群喽啰们头上、身上……

“撤！”姓方的一群喽啰落魂而逃。“共产市场”上的万千难民，一片欢呼。

“拉贝先生，我无意冒犯您和您的国际委员会朋友们，但有一个事实你们必须接受，这就是：新成立的南京市自治委员会，是经我们大日本皇军亲自批准的管理眼下南京市的临时机构，管理市民和这个城市是它的职责，你们的安全区和国际委员会不能再存在了，一切管辖权应当归自治委员会。”日本使馆派人向拉贝传达所谓的“命令”，而且留下狠话：否则日军将进行军事干预。

野兽终于露出本性。日本人向拉贝他们摊牌了！

怎么办？国际委员会的命运面临考验。拉贝和斯迈思等召开紧急“委员会会议”，商讨对策。

“卑鄙！无耻！他们竟然威胁还要没收我们的钱财和物资，并说要清算我们以往的资金及物资用途情况。”韩湘琳说。

“另一方面，他们的野蛮与恶棍行径一点也没有收敛。这是昨晚我又在几个地方拍摄到的日本兵留下的罪行……”马吉紧接着控诉道。

“决不能放弃我们的权利！救助难民和伤员是上帝赋予我们的责任，谁也阻止不了我们的行动。”斯迈思说。

“对，这是最后的斗争了！日本人企图把南京置于他们的残暴统治之下，而我们则成了他们把南京变成地狱的唯一障碍。我们决不退让！”

“决不！”

宁海路 5 号的“总部”，再一次成了全南京反抗日军残暴统治的大本营。此刻，十多个国际委员会成员群情激昂，请求拉贝拿主意。

只见拉贝用双手向下压了压，示意大家安静。然而他说：“日本人的意图从一开始就很清楚，他们是不想看到在他们统治下的地盘上有一个并不隶属于他们领导下的组织在保护着多数南京市民的现实的存在，挖空心思除掉我们是他们的最终目的。因为他们是这个城市的占领军、统治者，所以他们可以想出一千个所谓的理由来修理我们，这并不奇怪。但我想，我们之所以成立国际委员会和安全区，其实只有一个理由，这个理由就是上帝赋予我们对人类的仁慈，这个责任在今天的南京，就是我们怎样千方百计地保护好几十万难民！这份责任，除了上帝，没有人可以从我们的手中剥夺！它日本军队也同样不可以剥夺！”

“好，说得对！”

“说得好！”

“我们决不放弃上帝赋予的权利！”

国际委员会最后达成一致意见：一是向日方再次陈述国际委员会的职能和责任，二是有针对性地把各安全区管理情况作一详细汇总，并将两份材料一起上交日方，以争取国际委员会和安全区存在的合理合法性。

“你成立所谓的‘自治委员会’不就是为了管理好几十万难民吗？你指责我们国际委员会不合法，那么我们将告诉你我们这些日子里的所作所为！”这是拉贝的主意，这样绝地求生的谈判智慧，也只有像他这样的德国商人才有。

很快，一份份诸如下面文字的安全区“检查报告”出笼了：

第三难民收容所——陆军学校

12月31日，由洛、王、米尔斯和福斯特先生检查。

所长：赵永奎

难民人数约3 200人，分成27个小组，每组设一个组长。

在这些难民中，每天应日本兵要求，派遣若干劳役。收容所平均每天分发10袋大米，约三分之一的难民自行解决粮食，其余的三分之二由国际委员会供给膳食。

难民们对国际委员会的管理满意。

兵库署难民收容所

某月某日，由洛、王、米尔斯检查。

所长：陈成美，带约40名助手。

难民总人数约8 000人。

收容所每天得到10袋大米。领取米粥的红色配给证已发给492户人家，总共3 000人。约有1 500人不领取无偿的米粥，约有2 000人膳食自理，其余人由国际委员会帮助解决。

大部分难民对国际委员会的工作较满意。

汉口路小学难民收容所

1月1日，由福斯特等检查。

所长：郑大成

难民人数约1 400多人（以前为1 500人）。

每天有4袋分配来的大米。几乎所有的难民吃干饭（不是稀饭）。分发时成人和儿童没有区别。

虽然这个收容所住处十分拥挤，但难民们对领导满意。

…………

安全区难民所的“检查报告”整理完成后，拉贝与斯迈思起草的另一份关于

“国际委员会当前的状况”的报告也随即完稿。其语气显然是给日方和日方的傀儡组织——自治委员会看的：

1. 我们是一个民间团体，成立的宗旨是帮助饱受战争苦难的平民。

(1) 食品和资金是供我们支配的，是供我们委员会用于上述目的的，因此我们要设法使委员会继续存在下去，但我们在使用我们的救济金时要适应当前这里的状况。

(2) 我们履行的行政管理工作由我们的合法基金单独支付报酬。（警察的薪金不由我们支付，而是由他们的行政管理机构单独支付。我们向警察提供大米，所提条件与我们向其他所有的难民和自愿助手提的条件相同。市政当局派给我们组织的那3个职工的薪金单独汇给。）

2. 我们一开始就同红卍字会和红十字会合作，并且对自治委员会将继续持这种态度。我们将准备始终以下列标准判断合作的建议：最好地为委员会的目标服务或最有利于委员会的目标。

3. 我们的资金我们不会交出。这些资金是委托给我们妥善保管的，我们将用我们的声誉保证，这些资金只用于应该用的场合，不会作其他用途。

4. 我们必须警惕，不要让人把会耗尽我们财力的工作或任务移交给我们，也不要指望我们会进行使我们对这笔资金失去控制的工作。

5. 自治委员会在恢复秩序和恢复国家公务方面一直得到我们的充分支持和承认。但我们的基金首先是用于避免严重的食品短缺以及用于在其他方面帮助居民。

这份被拉贝和斯迈思标注上“机密”的“内部文件”，虽然看起来像是在介绍国际委员会的工作情况，其实语气里暗藏着非常坚定而明确的观点，即国际委员会虽然是一个民间组织，但它被赋予的使命和日军占领前后几十天来委员会所做的工作是谁也不可以改变的。

据说，上面的两份材料交给日方后，给日方高层特别是傀儡“自治委员会”成员巨大冲击，因为无论是日军还是那几个汉奸，他们自知根本不可能有谁能像拉贝他们那样把几十万难民管理得如此井井有条，更不可能做到让几十万人基本上不饿死。

“田中先生，我看还是让他们管吧，我们可没有办法从哪个地方弄那么多粥和饭给那些穷光蛋吃啊！”

“可不是，像他们那么干，还不累死我们！”

汉奸们首先退却。接着是日方外交官福田等人反对一下子取消安全区的做法。“至少我认为拉贝他们还可以为我们所用。再说，他们手上有来自各个方面的资金支持。我们何不顺水推舟，省去一些麻烦！”福田说。

“参赞的话不是没有道理，至少可以再观察一段时间吧。”日本军方给出了松口话。

其实在给日本官方正式信函的同时，拉贝也给他的“半个朋友”——日本大使馆的福田参赞写了一封信。拉贝认为，在所有日本人中，福田是位比较正直和有良心的人，而且从以往的交往中，这位日本外交官无论如何也是给了拉贝他们不少帮助的，这份情谊对拉贝来说，十分重要。故而有些官方不能解开的纠结问题，拉贝通过与福田私下的友情中获得了理解和同情，甚至是支持。在安全区面临存亡的紧急关头，拉贝自然首先想到了福田。于是他私下给福田写了这样的信：

尊敬的福田先生：

有关我们昨天的会谈，我冒昧地向您保证，国际委员会渴望看到的无非是南京秩序和正常的生活条件迅速恢复。我同样可以向您保证，为此目的，国际委员会将乐意看到地方自治委员会尽快承担起地方民政机关应承担的一切职责，如治安、消防和公共卫生等。您可以相信，国际委员会绝对不想继续履行平时属于地方主管部门的任何一种行政义务，也不想为自己要求这样的义务。

我们委员会首先是（我想说仅仅是）一个救济组织，它成立的目的主要是为饱受战争痛苦的平民服务。这些人遭受的命运是无情的和悲惨的，引起了同时代人的同情和怜悯。在这场战争中，中国成立了遵循相似目标的各种委员会，它们中比如有上海委员会，松井将军个人给该委员会汇款 1 000 元，这证明了这样一类委员会得到了日本军方高层的赞同。

因为留给我们委员会的现金和储备是专门委托我们用于上述目的的，所以依我看，国际委员会有专门的义务表明自己是值得信赖的。我觉得不论是现金还是储备都不能交给任何一个别的组织。我们当然愿意同别的救助组织合作，比如同红卍字会和红十字会，同这两个组织我们目前已经在进行合作。但是我们对自己的资金必须保留完全的支配权。

我相信，如果您考虑到我们的状况，会承认我们的理由是正确的。

此外，我还想指出，同目前的困境和向我们提出的要求相比，我们的现金和储备都是很有限的。我们委员会所做的救助最好能被看作是对地方自治政府为自己提出的（我个人这样希望）更大的合适的计划的补充。不论是我们委员会还是红卍字会或红十字会肯定都会尽一切力量，但是我们希望自治委员会比我们委员会或其他任何一个组织做得更多。

我们也希望，在向难民提供食品和燃料方面，日本军事当局能比自治政府表示出更大的诚意。虽然大家都在共同努力缓解危难，但危难的程度依旧大于所提供的救助。

最后，我还想冒昧指出一点。

毫无疑问，最简单的同时也是最有效的救助行动将是恢复士兵中间的秩序和纪律。在士兵的秩序和纪律没有恢复之前，难民不可能重返自己的住所，商店不可能重新开业，交通不可能恢复，供电、供水以及电话都不可能正常运作。万事皆取决于所有问题中的这个最重要的问题。

只要军纪恢复，救助问题就会变得比较容易解决，居民正常生活条件的重建也会变得较为可行。

我诚恳地希望，日本军事当局会把恢复军纪当作他们首要的和最重要的任务。

致以亲切的问候

您忠实的约翰·拉贝主席

显然，我们刚刚看到，日方在研究讨论如何处理拉贝他们的安全区时，拉贝给福田的信在关键时刻起了作用。

“英雄的拉贝先生，您和您所领导的22个留在南京的外国人，表现得像罗马的首批基督教徒那样勇敢！”德国大使馆罗森博士为拉贝带来了柏林德国外交部的“表扬”。

这对拉贝来说是巨大的荣誉，他很在乎，内心也很高兴。不过，他对罗森说：“当年在罗马的基督教徒们是被斗兽场上的狮子吃掉了。可我们这里的狮子只喜欢吃中国人的肉，因为日本人发现我这个汉堡商人的肉又臭又硬，他们嚼不动。”

“哈哈……”罗森大笑。

获得“最高荣誉”的拉贝，如打了一剂强心针一般，为着他的20多万安全区内的难民们每天的一碗粥和一点点烤火的暖意奔忙着……

“好人！”

“菩萨！”

南京城里所有看见那辆挂着“纳粹”旗子的汽车的人，都会投去感激和敬爱的目光，向那个戴着眼镜的“老头儿”致敬。

拉贝觉得自己无上荣光，因此责任也越发重大。

他的脸始终绷得紧紧的、紧紧的。

突然，人们发现这一天拉贝的脸绷得更加紧了。“先生，您身体不舒服？”韩湘琳关切地问。

拉贝摇摇头，他轻轻地从口袋中拿出一份电报给韩看。

“他们要让您和我离开南京到上海去？”韩一看，是西门子洋行上海总部发来的电报，内容是让拉贝带着韩尽快离开南京，到上海“休假”去。韩觉得这份电报有些怪异，便问拉贝：“为什么这个时候让您和我离开南京呢？”

拉贝说：“我也在想为什么。我留在南京的事，连元首也知道，而且也不是一天两天了。且现在几乎全世界都知道我在南京所做的事了。这个时候让我离开南京，搞不清他们为什么……”

这事让拉贝内心有些堵。晚上，他给上海西门子洋行总部的迈尔经理发了一封长长的电报：

W. 迈尔经理先生：

您的上述电报经过德国大使馆的转递，我已于今日收到，特此确认。收到您要我到汉口的消息时，已经太晚了，德国人早已经乘坐“库特沃”号船前往汉口去了。此外我认为，在危难的时刻不抛弃逃到我这里的中国职员，如韩先生一家和其他装配工，是我应尽的职责。在回答您上一份电报时，我就已经告诉过您，我担任了此地成立的国际委员会的主席职务，该委员会的任务是组建一个安全区，为 20 万中国平民提供最后的避难场所。日本人以中国高级军事人员及其参谋部一直到最后（也就是说到撤离南京前）都驻扎在安全区为理由，拒绝给予安全区以全面的承认，所以安全区的组建工作是相当不容易的。我们真正开始受难是在轰炸以后，也就是说是在日本人占领城市以后。日本军事当局像是失去了对部队的指挥控制权，军队在进城后抢劫掠夺达数周之久，约有 2 万名妇女和姑娘遭到强奸，成千上万的无辜平民（这其中也有 43 名电厂的工人）惨遭杀害（用机枪进行大规模的屠杀已经算是人道的方式了）。他们还肆无忌惮地闯入外国侨民的房子，60 处德国人的房子中，约有 40 处遭到不同程度的抢劫，4 栋被彻底烧毁。整个城市约有三分之一被日本人纵火焚毁，时至今日，纵火事件还在继续不断地发生。

城市里没有一个商家店铺未遭到日本人的打砸抢。整座城市，被枪杀的或被其他方式处死的人暴尸街头，随处可见，日本人甚至禁止我们殓尸安葬。（我们不知道为什么！）在离我房子约50米远的地方，那具被捆绑在竹床上的中国士兵的尸体自12月13日以来就横在街头，距尸体仅数米远竟有一个日军岗哨。许多池塘里漂浮着被枪杀的中国人的尸体，有的里面竟多达50具。

委员会设立了粥厂和米面分发点，到目前为止我们以此还能养活涌进安全区的20万南京居民。但是现在日本人下达命令，强迫我们关闭粮食销售点，因为新成立的自治委员会想要接管救济难民的工作，而且采用这种方式可以迫使难民离开安全区，返回自己的原住处。前面已经提到过，安全区以外的城区里没被损坏的房子已经所剩无几，所以难民们根本不知道他们该投身何处，更何况仍然不时有日军士兵在街上烧杀劫掠横冲直撞，难民们见到他们就害怕。我们委员会尽力希望能和日本人以及由日本人新成立的自治政府达成谅解，起码要保证难民的粮食供应。另外，如果日本人以及新的自治政府能接管我们的工作，我们是不会有任何意见的，而且我们希望越早越好！一旦市区内恢复秩序，当局准予我离开南京，我将前往上海。到目前为止，有关此事的所有申请都遭到了日本人的拒绝。在此我补上我的请求，请同意我在安全区委员会解散之前留在南京，因为几个欧洲人的去留实际上决定了许多人的命运。仅仅在我的房子和院子里就有600多名赤贫阶层的难民，自12月12日夜晚以来，他们纷纷逃到我这里躲避兽性大发的日本匪兵的污辱和杀害。他们中的大部分人住在院子的草棚里，靠每天的定量救济粮生活下去。我们委员会总共管理有25个难民收容所，约7万名难民，其中的5万人必须要靠我们的救济过日子，因为他们已经一无所有了。您可能很难想象出这里的情形。攻占南京前，日本人对南京进行了数月之久的狂轰滥炸，但是，这同占领城市后日军造成的苦难是无法相提并论的。我们自己也感到不可理解，我们怎么能安然地活到今天。请求您不要公开这封信，因为这样很有可能会给我们委员会带来灾难性后果。

致以德意志的问候

约翰·拉贝

1938年1月14日

电报发出后，拉贝依然全心全意投入到安全区的工作中，他认为自己在南京的工作不仅干得坦荡而伟大，而且单单从保护德国人的利益去看，也是卓有成效。“如果不是我们在南京天天张着德国国旗，别说财产，就连德国使馆早已成一片废墟了！”拉贝曾对罗森博士这样说过。罗森和大使陶德曼先生完全同意拉贝的这一判断。然而，只有经商经验、没有政治经验的拉贝哪知道，此刻远在万里之外的元首希特勒已经完全不是他心目中曾经期待和幻想过的革命领袖，而是一心想称霸世界的法西斯主义极端分子了。

伪装了多年的希特勒，就在日本占领南京时，正想着他自己如何干出一番比日本帝国更伟大十倍的“事业”来。而要实现这一“理想”，希特勒构想的德国、意大利、日本三个轴心国正偷偷地勾结着……日本军队在南京的丑闻不断在世界各地遭受曝光和谴责，希特勒本不想沾边，但他的那个“汉堡商人”处处与日军作斗争，日方通过驻德大使馆多次通报给了他，这让希特勒不能不管了。

“德意志的西门子公司不能在南京做有违于我们日本朋友的事。”希特勒根本用不着自己亲自下达命令，他的纳粹组织只需向西门子公司吹一下风就足够了。

于是就在拉贝认为他给上海西门子洋行驻中国总部的信一定会起作用时，上海洋行总部就收到了来自柏林西门子总部的要求，通知南京的拉贝关闭公司驻南京的办事处，也就是说拉贝留在南京的合法身份将被他自己的公司和祖国取消！

“怎么会是这样呢？”拉贝无法相信这个事实。他甚至歇斯底里地愤怒了好一阵。不过，他又很快平静了，因为他是商人，是西门子的老员工，公司的命令必须服从。这也是他常常引以为豪的“汉堡商人”的品质。

但这毕竟有些突然，至少现在关门有些事情得妥善处理，比如雇员的工资怎么办？新年刚到，堂堂西门子公司以后又不是说不到中国来了，不能说关门就拍屁股走人了，这样有损西门子的形象。为之拉贝迅速向上海的洋行总部发了一封信请求给雇员们再付一个月的薪水或奖金什么的，算作补偿！

拉贝的这份合理请求获得批准。现在让拉贝觉得最痛苦和最难办的事，就是如何向跟随了他多年，特别是与他一起为保护难民而并肩战斗的韩湘琳这样一批中国雇员交代呢？“当时是我拉贝扯起了国际委员会和安全区的大旗，如今日军还在城里作威作福、烧杀抢淫，几十万难民仍处在饥饿与死亡的边缘上，我拉贝却甩手走了，韩他们怎么办？我如何向他们开口说我自己要走了？如何向他们开口说公司要解雇他们了？”

拉贝摇了一百个头，仍然拿不出办法。他觉得自己没有勇气向韩湘琳等人当面说这事。

不说就走？或者留一封信，悄悄溜走？不行，这都不行。即便要走，也该把安全区和国际委员会的许多事情安排妥当后才能动身。

还是写信吧。拉贝提起笔，可手却在颤抖——

尊敬的韩先生：

由于所有商务因战争而停止，我们不得不遗憾地通知您，根据我们总部的指示，我们在南京的商务办事处必须关闭。

由此您在我们洋行的工作令人遗憾地也将结束。但我们也准备一旦条件许可，在战后继续聘用您，请您告诉我们您今后的地址，以便我们在许可的情况下能和您联系。

致以崇高敬意

你无限忠诚的朋友：约翰·拉贝
西门子洋行（中国）驻南京代表
1938 年 1 月 19 日

西门子在南京办事处的中国雇员还有佟柏青、蔡子良、张福根、孙龙生等，拉贝分别给这些人写了同样内容的信，以示告知。

写完信的时间已近黎明，拉贝的心情无法平静。自南京被日军占领后的一个月里，拉贝从一名纯粹的商人，已经转变成了一名社会活动家和难民事务组织者，他在其中遇到了过去几十年从商经历中不曾有过的政治、军事、文化、社交甚至是外交等等问题，他自己都感到吃惊——至少他认为世界上除了做生意外，还有更神圣的事！这就是拯救苦难！过去的一个多月里，有太多心酸的事，但很充实，也很自豪。

拉贝唯一遗憾的是：他的工作才刚刚有个良好的开端，还有很多事亟待解决——比如几十万难民的吃住问题就是当务之急。当然还有如何阻止日军在城内的烧杀抢淫，还有城内到处可见的尸体……想到这些，拉贝的目光下意识地往院墙外不远处的那具依然悬挂在架子上的烧焦了的中国士兵尸体望去。看到这个，拉贝心底就感到恶心，就咬牙恨日本人！

太没有人性！

拉贝赶紧掩上门，拳头紧紧地捏着。他突然觉得离开南京前还有许多事必须去完成。“否则我的灵魂不能安宁。”他自言自语道。

24. 离开南京前的最后日子

这一夜拉贝丝毫没有合眼。最让他放不下心的依然是留在安全区内的几十万无家可归的难民。如今留在安全区内的难民是一些最穷、最需要别人帮助的人，他们多数是被日军暴打受伤或被严重摧残而失去生活能力的人，这样的人如果没有人去为他们弄来吃的，安排好住宿，也许这个冬天都难以过去。原本，作为占领军，日方有责任管起这些难民，至少给他们基本的生存条件，但日军似乎对此并不放在心上，除了继续不断地从这些难民中拉走人去充当劳役外，至于他们明天或后天是否还活着的事，显然日军并不关心，甚至蓄意阻挠和破坏拉贝他们安全委员会对难民们所做的一切，比如过冬的粮食问题。20多万人每天都需要数额巨大的食品供应，但安全区根本得不到多少粮食。

当时国际委员会成员贝德士先生在给他妻子的信中如此描述：

> 食品供应的前景很黯淡。日本人拒绝卖给我们，既不让我们卖，也不让安全区里别的人卖，或者让我们将粮食从上海用船运过来。这是长时间艰苦谈判的结果，我们有了相当大的一笔现金，2 300袋大米（每袋一石或200磅），我们每天拿出100袋，免费分发给最需要的人群和粥厂。红卍字会从一个特务机关那里获得大米，开办了两个大的粥厂。“自治委员会”被看作是替日军做分发工作主要，甚至是垄断的代理人。但实际上他们在10天里已经收到了500袋粮食，5个星期总计要2 500袋——这是我们用卡车为他们和红卍字会运的。每天消费在1 500到2 000袋之间。有些面粉，我们在初期的分发和销售时动作快了一些。大多数蔬菜价格几乎翻了10倍，部分低的也要5倍。数千人除了米糊糊就没碰过其他东西。我们想通过炮艇搞到1 000磅鱼肝油作为医药用品。总的来说日军方面是冷漠的，日本人中没有一个人对平民问题动半点脑筋或加以注意。粥厂的煤是一个问题。我们一天又一天地侥幸弄到手，通常没有得到任何的官方允许。城市里的供应粮食快就要见底了，没有人来。日军各部在竞相掠夺和挥霍。大量的煤、米和麦子被焚毁了……

最可恨的是新成立的“自治委员会”那几个汉奸官员个个心怀鬼胎，想着如何借机为自己赚一把。难民的苦才不管呢！

“谁都不管，我们得管，且要管到底。”拉贝认为，“只要他在南京一天，就要管一天难民的事。想到这，他又再度拧开煤油灯，觉得应该给三个最重要的人物写一封信：他们是美国大使馆爱利生先生、英国大使馆布龙先生和老朋友德国大使馆的罗森博士，这三位外交官是目前留在南京可以直接发挥作用的人物，拉贝这样认为，因此他写道：

尊敬的先生们：

你们中的每个人都曾友好地对如何解决城里25万平民的食品问题给予过关注。正如斯迈思博士先生1月17日致爱利生先生的信（曾有副本寄给你们）中所表达的，我们已向日本人着重提出3点建议，即：

1. 尽快实现由自治委员会通过商业渠道分配米、面粉和煤；

2. 准许国际委员会运进我们从上海商业储蓄银行购买用于救济的3 000袋米和9 000袋小麦（这些粮食目前存放在下关、三汊河和汉西门外）；

3. 准许国际委员会将600吨补充食品从上海装船运往这里。

昨天当斯迈思博士先生第三次请求答复这些建议时，福井先生要他去找田中先生。斯迈思和菲奇先生随即找了田中先生，后者告诉他们，日军没收了上述仓库里的米和小麦。他们提醒他注意那是私人财产而不是中国军队的财产时，他认为这些存粮有可能会被日军用于中国的平民。上述两位先生一再请求日本当局准许从上海船运3 000袋米，但每次请求均被一个简单的“不”字加以拒绝。他对他们说，也不会有船来装运这3 000袋米以及另外的600吨补充粮食。斯迈思和菲奇先生提到日本船只时，田中的解释是“均已用于军事目的”。当两位先生又提出用英国船只时，田中先生没有回答他们。他们只得询问日本人现在有什么打算，田中先生对此回答说，日本军队将会承担解决中国平民食品问题的责任。

斯迈思和菲奇先生随即对他解释说，日军自12月13日起只提供了2 200袋米和1 000袋面粉出售给中国平民。田中认为，供应量比这要多，但手头没有数字材料（日军1月10日交给自治委员会1 200袋米，1月17日1 000袋米和1 000袋面粉，第二批粮食应在城南出售。国际委员会帮助运输了这些粮食，因为日军不提供运输工具）。

谈话结束时，斯迈思先生向田中先生询问，他是否应该告诉我这样一件事，即我们请求准许运进在下关购买的大米以及从上海船运粮食之事现在已被日本当局拒绝了。对此的回答是：是的！

随后立即发出了由菲奇先生签署的致上海全国基督教总会博因顿先生的电报（在这事情上我们一直与他有信函往来），现在只有看上海对此能采取什么行动了。

我的先生们，我不知道你们在这件事上打算采取什么行动，但是我将设法使你们经常了解事态的进一步发展情况，并向你们转告我们对此提出的建议。我们并不认为当前再进一步强调我们的要求是可取的，因为田中先生已经声称，日本军队将负责解决中国平民百姓的食品问题。如果你们遇有机会时，非正式地要求日本人告诉你们，他们做了些什么，也许是合适的。

解决问题的唯一办法是恢复秩序和整顿好交通，重新通过商业渠道分配大米。国际委员会关心的只是敦促日军注意到食品问题的严重情况，并在此期间采取补救措施，使无力购买食品的穷人们能免费得到大米。

绝对有必要使日军明白，承担中国平民食品的责任意味着什么。至今他们只把这个问题当作儿戏，难得一次拿出 1 000 袋大米交由自治委员会出售。

市民必不可少的需要如下：

1. 每天正常供应 2 000 担（相当于 1 600 袋）大米或约同等重量的面粉（按 1 担供 100 个成年人 1 天正常消耗计，25 万人每天需要 2 500 担；较小孩子的定量当然要相应地减少）。

2. 每天至少需要 40 吨～ 50 吨煤或其他燃料。

3. 由于自治委员会没有足够的运输工具来运进这个数量的大米、面粉和燃料，而日军的卡车又遍布全城，因此应由日军负责运到自治委员会的店铺。（在我们就供应食品事宜与石田少佐商谈时，他曾表示准备负责运输。可惜这些协议由于日本上级部门的命令而作废。）

除了大米和面粉供应，还应采取附加措施保证一定量的其他食品的供应，以防止发生各种疾病和瘟疫。我们还打算从上海运进这类食品。运输之事也得由日本陆军承担。

如果能够将所需粮食提供给自治委员会，自治委员会在分配工作上就不会有困难。

当然，对于那些回到原住处的市民，日本人必须保证给予任何一个像样的政府都会提供给自己市民的保护。日本人也同样应当保护食品及燃料的正常分配和出售。

感谢你们对我们事业所表示的关心。

你们十分忠实的

南京安全区国际委员会主席：约翰·拉贝（签名）

拉贝的意图非常清晰：希望这几个外交官在他走之后多多关心安全区的难民，尽可能地继续他没有完成的任务。他的心完全被苦难的南京人民牵着。要保证安全区内的难民们艰辛地活下去，资金显然是最重要的。拉贝在写完给三位外交官的信后，突然觉得英国大使馆的布龙先生在资金问题上更有些办法，于是几天后拉贝又提起笔，专门给布龙先生写信道：

尊敬的布龙先生：

作为驻南京的代办，您对南京安全区的设立以及与此相关的难民工作等所有重大事件非常熟悉。关于难民工作，我想在此再多言几句。

南京25万难民中的一大部分是由于城内及周边地区火势的蔓延而无家可归的。在许多家庭里，养家糊口的人不是被日军带走就是遇害，于是家里剩下的人便陷入了极度的困境。这样的事不说有千万件，也有千百件。如您所知，居民的经济生活被完全摧毁。有许多居民，他们带着少量的食品和钱进入安全区，他们仅有的这一点储备都快用光了，现在他们变得一无所有。

可供委员会支配的救济基金当然也捉襟见肘。我们在南京有10万元，在上海可以再得到5.7万元。要想摆脱25万人的困境，这15.7万元是远远不够的。令人焦虑的是这成千上万的人需要的不仅是食品，还要有安身立命之地。除此之外我们还要给予他们一定的帮助，使他们能开始新的生活。

给予一些贫困家庭相应的经济资助，这对他们能够重新生活也是一种极大的帮助。进行这样的援助，我们只能依赖这笔基金了。

因此请允许我提出如下请求：请您帮忙，获得伦敦市长基金的相关资助。我们已从美国顾问委员会获得了一笔捐款，即包含在上文提到的5.7万元中。我们也希望英国委员会不吝给予我们援助。

预先对您的支持表示最衷心的感谢。

顺致亲切的问候

您忠实的约翰·拉贝（签名）主席

拉贝是个操心的命。每一件事到他手里，都事无巨细。除了吃和住，水电也是生活必需品。为此，拉贝亲自带着几十名工人冒着中途被日军屠杀的危险，来到长江边的自来水厂和发电厂工作。要命的是电厂，战前拉贝多次来过，但一个多月后的电厂，已经面目全非，这里的43名技术工人被日军当作军事人员绑到长江边上全部屠杀了。厂房和机器设备也惨遭破坏。令拉贝生气的是：那些破坏电厂的人——日军现在却也嚷嚷着令他帮助把电厂修理好发电。按拉贝的性格才不愿为“破坏者”卖命，但想到难民和国际委员会成员们也需要用电时，拉贝“忍气吞声”地勉强接下此活，并且亲自出面向上海洋行总部聘来几个专业工程师，一起帮助使发电厂重新恢复了工作。

比如元旦那天，几个日本兵跑到一户市民家，他们见一对母女，便满嘴“花姑娘的要”，饿狼一般地扑向那个漂亮的姑娘。姑娘的母亲哭着跑到拉贝跟前，跪在他面前乞求帮助。拉贝立即驾车赶到汉口路附近的一所房子。进去后，他看到一个赤身裸体的日本兵趴在一个年轻漂亮的姑娘身上正为所欲为。拉贝不能动手，也不能上前去拉扯那日本兵，他只能站在一旁一面大声训斥，一面不断用各种可能让对方听得懂的语言“祝新年快乐”。那个日本兵果然一下索然无味了，从姑娘身上“咚”的一声掉下来，然后慌忙提上裤子就逃出屋子。

这样的事对拉贝来说，几乎天天要遇上和去处理，“像家常便饭一样了。”韩湘琳说。

1938年1月底，德国使馆外交官从日本大使馆获得消息：2月4日起，日军将正式开始遣散安全区内的所有难民。这是件大事，拉贝认为必须同国际委员会成员们紧急商议。29日，拉贝召集国际委员会成员开会，重点讨论了请求相关国家的外交官到日本方面弄清楚以下情况：一是日本人会不会将外国辖区和外国侨民住宅里的中国难民驱逐出去；二是日本人是否允许拉贝等人在自己住处的小安全区内收容更多的难民。

“这是我们最大限度地争取紧急情况下保护更多的难民。当然，如果日本人还能以其他方式继续保留我们原有的安全区，这当然是最好的打算。但现在我们需要作出最坏的打算。用中国人的话说，在安全区的问题上，看来日本人是想对我们进行釜底抽薪！”拉贝分析道。

“可恶！可恶！”马吉举起双臂，紧握拳头，怒吼道，“就在刚才，我又发现了2名女孩，一个才4岁、一个8岁，她们全家11口人全部惨遭杀害。可怜的姐妹俩守在母亲尸体边整整 14 天才被邻居发现……"

委员会成员们全体沉默、悲愤。

"今天的南京是日本人的天地，我们所能做的就是尽力拯救这些可怜的孩子和她们的家人。"拉贝开腔道，"我想尽管中国人骂自治委员会的几个官员为汉奸，但毕竟现在是他们在行使管理南京城的行政权，我们对他们也要争取一下。"

"那帮人甚至比日本人还贪赃枉法，我们能从他们那里争取到什么呢？"马吉不信。

拉贝说："难道你们忘了，在日军占领前，当时的马市长曾经答应的 1 万袋大米和 1 万袋面粉？日军占领后，这批粮食就一直被日本人扣着，我们让自治委员会的人到日本人那儿要，以用作给难民们赈灾。一方面也给自治委员会的人一个立功的机会不是？"

"哈哈……汉堡商人真精明、狡猾啊！"斯迈思和马吉等不由调侃起拉贝来。

后来证明拉贝的这一主意还真达到了一定目的，虽然日本人没有把这批粮食全部用于赈救难民，但至少让日军吐了些血。

1 月 30 日，中国农历的大年三十。下午 4 时左右，拉贝驾车准备去平仓巷，车至汉口路，只见迎面 50 多名中国人将他车子拦住。

"拉贝先生，你快去救救那女孩！"中国人纷纷向拉贝说道和比画着。

拉贝一听，便知三分了：肯定日本兵又在强奸妇女了！

"走！"拉贝二话没说，跟着中国人，来到蒋家巷 4 号。

"日本兵就在里面……"有人说。

拉贝推门便进。房子里面早已被日军抢劫一空。在一间敞开的里屋，放着一口棺材。再往隔壁的一间堆放稻草和杂物的屋子走去，拉贝发现了一名日本士兵正在强奸一名妇女。拉贝火了，上前一把拎起那日本兵的后领就往外拖，并且一直拖到走廊外。

"你的！你的什么的干活？你的……"日本兵又气又恼。

"你的强盗！野兽的干活！我的决不允许！"拉贝也怒发冲冠地回敬和训斥道。

那日本兵看看拉贝，又看看停在一边的挂着德国国旗的汽车，拎着裤子夺路而逃。

"哈哈哈……小鬼子也害怕呀！"中国人拍手欢呼，并纷纷竖起大拇指赞拉贝。

"大家快离开这儿，说不定日本人会马上过来。"拉贝朝围着他的中国人挥挥手，让他们尽快离开。等现场所有人走尽后，他也登上汽车，走了。

农历新年初一，是中国人最喜庆的日子。拉贝院子里的难民们，一早就起来排着整齐的队伍，向他们的救命恩人拉贝先生三鞠躬。姑娘们还向他献上了一面长 3 米、宽 2 米的红绸布，上面写着一行长长的汉字。这行汉字拉贝读不懂，有人这样翻译给他听：你是几十万人的活菩萨！

“天，我怎能受此大礼！”拉贝一听，脸都涨红了，说自己无论如何也承受不起如此赞誉。有位在此避难的前中国政府官员是名学者，他笑眯眯地走来对拉贝说：“我把这句话翻译成一首阁下听得懂的诗吧！”

“太好了！”拉贝拍手赞同。

翻译后的难民献辞是这样的——

你有一副菩萨心肠
你有侠义的品质
你拯救了千万不幸的人
助人于危难之中
愿上天赐福于你
愿幸福常伴你
愿神祇保佑你

你难民收容所的难民

“谢谢，谢谢你们！愿上帝也保佑你们！”拉贝又一次被自己的“臣民”感动了。

这一天，拉贝觉得阳光有了一丝暖意。因为他举目往外眺望时，发现院墙外那具中国军人的尸体终于被搬走下葬了。

2 月 4 日，也就是中国人过新年的第 4 天，这一天拉贝早早地起来了，因为他要在这一天亲自站岗——“今天我得亲自站岗，也就是说，我必须注视着自己的难民收容所，双眼盯着我家后面德国学校里的 600 名难民和我家前面中学里的约 5 000 名难民。如果日本人强行闯入，我虽然阻挡不住，但我起码可以做一个目击者，观察事态以向世界通报。我一定想方设法保护好我自己的房子，我们倒要看看，他们敢不敢在我面前侮辱德国国旗！”拉贝这一天的日记里这样写。整个这一天的行动也是这样做的。他穿着特别整洁的西装，袖子上的纳粹徽章格外显眼，而这一切都表明，他决不会让日本人在他面前随心所欲地破坏他的安全区和欺负他所收容的中国难民们。

入夜，拉贝的日记这样写道：“担惊受怕的一天 2 月 4 日过去了，一切都很平静。这意味着只要日本人有所顾忌，我们就不会遇到麻烦。我们大家对此都感到非常高兴。今天是中国春节的最后一天假日，尽管天公不作美，下着雨雪，但中国人仍然兴奋地在院子里燃放鞭炮。这些可怜的人如此知足：只要不被打死，他们就满意了……”

写到此处，拉贝想起了前一天的事——

“拉贝先生，您一定要出面救救栖霞山寺庙内的难民，他们太可怜了！无论如何，您得出面。”江南水泥厂的丹麦友人辛德贝格来了，他见了拉贝，事情还没顾上说，就立马请求拉贝答应他的求助。

“你说吧，把情况给我报告一下。”拉贝知道肯定又是一件令人愤怒的事。

辛德贝格这时才想起从口袋里掏出一样东西。“是僧人们给您和所有相关人士的公开信……”

拉贝接过信，看着看着，他的手开始抖动——显然是难以抑制的愤怒。公开信的内容是：

以人类的名义
——致所有与此有关的人

值此，我们向您简要汇报该地的情况及本寺庙所遇到的骚扰——

南京沦陷以来，每天都有数百人逃至我庙寻求保护，要求安置。我写此信的时候，寺庙里已聚集了2.04万人，大部分为妇女和儿童，男人们几乎都被枪杀或被掳去为日本士兵当苦力。

下面，我们扼要地列出日本士兵自今年1月4日以来所犯下的罪行：

1月4日：一辆载着日本士兵的卡车驶来，他们掠走了9头牛，并勒令中国人为其宰杀，以便把牛肉运走。与此同时，他们放火焚烧邻近的房屋以消磨时光。

1月6日：从河上来了很多日本士兵，他们抢走了难民的1头毛驴，并抢走了18个铺盖卷。

1月7日：日本士兵强奸了一位妇女和一个年仅14岁的少女，抢走了5个铺盖卷。

1月8日和9日：有6位妇女被日本士兵强奸。他们像往常一样闯进寺庙，寻找最年轻的姑娘，用刺刀威逼她们就范。

1月11日：有4名妇女被强奸。喝得酩酊大醉的日本士兵在寺庙内胡作非为，他们举枪乱射，击伤多人，并损坏房屋。

1月13日：又来了许多日本士兵，他们四处搜寻并掠走大量粮食，强奸了一位妇女及其女儿，然后扬长而去。

1月15日：许多日本士兵蜂拥而来，把所有年轻妇女赶在一起，从中挑出10人，在寺庙大厅对她们大肆奸淫。一个烂醉如泥的士兵晚些时候才到，他冲入房内要酒喝、要女人。酒是给他了，但是拒绝给他女人。他怒火冲天，持枪疯狂四射，杀害了2个男孩后扬长而去。在回到火车站的路上，他又闯进马路边的一间房子，杀害了一位农民70岁的妻子，牵走了一头毛驴，然后纵火把房子烧了。

1月16日：继续抢劫、奸淫。

1月18日：盗走了3头毛驴。

1月19日：日本士兵大闹寺庙，砸坏门窗和家具，掠走7头毛驴。

大约在1月20日，开来了一支新的队伍，换下栖霞山火车站的岗哨。新来部队的指挥官是个少尉，他心地较好，自他来后，形势明显好转。他在寺庙内设了一个岗，哨兵努力把专来捣乱、偷窃和抢女人的士兵拒之于寺庙大门之外。因此，我们害怕，一旦这位少尉撤离此地被派往别处，原来可怕的情景会重新出现。所以，我们请求你们，不管是谁，只要能帮助我们阻止重现这种惨无人道的残暴行径即可。安置在我们这儿的难民百分之八十已失去了一切，他们的房屋被毁，牲口被杀，钱财被抢。此外，许多妇女失去了丈夫，孩子没有了父亲，大部分年轻男子遭到日本士兵的杀害，另一部分则伤的伤，病的病，躺在这里缺医少药，谁也不敢上街，害怕被杀害，而我们还只剩下少量的粮食储备。我们的农民既无水牛又无稻种，怎能春耕播种呢？

在此，我们所有签名者再次恳请您的帮助。

栖霞寺庙难民（20个签名略）

1938年1月25日

看完信，拉贝长叹一声，说："城内的情况其实并不比栖霞山寺庙好多少。你看看斯迈思等这几天整理的情况报告……"

拉贝随手从桌子上拿起几张纸，给辛德贝格看。这是《日军在南京暴行报告》的后续，这份报告已经登记到300多个案情了。

辛德贝格看到如下报告——

2月2日下午，朱先生想返回位于建康路的家中，他与他朋友同行。他们到达铁管巷时受到5个日本士兵的阻拦，他们不得不听从日本兵的命令，为他们工作到深夜。从此他们再也不敢有试图回家的想法。

2月2日，江先生要返回位于新街口的住所，在云南路和中山北路的交叉口的一个街角，五六个日本兵遇见他，强迫他挑餐具到挹江旅馆。他办完事正要回家，在铁道部附近又遇上日本兵，要他把大米扛到上元门，他遵命完成后，时间已晚，最后想想不得不放弃回家的想法。

2月3日：上午9时，一位18岁的叫蔡晓喜（音译）的年轻男子离开难民收容所回家，走到四象桥时，因没有立即向日本兵行鞠躬礼，被这位士兵用刺刀捅了一刀。今天下午，他回到我们这里接受医生治疗。

2月3日：上午10时左右，七八个日本兵闯进白下路江先生和江太太家——他们刚刚从安全区回到家，日本兵命令江先生出去，企图对他太太施暴。江立即指指手袖上的"国际委员会"标章，日本兵才悻悻地走了。江当晚带着太太回到安全区，他们说，回家太可怕，决定继续留在难民收容所。

2月3日，马太太回家途中，在同仁街某屋前被3个日本兵抓住，拖到一间屋子内进行轮奸。

…………

后面的都是有关诸多妇女离开安全区试图回家过日子时被日本兵或在家或在途中遭强奸和轮奸的案例。辛德贝格没看几个就直骂："恶心！"

"这种情形下，如果我们放弃安全区，将等于帮助日本人再次屠杀南京人嘛！"辛德贝格冲拉贝说，"无论如何我们不能这样做！"

拉贝拍拍丹麦朋友的肩膀，说："我们正在与各国驻华大使馆联系，争取他们的支持，并同日方和新成立的南京自治政府取得协调，力争保留国际委员会所担当的责任。"

"有结果吗？"彬彬有礼的辛德贝格看来也被形势逼得要发疯了。

"相信会有些结果。"拉贝说，"请向栖霞山的方丈们转达我的问候。他们那边的情况，我们一定协调顾及。现在的最大问题是，我们自己如何坚定对安全区的自信和自治能力，特别是食品的基本保证。"

"明白。"辛德贝格带着拉贝主席的一丝希望，离开了肮脏而焦味十足的城区。他对拉贝说："如果不是为了我那边两万多难民的事，一次也不想进城……"

拉贝苦笑道："可我们还必须每天24小时守着到处是尸体臭味的南京城。因为我们的岗位在这边——20多万难民每时每刻都在期待着我们。"

是的，无论南京城如何凄惨与肮脏，无论空气如何让人窒息与迷漫恶臭，拉贝也无法离开。2 月 4 日，是日本要求安全区难民撤离的第一天，但除了拉贝和几个美国人住所内的难民们没有被日本军队驱赶处，其他地方几乎无一例外地遭到日军强行而野蛮的破坏、骚扰。在拉贝一直关心的与他住处近在咫尺的金陵大学附中内的难民也纷纷逃了回来。5 日当天，负责这所中学难民的格兰姆斯先生向拉贝发出求救信：

尊敬的拉贝先生：

在此，请允许我转告您，越来越多的难民回到我们学校寻求保护。他们说，他们不可能继续留在家里，因为日本人不断进行骚扰，向他们要姑娘。如果他们不从，就威胁要杀死他们。形势从来没有像现在这样严峻。在这样的情况下，难民们怎能返回住所？请您给予他们仁慈的帮助，除了您和您的朋友之外，我再也不能请求他人保护。请您与德国、美国和日本大使馆商谈此事。难民来找我帮忙，可我却无力相助。自治委员会丝毫影响不了日本人。人们告诉我们说，除了国际委员会，谁也不能保护我们，即使是自治委员会官员的夫人也跟平民百姓一样难免遭受日军的奸淫。我简直无法理解。自治委员会怎能在这样恶劣的情况下还要求难民返回自己的住所。它自己也很清楚，在安全区外，谁也不能保护难民不受日本人的欺凌。

这些难民多么可怜，简直难以形容。我祈求上帝，不要离开中国，拯救我们吧！如果您及您的朋友不帮我们，谁还能帮助呢？恳请您及您的朋友考虑一下，通过什么途径帮助这些难民。

尊敬的、亲爱的拉贝先生，您是我们的先导，我写此信时已泪流满面，但愿上帝与您同在，请为我们祈祷吧！

您的 D. G. 格兰姆斯（签名）

“立即通知召开理事会！”拉贝对斯迈思说。下午，国际委员会在拉贝的要求下，再度召开了理事会紧急会议，重点研究了日军在安全区内驱逐难民后的形势，以及如何安置回来的难民及今后一段时间的工作。

“各位先生、各位女士：当前，我们可以说到了委员会成立以来最困难的时刻，大家无论如何要坚定我们的信仰和决心，其实也应当有理由坚守我们安全区的职责，这一点事实上尽管日方不直接承认，但国际社会对我们的工作是普遍支持和同情的。现在我们面临的是：自治政府要求市民们回家，但多数难民他们不敢回家，或者说回家了因为害怕日本兵的骚扰又回到了安全区来。这说明什么？说明了多数难民是信任我们而不信任日本人和自治政府的人。还有什么比这更值得我们继续为他们服务的理由吗？所以只要我们坚持，胜利一定属于我们！”拉贝是个商人，很少能说如此激情的鼓动话，但这一天他说了，说得很像一个德国政治家。斯迈思等美国朋友给予了拉贝很高的评价。

坚定战斗意志对此刻的国际委员会成员们来说，异常重要。

“寒冬总会过去。面包不能没有。”大家相互鼓励，困难似乎又在这群洋人面前变得轻如鸿毛。

这是1938年2月6日，拉贝收到了一封热情洋溢的信，是他的助手之一、金陵神学院安全区的陶忠亮代表他负责管理的全体难民感谢拉贝的。信这样写道：

尊敬的拉贝先生：

战争在上海爆发并不幸蔓延至南京时，国际委员会建立了南京安全区。它帮助难民免遭危险，获得安全，这件拯救工作使全体难民至死也难以忘怀。

我们——您的助手，愿为您的追求献出我们的全部力量，我们把这看成是我们的神圣职责。在辞旧迎新之际，我们收到您的来信，信中对我们的工作大加赞扬，随信还附上了15元钱供我们欢度春节。虽然我们认为，我们不配接受这份礼物，但我们不予拒绝，以免让您生气，从而失去您的器重。

根据您的指示，我们已把钱分发给各位工作人员。特写此信，以表示我们的衷心感谢。

您非常忠实的陶忠亮

代表金陵神学院难民收容所全体职工

自日军宣布要驱逐安全区内的难民以来，拉贝的神经每天都处在极度紧张的状态，多数时候是一件件忧心如焚的事，但偶尔也有高兴的事，比如他从罗森博士那里获悉，通过拉贝等多方努力，上海方面已经将100吨蚕豆往南京起运。这对处在饥饿与死亡边缘的南京难民来说，简直就是一个救命的好消息，而对拉贝他们来说，更加让他的国际委员会有了一份信誉，因为这样的物资援助是连日本军方都很难破坏的。它属于慈善援助，国际社会的眼睛都盯着呢！拉贝能不高兴吗？

但与此同时，拉贝又收到了几个令他情绪低落的坏消息。其中有一件说，一个日本士兵闯入民宅，屋内住有 1 个妇女和她 2 个女儿。这个士兵想要强奸 2 个女孩，遭到反抗。随后，日本兵把 3 个女人锁在屋子里，纵火烧屋，最后 2 个女儿烧成焦炭，母亲则烧得半死逃了出来……面对如此不断的暴行和噩耗，拉贝只能空握拳头。

“能做的就是更多地救助那些可怜的难民，或多给他们一碗粥喝、多让他们安全地睡上一夜……”拉贝内心一次次向上帝祈祷。

国际委员会的争取一直没有停止，拉贝在不停地向日方直接提出解决问题的办法。2 月 10 日，他代表国际委员会向日方当局就“恢复秩序和纪律”、“食品供应”和“医院和卫生所的人员”等问题提出了要求。

在发上述信件给日本使馆方面的同时，拉贝也收到了一份来自上海报刊转载德国汉堡的新闻报道：

一个德国人卓有成效的工作

（上海 1 月 10 日讯）南京的许多报道一致肯定了德国西门子洋行（中国）驻南京代表拉贝值得赞扬的和卓有成效的工作。从 11 月中国当局完全撤离以来，他以难民区委员会主席的身份，实际上做了市长的工作。他在其他德国人和外国人的支持下，维护社会秩序，关心市民的福利。据日本大使馆一名代表的报告，拉贝的工作对过渡时期是十分重要的，同时对目前为了居民和难民的利益而与占领军进行的合作也是很有益处的。留在南京的中国居民怀着感激的心情赞许拉贝的帮助。

拉贝是个荣誉感特别强的人，尤其是来自自己国家的新闻消息他特别在乎，这也是他能够坚持并如此奉献于中国难民的力量源泉之一。这篇新闻他看后很多次告诉给朋友们。

离开南京的日子越来越近了，拉贝觉得身为“主席”的他，有必要做完两件事：审计在任委员会主席期间的财务情况和对未来委员会的命运做一安排。这也再一次显示和体现了他这个“精明的汉堡商人”的工作严谨性。

很快，财务报表和今后的财务预算送来了。“员工们的工资和医生的工资支出，必须件件落实，如果这方面留有问题，我宁可不走！”拉贝对金陵大学报来的财务表中没有明确的内容，很认真地要求细致地补充。

现在，拉贝要签署一份他认为他走后最重要的文件，即将“南京安全区国际委员会”名称改为“南京国际救济委员会”。

“我们选择这一名称，是为了更好地符合其目前作为纯民间救助组织的工作性质。为了更好地表达我们存在的理由，我和斯迈思博士正式向日方提出上述请求。我本人——将不在新的机构里担任领导，但希望斯迈思、马吉、施佩林、米尔斯牧师等诸位成为这个新机构的领导人，过去的工作已经证明他们是卓越的……”18日，拉贝在国际委员会的最后一次理事会上，发表了“告别”讲话，斯迈思对会议做了认真记录。这些珍贵的资料后来都留在了美国耶鲁大学，成为世界研究南京大屠杀的重要历史档案。笔者有幸阅读到它们，就像与当年的传教士、基督徒、医生们在一起交谈了那段无法忘怀的沧桑岁月……

拉贝在南京主持难民安全区的事迹几乎全世界爱好正义的国家都已知晓，更不用说他在南京城内的影响，所以当他要离开南京的消息传出后，许多难民纷纷给他写信致敬。下面这一封由24位难民签名的信算是其中的一个代表吧。

尊敬的拉贝先生：

日本人占领本城后，从1937年12月16日起押走了许多中国人，据说是命令这些人为他们从事必要的劳动。这些人绝大部分是年轻人，有些还是未成年的孩子，我们的独生儿子也在内，他们都没有兄弟。许多人是商人家庭出身，从来没有当过兵；另一些人是手工业者或是小商贩，但大家都是本分的公民。现在留在家里的只有孤苦伶仃无依无靠的父母和祖父母，以及无人养活的妻子儿女。

我们从未有过财富。在您建立安全区时，我们希望能够在那里继续我们的生活和工作，并且不会受到伤害。可是，64天前，日本人突然从那里拖走了我们的儿子，我们直到今天还没有听到他们的消息。我们这些老老少少、女人们和孩子们，在安全区没有任何收入，在风里雨里，在严寒的冰雪天，等待着他们归来。如果这种情况继续下去，我们这些从未当过兵的人就会因饥饿和寒冷而死去。我们不知道我们的儿子们在哪里，也不知道他们如今怎么样，家属们日日夜夜都是在泪水中度过的，其中有些年老的和身体虚弱的因悲痛而病倒了。我们的笔难以给您描述这些人的痛苦。你们的委员会过去曾表示过，你们感到有责任去调查那些被押走的人和失踪者的下落。我们曾于1月28日和2月1日两次给您写信。现在又过去了几个星期，但是毫无结果。我们大家（我们这些为儿子、丈夫及其他人担心的人）走投无路，不知该向谁求救，但我们知道您心肠好、怜悯人，因此再次请求您找到能帮助我们的方法和途径，使那些年轻人能够回到我们身边，把赡养者还给家庭，搭救我们的性命。请求您告诉我们，您能为我们做些什么？那些年轻人是否还活着？他们此刻在哪里？（活着还是死了？）他们是否还能回到我们这里？什么时候能够回来？请您不要对我们隐瞒什么。请您把详细情况告诉我们。我们相信您的好心肠和怜悯心，我们将一辈子都感激您。

此致

敬礼！

您十分忠实的

尤朱氏 朱唐氏 王苏氏

许朱氏 许潘氏 费于氏等24人（签名）

南京，1938年2月19日

拉贝是个办事十分认真的人，他对所有类似这样的来信，都一一回复，并且总是将对方期盼的事尽可能地去努力处理和安排。

2月21日，国际委员会总部举办盛大招待会，这个招待会是专门为欢送拉贝所举行的。招待会在一首悠扬中略带忧伤的曲子——《南京难民合唱曲》中拉开序幕。这首曲子是由幽默大师麦卡勒姆牧师特意为拉贝所作，歌词独特："We want beans for our breakfast，beans for our lunch……（中文：我们要蚕豆做早饭，要蚕豆做午饭……）当麦卡勒姆牧师将他所写的歌词告诉大家时，全场人都哄堂大笑了，甚至连受邀的几个日本外交官都忍俊不禁地捧腹狂笑。拉贝觉得麦卡勒姆是个天才，他竟然能把一个严重而复杂的外交问题和关乎几十万难民生死的难题，用调皮的曲调，作为今天这个盛大而隆重的欢送仪式的主题曲，这也一下让整个招待会充满了苦中作乐的氛围。

斯迈思代表国际委员会，宣布他们在拉贝缺席的情况下，召开了一次临时委员会会议，并把会议上的一个专门写给拉贝的决定当众宣读：

尊敬的拉贝先生：

我们荣幸地将下述决议通知您。该决议为今年2月15日在南京安全区9个区的区长及25个难民收容所所长第六次联席会议上作出的。会议一致决定：感谢南京安全区国际委员会主席约翰·M.D. 拉贝先生为组织和管理安全区所做的极其宝贵的工作以及与此有关的救援和救济工作。对拉贝先生为南京居民的利益所做的努力表示最高的赞赏。我们将永远感激地记住他的名字。

上述决议也应该向西门子洋行（中国）和德国大使馆通报，使他们了解南京居民对拉贝先生在这段困难时期所做工作的感激之情。

上述会议，还委托签名者向西门子洋行（中国）提出请求，在可能的情况下，保留您在南京的住房以及国际委员会主席的职务。

虽然安全区本身已经不再存在，但居民们的困苦仍然很大，比以前更加需要对他们进行救济。由于这个原因，全体区长和收容所所长请求您，如有可能，继续在这里工作。告别像您这样一位经过困境考验的朋友，使我们大家深感遗憾。

因此我们十分希望，西门子洋行（中国）会考虑我们的请求，允许您为南京的利益继续您的工作，并请您在它的同意下决定继续留在我们这里。如果不能如我们的心愿，也仍然希望您不久就会回到我们这里来，给原有的友谊换上新的纽带。它在过去的几个月内对我们变得如此的珍贵。

十分感激和忠实于您的

南京安全区各区区长和各难民收容所所长的代表（签名）

这份由董沈玉先生书写，由南京安全区全体国际委员会委员和各区区长、难民收容所所长签名的“决议书”至今仍然保留在中国第二历史档案馆，长长的签名，足以证明拉贝在任国际委员会主席期间的业绩与威望。

这是拉贝获得的最高荣誉，尽管它是非官方的。

2 月 23 日，拉贝在他最信任的中国助手韩湘琳和公司助手施佩林等人的陪同下，登上了停靠在长江边上的英国“蜜蜂”号炮艇。英国大使馆及炮艇司令长官等热烈欢迎他的到来。

“呜——”炮艇拉响一声长鸣的汽笛声，滚滚的长江水顿时在艇尾翻卷……此刻，拉贝向码头上欢送的人群频频招手。他内心不由泛起难以抑制的波涛：啊，别了，我亲爱的南京！别了，我们几十万苦难而叫人牵挂的难民！

1938 年 2 月 25 日下午 2 时许，拉贝乘坐的船抵达上海。码头上，他与久别的爱妻重逢。两人长时间地拥抱，场面感人。

到上海的次日，拉贝看到了刚刚出版的上海德文报纸上的一篇题为《向约翰·拉贝先生致敬》的短评。此评这样说：

当日本的部队在11月底以极快的速度向中国首都南京挺进时，在外国人的私人圈子里产生了建立一个安全区的想法，使外国的侨民和中国的平民在预期发生的战斗中可以找到一个避难的地方。

国际委员会由此诞生了。它把不同国家的公民（其中有3个德国人，还有美国人、英国人等）联合了起来。西门子洋行（中国）南京办事处代表约翰·拉贝先生在他的全体委员们的信任下，被任命为委员会的主席。

战斗爆发时，安全区已经组织完毕。委员会的成员们本来可以到停泊在扬子江上的轮船上去避难，这并不困难。可是，拉贝先生和他的委员们放弃了让自己到安全地方去的机会，决心将承担的使命进行到底。由于他们不怕自我牺牲的行动，在中国部队撤退和日本人占领南京后那些困难日子里，使数十万人得以免受饥饿和寒冷，在力所能及的情况下保护他们免受可怕的遭遇。

只有在他们不顾个人安危的全力投入下，国际委员会的成员们才能做出这种完全是人道主义的贡献。

安全委员会的主席承担着最大的工作压力，工作的成功主要应归功于他。约翰·拉贝先生在南京困难的日子里，证明了自己是一个完美的人，他的献身精神，给“德意志”这3个字和他的祖国带来了荣誉。

南京的安全区委员会在我们中间人人皆知，我们十分高兴地获悉，拉贝先生已于昨天下午抵达了上海，他还是那么身体健康和精神饱满。他的夫人已在上海十分焦急地等了他很长时间，她的心情我们是可以理解的。他肯定会受到上海的全体同胞的热烈欢迎！

一定是先行到上海洋行总部的克勒格尔一帮朋友们弄出来的。拉贝内心很开心地猜想。

不过，拉贝更喜欢另一封“表扬信”，因为这是德国驻华大使陶德曼博士的亲笔信。拉贝认为，这可以称得上是德国官方和政府对他在南京工作的肯定。

尊敬的拉贝先生：

鉴于您在1937年11月—1938年2月义务担任南京安全区国际委员会主席及

后来的南京国际救济委员会主席期间，冒着生命危险，以人道主义的精神所做出的富有成就的和勇于牺牲的工作，我向您表示我的赞赏。

此外，我也真诚地感谢您在这期间勇敢地为保护德国在南京的财产所做的个人努力。

您的行为给我们的祖国带来了荣誉。

请允许我通知您，为表彰您在南京的工作，我已请求外交部向德国红十字会建议授予您一枚奖章。

德国大使陶德曼（签名）

在上海，拉贝第一次向外界公开讲述了他所经历的日军在南京大屠杀的暴行，从此他的名字在新闻报刊上时常出现。在他的故乡德国，他做了同样的事。然而几年后，第二次世界大战结束，以希特勒为首的法西斯失败，日本也被打败。拉贝的命运则很特殊：一会儿被捧为英雄，一会儿成法西斯代表——因为他的纳粹身份无法逃避战后的严讨与追查。

关键时刻，中国各界和有关方面纷纷站出来为拉贝提供和出示了他在南京反日本法西斯时所作的特殊贡献的证据。这才将拉贝的“纳粹”身份给予了澄清。下面是盟国占领区委员会主席杨克签发的一份法庭判决书：

盟国肃清纳粹法庭复议庭认定
拉贝为非纳粹分子的判决

现在从事口译工作并且有时被西门子公司临时聘用的拉贝在中国生活了很长时间，并且于1934年在中国加入德国国家社会主义工人党。他当时在南京建立了一所德国学校，有必要获得德意志帝国的支持，因此他必须加入该党。1935年约翰·拉贝临时担任了该党南京地方组织负责人。当时在中国的德国人并不了解国社党的罪恶目的和犯罪行径，有关这一点，证人的证词可以证实。南京安全区在日本人突破防线的时候建立，在美国人和英国人的请求下拉贝担任了该委员会主席。作为委员会主席他似乎是使得安全区避免了日本人轰炸。1938年拉贝回到德国，途中他作为贵宾乘坐了英国“蜜蜂号”炮艇到上海。拉贝在德国作了数场关于日本人残酷非人的战争行径的报告，因而被盖世太保逮捕，并被禁止进一步从事有关这方面的活动。战争期间，拉贝的工作是负责照料西门子驻外工作人员。

阿尔夫雷德·霍普和阿尔贝特·阿尔姆布鲁斯特与拉贝一起在中国待过，而且不是党员，这两个证人以及所获得的可代替宣誓证词的陈述词均能证明以上的全部内容，特别还要考虑到的因素有，在1934年的时候，国家社会主义工人党的政治和帝国主义目的在中国尚不被人所知。

鉴于以上所述，同时也尊重上述人所具有的人道主义的和社会的观念，委员会经多数票通过，支持认定其为非纳粹分子的提议。

一位德国“纳粹”在中国南京所建立的特殊功勋，为拉贝的命运画上了句号。

2014年夏的一天，笔者来到位于南京市广州路小粉桥1号的拉贝故居，在这位伟大的国际友人雕像前，深深地鞠了三躬。当我抚摸这位已经远离我们的德国友人的头像时，心情久久难以平静——因为我和所有中国人都知道，假如当年没有拉贝和他领导与组织的“安全区”，日军在南京大屠杀造成的中国人死亡人数绝不止30万……

第六章　坚守“生命孤岛”的洋小姐

现在，到了该让大多数中国人所熟知的南京大屠杀的“主角”出场的时候了——这个主角与张艺谋的电影《金陵十三钗》有关。

张艺谋的电影是根据女作家严歌苓的小说改编的。严歌苓之所以写这部小说，是因为她与美籍华裔女作家张纯如有过交往。张纯如曾经给严歌苓讲过魏特琳的故事，因而激发了严歌苓的创作灵感，并完成了一部中篇小说，即现在大家所熟知的张艺谋电影《金陵十三钗》的文学母本。

1995 年的一天，一位美丽的东方女子安静地坐在耶鲁大学图书馆内，她正在认真阅读一部厚厚的档案材料，并且不时用打字机摘录着其中的内容……这位女子便是张纯如。多愁善感的张纯如一边翻着那部陈旧的档案，一边在不停地擦眼泪。是什么让这位东方女子如此感动？原来，张纯如继发现《拉贝日记》后，她又发现了极其重要的《魏特琳日记》。

“当我在耶鲁读完魏特琳的日记和书信时……我既愤怒又很困惑，为什么这些记录没有被编辑成一部书出版呢？为什么在过去的半个世纪里魏特琳却被公众遗忘呢？为什么魏特琳的精神没有成为全世界所共有的遗产呢？”张纯如曾在日记里这样感叹。她的祖父是抗日国军将领，小时候张纯如听过爷爷讲述当年日本人在南京犯下的暴行，幼小的心灵因此留下了深深的烙印，所以当她第一次阅读到一位女性传教士亲历南京大屠杀的日记时，也就格外声嘶力竭地连喊三个“为什么”。是啊，张纯如的三个“为什么”问出了一个人们不该不做的事。这位美丽如仙的东方女子从此身体力行，一边努力地研究和挖掘包括拉贝在内的与南京大屠杀有关的重要当事人的资料，一边倾力推出《魏特琳日记》的翻译出版工作。终于，2000 年 4 月，历史学家胡华玲完成了此项任务，并在同年 10 月将《魏特琳日记》的中文版付梓。

历史竟有如此相同的地方！当年由于在南京目睹日军大屠杀现场及数年间挺身保护身边数以万计难民而耗尽心血的魏特琳，终于在 1940 年底患上精神分裂症和严重的忧郁症。她不得不回国治病，但病情仍不能得到控制，次年 5 月 14 日人们发现她在家中用煤气结束了自己的生命……63 年后的 2004 年，东方女子张纯如——这位对魏特琳小姐十分崇拜的祖籍南京的姑娘也因患忧郁症在汽车内开枪自杀。

魏特琳与张纯如在不同时期同毕业于伊利诺伊州大学，且都与“南京大屠杀”有关并患同样的病，后又同样以自杀的方式结束了生命。何曾想到，这两个出生在不同年代、不同国家的女人竟然在冥冥之中有着如此相同的命运，不可思议，也非常遗憾。

25. 终身未有孩子的女人从不放弃孩子

我们现在来说说南京大屠杀的重要见证人、美国传教士明妮·魏特琳（Minnie Vautrin）小姐。这个美国女人一生未要孩子，却从不放弃数以万计的中国孩子的生命。她因此被南京人称作“观音菩萨”。

魏特琳有个中国名字，叫华群。1886 年出生于美国伊利诺伊州西科尔小镇的她，在 26 岁时即 1912 年来到中国合肥办学传教。如此一位具有高等学历且年轻美貌的美国姑娘，甘愿独自一人来到一个落后的东方国家进行传教办学，一直到耗尽生命的全部能量。魏特琳在中国的贡献，尤其是日本军队在南京大屠杀期间挺身保护万余中国妇女和儿童的义举，让人感动且有几分悲切。

这也是这位“洋小姐”生命之花盛开得最艳丽的部分。1919 年至 1940 年 5 月，魏特琳在南京金陵女子文理学院当教授、教务主任、教育系主任，并曾两度出任该学院院长之职。可以说，她是位杰出的女性教育家，一位让笔者将其比作“圣母”的传教士。

与所有传教士一样，魏特琳到中国来最初和最根本的使命是传播基督教教义，以“拯救落后而愚昧的姐妹们的命运”，但后来残暴的日本军队改变了她的使命，从而使得一个纯粹的传教士变成了南京人民世纪不忘的女神、圣母或我们中国人叫的“观音”式人物。

2014 年夏天，笔者来到当年的金陵女子文理学院的旧址，拜谒了魏特琳的雕像——站在我面前的这位“洋小姐”，面庞慈祥、亲切、和善，而这仅仅是表象。当真正了解她在南京大屠杀期间的所为时，笔者才懂得了张纯如女士为何在阅读她的日记时泪流满面……心灵的震撼能改变一个人的信仰。

世上本没有真理，真理是掌握真理的人创造的。世上本没有仁爱，仁爱是仁爱的人酿制的。世上本没有美丽，美丽是美丽的人将真正美丽呈现出来后才有了美丽。

在千差万别的生命中，只有那些把生命奉献给了别人的人才会拥有最灿烂的生命之花。

魏特琳便是这样的人。

如果说拉贝这个人在南京期间是“以恶治恶”的话——他常常无奈时向日本人炫耀他的“纳粹”袖徽来吓退野蛮暴徒，那么魏特琳是一生都以仁爱和美来对付恶行的人。魏特琳不是一个出身富有家庭的洋人，做铁匠的父亲不能给全家人丝毫的奢侈，12岁那年魏特琳就被送到邻居家干苦活，寒冷的冬天里她为别人家放牛。她的学生时代全靠她自己打零工挣学费。在两年制的大学读书，她只能半工半读，用了4年时间方毕业。后来她为到中国办学传教，甚至不得不与已经订了婚的恋人分手，最后一生未嫁。

魏特琳把一生全部贡献给了中国，而最值得我们记忆的便是她在日军占领南京后的几年中为保护数以万计的难民所做的点点滴滴……

1937年夏，魏特琳已经在南京金陵女子文理学院工作了19年，这个时候她是这所学院的主要负责人之一，而此时的院长是中国籍著名女教育家吴贻芳。这个夏天是改变魏特琳命运的一个炎热的季节，原本她计划在这年的夏天回美国休假一年，但她工作的所在城市——南京被日本人改变了命运，因此年过半百的魏特琳小姐也随之改变了自己的命运。

不知是女人的直觉感强于男人的缘故，还是美国人对国际政治有天生的敏感，魏特琳对日本人对中国动武一开始便高度警惕并看穿了其野心。这年北平的“七七事变”后，魏特琳立即作出了自己的判断：“我们得到消息，7月7日，一名日本兵失踪后，在北平南面数英里的地方出现了麻烦，日本兵是如何失踪的？为什么失踪？没有人知识详情。自那以后战争扩大了，我们不敢说它将如何结束。”这是她在“七七事变”后的几天写给美国朋友的信，魏特琳当时就如此尖锐地指出：“关于第一次世界大战，米尔恩说过：‘1914年在萨拉热窝有两人被打死。对此，欧洲所能做的就是再杀1100万人。’米尔恩的这个结论还不包括战争造成的个人损失、愤怒和疾病引起的死亡和对经济的破坏，以及日益加深的仇恨。中国不想打仗，并且知道自己还没有准备好。我认为日本人民也不希望战争，但是日本无法控制其战争武器。”

魏特琳是位爱好和平的教育家。一届届毕业生离开金陵女子文理学院走向工作岗位，这种年复一年的喜悦，让魏特琳乐不知疲，因为她从中找到了自己的全部兴趣和幸福感以及成就感——尽管连她家人都始终不理解。但魏特琳感觉自己很充实。1937年夏季的毕业生令她满意，共有42名青年女生要离开她奔赴工作岗位，其中60%的毕业生将成为教师。

“受过教育的妇女能有更多的工作机会。”魏特琳喜形于色，过去的19年在金陵女子文理学院任职期间，她一年比一年更好地实现着自己的理想。因此当“七七事变”发生之后，日本人又于8月初在上海点燃战火时，魏特琳她们仍在研究这一年的招生计划。讨论的结果：决定把每年9月初的开学日期推迟至9月20日。实际上国民政府的教育部当时也建议在上海和南京等危险地区的学校都将新学年的开学日期推至这个时间，这也从一个角度看出当时的国民政府上上下下对在上海跟日本人拼一场仗硬仗有些担心，或者就根本没有半点信心。推迟20天开学能说明什么？20天仗是打完了还是永远打不完？20天是打赢的考量还是打输的时间？似乎谁都没说明白。

情况越来越不妙。从青岛度假回到南京，已是7月下旬。途中的情况已经让魏特琳感觉到时局发生了变化：“途中我遇到了5趟敞篷军列，载着士兵、战马和其他装备。在酷热中，这些士兵看起来很可怜，其中一些人还是少年。”女人是敏感的，她们会从细节中看出许多问题，比如中国军队的频繁调动，比如军人中可怜的少年说明了这个军队的战斗力和兵力不足所带来的问题，等等。

魏特琳有自己的事，她提前从青岛度假回南京，主要是为了检查新建的教工住宅。这个新公寓是魏特琳非常在意的一项工程，院长吴贻芳对此做了很大努力，造房的预算总在超额，这让一心想有个美国式公寓房子的魏特琳有几分着急——她期待自己在中国有一个理想的住处。但日本军队开进中国后一切都改变了，包括魏特琳个人的这么一点小愿望。

“校园熄灯后，在校园外的马路上，士兵和马匹的前进声、枪支碰撞的叮当声持续两个多小时……战争的准备仍在进行着。难道没有什么力量能阻止这两个国家间的战争？的确，当战争的狂热被释放后，情况就像是没有牧羊人的羊群。然而，我们知道在任何一个国家都有相当多的反战人士来阻止战争。”

魏特琳是爱好和平的人士，她对战争脚步声感到愤怒。可那是日本人逼迫中国的后果，因为日本的军事机器正快速地开着。魏特琳回到南京后记下了七八月城内的战争气氛。

当局很快下达了一项让人无法接受、但又迅速被民众接受的命令：把所有的房顶涂成黑色或者灰色——屋檐下的红柱子也要涂改掉颜色。“否则将成为日本飞机扔炸弹的目标。”当局这样说。谁都怕死，于是这项计划很快得到响应和实施。“可怜的鼓楼也穿上了灰衣。”魏特琳不能接受这般惨状。她的金陵女子文理学院例外地没“穿灰衣”，吴贻芳院长和魏特琳等爱美的女性教授们和学校董事会成员坚决反对。

“难道日本飞机对你们例外？”当局有人批评魏特琳她们。才不管哩！她们独行其道。这也是金陵女子文理学院出了名的风格。

8月13日，上海大战拉开序幕，所有从那边到南京的通讯全部被切断，交通情况也如此。首都南京从此开始恐慌。

接下去的日子，魏特琳与所有南京人一样，除了坚持自己的正常工作之外就是挖防空洞。11日，传教士马吉和安娜来找魏特琳，三人在办公室里讨论了一个多小时有关基督教目前如何开展工作的问题。没有结论，只有忧虑。

“我个人现在开始抵制日货。”魏特琳告诉教友，但她指出：“我还会努力地争取与日本民间取得联系，让日本的工人、农民了解他们的军队在中国做了些什么事。”

接下去的日子令魏特琳和同事们极其烦心，因为只要天气好一些，日本飞机就会在她们的头顶上扔炸弹。可怕的警报声和乏味的洞穴生活，让女人们非常痛苦和焦虑。而这期间还不停有伤感的消息传来：不是在上海日本人又炸死了多少人，就是南京城内又有多少房屋被毁、多少人死伤……

“必须走了！凡是女人都应该离开，所有不是必须留下的男人们也要走。”美国使馆一次次来人对魏特琳她们说。

“我已经说我不走了，因为我要是走了，正在承受巨大压力的吴贻芳博士和中国同事们将要承担更多工作，我是文理学院的教学负责人，我尤其不能在这个时候离开，这既是我的责任，也是我到中国几十年来的使命，就像危险之中，男子们不应弃船而去，女人也不应丢弃她们的孩子一样。”魏特琳对自己的使馆外交官们说。

“我们充分理解魏特琳小姐您的态度，选择留与走是您个人的意志，使馆尊重您。”使馆的态度让魏特琳感到愉快。

她没有了其他准备，唯有的准备就是与所有南京人一样：准备“迎接”日本人的任何行为——无奈的“迎接”。

形势越来越不好。别说是推迟开学的事了，学校本身都面临着马上搬迁的问题。这已经是政府的命令了，留下的人员只有少量的看守者，学生和教师都得往内地搬迁。南京城从8月份开始，整个城内都处在大搬迁的乱象之中。大人忙、孩子哭;军人忙，流氓笑；车马忙，鸡狗闲……总之，堂堂中国首都，此刻已是一片战前乱局。金陵女子学院现在有三个人最忙碌：校长吴贻芳和舍监兼非常委员会成员程瑞芳，还有一个就是魏特琳。

9月1日，往年开学的日子。但这一年这个日子金陵女子文理学院内完全是另一番样子。这天晚上，魏特琳与院长吴贻芳和另一位同事住在山顶防空的宿舍内，讨论着如何计划没有学生的金陵女子文理学院下一步的工作。两位中国女性在谈论她们国家的时局时说的一句话令魏特琳印象深刻："如果我们国家被日本人打败的话，那不是因为我们的人民缺乏勇气，而是我们队伍里有汉奸！"

中国内部的汉奸是谁？主战的蒋介石先生不可能是吧？汪精卫？魏特琳弄不明白中国的内部，只是有一点她是知道的：每当日本飞机夜间袭击南京城时，全城早已命令不准在重要公共场所或重要机构及军事设施开灯照明，然而总有一些坏蛋在黑暗中举起火把，给日本军机指引方向。这很可怕，也十分气人。

这就是吴院长她们所痛恨的汉奸吧？！

城内传来另一个消息：为了不给可能进攻南京的日本人留下任何宝贵资源与财富，当局传出要百姓和所有机构配合进行"焦土政策"，即中国宁愿把南京和其他大城市变成焦土，也不让日本人占领后得到任何好处。

真是疯了，战争的发起者和胜利者是疯子，战争的受害者也疯了！魏特琳看着她曾经如此迷恋的中国六朝古都与秦淮河美景，心中无数次呐喊，但似乎没有人理解和听她的。她唯一庆幸的是：她们的院长吴贻芳女士是位开明而有独立信仰的"头儿"，吴院长既没有执行"涂黑"，更没有执行"焦土"，她认为即使日本人的屠刀架在脖子上，"也要亮出中国人的豪气与美丽"。魏特琳非常敬佩吴贻芳博士，说她是金陵女子文理学院的灵魂和象征。吴是该校首届毕业生，后赴美国读博士，回来接任院长之职，是位真正的教育家。因为吴贻芳的存在，金陵女子文理学院在首都南京也是所名声非常好的学校，蒋介石夫人宋美龄也经常光临并不时赠送些礼物与纪念品。

上海战役越打越惨烈，前线的伤病员大批大批地转运到南京地区的医院。魏特琳和程瑞芳还奉院长之命，接受了给大量的伤病员分送慰问品的任务。

女人走上街头搞捐助，发动妇女给伤员缝洗衣服甚至代为家人写信等等，魏特琳感觉自己完全融入了中国人的现实生活之中。她已经忘记了自己的身份，甚至连自己肤色都忘了，而中国人也完全把她当作了"自己人"。开始人们叫她"洋小姐"，后来知道了她的中文名叫华群，于是就叫她"华小姐"。

其实“华小姐”已经51岁，早已不是姑娘年龄了。“外国人称没有结婚的女人都为小姐。”后来一些不明白此事的中国人也都知道为何如此称呼人到中年的魏特琳了。

战争把人的聪明逼至极致。有一天魏特琳来到美国大使馆办事，发现外交官们忙着将一面巨大的星条旗（美国国旗）张掩在房顶上。“这样日本飞机扔炸弹时就不会朝我们头顶上扔了！”使馆人员这么说。

“那么整个城市的百姓怎么办？”魏特琳看着这一幕，内心很为南京市民和中国人伤痛——他们不能在自己的国家张自己的国旗来保护自己的生命，倒是外国人能用自己的国旗保命。

她为此也更恨日本人：你们凭什么跑到中国来害人家嘛！

日本人的飞机已经把南京城炸得遍体鳞伤、鸡犬不宁。“这是谁家的鹅？”突然有一天，学校里来了两位警察，指着满地悠闲地摆动着身体的几只公鹅责问魏特琳。

“难道它对战争还有危害吗？”魏特琳十分不解地反问警察。

“华小姐你有所不知，这日本飞机一来，这鹅大爷‘哇哇’地乱叫，日本人就会朝下面扔炸弹，所以政府要求你们把它们宰了！”警察说。

“这是我们的实验生物，宰它们不公平！”魏特琳分辩说，“再说，如果日本人知道是鹅在叫，还以为是农村了，他们的驾驶员可能就放弃了对我们的轰炸呢！”

“这个……”警察真没想到魏特琳能说出这层意思来。但他们坚持说“这是上司的命令”，必须执行。

“你们还有几头狗吧！”警察追问。

魏特琳点点头，但她说：“它们很听话的，我们什么时候进洞，它们就跟着进洞，而且从不乱叫。”

警察似乎相信了魏特琳，临走时说：“那你们也得管住它们。”

魏特琳看着警察远去的身影，无奈而自嘲地摇摇头，真的都患上了“战争病”。

南京城和所有居住在这儿的人们，越来越严重地患上了“战争病”。

9月16日这一天魏特琳特别痛苦。晚上8点多她从防空洞出来，发现了她的“皮特勒”——那只捡来的与她相依为命的小狗趴在地上不动弹，唯有两个小眼睛可怜地盯着主人，泪汪汪的。原来它被一条毒蛇咬伤了。

“小可怜！我的小宝贝呵！”魏特琳抱起小家伙，直奔医务室，给它上药，然而已经太晚了。皮特勒不久便永远地“解脱了痛苦”，魏特琳好伤心，与程瑞芳等几人用白布将小家伙包起来后，埋在一棵小树下。

魏特琳特意为它默默祈祷。这是日本人犯下的一个间接罪行！她这样认为。

在埋葬皮特勒之后，魏特琳又一心投入到为她的学生们筹备新学年开学的情谊上。在许多人看来，中日军队在上海打得血肉模糊，南京金陵女子文理学院还有开学的可能性吗？魏特琳听了这样的话显然很生气，说："战争是战争，孩子是孩子。我们无法制止两个国家的战争，却要尽一切可能让无辜的孩子上学。"

9 月 18 日，金陵大学做出决定，欲在 10 月 4 日在南京开学，这消息让魏特琳受到极大鼓舞。这一天，魏特琳与程瑞芳等同事一起，通知了所有生物专业的学生们到武昌去上课，因为那里已经有 6 名她的学生重新获得了上课的机会。"我个人认为，如果可能的话，带着孩子的母亲应该撤离到安全的地方去，但是，如果身体能够承受目前压力的话，我们其他人应该留在自己的工作岗位上，我们最大的感情投资是与年轻的教会成员保持友好合作的关系，当人们最需要我们的时候，我们却离开了，在我看来这是丢掉了一次需要我们服务的绝好机会……在我的传教生涯中，一个长期期待着的日子终于到来了——担负特别责任的妇女得到了与担任同样责任的男子相同的待遇，没有要求我们与带着孩子的母亲同时离开。"当天的日记里，魏特琳为自己能留在南京继续她的神圣工作而自豪。

生命的河，喜乐的河，缓缓流进我的心窝
生命的河，喜乐的河，缓缓流进我的心窝
我要唱那一首歌，唱一首天上的歌
天上的乌云，心里的忧伤，全都洒落……

第二天是中秋节，魏特琳心情愉快，因为这一天下了一场雨——雨天日本飞机是不会来轰炸的。而雨后的天空特别晴朗、清新、凉爽。这是自 8 月份以来南京人很少度过的难得的一天。白天，魏特琳挨家挨户去学生的家里做家访。战争阴影笼罩下的南京市民在无望的压抑日子里，竟然开门看到一位慈母般的"洋小姐"来家问寒问暖，怎不感动和激动？

"坐坐，华小姐，吃个月饼吧！"

"来来，华老师，我孩子今年还能去上学吗？"

家长们对魏特琳的到来，纷纷给予最热忱的接待和问候。"下午，下午我们就有一个地方的学校要开学聚会，我们一起去参加吧！"魏特琳以非常肯定和无限热情的态度告诉她的学生和学生的家长们。

下午2点30分。魏特琳与几位老师特意在她们的邻里学校布置了一个特别聚会，30多个孩子和18名成人参加，她和孩子们与宾客一起唱着熟悉的歌曲，心头充满着希望与期待。

“轰隆——”歌声尚未停止，突然，近处传来炸弹爆炸的巨响。令人生厌的日本飞机又在扰乱和破坏，这让魏特琳和孩子们更加蔑视与憎恨日本人。

“滚！滚滚！孩子们想上学有什么错？有什么妨碍你们的？”魏特琳仰头朝天怒骂从头顶掠过的日本轰炸机。

“华小姐！快到防空洞躲躲！快！”程瑞芳等使劲拉她进防空洞，而魏特琳仍然胸部剧烈起伏着在不停地咒骂扔炸弹的日本飞机。

9月20日，美国大使馆帕克斯顿参赞来找魏特琳，向她宣读了日本驻上海舰队司令的一份声明，“为了尽快结束战争，毁灭南京所有的军事设施、机场和通讯中心”，从明天开始，日军将要对南京进行真正的攻击，换句话说，就是要真打南京了！

“我们奉政府之命，希望你们立即撤离南京去躲一躲吧！”帕克斯顿说。

“我怎么能放得下孩子和学校呢？”魏特琳还是那句老话。

“魏特琳小姐，你应该清楚，日本军队可不像你们基督教徒那么善良，他们的声明就是一个通牒令。如果再不走，他们的意思是炸死和打死概不负责。”

“难道连孩子和学校都不例外？”

“还用说！炸弹并不长眼。”

“那就更要留下来，我倒想看看日本人的炸弹真的敢往我们孩子身上和学校里扔！”

“唉！都到这个时候你还不信！”帕克斯顿缠不过魏特琳，甩甩手走了。“如果你还有需要可以给我和使馆写信……”他留下一句友好和关切的话。

“听说你们使馆的国旗还要下降？”魏特琳追出几步问道。

“是。国务院批准的。”帕克斯顿的声音。

魏特琳依偎在石栏上，看着远去的帕克斯顿的背影，两眼充满了忧虑。“我认为，如果所有的使馆都降下国旗，并撤走人员，这将是一个悲剧。因为，这意味着日本甚至在没有正式宣战的情况下，就可以对南京进行无情的、毫无顾忌的狂轰滥炸。我希望日本空军无法得到这种满足……”这是魏特琳找来女伴凯瑟琳小姐一起商量后给使馆的正式回复。

这一天里，魏特琳连续参加了几个她所认识的中国女孩的婚礼。开始她不明白为什么一下子那么多女孩子突然结婚了，一打听才知道：这些女孩子的家长们都有一个共同的想法，趁日本人还未打进南京，给自己的女儿找个婆家结婚，兴许仗打过来后女孩还有个保护。

“悲剧！”魏特琳听后，直痛到心尖尖儿。可，你有什么办法呢？魏特琳站在耶稣像面前，觉得自己也是无能为力。现在，她所能做的就是尽可能保住金陵女子文理学院这块地方。她心想：这里既是她的工作岗位，更是孩子们的理想家园。如果她们的家园都被日本人破坏或毁灭了，孩子的理想必定成为泡沫。

她决意留下，也是为这。

“既然他们都要走，大使馆里也没有人了，能不能让他们把旗帜给我们用用？”凯瑟琳说。

魏特琳一听，眼睛猛然一亮：“这是个好主意。听说西门子的拉贝先生就已经在自己住的院子里放了好几面他们德国的旗子，日本飞机还真不敢往他院子里扔炸弹呢！”

“他放的是纳粹旗，日本人害怕。”凯瑟琳说。

“我们的星条旗至少也能让日本人有所顾忌。”魏特琳来了精神，说，“我马上给使馆打电话，趁他们还没有走。”

“喂，使馆吗？我是魏特琳。我想向你们借样东西……”

“什么呢？魏特琳小姐，我们很愿意为您效劳。”

“国旗。就是像你们撑在屋顶上的那种大国旗。”

“噢——明白了。请稍等……”

使馆那边让魏特琳她们听消息。“有希望。”魏特琳朝凯瑟琳做了个鬼脸。

“魏特琳小姐，非常荣幸地告诉您，我们的大使已经同意了您的要求。”电话铃响，对方说。

“太谢谢了！谢谢你们！”魏特琳和凯瑟琳高兴地抱在一起欢呼。她们把这件事报告了吴贻芳院长。

吴贻芳也十分满意，说：“你们马上去拿回来吧！”

“好！”

魏特琳等把一面崭新的，有 9 英尺大的美国国旗拿回学校后，平展安放在校园的方草坪中间。“小了一点。恐怕日本飞机上投炸弹的人不一定看得清楚。”程瑞芳过来瞅了几眼，如此说。

“也是，太小了点。”凯瑟琳感觉也不满意。

魏特琳寻思了一下，说：“明天我们再去买点布，想法做一面比这大三倍的美国国旗！”

“好点子！”程瑞芳和凯瑟琳迎合道。

“轰隆隆！”

“轰隆隆！轰隆隆！”

日本人真的“履行”了他们的诺言——开始在南京实施绝对的破坏性大轰炸。“实业部今天被当场炸死 41 个人。”吴贻芳院长以沉重的心情向魏特琳等通报了这一消息。

大轰炸过后的夜色下，月亮探出头来。魏特琳从防空洞出来，回到实验室，当她推开窗户，一眼就看到了平展在草坪上的那面星条旗，忍不住走了出去。

月光下，魏特琳站在自己国家的国旗前，思绪万千。她想起了自己的家乡伊利诺伊州，也想起了自己有病的父亲以及对她一肚子埋怨的弟弟……然而魏特琳想得更多的是自己的国家。她心头默默地说道：这些年来，如果我的国家不是那么自私、不是那么贪婪的话，这面国旗以及它所代表的国家完全可以有巨大的能力使得日本人不敢为所欲为的！然而现在不是。他们都走了，连大使馆的门都要关了，他们的正义感到哪儿去了？

魏特琳的内心感到异常痛苦。为这，她对自己的祖国渐失信任，这也是她甘愿以生命的代价换取留在南京的原因。“我宁可为了几个中国孩子，也要站在日本人炸弹飞得到的地方，这样我的心会安宁些。请上帝相信我、理解我，也请我虔诚的基督教徒的父亲能理解我……”

她在胸前画着“十”字祈祷着。

26. 顶住头上的炸弹——开学！

真的怪了，南京人每天醒来的第一件事，就是看看天气。假如是雨天，大家兴高采烈；假如是好天气，便心情坏透了——好天气便意味着日本飞机将不时出现在南京上空，人们只能待在防空洞内，或者只得“吃炸弹”。

“我很难过，今天早上朝霞很美，似乎将是一个好天气。我在凝视窗外的时候，玫瑰色的绚丽朝阳已悄悄顺着我东面窗外长长的垂柳枝溜了进来。我在想：白天会给人们带来什么——多少痛苦、悲哀和破坏，多少残缺不全的尸体，正像最近的空袭所造成的那样……”这是 9 月 25 日早上魏特琳起床后写的一段日记。天气如此之美，她和她的学校与学生们却将要接受日军飞机的一次次大轰炸。

没有比这更可怕的现实了。

9月26日那天，魏特琳应鼓楼医院的美国医生威尔逊邀请，与吴贻芳院长等一起参观了中央医院被炸后的境况。

“他们是蓄谋已久的。”威尔逊指着院子内的一个宽约30英尺、深达15至20英尺的巨大弹坑，愤怒极了，“这儿距我们的防空洞这么近，如果稍稍偏离一点儿，昨天我和里面的100多名医生、护士和工人将全部葬身于此！”

魏特琳看着弹坑四周溅起的泥土，有的甚至飞到了周边的屋顶上。网球场东面的礼堂西墙已经倒塌，显然是被炸弹震塌的。再看看医院内的其他建筑物，几乎无一例外地遭到了机枪的扫射。多座房子被炸毁，其中有护士楼，还有乒乓球室。“显然是精心安排的一次大袭击。”威尔逊说，“日本人就像一位技术娴熟的外科医生一样，用炸弹给我们的医院动了一次外科手术……”

“医院里的伤员将搬到哪里去呢？”魏特琳担心地问威尔逊。

“政府已经安排了另一所军队医院。”

“百姓病人怎么办？”

“他们被要求尽量回家。”

但魏特琳看到许多病人在家属的搀扶下，往防空洞内转移。一位年长的病人显然没有家属帮助，他很吃力地朝防空洞走的时候，摔倒在地。魏特琳赶紧上前一步扶起他，并问家人到哪儿去了。

“他们上一个月就离开南京了，到乡下的亲戚家安顿过日子。你是华小姐吗？我们都认识你。你是好人。”老人竟然能认出魏特琳，这让她感到惊喜和幸福。

“大爷，你害怕日本人吗？恨他们吗？”魏特琳关切地问。

“不怕。才不怕小东洋人呢！”老人回答得干脆，并说，“我让家里人离开南京，就是为了让他们有机会等日本人来了后多杀他几个！不然他们觉得我们中国人太好欺了。我要活着，活着看他们到了南京干什么！”

魏特琳被这位老者的话感动了。这次她在日记里写下这样的话：“日本人正在让中国人作为一个民族比以往任何时候都团结得更紧密，他们要是明白这一点就好了！以往我从未见过中国人的这种勇气、信心和决心。”

入夜，魏特琳独自走在街头，发现竟然空无一人。走到学校附近，却意外看到这些平时她不太注意的房屋，此刻都被人租住了，而且连一些放杂物的空置房也有各式各样的人居住着。

“挨着你们学校安全。”

“小日本人不敢向孩子们动粗动武。”

魏特琳听到新搬到这儿住的市民们这样说，这让她既满足又担忧：日本军队真的能像南京市民们想的那么文明吗？

不可能！几乎不太可能。鼓楼医院被炸就已经说明，他们连病人和伤员都不放过，还能放过孩子和妇女？魏特琳这样认为，但她没有说出，因为实在不想破坏那些可怜的租居在她学校旁边的那些百姓的愿望。

10 月 10 日，是民国政府时期的中国国庆节。这一天一早就开始下雨。老天为南京城提供了一层天然保护伞——炸弹不可能在这一天从天上落下。魏特琳一上午都在为教会忙着祈祷仪式，后来带着一群孩子到医院去慰问伤病员。下午她走在大街上，发现整个南京城竟然每家每户，更不用说政府机构了，他们的门口和屋顶上都升起了青天白日旗。

魏特琳仿佛在那一瞬间消除了内心的全部积怨——来到中国和留在南京是多么有意义！那一刻，她是幸福的。然而，日本人的飞机，很快在第二天又出现了，魏特琳的这份幸福心情也随之荡然无存……

现在，魏特琳最关心的事还是她的学生能不能在 10 月下旬开学。从友校金陵大学获得的信息：他们的新生目前已有 100 多人注册，是往年的 1/10。金陵女子文理学院的学生根据实际情况已经迁移到武汉和上海等地，总部的魏特琳她们则主要是协调这些分校招生、开学和全校的基本预算等事务，尽管南京母校的教学职能基本丧失，但所有分校的每一个工作安排和学生的情况，仍在魏特琳与院长吴贻芳她们的关切和掌握之下。

10 月 30 日，是金陵女子文理学院必须举办的“创始者节”。魏特琳忙碌了一天代吴贻芳院长向每一个分校和每一位学生写信致意，并以母校的名义，向各分校发出如下电文：

> 愿金陵女子文理学院的全体成员通过不懈的自我修炼，无私地承担起民族的危难，使自己无愧于学院创始者和金陵女子文理学院的理想。
>
> ——1937 年 10 月 30 日，你们的母校

这一天令魏特琳特别高兴的是她收到了武汉分校发来的一封电报。电文如此写道：

“虽被分开，但不沮丧，依靠信念，不久又会欢聚一堂。母校久长！”

“我爱你们！”魏特琳拿着电报，久久地吻着不放。她仿佛在日本人的炸弹声中听到了她的学生们的琅琅的读书声。

“魏特琳小姐，今天我们也该庆祝一下创始者节了！晚上我们在母校也应该有个聚会。”吴贻芳在下午对魏特琳说，她那轻盈的身姿在魏特琳面前飘过，留下一句特别温馨的话，“叫上所有的教职员工，一起聚一聚。”

“OK!”魏特琳愉快地领取了任务，并与程瑞芳等投入了紧张的准备。

当晚，学校教学楼的大客厅内，热闹异常。这是自日本人大轰炸以来金陵女子文理学院里少有的欢乐气氛。参加人员共有36人，男士女士各18人，分为6桌。美丽的菊花使大厅大放异彩。

节目并非是载歌载舞，因为能跳跳唱唱的人都不在学校。但魏特琳等依然感到欢欣鼓舞。在喜忧参半的聚会后半段，有院长吴贻芳博士的演讲《面对当前危机的金陵女子文理学院》和魏特琳的演讲《如何应对眼前的危机》，而最有趣的节目是传教士马吉先生的《让我们别忘了笑》，他是个天才的演说家，说话风趣而幽默，虽然讲的是关于上帝的话题，折射的却是当代中国和中国妇女的信仰问题。他的观点是：当下日本军队气势汹汹地进犯首都南京，对中国之命运的信念，其实也是对中国妇女的信念，而对中国妇女的信念，更重要的就是对上帝的信念，这样才有了中国的金陵女子文理学院。

1911年至次年冬，当时美国的8个传教会在上海聚集，制订了在长江流域开办一所女子大学的计划，并向这个地区的传教士们发出倡议。1913年夏，由美国北长老会，北浸礼会，南、北卫理公会，基督会等各选3人，组成校董会，并推荐北长老会代表德本康夫人为长江流域妇女联合学校的校长，次年教会的管理董事会正式通过了以“金陵女子大学”代替了“长江流域妇女联合大学”的名称。1924年，金陵女子大学在宁海路购地建房，正式开设英文、历史、社会学、数理、化学、生物、体育、医预科等9个系科，同时还添设了附属实验中学，后又增设国文系。1928年德本康夫人辞去校长职务，由吴贻芳博士继任。1930年，改称为“金陵女子文理学院”。为中国培养女教师，是教会创办金陵女子文理学院的宗旨。

在南京遭遇大屠杀的每一天、每一时，当地的民众所感受到的洋传教士们的仁爱之心是实实在在的，甚至是超凡的和伟大的。

魏特琳当然是其中杰出的代表。

10月的最后一天，魏特琳步行来到鼓楼做完礼拜，而后她跟几十位中国教会成员一起高唱“上帝，拯救我们的国家”时，魏特琳竟然热泪盈眶，她事后对程瑞芳说：“我好像自己就是中国人一样，看到自己苦难的母亲受难，心里特别难受，很想为她做点事，哪怕是为正在上课的孩子挡一挡头顶上掉落下来的弹片和泥尘。”

仅仅10月31日这一天，魏特琳为了满足留在南京城内的孩子们的需要，她一个下午就去了3所学校，为那些被炸弹吓坏了的孩子们唱歌、讲课，让一颗颗幼小的心灵获得片刻的安宁与愉悦。当看到孩子们仰着天真无邪的笑容望着她时，魏特琳感觉那一刻她是世上最幸福的人。

离开孩子，回到校舍，站在圣母玛丽亚像前，魏特琳的心一下又与远在千里之外的上海、武汉、成都金陵女子文理学院分校的学生们连在了一起……“孩子们，我听到你们在读书，听到你们在歌唱，听到你们在夜幕下脸上露出的甘甜微笑，还有你们一天比一天隆起的少女胸脯。我在母校为你们祈祷，上帝保佑你们！”这是她怦怦跳动的心声，似一泓清泉潺潺而流，似一道霞光普照。

“孩子们，你们听到我的心声了吗？”魏特琳每天都在对着苍穹倾诉着。

她在成都分校的学生们来信了：华群小姐，我们有20人参加了“创始者节”庆祝活动。今年的庆祝活动主题是“植物”。查普曼先生和夫人以及我们全体分校的学生都参加了。我们的节目是：画一只手，中间有一个学院的校徽——这意味着我们想念您和院长她们……

她在武汉分校的学生们来信了：这是一封航空信。66位校友与学生、教师在圣·希尔达教堂的庆祝活动热闹而庄严。孩子们告诉魏特琳小姐：外面的天在下雨，可我们在庆祝活动欢声笑语不停，大家十分高兴。我们的活动主题是“有巢的鸟”。这主题意味的是我们这些在外飞翔的鸟儿，向往早日回到我们可爱的巢——母校。

上海分校的学生们也来信了：尽管日本飞机的轰炸声和中国军队的高射炮的回击声伴随着庆祝活动，可鲁丝小姐和纽夫人依旧毫不逊色地照旧高声朗诵了她们的赞美诗。

“留在母校的我们，就像吃了一顿丰盛的大餐——同一天收到来自三个分校的信，我不得不说这是最幸福的一天。”魏特琳在当晚的日记里写下这句话。

新一天醒来的时候，魏特琳与所有南京城里的人一样关心天气。她的一个中国女教徒说：“很奇怪，我们的变化多大呀？现在我们坚持认为：坏天气好，而好天气坏。在下雨的星期天，我们肯定要去教堂。”

那么南京的普通百姓怎么办？下雨时，他们肯定要去街头忙着买些东西回家;而太阳出来的日子，他们一定早早地躲进了自己的或别人家的防空洞内……

无奈而忧愁的日子这样过着。

11 月 18 日，魏特琳第一次正式听到她的朋友们正在组织一个“难民安全区”，并且得到了政府的首肯，美国使馆也表示赞赏。斯迈思是这个组织的重要成员之一，担任秘书职务。当他把这个安全区的情况介绍给魏特琳听后，她的脑海里突然冒出一串问题：日本人真的那么快就打进南京城了？南京城会被彻底摧毁吗？中国军队会被迫撤退而不是被困在城内？会发生抢劫或者更严重的杀人放火？恶战会持续多长时间？我们该怎么办？

“使馆为你们准备了舰船，你们必须在这几天撤离，否则就不可能再有多少机会了！”使馆似乎在暗示日本军队马上就要打到南京城了。

魏特琳还是原来的那句话：我不会走，除非日本人的炸弹将我炸飞了！

使馆的帕克斯顿先生始终彬彬有礼地说：“我们尊重魏特琳小姐的决定。”这让魏特琳感到自己国家的外交官很有修养，他们尊重别人的意愿。

忧郁的日子来了，
是一年中最凄楚的。
树叶凋零北风号，
草地变黄人亦凉。

这是魏特琳小时候在家乡替人放牛时唱的歌。现在，她哼着它，平添几分凄凉。

11 月 21 日，星期天。这一天，魏特琳的日记这样写道：

我们发现伤员们一群一群地聚集在火车站的各个地方，也许有 200 人，但我不能肯定。没有医生护士，有些伤员处在极大的痛苦之中。由于没有足够的被褥，普通的麻袋也被当作被子。那里还有其他像我们这样的志愿者。我们尽自己所能安慰他们。有一个眼睛和鼻子都严重受伤的士兵在痛苦地呻吟，但我们只能用这样的话安慰他：我们会尽快将他送到医院。另一个伤兵从腿到臀部都被炸掉了，他的伤口已有数天没有得到医治。我永远也忘不了腐肉所发出的气味。当我回到家时，首先用来苏尔水，然后用肥皂洗手，但手上还是有气味。后来我用了面霜，然后又用了香水，但今天一整天，我都能感觉到那种气味。

我希望所有在7月和8月份认为有必要进行战争的人，要是能先看一看昨晚大批重伤员的痛苦情形就好了。我肯定他们会向我承认，当战争导致了这样的结果时，战争就是一种犯罪。这些士兵只是些普普通通的青年和孩子，就像我们在我们邻里中所看见的人一样。面对现代战争，他们看来缺少训练，缺乏装备。

我不会轻易忘记一个可怜的人，当我从他担架旁经过时，他请求我不要在今晚就把他送进医院。他说他太累了，已经在火车上待了两天，并且很疼。当我帮他调整一下位置，使他舒适些的时候，我发现他的被子已经湿透了。我试图找一条被子，但只找到了一些麻袋，于是我只好用麻袋当被子。他说早先的外国医生对他很好，每天为他换药。他还说："你知道吗，在那里的最后一天，我对那名医生说，如果我年轻一些的话，我想让他做我的教父。"说到这里，他的脸上露出了笑容。我在想，在以后的几个月中，谁来照顾这些伤员和穷人？他们不可能到西部去，他们会被留下，并成为鸦片馆的牺牲品吗？

次日，金陵女子文理学院在吴贻芳院长的建议和支持下，成立了一个"紧急委员会"，以便处理日益严重的即将发生的难民问题——日本人进攻南京和早晚要占领南京的事实似乎不言而喻了。因此"紧急委员会"的成立是一种应对措施，当吴贻芳院长征求魏特琳的意见时，她坚定地支持院长的这个主张。这天下午3点，第一次紧急委员会会议召开，讨论和得出了4个阶段必须做好的准备工作：（1）战斗阶段；（2）中国军队撤退后；（3）城里没有军队，很可能没有警察，不法分子可能要利用这一机会；（4）日本军队进城。委员会由5个人组成，3位男性，2位女性，程瑞芳和魏特琳便是这两个女性成员。

"金陵大学也有一个紧急委员会，共有30多人留下。"程瑞芳对魏特琳说。

"太好了！这样我们也有相互支持的机构和队友了！"魏特琳为程瑞芳带来的消息而高兴。

学校已经在为一旦日军进城后可能面临的问题做准备了。自然，首要的问题是处置学校的那些宝贵的设备和财产，转移是首选，其次是隐藏，而这些都让力气有限的魏特琳她们累得几乎每天都快要窒息。魏特琳还有一个最重要的事需要做，那就是了解学校到底能安置多少难民，而南京市整体将会有多少难民。拉贝任主席的南京安全区认为将有20余万难民，他们已经与尚未撤离的政府机构统筹了一个计划，其中金陵女子文理学院将安置200名到1 000名难民。即使是这个数目，魏特琳和吴贻芳认为已经超出极限。

“200人是最大量了，1 000人就是灾难。”金陵女子文理学院方面这样认为，因为她们的估计并非保守。事实上到11月，留在学校且能干些活的人总数不足二三十人，按1人照顾10人计算，200多个难民进驻就是金陵女子文理学院的最大限度了。

“谁也不能保证将来的难民是否那么理智，或许是500人，或许是1 000人，或许更多……”拉贝主席对魏特琳这样说。

不可控是关键问题。所以魏特琳在紧急委员会召开第一次会议后，便把一部分精力放在调查学校周围到底还有多少孩子和妇女将留在南京的工作上。安全区成立后的分工明确，金陵女子文理学院一旦接待难民，其主要对象是妇女和孩子。魏特琳因此认为有必要先把周边的难民情况做一调查。

11月25日是感恩节。1937年的感恩节对魏特琳来说是前所未有的特殊，她在用自己的行动酬谢上帝对她的哺育：装扮校园。

这是一份非常细致而特殊的工作，由吴贻芳她们几个女士提出的：要把金陵女子文理学院装扮成全美式的基督教领地，并以此作为保护难民的“生命孤岛”，不准日本军队在此横行霸道。

按照学校地形，魏特琳和程瑞芳选择了学校4个醒目的高地和要口，插上4根旗杆，以示以后难民一旦进入后的不可侵犯的范围。第一根旗杆插在西山顶上；第二根插在两栋男教师住宅的中间；第三根旗杆在门房的拐角处；第四根插在南山两栋男教师宿舍的中间。另在实验学校里也插了一根。

旗杆上将挂上美国国旗。这是魏特琳的主意，她希望吴贻芳校长给予支持，因为金陵女子文理学院的前身和目前的办学资金仍然是以美国基督教等传教机构为主。“这没有问题，金陵女子学院就是美国教会组织办的学校。应当让日本人了解和知道这一点。”吴贻芳非常肯定和明确地说。

“以前我们学校门口挂的两块牌子应该找出来。”吴贻芳是金陵女子学院的首届毕业生，她建议魏特琳和程瑞芳找到当年用中英文写的“大美国女子学院”两块老牌子。

“它会在什么地方呢？”魏特琳有些为难了，尽管她到学校也有19年了，但19年前的事她却一无所知。

“我记得阁楼上还放了些老东西。”程瑞芳说。

于是两人便到布满灰尘的阁楼上翻箱倒柜。结果发现国民政府注册前使用的一块

"金陵学院"的老牌子，却没有找到她们想要的那块。

"先用它对付！"魏特琳觉得"金陵学院"也能管点用。但就在她们往外搬的时候，老牌子被翻过去的一瞬间，奇迹出现了——那"金陵学院"老牌子的背后，竟然清晰地有一行大字：大美国女子学院。

"哈哈，正是踏破铁鞋无觅处，得来全不费功夫。"平时不苟言笑的程瑞芳这回大笑了起来。

魏特琳更不用说有多高兴！她轻轻地抚摸着那几个大字，发现它们皆被一层厚厚的红油漆覆盖住了，而字形却仍然醒目可见。

"我们用白字黑底一描，'大美国女子学院'几个字就清楚明白地显露出来了！"程瑞芳出主意道。

"太好了！上帝保护了它，我们就让它保佑我们吧！"魏特琳抱住"大美国女子学院"牌子，用脸颊紧紧贴一下，十分激动地说。

吴贻芳知道后，用了 5 个字形容这失而复得的老校牌子：人间悲喜剧。

而此刻的南京城则听不见，也看不到一点儿喜讯。"走上街头，几乎看不到有一个人在闲逛，所有的商店都关上了门。只有四种交通工具在忙碌：拖着战争物资如高射炮的军用卡车呼啸而过；坐着军官的救护车呼啸而过；北方的骡车和拉着穷人及行李的人力车吃力而过……"魏特琳这样描述当时南京的街头情形。

吴贻芳院长要走了，她是政府官员，并应蒋介石夫人之请，必须要离开南京。这是政府的命令，所有中方重要人物和重要机构都必须离开南京。魏特琳对此很难过，但又一想觉得吴贻芳院长离开南京比留在南京更好，因为金陵女子文理学院的所有分校和绝大多数学生现在都不在南京，她们需要院长，院长的存在就是全体金陵女子学院的灵魂所在。她应该走。

现在，南京的金陵女子文理学院的校区内，她魏特琳就是最高领导者了。

"我们家庭手工学校现在还有 5 个学生，这可能是南京唯一还在开学的学校。学生们要求继续上学……"魏特琳为此感到骄傲。

南京城不倒。南京金陵女子文理学院也不会倒！

27. 生命孤岛

日历已经翻到 1937 年 11 月末。这个日子几乎是和平的南京城的末日了——来势凶猛的日本军队已将南京城团团包围。

南京已成孤岛。城内城外，人心一片恐慌。那些曾经在这个皇皇中华民国政府首都作威作福、有模有样的人，如今都走了，留下的都是些穷人和与这个城市没有多大关系的为数不多的外国传教士及他们的信徒和一些医生、志愿者等。守城军队当然占有总人数的很大比例，但他们不是这个城市的主人。

所有的乱象，魏特琳看得清楚，也看得伤感：

现在悲哀的气氛在南京占主导地位，一些人认为，日本人3天后就要到了；还有一些人说要几个星期。今天一些城门关闭了，目的是防止散兵游勇进来。伤员现在不再送进城里。

上午10时。我到大使馆开会，参加会议的还有神学院的哈伯特·索恩、基督教男青年会的菲奇、金陵大学的贝德士、鼓楼医院的特里默。帕克斯顿先生谈到士兵抢劫的可能性和对外国人产生的危险。他说，外国人应该尽可能多地立刻撤离南京，现在不能立刻走的人应该做好撤离准备，当大使馆撤离到美国军舰“帕奈号”上去的时候，这些人也一道走。如果城门关闭了，大使馆选定了两个地方作为用绳索爬出城的聚集地。然后要我们每个人代表自己或是所在的单位表态。贝德士和我认为，我们的责任使我们有必要待在这里。我们的解释被接受，并受到尊重。

今天，去鼓楼教堂做礼拜的不到20人。

今天有90多人参加了我们邻里学校的礼拜，原因你们可以猜到，不是为了面包和鱼，而是为了了解在危急时他们能否到我们校园来。我们的回答是：“我们将尽我们所能保护妇女和儿童，但只有当情况变得非常危急的时候你们再来。只带被褥和食物，不允许带箱子。”

2时30分。我从上海路步行到明德中学。我的心情很沉重。我不断碰到一群群妇女和儿童在寻找“安全区”。她们依稀听说了安全区的事情，想确定一下它的位置。我不得不停下和她们交谈。我告诉她们，安全区还没有最后确定下来，但是，一旦定下来后，市政府会通知她们的。她们多么像没有牧羊人的羊群。

我去参加了礼拜，沿着中山路步行。中山路是南京的主干道，它看起来也很凄凉，实际上所有的商店都关了门。我只看到四种运输工具：拖着战争物资如高射炮的军用卡车呼啸而过；坐着军官的救护车呼啸而过；北方的骡车和拉着穷人及行李的人力车……

今天，除了下关邮局外，所有的邮局都关门了。安全区还没有确定。路透社的记者向我建议，在安全区计划无法实现的情况下，如果我们允许妇女和儿童到我们学院避难的话，我们应该让美国大使馆把这一情况通报日本指挥官。虽然，我并不对自己是在场的唯一女性感到高兴，但感到了自己存在的价值。

这是魏特琳 11 月 28 日所写的日记。是夜，南京城内不时响起巨雷般的声音，随处可见的火光映红了半边天际。几只无家可归的流浪狗在凄惨地嚎叫，听来令人心颤。

第二天一早，程瑞芳给魏特琳送来一包热腾腾的豆腐干，说："今天的南京城，除了你和海因兹小姐、鲍尔小姐外，再没有第 4 个外国女士了。"

魏特琳苦笑道："我想说的是：现在的南京城内，除了我们在为家庭手工学校的 5 个学生开课外，可能也不会有其他一个学校在上课了。"

程瑞芳说："那么上帝应该给我们颁发勋章了！"

魏特琳转身，站在耶稣像前，十分虔诚地问道："上帝会吗？"

"上帝还要看我们日后的表现呢！"程瑞芳抿嘴一笑。

女人们对战事的敏感程度有限，但她们对身边的弱者则格外在意。

跨进 1937 年最后一个月的门槛，南京城的寒气已经十分逼人，而战争的硝烟似乎也已呛到了每个人的嗓子眼上。"在我们刚要去鼓楼教堂时，紧急警报响了起来（现在已不再发两次警报了，因为日本的战线离我们太近了），很快就传来了轰炸的声音。后来，威尔逊医生告诉我，空袭发生在清朝修建的'西华门'。我很难过地说，空袭造成的灾难都落在了穷人身上。他说，有一户人家母亲和女儿被当场炸死。当威尔逊发现那个已麻木的父亲时，他仍然抱着他的孩子，小孩头的上半部被炸掉了……我的心为中国士兵痛楚，我得知有 50 名伤员从 20 英里外的地方跋涉到南京。他们说，许多受伤的同伴倒在了路边。"12 月 5 日是星期天，一清早，城里就听得几声巨响。不用说，肯定又是日本飞机作的孽。

用三头六臂来形容现在的魏特琳似乎很贴切。为了做好接待难民的工作，在她带领下，学校已经把所有的宿舍和科学楼、艺术楼、中央楼等可能腾出的房子全部搬空了。

"一定不要让难民们睡在地上，哪怕是给铺一层稻草或木板什么的，不然会冻坏孩子们的……"魏特琳细心指导着大家。

"好好，就这样。每个人把人带进学校后，就要告诉她们应该在哪儿住下，然后告诉她们应该如何注意卫生。而且一家人必须待在一起。对了，不要把进来的人随便引到楼里，要一栋楼安排满后再安排下一栋楼……”校门口的小草坪上，魏特琳举着小旗，正在指导她的“引导员”如何接待和安排即至的难民。

她的队伍很可怜，除了程瑞芳和几名工人外，其余的都是留校教职员的孩子。不过，他们都很认真，似乎都像刚入伍的新兵，练得一丝不苟。

“华小姐，我们能搬进来吗？”就在这时，校门口已经聚集了一群拖着铺盖、拎着包的女人和孩子，她们在门外喊着魏特琳的名字，乞求着。显然这些人的家离金陵女子文理学院不远，所以她们都认识魏特琳。

“来了就请进吧！”魏特琳一边招呼着门外的人，一边指挥门内的人，“把先来的人带到实验学校去，那边的准备工作已经就绪。快把这第一批的人安顿好，让她们先有口水喝……”

第一天接待难民，人数并不多，但却让魏特琳感到工作的艰辛。刚把一个 80 岁的老人安置稳当，身边的 3 岁娃儿一泡屎就拉在楼道里……

“今晚，我看起来有 60 岁，感觉像是 80 岁。”深夜，魏特琳筋疲力尽地回到宿舍。合眼时，她在镜子面前照了照，不由得吓了一跳。

12 月 9 日，城内各种传说和谣言四起，但有一句话大家并不怀疑：日本人马上就要进城了。

“为什么城西北那边火光冲天？是不是日本飞机又扔炸弹了？”早上起来，魏特琳就见城西北方向，浓烟滚滚，数条火龙直蹿天际。

程瑞芳告诉她，是中国守城军队点的火，军队正在采取“焦土战术”——把靠近城墙的外城建筑都烧掉，以免日军借此作为攻城的掩护屏障。

“能解决问题吗？”魏特琳觉得中国军队的战术有些愚昧。

“我们也搞不清，但这造成了大批没有房子住的难民们往城里涌……估计今天会有更多的人到我们这儿来。”程瑞芳说。

果不其然。当天，魏特琳所在的金陵女子文理学院一下接待了 300 多名难民，其中有一些人还是从无锡来的。这些难民告诉他们：日本人一路杀过来，他们只得往首都逃亡。“南京是蒋总统待的地方，总比我们家安全些。我们想，要死也要跟这些当大官的一起死在皇城里。”有难民对魏特琳她们这样说。

可怜的人啊，他们哪里知道，首都南京其实还不如小城和乡下更安全，这里的大官们早已跑的跑、逃的逃，哪还等着与你们这些穷苦人一起死嘛！魏特琳一下感觉中国的穷人既可怜又可悲。

每晚一会的“记者招待会”，魏特琳也是必到的代表之一。这一天晚上，记者招待会照常进行，但魏特琳发现已经没有什么官方人士参加了，中方人员除了 2 名记者外，只有 2 名政府的低职官员，其余的全是拉贝和贝德士、斯迈思等外国人了。

“轰隆——！”招待会刚刚开始十来分钟，突然一声震耳欲聋的巨响，将所有在场的人从座位上震了起来。

“炸弹！炸弹马上要轰到我们头上啦！快散吧！”有人大喊起来。

拉贝对他的国际委员会成员们说：“估计明天开始不会再有这样的会了。”

魏特琳从会场回到自己的家，发现窗台上的一盆花也被爆炸的震波震落了。在看望新进来的难民时，她听到的都是哭哭啼啼的悲惨经历。一个妇女说，她是有事到南京来的，结果她 12 岁的女儿进不了城，现在她自己又出不了城。“我女儿就在光华门那边，那里打得死去活来，我女儿真出事了！可怜可怜我吧，你们能不能帮我找找女儿呀！”那妇女坐在地上痛哭流涕，但似乎谁也帮不了她。

魏特琳心酸得不知如何是好。

另一位来自三汊河的妇女，则发疯似的说要找她母亲。魏特琳问她母亲到底到哪儿去了，那妇女自己也说不清，只说是刚刚在校门口走失的。魏特琳与程瑞芳商议了一下，估计会不会在附近的圣经师资培训学校那边。“走吧，我带你去那边找找。”魏特琳便拉着那妇女快步来到圣经师资培训学校。结果还真找到了那人的母亲，母女俩见了面抱在一起就大哭。

魏特琳一了解，圣经资师培训学校已经接待 1 500 多名难民。天，这还得了！魏特琳一想，估计明天她的学校也会有难民潮涌进来。这可怎么办？她和吴贻芳院长最初的计划安置的最大限度是 1 000 来名难民，现在才不到两天时间呀！想到这儿，魏特琳飞步就往回走……她想着明天，明天会是个什么样呢？

明天，明天是 12 月 10 日。1937 年 12 月 10 日的南京城，显然已经在日军重兵的包围之中。这座古老的皇城此刻已经完全陷入敌我双方的重炮密弹和硝烟弥漫的激战之中。大街上已经看不到人，偶尔见到的一定是流浪的难民，他们不是被炮弹或子弹打死，就是抱头在寻找避难的场所……

“快进来！进吧！”魏特琳的金陵女子文理学院大门前与后院门口，都挤满了难民。很快，旧的教师宿舍住满了人，中央楼也开始进人。有些滞留在校门外的难民，则在自己想办法：他们自发行动搬砖砌房，转眼间，砖变成了一间间小房子——不需要瓦匠，只要用一两张芦席盖顶，这便成了自己的房子！

"华小姐，你看看，我的房子行吗？"有位男人非常自豪地把魏特琳拉到他的杰作前，一定让其进去参观。魏特琳看了几眼，很是佩服。但她心想：这安全吗？

不过，学校场地有限，又只能安排妇女和孩子，有人特别是男人能通过自己的办法解决避难处，这不失为一个选择。魏特琳还是对此表示赞赏。

"轰隆！"

"轰隆隆！"

就在魏特琳踏进校门的那一瞬，突然连续几声巨响，她顿时感觉地动山摇，身体站不稳，连连摇晃了几下……没有倒下，是旁边的一块墙石帮了她的忙。待她再回头四周一瞅：妈呀，几颗炸弹估计就落在离金陵女子文理学院几百米的神学院等地。炸弹落下后腾起的烟雾和燃烧的火光，似乎要将她的学校与外界隔绝——"我们马上要成生命的孤岛了！"那一刻，魏特琳想到了一个凶多吉少的词。

校门口，那位丢失 12 岁女儿的母亲站在那里，焦急地在街头来来往往的逃难人流里寻找着——也不知什么地方一下拥出了那么多人！魏特琳也觉得奇怪。

10 日这一天，魏特琳的助手——作为安全区第 4 区卫生组组长的程瑞芳在她日记里记下这样的细节：

> ……今日七百号（校楼名称——笔者注）也住满了，搬至安全区的人路上不断，涌到学校的也是如此。洋车没有了，路上男的、女的、老的、少的，都是自己挑、抬，飞机声、大炮声他们也不管，真是凄惨。新住宅区的房子都住了难民，有的租，有的不管，搬进去住。金男大（金陵大学）已住了好几栋房子，新的图书馆也住了，院子里也搭棚子，他们比我们人多，因男女都住。我们只住妇女、小孩，也不许烧锅弄饭，有的自己家里送饭，没有饭吃的不多，我们给她们吃，早上给她们水洗面，给她们三次水喝。有一千多人，忙极了，预备水、开水，一日送两次。现在预备在大门外对面开一粥厂，过两天就有粥吃了。吃进去的是小事，出来的是大事。有的人逃出来没有带马桶来，虽然院子外面四处有粪桶，是为小孩子准备的，她们不到那里去就随便，所以到处都是尿和屎。皇宫式的房子现在加上了一些彩色，窗上挂的晒的破衣服、破被和尿布，树上挂的也是……一百号这边的水塘成了洗马桶、洗尿布的了，图书馆这边的水塘成了洗衣的地方，有人也在那里洗碗。

啥叫难民区，这就是！两个字：脏、乱。可谁还顾得了这些，保命在此刻最重要。

让魏特琳多了一份着急和担心的是：难民中有些妇女刚刚生下孩子，11日早上起来，她便听到有两个妇女在哭，原来她们的婴儿死了，一个是闷死的，一个是病死的。从程瑞芳那里获悉：已经进来的妇女中还有五六个已近临产……

苦命的孩子！“重点保护好产妇和刚出生的婴儿。”魏特琳特别吩咐程瑞芳，从没有生过孩子的魏特琳像自己失去了亲生孩子一样。母性让她格外关注小生命。

12月12日，是南京失陷前的最后一天。这一天是南京最混乱的日子。从中国守军总司令到街头的一条小狗、小猫，似乎都不知道自己该干什么了。唐生智将军从早晨开始就忙着执行蒋介石下达的撤离“手谕”，后来他当晚就在一帮警卫人员护卫下非常狼狈地从下关的长江边撤走了，而他一走，十多万守城的中国军队几乎全乱套了。

被日本军队的机枪子弹和重击炮轰得找不到东南西北的流浪狗、流浪猫只能傻呆呆地在大街小巷看着那些与它们同样傻呆呆的人群四处逃窜……

12日的魏特琳，用她的日记来记述，也许是最准确的“当时”——

12月12日，星期天。

晚上8时30分。我在写这些日记的时候，城市西南部又响起了激烈的枪炮声。窗户被震得摇撼。为慎重起见，我离开了窗户。一整天轰炸不断，有人说，日军已进城了，但我无法证实。一个士兵告诉我们的守门人，日军曾数次突破光华门，但都被赶了回去。我们还听说，87师正在接替88师。但很遗憾，整天都有中国军队从安全区经过。

在今晚的新闻发布会上，听说卫戍司令唐生智已无法指挥自己的部队。除了安全区以外，城里的许多地方都发生了抢劫（从可怕的爆炸声来看，我想那古老而美丽的城墙恐怕所剩无几了）。现在日本飞机可以自由出入，投下大批炸弹，他们既没有遇到高射炮火的阻挡，也没有中国飞机的拦截。

我认为，把城墙外面所有的房屋以及城墙内的部分房屋烧毁是个严重的错误，这种牺牲没有多少价值。谁遭受破坏的痛苦？还不是中国的穷人！为什么不把城市完好地交出？

今天上午10时30分，我去了鼓楼教堂，那儿大约有60人。教会紧急委员会的一名成员做了很好的布道。教堂院落里住了许多难民（现在枪炮声实际上已经停了下来，我不知道这是否意味着城墙已被突破，日军进了城）。

难民继续涌入校园，三幢大楼已住满了难民，现在，艺术楼也开始接纳难民。

不幸的是，由红十字会管理的粥厂仍未开张，因此，对没有带食物的难民来说，日子非常艰难。在我们的一再催促下，粥厂可能明天上午9时开张，但如果今夜城市陷落，恐怕连这也做不到了。

在危难和恐怖之际，也发生了一些有趣的事。我们东门街对面的那个姓管的裁缝，傻乎乎地让“新生活运动委员会”的工作人员在撤离南京前，将他们的一些物品存放在他家的一间屋子里。随着日军的临近，他开始担心起来。今天，我打电话叫来了菲奇先生，我俩叫他把所有的文字材料都销毁，并由我们来承担销毁的责任。整个下午，他和他的妻子以及所有的亲戚，把一堆堆材料搬到我们的焚化炉里烧掉。他们一趟趟地搬着，累得满头大汗，及时销毁了所有的材料（从枪声可以听出，日本人已经进城了）。

一向精干的中央楼林管理员，由于竭力要这些难民保持地面整洁，今晚嗓子都喊哑了。下午他对看门人说，要孩子不在地板上小便比登天还难。看门人说：“你为什么不阻止他们？叫他们不要随地小便？”林用沙哑的声音说：“我哪能不说？！但我一回头，他们又尿了。”

今天下午5时。在我去英语部时，看见紫金山上有一条着火带，环绕在山顶部的1/3处。我不知道火是怎样烧起来的，但这意味着许多松树被毁了。

今晚9时～10时。我和陈先生巡视了校园，洗衣房姓胡的工人和他的邻居都来了。他们担心今晚有撤退的士兵过来，因为他们家有年轻的姑娘。今晚，城里是不会有多少人睡觉的。从南山公寓，我们可以看见城南仍在燃烧，下关也一样。今夜我得和衣而睡，以便在需要时随时起床。但愿黑夜快点结束。

刚好一年前的今天，蒋将军在西安事变中被拘留。

魏特琳的记性真好。她在如此混乱和紧张的时刻，竟然还能记得一年前蒋介石困西安的事？一年前的“蒋委员长”是因为不真心抗日，让他部下张学良、杨虎城二将军给逮了起来，于是有了震惊中外的“西安事变”。逼迫之下，中国最高领袖才不得已开始主张抗日。如今才一年，抗日之烽火燃遍东半边的中国，却是节节失败的惨景！

魏特琳显然是有所感思。这位深深爱着中国、视中国为自己第二故乡的美国传教士，她在为中国的苦难和不幸落泪、哀叹。

13日，是日军占领南京的第一天。这一天在南京城内的中国人几乎都是呆怵的，他们不知道举着屠刀进城的日本人会如何处置他们，也不知道到底自己还能做些什么。

逃命？命在别人手里，如何逃？逃往何处？何处安全？

城内有个“安全区”，十几个洋人能抵挡得了几万占领军？但无论如何，“安全区”总比自家要保险些吧！大家都这么想，于是不管是百姓，还是原先的守城军，他们或拖家带口，或弃枪改装，纷纷逃进安全区……包括魏特琳她们的金陵女子学院。

“这是女子学校，男人们是不能进来的！”开始程瑞芳她们还用这样的话拦住了不少男人，后来根本拦不住。那些当兵的似乎更害怕日本兵，所以不少国民党兵甚至连衣服都没有来得及脱掉便翻墙往学校内跳。

“喂喂，你们这样进来，一会儿日本兵进来看到你们的话，在我们这儿的妇女和孩子们咋办？大家不是都不安全了吗？”一个校舍工人拉住两个当兵的男人，吆喝起来。

“求求大叔了！我们实在没地方藏了，要是回到街上，肯定被日本人砍掉脑袋的。求求你们了！求求……”当兵的中国人跪在地上，好可怜。

“让他们进吧！赶快把身上的军装脱了！”魏特琳路过，示意自己的工人放了这两个当兵的。

“谢谢，谢谢菩萨！谢谢观音菩萨！”当兵的立即给魏特琳磕头。

魏特琳直摇头。她摇头是因为这一天里她不知处理了多少类似的事。这一天南京人只做一件事：逃命。而魏特琳她们则要做几十件甚至上百件事。

这一天，她这样记录：

> 听说凌晨4时，日本人已从光华门入城了。重炮彻夜轰击着城门，据说是在城南，而我听起来却像在城西。城内枪声也很激烈。一夜我都没怎么睡。在半睡半醒的状态下，我感到日军似乎在追逐撤退的中国士兵，并向他们射击。由于担心出事，我们没有一个人是脱了衣服睡觉的。
>
> 5时过后，我起床到学校前门，那儿一切都很平静，但看门人说，大批撤退的士兵从门前经过，有些人还乞求给他们一些老百姓的衣服。今晨，在校园里也发现了不少军装，我们的邻居也想进来，但我们试图说服他们，如果他们在安全区内就和我们一样安全，安全区任何地方应该都一样安全。
>
> 今天早上，我们学校门前的那个粥厂终于开张了，我们根据难民们到校园来的先后次序，依次向各幢宿舍楼发送早饭。这顿饭到10时30分结束。下午我们将再开一次饭。

……下午4点，有人告诉我们，西面山头上有好几个日本兵。我去南山公寓察看，在我们的“西山”顶上果然站着几个日本兵。不久，另一名工人叫我，说有一个日本兵进了我们的家禽实验场，索要鸡和鹅。我立即赶过去，用手势告诉他：这里的鸡不是出售的。

在经历了猛烈的炮击与轰炸后，城市异常平静。三种危险已经过去——士兵的抢劫、飞机的轰炸和大炮的轰击，在我们还面临第四种危险——我们的命运掌握在取得胜利的军队手中。今晚，人们都十分焦虑，因为不知道未来会怎样。

晚上7点30分。食堂负责人报告说，日本兵正在强占我们校门对面有大米的房子。我试图同这批日本兵的头目取得联系，但没有结果。门口的卫兵凶神恶煞，我真不愿意看到他。后来，我为此事见了拉贝主席，他们说明天来解决这个问题，但所有的人都一致认为，在处理这个问题时必须谨慎从事。

今晚南京没有电灯，没有水，不通电话和电报，更没有报纸、广播。我们所有的人确实被一个无法穿透的区域隔开了……

这便是生命孤岛。

12月14日，南京城内的日本兵到处在抓人杀人，主要是针对那些没有逃出城的放下了武器并躲藏在各处的中国守城军人。大街上已经到处血流成河，而日军制订的“扫荡”计划才刚刚开始，且直指拉贝领导的“安全区”内……

“安全区”内的人此时并不知道外面正在发生什么事，更不知道日本兵已经举着屠刀往他们这边冲杀过来。

魏特琳只知道做她们能做的事。

今日来的人更多，都是安全区内逃来的，因日兵白日跑到他们家里抢钱、强奸。街上刺死的人不少，安全区内都是如此，外边更不少，没有人敢去，刺死的多半青年男子。今日五百号三楼也住满了。中午有七个兵从三百号后边的竹篱笆跳过来，华小姐不在，只好随他们吧……魏师傅今早送信到鼓楼医院，今晚未回来，恐被日军拖走了。街上有许多人被拖走了，不知死活。金女大现有四五千人了。

这是程瑞芳记的日记。她告诉我们到14日这一天，金陵女子文理学院已经接收难民有四五千人了！“忙死了！累死了！”程瑞芳用这六个字，向魏特琳汇报了当天校园内的工作状态。

但这时的魏特琳，似乎更关心校园外正在发生的大事——日本人正在下关一带对放下武器的中国军人实施大屠杀！

“天亮前似乎又有猛烈的炮火轰击城墙——也许是在轰掉那些阻碍日军主力进入的路障，不时还夹有枪声，也许是日军士兵在向撤退的中国士兵开枪，或者是向抢劫者开枪。我还能听见下关方向的枪声。在我的想象中，这些子弹是射向坐在拥挤的舢板上、拼命向江北划去的中国士兵们的。可怜的人啊，他们几乎没有机会逃脱这些无情的子弹。”魏特琳对下关等地的大屠杀如此清晰的记录，这绝非是她的“想象”，显然是不止一个亲历者向她讲述后才会如此准确地记录在她的日记里。

以一个讨厌战争的异国传教士的身份，魏特琳谈到战争中女人的作用时，如此说：“在我看来，如果人人都应对战争尽责的话，所有主张宣战的人们都应该志愿参战。妇女们可以在医院服务，为伤员提供衣物和安慰。在装备和维持一支部队所需的无数工作中，甚至女中学生也可以发挥很大的作用。在中学或大学里可以参加军队或是红十字会，或者是去社会服务部门工作。当战争结束时，妇女或青年们将面临更繁重的任务，照顾阵亡将士的孤儿寡妇，更不用说帮助伤残士兵这一光荣的任务了。”她继而指出：“我们这些人认为，战争是国家犯罪，是违背上帝创世精神的一种罪恶。我们可以把自己的力量奉献给那些无辜的受害者，献给那些家庭被烧、被抢，或者是在战争时期被飞机大炮炸伤的人，帮助他们康复。”

魏特琳作为心存仁爱与慈悲的女教师，她更不愿看到日本军队对中国妇女所施行的兽行。

城里其他地方已经传来不少关于日本兵到处抓“花姑娘”强奸和轮奸的事。为这，魏特琳愤怒地告诉程瑞芳等：“在我们这儿，决不允许日本人干这样的勾当！”

从安全委员会总部开会回校，魏特琳发现自己学校门口把守的竟是日本兵时，便立即亲自站在门口，准备随时在日本兵企图抓走女难民时进行坚决的斗争。

“你的不用站在这儿！”一个日本兵持着枪，用刺刀头挑挑魏特琳的裙子，示意她走开。

魏特琳毫无退让，说：“这是我的学校，我有义务把好大门。”

日本兵无奈何她，只得退至一旁。但从他们的目光里看得出，他们一定是在想着法子，如何对付这个不好惹的美国女人。

15 日，又是一个难民潮涌进校园的日子。为了防止意外，从早晨一直到天黑的十多小时里，除了吃饭时间，魏特琳一直亲自站在大门口，看着源源不断的难民往校园内走。日本兵来了几批，但当他们看到这个臂袖上别着红十字标徽的美国女人时，只得灰溜溜地走开了。

校园内已经人满为患，魏特琳跟程瑞芳初估，至少新进来了3 000余人！“有人只求在草坪上有个坐的地方就行，可即使这样的请求，我们都难以满足。”魏特琳说。

最让她不能接受的是，无数难民向她诉说自己和家人的不幸，她们或丈夫被日本兵所杀，或儿子被杀，或自己及女儿被日本兵强奸、轮奸……

“如果上帝赋予我权力，我真想亲手杀了那些强奸我姐妹的日本兵！”魏特琳气得双手紧握，对天发誓。

“今天简直是地狱，是我一生中经历的最黑暗的一天。”16日，魏特琳的朋友菲奇先生过来对她诉说怨气。魏特琳回答道：“我也有同感。”

16日的日记里，魏特琳这样记录：

……上午10时。金陵女子文理学院经历了一次官方视察——彻底地搜查中国士兵。一百多名日本兵来到校园，首先搜查了一幢大楼。他们要求我们把所有的门都打开，如一时找不到钥匙，日本人就很不耐烦，其中一人备有一把斧头，以便强行劈门。当彻底搜查开始时，我的心便沉了下来，因为我知道，在楼上地理系办公室里放着数百件为伤兵做的棉衣，这些棉衣是妇救会做的。我们还来不及处理这些棉衣，我们不想把它烧掉，因为我们知道，今冬许多穷人非常需要棉衣。我把日本兵带到那个危险房间的西面房间，日本人想从一个相邻的门进去，但我没有钥匙。幸运的是我把他们带到阁楼上，阁楼里有二百多名妇女和儿童，这分散了日本兵的注意力（天黑后，我们把这些衣物全部烧掉了，陈先生也把他的一支枪扔到塘里去了）。

有两次，日本兵抓住我们的工人，说他们是士兵，要把他们带走。但我说：“他们不是士兵，是苦力。”他们才得以逃脱被枪杀或是被刺死的命运。他们搜查了我们所有住有难民的大楼。4个日本兵，其中还有一个低级军官想要点喝的，我们把他们带到程夫人的宿舍。当时，我们并不知道校园里架着6挺机枪，还有更多的日本兵在校园外站岗，并做好了射击的准备，如果有人逃跑就开枪。当那个级别最高的军官离开时，我给他写了一个证明，说我们这里只有妇女和儿童，这帮助我们在今天其余的时间里，将其他小股日军挡在了校门外。

中午刚过，一小股日本兵从原医务室的边门进来，如果我不在的话，他们将会把唐的兄弟抓走。后来他们沿路而上，要求从洗衣房的门进来，我也及时赶到了。如果日本人怀疑哪个人，那么其命运将与在他们身后被捆着的4个中国人一样。日本人把那4个人带到西山，我听到那儿响起了枪声。

今天，世上所有的罪行都可以在这座城市里找到。昨天，30名女学生在语言学校被抓走，今天，我听到了数十起有关昨夜被抓走女孩子的悲惨遭遇，其中一位女孩仅12岁。日本人还抢食物、床上用品和钱。李先生被抢去55美元。我估计这座城市每一户人家的门都被打开过，并被反复抢劫。今晚，一辆载有8名～10名女子的车从我们这儿经过。当车开过时，她们高喊:“救命！救命！”街上和山上不时传来的枪声，使我意识到一些人的悲惨命运，而且他们很可能不是中国士兵。一天中的大多数时间，我都像卫兵一样守卫在前门或是被叫去处理其他问题——跑到学校的其他地方，去对付进入校园的一批又一批日本兵。

今晚，我们南山公寓的工人程师傅过来说，房子里的灯都亮着。我的心一沉，我想一定是被日本兵占据了。我上去后发现，贝茨·贝德士和里格斯先生昨晚忘记关灯了。

科学楼管理员蒋师傅的儿子今天早上被抓走了，还有一个姓魏的也至今未归。我们想做点什么，但不知如何做。因为城里没有秩序，我不能离开学校。

……南京今夜成了一个可悲而破碎的空壳，街上空无一人，所有的房子一片黑暗，充满了恐怖。

我不知道今天有多少无辜、勤劳的农民和工人被杀害。我们让所有40岁以上的妇女回家与她们的丈夫及儿子在一起，仅让她们的女儿和儿媳留下。今夜我们要照看四千多名妇女和儿童。不知道在这种压力下我们还能坚持多久，这是一种无以名状的恐怖。

从军事的角度来说，占领南京或许会被认为是日军的一个胜利，但是从道义的角度来看，这是失败，是日本民族的耻辱。这将破坏未来与中国的友好与合作，而且将永远失去今天居住在南京的居民的尊敬。

要是日本有良知的人知道南京发生的一切就好了！噢，上帝！阻止日军凶残的兽性，安慰今天无辜被屠杀者的父母们破碎的心，保护在漫漫长夜中备受威胁的年轻妇女和姑娘吧！愿没有战争的日子早日到来！正如你在天国所为，你也一定会恩泽芸芸众生。

漫漫的长夜里，魏特琳连续数次起来在耶稣像前为她热爱的南京城和留在她校园内的数以千计的妇女孩子们祈祷……同时，她真的很恨日本占领军了。

12月17日这一天，对日本占领军来说，是个“喜庆”日子，他们的最高司令长官松井石根要来了，几万日军在中华门举行隆重的“入城仪式”。然而这一天，对南京市民来说，也是最耻辱的一天。

对魏特琳来说，则是永远耻辱的一天——这一天，她为了保护校园内的姐妹兄弟和孩子们，与日本兵对峙，日本兵打了她耳光，并且不止一次用肢体动作和谩骂来污辱她……

这一天她的日记写得很长，字字句句都是对日本人一直想抵赖的大屠杀罪行最直接和最有力的控诉：

> 我7时30分到校门口，给与F.陈在一起的索恩先生捎了个信，红十字会的粥厂必须有煤和米。又有许多疲惫不堪、神情惊恐的妇女来了，说她们过了一个恐怖之夜。日本兵不断地光顾她们的家（从12岁的少女到60岁的老妪都被强奸。丈夫们被迫离开卧室，怀孕的妻子被刺刀剖腹。要是有良知的日本人知道这些恐怖的事实就好了）。但愿这里有人有时间写下每一件可悲的事情，特别是那些抹黑脸庞、剪掉头发的年轻女子的遭遇。看门人说，她们从早上6时30分就开始进来了。
>
> 整个上午我都奔波于出现日本兵的大门口、小门、南山和宿舍。今天早饭和午饭时也跑了一两次。数天来，没有一顿饭不被跑来的工人打断：“华小姐，3个日本兵进了科学楼……”
>
> 整个下午都在校门口，管理交通，阻止难民的父亲、兄弟和其他携带了食物和日用品的人进入校园。
>
> 校园内原有四千多名难民，现在又来了四千多人，食物成了一个非常复杂的问题，因此，我们对进来的人必须谨慎选择。
>
> 人群不断拥入，我们简直无法应付。即使有房间，我们也没有足够的力量来管理。我们与金陵大学联系，开放了他们的一个宿舍，他们将派一名外国人在那儿整夜守卫。下午4时～6时，我接收了两大批妇女和儿童。这真是一幅令人心碎的景象：惊恐的年轻姑娘、疲惫的妇女拖儿带女，背着铺盖和衣物，拖着沉重

的步履走来。我很高兴我和她们一道走，因为一路上我们遇到了好几批日本兵正在挨家挨户地搜查，他们身上背着各种各样抢来的东西。

好在玛丽·特威纳姆在校园里，因此，我认为我能够离开一会儿。我返回时她告诉我，下午5时，两个日本兵进来，看见草坪中央那面很大的美国国旗，他们把它从旗杆上扯了下来，企图把它带走，但旗帜太重，放在自行车上太累赘，于是就把旗帜扔在科学楼前的一个土堆上。玛丽在配电房找到了他们。当她与他们交涉时，他们脸红了，因为知道自己干了坏事。

我们吃完晚饭时，中央楼的那个男孩跑来说，校园里有许多日本兵正向宿舍走去。我看见两个日本兵在中央楼前推门，坚持要求把门打开。我说没有钥匙，一个日本兵说："这里有中国士兵，日本的敌人。"我说："没有士兵。"和我在一起的李先生也说了同样的话。他们打了我一记耳光，也狠狠地打了李先生，坚持要开门。我指了指侧门，把他们带进去。他们在楼上楼下到处看，似乎在找中国士兵，当我们出来时，看到另外两个日本兵绑着我们的3个工人出来。他们说："中国士兵。"我说："不是士兵，是工人和花匠。"他们确实是工人和花匠。日本兵把他们带到前面，我也跟着去了。当我到前门时，看到一大批中国人被迫跪在路旁，包括陈先生、夏先生以及我们的一些工人在内。一名日军中士及他手下的一些人在那儿。很快，在日军的押送下，程夫人和玛丽也来了。他们问谁是学校的负责人，我说我是，然后他们让我来指认每一个人。不幸的是，有些新人是最近刚雇来帮忙的，其中有一个人看上去像是一个士兵，他被粗暴地带到路的左边，并被仔细地审查。当我来指认工人时，陈先生开口说话，想帮助我，他被日本兵狠狠地揍了一顿，并被带到路的右边，强迫他跪在那里。

在整个过程中，我们真诚地祈祷，求主保佑。这时一辆车开来，上面坐着菲奇、斯迈思和米尔斯。后来，米尔斯留下来和我们待了一夜。日本兵强迫他们下车站成一排，脱下他们的帽子，并且搜身，检查他们有没有手枪。幸好菲奇和那个中士能说一点法语，那位中士同他手下的人讨论了好几次。起先，他们坚持要求所有的外国人以及程夫人和玛丽离开，当我说这是我的家不能离开时，他们终于改变了主意，随后，他们让男性外国人坐车离开。当这些被抓的人站着或是跪在那里时，我们听到尖叫声和哭喊声，并看见有人从侧门出来，我猜想是日本兵把大批的男性帮工带走了。事后，我们发现了他们的计谋：把负责人困在前门，由三四个士兵假装审查和搜捕中国士兵，而其他人则在大楼里挑选妇女。当这一勾当干完后，日本兵带着陈先生从前门出去，我们肯定再也见不到他了。他们走后，我们还不敢肯定日本兵确已离开，而是以为他们还守在外面，并准备向任何敢动的人开枪。

我永远也不会忘记这一情景：人们跪在路旁，玛丽、程夫人和我站着。枯叶瑟瑟地响着，风在低声呜咽，被抓走的妇女们发出凄惨的叫声。当我们默默地站在那儿时，“大王”过来说，有两名在东院的妇女被抓走了。我们叫他赶快回去。我们为陈先生和其他被抓走的人祈祷，希望他们能够获释，我肯定以前从来没做过祈祷的人，那一夜也做了祈祷。

时间似乎凝固了，在恐惧中我们长时间没敢动，到10时45分，我们才决定离开。看门的杜偷偷地向门外看了看，没有人在那里。他悄悄走到边门，边门似乎也关上了。我们所有的人都站起来，离开了那里。程夫人、玛丽和我到东南宿舍，那里没有人，程夫人的儿媳及所有的孙子都不在了。我被吓坏了，但程夫人平静地说，他们一定和难民们躲到什么地方去了。在她的房间里，东西被翻得乱七八糟，显然是被抢劫过了。接着，我们到了中央楼，程夫人的一家、王小姐、何小姐和布兰奇·邬都在那里。后来，我和玛丽到实验学校，令我吃惊的是，陈先生和罗小姐正静静地坐在我的客厅里。当陈先生告诉我们他的经历后，我想真是奇迹救了他的命……

这一天，程瑞芳亲眼看到魏特琳被日本兵打耳光，也亲自看到日本兵如何欺负魏特琳的助手陈先生等一幕幕场景。程瑞芳这样写道：“华小姐她是一个美国人，竟然跟我们受一样的罪……”“这种亡国奴的苦真难受，若不是为民族争生存，我要自杀。”

这是一个中国人的呐喊与愤慨。而此刻，我们的“圣母”——魏特琳女士则仍在默默地承受，更加忙碌地安置难民和处理一件件棘手的事。

“一大早，神情惊恐的妇女、年轻姑娘和孩子就潮水般涌了进来。我们只能让她们进来，但没有地方安置她们。我们告诉她们只能睡在露天草地上，不幸的是天气现在冷多了，她们又得忍受另一种折磨和新的痛苦……”魏特琳对拉贝等国际委员会的成员们诉说，她本希望几个男士能帮助她，可人家告诉她：金陵大学等其他地方的人数远远超过了金陵女子文理学院。“拉贝主席的家里，就那么一块手掌大的地方，已经挤了600多人！”有人悄悄对魏特琳说。

魏特琳再也无怨言了。只能如此：各管各的事，大家全力以赴，能救多少人就救多少人吧！可怜的中国人！还有可憎的日本人！

“你的，为什么不让我们进去？”魏特琳觉得现在最难对付的就是那些蛮横而粗暴的日本兵。他们时不时地端着枪，跑到学校里来找“花姑娘”。17日晚，就在魏特琳忙于对付另一个上楼的日本兵时，另几个日本兵强行从程瑞芳等眼皮底下抢走了11个年轻妇女。

“我的上帝！她们不该去呀！”魏特琳一听就火了。果不其然，第二天早上这11个人只回来了10人，她们个个都低着头，不好意思见人。其中有一个妇女告诉魏特琳，她们全被日本兵奸了一夜，有的人被日本兵轮奸了20多次……“野兽！狗都不如！”魏特琳气得尽量想用最脏的话臭骂这些日本兵。

大概日本兵也知道，金陵女子文理学院里的“花姑娘”最多、最漂亮，因此他们想尽办法、以各种方式进来找“花姑娘”，这让魏特琳忙得不可开交。学校连她只有3个外国女人，日本人除了她们3个外国女的，任何人都别想拦住他们。有一次程瑞芳想挡住一队日本人拖走一名妇女，结果日本兵立即用刺刀顶着她的胸部说：“你的敢挡，将你一起的带走！”

“这是美国学校！你们不能如此无理！”只有魏特琳出现时，日本兵才不敢为所欲为。

“我的就要花姑娘！你的走开！”日本兵有时也在魏特琳面前发狠。一次，几个日本兵气势汹汹地用枪刺顶着魏特琳，坚持要带走人和拿走抢劫的东西。

“你们谁敢？！”魏特琳大义凛然地站在原地，一动不动，一双愤怒的大眼睛透过镜片，死死地盯着威胁她的日本兵。

“你的——死啦死啦的！”气急败坏的日本兵举起军刀，直朝魏特琳当头劈下……他们想吓唬她退却，但失败的却是日本兵自己。

魏特琳冷冷地从鼻子里透出一声：“哼”！面不改色地依旧岿然不动。

倒是有一次几个日本兵趁魏特琳她们忙不过来，偷偷翻墙进来，欲对两名妇女实施强暴时，被匆匆赶来的魏特琳喝住后一阵臭骂，骂得那几个日本兵红着脸溜走了。

“不能让日本兵如此无法无天！”18日，魏特琳带着秘书一起跑到日本使馆，向日方外交官提交了日本兵在校园内所犯的暴行记录，并要求日本使馆出面制止日军的劣迹。

魏特琳的一身正气，令日本外交官田中先生也大为感慨道：“使中国人免遭彻底毁灭的唯一原因，就是南京有为数不多的十几位外国人啊！”

可不是，中国人民永远不要忘了一些普通的美国人为我们做了许多我们自己做不到的好事。

逃难的妇女和姑娘仍如潮水般地涌进金陵女子文理学院……压在魏特琳和她团队肩上的担子重如泰山。难民们已经不再把金陵女子文理学院当作一个简单的避难场所了，而是唯一能保护她们贞操与生命的圣地！

她们和她们的家人，为了进这里，宁可长时间地跪在地上乞求魏特琳她们。“起来！姐妹们起来吧！”魏特琳的心尖阵阵发痛，她甚至一边抹眼泪，一边扶着这些弱女子和她们的孩子，一步一步地引他们走进校园——尽管这个地方她们也只能用自己的肉体抵御日本军队的刺刀和枪炮。

女人伟大。女人不易。天下的女人都有一颗同情的爱心。当她们看到野兽向自己的姐妹施暴时，她们绝对是站在同一战壕的，即使不是一个民族、一个国家的女人。

昨晚又是一个恐怖之夜。许多人跪下请求让她们进来。我们让她们进来了，但不知今夜她们将在何处睡觉。

8时，一个日本人同日本使馆的一位官员一起来了。由于我们已经知道难民的米不够了，我要求他把我带到安全区总部，他同意了。在总部，一辆德国车送我去见索恩先生，他负责大米的分配。他许诺9时把大米送到学校。随后，我坐这辆车回宁海路5号。现在唯一能保护汽车的办法就是有外国人在场。在我走回学校的路上，许多父母亲和兄弟们一再请求我，要我把他们的女儿、姐妹带回金陵女子文理学院。有一位母亲，她的女儿是中华中学的学生，她说，昨天她家被反复抢劫，她已无法保护自己的女儿了。

上午其余的时间，我都从校园的这一边跑到另一边，把一批批的日本人赶走。我去了南山三次，然后又到校园的后面，接着又被急呼到教工楼，据说那里有两个日本兵上了楼。在楼上538房间里，我看见一个家伙站在门口，另一个正在强奸一名姑娘。我的出现和我手上那封日本大使馆的信，使他们慌忙逃走。在我内心深处，我真希望自己有力量把他们揍扁。如果日本妇女知道这些恐怖的事情，她们将会感到多么羞耻啊！接着，我又被叫到西北宿舍，发现两个日本兵正在偷吃饼干。看到我时，他们匆忙离开了……

——12月19日的日记里，魏特琳这样写。

日军进城以来，天天都在烧杀抢奸，尤其是一周以后，日军官兵主要犯罪集中在

“找花姑娘”过程中的奸杀上。而金陵女子文理学院作为保护妇女和孩子的主要“安全区”点，因此在一周之后仍有大量妇女拖儿带女地涌进这个校区。原本只准备接待200名～1 000名难民的校园，此刻的难民人数已达万人之上，几乎可以站立的地方都被人占满了，草坪上、道路上……凡是脚能踩着的地方，全被难民挤占了。程瑞芳带的团队是负责难民吃饭问题，1万人一天只吃碗粥，也得有十几只大锅才能满足，哪来那么多米粥，那么多锅？更何况，这些老百姓哪懂什么规矩，一听说有粥饭来了，就争抢着去盛上一碗两碗，结果许多人一天抢不上一碗粥，于是哭的闹的甚至还有抢的。“排队，排队的人才能有供应！”程瑞芳示意难民这样才能确保不乱，确保分配平均。

吃一顿兴许能对付一下。可吃一天、吃十天如何解决呀？魏特琳必须找拉贝主席去协商，结果是：拉贝主席说他那里还有多出十倍的难民也没有解决哪怕一天一碗的食品供应问题！

“难道只能让我们自行解决？”魏特琳真是急了。

拉贝耸耸肩，说：“或许还有一个办法……”

魏特琳忙问：“什么办法？”

“找日本人去要！”

魏特琳的眼珠子一下睁大了：“他们？他们会给难民们吃的？上帝，这不等于让羊去问狼你饿不饿一样吗？”

拉贝苦笑地说：“大概就是如此。”末后又说：“不过国际法规定：占领军有义务担当起难民和俘虏的基本生活保障。”

魏特琳摇头表示：“我想日本人才不会管这些呢！”

办法还得自己想：1万多人的吃喝拉还有生病、生孩子都得要我们想办法。魏特琳知道现在只能靠自己、靠自己的团队。

然而这还不是最要紧的，最要紧的是现在住在金陵女子文理学院的妇女们最担心的就是生命得不到保护。日本人每天进来要“花姑娘”，不从者肯定是死亡，顺从者也有不少是去了回不来的。

没有人可以阻拦强盗的这种暴行，而且魏特琳也弄不懂：为什么官兵就那么喜欢找“花姑娘”？她曾经为此事问过见多识广的斯迈思博士，结果回答她的竟是：日本男人确实比一般民族的男人更有强烈的性欲。这跟生吃海鲜有关！？魏特琳觉得不可思议，什么倒霉的事都给她碰上了。

“华小姐，快！快快！南山公寓那边又来了几个日本兵正在拉着几个妇女施野呢！”

“不得了啦！教师宿舍里怎么也跑进了几个鬼子呀！他们在屋子里就干了起来……”

“哎呀呀，华小姐你快去救救她们吧！日本兵又在干坏事了！”

20日一天里，魏特琳像一名四处灭火的消防员，不时被人一会儿拉到南山，一会儿又叫回中央楼……“滚！你们这些不要脸的日本兵！快滚！滚！”每一次魏特琳出面，起淫、动奸的日本兵只得被迫停止犯罪和收敛行为，他们又气又恼，却又不得不赶紧逃跑。日本兵不是怕魏特琳，而是怕她是一个美国人，而且是一个敢于去日本大使馆告状的美国人。也正是因为怕魏特琳的原因，所以金陵女子文理学院四周成百上千的蠢蠢欲动、欲火难抑的日本官兵潜伏在那里，都在伺隙乘虚看着魏特琳不在现场的那一瞬，蹿进校园，抓住“花姑娘”就施暴……

“只要我知道，我看见，我就决不会让这帮野兽糟蹋了我的姐妹们！”魏特琳紧握拳头，愤怒地发誓。这也让她每天24小时处在高度紧张的战斗状态之中。

“每天要处理和阻止多少起日军奸淫中国妇女的事？我自己也记不清了！”魏特琳对拉贝主席说，她希望他从其他安全区内调些志愿者“警察”过来帮助维持秩序。拉贝真帮了忙，并且同日本使馆方面交涉后，日方另增派了几个宪兵。哪知这些日本宪兵来后，不仅要吃要喝，而且还顺手牵羊多占“花姑娘”便宜！这让魏特琳更愤怒。“我们宁可自己维护秩序，也不要狼来看护羊群！”

软弱的“羊群”，自发组织起对抗的队伍，同残暴的恶狼斗争，谁胜谁负，似乎十分清楚，然而正是魏特琳的无畏、勇敢和智慧，把一群群贪食强淫的恶狼赶走和吓跑了。这也让“华小姐”的名声在日军占领后的南京城里一传百、百传千，“女人想活命、想不被日本人糟蹋，就找华小姐去”。在如此氛围中，金陵女子文理学院再度成为妇女和孩子们集结的地方——魏特琳“麾下”的难民人数激剧增至两万余人！

如何照顾和安置如此庞大数量的难民，魏特琳与她的团队超负荷地工作着，现在她们连“忙死、累死”这样的话都没时间顾得上说了。所有工作人员几乎每天都要工作20小时以上，剩下的4小时休息时间里，也会至少被打扰几次。而这并非是魏特琳她们所承担的全部责任。

12月24日那天，日军来了一位高级别的军官，还有一名使馆外交官及一名翻译，他们一起来找魏特琳，提出要让她配合从妇女中挑选100名妓女为日军“服务”。

魏特琳对如此赤裸裸地公开侵犯中国妇女人权的行为表示愤慨，她不同意日方的要求。

但来者不善，而且带着威胁的语气告诉她：“如果为日军安排一个合法的去处，我们的这些士兵就可以减少到你们这儿骚扰。”言外之意是：如果不从，你们金陵女子文理学院休想能安宁。

“妓女干她们的本行，这也无可非议嘛！”翻译悄悄跟魏特琳说。

“那也得她们自愿。”魏特琳毫不客气地回敬道。

“给你一个下午的时间考虑。”那位日军军官显得很傲慢和愤怒地甩下一句话，带人走了。

显然这是下的最后通牒。

这事让魏特琳犯大难了：同意吧，妓女们愿意吗？到日本兵那里，可不是闹着玩的，之前早听说也有妓女跟着日本兵走了，但回来的却很少，不是被他们奸死，就是被他们折腾半死后扔到一边杀死。谁还敢在日本兵那里“吃荤饭”？

与程瑞芳等商量的结果，认为只能试试而已。后来的结果，如张艺谋的电影里所描述的那样，有 21 名过去曾经当过职业妓女的妇女站了出来，她们站出来的行为，没有受到其他妇女们的歧视，恰恰相反备受尊敬，因为她们每站出来一个，就救了另一个良家妇女。魏特琳感激她们。其他所有的难民也感激她们。

第一车被日军拉走的妓女们临走时，金陵女子文理学院的难民们表示了对她们的敬意——起立目送。

还有 79 人怎么办呢？日本人会不会从其他妇女中挑呀？这是大家所担心的。

程瑞芳很担心发生不测，日本人可不是好惹的。所有的难民都一下陷入了万分惊恐之中。

“只要我在，她们就是安全的！”就在这时，魏特琳站了出来，像女神一样。难民们尤其是那些良家妇女们向她投来无限信任和期待的目光。

“无论如何，华小姐你要救救我们啊！”妇女们依然心惊肉跳地担忧可能发生的可怕一幕。

“请大家相信我。”魏特琳安慰姐妹们。其实，魏特琳自己心里也没有底。她区区一个弱女子，能抵挡疯狂的已被胜利冲昏头脑的日军？

接下去的每一分钟里，魏特琳觉得自己是被扔在火红的铁板上炙烤——她的神经和心脏绷得极度紧张。

果不其然。傍晚前，日军拉人的卡车又来了，说必须要把剩余的“名额”拉走。

“这是不可能的！”魏特琳坚决不同意。

“你敢违抗皇军的命令？”日军蛮横地用枪刺顶着魏特琳的鼻尖。

“不是我敢不敢违抗的问题，而是我们同你们的将军与外交官商定的事——我们只同意你们带走自愿去从事性服务的职业女性。现在这里已经没有这样的人了，我当然不能随意更改同你们长官达成的协议。”魏特琳义正词严道。

日本兵气得不知所措，只得空车而归。

“华小姐太伟大了！”“救命菩萨！”校园内顿时一片欢呼，妇女们围着魏特琳欢呼跳跃，许多人激动得热泪盈眶，甚至痛哭流涕，她们感激魏特琳救了她们，也救了她们的家庭。

战争时期被侵略者占领地区的女人，向来都会碰到格外多的麻烦事。现在，金陵女子文理学院的万余名难民中，不断传来一声声婴儿的啼哭——“今天又新生了两个孩子！”程瑞芳又来向魏特琳报告。程是唯一的护士，她主动承担了这些新生孩子的接生任务。在这乱成一团的难民营里，妇女生孩子是件最麻烦和头痛的事。

“一定要千方百计让孩子和母亲都健康地活下来！”魏特琳这样对程瑞芳说，“即使全校只有半碗粥了，也要留给产妇和婴儿喝……”

“我明白。”程瑞芳点点头，事实上她一直在这样做。

魏特琳一生没结婚，可她却有一颗天下最好的母亲之心。只要有空，她一定去看一看新生婴儿及产妇，让工作人员尽量照顾好她们。可惜条件太差，程瑞芳向她报告：十多天里出生婴儿 10 个，死了 3 个，另有 5 名有病的婴儿去世。

“上帝，求求您保佑我们的孩子吧！”魏特琳听后，心头无恨悲痛。

现在又一个难题摆在魏特琳面前：越来越多的妇女向她反映她们的困境——如果她们和丈夫在家里待着，日本兵来时就用刺刀将丈夫逼走，她们便遭强奸;如果她们逃到校园来，丈夫留在家里，日军去后她们的丈夫就被当作中国军人抓走并杀害。

“华小姐，你救救我们！想想法子，我们不知怎么办呀！”可怜的妇女们跪在地上哭泣着、乞求着。

这可怎么办？魏特琳听后，感到有些绝望：留住这些妇女，她们的丈夫在家要被杀;让她们回家，等于送自己的姐妹去遭受日军的奸污，弄不好还会被残杀。怎么办？怎么办？魏特琳觉得自己快被逼疯、逼死啦！

魏特琳快支撑不住了。就在这时，她再次闪出一个念头，尽管这个念头非常危险，但总比没有办法好吧！

这个办法是：魏特琳决定让有上述“两难”的妇女们报名，然后她拿着这些妇女及她们丈夫的名单，去日本大使馆找日方交涉。

“这成吗？”程瑞芳等表示极大怀疑。

“我们还有其他办法吗？”魏特琳反问。

大家都摇头。“那就只能去试试。”魏特琳说。

“这样太危险了。你已经许多次得罪日本人了，华小姐！”程瑞芳提醒道。

魏特琳轻轻一笑：“既然已经惹恼他们多次了，再多一次也无所谓了。我不怕，因为我是美国人。”

到了日本使馆，当魏特琳代表她所在的金陵女子文理学院部分女难民找到福田时，福田感到惊诧不已：“魏特琳小姐，你真是中国人所说的观音菩萨啊！”

魏特琳则摇头道：“不，我只是出于一个女人的本能，帮助这些可怜的有家庭的妻子来保证她们的丈夫的安全而已。阁下！你也是一位有妻子的丈夫，我想你能理解这些身在难民营里的妇女们的那份担心吧！”

“我尽力而为。”面对这样一位坚韧不拔、无私为人的美国女人，福田先生只好这样答应。而这，也使近千名身处困境的妻子的丈夫免遭屠杀——当然仍然有部分妇女们的丈夫因为被日军坚持认定为“中国士兵”而杀害。

难民营的问题越来越多，就在魏特琳为那些家有丈夫而身处“走留”两难困境的妻子们实现日方确认身份、争取保命的同时，又有更多的妇女向她提出：她们的丈夫和儿子现在不知在何方，她们急着想寻找丈夫和儿子的下落……“不找到他们，我们活着还有啥意思？”“不如死了算了！”“我的夫啊！”“我的儿啊！”校园里，不时传来一声声如此悲切和绝望的哭喊，让魏特琳心如刀绞。

“这事我们得管！”魏特琳忍不住了。她又要挺身而出。

“可华小姐，咱管得过来吗？这可是几百、几千人哪！”同事们一听就摇头，“现在校园内每天供一人一碗粥、一人一口水就忙死我们了，还要天天防着日本兵偷着来奸污——昨天你去国际委员会总部开会时，两个日本兵就跑到南山公寓楼拉出几位姑娘在走道里强奸了……我们顾不过来呀！”

魏特琳一边听着一边抿着嘴唇，最后说：“我明白大家说的都是事实。但你们想想：到我们学校来躲避的这些妇女和孩子们，她们多么无助，而我们的学校现在就像一座生命孤岛，靠难民们自己是无法做成一件事的，因为她们只要一出门，日本兵肯定不是弄死她们，就是十次、二十次地强奸和轮奸她们。这情形我们谁也不想看到，哪怕是有一个姐妹受这样的罪，我们都不允许。但你们再想：如果你们也不知自己的丈夫和儿子的死活，你们会着急吗？会千方百计出去找吗？我想肯定会。所以，将心比心，我们就应当为她们着想，至少力所能及地帮助她们找到丈夫或儿子的下落。难道不是这样吗？”

没有人再开口了。魏特琳便叫校工老王去统计要求寻找丈夫和儿子的妇女名单。第一批名单很快送到魏特琳的手上，560多名妇女提出这样的请求。

此时的南京城，仍然到处是日军在烧杀抢。为了掩盖其大屠杀的罪行，日本军方已经在组织各种力量对大屠杀现场进行“清理”。如果不在此时出去寻找，那么那些失去丈夫或儿子的妇女将永远不知其亲人的下落。然而要让这么多妇女上街满城寻找不知生死的丈夫或儿子，谈何容易！

日本兵让吗？即使让，一旦他们见到大街上突然出现这么多“花姑娘”会怎样？魏特琳再次陷入欲罢不能的处境。

再找日方？

“我的天哪！华小姐，这回我一定要劝你了，你无论如何不能再为这事去找日本人了。”程瑞芳等不让魏特琳行动。

“为什么？你们还有更好的办法吗？”魏特琳知道大家的好意，但她坦言问程瑞芳。

“我们也没有办法。可华小姐你想过没有：如果你要是有个三长两短，我们这些人——不，我们并不重要，重要的是校园里的1万多名妇女和孩子怎么办？”程瑞芳真是急了。

“放心，日本人不会拿我怎么样的。”魏特琳似乎对自己的命运很有把握。

“如果万一呢？”程瑞芳坚持。

“我亲爱的程夫人，现在是战争时期，所有的万一都有可能。可我们不能因为‘万一’，而不去尝试一下吧？你也是有夫有子的女人，你很爱他们吧？我们的那些不知自己丈夫和儿子下落的女人们难道不也是这样吗？所以我们有什么理由不去帮她们呢？”

“我说不过你。可华小姐……”程瑞芳委屈地抹眼泪了。

魏特琳伸开双臂，将其紧紧拥抱，亲昵地说：“谢谢程夫人对我的爱。放心，我会注意保护自己的。”松手后，说：“我去日本使馆了，学校就交给你了！”

程瑞芳点点头：“早点回来。”

“嗯。”魏特琳挥挥手，消失在校门外的大街上。那大街上浓烟滚滚，鬼哭狼嚎……

在魏特琳的力争下，日方同意魏特琳她们自行组织帮助失散的妇女去寻找亲人，但提出条件：学校须派出人力去协助掩埋尸体。

只要是为受难的中国姐妹们做事，魏特琳就必须接受日方提出的任何条件甚至是苛刻与屈辱的。而这件事也让魏特琳作为南京大屠杀的见证者，目睹了日军所犯下的种种暴行——它们都记录在《魏特琳日记》之中：

你们曾经在南京住过的人永远也想象不出面前的街道是什么样子！那是我所看到的最悲惨的景象：公共汽车、小汽车翻倒在街上，东一具、西一具地躺着脸已发黑的尸体。到处都是被丢弃的军服，所有的房子和商店不是被洗劫一空就是被烧毁。（1937 年 12 月 21 日《日记》）

日本使馆想把电厂修好，以便恢复供电。于是拉贝先生找了 50 名雇员，把他们带到电厂。当天下午，他们中的 43 人被日本兵枪杀了，理由是他们过去是政府雇员。（1937 年 12 月 22 日《日记》）

住在我们东院的邻居孙说，昨晚有 60 人～ 100 人，大多数是年轻人，被日本人用卡车运到金陵寺南面的小山谷里，用机枪打死，然后把尸体拖入一间房子里，连同草房一起烧掉。（1937 年 12 月 23 日《日记》）

下午 4 时 30 分，我去金陵大学。在这之前，有一批哭哭啼啼的妇女告诉我，她们听说日本人从难民中挑选出一些男子，如果没有人能够证明他们的身份，他们将被杀死。（1937 年 12 月 24 日《日记》）

今天早上，我和一些在校园里出售热水的人一起出去，目的是帮他们弄一车煤。他们不敢单独外出，怕被抓或车子被抢。我站在煤店门前等着车子装完煤。这时过来一名妇女，她说她来自孝陵卫，在城外国家体育馆附近。她说孝陵卫被彻底烧毁了，先是中国军队烧了一部分，接着被日军彻底烧毁。她家 10 口人中仅剩下她和丈夫及一个孙子，她的两个儿子、三个女儿、一个儿媳及一个孙子都走散了，不知道他们去了哪儿。（1937 年 12 月 29 日《日记》）

今晚，我们的信使魏对我详细讲述了他的经历：去年 12 月 14 日，他去国际委员会和鼓楼医院送信时，在鼓楼医院附近被两个日本兵拦住，一个用刺刀顶住他的腹部，另一个用枪顶着他的背。他当时佩戴的美国大使馆的袖标，被日本兵扯了下来。他被押到下关，以后在那里待了 10 天，每天为日本士兵挑抢来的赃物，然后把赃物装上卡车。他说，他看见成千上万的人被屠杀，有士兵，也有平民，有年纪大的，也有年轻的，到处都是尸体……后来他被押回城内继续干活。他说一路上，他看到每个水塘都满是人和动物的尸体……（1938 年 1 月 3 日《日记》）

魏特琳肩负重任，到处在找受难姐妹们的亲人，但通常是没有什么结果。偶然也有喜事：比如早先在校门口寻找12岁女儿的那位母亲，意外地找到了女儿；一位哭得死去活来的妇女在另一个安全区找到了失散十几天的丈夫。然而多数妇女再也没有能与她们的亲人团聚……这便是日军南京大屠杀的结果与事实。

"继续找！只要有一线希望，就想法出去找！"魏特琳认为自己必须尽全部力量帮助失散的姐妹们寻找到自己的亲人。然而，每一次出去找人的时候，魏特琳的心灵都受到极大刺激——1月26日那天下午，她在一座废墟前见到一位熟识的妇女，那人问魏特琳知不知道杨家附近的山谷池塘里有大量尸体，并说愿意带魏特琳去看看。于是两人来到池塘前，魏特琳看到了这里的一切。她在这一天的日记里这样写：

> 我们找到了那个池塘。池塘边有许多具焦黑的尸体，尸体中间还有两个煤油或者油罐。这些人的手被铁丝绑在身后。有多少具尸体？他们是不是先被机枪扫射，再遭焚烧？我不得而知。在西边小一些的池塘里还有20～40具烧焦的尸体。我看到这些人穿的是平民的鞋，而不是军人的鞋。山丘上到处都是尚未掩埋的尸体……

像魏特琳这样的虔诚的基督教徒是不会说谎的。我想今天的日本人应该相信这样一位基督教徒在70多年前记录下的南京大屠杀现场不会有假吧！

在帮助妇女们寻找丈夫或儿子期间，魏特琳依然是千万名妇女和孩子的守护神。有许多事连魏特琳自己都记不住了，因为她每时每刻都在为校园内的难民们挡风遮雨，甚至常常忘了自己也是一个女人。

程瑞芳与魏特琳在一起时间最长，并且也用日记形式记录了南京大屠杀期间她们金陵女子文理学院的情况。我注意到程瑞芳的日记里几乎每天都有关于魏特琳的文字。其中有几处曾这样写：

> 今天日本兵又来了，有人立即叫我们过去。华小姐总是走在前面。她一出现，日本兵就拎起裤子跑了。
>
> 今日中午进来，有一姑娘在外面，日本兵把这姑娘抱到三百号后面竹子处，把姑娘的衣服脱了将要奸，华小姐赶到猛地叫了一声，那兵吓跑了。所幸快，那

姑娘没有受害。那个地方顶不干净，尿屎都有，那个姑娘衣服上都是屎，这些日本兵还算是人吗？青天大白日，简直是畜生。

有人在大街上把我们叫住，说日本兵正在强奸他的女人，让我们救。华小姐一听就赶紧跑到小巷里，见几个日本兵正在一个院子里将女人按在地上……华小姐就上前阻止。日本兵很凶的样子，用枪杆撞华，示意她别多管闲事。华不从，大声与日本兵争执。日本兵显得很愤怒地停住了施暴，后来走了。但可以看出，他们很恨华。我劝华要小心，南京城这么大，我们管不了那么多事。可她不听…………

驻城的日军又出邪招——让难民们登记，说是要发“身份证”。

这是一个大阴谋：除了他们想更严厉地控制和镇压中国人外，像金陵女子文理学院这样的难民营里的妇女们则是日军借机寻找的猎物。

于是，登记现场出现了一幕幕闹剧：日军想让妇女们脱衣就必须脱衣，说是检查却魔掌到处乱摸，且竟然有日本兵现场对妇女施行强奸暴行！中国的男人们受不了，受不了者则被拉出去当场枪毙。女人们害怕得发抖，发抖者更让日军士兵欲望俱增……

这可怎么办？日军说得明白：不登记者视为叛逆者和抗日的中国士兵——格杀勿论！

魏特琳听后怒发冲冠，跑到登记现场，站在日本人和那些参与登记的中国汉奸面前，眼睁睁地盯着日军，看谁敢故意在妇女们身上乱摸乱动。

日本兵气得快要昏头，又不便发作——因为魏特琳除了自己亲自到场把关，而且也动员了拉贝等十几位国际委员会成员帮助到校园来“维持登记秩序”。她的理由充分合理，日本兵只能采取另外办法：挑选他们认为的“美女”，然后送她们上卡车，说是皇军长官需要她们做事。

这个理由魏特琳无法抗拒。

一天后，这些“美女”被放回，一个个羞于见人。显然，她们遭到了日本兵更野蛮的强奸……

魏特琳与程瑞芳商量：要让这些美貌的妇女“有病”，“有病”后日本兵就再不敢碰她们了。

果真，第二天，日本兵又开着车来了，向魏特琳要人。

“她们病了，不能跟你们去。”魏特琳平静而耐心地跟日本兵说。

日本兵不信，抓来几个他们认识的美女，令她们脱裤子。看一眼后，日本兵大皱眉头：那些女人的阴部，又肿又黑，不堪入目。

强盗的欲望被迫遏制。

美女们感激涕零地围住魏特琳，连声“谢谢菩萨！”“谢谢华小姐！”

“一场暴风雪，到现在雪还没有融化，而此前的几个星期一直温暖如春。紫罗兰和三色紫罗兰正在开花，春梅也含苞欲放。由于天气聚变，今年可能结不了果实。这种天气更令人放心不下因物价飞涨而买不起生活必需品的穷人。一想到这些穷人将来怎么生活就使人忧心忡忡。然而从另一种意义上说，这也是件好事，因为即使是那些社会地位最低下、最没有文化的人，也看清了‘东亚新秩序’的真实含义。”

这一段话是魏特琳于 1940 年 3 月 2 日写的日记，这已经是日军占领南京三年多后的时间，她的话，让我们再次见证了日军统治下的南京人民是生活在何等的水深火热之中！而在这三年多的艰难岁月里，魏特琳用她一个女人的纤弱身躯，为数以万计的中国妇女和孩子做了无数令人难以想象的事……

28. 花落泥尘

1938 年 5 月 14 日，这个日子对一般人来说没有意义，但对魏特琳来说却非常重要。如果这个日子再往后三年——三年后的这一天，是魏特琳告别人世之日。

人们无法想象：一个心地善良、充满热情、全身每一个细胞都洋溢着活力的人，仅隔三年时间，竟然对生命绝望而启动煤气阀门自尽……

魏特琳去世在自己的家中——美国伊利诺伊州的老家。她去世时身边没有人，她的葬礼连自己的弟弟也没有出席。如此一位被中国人称为“圣母”和“观音菩萨”的女神，为何走得这般凄凉与孤独?

我们后来知道，魏特琳患了严重的忧郁症。而我们更知道，魏特琳之所以患忧郁症，完全是因为在南京最后的三年里，她每天都要饱受来自日军的种种骚扰与残暴行为，同时要为数以万计的躲避在金陵女子文理学院内的妇女和孩子的安全与生存操劳。

就在 1938 年 5 月 14 日的前一天，魏特琳正坐在办公室为她保护下来的孩子们安排初、高中秋季学期课程表时，一名姓姜的老太带着女儿来见她。老太告诉魏特琳，她有一个 53 岁的儿子，患肺病数年，有妻有儿；老太的另一个儿子 33 岁，在碾米厂开机器，每月挣 50 美元，这个儿子有妻子和 4 个孩子。全家 9 口人都靠这个 33 岁的儿子养着。去年底，全家逃往江北，用光了所有钱物，在走投无路时，遇上了日本兵，

33岁的儿子被当作“中国军人”给日本人用刺刀捅死了。老太求魏特琳能够收留她全家，否则她全家人也将会死光。

魏特琳听后，心如刀绞，又无可奈何——因为这位老太和儿媳已经双双跪在她面前，求她给她们一家人一口饭吃。

刚刚安排好这一家8口人，又一个人前来向魏特琳报告，一位姓刘的老太家出事了，刘老太就住在三牌楼附近，有3个儿子和2个儿媳妇。4天前的晚上，2个日本兵推不开她家门便破窗而入。日本兵要她交出2个儿媳，刘老太拒绝，于是日本兵就在她脸上砍了2刀，随后又补1刀捅在胸口……后来这家2个儿媳妇被日本兵强奸了。

“她们现在想来您这儿避难，不知可否？”原来那人是帮助刘家打听情况来的。

魏特琳没有回答。人满为患的校园虽然不允许再多进一个人了，但魏特琳的良心告诉她无法拒绝。

三年后的5月14日是魏特琳去世的日子。

但在1938年的这一天，我们看到的魏特琳还是个充满希望和活力的女神。

“我们已经有250多个学生了！这样必须将她们分为6个班，下星期的这一天，孩子们就可以重新返回课堂了！我真为她们高兴！”这一天一早，魏特琳从床上坐起后便在桌子前伏案疾书——她在为孩子们分班，也在为她们安排配置老师。当程瑞芳带着自己的孙子来叫她一起去做礼拜时，魏特琳如此高兴地向自己的好友表达了心情。

8点刚过，她们做完礼拜回到学校时，魏特琳便发现她的“小卫士”胡利病倒了，不多时便断了气。“我的主，它多可怜呵！”魏特琳好伤心。这是她在不到一年时间里失去的第三只心爱的小狗了。尤其是小胡利，它虽小，但懂事，每天蹲在门口，守护着魏特琳。遇上陌生人，它一定毫不客气地“汪”上几声，直到魏特琳提出“放行”或其他命令后才停止“战斗”。小胡利的死，让魏特琳发誓再不养狗了。

“它们跟了我没有好的命运。”她如此解释。难道冥冥中她在暗示什么？

魏特琳没有告诉过任何人她内心的所思所想。人们只能看到她的行动——每天为她所收留的那些妇女和孩子们的命运奔波、操劳。

下面这些事都是她日记中零星记载的——

5月19日：今天我们救济了一个带着5个孩子的寡妇，我们给了她5美元现金，她要把两个大女儿暂时留在这里，而将那3个较小的孩子带在身边，她用这微薄的5美元试着去做某种小买卖。她那个负担全家生计的20岁的儿子被抓走了，可能永远不会再回来了。昨天，一个带着3个孩子的女人也领到了5美元，她丈夫在日本人进城时被杀害了，她也要努力开始新生活……程夫人和我商量，决定到9月1日为止，我们要尽力挑选出100名最需要帮助的妇女和姑娘，并为她们建一所手工学校。

5月23日：上午9时至11时30分，我们举行了“难民所第三期培训班”的结业典礼，有353名学生出席。33个班都演示了所学的内容。没有分数，不考试，不发毕业证书，但展示了丰富的内容和真正的兴趣。她们唱了许多歌，中文班翻译了经典著作的部分选段，有些人讲故事，还有很多人背诵圣经的章节。一个大约9岁的小女孩生动地讲述了一个故事。她一直生病，不能参加排练，但她还是来了。家禽班已经准备了一段对话，展示了她们所学到的一些重要知识。我完全可以想象，当这些女人们老的时候，她们将会向孙辈们讲述在金陵女子文理学院当难民的这些日子。

5月24日：我们在宁海路5号召开了由难民所负责人组成的特别委员会会议，重新尝试确定必须得到帮助才能重新开始生活的人的最低数目……金陵女子文理学院现在有：无家可归且又失去父母的年轻女子32名，无家可归而又没有亲戚的年轻女子672名，无家可归且十分贫穷的年轻女子237名，无家可归的还住在危险地区的年轻妇女127名，无家可归的寡妇16名，还有跛子、盲人和无依无靠的7名。

5月25日：上午，我花了很长时间用于会见来访者。第一批是穷苦的妇女，其中1名妇女失去了3个儿子，另外2名妇女都失去了2个儿子。我确信，如果这样的事发生在我身上，我无法像她们现在那样勇敢地面对生活。一名只有1美元做资本的妇女正试图做小生意。没有人能责备她们卖香烟甚至是卖鸦片，因为她们必须生活。我和米尔斯就如何处理这6个难民所关闭时约1 000名穷困的难民，商议了很长时间。

5月28日：今天上午，我给3位非常穷困的女人每人发了6美元作为资本，她们有一个或几个儿子被抓走了，现在无依无靠。自从我第一次见到她们之后，她们一直在和自己家里的其他成员计划如何谋生，其中一个人打算去卖扇子、肥皂和蜡烛；另一个人和她女儿要开一家小洗衣店。她们对这一帮助万分感激，并且郑重地保证要将这笔基金作为资本。我用于这一目的的这一小笔钱，是美国的一群人募捐并通过辛普森小姐转来的。

5月31日：今晚6时，程夫人在南山公寓的阳台上，用野餐款待一直在四百号楼吃饭的全体人员。8时，玛丽加入了这群正在举行游戏晚会的人们。为了年轻人，我们必须保持正常的生活，但对我来说，当我不断地想起那些战场和今天正在遭受轰炸的城市时，我很难欢笑和开心。

…………

笔者所能看到的《魏特琳日记》的最后一篇内容是她准备离开南京回美国前的1940年4月14日这一天。这一天的日记里，魏特琳开头就这样写道："我快要筋疲力尽了。以前，虽然工作进展缓慢，但还能有步骤地制订工作计划，而现在连这些也做不到了，双手也不听使唤。我希望能马上去休假，但是谁来为实验班的事操心呢？有时我想，最好停办实验班，在新的基础上重新开办一个更强调学生动手能力的班，但是要做到这一点，上哪儿去找教师呢？"

魏特琳太累了。她终于病倒了——每天睡不着觉，一说话就呕吐……她倒下了，倒在了自己的岗位上。

1940年5月14日，在美国教会朋友的帮助下，魏特琳回到了自己的祖国。离开中国南京时，程瑞芳和几百名曾经得到她救助的难民们自发地为她送行、为她在教堂里祈祷……

一遍又一遍地祈祷，一遍又一遍地为她祝福，就像为圣母玛利亚——

啊，圣母玛利亚
温柔的母亲
请你听一回少女恳求
在这荒凉的岩石上
我的控诉飞向你的身旁
我睡到明天早晨醒来
而人们仍然是这样残忍
啊，圣母请你将女儿指引
啊，母亲我是个可怜的人
圣洁的母亲
当我们在岩石上沉睡

有你来保护我们
硬的岩石也会变得柔软
在梦里我看见你微笑
我仿佛闻到玫瑰芳香
啊，圣母我要向你倾诉
我一片赤诚的少女的心
纯洁的母亲
世上的一切鬼怪妖魔
纷纷逃走无踪影
我们再也不会受到欺凌
因为你对我们最关心
我们都得到你的爱情
啊，圣母我虔诚的恳请
啊，母亲愿你永爱我们——

在中国人民和南京市民心目中，魏特琳就是这样一位美丽、仁慈和永爱我们的圣母。她的肉体虽然安放在遥远的大洋彼岸的密歇根州雪柏镇的一片草地里，可她的精神和灵魂则永远地留在东方古国——中国。

“假如我能再生一次，仍愿为中国人民服务。”这是魏特琳离开中国时说的一句话。她家乡的人将这句话浓缩成“金陵永生”四个字，镌刻在魏特琳的墓碑上。

华小姐——魏特琳——“观音菩萨”——金陵永生。这四个不同称呼，是南京人给予一位圣母般伟大女性的，而这样的称呼和评价，只有魏特琳才配得上。从一定程度上讲，是日本侵略者的残暴和恶行，成就了这样一位圣母。

她的离去，也让南京市民在清算日本侵略者的罪行时多了一份血泪账！

第七章　审判与证词

29. 盟军司令的“演说”与审判长的“理由”

历史已经告诫人们：任何侵略者和侵略罪行都将受到良心和法律的清算，日本在南京大屠杀的罪行更是如此，这是历史的必然，这也是日本作为侵略国所无法逃避的，即使一百年、一千年过后，这桩灭绝人性的罪行依旧不会轻易被抹杀，更不用说有人妄图掩饰和否定。

对日本这样有侵略本性的军国主义国家，南京大屠杀事件是一定要时常拿出来晒晒的，因为制造这场悲剧的人和他们的后代一直并不甘愿承认其罪恶。就像“二战”的最后时刻，当同盟国的领袖们在1945年雅尔塔会议上，宣布向德国、意大利和日本这三个轴心国发起全面反击并责令其投降之后，日本人无动于衷，继续疯狂地与和平世界做斗争，而随后由美、英、中首脑在柏林近郊的波茨坦发表的公告明确指出“吾等之军力，加之吾人之坚决意志为后盾，若予以全部实施，必将使日本军队完全毁灭，无可逃避，而日本之本土亦终归全部残毁”。如此严厉的警告，穷凶极恶的日本人竟然我行我素，拒不投降，并且不仅在中国等亚洲战场继续顽抗，屠杀平民，而且制订了“本土决战”和“一亿玉碎”计划，即准备付出一亿日本人的生命来换取最后的挣扎。

在这种情形下，1945年8月6日清早，美国出动B-29轰炸机在日本广岛投下第一颗原子弹，将整个广岛化为火海。然而即便如此，日本人依然拒不投降。

1945年8月8日下午，苏联外交人民委员莫洛托夫召见日本驻苏大使佐藤，通知他：由于日本继续进行侵略战争，拒不接受《波茨坦公告》，因此苏联履行对联合国的义务，宣布自远东时间9日凌晨起，苏联将认为自己同日本处于战争状态。莫斯科和远东的时差恰好有数小时，莫洛托夫通告日本大使时，其实在远东已经接近9日凌晨。莫洛托夫向日本大使宣布通知后不到半小时，即8月9日零点10分，苏联远东部队150万大军闪电般地进入中国东北，对日本关东军进行了最后一击。日本人甚至还没有反应过来，他们的王牌军便已经土崩瓦解了。

同日，美国对日本本土的长崎岛再投一颗原子弹，同时又对日本首都东京进行了更大规模的惩罚性大轰炸……

1945年8月15日，日本天皇不得不宣布投降，显然日本是在强压下宣布停战和投降的，并没有甘心举起双手并对自己的侵略罪行做起码的自省，这也为日后几十年来他们一直对侵华历史与罪行不能正确对待留下了祸根。贼心未泯，罪名当然可轻之、略之。

我们今天在与日本方面发生历史和领土争论的时候，常常提到著名的《波茨坦公告》，是因为该公告的条款中有两条规定得十分明确而坚定：一是重申了《开罗宣言》中所指出的战后“日本之主权必将限于本州、北海道、九州、四国及吾人所决定其他小岛之内”;二是“对于战罪人犯，包括虐待吾人俘虏在内，将处以法律之裁判”。

当今亚洲地区的乱象不少，尤其是中国与日本之间的问题，大都是因为美国和日本方面刻意忽略了上面这两条极其重要的内容，由此才引发了种种国与国之间的纠纷和矛盾。祸根在何处，世人应当清楚。

我们先来说说“二战”结束之初的情形。

应该说，同盟国和当时新成立的联合国机构对清算发动法西斯战争的德国、意大利和日本政府所犯罪行，是非常及时和积极的。1945年下半年，“二战”胜利国们除了忙于各自医治战争创伤外，便开始实施具体行动“收拾”战败的德国、意大利和日本。

欧洲诸国负责“收拾”德国和意大利;美国和中国等重点“收拾”日本。

1946年1月19日，正在日本东京执行“全面改造日本”任务的盟军总司令和占领军最高指挥官美国陆军五星上将麦克阿瑟将军，签署了一份审判日本战犯的“特别声明”：

鉴于反对轴心国非法侵略战争的美国及其同盟国曾屡次声明要对战犯加以审判;

鉴于对日作战的各盟国政府于1945年7月26日在波茨坦宣布，作为日本投降的条件之一，必须对所有战犯包括虐待同盟国俘虏的战犯予以严厉的审判;

鉴于1945年9月2日在东京湾签订的投降文书，作为签约国的日本已奉天皇及该国政府之命并代表天皇及政府接受《波茨坦公告》中所规定的此项投降条件;

鉴于统治日本国的天皇及政府根据投降文书必须接受盟军最高统帅的支配，盟军最高统帅有权采取适当的措施落实投降书条款；

鉴于本声明的签名者被盟国指派为盟军最高统帅接受日本武装力量的投降；

鉴于美、英、俄政府于1945年12月26日在莫斯科达成落实日本投降条件的共识，中国也同意由盟军最高统帅发布一切落实投降条件的命令。

因此，作为盟军最高统帅，本人麦克阿瑟为落实投降条件中关于严惩战犯的要求，现在根据授权，特发布命令和规定如下：

第一条　为对犯有包括破坏和平罪在内的个人、团体以及兼具此双重身份而被起诉者加以审理起见，特设置远东国际军事法庭。

第二条　关于本法庭的组成、司法权限和功能，均依本日由本统帅批准之远东国际军事法庭宪章解释之。

第三条　本命令所规定之任何事项，均不得妨碍为审理战犯而在日本或曾与日本处于战争状态之联合国成员国所已设置或行将设置之任何国际、国内或占领地法庭或委员会以及其他法庭行使司法权。

以上由我亲自发布，1946年1月19日于东京。

美国陆军五星上将、盟军最高统帅　麦克阿瑟

这位1919年就担任美国西点军校校长、领导战胜日本的太平洋西南战区总司令、代表联合国与日本代表签署日本投降协议的“二战”名将，在此次的声明中，充满了法律文本的严谨词汇，三条声明内容，明确而坚定。据说麦克阿瑟是美国军队中获得荣誉勋章最多的一位高级将领。麦克阿瑟在美国人眼中最“伟大的军事天才表现”是他在朝鲜战场上与中国志愿军的决战，1951年他带着“胜利喜讯”回国时，受到“万人空巷”的欢迎。当麦克阿瑟的轿车经过时，街头的人们向他疯狂地欢呼，所抛扔的彩带和纸屑共有2850吨，为上次欢迎艾森豪威尔时所达纪录的4倍。美国国会为表达对麦克阿瑟的敬意通过一项决议，批准为他铸造一枚金质特殊荣誉勋章，上面刻着他的肖像和下列文字：“澳大利亚的保护者、菲律宾的解放者、日本的征服者、朝鲜的捍卫者”。不过麦克阿瑟将军在中国人民的眼里，只能算是二流将军，因为他没打过我们的彭德怀将军。事实上，麦克阿瑟还可以称得上是个作家，他的《往事的回忆》曾被世界诸国著名军校列为指定的教材。他更是位激情澎湃的演说家，会法、德、意、西班牙和英语5种语言。他所做演说——《责任—荣誉—国家》，曾经激励过多少代

美国军人和年轻人——

责任—荣誉—国家。

这三个神圣的名词庄严地提醒你应该成为怎样的人，可能成为怎样的人，一定要成为怎样的人。它们将使你精神振奋，在你似乎丧失勇气时鼓起勇气，似乎没有理由相信时重建信念，几乎绝望时产生希望。遗憾得很，我既没有雄辩的词令、诗意的想象，也没有华丽的隐喻向你们说明它们的意义。怀疑者一定要说它们只不过是几个名词，一句口号，一个浮夸的短词。每一个迂腐的学究，每一个蛊惑人心的政客，每一个玩世不恭的人，每一个伪君子，每一个惹是生非之徒，很遗憾，还有其他个性不甚正常的人，一定企图贬低它们，甚至对它们进行愚弄和嘲笑。但这些名词确能做到：塑造你的基本特性，使你将来成为国防卫士；使你坚强起来，认清自己的懦弱，并勇敢地面对自己的胆怯。它们教导你在失败时要自尊，要不屈不挠；胜利时要谦和，不要以言语代替行动，不要贪图舒适；要面对重压和困难，勇敢地接受挑战；要学会巍然屹立于风浪之中，但对遇难者要寄予同情；要先律己而后律人；要有纯洁的心灵和崇高的目标；要学会笑，但不要忘记怎么哭；要向往未来，但不可忽略过去；要为人持重，但不可过于严肃；要谦虚，铭记真正伟大的纯朴，真正智慧的虚心，真正强大的温顺。它们赋予你意志的韧性，想象的质量，感情的活力，从生命的深处焕发精神，以勇敢的姿态克服胆怯，甘于冒险而不贪图安逸。它们在你们心中创造奇妙的意想不到的希望，以及生命的灵感与欢乐。它们就是以这种方式教导你们成为军人和君子。

你所率领的是哪一类士兵？他可靠吗？勇敢吗？他有能力赢得胜利吗？他的故事你全都熟悉，那是一个美国士兵的故事。我对他的估价是多年前在战场上形成的，至今没有改变。那时，我把他看作是世界上最高尚的人；现在，我仍然这样看他。他不仅是一个军事品德最优秀的人，而且也是一个最纯洁的人。他的名字与威望是每一个美国公民的骄傲。在青壮年时期，他献出了一切人类所赋予的爱情与忠贞。他不需要我及其他人的颂扬，因为他已用自己的鲜血在敌人的胸前谱写了自传。可是，当我想到他在灾难中的坚忍，在战火里的勇气，在胜利时的谦虚，我满怀的赞美之情不禁油然而生。他在历史上已成为一位成功爱国者的伟大典范；他在未来将成为子孙认识解放与自由的教导者；现在，他把美德与成就献给我们。在数十次战役中，在上百个战场上，在成千堆营火旁，我目睹他坚韧不拔的不朽精神，热爱祖国的自我克制以及不可战胜的坚定决心，这些已经把他的形象铭刻在他的人民心中。从世界的这一端到另一端，他已经深深地为那勇敢的美酒所陶醉。

当我听到合唱队唱的这些歌曲，我记忆的目光看到第一次世界大战中步履蹒跚的小分队，从湿淋淋的黄昏到细雨蒙蒙的黎明，在透湿的背包的重负下疲惫不堪地行军，沉重的脚踝深深地踏在炮弹轰震过的泥泞路上，与敌人进行你死我活的战斗。他们嘴唇发青，浑身污泥，在风雨中战斗着，从家里被赶到敌人面前，许多人还被赶到上帝的审判席上。我不了解他们生得高贵，可我知道他们死得光荣。他们从不犹豫，毫无怨恨，满怀信心，嘴边叨念着继续战斗，直到看到胜利的希望才合上双眼。这一切都是为了它们——责任—荣誉—国家。当我们蹒跚在寻找光明与真理的道路上时，他们一直在流血、挥汗、洒泪。

20年以后，在世界的另一边，他们又面对着黑黝黝肮脏的散兵坑、阴森森恶臭的战壕、湿淋淋污浊的坑道，还有那酷热的火辣辣的阳光、疾风狂暴的倾盆大雨、荒无人烟的丛林小道。他们忍受着与亲人长期分离的痛苦煎熬、热带疾病的猖獗蔓延、兵燹地区的恐怖情景。他们坚定果敢的防御，他们迅速准确的攻击，他们不屈不挠的目的，他们全面彻底的胜利——永恒的胜利——永远伴随着他们最后在血泊中的战斗。在战斗中，那些苍白憔悴的人们的目光始终庄严地跟随着责任—荣誉—国家的口号。

这几个名词包含着最高的道德准则，并将经受任何为提高人类道德水准而传播的伦理或哲学的检验。它所提倡的是正确的事物，它所制止的是谬误的东西。高于众人之上的战士要履行宗教修炼的最伟大行为——牺牲。在战斗中，面对着危险与死亡，他显示出造物主按照自己意愿创造人类时所赋予的品质。只有神明能帮助他、支持他，这是任何肉体的勇敢与动物的本能都代替不了的。无论战争如何恐怖，招之即来的战士准备为国捐躯是人类最崇高的进化。

现在，你们面临着一个新世界——一个变革中的世界。人造卫星进入星际空间。卫星与导弹标志着人类漫长的历史进入了另一个时代——太空时代。自然科学告诉我们，在50亿年或更长的时期中，地球形成了;300万年或更长的时期中，人类形成了;人类历史还不曾有过一次更巨大、更令人惊讶的进化。我们不单要从现在这个世界，而且要从无法估算的距离，从神秘莫测的宇宙来论述事物。我们正在认识一个崭新的无边无际的世界。我们谈论着不可思议的话题：控制宇宙的能源;让风力与潮汐为我们所用;创造空前的合成物质以补充甚至代替古老的基本物质;净化海水以供我们饮用;开发海底以作为财富与食品的新基地;预防疾病以使寿命延长几百岁;调节空气以使冷热、晴雨分布均衡;登月宇宙飞船;战争中的主要目标不仅限于敌人的武装力量,也包括其平民;团结起来的人类与某些星系行星的恶势力的最根本矛盾;使生命成为有史以来最扣人心弦的那些梦境与幻想。

为了迎接所有这些巨大的变化与发展,你们的任务将变得更加坚定而不可侵犯,那就是赢得我们战争的胜利。你们的职业要求你们在这个生死关头勇于献身,此外别无所求。其余的一切公共目的、公共计划、公共需求,无论大小,都可以寻找其他办法去完成;而你们就是受训参加战斗的,你们的职业就是战斗——决心取胜。在战争中最明确的目标就是为了胜利,这是任何东西都代替不了的。假如你失败了,国家就要遭到破坏,因此,你的职业唯一要遵循的就是责任—荣誉—国家。其他人将纠缠于分散人们思想的国内外问题的争论,可是你将安详、宁静地屹立在远处,作为国家的卫士,作为国际矛盾怒潮中的救生员,作为硝烟弥漫的竞技场上的格斗士。一个半世纪以来,你们曾经防御、守卫、保护着解放与自由、权利与正义的神圣传统。让平民百姓去辩论我们政府的功过:我们的国力是否因长期财政赤字而衰竭,联邦的家长式传统是否势力过大,权力集团是否过于骄横自大,政治是否过于腐败,犯罪是否过于猖獗,道德标准是否降得太低,捐税是否提得太高,极端分子是否过于偏激,我们个人的自由是否像应有的那样完全彻底。这些重大的国家问题与你们的职业毫不相干,也无须使用军事手段来解决。你们的路标——责任—荣誉—国家,比夜里的灯塔要亮十倍。

你们是联系我国防御系统全部机构的纽带。当战争警钟敲响时,从你们的队伍中将涌现出手操国家命运的伟大军官。还从来没有人打败过我们。假如你也是这样,上百万身穿橄榄色、棕色、蓝色和灰色制服的灵魂将从他们的白色十字架下站起来,以雷霆般的声音喊出那神奇的口号——责任—荣誉—国家。

这并不意味着你们是战争贩子。相反,高于众人之上的战士祈求和平,因为他忍受着战争最深刻的伤痛与疮疤。可是,我们的耳边经常响起那位大智大慧的哲学之父柏拉图的警世之言:“只有死者才能看到战争的终结。”

我的生命已近黄昏,暮色已经降临,我昔日的风采和荣誉已经消失。它们随着对昔日事业的憧憬,带着那余晖消失了。昔日的记忆奇妙而美好,浸透了眼泪和昨日微笑的安慰和抚爱。我尽力但徒然地倾听,渴望听到军号吹奏起床号和那微弱而迷人的旋律,以及远处战鼓急促敲击的动人节奏。

> 我在梦幻中依稀又听到了大炮在轰鸣，又听到了滑膛枪在鸣放，又听到了战场上那陌生、哀愁的呻吟。然而，晚年的回忆经常将我带回到西点军校。我的耳旁回响着，反复回响着：责任—荣誉—国家……

据说，麦克阿瑟的这篇演说超过了所有历届美国总统的演说而闻名于世。肯定的是，我无意宣扬麦克阿瑟有多么伟大，然而但凡读他的演讲和理解了他演讲的主题“责任—荣誉—国家”之后的人，或许都会被这位“二战”名将的激情与那颗怦怦跳动的军人之心所感动、感染。

责任—荣誉—国家，这六个字难道不是人类的正义力量对非正义的罪恶国家所需秉承的意志和立场吗？答案显然是明确的。

法律是严峻和冷酷的，而对曾经造成他国无数生命毁灭与痛苦的战争罪犯，这样的严峻与冷酷是必需的，这关乎所有无辜的受害者与主权国家的尊严。

在发动法西斯战争的刽子手们放下武器的那一刻，曾经饱受战争之苦的战胜国都没有忘记一件特别重要的事：抓捕战犯——那些领导和发动法西斯战争的头目们。

抓捕战时日本内阁首相东条英机的“一号逮捕令”于1945年9月11日，由麦克阿瑟将军签发。当天下午4点，盟军少校劳斯带着一群美国宪兵赶到东条英机住处。

“你们来敝处有何贵干？”二楼的窗户突然打开，一个已经失去光泽的秃头探出窗口，颇为生硬地责问美国宪兵们。

“你就是东条英机大将吧？”劳斯少校很客气地说，“我们奉麦克阿瑟将军之命，请你到盟军司令部报到。”

“对不起，没有我国政府的命令，我不与任何人见面！”东条英机说着，将脑袋往里一缩，又将窗户紧闭。就在劳斯等宪兵们有些不知所措时，突然楼上传来“砰”的一声枪响……

“坏了！”劳斯知道不妙，立即带兵冲进屋子，上了二楼，找到东条英机的房间。只见此时身穿短袖运动衫的东条英机，仰躺在书桌前的摇椅上，左胸前一团鲜血正往外涌……

“快快！救护车！”劳斯命令手下，并同几个宪兵一起将东条英机抬下楼去。

“我……没有错，大东亚……战是……是正义的……”东条英机没有死，只是在送往医院的路上仍不停地念叨着这句话。一个月后，他的伤势明显好转，并被正式关押起来。

与此同时，美国宪兵和武装人员每天在东京及日本各地忙着抓捕被盟军确定的战犯，此工作一直持续到1945年底。南京大屠杀要犯松井石根是9月19日被捕的。此前一星期，他还大言不惭地对美国记者说："至于敝人，二次大战期间虽曾奉命出任上海派遣军和华中方面军负责长官，指挥过淞沪会战与南京会战，但根据《波茨坦公告》精神，这不能视为犯了'战争罪行'，因此敝人问心无愧。"可惜的是松井石根对《波茨坦公告》理解得极为有限，难怪盟军到他家抓捕时，这位瘦小的老家伙浑身抖动不止，显然他始料不及。

审判日本战犯的罪行必须是无情和严肃的。而如此重大的"世纪审判"艰巨而艰难，尽管战犯的罪行有目共睹，但一切程序和法律条文的运用必须严格且严谨，不能有失误之处，这既是使战争罪犯获得最严厉的审判之需要，更是对人类正义的伸张。

关于如何审判世界大战的战争罪犯，中国人民和世界人民在审判日本战犯之前，已经有机会看到一个先例，即欧洲方面对德国法西斯的纽伦堡大审判。这个审判早于东京审判，于1945年11月20日便正式开庭了。当时没有电视，审判现场除了案件相关人员和法官们外，只能是少数记者和旁听者参加。即使如此，这场"世纪大审判"足以让全世界注目。当时一位记者这样描述开庭第一天的情形：

> 上午10时不到。3组辩护律师相继走出电梯，徐徐进入600号房间——纽伦堡审判现场，一个精心准备的国际法庭。
>
> 审判席上，4位来自不同战胜国的法官端坐在那里，苏联法官身穿褐色戎装，美国、英国和法国的法官都是身穿黑色长袍。法庭内，厚重的灰色丝绒窗帘垂下来，遮住了纽伦堡深秋的天际，一排排的木头长凳被漆成了深木色。这个法庭展现在全世界面前的气氛，正如杰克逊法官所描述的，是"忧郁的庄严"。
>
> 21名纳粹战犯被告坐在被告席上。旁听席上挤满了人，250名记者在现场飞快地记着笔记，全世界都在注视着这个审判……

纽伦堡这个"忧郁的庄严"的法庭，历时近一年时间，最后判决了12名纳粹头目绞刑，数十人重刑。后来又陆续审判了800多名纳粹重要分子死刑，而追寻那些逃避纽伦堡审判的在"二战"期间犯有罪行的纳粹分子的特殊司法战斗则持续了几十年。

希特勒自杀了，他因此没有被审判，但纽伦堡的判决书对其做了最彻底和公正的道义审判。

由于日本投降比德国晚些时间，所以审判日本战犯的工作相对也晚了一些。纽伦堡的开庭经验则在一定程度上指导和帮助了东京大审判。东京大审判开庭次数 818 次、法庭记录 4.8 万页，出庭做证人数达 419 人，出示文件证据 4 000 多件，判决书长达 1 213 页，其规模超过纽伦堡审判，为人类历史上真正的一次“世纪大审判”。

对于东京审判，从一开始，日本方面就放出很多话，似乎有人一直在置疑它的合理合法性。

1946 年 5 月 3 日，东京国际法庭首次开庭，作为起诉方的总检察官、美国的基南先生一上来就对东京审判日本战犯的“合理性”，向包括在场的日本战犯在内的整个法庭做了陈述。这位著名的法学家，以洪亮而激情的声音告诉包括日本人在内的全世界人——

庭长先生及远东国际军事法庭的法官先生们:

作为起诉方的总检察官，我向各位提供一个法律理论的概述，根据它，我们将进行此次起诉并提供事实，这些事实将证明每一位被告犯下了起诉书所指的罪行，这些是我根据法庭宪章应尽的责任……

我们有充分的理由表明此次审判是有史以来的最重要审判之一。它对在此参加审判的 11 个国家非常重要，而这 11 个国家建立了有序政府，包括了占地球 1/2 的人口;它对其他的国家和所有国家的未出生的数代人同样重要，因为这些诉讼可能对世界的和平和安全产生深远的影响。

在诉讼一开始，检察方清楚表明其目的是至关重要的。我们总的目的是有序地落实法律程序;我们具体的目的是尽我们所能最终为预防侵略战争的灾祸做出贡献。

庭长先生，这不是一次普通的审判，因为我们正在此进行一场文明社会坚定不移地防止整个世界被摧毁的战斗，此次审判是它的一个组成部分。这种对世界的威胁不是来自自然的力量，而是来自个体及小团体故意策划，这伙人为了他们疯狂的主宰世界的野心似乎愿意让这个世界过早地毁灭。

这是一个强烈的论断，但有如此多的事实使我们发现我们自己无法用更和缓的语言来描述它。

整个世界有一小撮人，包括被告，决定擅自处理（世界事务）并将他们的邪恶愿望强加于整个人类。他们向文明宣战。他们制定规则，决定问题。他们决心要摧毁民主及其基础——自由和人格尊重。他们决心要除掉民治、民有、民享的政府而建立他们所说的“新秩序”。为了实现这一目标，他们与希特勒集团联手。他们以条约的形式，正式地联合，并对此感到自豪。正如起诉书所列举，他们一道策划、准备、发动了对民主国家的侵略战争。

他们愿意将人当作奴隶和人质来处理。这意味着对数以百万计人的谋杀、征服和奴役对他们来说是无足轻重的。这包括了在全世界各地屠杀老人和儿童的计划和图谋，以及将整个社团灭绝对他们来说都是不重要的。它将引起世界的年轻的花朵过早凋谢，包括他们自己的，这对他们来说也是完全无关紧要的。

在他们的头脑里条约、协定和保证只是单词和纸片，对他们的企图并不构成威慑的影响。他们的目的是将武力施加于这个世界。他们以武力和征服来思考，完全忽视正义的目的。在这一事业中数以百万计的人可以死去;国家的资源可以被摧毁。在他们的疯狂的征服和控制东亚的计划中，以及随着计划的实现，最终控制整个世界的目标里所有这些都是无关紧要的。这就是他们的阴谋的主旨。

我们现在面对这一问题:现实残酷地提醒我们，今天我们文明的存在是否正到了一个紧要的关头，它被迫袖手旁观，并允许这些暴行而不加以阻止?

我们的时代与过去的不一样，这一点任何人都不需要被提醒。今天，更重要的是明天，以及从此往后，战争必将是全面战争。今天或是明天战争都不会有领土的限制。受害者会是年轻人和老人;武装人员和非武装人员。无论是大都市还是最偏远的小村庄，不会有任何家庭可以免遭它的破坏。未来战争将威胁到的不仅是文明的延续，而且是任何生物的生存，这点变得具有如此的真实性，以致反复强调显得多余和陈腐。人类一直渴望的和平问题现在到了一个重要的十字路口。因为我们所知道的破坏能力，即使是在很原始的阶段已达到了这样的规模，但只有我们人类想象这种破坏能力的最发达阶段，我们才能应对现实。在这十字路口的我们，实际上现在是对一个问题的回答:“活着还是死去”。

对这个问题的回答需要无穷的耐心、宽容和最诚实地达成理解和协定的努力。我们只考虑到这个问题的一个方面，在这个法庭里我们能用所赋予我们的权利以公正和高效的方式为防止未来的战争做出什么贡献?

我们的目的是一种预防或是威慑。它与复仇和报复这种渺小、低劣的目标没有任何关系。但我们的确希望在这些诉讼中，那些对人类造成如此灾祸的个人，作为普通的重罪犯人被烙上罪犯的标记，并得到相应的惩罚。这可能对未来的以他们为原型的类似的侵略战争产生威慑效果，这一愿望并非不可能实现。

因此在这些审判中我们具体的目的是确认已经被广泛承认的原则：一个国家里身居官方职务或在其他位置的个人，策划侵略战争，特别是违反条约、保证和协定的战争是普通的罪犯。应该，并将受到数世纪以来所有国家对谋杀者、土匪、海盗和抢劫犯所进行的惩罚。

我们主张发动（战争造成）的谋杀与公正和法律永远是不相容的。我们在此主张，策划、发动战争因而摧毁数百万生命的犯罪与策划、发起谋杀一个个体生命的行为同样是犯罪。

我们进一步主张对一国法律和宪法宣誓效忠并不能对惩罚产生豁免权；也不能因将夺取数百万性命的战争描述为“事件”而产生豁免权；同样，声称是为促进本民族的愿望，因而他们的行为是正当的，此种解释也不能产生豁免权。

我们认为，在本法庭引证并提交的事实和详情将表明，控制政府或影响其行为的这些被告违反了有效的法律和日本国的条约义务。

我们将毋庸置疑地进一步显示这些被告中的每一个人完全知道他们在策划、准备、发动的战争将导致人的生命的毁灭，不仅是在战场，而且在家庭、医院和孤儿院，在工厂和田地；受害者将是年轻人和老人，健康者和病人，男子、妇女和儿童……

这些被告发动了宣战和未经宣战的侵略战争，或发动违反国际法、国际条约和保证的战争。在纽伦堡正在进行着类似的诉讼！其他一些被告正坐在被告席上。除了向本法庭表明这些被告与纽伦堡的被告的目标一致，并与他们在征服世界的企图中结成了盟友外，我们并不关注他们。

那么，从字面意思上看，如果我们的观察是正确的，我们必须做出一个重要的决定，这个决定可能决定人类得以延续或是终结。如果这个命题是正确的——我们怀疑任何善于思考的人会认为这是夸大其词——无疑我们是在一个新的且至关重要的时代。对于那些要求有精确的已经确立的先例来指导行动的人，我们会指出这（对发动侵略战争的审判）完全不是什么全新的观念。从史前和原始社会开始，并经过中世纪直到当代，总是存在这样或那样的惩罚侵略战争组织者的诉讼程序。

“成立一个国际法定的法庭，并允许这样的战争罪犯拥有为自己辩护和声称自己是无辜的特权，这是文化和宽容的现代文明理想的顶点，它已被固化、结晶。”基南说到这里，目光落在东条英机、松井石根等战犯身上，他发现他们的头轻轻地抬了一下，目光在碰撞，似乎重重地缓了口气，但很快松缓的胸口又被压上了重重的石头，因为这些战犯们看到了在场中国法官目光里从没有改变过的严峻……

基南的语气变得稍有些舒缓和低沉：

“今天，我们心怀谦卑，但十分诚实地开始我们的任务，着手从事我们的工作。因为为了这样关键的目的，我们必须采取公正的行动。正如我们检察方所认为的那样，如果我们不能做出诚实的努力，做出我们的贡献，如果战胜国不能做出所有正确的事情来阻止毁灭世界的力量，这本身将构成一个不可原谅的犯罪。我们唯一的恐惧是缺少做好我们工作的才智和能力，因为这个责任本身是非常苛刻的。”

“谢谢庭长先生。”基南结束了他的第一部分“审判的意义”的陈述。毫无疑问，他的这番陈述实在太出彩了！它让战胜国和战败国、受害方与加害方的控辩双方都无话可说。

> 谁都不是一座岛屿，自成一体
> 每个人都是那广袤大陆的一部分
> 如果海浪冲刷掉一个土块，欧洲就少了一点
> 如果一个海角，如果你朋友或你自己的庄园被冲掉
> 也是如此
> 任何人的死亡都使我受到损失
> 因为我包孕在人类之中
> 所以别去打听丧钟为谁而鸣
> 它为你敲响

这是17世纪英国玄学派诗人堂恩的诗段，美国作家海明威将其放置在他的《丧钟为谁而鸣》的扉页上。现在，这首诗则在松井石根等这些南京大屠杀的刽子手的脑际里回荡着、震撼着，死神的哀鸣搅动着他们的每一根神经。强作镇静的松井石根，嘴角边轻轻地抽动了一下，虽然极其细微，却依然没有逃过国际军事法庭的法官们尤其是中国法官们的锐利目光。

“庭长先生，现在我陈述下面的内容……”基南总检察长用了两天时间在法庭上

陈述了对日本战犯进行起诉的首个综述报告，除“审判的意义”外，还有“被告罪行要旨”、“审判的法理概述”、“被告所违反的法律条款”等五个方面，可谓字字点穴，句句见血。针对当时少数人认为的日本发动侵略战争的国家责任、个别区域的战场犯罪与战犯个人责任之间的不同观点，从法理和事实根据上做了有力的驳斥。他指出：“每一个国家都有不可剥夺的自卫的权利。但是侵略战争在该理由之外。战争是一个罪恶的东西。将 1937 年的战争描述成降临人类的最大的灾难之一并非夸张。因此发动一场战争不仅是犯罪，而且是战争犯罪之首恶。就其全球性的规模而言，它不同于违反某一战争法规的具体的战争犯罪。它是所有罪恶之总积累。如果有可能想象出一个以最人道方式和骑士精神进行的战争，发动这一战争，如果它是非正义的战争，仍然是一犯罪。它是破坏和平罪。”基南一针见血地指出了“南京大屠杀”的性质：日本军队“系统、无情地屠杀、强奸、拷打成千上万名战俘、平民、妇女和儿童以及肆意、大规模地摧毁家庭和财产完全超出了任何可能的军事需要，是日军占领南京的特征。通常被称为‘南京的浩劫’的这一行动在现代战争史上是史无前例的”。基南进而指出：“南京只是众多城市中的一座。作为它们侵略计划的一部分，日本通过犯下在特点和规模上几乎难以置信的、严重的暴行，在占领中国城市时寻求摧毁（中国）人民抵抗意志。”显然，“南京的浩劫”，是名副其实的反人类罪。

审判战犯的法理定性和依据，从心理上给了当时的日本和日本战犯们重重的一击。接下去的是漫长而艰难的法庭审理，历时两年有余，可谓“旷世之战”。而这场法庭上的“旷世之战”，又一次让南京人民心口上的伤疤流血……

30. 将谁押上审判台？

一个发动侵略战争的国家的军队犯下那么多罪行，谁该被押上历史的审判台，这本是无可置疑的事，然而在堂堂国际军事法庭审议的台前幕后却出现了一系列怪现象，实在令人无法理解。

这就是历史。这就是美、英主导的远东国际军事法庭留下的一些问题。我们慢慢来细述——

我们已经知道，所有的事实与受害者皆在——尽管日本人也曾千方百计在占领南京后花费了很多人力、物力粉饰和销毁所犯重罪的证据，几十万被害者的尸骨也被埋在深深的泥土里开始腐烂，但中国人民随手可拾身边的和记忆里的累累血债……人们在等待机会。

现在机会来了，一水之隔的东京远东国际军事法庭给了中国人机会。

血债要用血来还。这是必然的。对日本人的犯罪清算也是必然的事。

不过，对日本国的战争犯罪的清算，时间是从他们策划1931年的“9·18”事件开始至1945年9月2日宣布正式投降那一天，此间日本军队在中国所犯罪行可谓罄竹难书。远东国际军事法庭将“南京大屠杀”事件作为对日本战犯的重点清算罪行之一，并且确定了以基南为总检察长的起诉团队，这中间也包括几名中国的法官。但由于当时中国政府对远东国际军事法庭所采用的英美法系不甚了解——这个法系重视证据和证人的作用，尤其是关键证人的证词往往能影响到最终的法庭审判结果。而我们中国一向采用的是大陆法系，这个法系的特点是偏重法官作用而忽视证据的收集。以蒋介石为首的国民政府在抗战胜利后，认为日本侵略中国是不争的事实，而且其罪行世界有目共睹，因此认为东京审判仅仅是走走形式而已，判日本战犯死刑是十拿九稳的事。于是当远东国际军事法庭要求我方派人去参加时，也仅仅派了一个人数极少的法官团队。连中国派遣法官倪征燠也说：“国民政府满以为是战胜者惩罚战败者，审判不过是个形式而已，哪里还需要什么犯罪证据，更没有料到证据法的运用如此严格。”

但中国人估计错了。远东国际军事法庭并非如此审判，他们有他们的一套英美法系做法。整个远东国际军事法庭的主导权在美国人手里，同时还有一批英国法学家配合。

叛处罪犯，证据和起诉书无疑特别关键。担当远东国际军事法庭此项任务的是美国的基南先生，他既是检察局的总检察长，同时又是美国派遣来东京的重要法庭成员。在麦克阿瑟签发成立远东国际军事法庭之前的一个多月——1945年12月6日，基南就抵达东京了。

57岁的基南，是哈佛大学法学院的毕业生。1933年便担任联邦司法部部长特别助理，两年后被任命为司法部刑事局局长。此人办案果断且无情，故有“魔鬼检察官”诨号。

日本侵略军是魔鬼，魔鬼的罪行由“魔鬼检察官”来审判，非常合适。但基南到达东京后，麦克阿瑟就对他明确指出：“关于对日本战犯的审判，我提出三点意见请你考虑：一是要尽快审判；二是将起诉日本战犯的理由简单化，可集中到屠杀这一点上来；三是珍珠港事件应为重点……”

基南听盟军总司令如此一说，心头有些嘀咕，但也只能点头示意赞同：“同是美国人，我会把将军的话牢记的……”

什么意思？远东国际军事法庭是为他们美国人开设的？那么我们中国作为胜利国

之一，作为抗日主战场，我们死伤了3 500万人就可以撇到一边吗？或许是，或许不是。反正后来出现了许多怪事：

首先对亚洲的公敌——日本的起诉书，起草者竟是英国人。法庭检察局和主审官基本是美英人士。

中国检察团是1946年2月抵达日本的，领队的是著名法学家梅汝璈博士、向哲濬检察官。

2月底，11国参审代表聚集在一起，对起诉书内容做出定调与安排。担任起诉书起草执行委员会主席的英国检察官卡尔居高临下地宣布：远东国际军事法庭鉴于对日本战犯的审判影响大，工作量浩瀚，因此应从简从速。为了实现这一目标，应该把被告人数限定在15人以内，至多不得超过20人。

20人？这怎么可以呢？我们中国政府提供的日本甲级战犯名单就有33人之多，如果按卡尔先生的意见，那些屠杀中国人民的战犯就可以这样轻而易举地逃避惩罚了？

“对呀，我们如何向国人与政府交代？”

“不行！20人绝对不行！”

中国检察官向哲濬等表示强烈不满。

33人？你们中国人的胃口也太大了！知道纽伦堡法庭起诉德国纳粹战犯是多少人吗？是22人！这回是坐在基南和卡尔身边的国际检察局的卡本德很武断地插话了，瞧他那副高傲的样子，似乎根本就没把中国的检察官放在眼里。

向哲濬没买他的账，反驳道：阁下是否清楚一个基本事实：日本军国主义在中国和亚洲所犯罪行比纳粹的罪行有过之而无不及，难道我们的审判一定要按某一个法庭的先例来确定自己所要起诉的人数而不是按照战犯们所犯的罪行审判吗？

卡本德沉默了。只见卡尔双手一摊，朝身边的基南耸耸肩，意思是：还请阁下定夺吧！

会议出现了暂时的冷场。

现在又轮到美国人上场了：太平洋战争是因珍珠港事件而爆发的，远东国际军事法庭毫无疑问应当把偷袭珍珠港的日本战犯作为严厉惩罚的对象，而其他的日本战犯都可以从轻发落。

如此奇谈怪论！中国检察官一听，更加愤怒：日本侵略者在亚洲犯下的罪行，在时间上远远超过德国纳粹对欧洲疯狂犯罪的时间，而犯罪的严重程度更是远远超过偷袭击珍珠港，因此所有在中国和亚洲其他国家犯下罪行的日本战犯，都应严惩！

“你们的严重，难道他们偷袭珍珠港就不严重了？”美国人从椅子上站立了起来。

“那也不能以偷袭珍珠港事件作为起诉主体嘛！”中国检察官绝不让步。

“好了！好了！先生们说得都有理，然而整个案子过于庞大复杂，且时间不能拖得太长，起诉的人数应适当限制，至于第一案没有来得及起诉与审理的战犯，第二批或第三批起诉也可以。另外，相关国家也可以由远东国际军事法庭授权设独立的战犯审判法庭。这样就可以解决诸位和各国提出的要求，你们认为此建议如何？”老到的基南最后提出平衡性建议。

“OK，我们同意这个方案。”

那——我们也不反对。中国检察官虽觉无奈，但还是对这一折中方案举了手。

那么，谁该成为押上历史审判台的罪犯呢？一场新的激烈争论在远东国际军事法庭开审前开始了——1946 年 3 月 11 日，东京明治生命大厦议事厅再次召开由国际检察局执行委员会主持的全体检察官会议，11 国检察官围成一圈，讨论决定对日战犯第一批起诉的被告名单。

东条英机——偷袭珍珠港的罪魁祸首，被全票推举为受审的首位战犯。能获得此份“荣誉”，是因为美国检察官列举了一批铁证如山的证据和证人。

其他亚洲国家的检察官跃跃欲试，都在期待自己国家的意志获得所有检察官的支持。

中国怎么啦？中国检察官向哲浚这一天就坐在总检察官基南右边的第三个位子上，很醒目之处，但会场上他却有些焦虑不安，时常走神。

“现在讨论松井石根，请中国的向检察官宣读你们的起诉内容吧。”基南点名向哲浚。

“谢谢总检察官。”向哲浚似乎有些慌乱地拿起起诉书，开始宣读。

读毕。基南扫了全体检察官一眼，然后喊了一声：“请中国的证人提供证言。”

此刻，早已等在休息厅的中国国民政府军政部次长秦德纯以军人的严整姿态，大步进入会场，出现在众国际检察官面前。秦的一个标准军礼，又加之早有所闻的“南京浩劫”事件，立即让会场格外兴奋起来。

秦德纯胸有成竹地从公文包中取出一份提前拟好的证词，像小学生朗诵似的读了起来，那内容中频频出现诸如“日军到处烧杀抢奸”、“罪恶滔天”等词汇，洋洋洒洒，十几分钟过去……

“不不不，亲爱的中国检察官先生，这是法庭，不是你们的课堂！请你们出示日军杀人放火的实证！明白吗？我们要实证，而不是空洞的文字！”突然，一位美国检察官打断秦德纯的话。

会场顿时“叽叽喳喳”地窃窃私语起来，众检察官纷纷附和美国检察官。向哲濬等中国检察官的脸全都涨红了——我们政府怎么会派这等笨人出庭？中国怎么会让这样的人当军政部次长？

唉！向哲濬的手有些抖动，事先他曾与秦次长交流过，哪知这位次长一副高傲姿态，说“南京大屠杀铁证如山，凭我一说即可将那些大战犯送上断头台！”“也怪我太相信他了……”向哲濬暗暗自责，可为时已晚矣。

“秦德纯先生，你带实证或者具体的案子了吗？”主持会议的基南说话了。

“这个、这个……”秦德纯不知如何回答，竟然一下连说了好几个“这个”。好家伙，这下引来其他国家的检察官的一片嘲笑。

“证人无实证，来东京是观赏我们美军的炸弹威力？”美国检察官得意忘形道。

“你们中国人说日军在南京大屠杀，没有证人和证据，我们的法庭不成了你们的戏台了吗？”

“……”还有更难听的话，尽在众检察官嘴里频频说出。会场气氛又一次破坏。

“诸位安静！安静！”基南有些不满了，双手示意大家。然后他将脸侧向右边的向哲濬：“向检察官先生，真是遗憾，贵国没能提出足够的实证，我们无法将南京大屠杀罪犯松井石根列入第一案审理。请你尽快向贵国政府转达现在的法庭准备情况，我充分理解你们深受日本侵略之苦，作为胜利国的代表，相信你们知道如何行事。”

向哲濬频频点头，就是不敢把头抬起来。他觉得自己和自己的国家太丢脸了。这何止是丢脸！日本侵略者在南京杀了那么多人，却没能拿出实证将罪犯押上审判台，这不是奇耻大辱吗？“作为一国之代表，我们这些人不要被四万万国民骂死吗？”

向哲濬不知自己是如何从这一天的会场里走出来的。

晚上，中国代表聚集帝国饭店的梅汝璈房间，你一句、我一句，个个既生气又愤怒。“国弱受人欺啊！”梅大法官数度长叹。

“现在有啥办法弥补？得赶紧想办法呀！”

“啥办法？赶紧回国找实证呗！”

“对啊，这边我们向国际检察局申请重议，另外必须马上派人回国去取证！”

“向检察官，你说呢？”梅汝璈征求向哲濬意见。

“我也是这个意见——得有人马上回去取实证！”向哲濬说。

“我回去吧！”33 岁的裘劭恒主动请缨。

“好！劭恒啊，你的担子重如泰山，我们在东京等着你回来！”梅汝璈和向哲濬拉着裘劭恒的手，千叮咛、万嘱咐。

“放心，我一定全力以赴！”裘劭恒说。

说干就干！身在东京的中国检察官们开始兵发两路：一路是裘劭恒回国取实证，一路是以向哲浚为首在东京找证据——盟军攻克日本首都东京后截获诸多日本政府发动侵略战争的机密文件！向哲浚他们收获颇丰。

再说裘劭恒回国后向政府有关部门报告后，受到重视。听有要为“南京大屠杀”举证，首都南京人民立即自觉自愿地站了出来。所以裘劭恒这次是带着许多实证回到东京的。

另一方面，国际检察局在讨论中国问题时，也感觉不能轻视像南京大屠杀这样的事件，否则有损远东国际军事法庭的声威，所以决定由基南亲自到中国走一趟，尽管这位总检察官忙得不可开交，但为了把日本战犯送上法庭，他必须亲自出马。

基南到中国的时间是1946年3月16日，仅距开庭一个半月时间。基南带着霍克斯、赫斯特、洛克、李佛等几名国际检察局成员，匆忙而行，他们乘坐盟军飞机先到了上海，一路又转至南京。在中国检察官向哲浚陪同下，他们先后见了十几位南京大屠杀的证人，同时获取了一些实物，便回到东京。虽然短暂而仓促，但基南一行所获证据仍被国际检察局认定为“做得最有成绩的”。

4月1日，国际检察局召开最后一次关于确定起诉战犯名单的会议。南京大屠杀主犯松井石根被列入第一批起诉的战犯之列。中国检察官向哲浚等总算大大地松了一口气。

现在距计划中的5月初开庭还有一个来月。基南指出，远东国际军事法庭，将有一场持久的大审判，时间会很长，因此在向法庭列名的战犯提出起诉后，各国仍可根据情况继续收集实证，以便在法庭上更有效地审判战犯。据此，国际检察局也再次向中国派出了他们的检察官劳莱。

美籍检察官劳莱到中国走一趟后，带回不少新证。然而基南看后，仍觉不满，便再度派出自己的得力助手萨顿。就这样，萨顿于5月31日下午，带着助手卢克·李上尉、乔·亚历山大少尉和随员道格拉斯一行4人抵达上海，重点调查南京大屠杀和日本在中国推行鸦片等罪行。

6月3日，萨顿到达南京。

“有一个人你们能够找到他，对法庭审判必定特别重要。他叫菲奇，日军占领南京时，他一直在这座城市。现在菲奇先生还在中国工作呢！”在联合国救灾总署驻中国总部，有美国朋友给萨顿提供了一个令他兴奋的线索。

“请中国政府帮忙，马上约见菲奇先生，最好让他跟我们到东京去。”第二天，萨顿立即约见中国行政院副院长翁文灏，希望他帮助将菲奇从河南开封调回南京。

“虽然这事有些难，但我们会积极配合。”翁文灏抿抿嘴，用英文回答萨顿。菲奇此时是联合国救灾署驻中国河南地区办事处主任，他的岗位显然如果不是特别的需要，是不可能离开的。

萨顿听了翁文灏的话，便立即通过美军驻中国司令部调一架飞机，专程将菲奇从开封找到并带回南京。

“去东京法庭做证？没问题！日本人在南京干的事太可恶了！我义不容辞！”菲奇与萨顿见面后，当即表态。

“本人早听说教授先生在当年南京大浩劫时与一批美国教授和医生及传教士们，为中国人做了大量救助工作，现在你能再出庭控诉战犯们的罪行，我代表美利坚和远东法庭感谢教授先生！”萨顿给了菲奇一个热烈的拥抱。

“你还应该找到一个人，他很重要。我们当时建立南京安全区时，他是我们的秘书，负责所有日军犯罪事实的调查与材料整理……”菲奇说。

“他是谁？”

“斯迈思教授。”

萨顿大喜：“听说过此人的大名！这位教授现在在哪？”

“就在南京。”

“太好了！马上去找他。”萨顿如获珠宝。

萨顿与斯迈思见面后，满怀信心请他与菲奇一起到东京时，斯迈思则泼了他一盆冷水：“我与菲奇先生同是金陵大学的教授，就目前的情况而言，我们俩同时离开岗位是不可能的事。”

“你？！”对日战犯审判牵动全世界的每一根神经，却在中国受到冷遇，这是萨顿所想不到，他的脸一下涨红了，可在教授面前他强压心头怒火，平静几分钟后，说：“日本发动战争，不仅对中国和亚洲，而且对我们美国也造成巨大伤害，珍珠港事件就是一例。教授先生应当清楚，基于此，我们每一个人都有义务去法庭当证人，清算他们的罪行。”

“检察官先生的话没错，我没有别的意思，只是工作脱不开身。”“智多星”斯迈思以他一向的作风对来访者说，“这样吧，我一定写一份详细的证明材料，记录所知的日本人在南京犯下的罪行，作为你们所要的证据之一，检察官先生看可否？”

“很好。教授能这样做我们就很满意了。”几天后，斯迈思的一份很有分量的证词交给了萨顿。

“你们为什么不去找德国的拉贝先生，在日本进入南京前后的时间里，他可是个大人物，领导我们国际委员会开展了卓越的工作，他也是一位重要的见证人。”斯迈思对萨顿说。

“这个人的情况比较复杂，我们国际检察局曾经通过纽伦堡法庭的检察机构向德国有关方面要过此人，但据说因为他有纳粹党员的身份，后来取消了他的证人资格。”萨顿回答。

“原来如此。”斯迈思听后长叹一声，“遗憾的事。”

遗憾的事还有很多。萨顿离开东京时，基南给他的时间也仅为一周左右，谈何容易！也不知是中国人的习惯，还是东方人的性格，萨顿实在弄不明白一件事：明明日本人犯下的罪行滔天，人人对其咬牙切齿，可一说让其到东京出庭做证，又有那么多顾虑和躲闪！难道你们忘却了痛苦？难道不是你们失去了亲人？还是你们生来就没有正义感与责任感？面对血迹斑斑的中华门，萨顿多次感叹，无从回答。

他没有多想。东京在等着他带回证人。

6月5日，萨顿通过中国军队参谋总长陈诚先生找到王冷斋。5日萨与许传音相见，许是金陵大学教授，许愿意出庭。6月6日，最后决定带15个人。陈福宝和尚德义是6月7日才找到的。8日，萨与市长马超俊见面，又找到梁庭芳上尉。

10日，经过做工作，这些人才同意去东京。官方代表秦德纯有了第一次出丑的经历，表示不愿再去东京。但萨顿按基南之意，还是想请他出庭，于是让陈诚参谋总长出面劝说秦，最后秦勉强同意。

12日10时15分，萨顿带着许传音、梁庭芳、尚德义、伍长德、陈福宝、王冷斋和贝德士、秦德纯等15名证人，乘坐盟军军用飞机，从上海江湾机场离开中国，于当日下午4时20分抵达日本厚木机场。他们与由国际检察局找到的马吉牧师等其他证人一起会合，组成了中国的证人团。

此时的东京，已是炎热之季，海风吹拂着这个城市，一切令人心烦意乱。然而只有一个地方保持着异常庄严而肃穆的气氛，它就是审判日本战犯的远东国际军事法庭所在地……

31. 绞死松井石根

毫无疑问，按照英美法系，日本人在南京大屠杀期间犯的罪行实证多与少，将直接对整个审判结果产生影响。中国在世界事务中，吃亏和窝囊事不止一两件，现在有，过去更多，审判日本战犯中我们先说说证据问题，其实不是中国没证据，而是当时的中国政府对远东国际军事法庭审判本身重视不够，政府出力远不如一个菲律宾。比如收集罪证，菲律宾从一开始就以“国家力量”来统筹安排，而且由美国人帮着定调定规，所以东京审判中菲律宾部分的审判结果，令人满意。我们呢？差一点连唯一的一个甲级战犯——松井石根也放了，但从远东国际军事法庭开审前中国方面收集实证之仓促与简单中可以看出，当时的国民政府确实在很多方面很差劲。

笔者在中国第二历史档案馆看到，其实在1946年之前的数年间，南京市民间反映日本侵略者犯下大屠杀罪行的证据就留下很多。那个时候不是日本统治时期吗？南京为何有百姓敢揭露日本人所犯的暴行呢？

是的。这是因为日本人统治期间，在日本军方的摆布下，南京于1938年初成立了一个傀儡政府，开始是“自治委员会”，后来便是大汉奸汪精卫的伪政府。饥寒交迫、求生不得的百姓才不管你是谁当政，他们只乞求能有一丝生的希望，因此在这些年里，出现了许多自发的民间“呈文”，而这些民间“呈文”恰恰为日本在南京大屠杀时所犯下的种种暴行留下了铁的证据。下面是笔者从当时留下的数以千计民间“呈文档案”里找出的几份原文，虽然由于当时仍处在日伪统治时期，百姓也只是为了获得“政府”的救济而呈文，但我们依然可以从另一个层面掌握日本军队在南京实施大屠杀的证据——

呈文选一：

赵德新等六人呈

（1938年5月2日）

具呈人：赵德新，年四十八岁，住址上新河区沙洲圩。

为盗薮充斥，民不聊生，恳求迅速清乡，以弭匪患，而安民生事。窃民等世居沙洲圩地方，务农为业。云[去]冬战事发生，沙洲圩一带均在战线之内，人民逃避一空。今春国事大定，灾民归来，生活为艰已达极点。虽经屡向南京自治委员会请求救济，始终未沾点滴之惠。不料华军败走，遗弃枪械颇多，均被当地莠民捡取，恃此武器任意胡行，是以数月以来抢案叠[迭]出，无日无之，甚至烧杀时有所闻，被害之家叠[迭]向区公所报告劫案简直不受，现在乡间日夜枪声不断，灾民有家[不]敢归，有田不敢种，直接人民自治机关，回护自己身家，不敢为区民解除痛苦，视此民不聊生，后患何堪设想？再四思维，惟有仰求钧署俯念灾农

劫后不能安居乐业，迅予筹办清乡，拯灾农于水火之中，以弭匪患而安民生，实为恩德两便。谨呈

督办南京市政公署 任

具呈人：赵德新［押］

赵伯［押］陈子扬［押］

张德全［押］李仁富［押］刘光荣［押］

呈文选二：

南京市警察厅为刘志才母被害事致督办南京市政公署呈文

（1938年5月11日）

呈为呈报事。窃据第四警察局呈称：本月九日上午六时，据东门街十五号之二居民刘志才报称：于八日午十二时有一日兵穿白衬衫制服裤，闯人民披房内，意图强奸，幸民嫂外出未归，该日兵遂去。至夜十时，复来由窗迳入民嫂居室，因未寻获复出，由后门入民母卧室，肆行殴打民母，畏而逃避，该日兵仍尾追不止。民因深夜未敢外出，迄今晨民母仍未见归，当出寻找，行至本街十二号旁，见民母僵卧草地，血污满身，气绝多时，所带钞洋百余元亦竟一无所有。请求申雪缉凶等情，前来当即率同官警一面报告颐和路宪兵分所，一面驰赴出事地点，查勘查得死者面胸两处各有刀伤，惟胸部伤口约长三寸宽寸半。旋宪兵亦到场，并由新街口宪兵队派来官兵三人，通译一人，会同查勘。当查出凶手系田上部队佐波队兵士，并在该兵身上搜出钞洋五十四元及长约七寸之尖刀一把，除人赃由宪兵带该队讯办，并饬刘志才候讯外，理合将本案经过备文呈报，仰祈鉴核。等情；据此。除指令外，理合备文转呈钧署鉴核。谨呈

督办南京市政公署

南京市警察厅厅长　王春生

呈文选三：

南京市社会处朱寿之调查田周氏之夫被日军刺死事呈文

（1938年6月9日）

为报告事。职奉派调查大油坊巷十四号难民田周氏，年二十七岁，南京人。其夫前在学兵队充排字，于去岁在难民区内被刺殒命。遗有一子，名惠龙，年九岁，

长女惠凤年七岁，次女惠虎，年四岁，且有生母周谢氏，年六十五岁，向依该氏生活。一家五口生计，确系困难万分，兼之戚友又系贫乏，毫无援助。兹经详查！确如上述情形，状极至惨，其情尤怜。

用特具实呈请科长鉴核。转呈

处长　王

职朱寿之　谨呈 [印]

呈文选四：

朱杜氏呈

（1939 年 6 月 26 日）

具呈孀妇：朱杜氏，年四十岁，本京人，现住中华门内糖坊廊八号。

呈为孀居无倚，两子尚幼，生计频 [濒] 于绝境，恳求收容救济事。窃氏夫向营竹货业，不幸前年事变时误为毙命，所遗两子尚幼，家道素贫。两年以来时有断炊，借贷无着，乞讨无门。迫不得已邀求保甲长证明苦情具实上陈，伏乞市长赐鉴体恤下情，施恩格外准予收容留养，得能苟全延长蚁命，实属再造恩同，实为德便，临颖迫切待命之至。谨呈

南京特别市政府市长 高

具呈人：朱杜氏

偕长子，八岁

次子，三岁 同叩

第二区十四坊第二保长：呙敬先

八甲甲长：刘义才

呈文选五：

蔡元康呈

（1940 年 11 月 6 日）

呈为呈请收容救济以全蚁命事。窃残疾难民蔡元康，年六十一岁，本京人，向在京经营小贩。不幸于事变时，祸起萧墙，缘当战事方殷之际，民子老妻儿媳等均相继惨遭炸弹炮火身亡，而家资什物复被掳一空，房屋则被焚为灰烬。民于虎口仅以身免，日前孤苦伶仃，谋生乏术，兼因年迈之人，悲痛操劳过度，已染成个疾，终日饥寒交迫，行将流为饿殍，特具文哀恳矜鉴苦情，即赐收容救济以全蚁命。实为德便。谨呈

赈务委员会 慈鉴

暂借栖门东转龙巷十七号

残疾难民：蔡元康 叩呈

呈文选六：

张燕氏呈

（1941年1月3日）

具呈人：孀妇张燕氏，年六十九岁，江宁人，住门西来凤街四号。

为孤苦无依，冻馁交迫，恳恩收入救济院，以保余生事。窃氏原有子一人，以成衣为业。事变后被军队拉差，一去不返。氏只身一人，家无恒产，亦无储蓄，惟代人浣濯衣服缝纫鞋履，稍得工资，仅敷半饱。近日筋[精]力益衰，难以操作，至栖身之处系暂代之看守房屋，现时该屋业已售出，不日即须迁让。氏衣食住三项均苦无着，迫不得已，恳祈钧长鉴怜，迅赐收入救济院，俾度残年，实为德便。谨呈

赈务委员会公鉴

具呈人：张燕氏[印]

保人：马吕氏[印]

住本京下浮桥菱角市56号

铺保：马钰成材铺[印]

这样的呈文，从文字上看虽很简单，但它具有十分珍贵的历史价值，因为它是来自民间的，没有丝毫的“强迫作证”痕迹，是百姓因日本侵略者暴行造成生活所迫而发出的心声。这些呈文，读后令人泪下。如：

另一个黄姓老太太托人呈文道，1937年12月14日，日军进入南京，“顿遭不幸，蠢子被杀，拙夫不知进退，袒庇儿辈，同去殉难。目睹子夫俱伤，贫妇无奈折回。氏欲安居茅舍，讵知野火燎原，独身赴难，迅奔四乡，日走长街之苦，夜宿荒村数惊，贫不安枕，饿馁苦状难言……”

此等泪字泣文，谁读谁都会捶胸长哭，更不可置疑其真假。

抗战结束后，也不能说国民政府在严惩和清算日本战争罪行的问题上一点没作为。特别是东京远东国际军事法庭和差不多同时成立的中国国防部审判战犯军事法庭审判日本战犯的工作开始启动后，当时的国民政府即着手对侵华日军在南京犯下的大屠杀罪行进行了比较全面的调查。这也是中国作为战胜国第一次启动南京大屠杀的一个全

民性的社会调查。政府非常重视，1945 年 11 月 7 日，南京市政府受中央政府的指令，组织了市政府、国民党南京市党部、首都地方法院、首都警察厅暨红十字会南京分会等 14 个机关团体代表，在首都地方法院召开联席会议，即席成立了“南京敌人罪行调查委员会”，并决议由南京市政府推动区、乡、镇、坊、保、甲等当时的国民政府自上而下地组织进行此项工作。消息一传出，整个南京市各界反响强烈，甚至有无数百姓主动跑到市政府要求自愿加入该调查委员会，他们大多数是受难者的亲属，也有亲历南京大屠杀的幸存者，存积了多年的悲痛，如决坝的洪流倾泻而出，连铁石心肠的法警们都时常流下同情的泪水……

“放心吧，同胞们，你们只要有线索，随时可以来找我们——血债要用血来还！”即日，由南京市临时参议会议长陈裕光、副议长陈耀东出任调查委员会的正副主任委员，南京市临时参议会秘书长肖若虚任总干事。除南京市临时参议会全体委员为调查委员会的委员外，南京市各区长及相关机关团体、市民代表也被聘请为委员。各区、乡、镇的调查员人数更多。为了调查的正确和一丝不苟，市区都由政府首长负责，并派遣督导委员，赴各区镇行指导与督促之责。

不日，南京市参议会和南京大屠杀调查委员会共同发布公告：“民国二十六年南京沦陷时，敌人对我市民曾大屠杀。现在我们正调查确证，提供给远东法庭参考，把那些刽子手引渡到南京来审判，并执行判决。希望全市市民给予我们以最大的合作。”

调查委员会的工作是严谨和细致的，而且非常专业，不仅对调查人员进行专业培训，且要求严格，每人都要向政府和法律保证其调查的对象和结果具有绝对的准确性。

接下来的调查广泛而深入，虽然那时没有计算机，统计不方便，而且战争给南京市带来的巨大创伤尚未弥合，基层组织和市民的情况也十分混乱，但调查是地毯式的，一条条街、一户户地入室进行。该工作从 1946 年 6 月起，一直进行了整整 6 个月，除对过去若干机关已经调查的事实进行复查外，重点是对沦陷时期滞留南京的市民进行个案调查。据说当时调查的有万户之上，计有确实人证的 2 784 案，有的一个个案就有数人、数十人被害，这些调查得来的材料和表格还要经过调查委员会一一审核，以防差错。然后再提交远东法庭和南京军事法庭。

笔者在现在的中国第二历史档案馆看到了当时的调查表原件，这是证明日本大屠杀的铁证，我以为距大屠杀时间越近，调查所得出的结论也会越可靠真实，因而我觉得当时的南京市参议会做了一件功德无量的事，那些至今仍在怀疑和企图否定南京大屠杀罪行的人，有机会该看一看。

我看到的调查表，是以“保”为单位的调查结果。“保”在国民政府时属于最基层的行政组织，等于现在的街道一级或联村一级单位。南京市参议会调查委员会派出了至少40个“保”级调查组对全市进行调访和填表。调查表统一格式，标题为“南京市临时参议会南京大屠杀案敌人罪行调查委员会调查表”，表的右上角为“存档号码”。调查表的第一大栏为“罪行人”，这一栏的小表内容对“罪行人”的姓名、官职与职业、现在住处、所属部队或机关名称、上级的长官姓名、官职或职业等都有详细的要填写的内容。第二大栏是“被害人”。这一栏的小表非常细致，有“被害人”的姓名、性别、年龄、籍贯、职业、被害时住所、现在职业、现在住所等。第三大栏是“罪行事实”，其小表中包含：日期；地点；罪行种类（罪行种类里还细分为：1. 集体屠杀；2. 用机枪扫射；3. 用刺刀刺杀；4. 先刑后杀；5. 先奸后杀；6. 烧杀；7. 强奸；8. 施行集体刑罚等）；是否死亡（该小栏里还要细说明是：当场死亡、因伤致死和事后逃逸等情况）；在“被害详情”小栏里则要填写具体被害情况。第四大栏是“证据”。即要求填写证人的基本情况和物证的内容。最后一栏是“审查意见”，其中审查人还要“签名盖章”。在“调查表”下面，还要填“调查者”和“调查日期”。除此，每份调查表的最后部分还有像法律文书一样的“保证语”，是要求被调查人对所陈述的内容负有法律责任：“以上所述全系事实，并无虚伪。如上项敌人罪行将来可受法庭审判时，余（我——作者注）愿居于告诉人或证人之地位。倘有虚伪，愿受诬告或伪证之处罚。此结。”具结人（旁证人），也要写上姓名，并签名盖章或捺指印。另要把被调查人自己的姓名、性别、住处、年龄、籍贯、职业等都要一一填清楚。同样，调查人也要像被调查人那样把自己的姓名、年龄、职业、住处、籍贯写清并签名盖章或捺指印。

我随意从浩如烟海的调查表中找了一份存档号码为“1077”的表拿出来摘录了一下：

这表上的罪行人写的是中岛部队，指日本进犯南京城的日本中岛部队，被害人叫孙兆发，男，63岁，扬州人，养猪职业，当时住在管家巷9号。是被日本人枪杀而当场死亡的。被害人一栏写得很详细：民人孙兆发养猪度日晨民国二十六年古历十一月十五日下午四点左右，有日军15名强迫要猪，小民跪求日军，双方言语不通，日军不良，用枪打其太阳穴命亡。证人为王少谷，55岁，商人，现住：南京瞻园路51号王福记。具结人为孙氏华（指印），女，57岁，扬州人，现住：南京琵琶巷32号。此表调查人叫丁超（印章），男，27岁，是三区公所调查员，“现住”南京贡院街第三区公所，等等，内容详细。此次调查从1946年6月起，至11月结束，历时半年，除对过去若干机关已调查的事进行复查外，重点对南京沦陷时期滞留南京的市民进行个案调查，最后形成了2 784案。

下表为存档号码为 1 076 的调查表。

南京市临时参议会

南京大屠杀案敌人罪行调查委员会调查表　　存档号码 1076

<table>
<tr><td rowspan="3">罪行人</td><td>姓名</td><td></td><td>官职或职业</td><td colspan="2"></td><td>现在住所</td><td colspan="2"></td></tr>
<tr><td rowspan="2">所属部队或机关</td><td>名　　称</td><td colspan="6">中岛部队</td></tr>
<tr><td>长官姓名</td><td colspan="2"></td><td colspan="2">官职或职业</td><td colspan="2"></td></tr>
<tr><td rowspan="3">被害人</td><td>姓名</td><td>周炳祥</td><td>性别</td><td>男</td><td>年龄</td><td>31</td><td>籍贯</td><td>江宁</td></tr>
<tr><td>被害时职业</td><td colspan="3">渔业</td><td>现在职业</td><td colspan="3"></td></tr>
<tr><td>被害时住所</td><td colspan="3">南京通济门外扇骨营 41-7</td><td>现在住所</td><td colspan="3">南京通济门外七里村 39 号</td></tr>
<tr><td rowspan="5">罪行事实</td><td>日期</td><td colspan="3">廿六年阴历冬月十三日
下午三时许</td><td>地点</td><td colspan="3">在本宅门外</td></tr>
<tr><td rowspan="2">罪行种类</td><td>1. 集体屠杀</td><td>3. 用刺刀刺杀</td><td>5. 先奸后杀</td><td>7. 强奸</td><td colspan="3">9.</td></tr>
<tr><td>2. 用机枪扫射△</td><td>4. 先刑后杀</td><td>6. 烧杀</td><td>8. 施行集体刑罚</td><td colspan="3">10.</td></tr>
<tr><td>是否死亡</td><td>1. 当场死亡</td><td>2. 因伤致死</td><td>3. 事后逃逸</td><td>4.</td><td colspan="3"></td></tr>
<tr><td>被害详情</td><td colspan="7">罪行人计六名。被害人是时怀抱自己大子周得明，罪行人入宅呼被害人将小孩丢在地上，同伙将被害人拉出门外，上身衣服扯掉，裤带解脱，把被害[人]推倒卧地，数人跪伏被害[人]身上，用手枪从耳门射穿，一枪身亡，枪弹从胸前出。</td></tr>
<tr><td rowspan="5">证据</td><td rowspan="4">人证</td><td rowspan="2">姓名</td><td>1. 周于氏</td><td rowspan="2">性别</td><td>女</td><td rowspan="2">年龄</td><td>31</td><td rowspan="2">籍贯</td><td>江宁</td></tr>
<tr><td>2.</td><td></td><td></td><td></td></tr>
<tr><td rowspan="2">职业</td><td>1. 菜贩</td><td rowspan="2">住址</td><td colspan="5">南京通济门外七里村 39 号</td></tr>
<tr><td>2.</td><td colspan="5"></td></tr>
<tr><td>物证</td><td colspan="8"></td></tr>
<tr><td>审查意见</td><td></td><td></td><td colspan="6">审查人（签名盖章）</td></tr>
<tr><td>备考</td><td></td><td></td><td></td><td></td><td></td></tr>
</table>

调查者_____　　　　调查日期_______

以上所述全系事实，并无虚伪。如上项敌人罪行将来可受法庭审判时，余愿居于告诉人或证人之地位。倘有虚伪，愿受诬告或伪证之处罚。此结。

具结人　姓名：（签名盖章或捺指印）周于氏［印章］　性别：女

年龄：31　籍贯：江宁　职业：菜贩　住址：南京通济门外七里村39号

陈述前，已告以具结之意义及诬告、伪证之处罚。陈述后，又令具结人阅览并向其朗读，经承认无异。

调查人　姓名：（签名盖章）吴铭芝　性别：男　年龄：55　籍贯：江宁　职衔：十一区通济镇十八保保长　住址：南京通济门外扇骨营39号

中华民国三十五年八月五日具结

显然，我们可以从抗日刚刚胜利时的社会调查中看出，日本军队在占领南京时的罪行铁证如山，只是这些宝贵的实证，没能及时送达东京，后来主要用于南京军事法庭对日本战犯的审判。这是后话。

远东国际军事法庭自1946年5月3日开庭之后，法庭审理进入紧张而激烈的控辩阶段，即战胜国的起诉方与日本战犯们的申辩。虽然像松井石根这样的刽子手已经关押多时，但一旦到了法庭上，他们罪恶的本性与侥幸心理和无赖伎俩，丝毫不减，将其押上历史的断头台的斗争依然充满刀光剑影——

起诉甲级战犯、南京大屠杀主要责任者松井石根的法律文件送达其本人后，国际军事法庭对松井石根在监狱里进行了面对面的庭审核实，这个瘦小的老狐狸，竟然来个全盘否定。下面是存于美国国家档案馆的远东国际军事法庭庭审记录史料。

日期和时间：1946年3月8日，13:30—16:15

地点：日本东京 巢鸭（Sugamo）监狱

受审者：松井石根

审讯人：托马斯·莫罗上校（Thomas H. Morrow）

翻译：丹尼斯·基尔多亚尔先生（Denis Kildoyle）

记录员：利昂娜·P. 科伯利小姐（Leona P. Coberlye）

【问者为莫罗上校（Colonel Morrow）。答为松井石根】

问：如果你确实听说过，那么你什么时候是第一次听说，欧洲人和美国人认为你的军队在南京犯下了许多暴行？

答：几乎刚一进入南京。

问：你听说了吗？

答：是的。

问：你从什么渠道听说的？

答：从日本外交官那儿。

问：这位日本外交官是谁？

答：一个职位很低的外交官员，我不记得他的名字了，是一位驻南京的领事。

问：那么我是否可以认为，当日本军队向南京城挺进的时候，日本领事已在城中？

答：他们是随日本军队进城的。他们被配备在部队里以参加维持和平的工作。

问：有一本《远东现代史》，作者是文莱克 (Vinacke)。他写道，中国居民被用长绳成串地捆绑在一起，并遭机枪扫射，妇女们则被带到妓院供日本士兵玩乐，许多市民在南京被刺杀。你知道这位历史学家是从哪儿得到这些信息的？

答：我不知道。可能是从中国人那儿。

问：你进南京城的时候是否听说过诸如此类的传闻呢？

答：没有。

问：我手头的资料表明，你曾公开发表过公然藐视外国政府的讲话。我现在不想指出具体内容，不过你能做出解释吗？

答：我从来都不拒绝调停和藐视外国政府。事实上，我在南京和上海与美国、英国和法国的外交官和领事们合作帮助中国人（建立）难民营。一个从事此项工作的法国传教士求助于我，我捐献了1万日元支持他的工作。

问：你还记得他的名字吗？

答：我现在不记得了，但是我将努力去回忆。

问：那是在1932年还是在1937年？

答：1937年。

问：还有一种说法：你因为南京的局势而被解职，畑（Hata）（俊六）将军在2月份接替了你。是这样吗？

答：不是这个原因。我认为我在南京的使命已结束，我希望脱下军装从事和平工作。

问：我是否可以这样理解，你刚才说的捐献了一万日元给法国传教士，这笔钱是来自你个人的资金，还是日本军队，还是日本民众（包括你自己）？

答：是军饷。

问：这笔钱是用来帮助上海周围收容中国人的难民营的吗？

答：是的。

问：我是否可以认为你在 1938 年被解除了职务？

答：可以。但这是应我的请求。

问：这一请求是向参谋总长提出的吗？

答：是向陆相杉山（Sugiyama）将军提出的。

问：是以书面形式吗？

答：通过写信。

问：是以私人名义还是以公函？

答：各占一半。

问：阿本德（Abend）说，在你被解职的同时，桥本欣五郎（Hashimoto Kingoro）和朝香宫（Prince Asaka），以及约 80 名官员被送回日本。你还记得吗？是否正确？

答：是的。不过阿本德先生在推论上有错误。遣返 2 名官员和 80 名参谋官员的原因是，在南京的 10 个师被削减为 5 个师，由此带来了人员的富余。两个司令部被削减为一个。

问：我知道有一支来自北方的军队，接着有一支曾在上海的军队，加入到你的部队里。是这样吗？

答：这是在我回到了日本之后。

问：我知道在上海战役和占领南京的过程中有一些部队，例如，第六师，由谷寿夫统率，隶属北方来的第十军。是吗？

答：它来自上海。

问：据我所知，第六师在你到南京之前就加入了你的部队，第十军也是吗？

答：是的。

问：有指控说，占领南京的部队纪律很差。

答：我认为纪律是很好的，但是行为举止不好。

问：是指士兵吗？

答：是的。

问：是在南京吗？

答：是的。我觉得部队中有一些违法分子。

问：那么我可以认为，你将士兵在军事行动过程中的服从命令与士兵在执行任务之外的所作所为区别开来，具体地说，是将日军占领南京与占领南京后的表现加以区别，是吗？

答：是的。

问：那么，南京部队的指挥官理所当然地应对他们的士兵行为负有监督之职责，这包括在执行任务中和执行任务后，是吗？

答：是的。

问：为什么你说你认为日本士兵的行为举止不好呢？你的理由是什么？

答：是基于他们对中国人的行为举止。

问：在占领南京之前你的司令部是否发布过命令？尤其是有预见性地规范士兵占领南京后的行为的命令？

答：我一向主张严守铁的纪律和严惩邪恶之徒。在整个南京事件的调查过程中，在与外国官员和外交官的合作中，我也是这么主张的，而且也是这样做的。

问：你能提供给我那些从事事件调查的外国外交官的名字吗？

答：一个是日本大使馆的日高（Hidaka）先生。我不记得当时在南京的外国外交官的名字了。

问：你本人是否曾与这些外国外交官谈过话？

答：没有。不是在南京。

问：之后你是否与其中某些人交谈过？

答：我 17 日进入南京城，一周后返回上海。我会晤了美国、英国的指挥官和海军将领以及意大利、法国的大使，就以和平的方式解决事端与他们进行了讨论。

问：这些人当中有海军上将亚纳尔（Yarnell）吗？

答：是的，我会晤了他两次。还有英国海军上将。我记不起他的名字了。

问：除了帕奈（Panay）号外，你和海军上将亚纳尔还谈了些什么？

答：美国人因敌对行动遭受了极大的损失，我得知了海军上将亚纳尔对这一事件的看法。我希望能圆满解决这一问题，并使各方满意。

问：在 12 月 13、14、15、16 日是否有军队进城？进城的是新部队还是老兵？他们是由有经验的军官指挥呢，还是相反？

答：他们都是由有经验的军官指挥的训练有素的部队。

问：在这之前你是否指挥过这些部队？

答：没有。

问：在此之前你是否曾听说过这些部队平时行为不检点的情况？

答：没有。这支部队是在日本新组建后来华的，当然包括了许多有经验的老兵。我从没有听过这些军队在中国的其他地方有劣迹。

问：是否在满洲也没有？

答：是的。

问：这些军队中的一些人曾经参加过上海战役，其中那些从北方来的则经历过平津周围的一些小冲突。是吗？

答：有一个师来自于平津地区。

问：据称，朝香宫中将是一个战地指挥官，他本应该督察那些首批进城的部队，对吗？

答：是的。

问：朝香宫娶了明治天皇的一个女儿，是吗？

答：是的。

问：有人称朝香宫应对南京发生的事情负极大的责任，但是因为他与天皇王室的关系，很少有人，或根本没人追究这点，是吗？

答：我不这样认为。在这支部队进城前十天朝香宫才加入这支部队，他和这支部队的联系时间很短。我认为他不应负责。我要说的，倒是那些师团指挥官们应对此负责。

问：这些师团指挥官指何人？

答：朝香宫的部队包括了藤田中将麾下的第三师、吉住中将麾下的第九师、山室中将麾下的第十一师和中岛中将麾下的第十六师。柳川上将指挥的第十军包括了谷寿夫中将麾下的第六师。还有第十四师和一〇六师，但他们没有进南京城。

问：朝香宫指挥的军队名称是什么？

答：上海远征军。

问：第十军加入的正是这支部队，是吗？

答：是的。

问：你提及的这些将军中除柳川上将外，还有谁死了？

答：中岛上将也死了。其他人都活着。

问：你知道，除谷寿夫以外，其他人现在都在哪儿？

答：我不敢确定在哪儿，但是我相信他们在东京或大阪的某个地方。

问：除谷寿夫以外，还有人在监狱中吗？

答：没有。

问：你说过你在17日进入南京城。你看到了死去的市民，包括妇女和儿童的尸体吗？或其他诸如此类的事情？

答：那时，尸体已经都被清理走了。我只在西门看到了一些中国士兵的尸体。

问：中国的战争罪行委员会称，13日南京城被占领后，几十万居民被杀，南京城被焚烧、掠夺。除了你陈述南京在被占领时（居民）受到虐待外，还有其他证据吗？

答：这完全不属实。如此指控毫无事实根据。我敢以我的名誉担保。

问：在此之前，你是否听说过朝香宫被指控让手下在南京城放纵自己？

答：我从来没有听说过。我不相信有这样的事。

…………

好吧，让事实来证明你的罪行吧！

1946年7月，关于南京大屠杀的法庭立证对质开始，这是审判过程中最精彩也是控辩双方斗争最激烈的一幕——

审判法庭庭长韦勃亲自出场并主持。

韦勃庭长：松井石根，起诉中列举你所犯的罪行事实，你认罪吗？

法庭上所有的目光集中到被告席上的那个瘦老头松井石根身上，只见他并不慌张地拿起事先备好的申辩材料，然后抬起头，说：起诉书的内容纯系主观推断，与事实不符，而对那些超过军事行动需要的破坏行为的指责也过分夸大。

法庭内顿时一阵窃窃私语声。

韦勃庭长敲着法槌：安静！安静！

控方检察官萨顿立即举手：庭长，我请求我们的证人出庭。

韦勃庭长：同意。

萨顿朝证人席中的一位文质彬彬的美国人示意：请罗伯特·威尔逊先生做证。

威尔逊出庭，站好。

萨顿问：你是加利福尼亚州阿卡迪亚加的罗伯特·威尔逊吗？

威尔逊答：是的。

韦勃庭长：证人，你现在作为起诉方要对本法庭进行宣誓。

威尔逊宣誓（略）

韦勃庭长：检察官先生，你现在可以向证人提问了。

萨顿：谢谢庭长。然后转向证人：给你一份国际检察处（IPS）编号为2246的文件，是你在上面签名并为此写下宣誓证词的吗？

威尔逊答：这是我的宣誓证词，是我在上面签的名。

萨顿：我们要求将其作为证据提交。

法庭书记员：起诉方文件2246号作为法庭证据被编为204号。

松井石根的辩护人莱文（Levin）先生立即举手道：法官先生，我们反对在本案中把宣誓陈述作为证据，或者作为该证人的证词。我们认为，法庭所规定的允许将经陈述者宣誓的书面陈述作为法庭证据理由不适用于该证人，该证人是普林斯顿和哈佛的毕业生，他受过良好的教育，英语说得和在座的一样好。当本法庭宣布——庭长宣布法庭决定允许将宣誓证词作为证据时，法庭强调在做出这个决定时法庭也是疑虑重重。其他的证人只会说中文或是日文，所以可以将宣誓证词作为法庭证据，而这种情况完全不适用于本证人。

韦勃庭长：你没有必要再说了。萨顿先生，我们将听听你的看法。我们看不出有什么理由此人的证词不按常规采纳。除了你准备了一份宣誓证词这一事实外，我们想不出什么来证明这样做是有道理的。你可以把它当作证据，并就此对他进行提问。反对无效。

萨顿：如果法庭允许，我们原来理解为了缩短审理的时间，在每一个案例中都提供证人的宣誓证词，然后对证人质证。

韦勃庭长：它作为证据提交，是没有异议的，法庭不能拒绝它。但是证人现在应该被询问，且把他的书面证词权当作是一种需要甄别的证据。

莱文先生：阁下，我对宣誓证词的反对——我把它作为对宣誓证词的反对提出。当它作为证据提出时，我认为我提出反对的时间是恰当的。

韦勃庭长：你提出反对时，它已经是证据了，并登记过。但是我们也许准备裁定反对有效，拒绝使用宣誓证词。我们是可以这样做的。

莱文先生：如果法庭允许，我的反对是基于我所熟悉的惯例。我们通常的做法是宣誓证词提出时，它是不作为证据加以考虑的。在它被提出时，我认为我的反对是适当的。我现在仍反对。我认为我过去已经提出过反对了。我请求法庭裁定我对使用宣誓证词的反对有效。

韦勃庭长：我们把你的反对意见作为 nunc pro tunc[1] 来处理。支持你的观点。我们将拒绝使用宣誓证词。请收走法官那里的宣誓证词。

萨顿：如果法庭允许，我们可以开始提问了吗？

韦勃庭长：可以。

（下面由萨顿提问，证人威尔逊答。）

问：威尔逊（Wilson）医生，你出生在何时何地？

答：我 1906 年 10 月 5 日出生在中国南京。

问：你的职业是什么？在哪里接受教育的？

答：我是名外科医生，曾在普林斯顿和哈佛大学医学院就读。

问：医学院毕业后，你就回到了中国？如果是，什么时候你开始在中国行医的？

答：1936 年 1 月我回到中国，从那时到 1940 年 8 月一直在南京的（金陵）大学医院行医。

问：你和大学医院有密切联系吗？如果是的，是以什么身份？

答：当时我是南京的大学医院的外科医生。

问：1937 年南京陷落后，医院的中国医生和护士都离开医院了吗？

法庭上，辩护方律师麦克马纳斯（Mc Manus）突然打断检察官萨顿与威尔逊间的对话：如果阁下允许，我反对这样问话的形式。因为这种问话导向性太强。我请求庭长指示律师不要问一些具有导向性的问题，而应该用恰当的方式来进行提问。

韦勃庭长轻轻地摇头道：这只是介绍性的问题，他有权在此基础上引导问题。

威尔逊继续答：1937 年 11 月末，上海陷落后，日军向南京挺进。医院的医护人员到我们这里，要求在日军占领南京前离开南京。他们这样做的理由是他们听说了很多在上海和南京之间的城市里所发生的事情。这些城市有苏州、无锡、镇江、丹阳等。我们的工作人员担心生命受到威胁，纷纷希望离开南京。我们努力安慰他们。告诉他们在某种法律的保护下，陷落后的南京也没什么危险。然而我们无法说服他们，很多人离开，去了长江上游地区，医院里只剩下特里默（Trirmmer）医生——另一个美国医生、我和 5 名护士，以及一些选择留下来陪伴我们的清扫工。在此之前，我们医院

[1] 拉丁语，意为“现在代替当时”。在法律上指把一项命令、判决、文件归档的日期改回到原先的日期。这里庭长指的是纠正原来同意使用宣誓证词的决定。

总共有 20 名中国医生，大约 40 到 50 个护士和实习护士。他们是在 12 月 1 日离开南京的。

萨顿继续问：南京陷落前，医院里病人的数目减到了多少呢？

答：在我们的工作人员离开时，我们不得不把病人的数目减到不能再减的地步，把所有可能回家的都送回家了，医院里只留下大约 50 个无处可去，或虚弱得无法走动的病人。

问：1937 年 12 月 13 日之后情况有没有什么变化？如果有，以何种形式？

答：日军于 12 月 13 日清晨进了城，12 日晚上所有的抵抗就停止了。就在几天之内，医院里挤满了各个年龄段的男女老少，伤势不一。

布鲁克斯（Brooks）又举手抗议：如果法庭允许，我反对这种提问。我认为法庭……

韦勃庭长打断插话者：我听不见你说的话，用扩音器再说一遍。

布鲁克斯拿起扩音器，大声说：如果法庭允许，我认为这种提问不可取。这样会影响法庭法官的判断力，我认为法庭会公正地注意到，辩方也会同意战争中必然会有平民的伤亡，妇女、儿童和其他人的伤亡。如果这一点没有表明的话，我提议不要把这些问题记录下来。

韦勃庭长：反对无效，继续进行。

布鲁克斯再度抗议：我再次提出反对，理由是这与我们想显示的问题毫无关系——谁引起的战争？假如这个问题与此有关的话，我看不出体现在何处。

韦勃庭长重重地敲击法槌：反对无效。

法庭寂静。

萨顿继续问：医生，你能不能讲一下你医院病人的伤情呢？

威尔逊继续答：我只能讲一下南京刚陷落后我救治的一些病人伤情，但除了在座的一两个证人外，我记不起其他人的名字了。我记忆犹新的一件事是一位 40 多岁的妇女，送到医院来的时候，她脖子后有个巨大的伤口，切断了脖子周围所有的肌肉。

另一位辩护方律师马蒂斯（Mattice）先生举手：我想打断证人的陈述。首先，证人讲的是道听途说；其次，这和被问及的内容没有关系。他被要求描述所见的伤情，而他现在说的是那位妇女告诉他的话。

韦勃庭长：反对无效。关于你所说的“道听途说”再次宣布无效。

威尔逊继续答：通过对病人的询问，以及对送她到医院来的人的询问，毫无疑问我们知道这是日本兵的所作所为。

韦勃庭长示意萨顿：他应该讲述那位妇女告诉他的内容。

萨顿向威尔逊示意。

威尔逊又说：一个 8 岁的小男孩被带到了医院，肚子上有条深深的伤口使肚皮外翻。医院还收容了另一个病人，右肩有伤，显然是子弹造成的伤害，而且——假如许可，我将把他告诉我的内容讲给大家听：他是一群人中的唯一的幸存者——这些人被带到长江边被日本兵一个个开枪打死，尸体被投入江里，因此实际伤亡的人数不能确定。他假装已死，趁着夜色逃到医院。他姓梁。另一人是中国警察，送到医院时背部中间有一道深深的伤口。他也是一群被带出城的中国人中的唯一幸存者。首先，他被机枪扫射受了伤，又被刺刀刺伤——这是日军确保不留活口的又一种方法。这人的名字是（伍）长德。

有一天中午，我正在房间里吃饭，突然邻居们跑来说几名日本士兵正在他们房间的桌子上强奸妇女。我们立刻冲过去，在这些人的带领下我们来到他们家。院子里的人指着紧闭着的房门。此时，三个日本士兵持枪站在院子里。我们冲进了房间，发现两名日本士兵正在强奸两名妇女。我们立即救下她们，并把她们送到了金陵大学的难民营——校园里挤满了大批的难民，这些难民在这儿受到国际安全委员会的保护。

后来又有一个人被送进医院，他的下巴被子弹击穿，几乎说不出话，而他三分之二的身体都被严重烧伤。他讲述了他的遭遇——我费了很大力气才明白他的意思——他被日本兵抓住，并被浇上汽油放火点着。两天后，他就死了。

还有一个人被送入医院，整个头上、肩上都是严重烧伤。所幸他还能讲话，告诉我们他是一大批人中的唯一的幸存者，这些人被捆在一起，浇上汽油，然后被放火烧死。

上述提到的案例我们还有照片。

医院收治的还有一个 60 岁的老人，他胸部有刺刀留下的伤口。他告诉我们从难民营出来后，他到南京城的另一个地方去找一个亲戚。半路上碰到了日本兵，被刺刀刺伤后被当成死人扔进了排水沟里。六个小时后，他才恢复知觉并被送进了医院。

自 1937 年 12 月 13 日南京陷落后，这样的事实就层出不穷。医院的床位是 180 张，在这段时期，床位天天爆满……

此刻的法庭已经完全沉浸在一种悲怆的情绪之中，也许除了被告之外，所有的人都被美国医生威尔逊的陈述感染了，而且深深地震撼了！

萨顿问：医生，在这段时期有没有其他孩子被送进医院呢？

威尔逊答：我还记得另外两个孩子。其中一个是个七八岁的小姑娘，肘部严重受伤，肘关节的骨头都清晰可见。她告诉我们日本兵当着她的面杀死了她的父母亲，并将她砍伤。另一个是被约翰·马吉牧师带到医院的15岁的姑娘，她说自己被强奸了，检查之后证实了她所说的。两个月之后，这个姑娘又被送回医院，被诊断出得了二期梅毒。

问：这些病人有没有告诉你是谁使他们受伤的呢？

答：他们只说——他们无一例外地说他们是被日军所伤。

问：医生，这两个病人——梁上尉和伍长德在日本吗？

答：称为梁上尉的这个人我认识，当时他是中国军队的担架手。现在他就在日本，我们是一起到这儿来做证的。还有伍长德先生——我前面提到的那位警察他也来了……

法庭的情绪一下又被推到高潮。就在人们都在期待威尔逊医生提到的两位中国受害人出庭时，韦勃庭长看看手表，将法槌重重一敲：那么，让我们暂时休庭到明早9点30分。

真是精彩！首场证人出庭，就把松井石根的气焰给压了下去。人们看到，此刻退庭的这位瘦老头，跟刚出庭时的神情完全变了个样。

第二天，庭审继续。中方今天出场的证人是金陵大学教授许传音。

出庭的程序一样：先由起诉方检察官将证人的文字证据材料交验，再当庭宣誓，以确保做证的法律责任。由于许传音是大学教授，通晓英文，故日方律师麦克马纳斯一开始就对法庭说：假如许可，我想提出异议，这也是莱文先生昨天提出的，这位证人受过大学教育，说一口流利的英语，显然他学识渊博。毫无疑问，我们反对用他的宣誓证词，法庭应该从证人那里直接获取证词。

韦勃庭长：麦克马纳斯先生，我想多了解一下此人。我们还没有听他的陈述。萨顿先生，你最好开始发问，这样我们才可以作出判断。

麦克马纳斯突然扬了扬手中的文件，颇有怒色地问韦勃庭长：阁下同意接受这份文件吗？

其实，每位证人出庭前，他们每人都有一份事先向法庭提交的证词文件，而且该文件都为送达控辩双方手中，在庭审时给控辩双方质问所用。为何日方律师对许传音所提交的证词有如此强烈的责问，是因为这位证人的证词太“硬碰硬了”。我们看一看许传音当时向远东国际军事法庭提交的证词：

许传音书面证词

（远东国际军事法庭文件编号第 1734 号　证据文件：205 号）

本人许传音，哲学博士，现住中国南京高楼门峨眉路 7 号，作证如下：

我是一名中国人，现年 62 岁。1917 年获（美国）伊利诺斯大学哲学博士学位，长期在中国多所大学任教，并在中国交通部工作了 25 年。从 1928 年起，我家一直住在南京。

1937 年日军围攻南京时，我在这座城市。南京落入日本人手中后，我留了下来。我是安全区国际委员会委员，负责其下属的住房委员会的工作，还曾担任过国际救济委员会总干事。南京沦陷后不久担任红卍字会主席。

我对日军占领南京后这里发生的一切非常清楚。日军从南门入城。日军突破城墙入城后，中国军队未作任何真正的抵抗。随着（日本）军队进入城内，他们明目张胆地枪杀平民。有的平民就因为出现在大街上而遭杀害。

日本士兵随后对房屋展开系统的搜查，把他们看到的食物和其他东西全部抢走；日本兵还抓走其找到的所有青壮年男子，认定这些人有当过兵的嫌疑，将他们押解（到城外）或就地枪杀。我得到确信的消息称，绝大部分被押走的人后来均被枪杀或以集体屠杀的方式被屠杀。

他们要求有权进入安全区搜查，并从中带走许多在那里找到的男子——我曾亲眼看见他们押走一批大约 1 500 人。根据我得到的消息。这些人被机关枪打死，尸体被扔进池塘。后来红卍字会将这些人的尸体捞出掩埋。

日军以发放良民证为借口，命令老百姓全部排好队。如果对日军所提问题的回答不能令他们满意，或者日本兵认定某人以前曾当过兵，尽管这种判断事实上毫无根据，那么这个人要么被就地枪决，要么随着成群的队伍被押走后再枪杀。

城里没有任何一种形式的抵抗。（日军）以曾当过兵为借口将男人们押走或枪毙。在这些人被清理掉之后，（日军）开始疯狂屠杀平民，强奸少女和妇女，掠夺和焚烧财物。从 13 岁的少女到 70 岁的老妪均遭日本兵强奸，有些遭到多次强奸。数以千计的妇女在被强奸、躯体被亵渎后又遭日本兵杀害。日军的这种暴行在城内和周边地区到处都有，屡见不鲜。我引用一个发生在城南新开路 7 号一户人家的悲惨遭遇为例。这家有 11 人被杀害。

日本兵来到这家敲门，老爷爷出来开门。他当场就挨了一枪，被杀死了。他年逾七旬的老伴出来看看发生了什么事，结果也被枪杀在距离丈夫几步远的地方。

他们的女儿怀抱婴儿走过来，日本兵把她们母子都杀害了。家中两名年龄分别为17岁和14岁、尚未结婚的女儿被日本兵强奸后遭杀害。一位倒在桌上，身边有一摊血，阴道里插了一根棍子；另一位倒在床上，阴道里插着一个花露水瓶。这家的另外五个女人也被杀害，也就是日本人在那里发现的所有人。家中其他人都被杀害后，一个小孩在附近躲了一天一夜才逃走。

南京沦陷后，这种暴行持续了将近三个月之久。此后，强奸和杀人就不像以前那么常见了。

南京沦陷后第三天，因为日本人要与我们协商尸体掩埋事宜，我驱车到外面查看实际情况。我看到，无论是大街上，还是房门口、屋子内，到处都可以见到平民的尸体。死者的躯体状况表明，他们都是遭到残忍的杀害，有的人的躯体被肢解。

红卍字会掩埋了40 000多具平民的尸体。这些人都是南京沦陷后被日军杀害于城内或城市周边地带的。也有其他一些组织参加了掩埋尸体的工作，但许多尸体后来是由死者幸存的家人或亲友掩埋的。日军占领南京后第二天，此时城里已没有任何形式的抵抗。日本兵开始有系统地纵火。日本人将军车开到商店门口，偷走里面所有的商品，然后放火烧毁店铺。住宅也经常在被抢劫后付之一炬。偷来的私人财物，只要能拿得动的，日本士兵将其全部掳走。

大约25万名难民挤在安全区里。日本士兵对安全区不断进行侵扰，时多时少地抓走成批的少女和妇女。她们通常是在被日本士兵强奸后遭杀害。

全城共有25所难民营，因外国公民人手不够，无法照顾到所有难民。最残忍的暴行发生在离金陵大学和传教士寓所较远的难民营中。

我协助马吉拍摄过电影。这些胶片被菲奇带出南京，这个情况我清楚。

按我最乐观的估计，日军占领南京，一切抵抗停止以后，南京城区和周边地区被日军杀害的平民人数达20万左右。而要准确统计有多少妇女和少女遭强奸，多少人受伤，多少建筑被无情地破坏和焚毁，多少财物被日本兵抢夺则是件不可能的事。

我们屡次抗议均为日军当局和领事馆断然拒绝。在递交抗议书时我们被喝令滚开。他们没有采取任何措施来纠正这种状况。绝对找不出任何借口或理由为日军的疯狂暴行辩护，这种暴行自南京陷落以来一直延续了差不多三个月，之后才慢慢停止。

在日军占领期间，为了逐步败坏中国人的伦理道德，日本人坏事干尽。他们提倡赌博、嫖妓，公然出售和吸食鸦片和麻醉品，把城市最丑陋的东西强加到老百姓头上。

他们毫不留情地破坏教育机构、教堂、教会建筑，还有基督教青年会的建筑、俄罗斯使馆建筑以及中国非常著名的人士的住宅。

日本人还实施经济战，掠夺自然资源。日本人对各行各业进行垄断，尽一切努力扶持日本人以及那些与他们勾结的人的生意，并且不允许中国人做生意。这一点，小城镇比大城市表现得更明显。

不管占领一个镇，还是一座城市，有时甚至是一个小村庄，日本兵到哪里都同样实施杀人和强奸。小地方的处境往往更糟，因为当地没有国际委员会为平民提供保护、制止日本兵的暴行。这就是他们的战争模式。南京只不过是其中的一个例子而已。在江西，在我的家乡贵池所在的安徽省，据我所知，日本士兵犯下了同样的暴行。

日本人及其傀儡政府开设鸦片烟馆，允许公开出售鸦片及麻醉品。

日本人实施心理战恐吓中国百姓，割断他们与自己曾经拥有的一切美好、神圣事物的联系。就算是一名小孩写了点反对日本的东西，全家都要承担责任，都会被处决。即便有人说了一些稍微有些冒犯日本人的话，整个村子都会被彻底摧毁，村民被杀害。这样的事情我知道很多。发生在长江江北离南京不远的一个名叫天王树的村子里的惨剧就是这样的。

中国人无论何时，只要碰到日本士兵都必须鞠躬。如果他们做得不合日本士兵的意就会马上受到严惩，甚至会被杀掉。

我愿对以上陈述签名盖章，1946 年 4 月 6 日。

以上证词由许传音当面向我陈述，然后由他写成书面材料并于 1946 年 4 月 6 日在南京当着我的面签名。

东京国际起诉部助理检察官　萨顿（David Nelson Sutton）

许传音首先起誓，于 1946 年 4 月 6 日提供上述陈述作为宣誓证词，并以其学识和信仰保证所述事实真实可信。

许传音的这份证词是由国际检察局派出的检察官少校休谟（John F. Hummel）在中国时亲自笔录的。现在在法庭庭审时，将它用作控辩双方对质的证据之一。

韦勃庭长对麦克马纳斯刚才的提问表示：我还没有说对证人的这份证据表示“采纳”呢，还没有。

麦克马纳斯立即道：那好，如果法庭允许，请书记员宣布本文件已标明用作证据。

韦勃庭长：不，是用来识别的。

（下面由萨顿先生提问，证人许传音答。）

问：你出生于何时何地？

答：我于62年前生于南京。

问：你一生都居住在哪里？

答：自1928年我就住在南京。

韦勃庭长问萨顿：他接受过大学教育吗？

萨顿：是的。

许传音：我曾在金陵大学获得学士学位，也在伊利诺斯(Illinois)州大学获得博士学位。

韦勃庭长又对萨顿说：我认为你最好口头和他交谈，假如你遇到任何困难，我们可以在那时提供他的宣誓证词。

萨顿继续问：许博士，你是在哪里接受教育的？

答：我是在南京和伊利诺斯州大学接受教育的。

问：毕业后，你从事过什么职业？

答：我从金陵大学毕业后，教了大约十年书，之后，我到美国进行深造。

问：当你回到中国后又从事什么职业的呢？

答：我在铁路上工作。首先我在津浦线工作，之后，我在铁道部的不同岗位上工作过。后来，一直从事与铁路有关的工作，或在下面，或在部里工作。

问：你是什么时候居住在南京的？

答：当国民政府迁到南京，我就在铁道部工作。之后我在南京安了家。

问：你是不是自从1928年就一直住在南京呢？

答：是的。

问：南京是什么时候被日军占领的呢？

答：1937年12月13日。

问：那之后中国军队有没有任何形式的抵抗呢？

答：在1937年12月13日那一天，没有任何抵抗行动。那之前，城外还有抵抗，就在那一天，所有的士兵都撤走了。

问：1937 年 12 月 13 日之后中国军队或其他组织有没有任何形式的抵抗呢？

答：没有，绝对没有。

问：你和南京安全区国际委员会有关系吗？

答：我是南京安全区国际委员会住房委员会的主要负责人。

问：在你的管辖下，有多少个难民营？

答：我的职责是照顾在安全区里有房户和无房户的膳宿。那时，很多人有亲戚或朋友在安全区内，于是他们也到了那里。不仅是他们自己到了那里，而且也把随身的物品带过去了。对于那些没有亲戚朋友的人，我们的任务就是帮助他们找到房子并安顿下来。这些人为数众多。最后，我们为他们建了 25 个难民营，都在我的直接管辖下。我安排的这些房子，有民房也有公共建筑物。

问：安全区有多少中国公民呢？

答：一般说来——当然，我们也未进行过官方统计，大约有 20 万吧，20 万到 30 万。

问：在 1937 年 12 月，你与红卍字会有什么关系？以什么身份呢？

答：红卍字会是受国际委员会的邀请与其进行合作的，由于他们没有人懂英语，于是邀请我代表他们和国际委员会合作。当时我是红卍字会的副会长。

问：日军是由南京城的哪个方向进城的呢？

答：城南。

问：日军进城后对老百姓做了些什么呢？

日方律师麦克马纳斯：如果阁下允许，这次我不得不反对。我认为不应允许这样的问题，对方问题的导向性一直太强，而且答案也与问题无关。我希望阁下这次能支持我的观点。

韦勃庭长：假定我们在此严格地执行这一规则的话，并没有出现严重地逾越禁止导向的规则之现象，我看不出对证人的讯问方法有什么不对。请继续，萨顿先生。

萨顿继续问：书记员能不能向证人再陈述一下那个问题呢？（之后，法庭书记员又把最后一个问题朗读了一遍。问题是：日军进城后对老百姓做了些什么？）

许传音答：日军进城后，非常粗暴和野蛮。他们疯狂射击所见到的任何人，不管是见到日本士兵就跑开的，还是在街上遇到的，或是在附近闲逛的，还是从门缝中偷看的，都不免一死。

问：你曾目睹日军的谋杀行径吗？假如有的话，能不能给我们描述一下呢？

日方的又一位律师布鲁克斯（Brooks）举手：我反对这个问题，它只是假设发生了谋杀。他是在问日本士兵的情况。该由法庭决定这究竟是不是谋杀。

韦勃庭长：反对无效。

萨顿继续问：请证人回答。

许传音答：南京陷落第三天，我才获得日本军官的许可绕城转转，由一个日本人在车上陪着我。我此行的目的是估算在街头和房屋里的死尸数量。我可以看到尸体遍布，有些尸体遭到严重损毁。有些像死去前一样躺着，有的屈膝，有的身子蜷缩着，有的侧卧，有的仰面躺着，四肢张开。他们是遭到射击或遭到谋杀。种种迹象表明这是日军的所作所为，就在那时，我还看到一些日军正在做同样的事。我开始数主干道两侧的尸体，很快就数到了500多具，我说没有必要再数了，我再也数不下去了。那时同车的还有一个在日本受过教育的中国人，他会说日语。我们一起到了他的家，却发现他的弟弟就在家里被打死了，就在台阶上，还没有被拖走。在城南、城北、城东、城西，可以发现相同的情况。无数人死了，仍然躺在那儿。所有的日军，没有一个日本士兵对任何人表现出礼貌。我还算是幸运的，同车有一名日本人陪伴，确切地说，他是一个会讲日语的中国人。有无数次，我们的车被拦下，我险些被拉下车来，这个日本人帮了我，因为在此之前我们已得到日本方面的许可。我发现这些尸体没有一具是穿制服的，没有一具是士兵。他们都是老百姓，老老少少，妇女儿童。遍及全城，我未发现一具军人的尸体。

问：那之后，日军又闯入安全区，抓走一些中国老百姓吗？

答：安全区委员会——国际委员会已作出规定，持械的士兵、军事人员都不得进入安全区。他们不允许任何穿制服的人入内。

第二天，也就是12月14日早上，一个日本兵闯入了国际委员会总部。我碰巧在那里，大约在早上8点。他的目的是获得搜查安全区许可，或是讨论这件事。他指控我们说，这里（安全区）窝藏有中国兵。我们都说没有士兵，中国人中没有武装士兵。拉贝先生这样说了，菲奇先生也这样说。但日军坚持要搜查，他们从未得到我们的同意。之后，这些日本兵经常随意闯入，到安全区里、房屋里抓人，并认定他们是中国兵。

韦勃庭长似乎对今天的证人证言更加满意，只见他看了看表，直了直身子，宣布道：休庭15分钟。此时为上午10点45分，直到11点审判继续进行。

（由检察官萨顿继续提问，许传音答。）

问：证人你可以继续回答。

许传音答：日军闯入安全区，从各个难民营里带走了大批中国老百姓。有一天，我正在房子里向难民分发馒头和糕，就要发完时，日本士兵来了。其中两个守住门，另外几个闯进来，用绳子把难民们捆了起来——全都是老百姓，手被捆在一起，每10个、15个地捆在一起。然后把他们拖走了。我站在那里，震惊得不知发生了什么事。就在那座大楼里，1 500多名老百姓就这样被日军带走了。他们甚至想带走我们红卍字会的成员。在我们的解释下才释放他们。我当时要人立刻向国际委员会报告，即向拉贝先生报告。结果，拉贝先生和菲奇先生都来了，但那些人已被日军带走了。商量一会儿后，拉贝先生、菲奇先生、我和另外一个会说日语的中国人一起到了特务总部，也就是日本特务总部。拉贝先生提出抗议，他首先问他们为什么闯入安全区，并把老百姓——难民带走。然后他质问他们把难民带到哪儿去了，以及难民们现在在哪里，同时要求他们立刻释放难民。我们得到的答复是他们也不知道，日本特务机关长说他们也不知道。我们等了又等，等了一个多小时，希望他们了解这些人被带到哪里去了，谁把他们带走的。可是没有任何结果，他们未给我们任何令人满意的答案，尽管他们承诺天亮前给予答复，却未做到。第二天，大约七八点钟，我们都听到机枪声，就在国际委员会总部附近，也就在红卍字会附近。我们立刻派人赶到那里，直到那时，我们才知道那些难民已经被机枪打死了，而尸体被抛入了池塘。之后，我们打捞了几具尸体上来，认出了其中许多都是难民。至此，每一个难民营都岌岌可危。每天，日军都要闯入不同的难民营，寻找中国士兵，并带走他们，有时是几个人，有时是几百人，都是中国平民。之后我们都确信这些人无一逃生。日军这样做的借口是，他们都是中国士兵。有时日军的理由竟是，他们是听别人这样说的。而事实上，这些士兵都是普通老百姓，没有一个是士兵，也没有一个穿军装。

问：谁是拉贝？对于南京难民区而言，他与南京安全区国际委员会有什么关系？

答：拉贝先生是德国人，他是西门子公司在南京的负责人，他也是国际委员会的主席。

问：进城后，日军是如何对待南京的妇女的？

答：日军对中国妇女的行为更为恶劣，我们简直难以想象这是在文明世界发生的事。日本士兵是如此酷爱强奸，如此喜欢妇女，令人难以相信。

韦勃庭长突然插话：证人，你只要告诉我们日军是如何对待南京妇女的就可以了。

答：我知道很多这样的例子，在难民营，任何日本兵都可以闯入，带走任何一位女性，然后强奸她们。我们知道这种事，因为她们总会来告诉我们。所以很多次，我都是和施佩林先生或和另一位外国人一起去抓日本兵。有一天，日本士兵开着大卡车闯入一个难民营，目的是带走所有的女孩，并找个地方强奸。我试图阻止他们的行为，却没有任何办法。于是这些女孩和妇女——最小的13岁，最大的40多岁，都被日军带走了。我亲眼看见一个日本兵在浴室强奸妇女。他的衣服丢在浴室外，之后，我们发现了浴室门，然后发现了一个妇女赤身裸体地痛哭，满面悲哀。又有一次，我和福田一起出去，当时他是日本大使馆的副领事，而现在是日本内阁的秘书。当时我们是去难民营抓两个日本兵，据说他们竟住在了难民营。当我们赶到那里的时候，发现一个日本兵仍坐在那里，一个女人靠在墙角哭泣。我告诉福田，“这就是强奸她的那个人！”而那个人仍然坐在那里，低着头，福田问他：“你为什么这样做？你在这做了些什么？”

日方律师麦克马纳斯再次举手：如果法庭允许，我想提出反对，理由是与被告无关。证人陈述的内容和被告有什么关系呢？我反对的理由是与被告无关。

韦勃庭长立即明确表示：毫无疑问，这些都是有关系的。这表明了日本人的战争行为，假如属实的话，这些显然与本案有关。反对无效。

麦克马纳斯涨红了脸，怒气冲冲地走近法官席，想跟庭长论理，却被韦勃庭长蔑视地制止：“我已经讨论了你所提的问题，你无须再说了。”

萨顿示意证人许传音继续。

许传音继续答：福田先生斥责他，很显然日本兵在里面。在福田先生的厉声谴责下，这个日本兵走开了，此时福田先生才露出笑容。当时，我突然想到一个主意，我有了个计划，我请他用汉语写了几行字。我对他说：“你现在把他赶走是没有用的，他还会再来，你可以在门上贴一个通告来禁止他们来这儿搜查妇女。”他果真这样写了。我们把它贴到了难民营的门口，但是仍然不起作用，像这样的事数不胜数。这以后，自治政府成立。因为就在安全区，我碰巧同一个警察局的局长很熟悉。每次我向他报告，他都帮助我。有一次，我们抓到了一个强奸妇女的日本兵，当时该士兵赤裸着身子，正呼呼大睡，我们把他捆上，立刻把他送到了警察局。我们知道所有这些强奸妇女的日本兵都被送回了日本总部。

问：遭到日本兵蹂躏后，有没有受害者死亡呢？

韦勃庭长插问：你指的是这些被蹂躏的妇女吗？是不是说这些被日本兵蹂躏的妇女有没有死去的呢？

萨顿回答：是的庭长。

许传音答：在南门的新开路7号，有这样一家，我曾和马吉先生到过那里。就在那里，11个人被害，3个被强奸，其中两个少女，一个14岁，一个17岁。强奸后，日军把异物塞到她们的阴道里。后来，她们的祖母把异物拿给我看。年轻姑娘都是在桌子上被强奸的，我到那儿去的时候，血迹未干。然后我发现了尸体——这些尸体都没有被拖走，就在离房子几码的地方。所有的尸体都在那里。我和马吉先生把尸体的惨状拍了下来，作为控诉日军罪行的证据。我还知道另外一件事：有一个船夫恰好是红卍字会的成员，他告诉了我发生在船上的这样一件事。

这回韦勃庭长提出异议：本法庭要认真考虑一下在多大程度上接受这种道听途说的二手资料。

萨顿问庭长：让他继续下去吗？

韦勃庭长：继续。

许传音答：有一户体面人家正要乘船过河，就在河中央的时候，日本士兵出现了。他们已发现了——他们想上船去搜查，在那里，他们发现了两名年轻姑娘。日本士兵就当着她们父母和丈夫的面强奸了她们。之后，日本士兵竟问那家的老人："这不好吗？"他的儿子，其中一名妇女的丈夫怒不可遏，冲过去打日本士兵。老人再也受不了这个奇耻大辱了，他深知他们一家的灾难来了，于是愤而跳河。他的妻子，那位年轻人的母亲也跟着跳了下去。我忘了说当日本士兵问老人好还是不好的时候，他的意思是让老人也强奸这些妇女们，结果所有的妇女都跳下了河。一家人就这样跳河淹死了。这不是传言，而是真实的事情。这个渔夫和我们认识很多年了。

问：红卍字会是不是也参与南京死难人员的掩埋呢？

答：红卍字会已把掩埋无人埋葬的尸体作为慈善工作的一部分。当时街上尸体遍布，无人管理。这时，日军来请我们帮助，他们说："你们一直做这种工作的，这次为什么不做呢？"得到他们的许可和通行证以及在城里行驶的工具后，我们开始在城里寻找尸体，然后掩埋。我们通常有200人从事这种工作，掩埋了43

000 多具尸体，这个数目实际上小得多，我们不被允许把真实的数目报上去。当时，我们不敢把数字记录下来，之后我们偷偷记下了一些数字。这些数字只代表了我们掩埋的人数。他们全都是平民，没有一个士兵。

问：有没有其他组织也参与掩埋活动呢？

答：有，这些组织主要是慈善机构。红卍字会只是其中之一。

问：由红卍字会掩埋的尸体是在哪里发现的呢？

答：有些尸体是我们自己发现的，有的是接到附近居民的报告才知道的，很多时候日军就在附近走动，由于尸体太多，他们也会向我们报告。原因是他们担心太多腐烂的尸体会导致传染病蔓延，尤其是在2、3月。首先，我们要把尸体从最初的地方挪位，假如是在池塘里，我们要把它们打捞上来，假如是在房顶上，我们要把它们弄下来。我们发现大多数尸体都是捆在一起的，有的用绳子缠着，有的用电线拴着。我们还要把这些一个个解开——我们不想让他们被绑着下葬。但由于电线、绳索的捆绑，很难把它们一一解开。在很多情况下，尸体已高度腐烂，几乎难以一个个下葬了，只能集体安葬……

韦勃庭长插话：你不需讲细节了，关于如何处理尸体和我们的话题无关。

许传音看了一眼萨顿，继续答：在很多情况下，我们发现尸体都被烧焦了。

萨顿问：你提到的红卍字会于1、2、3月在南京进行尸体的掩埋工作，那是在哪一年？

答：1937 年到 1938 年。

问：日军占领南京后是如何对待私人财产的？

答：日军根本不尊重财产的所有权。他们任意闯入民宅，随意抢劫，并点火烧房屋。

法庭上又传来麦克马纳斯的声音：庭长，关于最后的证据，我能不能问一个问题呢？证人是基于他自己的亲身体验还是基于他的推论来提供证据的呢？假如是后者的话，我希望法庭告诫他，要把他的陈述局限在事实和他所知道的情况内。

韦勃庭长头也不抬地回应道：我认为他是从回顾历史的角度说的——用的是现在时。他的大多证据都是这样的，是议题本身导致了这种情况。我想他是用他所理解的事实在向我们陈述，但用了现在时态。

许传音：我家就被日军闯过很多次，一架钢琴和一辆旧摩托车被拿走了。另外，所有值钱和有用的东西都被劫走了。

萨顿继续问：南京被占领后你有没有看到其他建筑物遭到破坏呢？

许传音继续答：日军焚烧了俄国公使馆，我亲眼看到他们在那里浇煤油，然后点火，那是在 1938 年 1 月 1 日，12 点钟。其他的机构如基督教男青年会、教育大楼和一些名人官邸也遭到纵火。

问：日军占领南京后，这些建筑物都被付之一炬吗？

答：是的，这些肆意的焚烧都出自日军之手。

问：老百姓见到日军时，被要求如何向他们表示敬意呢？

答：日本兵，尤其是卫兵要求老百姓在他们站岗时向他们鞠躬，每个人都要这样做，我也不例外。无论是在房屋门口，或在城门口，还是在其他任何地方看到日本兵，都要向他们鞠躬。1940 年我的侄子第一次来南京看我。他下火车时戴着帽子，忘了向日军鞠躬，结果被日军打了一巴掌。这时他还未意识必须向日本士兵鞠躬，仍继续往前走，日本兵把他追了回来，又猛踢了他一脚。这一踢，把他的帽子踢掉了。他弯下腰去捡帽子，准备再戴上帽子，身后的路人提醒他摘下帽子向日军鞠躬，否则麻烦可大了。

韦勃庭长插话：或许你可以省略被日军打脸这个细节。

萨顿继续问：南京陷落后，像你所描述的日军对平民的行为持续了多长时间呢？

许传音继续答：我没听清你的问题。

萨顿：请书记员重复一下这个问题。

（庭上的书记员把上一个问题又念了一遍。）

证人许传音答：这种行为一直持续到战争结束。

萨顿问：你知道日军是如何对待南京周围地区的居民的？对不起，你知道日军是如何对待南京周边城市的居民的？

答：在我所去过的任何地方情况都是一样，也就是说，远到离南京 200 里的安徽的城市，所有被占领区都是这样。我想解释一下：这里我用的是“里”，因为在中国，里与英里是一回事。

韦勃庭长：让我们暂时休庭到 1 点 30 分。

许传音的证言，无疑给中方法官和检察官们以极大的鼓舞，看着庭上松井石根和他的律师团队的焦虑不安与狼狈相，便知控方胜利在握。然而，事情并不那么简单。下午一开庭，日方律师团向证人许传音发起了强大攻势，法庭上的气氛出现意想不到的大逆转——

（开始继续由萨顿提问，证人许传音答。）

问：你到过哪些城市呢？

答：我 1939 年去过湖州，1942 年还去了南京（原件如此）。我也在 1942 年去了我的故乡贵池。

问：这些城市是不是你在上午的审判中提到的城市呢？

答：在这些城市里，日军对平民的态度是一样的，像我家乡那样的小城市情况更糟。

问：在私人商业方面，日军对中国平民也加以限制吗？

答：我没听懂你的问题。

萨顿转向书记员：书记员能不能把问题再重复一遍呢？

（书记员重复萨顿的提问。）

答：限制非常严重。我本人曾想把 800 多斤木炭用中国的船运往南京。日方的特务，为日本干活的中国特务，他们关系很好，为我办了通行证，因为我提出和他们合伙做生意。

韦勃庭长突然插话：考虑到这些事情的数量和重要程度，有必要花时间讨论对商业的限制吗？

萨顿：这一证据和起诉书中的 1 到 6，以及 18 和 19 项指控有关系，起诉书提到附录 A 的细节。指控包括在附录 A 的第 3 部分。这只是和那一指控有一点关系的证据。

韦勃庭长：那么，它有可能引导出某些重要的问题，但它本身微不足道。我们相信你只把重要的问题提交给我们。

萨顿问许传音：1937 年 12 月日军占领南京前，鸦片是不是公开出售呢？

许传音答：在 1937 年前，鸦片是不允许公开出售的，当时，在这方面已多少取得了成功。1937 年前，鸦片被铲除了。

问：日军占领南京后鸦片是不是公开出售呢？

韦勃庭长对萨顿说：你忘了他已经回答过了。他说在主干道上有 20 家出售鸦片的商店。

萨顿对庭长说：如果阁下允许，那是威尔逊医生的证词。

韦勃庭长歉意地：对不起，我弄错了，你说得完全正确。

许传音答：1937 年 12 月之后鸦片开始公开出售，城里有很多鸦片店。每天散步时我都会看到正在出售鸦片的商店，甚至没有警察的干预。除此之外，海洛因也很容易得到，我就看见不少人比以前更公开地吸食海洛因。而且，含海洛因的香烟也不少，我自己就有两条。我自己多次获得毒品香烟，而这种香烟也被称为“苦力”的劳动者吸食。有些人甚至10多岁，有的30多岁，都吸食毒品。在这些人中传播吸烟的方法是这些香烟通常在苦力干完活之后分发。香烟由日本人出售，他们竭力卖出更多的烟。对于普通百姓来说，获得日常生活用品都不如得到香烟容易。在南京、芜湖、安庆、安徽等地，日本人开办特别商店和特别的设施来出售这些香烟。

至此，控方检察官萨顿满意地朝许传音点点头，然后对法庭说：辩方可以对证人进行质证了。

早已按捺不住的日方律师宫崎正义第一个站起来说：我是宫崎正义。现在我向控方的证人提问。

（以下宫崎问，许传音答。）

问：对于起诉方提出的问题，你回答说日军的暴行一直持续到战争结束：是这样吗？

许传音沉着答：不完全正确。假如我记得不错的话。我当时的陈述是这样的：在最初的几个月，特别是最初的三个月，情况是这样的，之后，情况有所缓解。这不是因为日军有所收敛，而是双方共同努力消除暴行的结果。你知道，当时开办了许多妓院和歌妓院，有很多妇女从事妓女这一行，这为日本士兵去那里提供了机会。

问：我是不是可以理解为日军的暴行只持续了几个月，是吗？

答：不。不是只持续几个月。只是覆盖面更广，不那么显著。例如，1942年末，我自己家族的一名成员就被强奸致死。我还知道1943年天王寺的一个例子。两三个日本兵进了村子，想去偷鸡摸狗。碰巧在一户人家里，他们发现了一个漂亮姑娘并强奸了她。这个女子的丈夫恰好赶到，杀了三个鬼子中的两个。之后，日军大怒，第二天……

宫崎突然用手想制止许传音的证言，许也不买账，抢着说：“让我说完！第二天就赶来一批日本兵……”

宫崎一边摆着手，一边高声喊着：不用说了，够了够了！

控方检察官萨顿不干了：恕我冒昧……

韦勃庭长立即出面制止萨顿，并对宫崎说：他不理解，你们继续问答。

许传音继续答：第二天，日军来到这个村庄，谎称他们要找一些村民干活。这样，他们把大多数男人都带走了。之后用机枪把他们全部射死了，然后放火焚烧了整个村子。

宫崎继续问：证人，你做证时曾说日军放火烧了俄国公使馆……是用何种方法放火的呢？

答：通过点燃火就烧起来了，火势就蔓延开了——所有的仓库都很容易起火。

问：证人，你先前说过火势是由煤油引起的，你也说过目睹了火情，你是不是真的见过此事呢？

许传音瞪大眼睛，愤怒地冲宫崎道：你这是在歪曲事实。我早上说的是用煤油，那指的是焚烧俄国公使馆。公使馆离我住的房子很近，就在南京附近。而这是在距离南京 20 里的天王寺。

宫崎做了一个让对方平静的手势：我们问的是俄国公使馆。

许传音恢复了平静，说：那好，关于俄国公使馆你们想知道些什么？

问：我提的是俄国公使馆。你能不能描述一下公使馆着火的情形呢？

答：行。公使馆就在我住的地方的几个街区远，也可以说有几百码远。当时它就在那个地方，我每天有在无人处散步的习惯。那天，大约在中午吧，我恰好在那里散步。突然发现不少日本兵也在那里。当然，开始时我不知道他们在干什么，过了一会儿，我看到许多人，我不想看到太多，而没有走到离他们很近的地方，但仍能看到他们在干什么。他们正在朝某个地方浇煤油。过了不久，浓烟起来了。

问：你说你是在散步，在什么时间，早上、中午还是晚上？

答：大约在中午 12 点。

问：那个建筑物被完全烧毁了吗？

答：从最终的结果来看是完全被烧毁了，但在当时我只想离开那里，我甚至没有想到看看烧的程度如何，这不关我的事。

问：你当时观察的必要性不是我们讨论的重点，你能不能告诉我们日军干了些什么？

法庭监督插话：你能不能告诉我们你看到了什么？

答：我看到日本兵在朝那里浇煤油，火已点燃。烧着后，当然，我不想，我甚至不想去扑灭火或者做任何事。

问：我不是问你对此的兴趣，而是你究竟看到了些什么？

许传音觉得辩方的律师是有意在跟他绕圈子，强压心头之火，答：我已告诉你我所看见的情况了，这还不清楚吗？怎么样才算清楚呢？

宫崎并不理会证人的情绪，依然不依不饶地追问：今天早上你说房子被彻底烧毁，而现在你又说你也不知道是否烧毁。你刚刚又说看到了烟，究竟哪个是真的？

许传音蔑视地盯着宫崎的眼睛，回答道：你又误会我的意思了。我以为你在问我是否看到起火以及火势如何。现在你问我的是这个问题。今天早上我说的是整个事件。我没有看见整个燃烧的过程，但我能看见因为它离我家太近了，它被完全烧毁。

宫崎并不罢休：但是，证人先生，这个公使馆没有被烧毁，你是不是在做梦呢？还是在撒谎呢？

法庭顿时喧哗起来。控辩双方的陪审人员都坐不住了，尤其是遭受日军暴行的亚洲各国代表纷纷站起来愤怒地指责战犯的辩护律师、日本人宫崎，骂他“比战犯还可恶”！

证人席上的许传音此时也无法表现文质彬彬了，他伸出右臂，手指直指着宫崎的鼻子，大声地反问道：我不知道你的意思是什么，南京的俄国公使馆没有被烧毁？

韦勃庭长赶忙出面维护法庭秩序，然后对宫崎说：辩护律师必须接受证人的证词。

宫崎如当头一棒，悻悻地：我知道。

然后，宫崎又开始提问：日军进城后，你知道那个公使馆是被日本参谋人员使用的吗？你知道这一事实吗？

许传音答：不。我想知道我们谈的是不是同一件事。我指的是1938年1月1日的纵火，那个俄国公使馆就在湖的后面，紧靠着湖，但是在南京城里。

韦勃庭长提醒宫崎：我们不要把时间花在这上面了，继续讨论点别的事情。

宫崎随即表示：我问完了。

许传音和威尔逊这“一中一外”两位证人出庭做证的表现应该是基本完胜，这给向哲浚等中国法官和律师团以极大鼓舞。

紧接着出庭的是伍长德、陈福宝、梁庭芳等中国证人以及贝德士、约翰·马吉牧师。没有到庭的证人斯迈思、程瑞芳等十几份书面证据也被法庭采纳。

在证据确凿的提前下，最后韦勃庭长又用两天时间直接与松井石根进行了庭上质证。像所有的日本战犯一样，松井能推卸的推卸、能抵赖的就抵赖，但法庭是公正和代表正义的，最终法庭判处南京大屠杀首犯松井石根绞刑。

法庭对他的判决词有一段是这样写的：

松井石根是日本陆军的高级将领，1933 年被授予大将军衔。他在军队中有丰富的经历，包括曾服役于关东军和任职于参谋本部。虽然他与设计和执行阴谋者的密切关系表明他可能已意识到阴谋者的目的和政策，但是提交法庭的证据并不能证明他就是个阴谋者。

他 1937 年和 1938 年确在军队服役，但这本身并不能说明他就是在从事侵略战争。为了证明根据第 27 项指控的罪名成立，诉讼方有责任提供能推断出他知道在进行战争犯罪的证据。但是目前还未做到。

1935 年，松井石根被列入退役名单中，但 1937 年又被重新召回统领上海派遣军。当时他被任命为华中方面军总司令官。华中方面军包括上海派遣军和第十军，他指挥着这些军队，1937 年 12 月 13 日占领了南京市。

南京在陷落前，中国军队已撤退，日军占领的只是一座未设防的城市。接下来就是日本军队对无助的平民实施的长时间的最恐怖的暴行。日本士兵犯下了集体屠杀、个人谋杀、强奸、抢劫和纵火等罪行。虽然日本目击者否认暴行的规模，但是来自不同国籍的中立目击者提供的相反的证据与不容置疑的谁应承担责任的证据却是压倒性的。这种无节制的犯罪开始于 1937 年 12 月 13 日占领南京城，直到 1938 年 2 月初才停止。在长达 6 ～ 7 周的时间里，数以千计的妇女被强奸，10 万人以上被屠杀，难以计数的财产被抢劫和焚毁。在这些可怕事件的高潮期间，12 月 17 日松井石根举行入城仪式并在城内住了 5 ～ 7 天。根据他自己的观察和属下的报告，他一定已经意识到了正在发生的事情。他承认他曾从宪兵和领事馆官员那里听说了他的军队的某种程度的非法行为。有关这些暴行的每日报告被递交给日本在南京的外交代表，并被转呈东京。法庭认为有充分的证据显示松井石根知道正在发生的事情。他没有采取任何措施，那些能抑制这些暴行的措施。在占领南京城前，他确实曾发布命令吩咐他的军队要检点自己的行为，而且后来出于同样的目的进一步发布了命令。但是众所周知这些命令没有起到任何效果，他自己一定也知道这一点。辩护方为其辩护说，那时他正在生病。但是在这些暴行发生的时候，他的疾病既没有阻止他履行军事指挥权，也没有阻碍他在城内发生这类暴行时访问该市达数天之久。他指挥着那支应对所发生事件负责的军队。况且他知道这些暴行，他既有权力，也有义务控制住他的军队和保护不幸的南京市民。他必须为他的渎职行为承担刑事责任。

1948年12月23日，松井石根在东京的巢鸭监狱结束了罪恶的一生。

对于判处松井石根这样的甲级战犯绞刑，庭长韦勃当时在法庭上还代表远东国际军事法庭审判委员会做了独立的长篇说明，指出：如果一个人知道或者应该知道一场战争是侵略性的，而又推动或参与这场战争，不论他的职务或地位的高低，没有什么特殊的规则可以减轻他们的战争责任。韦勃还特别强调：我们有理由认为，对那些挑起或发动战争的罪犯，以及由此积累的罪恶而言，死刑只是最低的惩罚。

庭长韦勃最后说："尽管我不能说我支持已决定的所有判决最有可能达到惩罚的主要目的，但是我没有听到任何反对意见，而我自己不能说任何的判决是过重的或是过轻。"

中国参与远东国际军事法庭的首席大法官梅汝璈先生在庭审后也直截了当地指出："南京大屠杀无疑是第二次世界大战日军暴行中最突出的一件，它的残酷程度在整个第二次世界大战法西斯暴行中或许仅次于纳粹德军在奥斯威辛对犹太人的大屠杀。"并对判决书也作了自己的读解，他说："法庭的语言是慎重的，估计是保守的。"然而仅此"可以看出日本兽军是怎样的穷凶极恶、无法无天，以及我数十万呻吟于敌寇铁蹄下的南京无辜同胞其命运是何等的黑暗悲惨！判决书上的这寥寥数语不啻是一幅活生生的'人间地狱写真图'……"

历史早已在近70年前就为侵略中国、残害我无数人民的战犯下了不可更改的结论。今天的世界人民包括日本人在内，怎可忘却与无视？

松井石根被绞死并没有为审判画上句号。此时的中国首都南京，也在进行一场影响空前的大审判——

32. 紫金山在哭泣中欢呼

1937 年至 1947 年的 10 年间，在南京，有两个人的命运分别是这样的：

第一个是，他来了，后来走了；再后来他又回来了，后来又走了，走了后再也没有回来——他便是蒋介石先生。蒋 1927 年进南京城，次年任“国民政府”主席，1937 年 12 月日本人打进南京时他走了；抗战结束后他又回到南京当“总统”，完成了对曾经将他赶出“总统府”的日本战犯的审判。

第二个人，他来了，又走了；走了后又回来，便再也没有走了——他便是日本人谷寿夫。谷是日本侵略军的第 6 师团长，是日军南京大屠杀主力部队指挥官，血债累累。他 1937 年 12 月 13 日清晨指挥部队开进南京，之后放纵部队在城内烧杀抢奸，罪孽滔天。谷后来回到日本。1946 年 10 月 16 日，谷寿夫被押回南京受审，同时被中国宪兵押回的有 32 位乙、丙级日本战犯。

谷寿夫这回没能离开南京，他被蒋介石的政府和中国人民判处了死刑。

作为南京大屠杀的罪魁祸首，谷寿夫被押回南京审判，既是东京国际军事法庭对日本战犯的延伸审判，同时也是中国人民独立清算日本南京大屠杀罪行的一次极其轰动的事件。

其实，在日本宣布投降的同时，根据《波茨坦公约》，包括中国政府在内的各战胜国都在着手进行对法西斯战犯的清算准备，中国政府比当时的苏联和美国等国家对战犯的清算要软弱得多，其中一个原因是：蒋介石为报日本统治时与汪精卫之间的恩仇，他在抗战结束后第一件最上心的事，就是对以汪精卫为代表的汉奸们的大清算，差点误了东京国际军事法庭对日本战犯的审判大事。

毫无疑问，在当时的国际背景下，中国政府不站出来清算日本战犯的罪行，肯定是行不通的。因此，蒋介石必须在“收拾”汪精卫等汉奸的同时，配合国际形势，着手开展对日本战犯的清算。

1945 年底，中国政府的战犯处理委员会即对日军在南京实施大屠杀的战犯进行了调查，并列出近 60 人的战犯名单，报送到联合国战罪审查委员会审核。这份战犯名单中，包括了松井石根、朝香宫鸠彦王、柳川、谷寿夫、中岛今朝吾、牛岛贞雄、藤田进等进犯和占领南京时的部队主要指挥官，其中的朝香宫鸠彦王，因为是“皇叔”身份，故逃过了战争罪的审判；柳川和中岛今朝吾已死亡，所以未受审判。松井石根被列入甲级战犯，在东京受审。剩下的名单中，谷寿夫是南京大屠杀首当其冲和名副其实的最大要犯，他被中国政府引渡到南京接受中国人民的审判。

1946年8月1日，谷寿夫被引渡到上海，后被押到南京，关在小营拘留所。《中央日报》记者在谷寿夫到南京的当天下午，就获得了到监狱采访的机会。这位记者即日写下如下报道：

罪大恶极并不亚于戈林、里宾特罗甫等纳粹巨犯的两个日本的元凶巨憝——谷寿夫和矶谷廉介（后者为日本关东军参谋长、香港总督——笔者注）。在百万市民天天的期望当中，终于在昨晨七时，从上海押来了南京。把杀人的人，交给被害的人民去审判；要杀人的人，在当年逞恶行凶的地方来忏悔，这是应该而合理的处置。

为了把这些魔鬼的情形介绍给读者，记者昨天四时后到小营拘留所去探监。恰好正当他们"放风"的时候。感谢翻译官岑先生的帮助，我在"群魔乱舞"的草场上，加入了谷寿夫等几位"中将"的小组里，坐在草地上谈了将近半个小时的天，他们一边扯着小小的青草，一边畅快地回答我所有问题。

他们在东京被捕时，谷寿夫正做广岛军管的司令。他们由东京坐飞机被引渡来沪，关在上海杨浦监狱，到今天解来南京时，恰恰已经坐了60天的牢了。

问他们的监狱生活时，谷寿夫说：与普通囚犯是一样的，不过有时得到些便利。问他家庭情形时，从那露着满脸胡子根鹅蛋形的肥脸上，浮现了一阵苦笑。他说："我没有儿子，只有两个女儿，都出嫁了，两个女婿都是军人，现在都没有了职业。我自己的太太也在东京。两个月了，我也没有得到他们的信息，经济情形一定是很困难的！"

"酒井隆被判处死刑了，知道吗？"

"不知道。"

"戈林、里宾特罗甫、季德尔等一群德国战犯前天被宣判绞刑了，知道吗？"

"不知道，我们都没有报纸看的。"

"对他们的判决，有何感想？"

"我是在一个'无我梦'中，对他们没有什么感想。"接着又是一个苦笑。

"那么，在审判时你们想请律师替你们辩护吗？"

"如果可能，我很希望。"

"你们自己有了答辩的准备吗？"

"有了准备了。不过我不知道是为什么被捕的。我从去年六月以前的六年中，完全没有做过一件犯罪的事。我只准备在法庭上把过去的事，坦白地陈述一下。”谷寿夫这一来，使人禁不住“噗”的一声笑了出来。这位师团长天真得可以，他那秃光的脑袋，可真健忘得惊人了。他简直不知道他何以会被捕的？那么，听着罢，不久法官就会告诉你的。

突然，我转了一个弯问他：“请问，阁下最初是怎样到南京来的？”

“26 年(民国)8 月 1 日，我还是第六师团长，当时奉命从熊本出发，经过朝鲜。到八月下旬，集合了三个师团，由香月中将指挥，参加永定河作战。随后向保定、正定、石家庄前进。9 月下旬在石家庄受密令进至大沽后，经海道到八口浦集中做登陆作战演习，随后又奉密令，与牛岛师团、末松师团共同进攻杭州湾，最后在金山卫登陆成功。接着就进攻松江、昆山，目的在切断中国军队的退路。此后又同末松部队经太湖的南部前进，我的部下便在十二月十三日完全进入南京城。”他一口气说下去，每当说到一次战役成功时，他左脸那蚕豆般大的黑疤，都涨起一阵光彩，很容易使人想到当年他那杀人不眨眼的凶相。

“现在阁下，又再度地光临我们南京城了，请问有何感想？”

“——”他低下头，没有回答。

……“收风了。”我转向军事法庭，在张主任书记官的手里，我看到了一幅图画：

新街口、上海路、下关等地，东一堆西一堆地躺着男女老少的死尸。最大一个场合，9 000 个同胞被机枪扫射得血肉横飞，惨叫连天。金陵大学的难民收容所里，一队日本兵在宣布，是军人的站在一边，由皇军发遣散费送回家去；是商人的站在一边，好放出去做生意。结果那被称作军人的一大群，给机枪押出去，扫射、戳刺、淋洋油火烧，其中只有 11 个人留下了生命，不久就要在法庭上拿他们身上的创伤来做铁的证据。而这一群吃人的魔鬼里，谷寿夫，血涂红了眼，坐在高头骏马上，高擎着指挥刀，好似在说：“杀呀！杀！杀！”……

谷寿夫，以及其他屠杀南京人的罪犯们，你们该到了接受中国人民审判的时候了吧！

当残害几十万市民的大屠夫被押回南京的消息传出后，整个南京市震动和振奋了！人们纷纷奔走相告，尤其是那些遇害者的家属和大屠杀的亲历者们，他们哭泣着、激动着，携老带幼地跑到检察部门和法庭，以血和泪的事实，接受法庭的调查和取证——

检察官：你是来为南京大屠杀做证的吗？

证人：是。

检察官：你知道做假证是要判七年以下徒刑的吗？

证人：我知道。

检察官：那好，现在你可以举证了。

证人：好的。

…………

那些日子里，国防部军事法庭的审判官和检察官们，天天接待人山人海的申诉者，他们都是南京大屠杀的亲历者、受害者，其证言极其珍贵而有力，为审判战犯起了关键性的作用。

所有的证人都要事先回答上述问题，并被告知如果做伪证，必须接受七年以下的徒刑。明白法律规定后，在最后的证言记录上盖章按手印。

没有人对此提出异议。所有人几乎都是一句话：日本人害死了我的亲人，几乎也要了我的命，我们是来做证的。

看，一位在东京法庭上出庭做证的中国军人来了——“他就是梁廷芳啊！”不少人认识他。

审判官传命：引梁廷芳入庭。

梁廷芳在审判官面前坐下，并接受调查。

问：姓名、年龄、籍贯？

答：梁廷芳，45 岁，山西介休人，住弓箭坊 9 号。

问：你现在任什么职事？

答：在蚌埠军政部蚌埠营产管理处，上尉管理员。

问：日本人进南京城的年月日，你知道吗？

答：是在民国 26 年阳历 12 月 12 日夜里。

问：你当时在哪里？

答：我当时在军政部第三收容所，做担架队的队长。

问：你遇难的时候是什么情形？

答：日本兵进城时，我便换了便衣到五条巷五号难民营区避难，在 12 月 16

日上午11时，被日本兵带到华侨招待所后边大空场上与其他被抓的几百人放在一处，后来陆续地积聚了有五千多难民，到下午就一组一组地被带到江边码头的江沿上坐下。在那个时候，看见日本人用卡车装了两车子的麻绳到江沿上，又同时来了一部小汽车，内坐一个日本军官，于是那些日本兵就去听他讲话。讲话之后，日本兵就开始用枪射击被俘的人。这时我知道不好，就同姓白的一齐跳到江里去了。姓白的叫白增荣。

问：你们跳下江去没有死吗？又是谁救起来的呢？

答：那里江水很浅，又有很多死尸，我们在死尸上就没有死，在黑夜里，日本人没有看见我们，等日本人走开才慢慢地爬起来逃走。但是我的右肩上中了一枪。

问：你知道那时日本部队长官是哪一个？

答：我听说日本最高指挥官叫松井石根，其余的不清楚。

问：谷寿夫这个人你知道吗？

答：我当时不知道。今年六月出席国际法庭时，听说南京大屠杀案要犯中有中岛和谷寿夫。

问：别的你还知道些什么呢？

答：别的我不知道。

审判官：好，现在请你在证言上按手印。

梁廷芳重重地在纸上按下手印。

审判官：引证人王柯氏入庭。

问：姓名、年龄、籍贯、住址？

答：王秀英，也叫王柯氏，36岁，本地人，住宝塔根103号。

问：你知道当年日军是哪一天攻进城的？

答：是民国26年12月13日下午进城的。

问：那时你在何处？

答：我逃往合肥去了。

问：你何以逃往合肥？

答：我和邻居合肥人吴廷桂，回到合肥老家的。

问：你家有无人被日军杀害？

答：我家老公公王学铜被日本人打死的。

问：那时你老公公多大年纪？

答：那时他76岁。

问：你老公公一人在家吗？

答：他和老婆婆王朱氏在家看房子。

问：日本兵如何把你老公公打死的？

答：在正学路上有一穿蓝衣的青年，被日本兵追逃到我家一枪打死，脱了衣服，里面穿的是军衣。日本人问我老公公："还有中央军没有？"他不知道，被日本人拉出去，跪在正学路口和一个卖菜的被一枪打死。

问：尸首埋在哪里？

答：死后四天，我婆婆把他埋在雨花台上。我家房子四间也被烧了。

问：本庭审理谷寿夫案，把你公公尸首做证，你愿意吗？

答：已经葬了，不便。

问：你婆婆还在吗？

答：我婆婆已死三四年。

问：你何时回家的？

答：我民国27年4月27日回来的。

问：你老公公被害，你没见，你怎知道这情形的？

答：我们老邻居姓胡的，他们都看见的。

问：你逃到合肥那里，日军到过吗？

答：我住在合肥，离城80里路，敌人未到过。

审判官：好，现在你可以在证言记录上按手印了。

王秀英用手指押印。

审判官：命引证人李鸿勋入庭。

李鸿勋坐下，并接受调查询问。

问：姓名、年龄、籍贯、住址？

答：李鸿勋，62岁，当涂人，住址山门22号中华门外，在澡堂做事。

问：日军是哪一天进城的？

答：是民国26年12月13日进中华门的，是下午。

问：你家何人被害？

答：我家长媳李王氏被害的。

问：你媳妇是怎样被害的？

答：我媳妇 19 岁，往沙洲圩逃，给日本人看见就追她，没追到就开枪打死了。她手里还抱了才一月的小孩儿。

问：你是和你媳妇在一起亲眼看到的吗？

答：我亲眼看到的。

问：你媳妇被打死，你怎么样？

答：打死了，我们不敢顾，也就逃了。

问：当时你看到被日军打死的多不多？

答：满路上东倒西歪，都是尸首。

问：日军看到女人就要拉吗？

答：我看到，日本人看见花姑娘就拉了去强奸，拉不到开枪就打。

问：日军如何检查年轻的男人呢？

答：看到青年，先脱了帽子看头发，并解开衣服看，如穿卫生衣就被认作中央军，打死。

李鸿勋在证言记录上画押。

审判官：引张孙氏入庭。

中年妇女张孙氏入座，并接受调查。

问：姓名、年龄、籍贯、住址？

答：张孙氏，45 岁，宿迁人，住钞库街 57 号。

谕知证人应据实陈述，命当庭具结（具结附卷）。

问：你丈夫叫什么名字？

答：我丈夫叫张宝芬。

问：当年日军进攻南京，你们在哪里？

答：是民国 26 年冬月，我们逃至江东门附近沙洲圩。

问：敌人是哪一天到沙洲圩的？

答：鬼子是民国 26 年 11 月 11 日到沙洲圩的。

问：敌人到沙洲圩是怎样的情形？

答：敌人和中央军打了一夜，就在我们房里做饭吃，把人家的水牛推入水里，把人家的猪杀了煎肉吃。

问：敌人要你们做什么？

答：敌人要我们淘米、提水、做饭。

问：敌人来时都有武器？

答：都是武装整齐，有胡子的。

问：敌人为什么把你丈夫打死？

答：他拖我丈夫要他做伕子，我丈夫因有老小不肯去，就被鬼子一枪打死了。

问：你丈夫被打了几枪，打在哪里？

答：一枪打死，打在背脊上。

问：你丈夫死后埋在何处？

答：我丈夫死后是红　字会埋殓的，不知埋在何处。我们十六日就回来了。

问：你还看到什么人被害？

答：看到一个老百姓穿黑大衣，挂难民条，日本人问他话他不懂就跑，被日本人一枪打死。

问：你还看到什么人被害？

答：还看到一个城里的姑娘被日本人拖去强奸，她哭着不肯，被日本人一枪打死。

问：其他你还看见什么人被害吗？

答：我们有个同住的姑娘叫张素贞，那年18岁，日本人拉她，她父母跪求，日本人把她衣服解开，摸她的奶子，拉到空屋里强奸。

问：几个日本人强奸她？

答：日本人很多，轮流强奸的，事后女孩儿要投河，她父母把她抱进宅内的，现在她已嫁人了。

问：你有没有被日本人强奸呢？

答：我们离开城后第四天进城的，一进城就被日本人拖去轮奸的。

问：当时日本人看见女人就拉去强奸，是吗？

答：日本人不管老小，我们那里有个60多岁的老太婆都被奸的，还有一个同住的黄桂英，只有16岁，也被四个日本人轮奸的，事后下身都肿了。

问：本庭要公审谷寿夫，传你做证，你愿意吗？

答：我愿意做证。

张孙氏在证言上画押。

审判官：引黄方氏入庭。

又一位妇女入庭。

问：姓名、年龄、籍贯、住址、职业？

答：黄志强，黄方氏是我婶娘，31 岁，住宝塔根 96 号，业皮匠。

问：黄方氏为何不到，你代她做证，当时日本人暴行你知道吗？

答：黄方氏年纪大了不能来，日本人的暴行我知道。

问：当年日本人进城是哪一天？

答：是民国 26 年 12 月 12 日下午进中华门的。

问：当时日军进城是怎样的情形？

答：当时我听说日本人进城就杀老百姓，我那时躲在沙洲圩。

问：日本人有没有到沙洲圩？

答：日本人到沙洲圩的，没有杀人，只拉妇女。

问：被拉去的叫什么？

答：王家大姑娘。

问：当时多大年纪？

答：20 多岁。

问：日本人是不是看到王家大姑娘长得漂亮拉她去？

答：那时日本人只要看到妇女就拉去，不管好丑。

问：拉去做什么，拉到哪里？

答：拉到房子里睡觉。

问：睡在床上呢，还是在地上？

答：睡在床上。

问：有几个日本人？

答：一来总有四五个。

问：你是亲眼看到的吗？

答：我是亲眼看到的。

问：你们一起逃难的有几个人？

答：一起逃难的有我婶母黄方氏和我嫂子黄曾氏。

问：你家有没有被日本人杀害的呢？

答：我家就是我妹妹黄天义被日本人用刀杀的。

问：你妹妹当时多大年纪？

答：她那年 14 岁。

问：她为什么被杀？

答：她因为在家看守房屋的。

问：日本人为什么杀她？

答：那时日本人看她没有胡子，以为年轻，就把她杀了。

问：用什么刀杀的？

答：用长刀杀的。

问：尸体葬在何处？

答：不知葬在何处。

问：你看到你妹妹的尸体没有？

答：我们回来没有看到妹妹的尸首，已经被红卍会埋了。

黄志祥在证言上画押。

审判官：引柯荣福入庭。

问：姓名、年龄、籍贯、住址、职业？

答：柯荣福，41 岁，南京人，住仁厚里墨号，卖菜。

问：日本人到南京的时候，你家有人被害吗？

答：我家被害共有 9 人，那天是民国 26 年冬月的 11 日，上午 9 口人在我家门口被害的，那时我住在石观音 17 号。别的还有 4 个房客。

问：你家的 9 个人同 4 个房客叫什么名字？

答：我父亲柯大财，母亲柯徐氏，哥哥柯荣桂，嫂子柯方氏，堂兄柯荣春、柯根荣，内侄小巧子，外甥女赵雪美，工人吴庆伦，房客王有发等。

问：你是看见的吗？

答：我那时躲在难民区。

问：你什么时候知道的？

答：我 21 日被日本人拉夫到我家门口，看见这些尸首，男的都是枪杀的，女的都是刀刺的，女的身上衣服都剥光了，房子也烧了。

问：是什么人收的尸？

答：尸体是我收的。

柯荣福在证言上按手印画押。

审判官：引冯天顺入庭。

问：姓名、年龄、籍贯、住址、职业？

答：冯天顺，55 岁，南京人，原住库山 6 号，现住石观音路 18 号，织机。

问：你家中有什么人？

答：夫妻两个，两个小孩。

问：南京沦陷时，你家有人被害吗？

答：我弟弟冯天祥也是做机房的，民国 26 六年正好是 28 岁。那年冬月 11 日下午，有二十几个人被日本人关在库山姓柯的家里。

问：那时候去了多少日本人？

答：有几十个日本人。

问：是什么部队？

答：是从雨花路进城的部队。

问：你弟弟被害时是什么情形？

答：我弟弟在家里没有跑出去，我在后几天听说我弟弟在冬月 11 日那天，在柯家门口被日本人用铁丝捆起来，用枪打死了。有姓马的叫马青才、姓柯的叫柯永福看见的。

问：你还知道有其他的人被害的吗？

答：同时枪杀了约 20 人，有男有女都在那里。

问：你当时看见了吗？

答：我到第二年正月初二才回来，听说是埋在库山地洞里。

问：埋的地方现在还看得出来吗？

答：还认得出。

问：是一座坟墓吗？

答：现在是一个土堆子。

问：还有其他人被害吗？

答：有一个伙计叫柯根荣，是同我弟弟一同抓去的，一同打死的，也埋在一处。

问：这话都实在的吗？

答：都实在的。

审判官：好，那你按手印。

审判官：引刘德才入庭。

问：姓名、年龄、籍贯、住址、职业？

答：刘德才，72岁，山东登州荣成县人，住杨巷1号，从前开雨花茶社。

问：你家有些什么人？

答：我儿子在兵工厂做事，随政府入川的，孙子同我在一起。

问：南京沦陷时你知道有什么人被害吗？

答：我家里的避难室内，有10个人被日本人烧死了。

问：是在什么时候？

答：是日本人进城第二三天。

问：日本兵驻在南门外什么地方？

答：我家旁边都驻日本兵的。

问：你知道有别的人被害吗？

答：杨老巷有两个地洞共死了三四十个人，一个地洞在我家内，一个在我邻居家。

问：在地洞内的人是怎样死的？

答：烧死的。

问：你当时看见的吗？

答：我看见的。

问：这些人的尸首也烧了吗？

答：尸首是我埋的，埋在东边山上。

问：都是烧死的吗？

答：有一个上来的是刺刀刺死的。

问：还有没有死的人呢？

答：只有一个姓王的同姓李的未死。

问：来了多少日本兵到你家内？

答：有十几个日本兵。

问：地洞内当时有多少人？

答：一个内 10 个人，一个内 23 个人。

问：这些尸首是你一个人埋的吗？

答：还有个姓戈的同我一齐埋的。

问：是什么部队？

答：都是由南门进城的部队。

问：你说的都是实话吗？

答：是实话。

…………

这样的调查和市民们自呈所获得的有关谷寿夫及其日本军队在南京大屠杀的罪行证人，据法庭统计，达 2784 件之多！

人们期待已久的公审大屠杀凶手谷寿夫终于在 1947 年的 2 月 3 日开庭——

上午 11 时，第一位证人上场。

威风凛凛的审判长石美瑜一声令下：传证人周一渔。

书记官　施泳

法警引一老者入庭。

审判长亲自向证人提问：姓名、年龄、籍贯？

证人答：我叫周一渔，年 60 岁，南京人，住中华路金沙井 32 号。

问：本庭听说南京沦陷时你在崇善堂做过收埋尸体工作？

答：崇善堂是大家办的，我当时是董事长，经手收埋尸首 112 266 具。我们印有统计表，容我明日送来给庭上参考，尚有未掩埋者为数尚多。

问：本庭现定于 2 月 6 日起，在励志社公审战犯谷寿夫，届时仍请你出庭做证陈述关于南京沦陷时日军之暴行。

答：可以的。

问：日军何时进城呢？

答：民国 26 年 12 月 13 日进城。

问：是哪支部队进城呢？

答：谷寿夫部队先进城，到 14 日中岛部队始进城。

问：你在南京沦陷时有离开没有？

答：未离开。

问：你家有人被害没有？

答：没有。

问：你曾亲眼看到日军暴行吗？

答：屠杀者我目睹有七八次。

问：大约怎样被害呢？

答：当收尸时看到有用刺刀由前向后刺入的。

问：你在何处收尸呢？

答：随处收的，当时遍地皆是尸体。

问：还有怎样被害呢？

答：亦有日军在地下室外面，用枪打进地下室去。

问：当收埋时有工人在场？

答：有的。

问：现在尚可以找到当时工人吗？

答：可以的。容我找到后于2月6日带来出庭做证。

问：当收尸时，所收的尸体有军人在内没有？

答：均是穿老百姓衣服，没有穿军装的，男女老幼均有。

问：你曾看到最惨的被害吗？

答：我亲见在内桥菜市斗姆宫地方，有一卖鸡女人，有50余岁光景，被日军3人轮奸后，用破布等件塞入阴户，致该妇腹胀而死。时间是在这年12月16日。

问：南京沦陷时，屠杀最多的是在什么时候呢？

答：进城第一星期杀的顶多，亦有烧的。

…………

紧接下的2月6、7、8三日，法庭上证人与被告谷寿夫面对面地进行了辩论。1947年2月9日的《中央日报》如此报道庭上的盛况——

（本报讯）国防部审判战犯军事法庭，昨（八）日下午在励志社开辩论庭，续审当年大屠杀案罪魁祸首谷寿夫。出席旁听者千余人，座无虚席，沈市长亦在场旁听。二时零五分，被告举步蹒跚，由一宪兵扶持入庭。法官宣布继续调查罪行证据后，谷犯举手请求发言。略谓：两日来根据证人所述，罪行大多发生于中华门一带，实际上十二、十三两日战争进行猛烈，该区已无平民，假使有居民留住，被告亦绝对不允许有杀害行为。在调查文件中，被告发现许多罪行都为中岛部队所为，不在其防区内发生。以上陈述，请庭上加以注意。审判长旋即列举三件集体屠杀事件：（一）廿六年十二月十六日，被俘麇集慕府山下之中国军队及难民五万七千人，被日军驱至下关江边，用机枪扫射及刺刀戳杀，弃尸江中，为被屠杀事件中人数最多之一次。（二）二十五日，难民九千余，亦于下关被屠杀。（三）十六日晚上，难民五千余从华侨招待所被押至下关中山码头，机枪扫射，弃尸江中。以上三次，均有死里逃生之受害者出庭具结作证。法官另附述南京会战时，《东京日日新闻》所登载关于两日兵作杀人竞赛之新闻，三天之内一杀一百零五人，一杀一百零六人，问被告对上述诸事有闻否？谷犯狡辩称：法官所述，被告尚属初次听见，下关集体屠杀乃海军或其他部队所为，与被告无关。余防区内，又如无人之境，诉诸神明，全没此事。庭上认被告为大屠杀主犯，实属错误，倘能将当日最高指挥官传讯至庭，则屠杀暴行，当能明了。

至此，续传被害人梁廷芳、向振荣、陈福保、刘振汉、定惠等证人出庭。其中有孤苦伶仃的寡妇，失去儿子的慈母，身披道衣的僧尼，白发秃顶的老翁，虎口余生的受害者，不同的身份，不同的年龄，众口同声，痛述当年日军暴行及目击惨状。惟被告仍矢口否认，推诿责任于中国便衣队及乘机抢劫之汉奸。

提及被告在石家庄、保定等地纵容部属抢劫居民陈嗣哲衣服、古玩及强迫妇女做肉体慰劳时，谷犯供称：当时在香月司令官指挥下，忙于准备南下，进军之际，抢劫绝无可能，亦不会有，所言既不详细，而又为前所未闻之事。

休息十分钟后，四时二十分，辩论庭开始。首由陈检察官光虞起立发言，加以论断。陈检察官有条不紊，语气坚决，态度严肃，略谓：在第一日开始公审时，检察官曾简述屠杀情形，经三天来之审判及男女老幼暨中外人士之出庭作证，均足说明日军在南京犯有屠杀、放火、破坏财产、抢劫、强奸等无人道之残忍罪行。根据红卍字会及其他慈善团体掩埋尸体统计调查，南京市遭残杀人数达四十万人。此种旷古未有暴行，实为人类文明史上耻辱，虽处分千百个谷寿夫，亦不足以洗此耻辱，雪此深恨。又根据两千多份调查表及程洁女士所述，因中华门离难民区较远，故此区内受害人最多，此种证据确实之罪行，非被告一言两语所能推诿抹杀。

其次，南京大屠杀是一种整个行为，全国各大城市，以南京所受摧残最惨烈，究其原因，无非在企图摧毁我民族意识，打击我抗战情怀。盖南京乃完成中国统一之首都，准备抗战之首都，指挥抗战之首都，革命情绪最高，民族意识最浓。此一整个屠杀行为，凡是参与者不论驻区何在，都应负起屠杀责任。谷寿夫十二日率部抵中华门，十三日进城，此两日中城内只有被告部队，被告实为发动大屠杀罪魁，不能逃避责任。

最后，谈及证据问题，陈检察官称：三天之审讯，市参议会及地方法庭调查表，红卍字会掩埋尸体统计表，欧美人士报告书中所提述之罪行，安全区中档案，美籍牧师所拍电影及日军自摄影片等，都证据确实，被告倘不能提出有力反证，仅以狡赖不负责任言词搪塞推诿，实不能摆脱应负责任。

陈检察官又称，被告态度蛮横，言语无理，责任不容其胡乱推诿。以此种旷古未闻之大惨案，虽十万个谷寿夫，以千万种刑罚加于其身，亦不能洗刷此种耻辱及惨痛，此种穷凶极恶之罪魁应予判处极刑。

言毕，旁听席上一片掌声。被告在聆听日语翻译官译述时，庭上勤务兵在被告席上点蜡烛一支，烛光摇曳中，谷犯神色已不复如前之自若矣！搔首弄鼻，时而仰首若有所思。

继而答辩开始，被告态度倔强，饰词狡辩图赖，对所有罪行，全加否认。

谷犯首称：检察官论断完全错误，因为渠以被告担负中华门一带罪行责任为出发观点，假造没有事实根据的记录，故意造作，认被告为大屠杀罪行者，马马虎虎，作不正确及单方面之调查，被告对此，绝不能承认。继曰：许多平民，因曾受其他日军部队之残害，所以利用这个不容易得的机会报仇，将罪行都放在被告身上。两天来，在庭上作证的证人所陈述的，都非被告部队所为。

旋又称：以揣测做根据，不能构成犯罪条件，如此审判，可说是世界审判史上无前例。犯罪事实，应将加害者与被害者□□传讯到庭，才能决定犯罪有无，单方陈述，不能成为犯罪事实。被告希望能获得公正没有错误的判决。

最后，谷犯又以种种口实，如中国便衣队破坏，飞机轰炸，及空空洞洞之“军纪严明”与一些数字统计，否认狡赖暴行责任，惟时已六时许，庭论退庭，被告还押，定期再行审讯。

1947 年 2 月 25 日继续法庭辩论。中方的证人是《陷都血泪录》作者、国防军少将郭岐。郭文字字句句血泪泣。而凶手谷寿夫则百般抵赖，其辩护律师也跟着起哄。法庭上，正方反方，激烈争辩，硝烟似火，牵动着百万南京市民的心……

大刽子手谷寿夫是个非常狡猾的战犯，当年他带领日军占领南京时所犯下的罪行至极，在南京市民心目中留下的阴影太深刻、太痛苦，所以市民们听说这样一个大战犯被押到南京审判后，政府当局号召当年的受害者出来举证时，南京市民们的热情和主动可谓空前。其中有一个举证后来被列入作为南京审判战犯军事法庭“京字第一号证”，此证颇有传奇色彩，也是揭露日军在南京实施大屠杀的铁证。

“京字第一号证”现存在中国第二历史档案馆，是一本相册，里面有16帧照片，皆是日军残暴屠杀平民和强奸妇女的现场实景，说它是“铁证”是因为照片是日本士兵自己拍摄的，而把这份“铁证”保留下来的却是一对中国人，这也使得那些想抵赖却又无法抵赖的日本战犯们不得不在自己犯的罪行面前低头……

这本相册的主人叫罗瑾，从小在南京长大。1937年时的罗瑾才14岁，日军占领时他家因穷苦无力外逃，只得跟着难民躲进了拉贝他们设立的“国际难民安全区”内。因为年幼，罗瑾躲过了日军一次次屠杀。1938年，南京局势稍稍平定后，罗瑾到南京市区的长江路估衣廊附近的华东照相馆做学徒，以养家糊口。当时的日军仍在南京城区到处屠杀平民。1938年1月的一天，一位日军少尉来店里冲两卷“樱花牌”胶卷，照相馆的老板把这活交给了罗瑾。接受胶卷的罗瑾，到暗室里冲洗，在里面他发现其中都是些日军砍杀中国军民与侮辱强奸中国妇女的镜头。看到那一张张血淋淋的、赤裸裸的日军暴行，罗瑾愤慨无比，于是他便偷偷利用底片加洗了一套，自己保留了下来。此后，又有不少日军来冲照片，罗瑾便偷偷加洗几张，就这样一共保存了30多张这样的照片。罗瑾年岁不大，可他明白自己的做法一旦被日本人发现，肯定要杀头，然而小小年纪的罗瑾坚信将来终有一天能为惨遭杀害的同胞们讨还血债，于是他决心冒死将这些日军罪证照片保存下来。罗瑾特意自己用硬纸片装订了一个小相册，为表达内心对日军暴行的愤怒，他在封面上画了一把滴着鲜血的尖刀和被尖刀刺透滴血的心，并写下了一个大大的“耻”字。为悼念死去的同胞，他又将心脏、尖刀和“耻”字的四周勾上黑边。罗瑾从收藏的30多张照片中，精选了16张最能反映日军暴行的照片，贴在相册上，然后将余下的照片烧毁了。为安全起见，一开始他将相册藏在照相馆的暗室案板下，后来又转移到自己的家中。

1940年，罗瑾因生活所迫，到了汪精卫伪政府的“交通电讯集训队”当学员，集训队驻扎在毗卢寺内。他们的教员就是日军教官，常对罗瑾他们拳打脚踢。罗瑾害怕自己的相册放在家里不安全，便悄悄把它带到集训队，藏在宿舍床板下。次年初的一天，日伪宪兵突然在寺内大清查，罗瑾情急之下将相册转藏在毗卢寺厕所墙上的一个洞中。哪知几天后，当他想转移相册时，却发现相册不翼而飞。罗瑾顿感不妙，便赶紧逃离了南京，这一逃直逃到上海、神州等地，最后落脚到了福建大田县。

相册到底是谁拿走了呢？后来罗瑾才知道是被他的集训队学友吴旋拿走并保存了下来。吴旋与罗瑾同岁，也是穷人家的孩子，南京沦陷时，他同样目睹了日军的暴行。有一天，吴旋上厕所，无意间发现低矮的茅房的一处墙上有新糊的泥巴，觉得奇怪，便伸手一掏，发现了一个相册，再打开一看，吴旋吓了一跳，全是令他心惊胆战的日军暴行照片。怕人看见，吴旋立即将相册藏在身上。放在身上也不是事，吴旋思来想去，便将相册藏在寺庙的大殿内一尊佛像的底座下。本来这事吴旋觉得做得“万无一失”，可哪知，第二天“集训队”的当官者被学员们全部集中起来，说有人藏了一本日本画册，如果不交出来，就“死啦死啦”的。学员们紧张极了，因为有人传：逃跑的罗瑾拿相册给学友们看过，不少人知道这相册。但学员们最后没一个人承认见过，所以此事不了了之。但吴旋心里一直悬着，担心哪一天被日本人发现，这可不是闹着玩的。他在想如何处理相册之时，集训队结业了，吴旋便将相册转放到自己的皮箱底层，之后与同学们不辞而别，带着相册走出了“集训队”。之后几年，吴旋屡经周折，终将这些照片保存了下来。

抗日战争胜利，南京解放。吴旋所在的“国军”早已解散，正失业在家。一日，他在大街上看到南京市临时参议会号召市民提供日军罪行的公告后，立即回家从床底下的箱子里取出了那份令他提心吊胆了6年之久的相册。第二天一早，吴旋郑重其事地将相册呈交给了接待他的一位40来岁的市参议会工作人员。

南京市临时参议会收到吴旋的呈文及相册后，经过调查核实，认定这些照片确系日军侵占南京期间所拍摄，为日军暴行铁证，并在审判谷寿夫等日军罪犯时将这16张照片列为南京军事法庭“京字第一号证”。

3月3日，法庭再度升堂，继续辩论。谷寿夫虽“面容憔悴，神色颓然”，但依然口若悬河，饰词狡辩，否认其罪，甚至说，南京如此审判“乃世界司法史上无此先例”。遭到石美瑜怒斥：被告不得重复已多次陈述之言！

此日是控辩双方最后一次法庭辩论。一直到下午5时半，由中方陈光虞做最后陈述，他驳斥道：被告在数日辩论中一直以空洞言辞，重复其词，意在规避责任。被告一直讲自己生平主张中日亲善，何以在已经退役的年龄，仍领兵到我中国领土进行侵略战争？你讲法庭上的证人都是捏造，难道南京市参议会的几千名受害者的调查、国际人士所主持的安全区档案，还有你们《东京日日新闻》所载的两日本兵杀人竞赛的报道和照片，及日军入城时所摄影片资料上的画面也是捏造的吗？

“被告犯罪证据确凿，毫无辩解余地，蛮横无理，罪大恶极，侮辱中国政府法律，应判死刑。忆当年 40 余万同胞被屠杀皆无说话余地时，被告虽年届 65 岁高龄，亦该死该杀！”陈检察官说到此处，法庭上掌声雷动。

“嘘！不公正之裁判，将为中日亲善加上一层阴影也！”谷寿夫仍在被告席上喋喋不休。

法庭一直辩论至晚上 7 点半。

“嘭！”审判长石美瑜重重地敲下法槌，宣布道：“今日休庭。本月 10 日下午 3 时在励志社宣判！”

旧南京时代的励志社，是一个很有名的地方。南京人对中山路上的励志社很熟悉，它至今仍保留着三栋宏伟的宫殿建筑。分别是大礼堂、1 号楼、3 号楼，全为坐北朝南。1 号楼前有一块石碑，上面写着蒋介石的亲笔题词：

立人立己
革命革心

1947 年 3 月 10 日下午，苦难的南京市民把励志社的大礼堂内外挤得水泄不通，市民们都在期待目睹杀害数十万南京人的刽子手的可耻下场。

法庭大幕拉开——

6 名威武的武装宪兵押着罪犯谷寿夫上庭。此时的谷寿夫早已没了初到南京时的那股威风，满头白发的他，步履显然已蹒跚，唯有一双不大的眼睛仍露着狡猾和阴险的光泽。

法庭中央，站立着审判长石美瑜，他的两侧站着审判官宋书同、李元庆、葛召棠、叶在增。首席检察官陈光虞及谷寿夫的辩护律师梅祖芳、张仁德等各站立于法庭左右两侧。另有几位翻译人员和日本籍证人、中方证人代表。

“现在我宣读法庭对战犯谷寿夫的判决书——”石美瑜提高嗓音，开始宣读。中国国防部审判战犯军事法庭的这份“一号”判决书不短，为了让今天的中国年轻一代和世界人民（包括日本人）了解整个南京大屠杀的真相，因此笔者从中国第二历史档案馆内调集了判决书的部分内容在此刊出：

谷寿夫在作战期间，共同纵兵屠杀俘虏及非战斗人员，并强奸、抢劫、破坏财产，处死刑。

事实：

谷寿夫系日本军阀中剽悍善战之将领，远在日俄战役，即已从军，并著战绩。迨民国二十六年中日战起，充任第六师团长，于是年八月，率部来华，参与侵略战争。先转战于河北永定河及保定、石家庄等处。同年十一月杪，我京沪沿线战事频告失利，转移阵地，扼守南京。日本军阀以我首都为抗战中心，遂纠集其精锐而凶残之第六师团谷寿夫部队，第十六师团中岛部队，第十八师团牛岛部队，第一一四师团末松部队等，在松井石根大将指挥之下，合力会攻，并以遭遇我军坚强抵抗，忿恨之余，乃于陷城后，作有计划之屠杀，以示报复。由谷寿夫所率之第六师团任前锋，于二十六年十二月十二日（即农历十一月十日）傍晚，攻陷中华门，先头部队用绳梯攀垣而入，即开始屠杀。翌晨复率大军进城，与中岛、牛岛、末松等部队，分窜京市各区，展开大规模屠杀，继以焚烧奸掠。查屠杀最惨厉之时期，厥为二十六年十二月十二日至同月二十一日，亦即在谷寿夫部队驻京之期间内，计于中华门外花神庙、宝塔桥、石观音、下关草鞋峡等处，我被俘军民被日军用机枪集体射杀并焚尸灭迹者，有十九万余人。此外，零星屠杀，其尸体经慈善机关收埋者十五万余具。被害总数达三十万人以上。尸横遍地，惨绝人寰，其残酷之情状，尤非笔者所忍形容。如十二月十五日下午一时，我军警二千余名，为日军俘获后，解赴汉中门外，用机枪密集扫射，饮弹齐殒，其负伤未死者，悉遭活焚。同月十六日下午六时，麇集华侨招待所之难民五千余人，被日兵押往中山码头，用机枪射杀后，弃尸江中，仅白增荣、梁廷芳二人，中弹受伤，投身波中，与漂尸同流，得以幸免。同月十八日夜间，复将我被囚幕府山之军民五万七千四百一十八人，以铅丝扎捆，驱集下关草鞋峡，亦用机枪射杀，其倒卧血泊中尚能挣扎者，均遭乱刀戳毙，并将全部尸骸，浇以煤油焚化。又如十二月十二日，乡妇王徐氏，在中华门外下码头，遭日军枭首焚尸。同月十三日，乡民魏小山，因谷寿夫部队在中华门堆草巷纵火，驰往施救，致被砍死。同日，僧隆敬、隆慧及尼真行、灯高、灯元等，亦于中华门外庙庵内，悉遭屠戮。十四日，市民姚加隆携眷避难于中华门斩龙桥，又遭日军将其妻奸杀，八岁幼儿，三岁幼女，因在哀泣，被用枪尖挑入火中，活焚而毙。同月十三日至十七日，时值严寒，驻中华门外日军，勒令乡民三十余人，入水捞鱼，从则冻毙，违亦遭戮。并将一老叟，绑悬树梢，以枪瞄准，作打靶练习，终至命中，绳断跌毙。又日军官二人，以杀人为竞赛，其一杀达一百零五人，一则以杀一百零六人获胜。同月十九日，乡妇谢善真，年逾六旬，被日军在中华门外东岳庙用刀刺杀，并以竹竿插入阴户，均属惨无人道。计自十二月十二日至同月二十一日，我首都无辜军民，被日军残杀而有案可稽者，达八百八十六起。其在中华门一带被害者，除以上列举外，尚有王福和、柯大才、卓吕同、沈有功、刘广松、曾文党、余必福、陈萧氏等三百七十八案。日军陷城后，更四出强奸，一逞淫欲。据外侨所组国际委员会统计，在二十六年十二月十六、十七两日，我妇女遭日军蹂躏者，已越千人。且方式之离奇惨虐，实史乘所未前闻。如十二月十三日，民妇陶汤氏，在中华门东仁厚里五号，被日军轮奸后，剖腹焚尸。怀胎九月之孕妇萧余氏，十六岁少女黄桂英、陈二姑娘，及六十三岁之乡妇，亦同在中华门地区惨遭奸污。乡女丁小姑娘，在中华门堆草巷，经日军十三人轮奸后，因不胜狂虐，厉声呼救，当被刀刺小腹致死。同月十三日至十七日，日军在中华门外，于强奸少女后，复迫令过路僧侣续与行奸，僧拒不从，竟被处宫刑致死。又在中华门外土城头，有少女三人，因遭日军强奸，羞愤投江自尽。凡我留京妇女，莫不岌岌自危，乃相率奔避于国际委员会所划定之安全区。讵日军罔顾国际主义，竟亦逞其兽欲，每乘黑夜，越垣入内，不择老幼，摸索强奸。虽经外侨以国际团体名义，迭向日军当局严重抗议，而日将谷寿夫等置若罔闻，任使部属肆虐如故。再日军锋镝所至，焚烧与屠杀常同时并施。我首都为其实行恐怖政策之对象，故焚烧之惨烈，亦无伦比。陷城之初，沿中华门迄下关江边，遍处大火，烈焰烛天，半城几成灰烬。我公私财产之损失，殆不可以数字计。中华门循相里房屋数十幢均遭烧毁，居民何庆森、夏鸿贵、毕张氏等数百人，庐舍成墟，栖息无所。中华门钓鱼巷、湖北路、长乐路、双闸镇各处居民，曾有年、常许氏、冯兆英等房屋数百幢，亦俱焚烧，荡然无存。至十二月二十日，复从事全城有计划之纵火暴行，市中心区之太平路火焰遍布，至夜未熄，且所有消防设备，悉遭劫掠，市民有敢营救者，尽杀无赦。日军更贪婪成性，举凡粮食、牲畜、器皿、古玩，莫不劫取。如在石坝街五十号，抢掠国医石筱轩名贵书籍四大箱，字画古玩二千余件，木器四百件，衣服三十余箱。又在集庆路、任管巷等处，掠劫民间牲畜、粮食、钱财，不可胜计。即国际红十字会病院内，护士财物、病人被褥、难民食粮，亦遭洗劫一空。美大使职员陶格拉斯晋钦（Douglas Jenkine）、美籍女教士格蕾丝芭尔（Miss Grace Bauer）、德人乌拉比（Rabe）、巴赤德（Barchardt）、波濮罗（Poblo）、蒸姆生（Jeimssen）等住宅，并经先后搜劫，损失綦重。种种暴行，更仆难数。日本投降后，谷寿夫在东京被捕，经我驻日代表团解送来京，由本庭检察官侦查起诉。

理由：

查本案被告谷寿夫，于民国二十六年，由日本率军来华，参与侵略战争，与中岛、牛岛、末松各部队，会攻南京，因遭我军顽强抵抗，血战四昼夜，始于是年十二月十二日傍晚，由中华门用绳梯攀垣而入。翌日晨率大队进城，留驻一旬于同月二十一日，移师进攻芜湖各情，已据供认不讳（见侦查卷六六页，审判卷七宗一六页、二三页）。至其陷城后，与各会攻部队，分窜京市各区，展开大规模屠杀，计我被俘军民，在中华门、花神庙、石观音、小心桥、扫帚巷、正觉寺、方家山、宝塔桥、下关草鞋峡等处，惨遭集体杀戮及焚尸灭迹者，达十九万人以上。在中华门、下码头、东岳庙、堆草巷、斩龙桥等处，被零星残杀、尸骸经慈善团体掩埋者，达十五万人以上。被害总数共三十余万人。此项事实，匪特已据身历其境之证人殷有余、梁廷芳、白增荣、单张氏、鲁娃、殷南冈、芮芳缘、毕正清、张玉发、柯荣福、潘大贵、毛吴氏、郭岐、范实甫、姚加隆、万刘氏、徐承铸、僧隆海、莲华、尼慧定一千二百五十余人，及当时主持掩埋尸体之许传音、周一渔、刘德才、盛世徵等，具结证明（详见附件甲一号至二八号、附件乙一号至八五八号，京字九号至一二号各证暨本庭侦查及审判笔录）。且有红卍字会掩埋尸体四万三千零七十一具，崇善堂收埋尸体十一万二千二百六十六具之统计表，及伪南京督办高冠吾为丛葬于灵谷寺无主孤魂三千余具所立之碑文为凭（见京字三号、一六号、一七号各证）。复经本庭按丛葬地点，在中华门外雨花台、万人坑等地，发掘坟冢五处，起出被害人尸骸头颅数千具，由法医潘英才、检验员宋土豪等，验明尸骨，多有刀砍、中弹或钝器击损伤痕，填具鉴定书在卷可稽（见本庭勘验笔录及京字一四号证）。并有当时日军为炫耀武功，自行拍摄之屠杀照片十六帧，及实地摄制之屠城电影，经我军于胜利后扣获，可资印证（见京字一号、二号及一五号证）。至陷城后，日军各部队分窜各区，奸淫肆虐，如乡妇陶汤氏被奸后剖腹焚尸，丁小姑娘遭轮奸后刺死，即孕妇、老妪亦同遭奸污。又放火烧毁民房、掠劫财物，以及闯入安全区内强奸妇女，劫取外人财产等情，亦据各生存之被害人及目睹之证人萧余氏、陈二姑娘、柯荣福、方鹤年、张孙氏、范实甫、张万氏、周一渔、何庆森、夏鸿贵、毕张氏、倪春富、曾有年、常许氏、冯兆英、石筱轩、徐兆彬等百余人，分别结证是实。核与国际委员会所组南京安全区内档案列举之日军暴行，及外籍记者田伯烈（H. J. Timperley）所著《日军暴行纪实》（即《外人目睹中之日军暴行》），史密斯（Lewis S. C. Smythe）所作《南京战祸写真》暨当时参加南京战役之我军营长郭岐所编《陷都血泪录》，所载各节，悉相吻合（详见附件丙、丁、戊、己，及京字九号至一二号各证暨本庭侦查及审判笔录）。又经当时留京之美籍教授贝德士（M. S. Bates）、史密斯（Lewis S. C. Smythe）本于目击实情，到庭宣誓并具结证明无异。是会攻南京之日军各将领，共同纵兵，分头实施屠杀、强奸、抢劫、破坏财产之事实，已属众证确凿，无可掩饰。虽据辩称（一）被告部队入城后，系驻扎中华门，于十二月二十一日全部开赴芜湖，当时中华门一带，正值激战，居民迁徙一空，并无屠杀对象。且被害人均未能指出日兵番号，故屠杀事件，应由中岛、末松及其他部队负责，即罪行调查表亦多载有“中岛”字样，可见与被告无涉。（二）被告所属部队，军纪严肃，可保证未曾杀害一人。除已经证人小笠原清到庭证明外，应请传讯被告所属之参谋长下野一霍，旅团长坂井德太郎，柳川参谋长田边盛武，高级参谋藤本铁熊等，即可明了。（三）本案证据全系伪造，不足为论罪根据等语，以为免责之辩解。但关于第一点，按共同实施犯罪行为之人，在合同意思范围以内，各自分担犯罪行为之一部，相互利用他人之行为，以达其犯罪之目的者，即应对于全部所发生之结果，共同负责（参照最高法院二十八年上字第三一一〇号，二十六年渝上字第一七四四号各判例）。被告既系会攻南京之高级将领，因遭守军猛烈抵抗（见审判卷七宗一六页），乃于陷城后，会合中岛、牛岛、末松等部队，分窜各区，实施大屠杀及奸、掠、焚烧等暴行，我被俘军民惨遭杀戮者达三十余万人之众，已与监督不严之偶发事件显有不同。况经当时驻京外侨，以国际团体名义，于二十六年十二月十四日至二十一日，即在被告部队驻京之期间内，前后十二次，分向日军、当局及日大使馆，提出严重抗议。并在照会内，附录日军烧、杀、淫、掠暴行，计一百一十三案，促请日军注意管束部属，防止暴行扩大（见南京安全区档案原文一至四九页，及附件已及京字一〇，一一号各证）。而被告等各将领，又均置若无睹，纵兵肆虐如故，且反将此种惨烈屠城情状，摄成电影及照片，藉以表彰战绩。其系与各会攻将领，基于合同意思，共同纵兵，分头窜扰，而作有计划之大规模屠杀及焚、烧、奸、掠，至为明显。纵令被告部队，仅在旬日间，分担京市一隅之屠杀等暴行，既然与各会战将领，本于联络之犯意，互相利用，以达其报复之目的。依照上述说明，即应就全部所发生之结果，与松井、中岛、牛岛、末松、柳川各将领，共同负责。奚容以罪行调查表载有“中岛”字样，以及被害人未能指出日兵番号等词为藉口，希图诿卸。矧查京市各区，屠杀奸掠等事件，泰半系发生于被告部队驻京之期间内（即十二月十三日至同月二十一日），即在被告自承为其防区之中华门一带而遭烧、杀、淫、掠之居民有案可稽者，已达四百五十九起（详见附件甲九、一二、一八、一九、二〇、二四、二六、二八号，乙一至三七〇号，丙一至二一号，丁一至五七号，戊一至三号各证，暨本庭侦查及审判笔录）。其中被害人家属及证人，且多能切实指明被告部队之罪行。如据范文卿之子范实甫供称：“谷寿夫部下杀人、放火、强奸，无所不为，最残忍的，要算是谷寿夫部队，杀人最多约有十几万人，我家对门丁道台的孙女，被谷寿夫部下十五个人强奸，这小姑娘因受不了惨叫，被日军一刀刺破小腹而死。我还看见邻人魏小山，因谷寿夫部队放火，他去救火，被日军一刀砍死。”丁长荣供称：“我儿子丁连宝，被谷部（指被告）士兵用枪打，又戳一刀死了，当时一共打死七个人。又在中华门、赛虹桥，见两个妇人被日兵强奸后，用刺刀从阴户刺入腹部，致腹破肠流而死。”徐承铸称：“我胞兄徐承耀，被谷寿夫部队拉伕，经母亲哀求，不肯释放，当被拉到雨花台下，用枪打死。”又据证人欧阳都麟供称：“日军谷寿夫部队，攻陷南京，由中华门首先进城，先行屠杀，就此两天内（十二、十三两日），中华门内外，遍地尸首，惨不忍睹。有的用刺刀刺孕妇腹部，致腹破胎坠而死。有的用刺刀从妇女阴户刺入，刀尖透出臀部致死。亦有八十岁老妇，被强奸致死。”证人张鸿如供称：“日军于二十六年农历十一月初十晚进城，杀人、放火、奸淫最厉害的，是谷寿夫部队。”各等语（见本庭审判卷一宗三〇页，三宗三五页、三九页、四三页，七宗六〇页、六一页）。尤足见被告部队分担实施暴行之事实，昭然若揭，尚有何狡赖之余地。关于第二点，查被告部队，远在保定、石家庄一带作战时，即曾抢劫居民陈嗣哲所有之衣服、古玩二十八箱，及红木家具等物多件。又在浙江德清县境，残杀平民卜顺金、卜玉山等人（见附件乙八四六号，戊四号各证）。是其军纪之败坏，已可概见。迨会攻南京陷城后，更暴行累累，凶残无匹，乃反谓军纪严肃，未曾杀害一人，显属遁辞。至证人小笠原清，于被告部队会攻南京之时，尚在日本求学，徒以臆测之词，漫谓被告部队在南京并无暴行，自属无可采信。又查被告所属参谋长下野一霍、旅团长坂井德太郎，及柳川参谋长田边盛武、高级参谋藤本铁熊等，均系参与会攻南京之高级军官及参谋长官，对于实施有计划之南京大屠杀事件，本有共犯嫌疑，纵使该嫌疑犯等到庭为被告所预期之陈述，亦不外瞻徇袒庇，自难据为被告有利之判决。兹被告犹斤斤请传该嫌疑犯等到庭作证，无非藉端希图延宕。关于第三点，查本案证人千余人，均系身历其境，将当时目击日军暴行痛陈如绘。被害人尸骸头颅数千具，并经本庭在丛葬地点掘出。灵谷寺无主孤魂三千余具之墓碑，至今犹存。郭岐所编《陷都血泪录》，远在民国二十七年即在西安写成，并于同年八月披露于西京平报（见京字一三号证第一页）。国际委员会所组南京安全区之档案，外籍记者田伯烈所著《日军暴行纪实》（即《外人目睹中之日军暴行》），及美籍教授史密斯所作《南京战祸写真》，皆为当时未曾参加作战之英、美、德人士，本其目睹情形，所作之日军暴行实录。日军以杀人为竞赛娱乐，且系在被告本国《东京日日新闻》登载（见京字一〇号证第二八四及二八五页）。屠杀照片及屠城电影，俱为当时日军所摄制，藉以夸耀武功。均系被告及会攻南京各将领共同实施暴行之铁证。被告竟以空言抹煞，妄指为伪造，可谓毫无理由。综上各点抗辩，均属狡展图卸，殊无可采。查被告在作战期间，以凶残手段，纵兵屠杀俘虏及非战斗人员，并肆施强奸、抢劫、破坏财产等暴行，系违反海牙陆战规例及战时俘虏待遇公约各规定，应构成战争罪及违反人道罪。其间有方法结果关系，应从一重处断。又其接连肆虐之行为，系基于概括之犯意，应依连续犯之例论处。按被告与各会攻将领，率部陷我首都后，共同纵兵肆虐，遭戮者达数十万众，更以剖腹、枭首、轮奸、活焚之残酷行为，加诸徒手民众与夫无辜妇孺，穷凶极恶，无与伦比。不仅为人类文明之重大污点，即揆其心术之险恶，手段之毒辣，贻害之惨烈，亦属无可矜全。应予科处极刑，以昭炯戒。

据上论结，应依刑事诉讼法第二百九十一条前段；海牙陆战规例第四条第二项，第二十三条第三款、第七款，第二十八条，第四十六条，第四十七条；战时俘虏待遇公约第二条、第三条；战争罪犯审判条例第一条，第二条第二款，第三条第一款、第四款、第二十四款、第二十七款，第十一条；刑法第二十八条，第五十五条，第五十六条前段，第五十七条，判决如主文。

中华民国三十六年三月十日

在判决书的下方落款处，有审判长、审判官和书记官的签名。

“判得好！”“判得好！”

“该死的日本鬼子早该毙了！”

“打死谷寿夫！”

“打倒日本侵略者！”

“为亲人们报仇——！”

当审判长宣读完毕的那一瞬，法庭内外一片欢呼声，而在这雷动海啸般的欢呼声中，人们依然还能听到无数哭泣的怒吼……

是啊，我苦难的南京人，你们失去了多少亲人！流下了多少泪水与血水！现在，你们终于有机会看到仇人的下场了！

金陵在欢呼！钟山在哭泣！

莫愁湖在哭泣！雨花台在欢呼！

中华门在欢呼！光华门在哭泣！

欢呼！哭泣！哭泣！欢呼！

这是这一天南京城内的故事和景象……

33. 大案的终结与遗憾……

1947 年 4 月 26 日，南京雨花台。

这个被南京人称作“杀头台”的地方，这一天成了万众瞩目的地方——上午 11 时 30 分，由军事法庭将罪犯验明正身后，谷寿夫被押至此地，随即由国防部警卫第一团班长洪二根在围观市民的欢呼声中，一枪将谷寿夫毙命于泥草地上……

审判谷寿夫的同时，南京军事法庭对进行“杀人比赛”的向井、野田及其他几十名日本战犯也进行了审判与处决。

至此，东京审判和南京审判画上了句号。

然而，两年后的 1949 年 1 月 27 日，南京城的“中央社”在这一天清晨却发布了一条特别新闻而引起举国震惊：

“日本战犯、前中国派遣军总司令官冈村宁次大将，1 月 26 日由国防部审判战犯军事法庭举行复审后，于 16 时由石美瑜庭长宣布无罪……”

此消息，如一颗巨型炸弹，全国上下哗然！

次日，中国共产党领袖毛泽东急电南京国民政府，严正声明：日本战犯前中国派遣军司令官冈村宁次大将，为日本侵华派遣军一切战犯中的主要战争罪犯，今被南京国民党政府的战犯军事法庭宣判无罪，中国共产党和中国人民解放军声明：这是不能容许的！中国人民在八年抗日战争中牺牲无数生命财产，幸而战胜，获此战犯，绝不能容许南京国民党反动政府擅自宣判无罪。全国人民，一切民主党派，人民团体以及南京国民党反动政府中的爱国人士，必须立即起来反对南京反动政府出卖民族利益，勾结日本法西斯军阀的犯罪行为。我们现在向南京反动政府的先生们提出严重警告：你们必须立即将冈村宁次重新逮捕监禁，不得违误，此事与你们现在要求和我们进行谈判一事，有密切关系……

但毛泽东和共产党此时仍没有掌握国家政权，声明虽措辞严厉，但效果甚微。

南京城内李宗仁这位“临时总统”的权力也十分有限，还得听命于蒋介石。

蒋介石要放冈村宁次，是一笔肮脏的勾当与交易。

冈村宁次原是日本侵华派遣军的第六任总司令，也是侵略中国时间最久、罪行最大的战犯之一。他在日俄战争时就踏上了中国领土。此后当了北洋军阀孙传芳的军事顾问。1928 年他出任日军联队长，参加了日本侵占济南的战斗，1932 年升任上海派遣军副参谋长，参加了占领上海的“一·二八”战争。1937 年至 1944 年期间，历任侵华日军第 11 军、华北方面军、第六方面军司令官等职，后升为日本派遣军总司令，是中国共产党在延安公布的日本战犯中的首要战犯。然而就是这个大战犯，却被蒋介石释放了，并且在 1950 年被邀请到台湾给蒋介石的手下上课……

中国现代史上留下的许多遗憾和屈辱的事，大多因为我们自己的政府腐败或卖国贼们卖国。冈村宁次没有像松井石根、谷寿夫等战犯一样被判死刑，就是因为蒋介石“半抗日半友日”的卑劣行径。

另一个原因就是日本宣布投降后，蒋介石从冈村宁次那里获得了保证和实际行动——日军不向共产党投降。

如此大礼，让日薄西山的蒋介石捡到了最后一根稻草，并借助这根稻草与共产党又打了几年仗……蒋介石从 1927 年与中国共产党决裂后，他一生多数时间里为敌的是毛泽东和中国共产党，即使在抗日战争时期，他想的仍然是如何提防和扼杀“共匪”。打日本人，审日本战犯，这作为一国之统帅，蒋某人不能不做，而且做得实在勉强，如果没有“西安事变”，如果没有汪精卫背后插刀，如果没有全国人民和共产党人的热血抗日热情与誓死决心，他老蒋的抗日决心还不知什么时候下定呢！

蒋介石的“半抗日半友日”政策，致使多少中国人死于日本人的屠刀下！蒋介石如果对“南京保卫战”真心实意地安排、部署并且在关键时刻指挥有力、中国军队破釜沉舟的话，胜利者也许是我们！但蒋介石没有这样做，派一个基本上属于庸人的唐生智当守城总指挥官，从一开始就输给了日本人。

呜呼，我 30 余万南京同胞就这样活活地被残暴的日本军队屠杀于刀枪之下，血满长江与钟山……

日本战犯能幸免历史的审判，还有一个最重要的角色在起作用，这个角色从头到尾一直在起关键作用，它就是美国政府。

中国与日本在战后几十年里的恩恩怨怨，中国的台湾至今仍没有与大陆统一，所有的这些问题，都是因为美国政府从中作梗！

美国之所以要如此与中国人民为敌，就是因为它一向执行的冷战策略。当年第二次世界大战结束后，美国最初希望中国成为它抵挡苏联共产主义阵营的前哨，谁知中国共产党领导人民成立新中国后，美国政府就把所有“二战”战胜国原定下的《开罗宣言》《波茨坦公告》等惩罚像日本这样的法西斯战败国的国际准则一一破坏，纵容和鼓励日本政府与新中国对抗，同时又支持和协助蒋介石继续与中国共产党为敌。美国—日本—蒋介石政权，如此紧密地抱团在一起，所以才有了日本战犯们一个个被释放的结果。

美国如此不分正邪并不惜破坏国际基本准则而一而再地支持一个曾经犯下滔天罪行的军国主义国家复活，笔者所掌握资料分析，与另一个没有被审判的事情有关，那就是日本人对中国财富的大抢劫、大掠夺。

第八章　漏网的另一种大屠杀

日军在南京大屠杀的行为是人类最肮脏和最可憎的暴行之一。但是有多少人知道还有与南京大屠杀同样肮脏和可憎的事呢？

34. 肮脏而丑陋的“基南基金”

因为日本在“二战”时，包括占领南京后，除了杀害我30余万同胞外，还抢走了无数财富，这些财富加起来至少可以修几条高铁、建几个新城，甚至让一个非洲国家彻底摆脱贫困……这绝非是笔者有意骇人听闻，而是实实在在的历史事实！

读一读美国著名学者和独立调查人斯特林·西格雷夫与佩吉·西格雷夫夫妇二人写的《大和王朝》及《黄金武士》就会明白。西格雷夫夫妇用了几十年时间，完成了揭露日本侵略中国和亚洲的历史背景与掠夺财富的调查，其间还得到了包括美国前中央情报局的诸多有“正义感”的情报人员的帮助。他的结论是：日本在“二战”期间，在中国和亚洲所掠夺的黄金及其他珍贵财产按1945年的价值计算超过200亿美元！

1945年时的1亿美元，可以修建现在的北京五条地铁，那么200亿美元如果折合今天是多少亿呢？难道还不能让我们建造20艘顶级的航空母舰吗？

然而，有历史学家认为，200亿美元的说法，其实只是个零头而已。从1895年甲午战争到“二战”结束时的1945年间，日本从中国掠夺的财富远远超过这个数。

战争结束后，这些财富到哪儿去了呢？这一直是个谜。

而制造这个谜的背后“黑手”是谁？原来也是美国人！

1951年，美国人跟日本人一起搞了个《旧金山和约》，其中最臭名昭著的第14条款：“本条约谈判国认为日本应对其战争期间对盟国所遭受的破坏和痛苦赔付战争赔偿。然而，这些国家也承认目前日本的资源尚不足（以进行这样的赔偿）……（因此）同盟国放弃由日本战争行为所造成的国家赔偿的要求，以及同盟的国民由日本战争行为所造成的赔偿要求。”根据这一条款，就是说所有战胜国尤其是像我们中国这样被日本侵略数十年的国家和国民都要放弃对日本国的战争索赔！简直是岂有此理！然而美国私下同日本达成协议，把中国和亚洲国家全都玩了一把。它美国得到的好处是——日本侵略他国时所掠夺的财富将源源不断地私底下“上贡”给这位“老大”……

这笔肮脏和卑鄙的交易，让美国发了大财。也让日本在战时为战争机器出足力的三井、三菱、住友等大企业虽用了那么多他国劳工与战俘但逃避了赔偿，并很快又成为战后支撑日本经济的重要支柱，同时帮助美国经济发展和对抗共产主义阵营立下汗马功劳。

说美日两国之间的“交易”肮脏，并不为过。因为美国作为“世界老大”，当年它还主宰和操纵了远东国际军事法庭，所有战犯的命运其实也是由它而定。东条英机这样的人肯定要绞刑，因为他触犯了美国人的底线——珍珠港事件让美国人心痛得很。其他人就并不那么重要了，包括中国提出的冈村宁次这样的大战犯，只要他们对围堵共产主义有力和有利用价值，他们就能活下来，并且活得非常的自在。这是美国政府和麦克阿瑟最初暗地里就定下的一条法律之外的“规矩”。

远东国际军事法庭的法律条款，是由盟军最高司令麦克阿瑟将军邀请他的好友基南先生起草的。基南后来担任了远东国际军事法庭的首席检察官，谁的罪大罪小，“调查”获得的证据多与少、真与假，几乎都是他说了算，包括对中国提出的那些战犯的审判。

基南是什么人？从后来陆续公布于众的资料和新闻中我们可以认识他。比如基南在日本有个助手叫田中隆吉，是位日本将军。此人有着“公牛一般的身躯，是个大力浪人”。田中曾经是另一位战犯土肥原将军的心腹，他曾是溥仪当“满洲皇帝”时与婉容结成夫妻的操纵者。田中在上海与土肥原一起，操纵了数起秘密暗杀中国人的事件。就是这个人，在战后的东京国际法庭里任职，还当上了盟国主导的总检察官的“私人秘书”，负责调查战犯的罪行，实在滑稽！但基南确实重用了田中。

基南仅仅是麦克阿瑟的一个密友，或者说是美国政府在战后日本的一个具体的小小的操纵者之一。操纵什么？自然主要是操纵日本战后的“秩序”，其次是日本所拥有的掠夺来的令人垂涎三尺的黄金和各种珠宝、钻石、名画……

战后的日本“秩序”是什么？当然得按照美国人的价值观来行事。美国的价值观是什么？是民主、自由？听起来好像是。但在美国统治者的眼里，战后的日本政治走向才是最重要的，因为他们必须是“共产主义国家”死对头，充当美国为代表的西方资本主义世界的“排头兵”、“先锋者”。否则留你小日本干吗？否则保住你皇室不受审判干吗？否则保留像岸信介（安倍的外祖父、本应像东条英机一样处绞刑的大战犯）政权为何？否则允许冈村宁次到台湾当老蒋的顾问干吗？

世界被一个非主持正义的国家操纵后，像审判“二战”战犯这样的大事也全被抹黑了！抹得完全变了形——这就是东京审判和南京审判最遗憾的事。

在东京审判前后，美国人在日本建立了三个著名的基金——美国人干事喜欢用基金的方式进行，因为基金听起来不像是政府行为，其实就是由政府暗中操纵的机构。这三个基金，除了我们在下面讲到的M基金和四谷基金外，就是基南基金了。基南基金自然是由基南先生出面成立的。身为国际法庭首席检察官的基南有这个能力建一个基金，听起来就像今天我们的最高法院的院长可以办银行一样的可笑。但美国人当时是占领军、日本国的征服者，在这个战败国土地上，美国人想干什么事，都是“合法”和“合理”的。基南基金就是在这种背景下成立的，况且它的后台老板是当时“全世界最有权力”的麦克阿瑟将军。谁敢非议？

基南基金的任务并不复杂，但极其要命。它就一个单一的任务：贿赂战犯审判的证人或者贿赂中间调解人，让他们劝说证人做伪证。据称，定谁有罪，谁死刑，麦克阿瑟在背后使用权力就能“说了算”。而他的定罪标准，就是看此人对美国今天和未来的政策是否有用——支持还是反对共产主义国家和能不能给美国政府及其政治家们弄到实际的巨大好处！于是，麦克阿瑟甚至让基南起草的审判战犯的联合国相关《宪章》中也塞进了这样一个条款：“特别法庭不受证据技术性规则所约束。”啥意思？就是一旦法庭认为可以行使某种“特殊权力”时，可以不按法庭规定办事。上帝，这就是远东国际军事法庭被人讽刺是“麦克阿瑟法庭”之根本所在。

后来的事实证明，基南基金就是发挥了这样的作用。比如为了让东条英机给日本裕仁天皇做伪证，法庭上东条英机为裕仁天皇承担了所有关于偷袭珍珠港的全部罪行。结果是美国保护了日本天皇继续存在。

谁能保证当时的中国释放大战犯冈村宁次没有“基南基金”在暗中起作用？否则如此一个不比松井石根罪行小的战犯竟然被“中国政府”释放并安逸地度过了晚年。这与欧洲人为追讨一个纳粹分子而不惜花几十年工夫的做法，形成了鲜明的对比！

今天日本人将美国“主子”的大腿抱得那么紧，而美国总统们明明知道日本在钓鱼岛这样的问题上做错了却偏偏死扛着支持日本政府，其中原因也就不言自明了。

肮脏，可耻。世界历史的舵轮，没有在正义者手中掌握时，必然存在这种肮脏和可耻行径。

35. 菲律宾的数百个藏金洞的秘密

中国人对马科斯总统并不陌生，他的全名叫费迪南德·马科斯，是菲律宾第六任总统。这位军人出身的总统，在1945年时被麦克阿瑟任命为北吕宋八省行政官，1965年当选总统，后来一直当了总统20年，是位出了名的“贪污总统”，据说他家族的财产达数百亿美元。这位穷小子出身的菲律宾总统，为什么能有这么多钱？其秘密就是与日本侵略中国、掠夺中国有着直接关系。

说来话长。

1895年10月7日,30名日本刺客突然闯入位于汉城（今韩国首尔）的朝鲜皇宫。他们进入明成皇后的住处，用刀砍死两名侍女，并把皇后团团围住。当宫廷大臣试图掩护皇后时，一名刺客砍掉了他的双手，毫无防御能力的皇后被这群野蛮的日本刺刀追砍着，在一片哀号声中，皇后被拖至宫廷外的花园里，后又被浇上煤油活活地烧死……

日本因此颠覆了朝鲜皇朝，其理由是：当时的朝鲜皇帝高宗是个性格懦弱的人，为皇后及她的派系所控制，而皇后与中国友好，并结盟对抗日本。日本人通过如此卑鄙的手段从此控制了高宗王朝，开始将枪口直接对准中国——甲午战争全面开始，日本人又让腐败软弱的清朝政府忍痛割让了山东、台湾等地，赔偿无数银两。

朝鲜从此成了日本人侵略和掠夺中国与亚洲财富的“人力资源地”。从1895年到1945年的50年间，日本强迫了600多万朝鲜人为日本当劳工，其中近100万人被送到日本本土，其余的被送到菲律宾等地，干什么去？挖洞藏偷来和掠夺来的巨量黄金与宝物！

日本人残忍的行径何止是南京大屠杀！ 1945年8月24日，日本即将战败，他们将5 000名朝鲜劳工装到名为“浮岛丸”号军舰上，说是送朝鲜人回家。军舰开进大海后，日本人用炸药在船的外壳炸了个洞，军舰很快沉没，5 000名朝鲜人最后只有18人幸存下来。56年后的2001年8月，仅有的15名幸存者向日本政府提出战争赔偿，日本京都一家法院判决政府必须向每位原告赔偿300万日元——不足3万美元！法院判决同时决定，“日本政府没有必要为该事件道歉”。

朝鲜是小国，日本人看中的是有着五千年文明历史的中国。中国才一直是日本这个侵略成性的国家的根本目标。后来他们采取同样卑鄙的手段，制造了“九一八事件”。“满洲国”是为日本侵略和掠夺中国所建立的桥头堡。东北三省，被日本人掠夺和抢走了多少财富？听听末代皇帝溥仪本人的“苦念”便知一二：“我从宫殿皇家收藏中拿走了最有价值的字画和古董，假装是给我弟弟溥杰的，其中包括了乾隆的玉玺和数以千计的手稿、字画。”“有六个月的时间，溥杰每天放学带一大捆回家。我们拿的是藏宝中最好的。宫廷管家们及我的老师正好在清点这些字画，我们就把他们选中的最珍贵的拿走。除了字画外，我们还拿了许多珍版的古籍。我们拿走的应该有 1 000 多卷幅，200 多挂幅和画册中的画页，还有大约 200 册宋工的珍版印刷书籍。”这些宝物，后来都到了日本人手里。值多少钱？几个亿美元？如果用今天的价值来计算，不会低于数十亿美元。

溥仪之“偷拿”出的宝物，与日本人在中国数百个城内实行的大抢劫、大掠夺相比，又能算得了什么呢？

在南京审判谷寿夫时，我看到判决书后面的附件中有大量关于日军抢劫财物的案例，如：

民国二十六年十二月十四日，凤游寺十一号商民沈秀荣被拉伕至今生死不明。同月十日晚，日军复率多人，将沈秀荣家所有家具及财产抢掠一空。（证人华云喜、沈王氏）

民国二十六年十二月十四日，在凤游寺抢劫商民王加德所有家具财物等件。（证人方述福、王韩氏）

民国二十六年十二月二十日，在白下路穆家巷一号抢劫胡廷珍家所有财物，将阖家老幼痛殴后纵火焚烧房屋，并将胡樊氏掳去，至今生死不明。（证人胡廷珍）

民国二十六年十二月间，在大石坝街五十号抢劫国医石筱轩名贵书籍四大箱、字画古董两千余件、木器四百件、衣服三十余箱。（证人石筱轩、张玉麟）

…………

南京是历史名城，六朝古都，又是当时中国首都，且不说“老蒋”的家底有多丰厚，单说民间人士就有许多藏有古玩者，富商豪绅又有千百家，他们的家藏在日本人占领时，几乎都与上面的这些受害者一样，不是被日本人抢劫一空后一把火烧得精光，就是强行逼其交出宝物后一刀戳去，连命一起全部被这帮强盗抢走。

日本人在1937年占领了两座中国最富有的城市——上海与南京。在上海到底掠夺走了多少黄金和宝贵财富，只有哭泣的黄浦江说得清。我只听自己的舅舅说，当年他的父亲——也就是我的外公的一个有生意往来的商家，其家传三代的瓷器藏品300余件（多数是明清官窑珍品），无一例外地被占领军日本人抢走了，留给这户商家的仅有的几件红木家具，解放后还换了数万银元。

上海大户人家当时以为日本人打来逃到法租界可以避难，上海沦陷，许多人带着“宝贝”又往首都南京跑，哪知不到一个月南京又被日本人占领。有些人根本没有再从“首都”跑出来，成了日本人刀下的“死鬼”。他们积蓄的宝物都到哪儿去了？莫愁湖无言回应，倒是远在东洋的日本人在日后笑谈中露出了马脚——是他们的“兵哥”带回了家。

日本人对南京城感兴趣的有两点：一是作为中国的首都，能够占领它，可为日本国扬威；二是南京乃一国之都，古国六朝王宫在此，有无数人间奇珍异宝。

向南京开战之时，裕仁天皇便将姑父朝香宫鸠彦派到前线，任进攻南京的最高前线指挥官。进城后的日本官兵忙着杀人放火强奸妇女，可天皇及其亲信们则忙着另一件比大屠杀更“快乐”之事——抢夺南京政府和南京民间财富！

这一行动是有计划的，名叫“金百合”计划，直接受皇室指挥。执行这一任务的是一支编制人数超过一个联队的宪兵队。该宪兵队一进入南京城，行动十分隐秘，专门负责扣压所有中国政府财产，炸开银行的库房，抢劫富豪及中产阶级的商人、店铺和专业人士家藏之物。“据说，在这一阶段，秘密宪兵队至少收集了6000吨黄金。对这个问题的历史研究显示，官方报道的掠夺数量往往只是实际数目的一个零头。另外还有无数中国人喜欢储存的小金块、白金条、钻石、红宝石、蓝宝石、艺术品和古董等也遭抢劫。这些是日本军队从私人家里从农村的坟墓里盗的。日本人做得如此彻底，甚至连尸体镶的金牙也敲下来。”西格雷夫夫妇在《黄金武士》一书中这样记述：“宪兵队忙于洗劫房屋——搬走家具、镜子、地毯，装箱，通过铁路运往日本。‘金百合’别动队——日本特务机构的精英则把注意力集中于银行老板、行业协会首领、连锁当铺老板及帮派老大，所有这些人的身份事先都早已弄得一清二楚。特务们就靠敲诈勒索来控制这些富人，如果不从，死路一条。这种方法很灵，许多想活命的中国富商与收藏家们，只得把自己的金银财宝‘献’给日本人。”

普通的中国人只能看到大街上血流成河的屠杀景象，他们凭着血肉身躯与日本军人对抗，他们因此认为日本人就是“鬼子”。然而他们哪里知道，真正的“鬼子”是那些趁着天黑、趁着大火前去抢劫和见了大老板去威胁的“特务别动队”。有个南京老乡告诉我，他听爷爷讲，当时日本军队里有几支部队平时并不杀人，但见了好房子、大房子，便会采取全副武装的封锁包围，然后进去捣鼓好一阵才走。有时看到日本人把这些好房子、大房子包围起来后，又派数辆车子装东西，而且干得非常神秘。“这一定是搬走了值钱的东西。”这位老乡说。

日本人抢夺了中国那么多黄金和宝贝放到哪里去了？自然首先是运回到了日本本土，据说麦克阿瑟的盟军占领东京后，美国大兵们开着车子在废墟上行走时，突然会被某种东西卡住车轮，结果下车一看，通常会发现是一些落满灰尘的金银器皿，而且多数是中国等亚洲国家的东西。有一次一个美国大兵在废墟堆上发现了一块亮晶晶的“石块”，拿起来用衣袖擦了擦，嗬，原来是一块价值连城的钻石！

这样的事在盟军占领日本时，几乎每天都有，甚至连日本百姓都有幸遇到这样的好事。麦克阿瑟将军作为占领军的头目，他的部队和他自己到底从战后的日本人手里获得多少黄金和珍宝，只有天知道了。不过，战后越来越多的事实证明，日本人把相当一部分从中国等国抢来的黄金和珍宝送到了菲律宾，藏在了这个海洋之国的许多神秘地方。

菲律宾所处的地理位置，本来就很神秘，大海使它与大国之间隔着距离。15 世纪西班牙人就已经发现这个国家是个天然的物品中转站。尤其是马尼拉更是个完美的藏宝地。早在西班牙人统治的时代，囚犯们在马尼拉的地下便挖了纵横交错的隧道，更不用说马尼拉后来成为东西方世界的货物中转站后，这里的诸多地下工事如教堂的地下室、修道院的秘藏室及古要塞的地牢，还有陵墓，都成了冒险家们藏宝的好地方。日军占领菲律宾后，马尼拉的这些地下宝窟，便被合理利用并进行坚固改造，通常是得到了更大的扩建。据说 1941 年后，日本本土上能藏宝的地方已经没有多少可选择了，于是日本天皇派遣自己的亲兄弟和皇室亲信，带部队和众多工程师来到菲律宾，进行了有计划的藏宝行动，具体操作此项任务的，就是黑社会势力背景的“金百合”行动队。

选择藏宝地是关键。“金百合”计划周密，是日本皇室的核心机密，没有几个人知道到底那些朝鲜人在成天挖工事是为了什么。苦力和劳工们被告知那是军事工事，一旦“军事工事”建成，这些劳工就被以各种方式骗到一个地方，通常也是在山洞或地下某个地方，以庆功、喝酒为名，然后将几尺厚的铁门一关，再放上几颗炸弹……这些劳工再也见不到了。战后几十年，菲律宾马尼拉还时常发现一些地下洞穴里遍地白骨。著名的圣奥古斯教堂的地下室墓穴里就一下发现了 45 具身着牧师服装的尸体。这些尸体埋得很浅，多数人的双手反绑着，全是刺刀刺死的——枪声也许被禁止，怕上面能听到。就在这个墓穴旁，人们发现了一个藏金室，当然是日本人的藏金室。

“二战”结束后，日本政要与美国占领军之间的谈判是秘密的，其中核心内容就是日本必须向美国交出“藏宝”的地点和数量，以换取美国对日本的保护。日本不得已，只好将相当部分抢夺来的黄金和宝贝交给美国，而美国也没有食言——将日本国“好好地保护”了起来。

写至此处，笔者内心不由得产生无限悲愤，因为战后几十年里，美国政府因为获得了当年日本侵略者从中国和亚洲等其他国家那里掠夺来的丰厚黄金与其他财富，不惜丧失一个战胜国的正义感和责任感，任意地纵容日本右翼势力在通往恢复军国主义的道路上越走越远，并时时与中国和亚洲广大爱好和平的国家、人民为敌。这是何等的悲哀!

这份悲哀，让我想起了当年大战犯东条英机临死时托两个美国律师写下的所谓“告全世界”的遗书，其内容正是东条英机所希望的要求美国“好好保护日本国”的全部愿望，而且从战后几十年来的事实证明，美国历届政府真的把东条英机的这一“遗愿”执行得不折不扣甚至更“完美”。

还有什么比这可悲的?

我们再回到菲律宾的秘密藏宝地。日本战时在黑势力和皇室的直接指挥及参与下，数以百计的装有黄金及其他财宝的船舰，从中国等港口，驶向菲律宾，驶向马尼拉。后来史料证明，日本在菲律宾的藏宝工程，光动用的每个藏宝点上的总工程师就达 175 名，也就是说，日本在菲律宾建筑的藏宝地至少在 170 个以上。而这些秘密藏宝点，即使战后几十年了，还有些仍然没有被发现，原因是日本人对“老大”美国也是留了几手。但这又让另一个“主”产生了强烈的欲望。此人就是菲律宾第六任总统马科斯。

马科斯是个强权派统治者，他就是借着打压国内的共产党组织而起家的。当上总统后，据说花了大量精力在寻找日本人留下的巨额价值的秘密藏宝地。自家地上，又挖又掘，实在不行，就用炸弹炸。炸不开的就派军队挖，于是马科斯领导下的菲律宾军队，据说很有一套挖洞本领。

日本人建挖的藏宝洞神秘且难发现，这让马科斯费了相当大的功夫。不过，这对马科斯而言，并非特别的难事，毕竟在他的国土上，且他有军队和培植的家族力量，足够去探宝和挖掘那些神秘的藏宝地。于是十余年下来，马科斯的收益巨大，没几年，他的家族和国家金库迅速鼓起。一个不生产黄金的国家，竟然在20世纪七八十年代，经常向国际黄金市场源源不断地供应优质黄金货源。

美国人看到马科斯如此发财而生气、眼红，于是两个政府之间的公开与私下里的较劲，从此没有断过。愉快合作时，马科斯被美国政府奉为“反共产党”、“反共产主义”的英雄；不愉快合作时，马科斯就常常被美国暗算。最终，败下阵的依然是马科斯。

导致马科斯下台的对手是阿基诺。历史便是如此有趣。现在的菲律宾总统是马科斯的老对手的儿子——阿基诺三世。这位神情异常、表演能力极强的阿基诺，既不像父亲，也不像其母亲，倒很像是一个玩世不恭的花花公子，经常口出狂言。他与美国如此近乎，一再向我们中国挑衅，到底是何因？我们不得而知。是不是也与日本人当年留下的那些深埋在地底下的沾满了中国人民鲜血的黄金和珍宝有关？我们无法猜测。不过，美国人玩亚洲人的本领很高明。亚洲国家当清醒。

但我们也不能全怪美国人，人家是资本主义国家。有利就要图。这个利是谁给予的？日本人。日本侵略中国和亚洲夺走了我们太多的利益和财富，他们欠下的历史账，竟然在几十年后的今天仍然让我们受难的人民和国家难以追讨！

这太不公平！

36. 最可怕的文化屠杀

80年前的冬季，对南京人来说，是极端的恐怖岁月，又寒冷又阴潮的天气，更增加了古城居民的惶恐。日本军队无休止烧杀抢奸，使得整个城市充斥了野蛮和血腥，手无寸铁的百姓和放下武器的军人们，只能抱头逃命，连眼睛都不敢四处张望。而就是这个时候，有一大批特殊的日本人混杂在日本军队里进了南京城，他们不进银行，也不进商店，而是专门到图书馆、大学、政府机构以及那些书香气很浓的院庭，他们见书就搬，见寺院内的佛像和经书就运走，他们便是一支日本政府专门派出的抢收中国珍贵书籍和文物的“特别行动队”。这支队伍中还混杂着一些好斗的和尚，在占领南京之前，他们就在中国各地游历，与相关大学和学者及收藏者“交流”——其实是了解中国现存的珍贵图书和文物的收藏情况，以便能在刺刀下获得这些宝贵的文化财富。

1937年12月13日，南京被日本军队占领后，这支特别行动队很快在人们不注意的情况下悄悄溜进了金陵城。

最初的大屠杀的六个星期内，整个南京城处在腥风血雨之中，即使是再有权贵的人或再有学问的人，他们的心思全都集中在如何保住自己的性命，故而此时的一切身外之物包括金银财宝已经变得不重要了。我听南京的一位幸存者说，他家是个收藏世家，他父亲当时带着三个闺女和两个女佣人在家，哪知日军闯入他家，一开口便是要“花姑娘”。其父是旧式教书先生，怎能忍受强盗如此无理，便对日本军人说：你们如此兽性，猪狗不如！怎可见了女人就想淫事？日本兵听后哈哈大笑，说：那你不让我们碰女人，你还有什么比女人更好的东西呀？其父亲指指房子内摆设的数百件瓶子和挂件，说，这些东西你们可以换钱后到妓院享用一辈子！日本兵又笑，说：我们要玩新鲜的。这些破旧东西有什么好玩的。说着，举起枪柄和刺刀，“哐哐”一通，将这家收藏了三代的宝物全部砸烂撕碎，然后将老者一脚踢倒在地，一枪击毙。“花姑娘的有！”日本兵随后将这一家的五个女人全部奸淫了……这事被日本文物“收集”特别行动队知道后，非常生气，他们马上赶到这户人家，最后还是搬走了两卡车的书籍和文物。

“这样的事，在当时的南京街头，每天都能看得到。”上年纪的南京老乡告诉我。

更大的行动还在后面。当“特别行动队”对南京城内所拥有的文物和有价值的图书进行清查后，1938 年春，日本从国内调集了多达 1000 人的各方专家、学者，他们浩浩荡荡地来到了南京城，开始从浩如烟海的图书馆和大学城内及各个政府学术机构、寺院等文物所在地，系统地挑选那些珍贵的藏书与文物。尽管从 1937 年 8 月开始的日机大轰炸历时数月，蒋介石政府也进行了几个月的大撤离搬迁，但老蒋除了组织故宫文物的大转移外，其他的国家文物和珍贵藏书基本上顾不过来搬迁，军队忙着为蒋介石私人搬迁和政府机要部门搬运物品，怎能想到文物和珍贵图书的保护？因此，日本专家们一到南京，见那么多珍贵的藏书和文物，居然多数完好无损，简直喜出望外。

“要！统统的要！”负责抢运和收集珍宝的皇家亲信竹田宫对手下的“文物强盗”们如此说。

所抢文物和藏书，被分类、编号，再打包，再放入防水的箱子里，最好的被运送到裕仁指定的皇室，与抢来的其他黄金珠宝放在一起。其余的由日本各政府机构和学术机构分藏，甚至分到相关学者和教授个人手中。

1938 年的整个春天和夏天，日本方面从南京本地和上海等地方征招了 2 300 多名劳工，为这些藏书和文物打包装运，有的从上海港启运，有的则从青岛、天津等港口运往日本本土。400 名日本士兵一直负责这一任务。据说仅在上海装运走的南京城抢来的藏书和文物就达 300 多辆满载的卡车，其量众多，国之巨损也！

战后，中国学者曾向日本方面要求归还这些藏书和文物，但日本方面会仗着美国佬的撑腰，硬说他们没有“政府行为”，只有士兵和军官的个人行为，借此抵赖归还。事实上，美国盟军在占领日本后就发现了部分从中国掠夺来的藏书和珍宝，只是麦克阿瑟们对此睁一只眼闭一只眼，因为他们从日本人手中分得了一部分中国宝藏。现在我们知道，这些从中国掠夺走的文物和珍贵藏书，分别存放在日本皇宫、皇室内厅、靖国神社、东京科学博物馆、东京美术学院、早稻田大学、东京帝国大学和庆应大学等至少 17 个地方。美国占领军当局其实公开过部分日本所掠夺的中国文物及藏书，至少有 300 万册，其中有许多如宋代绝本文稿，价值连城，为世界顶级文物。

在今天，日本图书馆仍是亚洲最好的，因为它装满了中国的珍贵图书。

战后的日本学者和大学教授们，一直将这些从南京和中国其他地方掠夺来的中国历史图书视为研究中国和亚洲文化与历史的首要史料与标本，为此日本专门在战后建立了“东亚研究所”、“东方文化研究所”、“东亚地方病研究所”等专业机构，他们的学者就是通过研究中国祖先留下的医学、农业、生物、经济、文化、军事等方面的经验与知识，从而为其战后日本的相关行业发展奠定坚实的基础。

日本人在南京的大屠杀，残害了 30 余万无辜的生命；日本在南京等地抢夺的珍贵藏书和文物，是更多、更广泛、更恶毒地残害和吞噬我中华民族的文化血液，其罪之巨，千秋难赦！

我辈晚生，应牢牢记住。

一位香港的收藏家曾经告诉我，他说在 20 世纪七八十年代，他一直在日本收藏中国瓷器，他看到和见到的日本国家收藏、民间收藏，其量无比，而绝大多数是中国货。这些宝贵的文物收藏是怎么到了日本的呢？只有一个解释：日本军队侵略中国时抢夺走的。事实也是如此。

在臭名昭著的“金百合”行动中，有个日本人起了极大的作用，他便是臭名远扬的日本黑手党顶尖人物儿玉誉义夫。此人受侵华将领土肥原的调派，到中国来专门负责洗劫中国民间艺术品和文物。儿玉相貌平平，矮小结实，却有一副职业打手的特征：满脸横肉、唇厚、眉毛浓，两只眼睛凶狠残忍。

在南京大屠杀还在进行时，儿玉便带着他的穿着日本军装的“别动队”在上海和南京之间的江南富饶之地——苏州、无锡、常州、镇江、湖州、芜湖等地的广大中小城市和民间，对当地的富豪、士绅进行威逼，要求他们将宝藏交献给日本天皇，否则就去见“阎王”。多数富豪、士绅在死亡与交宝二者间选择了后者，于是儿玉大发其财。

据说，儿玉还没进南京城，他所抢来的黄金和宝物因为太重、太多而把一架飞往日本的军用机给压塌了，从此他改为只收红宝石和蓝宝石及古书画，这样便于运回本国。

进了南京城的儿玉，就像掉进了阿里巴巴的宝窟里，他的那双闪着贼光的眼睛一直在流泪——狂喜的眼泪……而我千万家民众也跟着流泪，那是无奈和痛苦的泪、愤怒的泪。

日本军队进入南京城，是这座千年古城经受的历史上最严重的文化浩劫，这样的浩劫，从长远看、从本质看，绝不亚于30万人被屠杀的严重性——因为日本人借此对中国和中国历史及中国每一寸土地有了可靠的、全面的、深入的，甚至有些是唯一的了解和掌握，造成我中华民族几千年传留下的最重要的文化遗产和精神遗产没有了尊严，失去了独有，甚至完全丢失在异国他乡……这难道不是最严重的另一种大屠杀吗?

37. 恶果仍在继续……

日军在南京等地掠夺走的巨额的黄金、珍宝、文物与宝贵藏书。黄金和珍宝以及文化遗产，由于战后美国和日本私下的肮脏交易而让中国无法要求其归还和索赔，这就客观上直接支持了日本在战后用这些巨额资金与可贵的文化财富，完成了它战后重建及迅速发展国家经济命脉与文化强国的梦想。

饱受苦难的中国，在日本侵略的十几年后，国家经济和人民生活一直处于贫困中。直到改革开放我们用了几十年的努力，花费巨大的代价，才达到今天的水平。因为我们穷，因为我们的国家从甲午战争至1945年抗战胜利前的半个世纪里，几经日本和各帝国列强的侵略和掠夺。相反，日本在“二战”结束后，又在不到20多年时间里，迅速成为世界经济第二强，即使是今天，他们的人均生活水平远远超过我们中国。并非日本人生来就比我中华民族聪明，而是当战后的世界秩序重新恢复正常后，藏埋在他们国库和皇室里的从中国和亚洲其他国家掠夺来的黄金和白银源源不断地供应着他们的经济、军事、文化与教育、卫生等几乎所有领域的新建与重建，三井、住友、三菱等在战争中发横财的大型企业，战后不仅没有解体，反而获得了政府重新给予的战争利润，使得这些企业再度发挥了日本经济火车头的作用。即使如今，这些大型日企仍在世界各地为日本源源不断地赚钱……德国战败后，欧洲战胜国要求它赔偿了500亿美元（1946年的货币价值），而且德国政府后来又对残害犹太人等罪行进行了数百亿美元的赔偿。

日本没有。日本舒舒服服、安安逸逸地在战后继续躺在因战争铸造的黄金温床上和靠血腥抢劫而来的珍宝铺嵌的花园里，享受着阳光与海风的美好生活。在这样富有和舒适的生活下，他们一边从偷来的中国文化中吮吸着营养，同时又一边在各个时期、各种场合下，继续地蔑视、歧视和敌视我们，这就是这个国家的可耻。

然而这还不是根本的。最根本的令中国人民无法接受的是，他们竟然一次次变本加厉地企图否定南京大屠杀这已被历史和国际法庭判定的罪行，同时又一次次挑衅我们，野心再度膨胀，甚至决意要把属于我们的领土——钓鱼岛吞为己有。

日本今天在东海、在南海等问题上，不仅自己跳出来与我中国为敌，还拉拢东盟诸国如菲律宾、越南等与我作斗，其心险恶！

日本能如此行事，美国起了根本性的作用。这笔账我们要牢记。因为，如前所言，战后是美国人占领了日本本土，无论从东京审判战犯，到《旧金山和约》的肮脏交易，到《日美安保条约》的产生，到今天美国总统公然宣布把钓鱼岛列入美日安保范围，以及支持安倍政府解禁集体自卫权等行动，都说明了美国分享了日本侵华时所获得的巨大的赃款（不贬值的黄金白银和无限升值的文物），助长了日本右翼势力的膨胀和妄为。

绝非骇人听闻。美国当年竭力支持日本保留天皇制度、不追究皇室的战争罪行，背着中国和亚洲各国人民的正当权利，放弃日本的战争赔偿，皆为两个目的：一是增加美国国力和填满政要们的口袋，二是让日本成为在亚洲与中国这样的社会主义国家为敌并力争拖垮中国的“前哨阵地”。其用心险恶！

只有一个理由：美国统治者骨子里的与“共产主义”和“社会主义”国家为敌的天性在作怪。

人类从几千年前就形成了丰富多彩的制度形式，各个国家都有权选择适合自己民族的发展道路与制度。社会主义与资本主义并非天然的势不两立，它们可以并存共荣，今天的世界就是一个证明。然而美国政府的冷战政策一直主导着他们的外交思想和立国理念。为这，他们不惜与狼为伍、与贼交友，并共用侵略者和战争罪犯通过抢夺得到的黄金和白银来扶植反共、反华的势力。

西格雷夫夫妇指出：菲律宾藏金洞的发现和这些巨额财富的日后走向表明，“反共狂潮不是暗杀和美日共谋背后的唯一动因，另外一个重要的因素，就是共享从无须计数的抢来的大笔财富。强有力的证据显示：美国在日本建立了秘密政治活动基金，用来影响皇族、统治精英和黑社会，支持右翼政权，维持他们的统治。还有资料显示：起初在麦克阿瑟司令部高级军事官员控制下的基金，如基南基金，被用来贿赂东京战争罪犯审判的目击证人，几乎可以肯定地说还用作刺杀进步的政治家、左翼组织领导人的经费”。西格雷夫在大量调查采访基础上完成《大和王朝》一书时所获得的资料证明：“日本极右的政治首脑很清楚美国当时对共产主义的恐惧和反共的打算，于是积极而又策略地向美国靠拢。日本的民主化被颠倒，遭起诉的战犯，尤其是以岸信介（安倍的外公——笔者注）为核心的人重新控制了日本政府。岸信介的政党——自由民主党（简称自民党），是黑社会教父儿玉创立的，得到了儿玉在“二战”中聚敛的大量财宝的资助。华盛顿也全力支持自民党，并提供实际上是无限的、无须担保的基金。”

“从黑钱中来的成千上万美金，一旦在‘国家安全’的名义下，以这样秘密渠道流通起来，谁也不会去追查它的用途。无论罗斯福和杜鲁门总统最初的战略意图是什么，这些钱落入了那些腐败者手中，他们随心所欲地花钱，也不必担心会有什么麻烦。紧要关头有意煽动对共产主义的恐惧，转移了美日两国民众的注意力，使他们不至于对两国政府之间的交易产生疑问，国家安全意识不断被抬高，使得官员能够达成这些交易，并掩盖事实，不允许任何人去探寻，直到21世纪……”真得感谢西格雷夫这样有正义感，又能用毕生精力去完成对一个国家肮脏历史的调查的具有诚实和苦干精神的学者。他们把资本主义条件下的统治者最心底的那份丑恶告知了全世界。真让我们为之一快，为之清醒。

一个国家的清醒，一个民族的清醒是最大的幸事，因为它可以避免我们的国家和民族不再受到侵略与奴役，可以使我们更多的人的生命不再经历南京大屠杀式的悲剧。

中华民族需要这样深刻而了解内情的高度清醒。其实我们在这方面做得远远不够，甚至有些地方从来就没有做过什么。

回忆战争的痛苦，在于未来我们不再吃战争的苦头。

第九章　人鬼之间——侵华日军的赎罪自白

不应该说日本人都是坏人，即使是当年参与侵略中国的日本兵，他们中间也有相当多的人在战后慢慢地变成了有独立思考、基本判断的人，虽然战争让他们犯了罪，而且也由人变成了鬼——“鬼子”是中国人对日本侵略者的统称。鬼即魔鬼，将人变成魔鬼的是战争和那些制造战争的人，故而最有罪的是那些制造战争的人，日军侵华时在南京犯下的大屠杀之罪应归于当年制造这场战争的天皇和他领导下的日本国家机器里的决策者。

其实即使在今天的日本，真正敢于否认日本在“二战”时在中国和亚洲诸国犯下的滔天罪行，并企图重新复活军国主义的也就那些个别的右翼执政者，比如像安倍晋三，他的身体里所流淌的本来就是“二战”“准战犯”的血。问题是像安倍晋三这样的领导人，他不仅自己是狂热的军国主义复辟者，更可怕的是他借“爱国”、“强国”之名，将亿万日本国民拉回到“二战”前的军国主义旧轨道上，这才是最危险的。

国民是无辜的。然而当无辜的国民被右翼势力强拉到如“二战”那样的战争犯罪的轨道上时，国民也会变成当年屠杀南京市民的魔鬼，这是根本性的危险和错误，所以我们重新审视和认识日本侵华史和南京大屠杀事件，其意义便在于此。

中国人在不断重提南京大屠杀一事，是因为几十年来，日本没有对这场灭绝人性的事件真正认罪过，而我们中国人自己对南京大屠杀的认识和了解也是远远不够的。

中国人对南京大屠杀不该缺少的是那份真正的认识与认知。

日本人对南京大屠杀不该缺少的是那份认罪态度和彻底告别战争的诚心。

中日之间的漫长而深刻的对立，既是对历史问题的分歧，更是对现实和未来的相互不信任，我们认为责任当然是在犯罪的日方。然而日本在战后的几十年里尤其是近一二十年里，他们对中国一次次蓄意挑衅并否认其历史罪行的态度，不能不让世人感到严重担忧，这一点连曾经参加过南京大屠杀的日本老兵都很忧虑。因为其实他们也是战争的受害者，所以日本老兵对南京大屠杀的认识与忏悔，从另一方面更加证实了我们重新提及此事的意义所在。

曾根一夫，是一位于1915年出生在日本静冈县的战时老兵，他1937年应征入伍，参加了日军上海派遣军，当时是一名上等兵，直接参加了淞沪战役和南京大屠杀全过程，后来又在侵华的另外一些战场上作战过。曾根一夫对战争特别是南京大屠杀的忏悔，在笔者看来是非常严肃和认真的，他是位具有深刻反省意识的日本人。他对战争和大屠杀的种种剖析式的反思，不仅对当今的日本全社会具有教育意义，而且对我们中国人认识日本这个国家和他们的军队及他们的士兵都有不可替代的作用。

73岁时，曾根一夫写了一本叫作《南京屠杀和战争》的书，于1988年正式出版。在这本书中，这位日本老兵对日本为什么发动侵华战争和日本兵在中国特别是在南京进行屠杀、奸淫中国妇女等等罪行做了比较客观的自我剖析与反省，笔者认为值得尊重。因为曾根一夫说了很多人话，同时也披露了许多鲜为人知的鬼事。这是笔者在众多历史资料中，尤其是日本人写的有关南京大屠杀的相关文章中，所看到的最有价值的内容。

在日本投降之后，当时负责处理战败事务的日本政府的东久迩宫内阁在国际压力下，曾公开承认日本国对中国和亚洲诸国所发动的战争是错误的，并使用了“一亿人的总忏悔”这样的词。由于当时日本国民反省了战争的犯罪行为，所以很多日本人也有一定的共识：其国家的罪恶也有全体国民的责任，因此大家必须一起来为战争的罪行进行忏悔。与此同时，在当时的日本民众中也掀起了一阵搞清战争真相的活动。这样一来，认为“战争是罪恶”的声音突然一度变得高涨起来。由于来自各种立场的人从各种角度对战争罪行进行阐明，于是侵略战争这一怪物的真面目也渐渐变得清晰起来。正如曾根一夫所言：一直被神秘面纱所笼罩的日本对华战争，一下在公众面前变得很丑陋。让日本国民从此认识到：本来以为是为了东亚和平的“圣战”，其实原来是一场以侵略为目的的罪恶之战。而日本之所以对中国采取军事行动，其目的就是想将势力范围从狭窄的岛国扩展到广阔的大陆，即侵略他国领土。

“战争结束后，我从自主的立场上回顾了一下，发现我们是无论如何也没有胜算的。”曾根一夫说，“战争期间，我们被“打倒敌人”的口号所驱使，鲁莽地进行战斗，无暇去思考，但后来想想，这是一场欠考虑的战争。明明连中国这一个国家都不可能战胜，却把同盟国这一世界上的强国集团作为对手而战……因为进行了这样的战争，所以败北是很正常的。”

在中国战场，战场上的日本军人有以南京大屠杀为代表的众多残暴行为。曾根一夫忏悔说：“我也奔赴了中国战场，并乘势乱来，做了残忍的事情。首先是杀了人。虽然作为士兵在战斗中杀人是没办法的事，但我毫无理由地杀害了平民。我还从当地居民那里掠夺了粮食和其他物品，发现女性后作为战利品强奸了她们，还放火烧了民房。作为人来说，其中的任何一件事情都是不应该做的。我有时会想起曾经做过的这些残忍的事情，并想，中国人那时受到的伤痛现在已经消失了吗？这个问题的答案我渐渐明白了。”

曾根一夫的认识是正确的。有一件事，应该是发生在中国改革开放后的某一年吧，当时有一群曾经参加过侵华战争的日本老兵，由中日友好团体组织访华，日本老兵走访中国的不少地方，其中也到了上海的吴淞一带。当这些日本老兵沿着当年战争时他们所走过的路线走访上海和南京等地时，途中却发生了这样的事：一群日本老兵在一个当年他们与中国军队曾激烈战斗的村庄“重游故地”时，当地好奇的中国百姓纷纷围拢过来，结果一听是噼里啪啦的日本话后，有人连喊“东洋鬼子来了！”这让日本老兵极为吃惊和害怕，因为他们看到中国百姓中有一批与日本老兵年龄相仿的人用异常仇视的目光愤怒地盯着他们，就像当年中国的丈夫们听说自己的女人被日本兵强奸和霸占了一样做出憎恨与欲杀不能之状。

“老兵们看见这种情形时感到中国人受的伤痛还没有消失，并想起了自己在战争中的所作所为，惭愧得无地自容……我听到这些，心中的旧伤隐隐作痛。”曾根一夫以此例告诉他的日本同胞，“曾经有现代日本的政治家说过：‘就算战争中日军官兵做了过分的事，40年之后也过了时效了。中国把战时的事情拿出来对日本的行动说三道四属于内政干涉。’这肯定是错误的”。

曾根一夫认为，中国的“领土被日本军队蹂躏，很多人被屠杀，东西被掠夺，房屋被烧毁，妇女被强奸，遭受了以上种种巨大伤害的中国人民的伤痛是不容易消失的。日本人必须铭记，他们到现在还怀有怨恨。持这种想法的不只我一个人，很多去过中国战场的人都这么认为”。他以自己亲身的参战经历告诉世人：“在去过中国战场的人当中，大概没有一个人能够断言‘我完全没做坏事’，如果有的话，那是在说谎。即使没有干屠杀、掠夺、放火、强奸等穷凶极恶的事情，应该也干过偷田里的蔬菜和家畜之类的事。在中国战场上日军官兵的罪行就是如此之多。”

1987 年 6 月 20 日，在日本《朝日新闻》的“战争”主题访谈中，有一位与曾根一夫经历相似的日本老兵也曾经对自己为什么敢于面对世人承认自己参加侵华战争中所犯的罪行时，以掏心窝的语气，说了如下的“重话”：“苦闷于所犯罪行的重大，鞭策上了年纪的自己，今天一定要说出来，但是只能哀叹自己有气无力。……如果有人断言不是这样的话，那他就是衣冠禽兽……即使老伤疤里有污血涌出，我也要揭露可怕的恶魔的真面目，并祈祷尽早有更多的人下定不战的决心……”

20 世纪 80 年代，中日两国曾经在彼此的国家领导人的倡导下，出现了少有的友好与和睦，也正是这种和睦，使得一些曾经在当年侵华战争中受过巨大心灵创作的日本老兵和反战人士纷纷起来讨伐战争。“因为他们透彻骨髓地知道战争的全部。”曾根一夫这样认为，“日本的国民中最憎恨战争的是曾经在军队的底层经历过战斗的下级官兵，这么说也不为过。”他进而指出：“处于战场底层的下级官兵就是这么讨厌战争，他们已经受够了。”

关于战争的罪恶和可怕，曾根一夫自己说，他在各种场合都听过不同立场的人说起过，而关于战争给予别国人民所带去的罪恶，作为曾经参加过战场的他毫无疑问是最有亲身感受的。“去过中国战场的人会举出杀戮、掠夺、放火、强奸等事情。可怕的则是在炮击、机关枪和步枪子弹横飞的环境中战斗的恐怖感。我作为士兵在战争期间可以说罪恶的事情全都干过，也知道生命遭遇危险时的恐怖。回到国内以后，怯于美军投下的炸弹、燃烧弹的威力，有了不亚于战场的可怕体验。战争所带来的恐惧除了原子弹爆炸以外，我全部体验过。但有比这更可怕的事情，那就是对于中国人的残忍行为。生命遭遇危险时的恐怖感随着岁月的流逝渐渐淡漠了，但罪恶感则一直留在心底。因此，我觉得这是战争真正可怕之处。”

晚年时的曾根一夫，随着年龄的增长，对“战争犯罪”这一点的认识程度也在不断加深，并且不再像一些日本人那样遮遮掩掩。他剖析道：“我奔赴战场的时候是一个 23 岁的单纯青年，犯法的事情一次也没干过，性格比一般人还要胆小，杀个虫子都很难。这样的我当兵到了战场上之后，变得可以满不在乎地杀人了。干了在国内需要蹲好几年牢的坏事，却不觉得这是罪过。这不仅是我一个人，去过战场的人都大同小异。”

这位曾经的“鬼子”，他清醒而深刻地意识到：“比起在战场上官兵面临的危险来，战争的可怕更体现在单纯的年轻人在战争中趋于疯狂，做出残暴的事情这点上。从那以后，我就开始拿出勇气坦白自己犯下的罪行，和现代人一起反省过去的战争……”

1945 年 8 月 15 日，日本天皇通过广播，宣布了日本国投降的诏书，当时在战场上的曾根一夫与其他侵华日军的将士一样，当他们听到天皇的“诏书”内容后，第一个直接的反应是：为战争结束而长长地松了一口气。“我那天也在沿岸防卫队听了天皇的广播。也许是因为把灵敏度不高的收音机音量开得太大，所以杂音很厉害，没怎么听清楚，但当判断出是战争结束了之后，我想：‘太好了，这下战争结束了！’……从这时开始，日本的国民即使没有人教，但每个人都会自发地说：‘受够战争了，不能再发生这样的事了。必须让孙子和曾孙都知道这件事。’并倡导今后不再有战争。”

日本在“二战”投降后，在最初的一段时间里，即使是在日本国内民众中，普遍也都有了憎恨战争的反省，而且形成了在社会里厌恶战争的风气，那些曾经被当成活神仙崇拜的特攻队员也成为“落魄特攻队”。1946 年，日本国正式制定了《和平宪法》，宣布日本永远放弃战争，并且不能拥有军队。

大和民族因此也进入了反战的和平重建岁月。然而随着远离战争的时间变长，日本国内的右翼势力和军国主义渐渐抬头。又过了 10 年、20 年，战败时憎恨战争的国民心理又开始淡薄起来。如今不时出现一些颂扬战争的人，尤其是某些本来就是侵略战争的参与者和政策制定者们，想方设法开始企图掩盖其在侵略战场中所犯下的罪行并不断公开地美化日本的侵略战争。文部省对教科书的修改——“侵略”改为“进入”等等由此成为一种新的军国主义复活的趋势。

为何如此，曾根一夫给了我们一个清晰的解释：“掌权的人凭借这些法律随心所欲地操纵国民。这些法律的力量强大到让现在的人无法想象。士兵因为有《兵役法》等而另当别论，对一般人来说，如果国家觉得进行战争是必要的，可以根据法律强制征发人、物资和土地、建筑物。不管国民有什么样的理由都无法拒绝，而且连申辩都不允许。这些法律剥夺了国民生存、知情、收听、说话等所有的权利。”

据说，日本国内有为数不少的人在曾根一夫出版《南京屠杀和战争》一书后，攻击他是“胡说八道”，或称内容是“虚构”的。我们国内的一些学者也曾劝笔者“慎用”这类材料。对此，笔者有自己的看法：首先，我相信曾根一夫是个有悔悟的日本老兵，这比起那些在中国和亚洲土地上犯下大罪又不愿或不敢承认和忏悔的“鬼子”来说，不知好多少倍！其次，如果不是亲身经历，单靠“编”是编不出那些血淋淋的现场犯罪事实的。相反，掩盖罪行的人才是真正地在虚构历史，在胡说八道，在有意睁眼说瞎话。今天日本人中说中国“编造”南京大屠杀的人还少吗？

一个民族和一个国家不怀好意地颠倒和篡改历史事实才是最可惜、可恶的。在曾根一夫等广大日本国民看来，这好比“曾经有一个捕鱼的人和船一起被征发，并被派去太平洋上进行监视活动。他乘着树叶一样的小船，来到美军潜艇乱窜的大洋上进行监视。这就等于成了舰载飞机的攻击目标，和去死没什么两样。法律可以强制一个普通的渔民去做这么危险的事情”。

同样饱受战争之苦的像曾根一夫这样的人终于忍受不了被少数掌握国家机器的军国主义者“强奸”的耻辱，尤其是一部所谓的《国家秘密法》的出台，让曾根一夫这些经历过战争前后日本国情变化的老兵，不由联想到战前日本的黑暗一幕——“现在的日本是世界上最和平最安全的国家，为什么需要危险的《国家秘密法》呢？国民们满足于和平和自由的生活，并希望它永远持续下去，但国家高层为什么要向着危险的方向走去呢？难道他们想再次走上危险的道路吗？”

曾根一夫的想法，绝非是杞人忧天。再看一看又过了一二十年的今日之日本现状，难道不是曾根一夫等那些讨厌战争的日本国民所担忧的吗？

从根子上认识和反思战争，才能对诸如南京大屠杀这样的罪恶之源进行彻底的清算。曾根一夫为此做了如下的大屠杀反思——他说他的这种心灵忏悔式的“坦白”有时在回忆起战争期间干过的坏事时“很羞愧”，但说出来后又“异常解脱”。这是一个受过战争之伤又彻底厌恶战争的“鬼子”所说的人话，我们对此表示敬意。

下面是侵华老兵曾根一夫晚年时的“心灵独白”（小标题是笔者加的）——

38.“小鬼子”是这样炼成的

我在支那事变（即 1937 年“淞沪战役”）前就被应征入伍，从 20 岁到 30 岁多一点这段时间都耗费在了战场上。我到了战场之后作为一线人员在最前线进行战斗。

最前线士兵的任务就是直接和敌人战斗并获胜。因为要做胜利之军必须不断积累战斗经验，所以最前线的官兵作为一线人员，专门活动在战场上。虽然作为一线人员的官兵有相应的优越感，但也有很多讨厌的事情。

首先是杀人。因为是战场上的士兵，所以在战斗中杀人是没办法的事，但有时会杀一些无辜的平民。不仅如此，还干了掠夺、放火、强奸等作为人类来说不应该干的事情。当我回到正常的社会后，曾感叹自己居然能做出那么残忍的事情来。

我有时会想，如果我早或晚 15 年出生的话，就可以不用在战场上干残忍的事情了。虽然事到如今已经没办法了，但对我来说战场就是如此的令人讨厌。

…………

（体检完成后，曾根一夫便被指定到日军的联队，从这一天起，他开始了大约两年的现役军人生涯——而且都是在侵华的战场上的“鬼子”生涯。）

从这时开始就是士兵了。我对未知的世界怀着不安和担心进入了军营，军队比我想象的还要严格。我们入营的第二天就在中队礼堂集合，中队长对我们进行了关于今后军队生活的训话。训话中说道：“日本的军队是靠上下级之间的爱和信赖联系在一起的。上官怜部下如子，部下敬上官如父。要知道你们被编入的中队是军人的家庭，要把中队长当成父亲。班长是母亲。先入伍的二年兵是会和蔼地指导你们日常起居的兄长。”

（所谓的“二年兵”用中国话说，便是入伍第二年的老兵。）

我在入伍前曾听当过兵的人说过军队的生活，所以有点半信半疑，但还是松了一口气。然而进入军队实际生活了一段时间后才知道中队长的话全是花言巧语。中队长因为身处高位，所以和我没有直接关系，但是始终接触的内务班长和二年兵就像是可怕的魔鬼。刚入营的初年兵就像被魔鬼驱使的奴隶一样。

二年兵和初年兵虽然都是通过征兵而入伍的，身份一样，但上下的差别简直就是天壤之别。初年兵就像二年兵的仆人一样，二年兵的武器检修、衣服的洗涤和鞋子的擦拭等，这些事都由初年兵做。因为这些事情只能在日课（军队中白天的军事训练和授课）以外的时间做，所以初年兵每天都很忙。

初年兵一天的生活是从起床号开始的。起床的同时要整理床铺，把毛毯叠好，然后快速跑步去清晨点名场。因为是按到达的顺序排队，所以是一场竞争。清晨点名结束后，初年兵连洗脸的时间都没有，就要去参加刺刀术的晨练……

因为早饭前后要做这么多事，所以如果处理不好的话，就会在事情还没做完的情况下迎来日课的召集准备。一旦发出了召集准备，按规定就必须停下所有的事情，等待召集。如果那时还在手忙脚乱的话，值班的下士官会巡回过来怒吼道：“喂！不知道召集准备是什么意思吗？你这个笨蛋！”然后用木头枪敲打。

一旦进行召集，士兵的本业——军事训练就开始了。原本军队教育就很严格，我们入伍的时候正好受到满洲事变的影响，军队的教育方针是建成一支能够适应实战的军队，所以特别严格。因为上层人士的教育方针是“像敲打并锻造铁一样，士兵也要敲打并锻炼”，所以下层的军官也遵照该方针进行教育。

直接进行士兵教育的下级军官用“与其用语言教，不如敲打进身体”这样的话来激励作为助教的下士官和作为助手的上等兵，所以初年兵很辛苦。

因为对初年兵进行实战技术辅导的助教、助手是根据上述宗旨来进行指导的，所以比起语言来暴力先行。初年兵在军训中一旦动作没做好，他们就会怒吼："喂！不会按照我教的做吗？" 同时施以拳脚。

教训过之后他们会说："怎么样，疼吧？" 因为是尽全力殴打的，所以肯定是疼的，于是老老实实地回答："是的，疼。" 然后他们就会说："什么？这样就疼了？" 又是一顿敲打。下次硬撑着说"不疼"，他们又会说："什么？不疼？" 然后就一阵脚踢。

不管我们说什么他们都会找碴打个痛快，所以除了让他们打个尽兴以外别无他法。士兵中位于最底层的初年兵只能是对方说什么都对。

在军训中被严酷地训练，筋疲力尽地结束上午的日课后，回到班内来不及歇口气就要开始准备午饭了。吃完午饭也和上午一样，饭后整理、打扫，像小白鼠一样运动着。

下午的日课召集一开始，又要去军营广场和练兵场等地进行军训。

到了傍晚，军训结束回来后的第一件事就是擦鞋，当然还必须准备晚饭。晚饭在家里的时候是最放松的，但初年兵是没有时间去品味饭菜的。在饭盒里的饭上浇上豆酱汤，然后就只是嚼。如果慢慢地咀嚼品味的话，二年兵就会瞪着你，那样子就好像要说"你这家伙，太松懈了！"

晚饭后到晚间点名这段时间必须进行班内的清扫、步枪和刺刀等兵器的检修。如果稍微浪费了点时间的话，仅仅做这些事都来不及。

衣服都是晚间点名结束后等熄灯了再洗。如果像现在这样用洗衣机洗就太简单了，那时是用手洗的。熄灯后在室外的洗衣处，在小雪纷飞的环境中洗衣服，自来水仿佛要把手冻住，很疼。洗衣结束后一天的事情就干完了，终于可以睡到床上去了。

"五尺的床铺加草垫，这就是我们做梦的地方。" 正如军歌里唱的那样，这张床对初年兵来说是无上的乐园。想念家乡和流泪也在这个时候。

以上就是初年兵在受教育期间的一天。这在一般的社会中是很难做到的，但是在军队里如果你说做不到的话，会受到暴力惩罚。

军队中长官和上级对下级加以暴力惩罚的事到了战后，在电影和电视中被表现出来，成了众所周知的事。以军队为主题的故事片中可以说必定会出现上官用暴力虐待下级士兵的场面。

有人说这是"为了宣传旧军队的罪恶而故意捏造出来给人看的"，但绝对不是如此。虽然根据年代和时期的不同而多少有点差异，但日本军队的暴力惩罚自从明治时建军以来，一直延续不断。

有过军营生活经历的人会有很多无法忘怀的回忆。虽然回忆的事情因人而异，但不管是谁，不管是哪个年代的人，同样都受到过暴力惩罚。有过部队经历的人中有人会说：“进入军队的第一年会毫无理由地被乱打一顿。在部队中生活过的人不管是谁肯定都经历过。即使没有打过人，也不会没被打过。如果有人说一次也没被打过，那是在说谎。”

我也可以肯定这点。日本军队中的暴力惩罚就是这么多。

暴力惩罚也有各种各样的方法，其中最多的是打脸，军队用语叫做“扇耳光”。“扇耳光”的方法有：用手掌打、用拳头打、用拖鞋皮带等皮革类制品打等等。因为是一个年轻男子用力打的，就算是用手掌打也很疼，如果用皮革制品打的话：一击之下疼得几乎站都站不住。到了第二天早上，脸就肿成了暗紫色，样子像个妖怪。这样一来不仅是外表，嘴里也肿了，连咀嚼食物都不行，真的是脸都变形了。虽然受到了那么残忍的暴力惩罚，但是去医务室治疗的时候却说谎道：“自己不小心摔了一跤，受伤了。”

因为如果如实地说“被打了”的话，打人者就会受到处罚，作为报复，他会进行更加严厉的惩罚。军医虽然知道这是暴力惩罚的结果，但都默不作声。军队里暴力惩罚的结果只能是被打者吃亏，然后哭着入睡。我当然也被扇过耳光。

那时在军队里有这样的传言：“初年兵入营后的最初五天是客人，接下来的五天是寄人篱下，过了十天就要被打耳光了。”说是传言有点夸张，但这是二年兵对待初年兵的规则。用更通俗的话说就是，“最初对他们好点。过五天左右就不要给他们好脸色看。过了十天就可以严酷对待他们了”。

我挨耳光也是入伍十天左右的时候。在我入伍前就听说过，知道军队里有暴力惩罚这回事，但那时的想法还比较天真，认为“再怎么样也是军队，不会乱拳殴打没有过错的人吧”。

那天晚上晚间点名结束后，前任上等兵宣布解散，我正想着“今天好像也平安结束了”，然后松了口气，这时一个二年兵走过来说：“初年兵们，等等。”暂停了解散。

那个二年兵在所有二年兵中是最低劣的那种人。他很了不起似的让全体初年兵排成一横排，然后站在队列前说：“我说初年兵们，知道你们入伍多少天了吗？你们准备当客人当到什么时候啊？军队可是给你们饭吃，给你们衣服穿，还给你们发薪俸的啊。你们可不能一直这么不知好歹。我来给你们鼓鼓劲。大家都咬紧牙关！戴眼镜的把眼镜摘掉！”

要我们咬紧牙关是为了打脸颊之后不至于让口腔内部受伤，让把眼睛摘掉是为了防止镜片被打碎。这样一来就是被扇耳光的前兆了。我心想“终于要被扇耳光了”，并以直立的姿势站着，从右边开始响起了拳头打在肉上的啪啪声。那声音很刺耳，让人很难过，感觉就好像是打在自己身上。正这么想着的时候，轮到我挨打了。在脸颊被打的“啪”的声音响起的同时，眼里金星乱冒，仿佛被烧灼的疼痛直冲脑门，让人头晕目眩。即便如此，我还是勉强用力站稳了没倒下。

此前我一直在想“岂能因为这点事就气馁”而努力让自己振作，但一想到“终于结束了”，热泪就突然涌了出来。那眼泪一直到就寝都没停。我也不知道为什么会流泪，后来想来，是因为毫无理由就被打而委屈的。

这是我入伍后第一次挨耳光。就像这样，在军队的集体生活中，即使自己没有过错也会被打。此后也经常会有因为一名初年兵闯了祸而导致全体初年兵附上连带责任而被扇耳光的事发生。军队里把这叫做“总耳光”。

士兵之间除了这种靠暴力进行肉体上的伤害之外，还有给初年兵带来精神上的痛苦的私刑，它是以一种对于施刑者来说嗜虐成性的方式进行的。私刑的做法根据兵种差异多少有点不同，但各个联队都大同小异。其中最常用的是“举枪”。当时部队用的步枪上刻有十六瓣菊花的徽章，被看成是天皇陛下赐予的。所以大家都很珍惜，晚间点名结束后要对检修情况进行检查。该私刑的对象就是检查时发现的那些检修不力的人。其做法是让在步枪的检修检查中被评为不良的人举起枪，并对着步枪道歉说：“我向三八式步枪大人道歉。陆军步兵二等兵某某因为偷懒没有做好步枪大人的检修工作，受到了二年兵大人的训斥。以后，不仅是在现役中，而且到了预备役和后备役都不会再偷懒。谨此发誓，请您原谅。”

如果这样就完了也没什么，但对于被迫举枪道歉的初年兵来说，接下来的事才叫痛苦。在对步枪说出原谅之前，无论多少小时都要举着枪，不能改变姿势。但就算是道一百万次歉，不会说话的步枪也不可能说出“原谅你了”。随着时间的流逝，步枪越来越重，举枪的手臂开始累了。举了一个小时以后，手臂就麻木得没有感觉了。即使如此也不允许把枪放下来。

光是这样肉体上就已经很痛苦了，再加上精神上的痛苦，让一个大男人觉得想哭。这样折磨之后，在放了他之前，还要扇一记几乎使脸扭曲的耳光。

对于检修步枪不力的人所处的私刑还有一种叫做“喂，哥哥”。其方法是把位于班内和中央走廊交界处的枪架当成妓院的窗格，把往来于走廊的其他班的士兵当成来来往往的客人，让检修不力的人模仿拉客的妓女边说“喂，哥哥，过来嘛”，边招徕客人。

因为往来的士兵知道这种私刑，所以不管对方怎么叫都不会有人过来。受刑者没办法只好出去拉人，这时过路人怒吼一声“开什么玩笑”，一巴掌打过来后就扬长而去。于是行刑的二年兵就会骂道“让贵客跑掉了”。行刑的二年兵只是半开玩笑，而受刑的初年兵却是很认真的。一个大男人被迫做了这种无聊的事情，所以懊悔也好，可耻也罢，最后会泣不成声。

像性质恶劣的游戏一样的私刑另外还有几种。其中有代表性的是“赛自行车”和“黄莺渡谷”。所谓“赛自行车”，就是让受刑者来到班内并排摆放的床铺之间，用双手支撑身体，然后两脚在空中转动，做出蹬自行车的动作。

虽然所做动作不难，但却是相当耗费体力的私刑。开始不到五分钟，手臂就会因为承受体重而很累，几乎不能忍受，脚的转动也会随之减慢，然后旁观的二年兵就会骂道“不许趴下。到上坡了，喂，好好踏车”，并嘲笑之。长时间做这种动作之后，即使是在冬天的寒夜，也会汗流浃背。不管体力多好的人都会叫苦不迭。

“黄莺渡谷”和“赛自行车”一样，也是利用床进行的。让受刑者趴到班内排列着的数十张床下面，每爬过一张床就抬起头来模仿黄莺的叫声。二年兵们这时就打趣他说：“喂，叫得好听点嘛。今年的黄莺叫声很难听啊。”“再叫得好听点给我们听听嘛。难道觉得无聊做不到吗？”

这种私刑没有肉体上的痛苦，但是精神上却都很难受。不知道这么无聊的事情是谁想出来的，还有一些其他类似的私刑。要是一一列举的话就没个完了，下面举最后一个据说在每个联队都上演过的“各班巡回”的例子。

这种私刑是用来惩罚擦鞋检查中被评为不良的人的。军队中规定，白天穿过的鞋子到了晚上必须把泥土和灰尘擦干净，再涂上保养油。擦鞋的检查在晚间点名后进行，如果马虎应付的话就会不合格。对于不合格的人施以的私刑就是“各班巡回”。

其做法是把检查中被评为不良的鞋用鞋带挂在脖子上，模仿狗的样子用四肢在走廊里爬行，把中队里的各班都转一遍，在各班门口停下来先“汪汪”地学狗叫，然后再广而告之“陆军某部二等兵某某偷懒没有好好擦鞋，受到了二年兵大人的训斥。谨此报告”。

如果只是这样的话还好，但是在所去过的各班总有坏心眼的人在等待着。那些坏心眼的家伙就像是找到了要弄的对象，责难道：“你这家伙，说什么没好好擦鞋？竟然还有脸来别的班。是不是饭吃多了，烟抽得烟油都快从屁眼里流出来了，所以没空擦鞋啊？或者是觉得无聊，不想擦鞋吧。如果你有那种混账想法的话，我来再敲打敲打你，让你学会擦鞋。”然后打耳光打得对方摇摇晃晃。这不仅是一个班，去哪个班都一样，所以等转完中队所有的班回来的时候，流出的鼻血把整个脸都染红了，容貌都看不清了。

以上所讲的不是特别的事情，而是军队里普遍存在的暴力惩罚。

39. 士兵——肉体武器

（曾根一夫当兵之前所接受的对自己国家的军队的认识，只有一个，即日本的军队是天皇陛下亲自统率的，是世界上无与伦比的皇军，但为什么会进行野蛮的暴力惩罚呢？后来他才明白。）

其源头是明治初期建军的时候，军官中有很多武士出身的人，为了锻炼应征进入军队的农民兵和市民士兵而使用了暴力。听说自那以来这就成了惯例，像传达事项一样，一直延续到了昭和时期。这可能不是使用暴力的全部理由，但这里仅作为理由之一列出来。

以前的明治、大正时期我不知道，但在我当兵的时候，使用暴力被认为是培养勇猛士兵的手段。我们这些作为士兵的人不认为自己是靠暴力成为了勇猛的士兵，但高层的领导们好像觉得士兵是要靠敲打才会变坚强的。把野蛮说成性格粗野，把性格粗野作为尚武精神，当成了教育士兵的基础。为了锻炼士兵而使用暴力好像就源于此。

有一个很好的例子可以说明这一点。我退伍后曾经有一段时间受了县知事的委托而担任了青年学校的教员。该校军事教育的成果每年要接受一次联队司令部军官的检阅。有一次作为检阅军官的少佐评价学生军训的成果时说："青年学校的军训从表面上来看有进步，但是内在气概还不行。你们所进行的军训只不过是在模仿军队。简直就是军队游戏。要想同时掌握技术和军人精神，必须要和军队做同样的事情。"这名少佐想说的是，不像军队那样进行彻底而严格的训练是不行的。

后来少佐和我进行了谈话，关于军队教育，他说了下面这番话："青年学校军事教育的目的是获得军队的预备知识，所以要求他们具有军人精神是不可能的。学校教育中只要表演有进步就行了，但军队教育必须要把普通人培养成军队所期望的士兵。为此需要暴力手段。"下面要讲的是以该少佐的话为主旨，我自己进行了加工润色的东西。所谓军队所期望的士兵，大体来讲有三个条件。第一，因为军队本来的任务在于战斗，所以必须掌握比交战国军队更好的战斗技能。第二，要培养不管面临什么样的艰难困苦也要克服它并一定要获胜的信念。第三，要做绝对服从长官命令的士兵。以上三点是军队所期望的士兵的绝对条件。第一点和第二点靠军训和演习来练就，关于第三点，主要是在内务教育期间使其牢记。

接下来我想讲一下服从问题，因为在养成服从习惯期间使用暴力最多。

军队所要求的服从，与其用“服从”这个词，也许不如说“盲从”更合适。位于军队底层的士兵严格按照长官的命令行动，被命令“向右转”时就转向右边，听到“前进”的号令就向前进，听到“停”时就停下来。只要这样做就行了。一味盲从长官的命令，专心做上面吩咐的事的人被看成是好兵。

“为了什么目的而前进呢？”“为什么必须停下来呢？”想要知道这些理由的人不是军队所期望的好兵。

先说点后话，当战争开始时前往战场的下级官兵不知道为什么要进行战争就参加了战斗。之所以能够像机器人那样忠实按照上司的命令“去！前进！战斗！”而行动，在看不到战争何时结束的情况下在战场上忍受了长达五六年的时间，是因为他们被培养成了军队要求的盲从的士兵。

下面回到原来的话题。要求征兵检查中获得甲种合格的人作为现役兵服役一定的时间，其目的就在于培养军队所期望的士兵。

被大家称为士兵的人因为是通过征兵检查在全体国民中征召的，所以入伍之前在地方上从事各种职业。国家和地方公务员、一般的工薪阶层、农夫渔夫、工商业者、演艺界人士、打短工者等，职业多种多样。

根据在地方上职业和成长环境的不同，贫富差异非常大，受教育程度的差别也极大，上至读过最高学府大学的人，下至义务教育都没有修完的人。各人的差异不仅如此，性格也是各不相同。其中有极端的叛逆者、思想上的左倾者、性格极其乖僻者等不容于军队的人。

就像这样，军队集中了有教养的人、没受过教育的人、性格健康或扭曲的人、温顺和不温顺的人等等各不相同、千姿百态的人。把这些人一律培养成军队要求的士兵就是军队的工作。

要做到这点，首先第一阶段，把入伍的全体初年兵一律降到最低水准，使大家整齐划一。为此必须剥夺各人在社会上所获得的教养、人格等。与此相反，对于达不到一定水准和没有干劲的人，则采取将其拔高的做法。为此使用暴力是最有效的。

初年兵一入伍，就被分配到各内务班，在内务班长手下和二年兵一起进行日常起居活动。这个内务班就是让初年兵整齐划一地达到某一水准的车间。内部班长和二年兵瞪大眼睛监视着初年兵的日常态度，并进行督导。对以学历为傲而摆架子的人，他们说：“士兵不需要过多的学问。你这家伙，狂什么狂！”然后使用暴力进行压制。看见叛逆者就施以暴力彻底打击之。对于那些落后的人则用暴力将其往上赶。这种暴力就是前面讲到的二年兵进行的暴力惩罚、私刑。军官们将其作为士兵间的私人惩罚，虽然表面上禁止，但暗地里是加以利用的。他们认为作为培养军队要求的士兵的一种手段，这是必要的。

入伍之后，不管是谁在第一年都会作为初年兵受到暴力惩罚，到了第二年则对下一批初年兵施加暴力惩罚。这作为每年的惯例在士兵间进行。看上去好像是单纯的报复，但在培养军队期望的士兵这点上具有重要的意义。虽然这很残酷，但进入军队组织内部后就只有服从。下层士兵不管多么懊恼，多么不满，都不能反抗。如果反抗长官和上级的话，有时会被判抗命罪而受到处罚。如果那样的话就是一次很大的事故。士兵入伍时被很多人欢送，并在大家面前豪言说“一心一意勤勉于军务，出色地工作”。既然说了这种话，就必须平安无事地期满退伍。为此只有成为糊涂兵。所以大部分人在现役期间都会觉得这是没办法的事而考虑处世方法，不管遭遇了多么委屈的事，都认为最好还是忍气吞声，不露锋芒。一旦有了这种想法，士兵就和没有思想的机器人一样，在长官的操纵下行动了。在此基础上如果学会了战斗技能并具有了军人精神的话，就成长为军队所期望的士兵了。

锻炼士兵的军营就是把普通人改造成为战争武器的肉体武器制造厂。花两年时间进行制造，一般的成品定为一等品（一等兵），比一般的要好的成品定为上等品（上等兵）。

在这里我想讲一下士兵的等级。

我当兵的时候，士兵分为二等兵、一等兵、上等兵三个级别。在支那事变过程中制定了伍长这一级别，位于上等兵之上，在这里略去不谈。我们那时候一入伍就全被定为二等兵。其后从成绩好的人开始依次选拔，升为一等兵，一年之内大部分都成了一等兵。其中成绩特别优秀的人升为上等兵。因为上等兵是士兵的最高级别，所以士兵中只有百分之几的人能成为上等兵。不光要成绩优秀，还必须操守坚定，其日常态度也是士兵们的模范。因此，当时成为上等兵是件光荣的事。因为不管哪个士兵都想升到上等兵这个级别，所以对于领导层来说，这是一个驯服士兵的诱饵。作为士兵来说，之所以能够在初年兵期间忍受屈辱，也是因为有想被选拔为上等兵的欲望。大部分士兵都能忍受初年兵期间的痛苦，但其中也有忍受不了而开小差和自杀的人。有一个和我一起入伍并被分入同一中队的初年兵，因为无法忍受暴力惩罚的痛苦而开小差，然后知道自己是逃不掉的，最后自杀了。在此暂且称他为 A。

A 是当时为数不多的上过大学的知识分子。他不仅头脑聪明，而且态度认真，所以被认为是初年兵里的尖子。长官对他的印象也不错，这样下去就可以成为干部候补生，被任命为预备役少尉。虽然说不上是缺点，但因为他是知识分子，所以说话的态度和一般士兵有点不一样。一般来说这在社会上没什么问题，但在军队中却被没学问的二年兵所厌恶。仅仅因为这点，A 就被一部分二年兵所憎恨，不管做什么都会被说成"狂妄"，挨的耳光是一般初年兵的好几倍。如果是像杂草般长大的人的话还能忍受，但是 A 因为成长环境比较好，所以有点懦弱，于是无法忍受而决定开小差。即使是像 A 这样的知识分子，想法也太过天真。虽然在熄灯后成功逃出了军营，但在他要去的各个地方都布有宪兵和警察的网，无处可逃。好不容易从网眼中逃了出来，来到了老家的村庄附近，但那里有一层更严密的网在等着他。于是 A 明白了即使逃了出来，在整个日本也没有他能够安居的地方了，然后就在海边渔夫住的小屋里上吊自杀了，以死来逃避。在被发现后，他的尸体被运回了军营，一直到化为白骨之后才交到他家属手里。那时我看到了来接收遗骨的他父亲的身影，知道了军队的无情。A 即使化为了白骨，开小差自杀的罪名也没有消失。他父亲就好像背负着那罪名一样耷拉着肩膀远去的情景，让人感到格外凄惨……

40. 杀中国人的"快感"

卢沟桥事变发生的时候，我已经作为现役兵入伍了。

得知事变发生时，我们正在爱知县丰桥市外的高师原演习场进行夜间演习。那时我正在离东海道线二川站较近的岩屋观音附近露营，等待着第二天早上拂晓战的开始。

看着奔驰的夜行列车的窗口亮着灯，我想"再忍一阵子就可以退伍了。到了那时，就可以坐着那火车回家了。好想早点回到地方上，成为自由之身啊"，并感到很伤感。这时，前往中队本部进行联络的士兵回来了，并带来了卢沟桥事件的消息，他说："据车站前面的杂货店老板说，日中两军在北京附近发生了武装冲突，现在仍在交战中。"

日中两军正在交战这一消息对士兵来说是很感兴趣的，但那时我没觉得是什么重大事件。只不过是想，"充其量不过是以清国奴为对手的小事情，没什么大不了的，过一阵子就解决了。"

不仅是我，那个时候大部分人从来没有想过自己要去战场。我们觉得"就算战斗状态会持续一段时间，但满洲有很多关东军的精锐，所以国内的军队大概没有必要特地过去吧”，认为这是和自己无关的事情。根据演习计划，我们跑步穿越了高师原，结束了持续数日的演习回到了兵营。这时才知道我们“国内大概不会派军队去”的预想落空了，国内正在陆续出动军队。

此后，我因公外出前往丰桥的途中，在镇子和村庄里看到上面写着“祝为国效力之君出征”几个大字的旗帜。在车站前的广场上，送别出征士兵的小日章旗像波浪一样挥动着，呼喊万岁的声音和助阵的军歌声如怒涛一般。

这样，城镇和村庄里的战时色彩日渐浓厚，但我们这些军营里的现役士兵却没有要打仗的心情。被召集去的官兵都是些需要特殊技术的部队人员，以及部队行动所需要的运输能力的补充，我们想都没想过竟然要进行以师团为单位的大动员。

但到了 8 月，华北的战火烧到了华东，上海方面燃起了战火。到了 8 月中旬，我所属的师团开始进行动员。从这时起，战争开始接近我们现役兵，并确定要出动了。

我们所属的师团完成了紧急动员，开始向上海方面进发。即使到了这时，我们这些下层的士兵也不认为会是一场大规模战争。我们想当然地认为：“上海是海军担任警备的地区，所以主角是海军，陆军只是配角。大概也就是在海军陆战队应付不了的时候去援助一下吧。”

就算是以陆军为主角进行战斗，我们现役兵在演习中也一直是以世界强国苏联为假想敌的，所以认为“清国奴还没资格作为对手”。因为有这种自负，所以觉得要去不擅陆战的海军陆战队就能应付的战场有点不太满足。

离开国内的时候，很多士兵都天真地预计“昭和七年的上海事变 30 多天就解决了，所以这次最多也就一个月左右吧。就算要多花点时间，也不会超过两个月”。但是，这种预计几天后就落空了。上海附近中国军队的守备森严，日军遭到了预料之外的反击，陷入了苦战。

作为师团的第一批人员，比我们还要早两天从名古屋港乘海军驱逐舰急驶的部队用一昼夜就到了黄浦江岸边，在吴淞毅然登陆后遭受了近乎全军覆没的损失。

在这支友军部队的苦战后，我们紧接着作为第二批登陆了。

我本来的性格是连一只虫子都不想杀死的，在剧里看到杀人的场面心里都会很难过。但这不是因为我正义感强或者充满了同情心，而是因为我比一般人都要胆小。

就是我这样的胆小鬼在征兵检查中被评为甲等合格，入伍当了兵。

军队这一组织直截了当地说就是以杀人为目的而设立的集团。因此，给士兵的任务就是杀人。和平时期的士兵为了备战，要练习开枪杀人，要掌握用刺刀刺人的技能，要进行将上述两者综合起来的战术动作的演习，借此掌握杀人的技术。

我也成了士兵，服现役的时候整天刻苦练习杀人，而且我的进步得到了认可，比其他士兵更出色，成了第一批被选拔的上等兵。也就是说作为士兵，我被认为比其他人更优秀。但是这只是在国内军队中进行模拟战斗时的情况，一旦面临实战，不仅不是优秀士兵，甚至连二等兵都不如，简直就是一个无能的兵。刚到战场就胆怯了。

我们部队登陆的地点和第一批部队进行敌前登陆战的地点一样，是吴淞铁路栈桥。自从第一批部队成功登陆以来，迟迟无法前进，所以与前线的距离很近。

当我们在码头进行登陆的时候，前线传来了很响的敌我互相射击的枪声。流弹不断飞来，呼啸着从上空掠过。因为是初经战场，光是这样就感到很恐怖了，其中还有子弹擦过身边打在附近的地面上冒起一阵烟。要是这个打中自己，一下子就完蛋了。每当这时我就变得很胆小，觉得“也许马上就完蛋了”，无法平静下来。

不知何处飘来一阵怪味。据士兵们说，在登陆地点附近黄浦江岸的广场上，友军的士兵正在火化阵亡者的尸体。

在其他人登陆期间我去看了一下，与其说是火化，不如说是将整个人体进行烧烤。在国内时，一具尸体也会让我感到可怕，但那一带好几百具尸体堆成了小山，从其中拽出几具投入熊熊燃烧的火焰中，只捡了些先烧好的部分骨头，剩下的大部分则在烧焦的状态下扔进了黄浦江里。

我茫然地看着这幅骇人的场景，这时烧尸体的士兵说：“因为我们中队全军覆没了，剩下的不到十人，怎么也处理不完。这么做已经尽力了。”在这里我知道了战场的可怕。放眼向周围看去，又发现了敌人遗弃的累累尸体。

在登陆战中，和我方遭受的损失一样，敌方的死尸也很多。越看尸体越多，是几十、几百具地堆放着，被酷热蒸得已经半腐烂了。不知是否体内充满了气体，全身像是快要胀破了一样，看上去稍微捅一下就会破裂。眼、鼻、口等处都生了蛆，密密麻麻地在蠕动着。

那时我看到这些就觉得很可怕，但是真正可怕的还在后面。既然作为士兵来到了战场，就不是模拟战争那么简单了。战场是决定到底是杀死对手还是自己被杀死的地方。说自己天生胆小或者是懦夫之类是行不通的。我想“我也没办法逃避杀人这件事了”，就开始担心起来。

我在吴淞登陆时亲眼看见了战场的残酷，被吓破了胆。然而第二天则看见了友军士兵刺死中国人的场景。

是用刺刀刺的。那时的军队中，一般被称为士兵的人用的武器主要是三八式步枪和刺刀。步枪是用来射击并杀伤对手的，刺刀是装在枪头，在接近敌人后再刺杀对方的。士兵在受教育期间被迫练习射击和刺刀术，都练得腻了。我也在现役期间接受过教育，清楚地知道要在战场上使用这两种技术，但是看到刺死人的现场，还是觉得非常残酷。

在吴淞登陆后，我所属的中队早早地行动起来，集结在同济大学校园的一角度过了一个晚上。第二天早上，我们士兵正在集合待命，突然听到附近其他部队的士兵说“抓住间谍了”，接着开始喧闹起来。

我是第一次看敌国的人，所以出于好奇去看了，被说成间谍的是一个60岁左右的老太婆。一看之下，老太婆步履蹒跚，怎么也想不到她能当间谍。她用莫名其妙的语言不停地说着什么，并低下了头，好像是在哀求说：“我没干过间谍这种无法无天的事情，是良民。放过我吧。”

看见老太婆那样，我觉得很可怜，想去救她。本来想说“我说，这样的老大妈是不可能当间谍的，放了她吧”，但是被杀气腾腾的士兵镇住了，没说出话来。士兵们围住了老太婆，开始商量杀她的事情。这时一名上等兵出现了，他说：“我来刺死她。”

上等兵看上去还年轻，大概和我差不多年纪。好像是在境遇比较好的家庭出生长大的，外表很斯文。光看外表，根本不像是杀人恶魔。因为他说了句“我来刺死他”，我吃了一惊。他不仅说了，而且还端起刺刀对着老太婆大喊一声：“呀，嘿！”刺刀随着呐喊声刺进了心脏，连刀尖都从背部穿了出来。

老太婆“啊”地大叫了一声，然后就翻着白眼倒了下去。那白眼和旁观的我的眼睛对上了，我在老太婆的目光中感到了怨恨，于是慌忙将视线移开。

只是旁观的我都感到很难受，但是下手的上等兵却一副若无其事的样子。他把奄奄一息的老太婆踢进沟里，从口袋里拿出了香烟。我当时想：“这个上等兵是什么样的人品呢？”但后来想来，这不是人品的问题。他比我先来到战场，通过战斗成为战场上的士兵，那时我还不知道这个概念。

在一般社会生活中如果杀了人的话，会作为穷凶极恶的罪犯而受到刑法很重的处罚。不仅如此，在社会上也会被加上“杀人的恶魔”这一臭名。这是在普通社会中生活的普通人的常识。与此相反，战场是人与人互相杀戮的场所。但是前往战场的士兵在成为士兵之前是普通社会中的普通人。虽说成了士兵来到了战场，要杀人也不是很容易的。

要杀人就需要经历战斗，使人的正常心理失常。士兵们将其称作“从普通人变成了战场的士兵”。

在上等兵刺杀老太婆的那天晚上，我来到前线首次参加了战斗，第二天杀了敌兵，终于成了战场上的士兵。这么说起来似乎很简单，但是从抵达最前线到杀一名敌兵这段时间里做的事，想起来都令人羞愧。那天决定要夜袭敌人的阵地，后来回想起在等待夜袭那段时间的心情，发现是难以用语言和文字来表达的复杂心境。

我试着分析了一下那种复杂的心情。突入敌军阵地后就成了白刃战，必须要杀死敌兵。有一种恐惧心理。虽然平时觉得中国兵很弱，看不起他们，但是一旦要战斗就害怕起来了。想到也许自己会被杀死，就有一种不想死的念头。虽然如此，但如果要是做出没出息的举动的话，又担心会被其他士兵嘲笑。

好像还有一些其他的想法，但记不清了。这些念头在心里错综复杂地闪来闪去，让人心神不宁。以那样的心情等待前进命令期间很是难过。我那时想，死刑犯在被宣布行刑后等待处刑的那一刻可能就是这种心情吧。

前进的命令下达了，从同济大学校园来到广阔的田野，飞来的敌人子弹越来越密集。有“枪林弹雨”这样一个形容词，完全如此。

因为前线就在附近，所以有子弹从低处掠过。我们匍匐着，但是子弹还是像骤雨一般擦着头顶飞过。子弹打到不足一米高的棉枝上，棉花被弹得飞起来后落到地上，更低的子弹则打进了身旁的土里。我要是中了这么一枪，人生就完蛋了。这时的心境是：哪怕去的地方是地狱般的地方也好，一心就想着早点到达。

到了目的地，来不及松口气休息一下就对敌人阵地展开了突击。到了这个阶段，我做出了丢脸的事。虽然突入了敌军阵地，但是没有要刺死敌兵的想法。我像闹着玩一样四下里挥着刺刀小跑着。当意识到“这里是战场，现在在交战中”时，突然对自己的行为感到羞耻起来。为了在其他士兵面前保住面子，我要起了滑头，心想“为了体面，得先在刺刀上涂上血”。

我观察了一下四周，发现有五六具敌兵尸体。当我准备刺其中一具，用刺刀对准他并摆好刺杀的姿势时，看上去是尸体的人突然起身，并用跳跃一样的姿势跑起来。从那样子来判断，好像是没来得及逃走所以装死，当我用刺刀对准他时，他吓了一跳，才开始逃跑。和敌兵一样，我也吓了一跳。当我吃惊于被认为是尸体的东西突然跑了起来而发愣的时候，敌兵逃走了，我的滑头没有要成。

我在现役期间刺杀技术进步很快，水平在中队里屈指可数。以那样的技术，刺死一两个敌兵应该毫不困难，然而却失败了。后来想来，是因为那时我还没有成为战场上的士兵。我心中正常心理和士兵心理共存，正常心理对士兵心理想要做的事感到害怕，从而妨碍了行动。

虽然我做了丢脸的事，但突击成功了，并夺取了敌人的阵地。那天晚上我们停止了追击，在占领的敌人战壕内过了一晚。

早晨的阳光照了进来，战壕中的情况映入了眼帘。可能是因为敌兵慌忙退却，所以步枪、弹药等武器装备都被遗弃了。在到处散乱着的武器中，能看到敌方丢弃的尸体。从尸体来看，部署在这个阵地上的中国军队不是正规兵。好像是拼凑起来的人，年龄不一，服装也是五颜六色，穿着卡其、深蓝等颜色的衣服。

四下里看了一下尸体，里面有人看样子是有两三个小孩的父亲，已经年过 40 了，露出的牙齿看上去很可怕，让人背部阵阵发凉。其中还有十五六岁的少年兵。看到孩子一般的脸，感到他们在天真无邪地睡觉，令人觉得可怜。

我想：“这些人大概是把妻儿、兄弟留在家乡而来到战场的吧，临死前一定也想着他们，把心留在这世上而死去的吧。”并开始起了同情死去敌兵的念头。想起昨晚放跑的敌兵，心里想“幸好放跑了他”，于是松了一口气。

用随身携带的饭盒里的饭解决了早饭后，攻击前进的命令下达了。这不是对整个部队，而是对昨晚为打扫小型的敌军阵地而留下来的我所属的中队。虽然是小小的战斗，但对我来说却是重要的战斗。

昨晚的失态因为黑暗的缘故没被人看到，这次是大白天，如果再做出丢脸的举动的话，以后会一直被别人当成笑柄。我下定决心，“这次一定要把反复练习的本领发挥出来”。

但是这么下决心只是在行动之前，突击进入敌人阵地后和昨晚一样。等我意识到的时候，敌兵已经几乎全部撤退了，战斗即将结束。我漫无目标地瞎挥着刺刀前进。

在我意识到“又失败了”，并想着“得想办法挣点面子”而四下里观察的时候，发现正好有一名敌兵连滚带爬地在逃跑。我想“这是武运之神赐予我的良机”，终于起了杀心。

“岂能让好猎物跑掉”，我这么想着并追上去做出了刺杀动作，但是又一次失败了。要是平时的话是不会失败的，但是因为焦急和用力过猛，时机没抓好，刺出的刺刀没扎到敌兵，刺空了。即便如此，如果下一刀能把对方刺死的话也行，但是我因为用力太猛而扭了腰，腰腿瘫软。在我挣扎着想要站起来的时候，敌兵逃走了。

这时又有一名敌兵跑到了我跌倒的地方。敌兵可能是因为逃跑落后了而发慌，没有注意到我的存在，走近到快要踩到我的地方。我一惊之下看去，敌兵也注意到了我，用闪闪发亮的眼睛瞪着我。我被他的目光盯着，不由得移开了视线。与此同时我想“危险”，然后就自然而然地将刺刀向前刺去。

然而，下意识刺出的刺刀有了刺中人的反应，在一声奇妙的声音响起后，我终于神志清醒了起来。定睛一看，敌兵简直就像自杀一样，扎在我刺出的刺刀上。那时虽然是下意识的动作，但后来想来，好像是在觉得“危险”的同时，保护身体的意识自然启动，并化为了行动。正好我刺出刺刀和敌兵跑过来的时机一致，所以刺中了。

在我吃了一惊而行动缓慢的当口，敌兵倒了下来，我被压在了下面。我想挣扎着推开他，但是力量不够，无法动弹。

就是那个时候。敌兵流出的鲜血洒到了我身上。我的皮肤一感触到微温的血，就有一阵来历不明的战栗像电流一样流经了我的体内。在这种麻痹感消失的同时，似乎有一股强大的力量涌了出来。我觉得突然变强了，踢开倒在我身上的敌兵，岿然站立，很有气势地大喊了一声“太好了”。后来回想起那时的感觉，好像有某种强大的力量移到了我身上，使得迷乱的情绪消失了。喊“太好了”的时候，和战国乱世的年轻武士高呼胜利是一样的感觉。

我在战场上经历初次杀人可以说是受伤的功劳，但是以这次杀人经历为契机，我快速成为了战场的士兵。刚来到战场上时曾害怕过敌人的子弹，现在这种恐惧心理没有了，与此相反，涌起了一阵冒险的快乐。杀人也一样，开始觉得有一种快感了。发生这种变化之后，就从普通人变成了战场的士兵。其实此时已经失去了人的正常心理，成为了战争狂人。

41. 杀人越多表扬越多

“干士兵这行的好处是杀了人还会被表扬”，这是在战场上的时候士兵间流传的话。士兵说这话的时候也许是有些自嘲的意味。但不管怎样，在上司的眼里，前往战场的士兵的任务主要就是杀人。士兵只要去了战场，即使不直接杀人，也会以某种方式间接杀人。但是，就像前面讲到的那样，一般被称为士兵的人是通过征兵检查被征召的。虽然名称和外表是士兵，但和普通国民一样都是人。这样的人就算穿上军装拿起武器，也不能立刻成为可以直接杀人的士兵……但是到了战场上，就必须尽快消除这种犹豫。

为此，在以前线战斗为专职的部队中，一旦有新兵补充进来，为了使其早点成为战场上的士兵，会以活人为靶子让其试刺刀。作为活靶子使用的主要是投降的中国士兵，有时也会抓当地居民。就这样让士兵刺活人的身体，将其作为成为战场上的士兵的捷径。对于当活靶子的人来说当然是很残忍的，对于刺人的新兵来说也是一种严峻的考验。

我们这些在吴淞登陆的士兵从登陆那天起就投入了实战，没空去试刺活人，但是上海战役结束后从国内补充来的新兵曾经用这种方式体验杀人。我在往来于战场期间，曾经见过几次新兵试刺活人的现场。我记得第一次看见这种场面是在向南京进击的路上，在从无锡前往常州的途中。

我所属的部队在上海战役中始终处于第一线，失去了半数以上的士兵，武器损耗也很大，所以在进攻南京的战斗中是作为第二线前进的。但是，第二线也不悠闲，总是和第一线部队保持一定的距离和间隔，要能够根据需要参加到第一线中去。

早上从无锡出发，在向下一个目的地前进的途中，为了好好休整而进入了一个村庄，发现有一群先到的不知是哪支部队的士兵。那群士兵好像很忙碌地在做着什么。一看之下，他们在广场上竖起了木桩，把十几个看样子像是当地居民的人并排绑在上面。看到这里，我就知道是要让新兵进行试刺活人了。被当成活靶子的人看上去像是没来得及逃走的村民，其中还有老人、妇女和十四五岁的小孩。看上去一点也不像是犯了需要抓起来处刑的罪人。不问也知道这是新兵试刺活靶。在活靶旁边是一群年轻的士兵在待命。虽然外表和其他士兵一样，但仔细一看，是刚孵化出来的雏兵。怎么看都是刚当兵不久就来到前线的补充兵。好像还没上过战场，从国内穿来的军服和新的一样。同样，心也和普通人一样。从那样子看来，我判断这些新兵一到前线就跟着所属部队前往南京。接纳了半是士兵半是普通人的新兵的部队为了使他们早日成为战场上的士兵，正在让他们试刺活人。几分钟之后，事情如我所料地开始了。

新兵们在上等兵的指挥下上了刺刀，和被刺的人面对而立。他们虽然在国内受教育时学过刺杀术，并为了适应实战刺过稻草人，但面对真人的时候情况就不一样了。虽然和活靶子面对面并端好了刺刀，但没有刺下去的意思。身体因为紧张而显得僵硬。看他们的脸色，似乎比被刺的人还要苍白。

负责指挥的上等兵下令“刺！”后，新兵们没办法，鼓起精神“呀！”地叫了一声，但身体没有随着声音动起来。就像靠近一个可怕的东西一样，他们畏畏缩缩地跑上去，战战兢兢地伸出了刺刀尖。

这样的动作是无法直刺心脏，一击致命的。不要说致命了，仅仅只是伤到了皮肉。对于被刺的人来说，就和被折磨死没什么两样。每被刺一刀都疼痛难耐而痛苦地叫唤。被刺的地方流出了鲜血，全身染成了暗红色，那样子就是个血人。这样一来，刺人的新兵们看上去有点动摇了。他们对被刺者的叫唤声和鲜血的红色害怕起来，刺出刺刀的力量开始减弱。于是上等兵怒吼道："喂！干什么那么软绵绵的，会被清国奴们笑话的。快点结果他们的性命！"他们没办法，只好拿出勇气，用刺刀乱刺一气。如果要推测一下这时新兵们的心理的话，似乎他们不仅是怕被上等兵斥骂，而且为了逃避叫唤声和血红色，也想早点结果了活靶子。新兵们对着活靶胡乱地瞎刺一通，看到对方的身体突然无力地垂了下去，便露出松了一口气的表情。到了这时，他们脸上才总算有了血色。

以上就是我在前往南京途中第一次看到新兵试刺人体的情景。新兵中也有以沉稳的动作按照刺杀术中学到的那样刺的，但这只是极少数，大部分人都不成体统。但是，通过这种杀人体验，他们快速地成长为合格的士兵了。虽然很残酷，但是因为士兵在战场上的任务就是杀人，所以才做了这种事。因此士兵一旦前往战场，首先要放在心上的就是学会杀人。能够杀人之后，其他士兵就会承认你是合格的，你就可以昂首挺胸了。

前往战场的士兵开始杀人的理由有很多，但另外还有一点就是士兵在战斗中杀人会被当成功劳而受到赞赏，这也会影响到授勋，是一件很光荣的事。前面讲的"干士兵这行的好处"指的就是这点。

士兵就是这样成长为战场上的士兵的。刚到前线时，大部分士兵都害怕子弹的声音，都是对血红色感到恐惧的人。随着战斗次数的增多，并经历过杀人，就变得能够若无其事地杀人了。士兵们把这种情况叫做"有了战场的胆量"。

一旦有了战场的胆量，就变得对杀人感兴趣起来。这样一来，对士兵来说战场就成了一个好地方。没有人伦、道德等麻烦的东西。是国家的法律都管不到的特殊地区。即使捅死了丧失斗志而投降的人，即使用子弹打死了无辜的民众，也没有人会有意见。杀人者赚，被杀者亏，如此而已。这就使得正常心理变得麻木，对杀人没有了罪恶意识，反倒引以为豪，开始吹嘘"干掉了两三个清国奴"。

在南京进行大屠杀的也是刚从普通人变成战场士兵的官兵们。我在前往南京途中遇到的新兵肯定也是通过试刺活靶而有了战场的胆量，在数日后占领南京时和老兵一样进行了屠杀。

南京屠杀是昭和十二年（1937 年）十二月，日军占领南京时大量屠杀中国人民的事件。

那时作为士兵正在当地的我们将该事件称为“南京残暴事件”。这不是官方的名称，只是一部分士兵起的称呼。之所以起这样的名称，不仅是因为在南京进行了大屠杀，而且在从上海附近出发到抵达南京的路上，发生了抢夺当地居民财物、放火烧民房、强奸妇女等残暴行为。

…………

下面我想讲一下屠杀。前面讲到我所属的部队是作为第二线前进的，在翻越了磨盘山脉后进人第一线并加入到战斗行列，但没经历什么大的战斗南京就陷落了。然后我们就在一片混乱的南京附近徘徊，最后在南京城外的小镇上安顿了下来。因为是这样的情况，所以我没有直接参与大屠杀，但是看到了其他部队的官兵进行屠杀的现场。说我们所在的地方没有进行明显的屠杀，可能有人会认为只有我们是比较特别的好士兵。但绝非如此。我们也在前往南京的途中杀过百姓、抢过东西、烧过民房、强奸过妇女。从士兵们说的残暴事件的角度来讲，我们不逊色于其他部队。之所以没有在南京进行屠杀，是因为我们所到地方的居民已经被其他部队在进攻南京时全部杀死了，一个人影也没有。因为地形原因也没有残兵，即使想屠杀也没有杀的对象。当时虽然闲得无聊而觉得好像少了点什么，但后来想想这是万幸。

在南京城内外进行的大屠杀即使少算点，在占领后也持续了十天以上。我所属的部队于 12 月 20 日移防江阴，到那个时候为止屠杀肯定是一直在进行的。我到附近去走动的时候，所到之处都可以看到大规模屠杀留下的痕迹。很多尸体层层叠叠地堆在那里。有时还会碰到无数尸体像山一样堆积起来的场景。

我自从在吴淞登陆以来，因为一直在上海激战，见过很多尸体，所以 50、100 具尸体的话已经没什么感觉了，但是对于南京附近屠杀后的死尸感到很吃惊。没有语言可以表达，实在要说的话就是“竟然能杀这么一大批人”。屠杀的现场我也看过几次，我只想讲其中的一次——

那是我们在南京城外安顿下来后过了几天的事情。我在去下关出差后回驻地途中看到了该情景，如果说世上有地狱的话，那么“这就是地狱”。现在我已经记不清具体是在哪个地点看到的了，但还记得是在下关往东走四五公里的一个广场，广场的北端是流淌的扬子江。在江岸的广场上进行了大规模的集体屠杀，呈现出了这个世界上的地狱。

我不知道进行杀戮的官兵属于哪个师团和他们的部队名，但士兵的话语中带有像是东北地区（指日本的东北地区）的方言。现在我只记得这么点了。但是，只有这个世界上地狱的样子至今仍然清晰地留在我的记忆里。

我没有看到开始，但是据从一开始就旁观的士兵们说，屠杀是从上午 9 时左右开始的。在广场的若干处架设了机关枪，做好射击的准备之后，不知从哪里带来了一百左右的中国人，让他们背朝扬子江排好队。这些中国人看上去像是士兵和平民的混合体，服装、年龄都各不相同。老少之间的差异也很大，从十五六岁到60岁左右的人都有。让那些人在广场上排好后，随着指挥官的号令，待命的机关枪一起发出轰鸣进行射击。机关枪的射击声和中国人的叫唤声、哀鸣声使广场喧闹了一段时间，但仅仅 5 分钟不到就安静下来了。即使中国人想逃，后面是惊涛拍岸的扬子江。在没有遮挡的广场上，遭到了机关枪近距离的射击，万分之一的生还可能都没有。他们全都成了尸体，层层叠叠地倒伏着。这一批结束后，又把差不多同样人数的中国人带了过来。这些人进入广场后，就由日本士兵指挥，让他们搬运倒下的尸体，扔到扬子江里去。这项工作结束后，又开枪把他们都杀了。就这样长时间连锁式的反复，杀了大量的中国人。

以上是一开始就旁观的士兵们的话。我看到的是已经基本结束后的场景，广场上中国人流的血像血池一样积着。看了一下扬子江的水流，可以看到不知有几千具尸体浮浮沉沉地漂流而去。

虽然我不知道在这个广场杀了多少人，但是从杀人方法和花费的时间来推测的话，我估计大概 1 万人吧。除了这么大规模的杀戮外，一般认为，在以南京为中心的广大日军占领地内，以百人、千人为单位的杀戮在各处数不胜数。

我所属的部队从吴淞登陆到占领南京所用的时间是 103 天。在这期间我知道了战争所带来的若干种可怕之处。在战争期间对这些没怎么在意，但战后回顾自己所经历的战争时我却打起了寒战。

经历过战争的人在说起战场上的可怕之处时，首先第一个举出的似乎是大炮、机关枪和步枪等互相射击的战斗。我经常听别人说，交战时看到自己身边的士兵接二连三地负伤和死亡，就会想“自己不久也会被干掉”，于是因为恐惧而感到焦躁。

这种恐惧我也很清楚。我自吴淞登陆以来到最前线进行战斗，不知道穿越了几万发、几十万发的子弹和炮弹。这让我觉得很不可思议，“竟然没有打到我身上”。和我一起从国内出发的伙伴死了几十人。快的到达前线后仅仅两三天就战死了。如果没有战争的话，就不会失去很多年轻的生命了。他们就可以享尽天年、寿终正寝了。因为士兵年纪轻轻就死了，所以其遗族会悲伤叹息。这当然也是战争的可怕之处。在考虑这些之前，我首先想到的是战争使正常人扭曲，并做出暴行的心理上的可怕之处。

也就是说，进入军队前是善良市民的人到了前线仅仅 100 天左右就成了杀人魔王，变得可以进行像南京屠杀这样的大规模杀戮了。在南京进行屠杀的官兵除了一部分骨干军人以外，大部分都是应召入伍的人，这些人在被征召之前都是普通市民。其中有站在法律守护者立场上的警察，有引导少年国民向正确方向前进的教育者，有宣讲佛教思想的僧侣，还有侍奉神灵的神社人员，另外还有很多在地方上起模范作用的人。

像这样在地方上本来是善良市民的人，在战场上却干出了世上最凶残的事情。首先是杀人，其次……还集体屠杀了投降乞命的人，还掠夺居民的财物，杀死无辜的人，并烧毁他们的房屋。看到年轻女性就进行强奸，犯下了在一般社会上怎么也干不出的重大罪行。

之所以会干出这么残暴的事情，可以说是因为战争的疯狂导致的。对于受害的中国方面来说这当然是令人痛恨的事情，对于作为加害者的日军官兵来说，也是一直都留有悔恨和悲伤的事情。

在不知道战争的现代人中，有人认为南京屠杀是仅此一例的特殊事件，但绝非如此。在中国战场上，在南京进行了屠杀以后，同样性质的事情多得无法一一列举，尽管它们之间有着规模大小的差异。

随着进攻逐渐深入内地，暴行越来越严重。据说在前往中国战场的部分日军部队中，进行过名为“三光”的作战。所谓“三光”，意思是杀光、抢光、烧光。在进行这种作战的时候，不光是对方军队，而且还不加区别地把百姓也全部杀死。还抢走百姓们珍爱的财物和他们储备的粮食等，最后放火把民房烧毁。日军在作战结束离开之后，原本住在作战区域内的居民都灭绝了，民房也烧完了，成了无法生活的地方。

另外我还听说在某些地区进行过灭绝作战。据参加过这种作战的士兵说，它和“三光”好像是一样的。百姓居住在作战区域内被看作是利敌行为，要彻底杀光。听说在日军行动过后，连老人和婴儿都被杀死了，连一只活的狗和猫都找不到。

进行这种作战的官兵即使平时是很老实的人，也能够面不改色地杀人。这和性格、有无教养是没有关系的。

有一个很好的例子可以用来了解战场上的士兵。那是隶属于都城步兵第 23 联队，作为上等兵参加过南京攻略战的原宫崎县士兵写的日记（摘自 1984 年 8 月 5 日的《朝日新闻》）：

最近闲来无事，经常抓来无辜的支那人并将他们活埋或者推入火中或者用木棒殴打致死，并对这样的残杀感到很高兴，这连支那兵都甘拜下风。……今天又推倒和殴打了无辜的一群中国人，将其弄个半死，然后再扔入壕沟中，并在其头上点火，活活折磨致死。因为大家都非常无聊，所以觉得做这种事很有趣，但这要是在国内的话就是一个很严重的案件了。简直就像杀一只狗或者猫一样……

这样的"日记"不可能是捏造出来的，是原士兵将他所经历的、所见的、所想的东西写下来的，所以不可能是谎言。那时确实干了很残忍的事情，我也不例外。我在中国战场待了三年多，参加了很多大小战役，其间做出了在人类社会不被允许的残忍行为。杀了人，也干过掠夺、放火、强奸。后来想想，觉得"竟然能干出那么惨无人道的事情"，不禁对自己心中潜在的恶魔心理感到很害怕……

42. 鬼事与人话

南京大屠杀距今已 70 余年。日军当时到底杀了多少人，一直是中日两国最大的争议点。在反思战争罪行比较好的年代，日本人似乎比较接受东京审判即远东军事审判庭作出的"20 万人以上"这一说法。需要指出的是，近些年相当一部分日本政客和右翼分子甚至公开发表南京大屠杀是"中国人编出来的谎言"的言论。正是因为他们如此无耻，才真正激怒了中国人民。南京大屠杀因此成为两国一个解不开的历史冤结，我们从曾根一夫对这件事的看法，或许会对整个南京大屠杀事件有另一种认识——

……日军乘着连战连胜的势头一起涌到南京时，攻方的日军和守方的中国军都很混乱，处于慌乱状态。大屠杀就是在这种情况下进行的。因为是这样一种情况，所以日军没有精力去调查自己杀了多少人，中国方面也没有精力去调查被杀了多少人。

我不打算否认中国方面在南京审判中提出的 30 余万人这一数字，但从我的亲身体会来看，多了少了暂且不论，我相信这一数字不一定是准确的。其理由是国民政府的机关在日本占领南京以前就转移到了武汉地区，日军占领时南京处于无政府状态。

这时留在南京的只有南京卫戍军的下级官兵和底层市民。因为屠杀的对象是这些官兵和市民，所以他们拼命逃跑，没有人去调查被杀的人数。就算有人调查了，在混乱中也不可能得出准确的数字。除了慈善团体收埋的遗体外，日军官兵也独自进行了处理。有杀完后深埋在壕沟内的，有浇上汽油烧毁的，有扔进扬子江的，等等。这些处理方法在参加屠杀的军人们的日记、告白中已经说得很清楚了。

…………

日军从各个方向像怒涛般涌向南京，蜂拥而至聚集到南京附近时，造成了很大的混乱。基层的各队因为太过于争先恐后而无法控制，几乎在道路上酿成窝里斗。那时的基层部队无法和司令部取得联系，由队长擅自行事。关于前来投降的中国官兵的处置，他们没有等待司令部的指示，擅自杀死并处理了他们，事后也没有进行准确的报告。

聚集在南京附近的日军各队肆意擅自行动，杀了大批中国人。指挥层的高级军官知道这件事，但因为没有制止这种过于大规模屠杀的手段，所以就一直装作不知道。这是我当时的实际感受。从占领南京时的这种情况来看，军队的上层没有掌握属下官兵大量屠杀中国人的真实情况。过了几十年，不知道是以什么为根据测算出来的，开始有人提出5万人的说法，这是很奇怪的事情。

一部分日本人对中国和盟国方面提出的人数提出异议并想缩小数字，试图将事件化小，这种心情可以理解，但罪恶不是减少人数就会消除的。30万人是大屠杀，20万人是中屠杀，5万人是小屠杀，不是可以这么区分的简单的事情。

关于南京屠杀我虽然说了这么多，但完全不知道到底杀了多少人，也不做推测。如果要说关于屠杀人数的话，只能说杀了大量的人，多得不可能数清楚，是全世界战争史上史无前例的大规模屠杀。一般所说的认为屠杀中国人的人数是30万、20万、5万，是在南京附近杀的，但从整个南京屠杀来看，不止这么点。

我认为南京屠杀是从为了进攻南京而从上海附近出发时开始的。前面讲过，士兵在当地所称的“南京屠杀事件”包括从上海附近出发一直到抵达南京的这段时间。

在向南京前进途中，官兵的暴行明显增多。在战斗范围外杀人，掠夺居民为了过冬而储存的粮食，放火烧毁民房，强奸女性。虽然把这些统称为残暴事件，但在做这些事的时候杀的人也不少。如果把这些人数加到在南京屠杀的人数上的话，可能数字会更大。

战后南京屠杀被日本国民所知晓后，出现了下面这种说法：“南京屠杀是盟国方面为了编造日本的战争犯罪而捏造出来的。”

其理由是，当时大部分日本国民一直到盟国方面进行东京审判为止都不知道日军在占领南京时进行过大屠杀一事。在这次审判中南京屠杀被提起，屠杀时任华中方面军司令官的松井石根大将被问责并被判处了死刑。到了这时，普通国民才知道了事件的真相。

东京审判开庭是在南京发生屠杀 10 年之后的昭和二十一年（1946 年）八月。在这么长的时间里日本国民一直都不知情，这对于现代人来说可能无法理解，但从那时的日本国情来看是理所当然的。

在太平洋战争战败以前，日本这个国家实行的是当权者执政的黑暗政治，其程度是现在的人无法想象的。普通国民的言论自由受到限制，没有告知和知情的权利。到了战时体制实施后，根据国家总动员法控制言论自由，进一步强化了控制。另外还有治安维持法、国防保安法、军机保护法、危险文书临时取缔法、陆军省令、外务省令等等，国民被 10 层 20 层的压力紧紧束缚着。报纸、电台的报道受到极其严格的控制，无法传达事实。

举例来说，战争末期因为美军空袭而造成了损失，但国家却不允许报道受灾地区、遇难人数和烧毁的房屋数等，因为认为这会给敌方提供判定攻击效果的资料。现在虽然可以自由地讨论战争，但那时的国民如果批判战争的话，会被指责为“反战主义者”。是政治的力量迫使人们这么做的。如果只是指责的话还好，但还会被冠以“国贼”、“非国民”的臭名，根据刑法进行处罚。

在日本以卢沟桥事件为开端向中国领土进军时，日本政府除了宣布“膺惩暴戾支那以促使国民政府反省”外，还提出“为了东洋和平的圣战”，企图美化战争。因此在向国内民众报道战场上发生的事情时，不利于军队的事情一律不让报道。

在南京大量屠杀中国人这件事对军队来说是不利的。如果国民知道了这个事实，军队的威信就会受到损害。这样就违反了圣战的本意，进而可能会给人以批判战争的借口。

国家和军队的主导者为了不让国民知道南京屠杀，采用了所有的手段。首先，为了防止报道泄露消息，加强了审查。由此，各报社派往前线的报道特派员和新闻摄影师被最大限度地剥夺了告知国民的自由。虽然有很多报道人员随军参加了南京攻略战，但没有人写出事实或将镜头对准事实。

其证据是：报纸上报道南京攻略战的文章每家报社都一样，登载的都是进攻大军的赫赫战果和皇军官兵的武功美谈。屠杀的屠字都没有出现。新闻电影也是一样。南京附近到处都堆积和散落着屠杀后的尸体，但电影中没有这种画面。

就算将事实写成稿件，用照相机拍下来，也会在审查时被扣下来。就这样，把对军队不利的一面隐匿起来，只有占领南京的辉煌战果传达到了国民那里。国民老老实实地接受了这个消息，为了庆祝占领南京白天举旗列队游行，晚上提着灯笼列队游行，沉醉在欢庆胜利之中。就是知道杀了大量中国人，当时也只会觉得是战果之一。

一方面，军队为了不让国民知道前线不好的一面而强化对报道的控制；另一方面，严格禁止前线的士兵泄露消息。南京攻略战结束后，一部分老兵在归国时被堵嘴了。我也在昭和十五年秋天回到了国内。当时在要离开所属部队的时候被告诫说："即使诸位回到国内解散后返回地方上，也要维护军人的名誉和自豪感，有损皇军体面的事情绝对不能对外人说。"

这是比较难懂的说法，总之就是说"就算回到国内，离开了军队，也绝对不要说出在战场上干过的坏事"。

我在那之后就退伍回到了地方上，而且忠实地遵守着军队的禁令，一直没有对外面说不好的一面。虽然有隐约知道南京屠杀的人来问过我，但我说"我们不知道"，没有理他们。虽然看起来很卑鄙，但在当时胳膊拧不过大腿，只能服从。当时觉得与其说些无聊的事情而吃亏，不如沉默而占便宜。我觉得这样做比较聪明。

…………

鬼事之一：烧杀抢被冠以"征发"之名

在日本的势力还占上风的时候，侵犯中国领土的日军趁着连战连胜的势头，对中国人民做了很残忍的事情。虽然这已经众所周知了，但我想从做坏事的士兵的角度说一说我所知道的事情。

日军官兵的暴行有很多，其中特别典型的是杀戮、掠夺、放火、强奸。官兵在战场上的时候把这些叫做"四得"。

如果在国内的话，这四种都是严重的犯罪。犯了其中任何一种，都会受到刑法的处罚。但在战场上这些却不构成犯罪，所以被看成"四得"。虽然还有其他行为，但归根结底，最后都包含在这四种中的某一种里。

我因为当了兵，成为日军的底层人员而去了战场，所以这四种全部都经历过。没有足以杀人的理由就取人性命，掠夺居民珍藏的粮食填饱肚子，放火烧毁民房，强奸女性发泄自己的性欲。我要讲一下这些事情，但全部混在一起讲的话比较复杂，所以先讲掠夺。

军队把掠夺称作征发。去过前线的人从军官到士兵，没有一个人不知道"征发"一词的。在当地没吃过征发的东西的人应该没有吧，可见日军在前线的大范围内进行征发到了何种程度。

所谓征发，就是在当地筹措军队作战行动时所需的粮草和其他物资。征发时，军队的表面原则是，在和居民友好协商的基础上，用与东西价值相当的钱或物品作为补偿付给对方。

但这只是表面原则，是不可能实施的。

即使想和当地居民商量，战斗部队中也几乎没有会说当地话的官兵。所以无法沟通，不能让居民同意。

通过翻译和对方商量，居民也不答应。那时中国的一般庶民阶层还不太富裕。普通居民家里存储的粮食没有多余的，勉强能够维持到来年的收割期，所以如果粮食被征发了，就会牵涉到是死是活的问题。

就算可以商量并让当地居民同意，正在进行作战行动的军队也没有用来补偿的金钱和物品。所以不管表面上怎么说要给钱，也是不可能实现的。而且作战行动中的战斗部队的官兵脾气比较暴躁。

最后变成了“啊呀，不要那么麻烦了。我们是战争中获胜的军队。没必要和战败国的百姓们商量。如果我们采取求人的态度的话，他们会放肆起来的。不用商量，用武力抢过来”。不知何时开始这成了常规，最后演变成了征发即掠夺。

我知道“征发”是军队用语一事是在上海战役结束后不久，是从经历过满洲事变的我的部下那里听说的。据他说，因为讨伐土匪等要出动五天或一周时间，在所到的各个村落进行物品征发。

那时起好像日军把重点只是放在了战斗力上，补给物资的输送能力则放在其次。支那事变开始后的征发始于上海战役告一段落后，各队在南翔—嘉定—太仓一线集结的时候，那时的征发还不是有组织的。

驻扎下来后没什么事做，于是士兵变得空闲起来。因为战斗刚结束，所以没有日课，除了值班者，大家都躺着度日。不久士兵们觉得无聊，为了看热闹和消磨时间开始到附近走动。散步走到村子一看，发现了猪、鸡、鸭、山羊等家禽，还有蔬菜等。

那时的士兵自从吴淞登陆后，已经70多天没有吃过新鲜食品了。每天都疲于战斗，没有放松下来吃饭的空闲。在前线的战壕中交战时，很多时候都是用干面包填肚子。用小饭锅煮饭吃，副食品净是些是罐头、干海草、鱼干等不新鲜的东西。豆腐也是干的，连调料都是豆酱粉、酱油粉。

因为一直不得不吃这种干的食品，所以发现新鲜食物后就非常渴望得到。

即便如此，开始时也是用手脚比画着试图进行交涉，说：“稍微分点给我们吧。”

但是不能如愿地沟通。我们因为打了胜仗而骄傲，正处于傲慢时期，而对方又是比较弱小的当地居民。当无法沟通时，就开始发脾气，不管三七二十一强行抢过来。我开始征发也是在那个时候。

但是我在能够强行抢东西之前，比一般的士兵多花了点时间。这可能会被理解为我比一般人正义感强或者更有良心，但决非如此。因为我比一般人胆小，所以不想去抢东西。但是不能因为我胆小就一直不去征发。要想在军队这一共同体中生活，不管好坏，都必须保持统一步调。

最初吃其他人征发来的东西我还没怎么在意，但不久之后只有我一人不劳而食，于是开始于心不安起来。不征发点东西来的话觉得对不起其他人，哪怕是一个鸡蛋、一棵菜也好。因为这个缘故，我决心加入征发队伍。

虽然这么决定并去征发，但开始时像小毛贼一样，跟在大家后面战战兢兢地行动。好不容易凭借自己的力量弄到了几只鸡后正准备撤退，往周围一看，发现居民在家里正用饱含怨恨的眼光看着我，让我觉得身如刀割。再怎么说是在战场上，我也是极其讨厌从居民那里抢东西来填饱自己的肚子这种行径的。被这种想法所折磨，我看居民们的眼光也变得胆小起来。

因为是这种半吊子的征发，所以那天的收获只有几只鸡。即使如此，也是我亲手征发来的鸡首次出现在了餐桌上。开始时还觉得挺得意，但吃着吃着就想起了居民们怨恨的眼神，变得乏味起来。

即使这样，到了第二天又出去征发了。在这样的过程中，不知道是心情起了变化还是正常心理麻痹了，不知何时开始变得大胆起来。开始时像小毛贼一样战战兢兢行动的我，后来变得和强盗一样恐吓对方，强抢东西了。

当地居民在村落里放养着很多家禽。有肥猪，大的有 200 斤，长着像野猪一样的獠牙。猪有一群，在四下活动。其他还有鸡、鸭、山羊等。这些家禽是村里人维持生计的宝贵财产。跨入居民家中，那里储藏着大米、麦子、玉米等谷物。这些食物是住在村里的人一直到下一个收割期的食粮。如果这些宝贵的家禽和对生存来说不可缺少的谷物被抢走的话，村民们第二天就无法生活了。

我虽然知道这点，却渐渐不同情他们了。仗着自己是士兵，用枪口对着他们，让刺刀发出寒光恐吓他们，抢夺自己想要的东西。我渐渐觉得这么做不是一种罪恶了。

上面就是曾经是胆小士兵的我学会征发的过程。

这不仅是我一个人的情况，大部分士兵都差不多。就这样，征发成了战场上士兵的恶习。但是在日军有组织进行的征发中，士兵个别进行的征发只是很小的一部分。

日军首次进行有组织的征发是在南京攻略战的时候。南京攻略战是长途的机动作战。从作战行动开始的上海附近到南京，即使走最短路线，直线距离也有约300公里。而且因为是作战行动，所以还要迂回、曲折等。这样一来就超过400公里了，最长的路线也有长达500公里的。这么一说大家就知道，这是一条很长的补给线。所谓补给线，就是连接发起作战的基地和最前线的联络通道。

在最前线战斗的军队不会携带很多弹药和粮草。为了使这些东西不至于缺乏而进行补给是作战时的必要条件。补给线越长，想做到这点就越困难。在南京攻略战中这一点就很困难。如果战斗进行到一半时因为运输能力不足而无法补给弹药和粮草的话，最前线的军队就没法战斗了。

就像自古以来的谚语"饿肚子无法打仗"所说的那样，一旦没有了粮食，就无法作战了。战斗最需要的弹药当然也是如此。因为南京攻略战的战场广阔，补给线很长，所以需要强大的运输能力。虽然士兵都知道这个道理，但是制订作战计划的高层却没有制订完善的补给计划。

前往攻略南京的是上海派遣军和第10军。上海派遣军当初的任务是击退上海外围阵地的中国军队，保护日本侨民的安全。因此部队的编成和装备都是按阵地攻击战准备的。弹药和粮草的运输也只是从江里搬到陆地上，距离很短，所以不需要很强的运输能力。从我们士兵的视野来看，有驮马拉的辎重车就足够了。

第10军在杭州湾登陆的目的是协助久攻不下上海附近阵地的上海派遣军。对第10军来说，上海附近平定之后任务就基本完成了，所以编制和装备可以看成与上海派遣军没什么大的不同。

上海派遣军和第10军即使进行了某种程度的部队改编和装备的加强，力度也不大。从我所属的上海派遣军来说，击退上海附近的中国军队，在南翔、嘉定、太仓一线集结是在11月14日，向南京进击是在12月1日，其间仅仅半个月，根本没有充裕的时间将其他地方的运输部队调过来，以加强补给能力。

如上所述，南京攻略军的战斗部队和运输能力不平衡，导致前线的官兵缺乏粮食。

不仅如此。中国方面为了不让首都南京被日军占领，军民合力试图阻止日军的进击。在日军前进的道路上，为了阻止车辆的行进而挖了很深的沟，破坏了桥梁，还在路面上埋设地雷等。

这样，因为运输能力不足和中国方面的抵抗等，先头部队的补给很困难。如此一来，战斗必需的弹药的补给就处于优先地位，粮草则放在了其次。

我记得我所属的部队开始缺乏粮食是在苏州附近。我们虽然是作为第二线部队前进的，但是因为紧跟在第一线部队的屁股后面，所以同样粮食不足。

过了苏州之后，携带的粮食全部吃完了。官兵们因为空腹和长途攻击带来的疲劳，开始明显地憔悴起来，眼窝内陷，士兵们说“得立个告示牌说这里面有眼睛”。因为士兵没东西吃了，所以给军马吃的饲料也没有了，马匹开始互相吃鬃毛和尾巴上的毛，失去厚密的鬃毛和尾巴毛的马明显变得多了起来。人和马都饿着肚子，用来果腹的只有太湖水。按一般常识来说，应该暂时停止前进，等物资运输过来，但南京攻略军没有停下来等待。那时军方下达了“粮草在当地征发，自谋活路”的命令。

军方在发起作战时好像就考虑到了征发。“征发，自谋活路”这种说法虽然听上去好听，但无异于命令我们闯入民宅抢东西吃，就等于让我们干和强盗、土匪一样的事情。

南京残暴事件就是从这时开始的。在南京进行大屠杀的原因可以说是“始于征发”。

因为有“征发，自谋活路”的命令，所以官兵丝毫不觉得抢当地居民的东西是一种罪恶。这时开始称之为“蒋介石提供的”。这样一来日军和土匪集团就没什么区别了。官兵们失去了皇军的荣誉感，变得残暴起来。因为他们拥有可以若无其事杀人的战场胆量和武器。闯入民居后如果居民有意反抗的话，就不容辩解地杀死对方并抢夺东西。不仅如此，而且看见女性就上去强奸。

做这些事的有好几万官兵。因为是从上海附近开始分成若干条路线，以包围南京的态势前进的，所以中国方面受到的损失很大。日军经过的几乎所有街道和村落没有留下一只鸡、一个土豆。很多人被刺刀和子弹夺去了生命，幸存下来的人也没有了粮食，很多都饿死了。

因为日军的征发，惨事不断增多。中国方面难以忍受，便向在上海的各国机构申诉并求助。不幸的是，日本进行征发等行为的场所离上海很近。各国机构接受了申诉，开始派调查团到当地进行实际情况的调查。

这样一来，军方的上层人物就不能坐视不理了。如果各国掌握了事实证据的话，本来就对日本的行动感到不快的国家就会趁机进行责难。另外，如果对此事置之不理的话，中国百姓的怨言也会高涨。今后他们会一直留有怨恨，影响到占领后的治安。而且，日本国内的国民如果知道了这个事实，可能会觉得这违反了圣战的宗旨，从而成为批判战争的导火索。因此军方紧急发布了“禁止征发”的禁令，事实上撤回了征发命令。

虽然禁止了征发，但粮食的补给没有跟上。不许征发，无法补给粮食，即使这样还要继续作战，这是不合理的。如果说声“不合理”问题就能解决的话还好，但对最前线的官兵来说这是生死攸关的问题。于是在军队底层指挥队伍的下级军官气愤地说：“上层的那些家伙在想什么呢？！要让前线的官兵不吃饭就去打仗吗？！如果不能补给粮食的话，就继续征发！”没有服从禁令。

前线的官兵不服从禁令对上层来说是关系到他们威信的问题。这时他们试图用权力强行让大家服从。其手段是以作战指导为名派遣年轻参谋到前线，带着宪兵队去抓现行犯。

因为这样一取缔，就开始有人被当场发现正在征发而成了牺牲品。征发不是为了私欲和私利，但被发现的人却要接受军法审判，成了罪犯，然后就被免官降级，此前立下的功劳也都被取消了。

而且作为部队，出了罪犯被看成是整支部队的耻辱。取缔一旦开始，前线的部队长怕部队中出现犯人，就指示部下说“完事之后要善后”。所谓“善后”就是“杀死被抢者，以免留下证据”。

军方发出的征发命令成了恶性循环，向南京攻击前进的各部队在战斗之外的场合也杀了不少人。占领南京时进行了大屠杀不是因为敌对心理过重而突发的，而是从这时就开始了的，我是这么认为的。

我这么一说，可能有人以为只是在南京攻略战中进行了征发，但并非如此。从在中国战场上进行的所有征发来说，南京攻略战只是个序幕。此后，在徐州作战、武汉作战、襄东作战、宜昌作战等，可以说每次作战都一定会进行征发。

作战行动开始后，士兵在攻击前行的途中一旦发现村落，就会互相邀请说：“去征发点好吃的来吧。”然后就进入村子。几名士兵把征发来的猪、鸡等绑好挂在棒子上，让当地居民扛着，得意扬扬地走路的情景，在所有战场都能看到。

在中国战场上的日军以征发为名掠夺的谷物、牛、猪、山羊、鸡、鸭等的数量应该是一个巨大的数字。如果用现在的价格来计算的话，应该是很大一笔钱。

我在战场上的时候曾经有一段时间代行庶务曹长的职务，负责写阵中日志。所谓阵中日志，一般是每个中队将其每天行动的路线、战斗状况、人员和马匹的情况等记录下来，每个月集中向上面提交一次。据说最高会提交到大本营。

在写阵中日志的时候，“征发”这个词是作为正式的军事术语来使用的。我写道：“某月某日，晴，某某伍长带手下多少人去征发。”如果大本营的高官看到了征发这个词，他能真正理解征发的意思吗？我是一边这么想一边写的。

我隶属于华中方面军，只在华中行动过，其他地方的情况不知道。然而我偶然在1984年6月13日的《静冈新闻》上看到电影音乐家木下忠司的经历记录《我的青春》在连载，知道了其他地方也进行了征发。《我的青春》第19回中有“无法忘记老太太的泪水”这一节。读了之后我深有感触，所以将它剪下来一直保存到了现在。下面引用其中的一部分介绍一下：

> 时隔三年半又回到了国内。但是在将话题转到濑户内海的船队之前，作为结束，我想再讲一下野战的事情。
>
> 12月28日，一个骑兵中队静悄悄地走过了月下的山路。
>
> 这是昭和十七年的事情。听不到枪声，在令人紧张的寂静中寒冬的月亮显得格外皎洁。但是在这样的作战行动中宿营是少不了的。借农家的院子一边烧火取暖一边等待天亮。这时士兵们争先恐后地去征发粮食。村里的鸡一只不剩，土豆和鸡蛋也是，如果没有了焚烧的东西，会毫不在乎地烧贫穷农家的家具。
>
> 某个寒夜，士兵们连一个巨大的织布机都拿出来烧掉了。我无法忘记看着火焰哭泣的老太太的样子。
>
> 我开始觉得无法阻止这种掠夺行为，用火焰取暖的自己是无比的可耻和可悲。
>
> 这样的行为在圣战这一大旗下作为家常便饭被容忍了，但军人所犯下的各种罪恶以南京的屠杀事件为最，在冲绳甚至杀害了很多同胞。
>
> 这不仅限于日军，美军在越南犯下的美莱村事件、枯叶剂作战；“二战”结束时苏军入侵满洲、希特勒屠杀犹太人，还有最近以色列军队制造的巴勒斯坦难民营屠杀事件。在不发生战争的情况下本应作为普通市民生活的人一旦到了战场上，就会理所当然地反复进行屠杀、施暴、破坏、杀人、掠夺、放火等罪行。

木下忠司氏是这么记述的。我在读到这里的时候，觉得和他同病相怜。好像不管去哪个战场的军队都同样以征发的名义进行了掠夺。做出残暴行为的不仅是日本军队，在战场上任何国家的军队都做了残酷的事情。

鬼事之二：强奸的实施与心态

战场上的日军官兵在征发粮食的同时，开始强奸当地的女性。最初要找的是可以当粮食的东西，但是一旦闯入民宅后发现了年轻女性，就想强奸对方。因为士兵是20多岁到30岁出头的血气方刚的小伙子。来到前线后没有发泄性欲的地方，旺盛的精力不知如何发泄。如果是在一般的社会上的话，是可以靠理性来自制的，但这里是战场这一无法地带，而且是在像强盗一样为了抢东西而闯进民宅之后，顺便强奸一下女性也不认为是罪恶。

我从国内出发的时候想都没想过要强奸交战国的女性。虽然听说过日本在战国乱世的时候，城池被攻陷一方的女性被胜利一方的士兵强奸的事，但我那时想“那是古代的事情，现代战争不会有这样的事的”。但是我这么想是因为不了解战争。古代的战争也好，现代的战争也罢，胜利一方的官兵把强奸失败一方的女性当成外快，这一点是一样的。战国乱世时的野蛮人和生活在文明开化社会的现代人没有区别。因为是战场所以强奸了女性，这种说法在正常社会是行不通的，但在战场上的官兵之间却是理所当然的。

隶属于在战场上战斗部队的下级官兵在作战行动中发现了年轻女性时，如果有人什么都不做就放走对方的话，那他一定是一个相当奇怪的人，要不就是在几万人中都不知道有没有一个的圣人君子，这么说也不为过。在说明其原因之前，首先必须讲一下处于战场这一特殊环境下官兵的战场心理。

官兵们在战场上要做的事情只是进行战斗并战胜对手。做这件事时，在地方上养成的人格、教养、品位等全都用不着。因此，官兵在往来于战场的时候不知不觉就失去了在人类社会生存所必需的东西，而且变得和野生动物一样。这样一来，在地方上曾处于领导地位的人也好，曾经捍卫法律、监视犯罪的人也好，曾经身在佛门的人也好，其他所有阶层的人也一样，都变成了弱肉强食的野兽。

战场是双方互相厮杀的地方，身处其中的人生死只隔一层纸。他们会破罐子破摔地想：“我们有今天没明天，如果不趁活着的时候为所欲为，享受一下的话就亏了。好像了不起似的说什么正义、人道等都没用。战争中强奸是不可避免的。不用同情敌国的女人。”

这虽然不能成为可以强奸的理由，但士兵们是有了这种想法才进行强奸的。根据这种想法，强奸，再加上杀人、掠夺、放火，称为“四得”。

据说日军在占领南京之后，“留在南京城内的十四五岁到60岁左右的中国女性中有90%被强奸了”。我听到这个说法不觉得“这是夸张宣传”。不仅如此，我觉得“被强奸的女性不是一对一地被强奸，一定是被5人、10人轮奸”。也就是说我脑子里想到的是比强奸更残忍的轮奸。

士兵们在结束作战回到驻地后开玩笑时会说，“如果过了20年左右还在和中国打仗的话，就轮到自己的孩子们互相厮杀了”。这话的意思是，作战行动中被强奸的女性中有怀孕的，生下的孩子过了20年正好是当兵的年龄。这些孩子和国内出生的孩子在战场上相遇并互相厮杀。

那时这是当成笑话一笑了之的，现在想起来时笑就堵在了胸口。就这样，前往中国战场的日军官兵对当地女性进行了强奸，我也不例外。从国内出发时还想“现代战争不会有这种事的”，但到了前线后不到100天，我自己也实施了强奸。

我首次实施强奸是和开始征发一样，在上海战役结束后驻扎在太仓附近的时候。前面讲过，我比一般人要胆小，所以虽然在上海战役中有了战场的胆量，但提到女性就另当别论了，怎么也提不起强奸的勇气。

和我一起的士兵们可能是看不下去了，就有人对我提意见说："虽然老实也不错，但到了前线最好适可而止，大家都去征发的话你也要一起去，大家强奸女人你也要强奸，这样才能和大家相处融洽。"即便如此，我还是拿不出行动的勇气。于是一个前辈就来邀请我："和我一起去吧。"由于没有拒绝的借口，没办法只好跟他去了。

在为数众多的士兵中不少人有各种各样的特长和缺点。有人作为士兵完全不行，但在征发和找女人方面具有特殊的才能。可能因为中国自古以来内乱，土匪比较多，所以百姓在藏东西上花了不少心思，但对有特殊才能的人来说，很容易就能找到。

这在找女人上也是一样。女人们为了保护自己而想尽了办法藏身，但他们很容易就能找出来。不知道是眼睛特别尖还是具有动物的嗅觉，反正拥有让人不可思议的能力。邀请我的士兵在这点上也具有无所不能的力量。虽然他当兵比我早，但在军衔上我比他高。要在平时的话应该是我指挥他，但在这种场合下我却服从了他。他带着我进入了一个大约有30户人家的村子。可能是居民们感到危险，早就避难去了，所以一个人影也没有。我以为没人，于是松了口气，但前辈说“不，不是没人”，然后就四下寻找，最后说“这一带比较可疑”，接着进入了一间看上去像是仓库的房子。我也跟着进去了，前辈不愧是这方面具有特殊才能的人，果然没有看错。在屋子的尽头藏着四五十个居民。大体上看了一下，都是些男人和老人、孩子，没找到我们的目标——年轻女子。

原以为年轻女性都去避难了，于是我松了口气，放心地想“太好了，不用做残忍的事了”。但前辈的锐眼早就看透了前方。他用手指着前面说："看那边。虽然不是姑娘，但有一个可以派上用场的女人。”我一看，发现一个蹲坐着的老太婆，怀中抱着一个婴儿。

老太婆怎么看都不像是生小孩的年纪。注意到这点之后我才意识到“生小孩的女性就藏在附近”。环顾四周，发现在一个角落里堆着很高的稻草。当我意识到“这里面可疑”的时候，前辈早就看穿了。他拔出刺刀摆好架势，怒吼道：“喂，出来！再不出来我要刺了！”以此恐吓居民。看到这样，此前一直保持沉默的居民们开始吵嚷起来，好像在对里面的人招呼说“出来，不行了。不出来会被杀死的”。

这样看来很明显里面藏着人。一分钟不到，稻草堆发出沙沙的声音开始摇晃起来。我屏住呼吸盯着，最后稻草堆塌了下来，里面爬出四个女人。

爬到我附近的一个女人一看见我就像瘫软了一样不能动了，然后她好不容易变了个方向，把头埋到稻草堆里，大屁股露在外面。看到她的样子我觉得很可怜，没有了强奸的心情。如果只有我一个人的话，这时就回去了。但是这也不行，我呆呆站着，看着前辈的动作——他用熟练的动作麻利地挨个检查了四个女人的脸，挑出一个年轻貌美的，然后催促我说“快点”。被这么一催促，我也终于有了那意思。

我使出所有的勇气，来到离我最近的女人旁边对她说：“喂，过来！”并抓住了她的胳膊。我觉得自己这时已经尽量装得很凶了，但声音却是嘶哑的，说到最后都没声音了，抓着女人胳膊的手也在发抖。

前辈看到我抓住了女人就说：“这种地方不宜久留，早点离开。找个合适的地方干吧。”这时的前辈和平时的劣等兵完全不一样。在带着女人离开的途中还向我说明了强奸方面的事。

“不能因为他们是老百姓就小看他们。和女人干的时候无论如何都会放松警惕，这时如果被袭击的话，就算袭击你的人是老人或小孩也不得了。不是说君子不近危吗？如果我方人多的话还好，只有两三个人的话还是退到安全的地方再干比较好。”

这么一说明，我才知道前辈忙于离开的理由。

“强奸女人时最要注意的是佩刀。士兵佩带刺刀的位置是在腰的左侧对吧。如果佩着刺刀就趴到女人身上的话，你觉得会怎么样？女人的右手正好就在能够到刺刀的地方。如果她们有杀机的话，在男人爽的时候拔出刺刀刺中侧腹部是很容易的事。在强奸之前必须要把刺刀拔下来，放在自己的手能够到的地方。因为在舒服至极的时候下地狱可是划不来的。”这是强奸时的注意事项。他虽然对军队的事情完全不行，但在这件事上却很博学。

沿着来时的路回头走了两三公里，可以零零星星地看到来征发的友军士兵。前辈说："到了这附近就没关系了。"接着停下脚步说："在这里做吧。"然后进入了一间塌了一半的房子。房子好像是农民的库房，散落着稻草屑，这对强奸来说正合适。前辈马上就开始了，趴到了仰面躺着的女人身上。

事情发展到了这一步，我也有了那意思。学着前辈的样子让女人躺下，正要趴上去时，发现她睁大眼睛看着我，像是责备我一样。那目光使我变得胆小起来，突然对自己的兽欲感到很羞耻，但是已经停不下来了。我拿出决斗的勇气，对胆怯的自己说"这是战场的常事"，一口气进入了女人的身体。这是一次极其糊涂的强奸，但我也算是初尝强奸的滋味了。以这次为开端，此后每次有作战行动时我都自己一个人进行强奸了。

日军官兵认为"战争时强奸是不可避免的"而实施了强奸，但对被强奸的女性来说却是很痛苦的。单单是被不认识的男子强奸就已经不得了了，而且是被敌国的士兵用暴力强奸的。对中国女性来说，日本兵是魔鬼。

中国女性为了不被魔鬼发现，想了各种各样的办法。中国的民宅里在居住的房间下面挖有地窖。目的是为了储藏谷物和芋头之类的食品。其构造是内部很大，但出入口只能勉强让一个成年人爬进去，在入口处放一块大石头。不知道的人乍一看是不会明白那是地窖的。有的女人就藏在这种地窖里。开始时我们没注意到这点，但随着经验的积累，渐渐知道了这种手段，可以很快找到地窖的隐藏处。当地窖中藏有女人的时候，就用草席来代替石头铺在入口处，上面坐上老人和小孩。为了不让闯进来的士兵靠近，故意将家具摆放得乱七八糟。有经验的士兵只要一看到这样的场景就能识破。

女人们在避难时为了防备被日本兵发现，会把锅灰等涂在脸上，将脸弄脏。那是为了让自己看上去很脏，以免被侵犯。虽然她们想瞒过日本兵的眼睛，却骗不了我们。只要让她们洗一下脸，脸就变干净了。这么做反而适得其反，士兵们知道了把脸弄脏的女人中美女居多。一旦知道了这点，大家就认为"涂了锅灰的女人总体上讲是漂亮的"，反而开始找起脏女人来了。

其中也有装成危重病人的，但很容易就被看穿了。开始时还有些效果，但到后来也失灵了。

中国人家里不管哪个家庭都有屋内用的马桶。平时晚上装排泄物，到了早上就倒掉并清洗干净。但当有日本兵来的危险时就会把屎尿存下来。当日本兵闯进来，女人们觉得自己危险的时候，就用马桶当头浇下，让全身沾满屎尿。这样一来不管那女人有多漂亮，也会脏得无法强奸了。这种失败是常有的事。

日军一旦要发起大规模的作战行动，住在可能发生作战区域内的居民为了不让年轻女性被强奸，会首先让她们去日本兵看不见的地方避难。那时的避难场所是离中国军队势力范围很近，少数日本兵难以靠近的地方。让她们成群结队去那里的寺院、大的民宅等地方避难，还派男人们守护。如果少数人不小心去那种地方找女人的话，有人就会不光彩地去见了阎王。但是士兵们没有因为危险就放弃找女人。反而是冒着危险将女人弄到手的时候，就会觉得好像探险弄到了宝物，在品味她们身体的时候格外愉悦。

我在得到前辈的指导之后，不知不觉变成了中国女性所害怕的“日本鬼子”。每次有作战行动的时候都实施了强奸。不过，我虽然作为士兵可以独当一面，但在那方面却很笨，经常失败。

记得好像是在向徐州前进的途中，我和几名士兵一起去征发，发现田野里有一个在那一带算得上中等的村子。那一带是危险地区。我们一边提防着一边靠近，看到村子周围的树林中有一个男人像猴子一样从一棵树上轻巧地滑下来，一溜烟地跑进了村里。是放哨的。我们追赶着进入村子一看，很多女人在那里成群结队地避难，正在叫嚷着跑来跑去。那一带是中国军队和日本军队的中间地带，对我们来说是危险的，对敌方来说也同样危险。虽然敌人很少进攻过来，但在这种地方是不能进行强奸的。我们决定各自找个女人，然后退到安全的地方。我也找到了一个女人。但是在退到我觉得安全的地方，让她脱下裤子准备开始的时候，发现她大腿内侧到脚部有脓包，已经化脓溃烂了，看上去就觉得很脏。早就听说住在偏僻地区的人中很多都有皮肤病，好像确实如此。我一看到这样，情欲就冷却了，什么都没干就把好不容易冒着危险弄到手的女人放了。

后来听其他人说，女人当中有人会想办法把树皮磨烂后涂在身上，让自己看上去很脏。我虽然不知道我看到的是不是真的脓包，但强奸是以失败告终的。

接着是在向信阳进发的途中。是在穿过了大别山来到平原之后的事情。那时我得了疟疾，但还是和部队一起行动。我们为了休整而进入了田野中的村子，突然从屋里跑出五六个年轻女子。她们好像原本躲在村子里的某处，看到我们之后以为被我们发现了，所以才开始逃跑的。 我们被没有预料到的突发事件吓了一跳。一时间目瞪口呆地看着她们跑走。好不容易镇静了下来，叫道:“女人！喂，抓住她们！”并追了上去，这时我们和女子们之间已经拉开了 50 米左右的距离。她们跑到了村子外面，来到了狭窄的田埂上，前方是广阔的水田。

这是个视野开阔的地方。我一边想“笨女人，逃到田里去干吗，又没有藏身的地方”，一边旁观着。我以为在这种地方就算逃跑了，以士兵的脚力去追的话，很容易就能追到。但是我的预想令人失望地落空了。女人们比我要头脑灵活，她们看见士兵追来，就像蚂蚱一样跳进了田里。田里刚收割完，一大片都是水。她们在田里奔跑，跑向士兵们的手够不到的地方。从她们的脚步来看好像是泥很深的水田。士兵们对此一筹莫展，站在田埂上，无计可施地看着她们。对士兵来说鞋是很重要的，如果在行动途中穿着鞋就进入水田的话，皮革会变硬，从而把脚弄疼。虽然可以脱鞋进去，但淤泥很深的水田会让军衣、军裤沾满烂泥。他们在犹豫是不是这样也要追。

我呆立在田埂上正看着他们要怎么做，这时两三个精力旺盛的年轻士兵只穿着兜裆布，几乎全裸地进入水田追女人去了。我以为“这下女人们要被抓住了”，并在一旁观看。女人们为了不让裸体士兵靠近，往他们身上泼泥水、扔泥巴等进行抵抗。即便如此他们还是慢慢靠近了，于是女人们在泥田中打滚，把全身都裹上泥。这还不够，还在士兵们的目标场所里塞进泥土。简直就像用泥做成的人一样。这样一来，最后成了劳而无功。

虽然我讲的都是失败的事情，但是居住在战场区域里的女性不知道有几万、几十万人被日军官兵强奸了，数都数不清。从在中国各地、各方面战场上战斗过的士兵们的话来看，好像各处都一样，强奸是战场上不可避免的事情。我所去的华中据说是比较多的，其中最多的据说是徐州作战。

我一个朋友从支那事变一开始就作为下级军官处于华中战场上，他说“发生大规模杀戮的是南京攻略战，强奸最多的是徐州作战”。听他这么一说，我也想起来一件事。徐州作战时，士兵处于比较容易实施强奸的状况。

这里必须要先说一下徐州作战的目的。

徐州位于津浦线和陇海线的交汇处，是交通要冲，军事上也是重要地点。蒋介石在这里花费七年时间和巨额资金，构筑了据称难以攻破的阵地。徐州集结着中国野战军的主力 50 个师。发起徐州作战的目的就是包围歼灭这 50 个师，给敌野战军以毁灭性打击。这次作战以徐州为中心，华北方面军从北边南下，华中派遣军从南边北上，形成包围圈。在两个军团的包围圈中，不仅有 50 个师的中国军队，居民也一起被包围在了里面。随着包围圈的缩小，里面的居民就无处可逃了。因为那是日本的大军团巧妙设计的包围圈，居民们因为无法从网眼中逃脱而不知所措，四处乱窜。其中有很多年轻女性。这些女人们被当成了绝佳的猎物。

我隶属于华中派遣军，从南京附近开始行动，沿津浦线向徐州北上。我记得我们所到之处的女性明显变多是在快到宿县的时候。到了那一带的时候天越来越热。热得天上飞的鸟都快被烤熟掉下来似的。可能是因为这个原因，行动总是在晚上，白天休息。

中国军队好像也是如此，有时候敌我双方会整晚并肩前行。天亮后，双方都大吃一惊，然后交战起来。

那天晚上也是整夜一直在步行。一大早到了一个数百户人家的村子。睁着睡意惺忪的眼睛，拖着疲惫的腿进入村里，发现有一群士兵比我们先到，是没见过的一队士兵。他们应该也是夜行军，应该很疲劳了，却格外活跃地在运动着。看见他们的样子，我觉得“有什么事”。那时还不知道具体是什么事，仅凭借在战场上自然形成的直觉。到附近一看，才知道活跃地运动着的士兵们正在追女人。

这附近因为日军的包围圈变得狭小，所以女人们不知逃往何处而正在四下乱窜。以前就听说这些女人是成群结队的。事实上我也在约两天之前看见过被强奸之后虚弱得无法动弹的女人。那不是 2 至 10 个人，如果以村落为中心计算倒卧在附近的人数的话，可能有好几百人或超过 1 000 人。当我知道休整的村子里正好有女人之后，突然来了精神，不仅我是这样，其他士兵也是这样，连行军时累得要命的人听说有女人也很有精神地跑了起来。

我和几个士兵一起去一间间屋子寻找。最初的两三家过门不入之后，进入了一家比较像样的屋子里，发现在杂乱地散落的衣服、家具等东西之间，有女人像死了一样躺在那里。数了一下有 5 个人。看样子好像被轮奸得很厉害，我靠近之后，也一动不动。可能是筋疲力尽，半死不活了。乍一看和死人一样，但是，看着看着我觉得奇怪起来。她们虚弱得无法动弹，却穿着裤子。从这点判断，她们被强奸后是有力气穿上裤子的。因此，让自己看上去半死不活是想瞒过我们。

既然看穿了，我就不能默默放过了。来到女人身边，把裤子往下一拉，白色的肚皮映入了眼帘。把脸凑上去，一股男人射出的精液的味道进入了鼻腔。一闻到那种味道，我突然情欲萌发，有了想干的念头，于是用手掌拍了拍女人的下腹部催促她，她好像从睡眠中突然醒来一样，张开了两腿……当然我强奸了她，但感觉在里面的时候黏糊糊的，不是很舒服。

完事之后，又开始寻找下一个，来到了村子中间的一家大房子。房子前面聚集了很多士兵，也有和我一个队的。他看到我之后对我打招呼说：“这个家里藏着很多顶好的姑娘，大家正在轮流上，你也加入吧。”被这么一邀请，我又有了那意思。虽然好像很贪婪，但那时的想法是“好不容易有女人。不知道下次什么时候能弄到。能干的时候就要干”。如果用吃饭来打比方的话，就和刚吃饱之后看到美味的东西又想吃一样。

进到家里一看，中间是很大的一个房间，房间里看上去少说也有 15 个以上的女人仰面躺着。士兵们轮流趴到女人身上，正在轮奸。在这个房间的一角，老人、孩子等聚成一团。这些人眼看着自己的女儿、母亲被强奸，一副“没法子”的表情。在这些人的注视下，我毫不留情地强奸了女人。现在想来是非常残忍的事情，是在人类社会不被允许的厚颜无耻的行为。

但那时我不觉得是种罪恶，也没有讨厌自己。就算觉得不好，也用“这是战争”一句话就打发了。但是，在长期持续干这些事的过程中，渐渐开始生厌了。那是在宜昌作战的时候。那时，兵龄长的士兵依次回到国内，吴淞登陆后一直留下来的士兵只有不到全体的 1/3 了。我也收到了这次作战结束后就回国的内部通知。这次作战对我来说，是在部队里最后一次大规模作战。

在出动作战之前，我想了很多。我想，这次上战场，就算被大家取笑是胆小鬼，也要珍惜生命。在迄今为止的作战中做了很残忍的事情，沾染了战场的污垢，我决定在这最后一次为国效力的战斗中，绝对不做残忍的事了。虽然有点自私，但以前每当国内有新兵过来的时候，我就想“不能让这些家伙做跟我们一样的事情”。

这次作战有最近刚从国内过来的新兵首次上战场。新兵入伍后不满半年的话都是雏兵。他们每个人都长着像少年一样稚气的脸。跟久经战场的士兵相比，感觉就像进入了野兽群中的家畜。

我出动的时候要带着这些新兵作为部下，新兵们交到我手上了。想到这点，我决定：“虽然不能一直这么下去，但至少在这次作战中我不会让这些新兵们沾上战场的污垢。”我所属的部队从应山附近开始了行动，经过襄阳、枣阳等地向当阳进发。到达当阳附近的时候，其他部队已经占领了宜昌，作战临近结束了。到此时为止我一直严守我的决定，觉得“还算不错”。

在当阳附近，我的分队离开中队去执行别的任务，任务完成后，我们正在步行寻找中队的驻地。当阳附近作为《三国志》的舞台是很有名的地方。据说当阳是因髯而闻名的关羽的出生地，市内公园中有关羽墓。事情发生在参观完该墓后向着据说是中队驻扎的市郊的村子前进的途中。

我们正在山脚下的土包上长时间休整，我发现20人左右的百姓正排着队走在山间的道路上。用望远镜一看，好像是避难的人。队列的前后是看上去身强力壮的男子，把女人夹在中间。见此我无意中说了一句“有女人”，于是老兵们开始喧闹起来。当我意识到“不好了”的时候，老兵们已经快速站了起来，招呼我说：“分队长，我们上吧。”他们的意思是要去强奸女人。我没说话，他们就贸然断定我同意了，一起站了起来。被他们带动，新兵们也想跟着去。因为老兵过去经历过这种事，所以我觉得“现在对他们说也没用了”，但新兵们我却没允许。我训斥道“你们不行，你们要强奸女人还早了点”，阻止了他们。老兵们见我态度和平时不同，感到很惊讶，但意识到我很少这么凶，于是默默开始了行动。一旦行动起来，习惯了战场的士兵的动作很快。他们袭击了避难的队列，放空枪和亮刺刀恐吓对方，片刻工夫就抢了女人退回来了。一抢了女人回来，就立刻将她们带到离我们稍远的草丛中开始强奸起来。

我试图无视这一场景，把脸转过去闭上了眼睛。过了一会儿，感到有一股异样的视线集中到我身上。睁开眼睛四下里一看，发现视线来自新兵们的眼睛，他们眼里有责备我的神色。

这时有一个完事的老兵过来，催促新兵们说：“你们也去干一下吧。”这句话让我的心理防线崩溃了。我想：“这里是战场，自己强奸了这么多人，现在再说什么严厉的话也没用了。新兵们迟早也会沾染战场的污垢。让他们干吧。”想法一变，就对新兵们吼道：“随你们便吧！”这不仅是对新兵们说的，也是对我自己说的。这时我放弃了好不容易下定的决心，又强奸了女性。

关于强奸，有一件事情我至今只要一想起来就会不寒而栗。

那是强奸导致的乱交引发了官兵间性病蔓延的事情。当时在日本，性病被当成亡国病，大家都很害怕。特别是军队，极度害怕这种病。和平时期的军队如果有人得了性病是要和罪犯一样关禁闭的。但是，战时的军队因为是通过战时动员紧急征兵的，所以很多患病者没时间治愈该病就应征了。那些人把性病带到了前线，因为强奸而在官兵间扩散开，性病患者增多了。虽然在前线不会关禁闭，但处理办法更加严酷。在军队里，根据伤病的种类将其分为一等病、二等病、三等病这几级。一等病是因为公务而得的伤病；二等病是算不上一等病的伤病；三等病是最恶劣的性病。在后方，根据病的等级不同，受到的待遇也很不同，在战场上差别更大。战伤者最优先，生病患者其次，性病患者不光是在战场上，就是在一般的后方也受到极度的冷遇。当去医院看病时，军医一听就骂道“不知羞耻”，也不给好好治疗。性病患者自己也说：“因为这是在前线啊，优待中弹的人是理所当然的，不光彩的性病患者是没法骄傲自大的。”然后就死了心。因为这样，所以性病患者就不去医院，以免受到冷遇而难受，他们尝试着用药草进行自我治疗。被大家当成亡国病而害怕，以医药的力量也不容易治愈的疑难病症，怎么可能用药草治愈呢?

这时候，不知道从哪里传来的流言开始扩散，说活人的脑浆是特效药，这成了士兵间的常识。要从活人身上挖出脑浆非常残酷，光是想想就令人不寒而栗了，非常不容易做到。

最初是把猫狗等杀死，拿出脑浆来服用，但一点效果都没有。过了一阵子，有不负责任的人煽动大家说：“想想看！用猫狗的脑浆治人的病怎么可能有效果？要治人的病就必须用人的脑浆。据说支那住着 4 亿人。杀一两个也没关系。你们觉得皇军勇士和当地百姓哪个重要？杀吧。”

由此，有几个人就残酷无情地干出了世上罕见的可怕之事。

我有一天在走路的时候偶然目击了从活人身上取脑浆的现场。地点是南京往东大约 8 公里的地方，靠近汤水镇。

汤水镇镇如其名，是一个有温泉的村子。这里温泉的水温正合适。我们听说了这个温泉，于是趁着闲暇时间前往。我们进入了据说是宋美龄专用的浴池里，在水里泡了个够，神清气爽地踏上了归途。

事情就发生在我们回去的路上。当我们来到一个被战火烧焦，已经废弃的村子时，看到三个士兵夹持着一个当地男子进入了废屋中。当地人的手被反绑着，我看那样子就觉得他们要做亏心事。突然，活人脑浆的事情浮现到了我的脑海里。

我凭直觉觉得他们要干那事。要是平时的话这事也不用放在心上，但那时很奇怪，怎么也放不下心。我渐渐觉得不能不看就走，于是靠近了士兵们进入的房屋，从开裂的墙壁的缝隙间偷看。

房子的屋顶被烧得塌下来了，所以屋里和外面一样有阳光照射。在阳光的照射下，我想象的事情变成了现实。三个士兵把仰面躺着的中国人围在中间，脑袋凑在一起正在忙活。中国人好像还活着，不停地动着脚，三个士兵好像正在把活人的头盖骨用刀割开。

我一时间屏住了呼吸看着屋里的情况，在头盖骨被掀开的那一块，稠糊状的东西正在微微颤动，那就是活人的脑浆——三个我们的日本士兵用指尖蘸了稠糊状的东西，用舌尖舔着。看到这情景，我觉得我看到了这个世界上的魔鬼。我想“如果这不是魔鬼，那还有什么是魔鬼”。我虽然没有得性病，但一想起“如果……”，就觉得不寒而栗。

鬼事之三：魔鬼的狂欢——斩首

我在前面讲过用子弹打死人，用刺刀刺死人等事情，另外，日军官兵杀死中国人的手段还有斩首。

所谓斩首，就是把头割离身体而结束生命。虽然是很残酷和野蛮的行径，但很久以前曾经在世界各地作为刑罚而被使用。

我国的刑罚中也有斩首。电影、电视中的历史剧中说的“砍头示众”就是斩首之刑。斩首刑到了明治新政府的时候就废止了。现在作为武士时代的事情，只有在历史小说、故事片等中才能看到。

我每次读历史小说或者看故事片的时候都会觉得不一定要用这么残忍的方法杀人，很怜悯被砍的人，然后觉得执行斩首刑的官差是恶魔或魔鬼，觉得被砍的罪人很可怜，想闭上眼睛，转过脸去。像我这样比一般人都要怯弱的人入伍并上了战场之后，不仅看到了斩首杀人的现场，而且我自己也把别人的头从身体上砍下来过。

官兵以战争为目的而到战场上去打死打伤敌国的人是应该的，但斩首杀人则有点特别。在近代战争中，斩首杀人的好像只有日本军队。据说那时欧美人之间把日本军人的斩首称为“砍头”，将其和“切腹”一样看成是只有日本人才会的特殊技能。

被日军官兵砍头失去生命的敌国人的数量有多少万，应该很难推测吧。在支那事变、太平洋战争中，在广阔的战场上，一般认为我所去的华中战场斩首特别多。为什么会做出那种事呢？没有明确的理由，但我想讲几点可能的原因。这只是以中国人为对象。

我在前线认识的一名佐级军官曾经说过下面这段关于斩首的话：“用枪炮杀人效率高得多，但用刀砍杀有其相应的效果。因为中国人最怕被刀砍，所以这样可以最有效地给他们心理上带来恐惧感，从而瓦解他们的抗战意志。”根据他更详细的说明，中国人之间自古以来就流传着“死在刀下的人来世就不能再做人了”的说法。

当然这是迷信，不过当时这在中国人中是根深蒂固的。我们就是要利用这一迷信从心理上瓦解他们的斗志。

上面这些是听来的知识。不过关于这件事，我自己在给中国人行刑的时候也亲自体会到了。那是在向徐州进发的途中。我抓住了残兵要给他们行刑，问他们说：“要处你们死刑，你们希望被刀砍还是被枪杀？”结果所有的人都希望被枪杀。这也是对刀砍的恐惧。

作为理由这还算比较正常的，另外还有很过分的。其中之一是出于好奇心而尝试做一些异常的事情。在正常的社会中如果杀了人的话，会成为罪犯并受到很重的刑罚。砍落人头杀人这件事如果不是狂人或者极端残忍的人的话是做不到的。在普通社会中，正常人是难以做出这种事的。但是，战场上的官兵即使杀了人也不会成为罪犯而受到惩罚。即使砍落人头，也不会有人谴责你是极端残忍的人。只要想做，开枪打死也好，用刺刀刺死也好，用军刀砍头也好，可以随心所欲。

自古以来就流传着战场上获胜军队拥有绝对权力的说法，占领了部分中国领土的日本也是如此。不仅是对于潜伏在占领区域内的残兵和游击队，对于一般百姓也可以生杀予夺。就算错杀也是我们占便宜，中国人吃亏。

只有入伍后在战场上的这段时间才可以这么横行霸道。回到国内退伍之后就成了普通社会的普通人。想到这点，就会有“趁着这机会做吧”的想法。可以说这也是斩首的动机之一。另外，身处战场的官兵试图做一些引人注目的事情来炫耀自己。斩首也属于这种事。做一些别人做不到的事，使自己有优越感。这就好像和很久以前人类还处于野蛮时代时，为了显示自己比其他人要伟大，展示强大的力量而进行炫耀一样。一旦到了战场这一特殊的场所，好像现代人的想法和很久以前的人一样。其次，还有一点是归国后回到普通的人类社会时，可以当成从军见闻来说给别人听。在战场期间体验过不寻常的斩首，然后就可以自豪地对别人说“我在前线砍过人头”，以此作为炫耀的话题。因为是这种荒唐的动机导致的斩首，所以对受害者来说真是飞来横祸。

再要举一个动机的话，可以举出日本军人佩带军刀这一点。

很久以前，欧美各国的军人也佩带过军刀，但在现代战争中没什么用，所以废止了。在日本和中国进行战争的那一时期，腰间佩带军刀的除了日本军人之外，就只有波兰的陆军了。在和平时期，日本军人也佩带军刀，但要上战场的时候，会把日本刀进行改装之后再佩带。其中还有腰间别着祖传的宝刀去战场的，因为日本刀比较锋利。

支那事变中，南京攻略战刚结束的时候，在没有资格佩刀的下级军官中，持有军刀的人明显多了起来。有人是紧急从国内寄过来的，有人则是自己用废弃的汽车弹簧为材料做的。当然，目的是为了砍杀中国人。以前的武士一旦弄到好刀，就会想试试它是否锋利，然后就去砍人试刀。和武士一样把军刀别在腰间的话，就想去砍人。要做到这点，比以前武士杀人试刀还要容易。因为官兵在往来于战场的时候理性已经麻木了，成为一种狂人，失去了杀人有罪这一正常人的心理，渐渐觉得杀中国人还比不上杀猫狗，完全没有自我控制之心。一旦想要砍人，作为材料的人哪里都有，因此大家就有了放纵自己的战场心理，心想“清国奴们没什么了不起。没关系，干吧”。

凭借这种单纯的动机做出斩首这么重大的事情的人很多。虽然不是上了前线的人全部都是这样，但我认为前线部队的许多官兵都目击过斩首的现场，亲自进行过斩首的人也不少。

我第一次看到斩首是在到达前线的第二天。

听到有人说“抓到清国奴的间谍了”，于是我马上去看了，因为我想起了在快要登陆的时候中队长在对我们进行的训话中说：“清国奴们的抗日教育很彻底，所以不能因为对方是普通百姓就麻痹大意。在日军占领之后有的百姓会留下来进行破坏。你们看到清国奴就当成间谍！”于是想看看那家伙是什么样子。

那时的上海郊外有很多中国军队构筑的阵地，战争开始之后居民们都去避难了，几乎没有人。那是我来到前线后第一次看见敌国人。

我出于好奇心过去一看，不知道是哪支部队的几名士兵把三个中国人的手绑在背后，按在地上。我想“是什么样的家伙啊”，分开人墙进去一看，他们穿着当地人的衣服。我一直以为间谍是厉害的角色，但他们和我想象的完全不同，因为抓到的人中有一个是 60 岁左右步履蹒跚的老头，剩下两个是女的，一个看上去是年过 60 的老太婆，还有一个 50 岁左右。他们的样子看上去都弱不禁风，从年龄来看也看不出他们当过间谍。我虽然这么看，但抓人的士兵们断定他们是间谍，说“这些家伙是间谍。清国奴们即使是百姓也不能大意。干了可恶的事的家伙要砍头”，然后立刻开始准备。

我那时刚到前线，是个普通人，光是听到要杀人都很害怕，而且说是要砍头杀人，我吓了一跳。我想，“来到了一个可怕的地方”，觉得后悔起来，同时觉得要被砍的人很可怜。虽然有这样的想法，但是越害怕的东西就越想看，所以我没有离开。

第一次看到杀人现场的好奇心、恐惧感和对被砍的人的怜悯之情掺杂在了一起。当我正以复杂的心情旁观时，行刑开始了。首先是 50 岁左右的女人要被砍头。士兵们撵着她来到小河边，让她跪在那里，似乎是打算在那里砍下头颅，再把身体沉到河里去。我注视着快被砍头的女人，她的身体在微微颤抖，那是因为面临死亡而害怕的缘故吧。脸色苍白，没有血色。士兵们毫不介意，他们一起靠近了女人，把她的手脚摆成容易砍的姿势。在把她跪坐的两脚深深地垫在屁股底下之后，士兵中的一个人转过身对我们旁观的人解释说：“这样一来身体就稍稍前倾，对斩首来说是正合适的姿势。而且在脑袋离开身体的同时，腰部会像弹簧一样伸展，身体就会自动往前倒。”一副前辈的口吻。

准备工作完成之后，一个长着乱蓬蓬胡须的曹长分开众人来到大家面前。他站到我们这些旁观的人前面，把我们当成新兵，用一种轻视的口吻说："我来示范一下砍人头给大家看看。我在满洲战场待了三年，讨伐过很多次土匪，杀人都杀腻了。下面让你们见识一下我的本领和备前长船（日本刀的一种）的锋利，好好看着。"

不愧是炫耀"杀人都杀腻了"的人，对结束人的生命无动于衷。他站到跪坐着伸着脖子的女人背后，用巧妙的手法唰的一声拔出自称是备前长船的名刀。然后他用灵巧的手势把刀锋反转过来，啪啪地敲了几下女人的颈部，结果让人感觉颈部稍微伸长了一点，这时好像就是斩首的好时机。曹长用敏捷的动作一挥军刀，刀刃在阳光的映照下发出耀眼的光芒，只见女人的颈部刀光一闪……再往白刃落下处一看，从颈部切下来的人头呈球状滚落了下来。落到地上的首级像皮球一样滚下上堤的斜坡，没入河中。

此刻，我们又把目光移到没了头的那个女人的身子上——只见从被切断的颈动脉处喷出了大量鲜血，像喷泉一样画出一道高高的弧线，洒得很远。当血喷的势头渐渐减缓，无力再喷的时候，身体就自然伸直了，像追随着首级一样跃进了水里。

这个中国女人的生命就这样结束了。

我在旁边看着这情景，感觉像是在梦中，觉得好像从头砍下来到鲜血喷出中间隔了一段时间。心想，"在杂志的插图上看到的和实际看到的根本不同。画上画的是鲜血像竹刷子一样从整个切口喷洒出来，实际上是从颈动脉呈线状喷出来的"，感觉是一项重大发现。

后来我到战场上杀过人，但是砍人首级取其性命却不容易做到。即使已经习惯了战斗，成了一名称职的士兵，可以对杀人感到骄傲了，但对斩首还是提不起劲。

但在徐州作战的时候，我终于进行了斩首，那时我来到前线已经 10 个多月了。想要斩首的理由和动机等已经记不清了，不过好像是有一种想在其他士兵面前保住面子的想法，想夸耀"斩首这种事情，我也是能做到的"。

因为我比其他人要胆小，所以在战场上常常显得很笨拙。为了掩饰那种不体面的丑态，也想做一些引人注目的事情。在前线过了 10 个月，补充兵从国内过来了。在那些人面前我也想虚张一下声势。记得我是因为这些原因而砍人首级的。

因为那是第一次斩首，所以很忘我，连自己都不知道是怎么样砍下去。等回过神来的时候，身首已经异处并滚在地上了。比起担心来，更为自己砍得漂亮而松了口气。

不久看到了暗红色的血，觉得不太舒服。我清楚地记得自己砍人首级的过程则是在向信阳进发的途中。虽然这不是什么值得自豪的事，我还是想讲一下过程。

我们分队在向信阳进发途中，从离开庐州（今合肥）临近大别山时开始，就成了先头部队，在大岛准尉的指挥下离开主力部队先行。我们沿着大别山北麓前进，虽说是山麓，但和山里面一样尽是陡坡。我们沿着陡坡艰难前行，要打败占据天然险要处的敌兵前进非常痛苦。士兵们在痛苦的时候就把脾气乱发到中国军队身上，说："我们这么辛苦都怪清国奴。清国奴小子们，一发现就杀了你。"

进入大别山之后大约过了三天，有一天我们在山沟里的路上与 5 名中国兵差点迎面遭遇。他们丝毫没有敌意，一看到我们就扔下武器，跪在地上表明了投降的意思。据推测，好像是被大部队扔下后没有了粮食，肚子饿得受不了才出来的。那时我想，没有敌意的人是不用杀的，但在以准尉为中心商量对他们的处置时，遇到了一个不能让他们活下去的问题。如果把他们当成俘虏的话，首先没有东西给他们吃，其次是把随身带的东西分给他们的话，我们就要饿着了，而且作战行动带着俘虏也很麻烦，说不定他们什么时候就逃走了，但是又不能放了他们。经过商量，最后决定："对可恨的清国奴不用留情，杀了他们以绝后患。"

因为此次作战开始前内地来的补充兵很多，所以决定采用斩首的杀人方法给新兵们看看。首先是大岛准尉进行示范。准尉自称是剑道三段，刺刀术二段，向士兵们炫耀了一番。他第一次上战场是在出兵山东的时候，满洲事变也参加了，他骄傲地说："我已经砍过若干个人的头了。"

准尉不愧是自豪地说出上面这些话的人，动作非常精湛熟练。他随手拔出军刀，靠近俘虏，在说"砍人头要这么砍"的同时，将手中的刀砍了下去。大家吃惊地一看，俘虏的头已经离开了身体，滚到了石头缝里。这只是一瞬间的事情，都不到一分钟。

旁观的新兵们发出了"哇"的惊叹声。新兵们全都是一副"不愧是身经百战的准尉阁下"的佩服表情。那时我还提不起砍头的劲来，和新兵们一起在旁观。

准尉示范完之后，老兵们当中陆续有人以一副舍我其谁的架势出来斩首，最后只剩下一个人了。这时，我注意到新兵的眼光集中到了我身上。因为我没有提出斩首，所以他们好像在催促我说，"这次你来吧"。

一旦感到了新兵们目光中催促的眼神，出于老兵的体面，我就不得不斩了。我想漂亮地把人头砍下来，然后昂首挺胸地对他们说："怎么样？这点事情算不了什么，别小看我。"突然有了这种想法，于是我提出来说："好！那家伙我来砍。新兵们，好好看着。"

虽然这么说并站出来了，但内心却很担心。对于是否能够砍得漂亮以至于让新兵们感叹，我没有自信。做示范的准尉暂且不提，如果我砍的时候比刚才先砍的人要难看的话，新兵们会瞧不起我。我对自己说："这是重要的一砍。如果搞砸了的话会被当成笑柄。必须要沉着冷静。"然后拔出军刀，站到俘虏的侧面摆好姿势。俘虏不知道是看到4个同伴被砍，觉得乞求饶命也没用而死了心，还是连恳求的力气都没有了，默默地跪坐在那里，等着刀砍。

我和俘虏保持着合适的距离，俯视着他因为太阳晒和污垢而泛黑的颈部，渐渐想起了开始时看到的曹长的手法。我想模仿他，于是在脑子里将曹长斩首时的步骤梳理了一下，终于觉得有了自信。像曹长那样，我把刀锋反转过来轻轻敲了俘虏的颈部一下，俘虏好像吃了一惊，缩了一下身体，这导致他的颈部稍微往前伸了一点。我想"时机到了"，于是对准他伸长的部分，像摔东西一样把刀砍了下去。因为我没有学过剑道，所以是像砍柴一样挥下去的，却顺利得让我吃惊。刀刃的势头在切断颈部后仍然不减，一直到了我的脚附近才停下来。

就这样我夺去了一个人的生命。

虽然这是一件极其重大的事情，我却看着滚在地上的首级想，"没有砍失败真是太好了"，于是松了一口气。过了不久，我渐渐产生了优越感，扬扬得意地想，"看到没有，新兵们，我的砍法和其他人不同，是符合规矩的"。就这样觉得自己成了英雄而自我满足了一阵子，然后我开始想，"做了这种事，为什么会自豪呢？"突然开始憎恨起自己所做的事情来。

以上就是我那时的心境。

砍人首级的不仅是战斗部队的官兵，其中也有后勤人员出于好奇心而砍的。有一个例子，是在向南京进击的途中。

南京总攻击的时机渐渐成熟了，上面下令："各队迅速前进至句容至溧水一线。"我所属的部队也向着上面指示的地点急行军。就是在那途中，在我们将要路过的村子里，卫生队设立了临时包扎所。无意中一看，只见卫生队的士兵抓了一个像是当地居民的男子，把他按在地上，军医少尉拔出军刀正准备砍他的头。身为军医官，在战场上的任务就是拯救生命，就算是敌方的军人受了伤也必须给予医治。该少尉却在我们眼皮底下斩杀了无辜的当地居民。乍一看军医官好像性格很温和。性格暂且不提，他是拯救人性命的医生这点是不会错的。我想他可能是在南京攻略战中看多了负伤者流出的血而有点失常，一时忘却了自我。

我每次一说斩首，很多现在的人都会说："战争时期的日本人干了野蛮的事情。"但事情不是这么一句话就能一带而过的。

战争时期的官兵和现在的人是完全同质的人类。现在的日本因为有和平宪法而无法进行战争，但不能断言说它永远不会变。如果发生了战争而侵略他国的话，现在的人也有可能做出同样的事情来。

战争时期的人为什么做出了那样的野蛮行径？有一个很好的比喻可以说明这个问题。在前线和我一起的一个士兵说："进行侵略战争时，人回到了原始时代。那样的人不管受过什么样的高等教育，不管怎么有理性，都变得和野生动物一样。"

这话是不是说出了斩首的理由，那另当别论，但从我的战场经历来说，有值得首肯的地方。

鬼事之四："杀光为荣"

前面讲了新兵用俘虏和百姓来试刺刀、强奸女性、出于好奇心用军刀砍人头等事情，当然还有一件不得不讲的事：即日军在侵华时所采取的杀光政策——以彻底、全部地屠杀中国人为战斗目标，也称"杀光作战"。

所谓杀光作战，就是在主要作战结束后，以扫荡残兵为借口袭击当地居民的村落，将他们全部杀死，并烧毁民房。这与三光作战、灭绝作战等是一回事。另外，还发生过仅仅因为怀疑有可疑分子潜入，就把整个村子烧毁，把居民全部杀死的事情。

在中国战场上，日军第一次大量屠杀中国军队的残兵是在占领南京之后。日本的大军团像怒涛一般涌向南京，于是负责南京防卫的中国军队失去了斗志，支离破碎了。底层官兵或是投降，或试图从日军的缝隙间逃跑。那时，日军大量屠杀投降士兵并牵连到了一般百姓，这就是南京大屠杀。

一般认为投降并被屠杀的士兵占了绝大多数，但其中也有从日军的缝隙间钻出并逃到包围圈外的人。脱离大部队成为残兵之后，困难的是没有粮食吃，肚子饿。如果穿着军服到处走动的话就会被发现，而且没地方住，寒冷的时候会被冻死。从这样的困境中逃脱出来的残兵就进入了当地居民的村落中藏匿起来。这对于村民来说虽然是个麻烦，但毕竟是自己国家的士兵。他们会给残兵食物，让其换掉军服装作村里人，并等待时机引导其逃到安全的地方。因此日军在扫荡残兵的时候，将村落当成了目标。那些成了残兵的人藏匿在村子里，其实已经完全失去了斗志，一心就想着逃得远点。即使不管他们也不会有什么危害，但日军没有放过他们。

当我们一旦获得有某个村子里潜入残兵的情报后，即使只有两三人也不放过，便会出动军队袭击村子，对残兵和百姓不加区别地全部杀死。这种情况下即使是老人、女人和小孩都不能幸免，哪怕多杀一个人也好。因为杀死的人数被当成战果。日方的报纸和广播对这种战果则大加赞扬，并大肆报道说："我军抓捕从南京败退的中国士兵，战果辉煌。"

在刚占领南京的时候，位于以南京为中心的城外要地的各部队就这样扫荡了残兵，甚至把无辜的百姓也牵连进来杀死了。虽然那时还没有称之为杀光作战，但可以认为后来发生的杀光作战始于那个时候——而这些事实上也应当被包含在南京大屠杀当中……

虽然各地的情况不完全相同，但在日军占领并进行警备地区的前方，基本都有若干镇子、村落和居民点等。这些区域处于中国军队和日本军队之间，是中间地带。在那里生活的当地居民在表面上只能一直保持中立。他们如果帮助日军的话，就会被自己国家的军队骂为"汉奸"；如果做出对自己国家军队有利的事，又会受到日军残酷的打击。因此不得已，看到日军来了就插起日章旗，装出欢迎的样子。当日军为了施工等来要劳力时，就出苦力应付过去。但是，身为中国人的当地居民不可能很痛快地欢迎侵略自己国家领土的日军，插日章旗是为了避免敌人加害自己的自卫手段。不仅是中国人民，不管是哪里的人民，在这种情况下，出力帮助自己国家的军队都是理所当然的。

当地居民一方面向日军示好，另一方面也在帮助自己国家的军队。他们把村落当成了中国士兵们的联络场所。当有游击队要潜入日军警备的区域内时，村子就成了根据地。当要对日军发起攻击时，村子成了前线基地。像这样做出有利于中国方面军队的事情很多。一旦发现了有这样的情况，日军为了不让中国军队利用他们，就采取了强硬的手段，也就是在警备地区的前方制造无人地带。

日军派出密探侦察中国方面的动向，一旦感到哪怕是一丝不安定，就秘密出动部队，同时袭击镇子、村落和居民点，将居民全部杀死，并烧毁其房屋。只是为了不让中国军队利用，就把居民杀光，民房也一间不留地烧光。虽然对于当地居民来说是残忍的事情，但这样的事情在日军看来并不是什么特别的大事。在前线所有的警备地都一样，只不过规模大小不同而已。我在战场期间，也有过若干次这样的经历。下面我想列举其中一例：

那是在攻占信阳之后。一占领信阳，就在信阳设立了信阳地区警备队本部，在长台关、游河设立了前卫警备队，形成了守备的态势。我所属的部队负责长台关的警备。

那时的长台关虽然表面上看平安无事，其实情况不太好。从信阳地区败退下来的残兵潜伏到附近的村落里，转化成游击队。不仅如此，在正对面的三里店、五里店、明港等地还有正规军进入，正在准备反攻。前方起伏的丘陵上可以看到像是敌兵的人正在窥视我们这边。

因为是这样的情况，所以长台关警备队很紧张，不断派出密探侦察村子里的情况，一旦收到情报说那里有可疑情况，就出击进行彻底扫荡。

有一天密探带来情报说长台关以北约 10 公里的某村潜入了几名游击队员，于是警备队决定立即组织讨伐队出动。我也加入了讨伐队。

讨伐队傍晚时出动，到达目标村落附近时已经过了晚上 10 时了。村子位于长台关北方起伏的丘陵北侧的山脚下，户数大概四五十户，是很普通的村落。村民已经入睡了，非常安静。

这时我看到在弯弯月色映照下寂静沉睡的村庄，觉得对其加以袭击是很可怜的。

讨伐队分为放火班和射击班两组。放火班先进入村子，在民房上点火，射击班则在村子出口附近待命，将那些因火灾而惊慌失措逃出来的人枪杀，这就是杀光作战的手段。村民如果不向外逃的话就会被烧死，逃出来则被子弹打死，不管怎么样都只有死路一条。

那时我是放火班长。我指挥放火班进入村子到处放火。因为屋顶是茅草，所以烧起来很快，村子一下子就被火焰包围了。

我们退到村外刚喘了口气，火焰就蔓延到了整个村子，火苗蹿得老高。一瞬间村里一片哀鸣，并骚动起来。村民们正在安睡的时候突然遇到大火，于是惊慌失措，连滚带爬地逃到屋外。那样子在红色火焰的映衬下，就像剪影一样。

这对射击班来说是不错的靶子。待命的轻机关枪对着他们一齐射击，不到 5 分钟就没人动了。

我在火势渐弱之后走近村庄四下走动。在村子的出口附近躺着很多尸体。仔细一看，有瘦得跟枯木一样的老头，有因缠足而无法行动的老太，还有女人和孩子，与游击队无关的尸体很多，看上去居民全都死光了。在村子附近走动时，活的东西连一只小狗都看不到。

我本以为村子里的人全都死光了，但在四处走动的过程中发现了一个活的。我听到了婴儿的啼哭声……循声走去，终于发现一个还没学会爬行的婴儿慢慢地动着手脚在哭，旁边倒着一个像是母亲的人。她头部被子弹击穿而毙命，脸被鲜血染得通红，看不出长相。仔细一看，她手中抱着裹婴儿的被子。从那样子来看，好像是抱着婴儿逃出来的时候被子弹打中，倒下时婴儿从被子里掉了出来，捡了一条命。

我看着那个婴儿，心想“这孩子虽然没死，但没法活下去，一定会饿死或冻死。只有几个小时好活了”。这么一想，我有点不知道在离开这里的时候该如何处置了，是结果他的性命更为慈悲还是放任不管好呢？我想，如果这个世界上有地狱的话，这就是地狱。看到被残余的火焰映得通红的士兵的脸，觉得他们就是赤鬼，而在月光的照耀下青白的脸看上去像青鬼，我自己也是鬼当中的一员。这样一讲，好像相当残酷，但在战场上并不是什么特殊的事情。在最前线进行作战并负责警备的军队中，这是极其普通的家常便饭。当时身处战场的官兵为了自己的利益，把这看成是理所当然的事情。宫崎县的老兵在日记中记述说“像杀猫狗一样”，确实如此，当杀中国人的时候觉得只是在杀蝼蚁。杀人就是如此不当回事。

那时官兵的精神状态是不正常的。膺惩暴戾支那、敌忾心、获胜带来的傲慢、蔑视中国人的心理等掺杂在一起，不管做什么都不认为是罪恶。我是这么认为的。在发起南京攻略战并占领南京之后，其程度越来越甚了……

我在讲完这些话之后，总是会讲“士兵之所以做出这么残忍的事情，是因为战争的魔力导致的”而应付过去，但其实并不能一概用“战争的缘故”这种抽象的说法来敷衍，因为不能断言“这样的事情不会再次发生”。人具有可以变为神也可以变为恶魔的两面性，文明人和野蛮人都一样。

每当我把这样的事情讲给别人听或者听经历过战场的人说话时，我都会想：进行战争的人干残忍的事情，住在成为战场的地方的人很悲惨，这是战争的常情。

如果 40 年前的战争最后进行本土决战并败北的话，国民们会遭遇怎样残忍的行为啊！如果今后发生战争，日本卷入其中并被外国军队以武力占领的话，日本的国民会受到怎样的对待呢？我一想起自己做过的事情就不寒而栗。

鬼事之五：和尚日兵也成淫魔

我自在上海的吴淞登陆之后，一直在中国的战场上待了三年零几个月，全处于前线，参加了数不清的大大小小的战斗。在作战行动期间，我有很多想向他人夸耀和吹嘘的功勋。但另一方面，也干了不想让他人知道的坏事。明明不杀也可以的，却夺去了无辜人的生命。还掠夺过，也强奸过妇女。如果要一一进行讲述的话，光是这些坏事就可以写好几本书。可是在战争结束时，我决定绝不说出自己干的坏事，自那以后就一直将其藏在自己心里。但几年前，我突然想到这样做并不能传达真正的战争实情。

下面我还想讲讲自己干的坏事。因为我的这些坏事其实也等于是所有日本兵干的坏事。

在出征前往上海的时候，我是现役上等兵，所以受命担任分队长一职。那时，高桥广道一等兵被编入了我的分队。据调查，高桥一等兵属于士兵中资格最老的后备兵。在后备兵中年龄也算大的，已经 38 岁了，比我还大 15 岁。年龄差这么多，虽然在军队的编制上是分队长和部下的关系，但并不总是如此。光是这样就已经让人紧张了，然而更让我吃惊的是：他在国内就是一位职业僧侣，且是一家寺庙的住持。我因此尊称他为“高僧”，在 12 名分队员中也是对他另眼相看。

然而到了战场之后，这位“高僧”令我大跌眼镜——他变成了一个胡作非为、罪孽深重的家伙。

高桥广道看上去光鲜的镀金外壳开始脱落并露出本性是在上海战役的过程中。自从驻扎在太仓之后，他又是赌博，又是豪饮，又是强奸女性，也就是国内所说的“三浪荡”的行为开始明显多了起来。驻扎在太仓的时候，士兵们有出征时从国内带来没花完的钱，而且上海战役中停发的薪俸一次性发了下来，所以士兵的兜里有多得用不完的钱。他们就开始用这钱赌博，高僧是赌博的常客。

那时，我因为睡在高僧旁边，所以看他从赌场回来时的样子就知道他赢了还是输了。输了的时候他会悄悄盖上毛毯，赢了的话就点上蜡烛把厚厚的一叠钱数上好几遍，还默默地笑。他总是把酒放在水壶里随身带着，有时大白天就喝醉了。早晚点名的时候也红着脸站着，让我这个分队的责任人捏了一把汗。

对于女性的好色程度他比别人高两倍。在太仓的时候因为没有慰安所，所以他专门强奸当地的妇女。虽然其他士兵也强奸当地妇女，但高僧的强奸手法和一般士兵略有不同。

可能是因为太仓离上海近，所以附近藏有从上海方面逃难过来的年轻女性。不知道高僧是怎么知道的，他发现在城外的村子里藏有一对年轻夫妇。如果是一般士兵的话，就上去强奸了，但高僧却巧妙地威胁他们，使自己可以随意玩弄那个女的。不是强奸，也不是通奸。他在玩弄了那个女的回来之后，晚上絮絮叨叨地把情形讲给我听。

我也强奸过那个女的一次。有一天高僧出去以后就没回来，我很担心，就去他说的那个女的所在的村子找他。结果正如我所料，他在那女的那里。被我看到他和那个女人正在行乐，高僧可能是为了掩饰难为情，就劝我也强奸那个女的。那时我也有了那个意思。要在平时的话可能就拒绝了，但正好上面刚刚下达了近日要向南京进发的密令，所以很兴奋。被高僧一劝，觉得送到嘴边的东西不吃是男子汉的耻辱，在很无聊的事情上逞起强来，最后强奸了那个女人。

这件事发生的两天后，又一整天看不到高僧的踪影。虽然心里有数他去了哪里，但因为刚刚强奸了那个女人，所以有点畏缩，就没有去找他。白天我还没在意，但到了傍晚开始有点担心了。我想他可能是在赌场，但是跑去一看，不在。这下可以确定他去的地方是那女人所在的村子了。虽说是占领地，但高僧这样的人在有许多敌国人的地方待到晚上还是有点不合常理。虽然女人把身体给了他，但并不是很乐意地给的。对女人的丈夫来说，这是无法忍受的屈辱。这么细细一想，我猜他可能遇上了什么不祥的事情了。我左思右想，没等到晚点名的时间就赶紧跑到值日军官那里去报告了。值日军官收到我的报告，没法不管，就向中队长报告了，于是突然间闹得沸沸扬扬起来。

中队长下令赶快组成搜索队去找人。搜索队长由大木少尉担任，带领 30 名士兵去找人。我的分队当然也加入了其中。搜索队立刻展开行动，袭击并进入了村子，但找不到线索。居民们对我们的讯问守口如瓶，坚持说什么也不知道。于是上等兵以上的人集合到一起商量了一下，决定把小孩召集起来讯问。我们立即找来约十个 10 岁上下的中国小孩们讯问，并给他们压缩饼干加以利诱，还拔出刺刀进行威逼，终于有一个小孩开了口。据他供述，高僧在强奸女人的时候被几名男人袭击并杀死了，好像是女人的丈夫找村里人帮忙袭击的。小孩带我们去了一个地方，挖出了高僧的尸体。这样一来村民们一下子转变了态度，开始协助搜索队了，还抓住了那个女人和她丈夫交给了搜索队。

这样高僧的问题就解决了，但抓住两人之后队长大木少尉说："这两个家伙也许还有其他罪行，把他们带走交给宪兵队吧。"这样一来我就头疼了，我强奸过那个女人，虽然只有一次，如果他们到了宪兵队手里的话，这事可能会败露。如果败露了，我也许会有事。现在为了自身的安全，只能不把这两个人交给宪兵队，而由我们自己来处理。

我下定了决心之后，立刻找来分队员中有实力的人商量，向他们说明了情况。分队员们这时是值得信赖的，他们拍着胸脯接受下来，说："好，交给我们吧。"然后就围着大木少尉抗议说："就算交给宪兵队也没有功劳吧，只能丢高僧的丑。与其多此一举，不如杀了他们，这样也可以为高僧报仇。"因为其他士兵也赞成这个意见，所以大木少尉最后也同意了。一旦决定当场结果他们，士兵们都是在上海战役中杀过人的，所以对杀掉这两人没有犹豫。我虽然是主张结果他们性命的主谋，但一到了要杀的阶段，突然又不想这么做了。要说原因的话，因为从道理上说是我们不对。高僧的死是自作自受，而我则是为了自身的安全要夺去两人的生命。我开始觉得最坏的是自己。

一旦有了这样的想法，我就无法正视杀人现场了，把眼睛紧紧闭上，并低下了头。尽管这样做了，但每当“啊”、“哦”的惨叫声传入了我的耳朵，我的眼前立即会浮现死者痛苦的那一幕幕脸容……

下面这件是在向南京进击时的事情。地点记不太清楚了，朦胧记得是在从苏州到无锡的路上。那时我所属的部队也粮草不足，是通过在当地征发来解决的。

这一天，以浅井军曹为首，两个分队前去征发，其中一个是我的分队。从大道往旁边走 500 米左右，在农田中有一个住着五六十户人家的中等村落。进去一看，居民们可能都去逃难了，一个人影也没有。我们前面的部队也许经过的时候没看到这个村子，没有搜刮过的痕迹。在民房前面的空地上，有好几十只鸡在觅食。看上去有 200 斤以上的肥猪带着中等的猪和小猪在玩耍。

征发队进村之后，可能是感到我们会加害它们，鸡像鸽子飞起来一样跳得老高，逃到了屋顶上。猪很生气，倒竖起了像钢丝一样的毛。其中一头肥猪像野猪一样朝着征发队冲了过来，一副势不可挡的架势。有个劲大的士兵在枪上上了刺刀对着猪，可是被撞飞了出去。但是那个兵不愧是身经百战的勇士，在被撞飞出去之前，刺中了猪的咽喉部位。猪受伤之后势头更猛，把刺刀都弄弯了，乱蹦乱跳，就算想给它致命一击也靠近不了它。没办法只好让它闹腾。过了约 5 分钟，肥猪的力气开始变小，也许是被刺中了要害而气力用尽了。它撞在堆积在空地一角的稻草堆上倒了下来，然后就不动了。士兵们一阵欢呼，聚集到了草堆旁。这时发生了意想不到的事情。稻草堆的一角塌了下来，爬出三名年轻女子。好像是因为士兵们发出欢呼声而聚拢过来，所以她们以为躲在里面被士兵发现了才出来的。我们抓到了肥猪，而且女人也出来了，可以说是一举两得。

这样一来士兵们要做的事情就很明显了，在肢解肥猪以便运回去的同时，轮奸了那些女人。此前我虽然有过强奸的经历，但是在大家都看着的情况下有点不好意思，所以在干肢解猪的活。

我在干活的时候，完事的士兵回来看到我还没有去就劝我说：“分队长，你还没上啊？猪我们来搞，你快点去吧。”

即便如此我还是默默地继续干活。于是那个士兵用生气的表情说：“我原本以为分队长是个死心眼、刻板的人，原来不仅如此啊。男人那玩意儿立不起来吗？真可怜啊。”

被这么带有侮辱性地一说，这次轮到我生气了，我说：“什么？男人那玩意儿立不起来？立不立得起来你好好看着。”说完立刻扔下刀，跑向他们强奸女人的地方。

下面是南京攻略战结束后不久的事情。

占领南京后不久，我所属的部队驻扎在南京东北面的某村落里。这一带虽没有残兵，但有些地方也发生过屠杀。从南京周边的整体情况来看，我们的驻地是比较安定的。难民们不知道从哪里得到了这一消息，开始一点一点向这里迁移。为了监视这些难民的动向，我所属的部队派出了监视哨，地点是可以清楚地看到从紫金山方向通往南京道路的地方。步哨的特别守则上写着“步哨要不停监视路过的人，当发现可疑分子时，应立即将其抓获”，其任务就是监视过路的人。

我被任命为监视哨司令。监视哨自司令以下共有 12 人，是从各中队抽人混编而成的。和部队卫兵不一样，执行这种命令的士兵很多都是不好的人，其中大庭一等兵、足立一等兵和村松一等兵这三个人尤其坏。这三人原不在一个中队，是到了这里才认识的，可能是因为臭味相投，所以从开始就关系非常好。士兵们称他们为三只“乌鸦”，而对我这个司令来说是个麻烦。

监视哨很悠闲，就算再怎么想要发现可疑分子，但仅从外表来看是不可能识别出是良民还是可疑者的。越是可疑的人，越不容易被看出来。

我的工作就是一整天都仰坐在休息室的椅子上打盹，到了傍晚报告“正常”。监视兵也和我一样悠闲。步哨是三班倒，第一班去站岗的时候，第二班就完全没事做。因为监视哨是要连续工作一周的，所以过了两三天之后士兵们就觉得无聊起来，待不住了。这样一来，三只“乌鸦”最先开始作恶。他们合谋在马路边上设立了和哨卡不同的关卡，每当当地人拿着鱼、鸡等经过时就抓住他们把东西抢过来，还强奸年轻女性。有像是夫妻的人过来时，就抓住他们让他们性交，以此取乐。

某日三只“乌鸦”和往常一样设立关卡，抓来了两名中年男女，目的是闲得无聊而让他们来助兴。两人不是夫妻，但好像是认识的人。三只“乌鸦”说是要搜身，就让他们把衣服全脱光了，在嘲弄完之后，又催促他们性交。

催促的一方是出于恶作剧心理，而被迫的一方却是很痛苦的。因为是在敌国士兵围观的情况下而被迫做这种事，所以怎么也做不成，但是不做又过不了关，所以男的无奈地骑到女人的身上开始干了起来。然而从上面看好像真的是在性交，但从屁股那里一看，关键部位并没有结合在一起，男人想蒙混过关。三只“乌鸦”发现了这个情况很生气。

他们怒吼道："你这家伙，敢要我们，饶不了你！"并用靴子踢了男人屁股，于是男人那玩意儿萎缩了下去，惨不忍睹。

这样一来，就算想让他上也是不可能的了。急性子的大庭一等兵看见助兴失败了，生气地说："我杀了你！"并拔出了刺刀。他说到做到，用刺刀对着在女人身上慢腾腾、晃动着的那个男人腰部深深地刺了下去……因为是从上往下由于用尽全力下刺的，所以刺刀贯穿了男人的身体，又一直扎到了女人的心脏。然后又刺了第二刀、第三刀……直到把两人刺得稀烂，不到三分钟两人就都丧命了。

我默默地看着他们干了这么残忍的事情。

到了傍晚，我在上交的报告书上写道："步哨注意到了形迹可疑的两名中国男女，在叫住他们准备讯问时，他们突然进行抵抗并开始逃跑，所以将他们捅死了。"

…………

"从军慰安妇"其实就是用来满足军队官兵性欲的女性，所做的事情和普通妓女一样，而且在肉体上更具强制性。因为有限的少数女性要在全部是男人聚集的前线满足很多男人的性欲，所以忙碌得用普通常识是无法想象的。

原则上，将慰安妇分配到军队驻扎的各地是要按照士兵人数的多少按比例分配的，但没法做到所有的地方都公平分配。从整体来看，后方基地附近比较多，越往前线越少。所以，后方基地附近的慰安妇平均每天只要满足 10 到 15 人的性欲就可以了，这种程度的话只要习惯了就好。与此相反，前往条件最差的最前线的慰安妇有时一天要接待 100 人以上的男性。一个女人的身体要满足 100 个男人的性欲的话，即使 24 小时不眠不休地工作，每小时也必须接待四个人。如果要保证最起码的睡眠和吃饭时间的话，每个小时就得接待六七个人，这样的话就不能充分满足每个男人。这种工作是超过人类体力极限的沉重劳动。

那时候是一分钟都不能浪费的，她们一点休息的时间都没有，一整天不停地接待男人。好几个小时都以同样的姿势张开双腿不停地接待男人，渐渐地腿也麻了，动都动不了。就算想上厕所也站不起来，小便就当场排出。屁股底下的毛巾总是湿的，散发着臭气。要大便的时候在房间的角落里备有马桶，她们就爬过去大便。要吃饭的时候让人把饭团拿过来，就躺在那儿吃。如果长期持续从事这种非人工作的话，不管多么结实的身体也会垮掉。

听别人说，在偏僻的警备地工作的一名慰安妇持续进行了近一个月的沉重劳动，终因耗尽体力而死。将其尸体从被子里拉出来后，身体接触到的那部分被子都已经变得破破烂烂了，呈人的形状。据说屁股周围还爬有蛆虫。我虽然没有亲眼看见，但这是有可能的。

虽然我入伍的时候已经不是处男了，但在女性方面还很幼稚，正要在这方面进行锻炼的时候就入伍了。我当时失望地想“要暂缓两年了”。

入伍之后，第一年因为忙于军事训练和内务，没空去想女人，最多在外出时看看年轻女性养养眼。到了第二年开始有点空闲了，虽然去了妓院街，但因为找的是军人半价的私娼，所以匆匆忙忙，也没能好好体会女人的滋味。我想，“现役期间就别想了，等退伍之后要连本带利地赚回来”，准备等两年现役期满再说，但是还没期满就发生了支那事变，我所属的师团接到了动员令。

通过动员组编，我被编入野战部队，要上前线了。这样离女人更远了。我想：“到了前线之后全是男人，至少在前线的这段时间是无法接触到女性的肉体了。不止是在前线期间，也许永远都接触不到了。”我是抱着一种觉得自己没女人运的消极想法上前线的，但在前线却有了异常的女性体验。

我在前线所经历的男女之事是在普通社会无法体验的异常的事情。到了前线三个月后，我强奸了当地的女性。过了半年，为了满足前线官兵的性欲，从军慰安妇来了。由此我们可以很容易地接触到女性的肉体了。我很高兴，从那时开始和很多女人发生了关系。

记得我们的驻地开设慰安所是在江阴驻地。因为它位于上海和南京中间的扬子江岸边，所以交通很方便，开设慰安所的时间仅次于上海周边地区。

在那之前我不知道军队还带着专用的女性。不仅是我，所有的士兵都不知道。不知道是理所当然的，因为慰安妇是在这次事变中首次设立的。来我们驻地的都是刚当慰安妇不久的新人。

我在向前线出发之前觉得自己没有女人运，但因为来了从军慰安妇，所以反而比在普通社会生活时接触到了更多的女性。只是大概地数了一下，留在记忆中的就不下百人。但是和慰安妇进行的性交易与其说是性交，不如说只是为了满足性欲的行为。

后方基地附近的慰安所和国内的妓院街没什么区别，但到了前线附近就没有丝毫情趣了，只是满足性欲的场所。一天满足 100 个男人就是在这样的地方。在那里，为了不造成拥挤，士兵们都排队等着轮到自己。

下面这件是比较特殊的事情。听说太平洋战争时期，在南方的拉包尔岛上的慰安所，等待一名慰安妇的士兵的队伍绵延了3公里以上。我不知道如果排3公里的队伍会有多少人，总之肯定是个相当大的数字。那么多男人要用一个女人的肉体来满足。如果用普通的常识来考虑的话，这不像是真事。就我所知，中国战场虽然没有那么厉害，但以百对一的情况是经常有的。因为我属于战斗部队，经常在最前线的占领地进行警备，所以也曾是百人中的一人。因为在最前线警备地的慰安妇人数不够，所以士兵要去满足性欲的时候就要一早出发，在慰安妇的房间前面排成一列纵队等待。就这样，为了得到仅仅三五分钟的快乐，要耐心地等上三五个小时之久。就算知道要等10个小时，也不会有人离开队列的。如果以正常的常识来看的话，那副模样是很粗俗下流的。如果是年轻的现役兵的话倒也罢了，当了爸爸的应征兵也同样如此。其中也有被称为知识分子的人，以及入伍之前处于指导别人的地位的人。那时候根本不会像平时一样顾及体面和外表，只是赤裸裸地表现出欲望。

但令人佩服的是，士兵不会弄乱队列，即使没有人让他们这么做，他们也会按照先来后到的次序排队等候。上等兵也好一等兵也好二等兵也好，没有军衔的上下之分。现役兵和应征兵都一视同仁，也不按照年龄来排队。

我也加入到了这样的队列中，耐心地等待着。一旦前面有一个人进入屋内，队列就把他留下的空位填上。没有人插队，但我还是想尽早往前跨，哪怕是一步也好。在队列中等了三个多小时，站着吃了带来的饭团当午饭，吃完之后终于轮到我了。

听到背后有人说“拜托你快点，快快的，快快的”，我蹦蹦跳跳地进入了屋内，但是虽然进入了慰安妇的房间，但不能马上行事。

正在行事的是排在我前面的人。我在他行事的时候把衣服脱了，只剩一条兜裆布，等待着他完事。房间里另外还有一个已经完事的人正在穿军衣，扎绑腿，准备回去。

房间里总是有三个人。此前都没怎么珍惜时间，但这时有点等不及了。似看非看地将目光对着正在行事的人，于是仰面躺着的慰安妇的雪白的身体映入了眼帘。排在我前面的人正在不停地律动。我感到在队列中已经等了很长时间了，差点就想催促他“快点结束吧。也考虑一下等待的人嘛”，但事情结束得比预想的还快，不到三分钟他就完事了。

终于轮到我了。因为我已经准备好了在等待，所以十几秒就交接完毕了。说匆忙也好，说手法敏捷也好，总之很快，慰安妇的身体没有一分钟的空闲。

我前面的人一走开，慰安妇的身体看上去简直就像一块雪白的肉。虽然前面的人完事后起身了，但像是从白色肉块中长出来的左右弯曲的大腿还张开着，不知道是嫌合拢麻烦还是已无法动弹。因为一直张开着，所以那里看得很清楚。那里已经变成了暗紫色，肿了起来，看上去很疼，但我毫不在意地急忙插了进去。

那时我后面的人进屋了，等着我结束。

慰安妇的房间与其说是性交的场所，也许不如说是公共厕所更合适。按一般常识来说是怎么也做不到的，但我们不觉得不好意思或者不成体统，我就当成小便一样做了那事。

对一次完事的士兵来说还好，但对不停地接待不同男人的慰安妇来说是很痛苦的工作，而且不是一天，要连续好几天，所以是拼上性命的。

慰安妇在进行这种性交的过程中，有时会怀上不知是谁的孩子。在慰安所的规定中，有一条是为了预防性病和避孕，性交时必须带上避孕套，但和后方联络不方便的地方有时会发生保险套用完的情况，那时就可能怀孕。

在前线怀孕是没有办法处理的。只能挺着大肚子继续工作，等着分娩。我曾经在行动途中看见过和军队一起前进的慰安妇当中有挺着大肚子的女人。我当时想，在前线这种条件很差的地方，能够平安生下孩子并抚养他们吗?

日军侵占中国东北“满洲”不久，在前线就设立了慰安所，此后在很短的时间内就增加了很多。到后来，可以说只要有日军驻扎的地方，就一定设有慰安所。士兵们可以在规定的慰安日前往慰安所，很简便地用慰安妇的身体满足性欲。

在慰安所可以简便地满足性欲，这对前线官兵来说很方便，但从军部设立慰安所的目的来看，并不一定可以说百分之百达到了效果。在设置慰安所来满足官兵的性欲之后，强奸当地女性的现象也没有停止。因为在作战行动中，慰安妇无法跟随前往。作战行动一开始，慰安妇就变成了非战斗部队的专用品，战斗部队的官兵则通过强奸作战地区内的当地女性来满足性欲。这好像是想出慰安妇这个点子的军部高层人士所没有料到的。

……日军的慰安妇来源主要是朝鲜女人。但这个“供应源”还远远不够，于是便有了在当地征发女性充当慰安妇的情况。这么做的大多是在边远地区进行警备的小部队。（通常情况下，日军警备小部队是驻守在中国的一些小镇——笔者注）。

说军队听起来有点吓人，其实只是队长带着不足 50 名手下的小部队。

那时我也在这样的镇上轮到出勤。据前任说，这一带敌人游击队的活动曾经很活跃，但最近完全没有了，这对将要进行警备的我们来说是最好不过的了。还有一件最好的事，便是慰安所。根据前任的交代，那是在该地最初建立警备队的时候，警备队独自找来当地女性设立的。慰安妇全部是当地女性，有 10 人。士兵 50 人有慰安妇 10 人，这很奢侈。更让人高兴的是玩乐费用是 30 分钟一次，50 钱。因为分遣队除了执勤以外没事干，所以轮不到我执勤的时候就去慰安所玩乐，轮流和 10 名慰安妇作乐……这样的事，现在想起来，令人作呕。

（日本人到现在为止，一直在否定慰安妇问题，而在占领南京期间，慰安妇其实与日本兵强奸中国妇女一样司空见惯，用他们日本兵自己的话说乃是“遍地开花”。——笔者的话）

我所属的部队动员组编是在昭和十二年八月中旬。占部队大部分的下级官兵都是在这时被征召的。动员结束后我们于 8 月下旬开往前线，开始南京攻略战是在约三个月后的 12 月。也就是说入伍之前在普通社会中过着普通生活的人，到了战场上三个多月就进行了骇人听闻的大屠杀。我想弄清楚其中的原因。

最初到达上海时并没有做出特别残忍的事情，这与在上海进行的是行动范围狭小的阵地战有关，但主要是因为战斗的目的是保护侨民，维护其权益，并抱有完成任务后事变就结束的希望。

这一希望由于南京攻略战的开始而变成了绝望。南京是蒋介石的大本营，所以预计守备会很坚固，会遇到顽强的抵抗而激战一场，搞不好也许会战死。就算不死，也无法预计什么时候能脱离战场。正因为对事变的早日解决曾抱有很大的期待，所以绝望感也很强烈。

做出残忍行为的动机之一就是将这些掺杂在一起的愤懑情绪发泄到了中国人身上。要占领蒋介石政府所在的南京，是为了让蒋介石说出“投降”这两个字，因此率领军队的中级军官的斗志非常高昂。

我认识的一个任大队长一职的少佐煽动手下的官兵说：“要让蒋介石投降，仅仅攻陷南京是不够的，要用一切手段让清国奴们陷入恐怖。看见清国奴就杀死他们，即使是百姓。还可以掠夺，强奸女性也行，放火也可以。”

我有一个朋友曾经在华北待过，后来调出编入了第 10 军，在杭州湾登陆。据他说，第十军的军官好像也同样如此。据说在向南京进发时，上面下令说：“不允许支那人暴虐。支那人中的农民、工人就不用说了，连女人、小孩都应该全部杀死。”

他说：“国为上司下达了这样的命令，所以一旦发现清国奴，不管他是士兵还是百姓，见一个杀一个。只要看到女人，不管是姑娘还是已为人妻，全都强奸，而且完事之后肯定杀死。不是用刺刀捅死这么简单，而是用棍棒。用棒子咔嚓一敲，血咕嘟咕嘟冒出来，人就死了。因为支那人穿的是棉衣，所以用铁丝绑住他们点上火可以烧很长时间。”

就这样，南京攻略战从出发时开始就有点疯狂，我认为这也是和大屠杀有联系的一个主要原因。光是如此，做出残忍行为的原因就已经很充分了，另外还要加上征发粮食。

关于征发再说就重复了，所以这里只是简单地说一下和屠杀有关的原因。一旦以征发的名义去抢夺东西，就和土匪一样了。由此，下级官兵失去了伦理和道德心，心灵也变得和土匪一样了，这也是做出暴行的原因之一。其他还有若干微小的原因。

在上海战役开始之前，我们曾天真地以为“只不过是些清国奴，很容易就能收拾他们”，但和预想相反，我们遭到了顽强的抵抗，陷入苦战。攻陷上海附近的狭小地区就花了 70 多天时间，死伤者至少有 4 万人。因此,“只不过是清国奴”就变成了“清国奴这些家伙”。

在日军里，底层的下级士兵常常有不满之处。其一是军队里上下等级的差距太大，身份的差异就像军官是贵族，而士兵是奴隶。不管多么不合理的命令和多么无理的要求，士兵都只能默默服从。此前一直是在最底层忍受着欺压，到了战场上之后，发现了比自己还要弱的人，那就是中国人。于是就对着中国人发泄积蓄在心中的不平和不满。

任何地方的战场都一样，在最前线从事战斗的官兵的生与死只有一纸之隔。今天之后的明天不知会怎样。不要说明天了，刚才还在有说有笑的人几分钟后就死了，听到这个消息也不稀奇。身处那种环境中的下级官兵采取了今朝有酒今朝醉的活法。官兵们的愿望是想睡个好觉，想吃美味的食物，想和女人性交。

在任何战场上的人大概都有这样的愿望，但有的地方可以，有的地方则不行。在中国战场上，因为有“对支那人干什么都行”的想法，所以安眠暂且不谈，抢东西吃和强奸女性是可以的。当地居民被抢走了他们饲养的家畜也不敢有怨言，女人被强奸了也觉得是没法子的事情。这助长了我们的气焰，变本加厉地干出残忍事情来。虽然不是所有前线的官兵都是如此，但从整体上来看，用暴力使中国人屈服的行为很多。

我在前线的时候，有一个当翻译的当地人曾对我这样抱怨：“日本人企图用暴力让我们服从，我们很厌恶这样。于是日本人越使用暴力，我们就越加厌恶。如果一直这样的话，战争永远结束不了，真让人伤心。”就像当地人说的那样，日军将暴力作为了让中国人屈服的手段。

我感到这和军队中上级军官让部下服从的手法有共同之处。南京发生的大屠杀或许也有这样的原因在里面，我是这么认为的。说这些话的我也干了残忍的事情，现在想来，在干那些事的时候，几乎都没有进行是非、善恶的判断，而是冲动行事的。但是进一步追究的话，我之所以能够做出残忍的事情来，是因为我心里轻视中国人，有“对支那人干什么都行”的想法。

开始的时候对干残忍的事情是有点犹豫的，但在战场上生活了一段时间，不知何时这种心情就没有了，取而代之的是“清国奴们没什么大不了的，不用管他们，干吧”的想法变得强烈起来。那时，不管做什么都不认为是罪恶。我对中国人干出残忍行为的时候就是这样的想法。

如果要追究日军官兵在中国战场上干出残忍行为的理由，归根结底是日本人有蔑视中国人的心理。这不是这次战争中突发的，可以说是明治时期以来就在日本人心中培养起来的对中国人的蔑视使得我们这么做的。

曾根一夫作为一名普通的日本侵华老兵，他在战后几十年后的花甲之年写下了上述这些话，很大程度上是真实的，也是忏悔的。他从日本民族对中国民族的一些基本认识，又从一个普通日本人如何变成战争疯子和杀人魔鬼与强奸淫棍等方面，作出了较为深刻而清醒的剖析，他的回忆值得今天的日本国民用作自我检讨的一面镜子。其实像他这样能够真正认识战争、认识自我的日本老兵还不少。特别是一些侵华日军官兵当年参与了南京大屠杀暴行，后来战争结束，在过上多年的和平生活之后，其人性渐渐复苏，对于侵略战争、战场暴行有所认识，内心长期受到良知的拷问，但在日本国家不敢正视其罪恶的劣根文化的影响下，许多人根本不敢站出来讲真话。他们内心世界中那份兽性与人性的矛盾冲突在其晚年愈加剧烈和严重，故而也就终有像曾根一夫一样勇敢地站出来，以各种形式向世人说真话、讲真相的人。侵华日军官兵在南京大屠杀上表现出兽性与人性的矛盾，恰恰证实了侵华日军南京大屠杀是历史事实，是战争犯罪，且更具深刻性与说服力。

曾根一夫有一见解很精辟：“我敢断言‘南京大屠杀事件’是事实。因为身为军人的我，曾经参加过入侵南京的作战，事实上也犯过暴虐的行为。我曾经目睹、耳闻这个事件。除了我以外，当年参加入侵南京作战的军人，尚有多人生存在世。他们都很了解‘南京大屠杀事件’的内幕，但为了避免勾起伤痛的回忆，他们都不想证明它。我推想，有心人的否定‘南京大屠杀事件’，是想抹杀日本战史的污点，因此才刻意歪曲事实。‘南京大屠杀事件’的确是日本战史上的一大污点，但它并不能轻易地就被抹杀掉。而且我认为我们不但不可以歪曲事实，我们更应该坦承错误，虚心反省，让后世子孙引以为鉴。因此我打算根据自身的体验来记述这件事。我所要记述的是以身为军人的我，站在当年曾经亲历其境，参加入侵南京目睹、耳闻‘南京大屠杀事件’的立场上，本着人类的良知和赎罪的心情做一个忠实的记述。”

当年为日本陆军航空兵军曹的井手纯二也一针见血地指出：“日中两国的几百万人亲眼所见的‘真实’，至今还要说‘有’或是‘没有’，这种愚蠢的争论应该休矣。（南京大屠杀）有人说是几千人，有人说，不，是几十万，这种类似数字游戏的事情，交给那些负责历史记录（研究）的人们去（干）吧！我认为主要的是应该正视人类既可以成为神，也可以成为恶魔，他所具有的两面性。尤其应该知道，只有战争才是引导人类成为恶魔的元凶。从这一意义来说，数年来由于‘南京大屠杀’而引起的骚动，是一部绝好的教材。而且，今后也应该作为活生生的教训和反省而存在，成为一个继续探讨的课题。”

日军士兵冈本健三则更直截了当地认为：“有人说未发生过南京屠杀事件，那是一派胡言。我目击了屠杀的现场。”他说到当年在南京机场屠杀中国人的经历：“如果在战斗中命令我们杀人，若不把对方杀掉，则自己有被对方杀掉的危险。可是在那种场合，有点人性的话就不会射击。射击的任务由机枪队执行，我们的部队则驻扎在四周进行监视。”“被害的人不只是男的，也有妇女和儿童，甚至有不到10岁的儿童。这是不折不扣的屠杀啊！”

日军老兵们以自己的亲身经历和感受，对南京大屠杀中许许多多“战友”们当年穷凶极恶、厚颜无耻的罪恶行径进行了入木三分的剖析与揭露。

曾根一夫后来还说过这样的话：上海“淞沪战役”是一场相当激烈的战斗，因此大家都认为下一次的攻打南京之战，“可能就没有希望活着回来。于是有了目的的战争后大家就比较提得起劲来，如今不知为何而战，就像要走入黑暗的迷境中一般。”“伤亡的多寡虽然无法预知，但是大家都认为自己已经有伤亡的命运，因此显得自暴自弃。”“如果远征的地点不超越南京，而且战争的目的也很清楚时，大家就不会如此暴躁。像这样，南京攻略战在作战开始前，下级军官的情绪就很暴躁，而‘征收自活’的命令更是对它火上浇油。纵然没有‘征收自活’的命令，他们也会随心所欲地行动，但是经上级下令去抢夺粮食以谋自活后，他们的罪恶意识就完全消失，而做出和强盗无异的行为，见到妇女就加以凌辱，对于反抗的人就以武力解决，成为与盗匪一般无二的军人。”

另一位日本老兵小俣行男这样说：“正因为军首脑有‘中国人是猪’这种想法，就会下令‘不管女人、小孩，是中国人统统要杀，房屋全部烧毁’（平松鹰史《乡土部队奋战记》），下级士兵们形成‘强奸、掠夺、胡作非为’的风气也是必然的结果。既然杀人都毫不在意，掠夺更是家常便饭了。被侵略地方的东西都是侵略者的‘战利品’……”

曾任日军第6师团步兵第23联队分队长的中野忠之寿在反省自己的罪行时说：“当时支配着我的思想是：在中国的首都南京，将抗日爱国的中国人民一人不剩地加以歼灭，这才可以向全世界宣扬‘天皇的神威’；是日本人民最大的利益，也是向全世界显示日本民族的优越性；我这样做才是当一个军人的最高荣誉，也是为日本人民做师表。”“在这滔天罪行的过程中，另一方面我的思想中，还主要存在着如此的问题：侵略中国首都南京之后，要给在南京周围的抗日爱国中国人民以决定性的打击，这样蒋介石一定投降于日本侵略者，那么日本就可以任意地统治中国，这对于我自身也是有利益的。由于这种思想起了主要作用，于是在我进行如上述之严重罪行（时），甚至认为是‘神圣的’、‘正义的’行为。”

有一个日本老兵在战后当起了画家，他的左胳膊是在一次与中国军人激战时受伤的，这位日本老兵叫关赖平，准尉军衔，在战场上他也算是个“英雄”了——在中方看来他是个标准的刽子手，其军刀在战场上杀得卷了刃，“短了近16厘米”。这位日本老兵在战后将握过血刀的手，改换成拿画笔。关赖平对战争有自己的看法，他说：“战争是悲惨的。不管你喜欢不喜欢，都必须在自己被杀或杀死对方中进行选择。我也杀过人，因为不杀死对方，我也会被对方杀死。”然而关赖平对自己的军人生涯有自己的见解：“我痛恨等级社会这个东西。在我的人生中，长达二十多年的时间里，我被紧紧地束缚在军队这样的等级组织里。正因为如此，现在的我正充分享受着可贵的自由。在长期的战争中，善良的人们也一定会被大量杀死，这就是战争的宿命。”

分析了日本“鬼子”们参与大屠杀的内心世界后，我们便会得出一个结论：人之所以变成“鬼”，国家的侵略意志和民族扩张的特性总是起着特别的作用。那些把普通人培养成侵略者的统治阶层才是罪魁祸首，他们让普通人成为了野蛮人。

日本民族生于小岛之上，从不甘心于仅在小岛之国上的自我享乐与造福，他们一次次地期待走出自己的领土，去寻求更大的更多的享乐与福祉，侵略他国便成了他们的“天性”。

为什么这个民族尤其是强盛之后总是走不出这样一条“兽性”之道呢？

美国著名作家约翰·托兰在谈及日本的国民性时说过："大和民族与世界上的其他任何民族都不相同，它所做的一切都是与常规相反的。平常人喜欢熟食，而日本人却喜欢生吃；平常人或卧或坐，而日本人却喜欢跪着。因此日本人'示爱'的方式也与常人迥异，比方说在南京，松井为了显示他对南京人的'爱怜'，就放纵他的兽兵，烧杀淫掠，无恶不作。"

我想，约翰·托兰的话说得非常有道理。从本质上认识日本这个民族是全体中国人今天要认真补上的一课。而我同样认为，中国人自己对自己的认识也应当迅速地补上。

第十章　十问国人

关于“南京大屠杀”已经写了不少，似乎已经可以收笔。然而，我却总是无法平静。当我查阅了四千余万字的历史档案，采访了南京城那些年长的幸存者和诸多研究专家后，再纵观今天的中国与世界现实时，心头不禁涌起许多不能不说的话。这其实也是我为什么要写此书的根本所在，即我们中华民族、我们中国人到底应该从“南京大屠杀”的历史悲剧中吸取些什么？

任何一个有良知和正义感的人，当你想一想在我们美丽古都的城内城外到处血流成河、极尽烧杀奸淫的一幕幕情景时，你不可能无动于衷，你不可能不胸燃怒焰！然而，面对日本侵略者如此野蛮的行径，面对有可能悲剧重演的未来，我们的民族和我们的人民是否还有应有的警惕，是否准备好了应有的防御，是否准备好了不再惨遭失败的应对保障？

也许有人会这样说：今天的中国已经不再是当年的中国，今天我们的军队也不再是当年的军队，我们有核武器，我们还有很多很多的钱……然而，我要说的是：我们今天的中国，确实比 70 多年前的中国强大了许多倍，我们的军队与装备也远比 70 多年前的军队强大与精良，但仅仅有这些，就可以战胜像日本这样的侵略者？就可以确保不会再发生一次“首都沦陷”和类似“南京大屠杀”的悲剧？

否也！

我不相信我们的国家有了原子弹、有了航母和有了像二炮这样的部队就可以高枕无忧了；我更不相信那些口头上喊着“爱国”的人就是真正的爱国主义者；我还有许多不相信。我的这些“不相信”，是因为我从“南京大屠杀”事件及其过程中看到种种与那么多同胞的头颅被日本鬼子砍掉一样让人伤心与悲哀的人与事……而在今天的现实生活里，这样的人和事仍然比比皆是！

这，就是我在本书最后必须要问国人的十个问题——

一问：为什么中国多汉奸？

不用说，南京大屠杀肯定是日本人干的。但为什么日本人能制造如此令人发指的大规模集体屠杀事件？我们不得不注意其中与中国自身相关的诸多原因，其中之一便是我们内部的汉奸太多，他们事实上帮了日本人不少忙。

历朝历代，中国在对外搏杀时，总有一些丧权辱国的汉奸令人憎恨。这一民族的劣根，始终没被铲除。

在80年前的吴淞大战时，蒋介石政府对日决战的军事部署和所投入的兵力，应该说还算是不错，且相当一部分军队的装备并不比日军逊色多少，而我们的用兵数量都在日军一倍以上，然而每次都是以我们完败而告终。为什么？中国军队其实在很多时候都打得非常勇敢，但统帅部的犹豫不决，时而主战，时而怠战，总是错过了最关键的时机，造成最终的悲剧。深追其因，我们会发现，很大程度上我们是被内奸出卖了。大汉奸汪精卫姑且不说，他手下的一个机要秘书黄俊竟然在关键时刻把我军最高机密——封锁江阴的长江要塞、不让在武汉的日本战舰队伍支援上海——通风报信给了日本驻南京大使馆，随后日舰星夜兼程、毫无顾忌地逃出我江阴防御要塞，加入了上海的战役，最后造成我军全线溃败。

在南京保卫战的初期，我方军民数十万人共同对敌，登陆初期的日军像瞎子摸大象一样，这时却有汉奸突然冒出，他们明里暗里为日军点灯引路，毁我要害。

中国与日本有过几场大战，稍远一点的是甲午战争。那一仗打输的原因，就是因为朝内朝外的汉奸与日本人里应外合造成了大清军队最终毁灭性的失败。

日本进攻南京和后来在城内进行的大屠杀，其时大汉奸、小汉奸真是不少。有位日本兵初进南京城时，没有发现他原先很害怕的中国军人，却看到街头两旁有许多举着日本太阳旗的中国人，他们嘴里喊着“日本万岁”、“欢迎皇军”的口号，脸上堆满了谦卑的奴才般的笑容。“为什么这些中国人就不恨我们？真是百思不解。”这位日本兵在日记里这样说。

在日军进驻南京城后，又有一些中国人为了从“皇军”那儿领取一份食物，他们竟然能领着日军，恬不知耻地将那些藏身于民众中已经脱下军装的中国守城军官兵指认出来，导致不少手无寸铁的中国军人活活被日军刺杀或烧死……

1937 年 12 月 13 日是日军进驻南京的第一天，沿街的一些商店，就出现了为数不少的挂太阳旗的地方，甚至还有“欢迎皇军”的标语。到后来，这种现象就非常普遍。

自然，这里面有的是因为害怕日本人，但绝不排除相当一部分人在侵略者面前很快成为了出卖灵魂、求荣获利的汉奸与奴才。

战争时期这种汉奸现象，我们还能举出许多例子。其实在现在的中国，敌视我国、敌视我党、敌视我人民和民族、敌我不分、有一点儿好处就可以丧权辱国、出卖灵魂的国人，没有吗？少吗？

古人曰：居其地，而献其土，视为不忠。食君禄，而弑其主，视为不义。

卖国取利者，汉奸也；喜取小利、毫无忠义、爱玩是非者亦汉奸也；党内的、商界的、军界的、学界的投机分子，便是近汉奸也。

汉奸朝朝有，汉奸年年有，今天的潜在汉奸似乎更加多。这是一个可怕的现象，值得我们思考与反省。中国历史上，每每危难时期总是汉奸盛行而辈出，令人厌恶。然而和平时期的今天，我们难道不该清醒地意识到如今在我们身边“潜在汉奸”的现象吗？

信仰教育、党员群众路线教育、职业教育、情操教育、爱国教育、仁义教育、知恩教育，等等，又是何等的重要与紧迫啊！没有这样的教育，如果中国再度危难，汉奸现象将依然盛行……

二问：我们的民族是否还有血性？

在反思日本侵略者南京大屠杀的同时，有一件事我一直疑惑不解：30 多万人，面对强盗的枪杀和残暴时，他们为什么就那么容易被征服和屠杀？当然不能否认我放下武器的军人与市民赤手空拳，无法与荷枪实弹的日军拼个输赢。

当时，逃至下关或被押至下关的中国军人有几万人，他们不是没有人看出日本兵在一步步引他们进入死亡的圈套，而且相当多的时候，已经见了日军端起机枪朝自己的胸膛开火了。然而，枪杀现场却罕见有人站出来带头反抗，绝大多数人只是抱头弯腰躲枪杀，或者是期待别人的身子能够挡住飞来的子弹，结果是：你死我死大家全死了……这种场面太多，太惨！太叫人心寒。

我看了不少死里逃生者回忆当年大屠杀现场的文字，令人无比遗憾的是，竟然很难能看到有我军人和民众面对日军屠杀的机枪子弹而奋起反抗的情景。无数受难者，在日军架起机枪、射出疯狂的子弹时，想的是如何逃命，想的是如何躲在别人的身子后面留条性命，却几乎看不到有几个人奋起一搏，即使身死，也要保护友人的举动。

胆怯是人的天性，但没有血性的军队、没有血性的民族，像遇到日本侵略者这样灭绝了人性的军队，惨遭大屠杀是必然的。

在数万日军的队伍里，有许多人留下了战事“日记”，中国军队里的部分幸存者后来也写过一些文章，但我却罕见日本军人投降的例子。都说日本人有武士道精神，其实武士道源于我国最初的武术之中，可为什么我们这些发明和创造了武士道精神的后代们如此示弱、无为？他们为何宁可丢失宝贵的生命，而不起来进行哪怕是无为的反抗呢？

不是绝对的没有机会。我见几个幸存者和日军的回忆里这样描述：有时一个班、一个排的日本兵，用几挺机枪、几十支步枪，便将几千人的中国俘虏、中国百姓杀得一个不剩——个别没死的是因为倒在尸体中间装死才幸存下来！

“南京保卫战”和南京大屠杀期间，我看到了这种情况的大量存在。我因此感到特别郁闷，不禁感叹：中国人真的不如日本人？几百年都改变不了？

在不久之前，中国的年度经济总量超过了日本，也有人估计再过一二十年我们还将超过美国而成为世界第一强。中国真的很强吗？经济总量的世界第二、未来的世界第一，这完全可能是事实。但一个国家的经济实力并不能代表这个国家的人的强盛。通常是，精神的强盛和心理的勇敢才是真正的力量。靠自我吹嘘鼓起的力量，是虚劲假力，是扯淡。靠吹嘘而扯出的蛋必然是软蛋。

抗战胜利已经 70 多年了，新中国也成立 60 多年了。我们的独生子女的一代也有了自己的孩子，但我们的孩子和孩子们的孩子接受了多少钢铁般意志的磨炼呢？没有。几乎所有的孩子们都是在温室里长大的，溺爱成为一种普遍的现象，饭来张口、衣来伸手是新一代中国人的形象，这样的一代难道不危险吗？这样的新一代中国人难道在南京大屠杀重演时不会躲在别人的尸体后面偷生或同样毫无反抗吗？这样的中国人难道还不是被日本人嘲笑“一百不敌其一”的失败者吗？

中国人如今太缺少血性！我们现在像一个虚弱的胖子，外表很好看，其实不中用！这不中用是因为我们民族精神是缺少坚强的、坚定的信仰和敢于牺牲的信念！我们的唱功远胜于实际的本领。这是最要命的事。

中华民族从来不是好斗的民族，我们从没想过侵略别人，我们一直在祈求世界和平。然而我们不能因为祈求和平而放弃强体硬骨的血性精神。一个没有血性的民族是软弱可欺的民族，是永远没有希望的也是不可能真正走向强盛的！

具有血性精神，并非等同培养野蛮。血性精神，包括着坚定、坚韧、勇敢、果断、视死如归、勇往直前、捍卫正义等内容。血性精神是锤炼出来的，血性是善良的永恒保证，善良是血性的空气和阳光。我们要做心地善良的人，我们要有血性和献身的精神。

三问：我们为何总是容易好了伤疤忘了痛？

南京大屠杀过去的时间并不长，但如果不是钓鱼岛纷争，如果不是安倍晋三一次次挑起事端，不知我们年轻一代还有多少人知道南京曾经发生过如此灭绝人性的大屠杀事件？

中国人真的很好、很善良，因为我们太容易忘记许多不该忘记的事，包括日本侵略者曾经多次侵略我国，残害数千万人，抢夺无数财富等。

我们的“外交需要”时常帮助我们忘却这些民族的痛苦和灾难留下的道道伤疤。南京人告诉我，20 世纪 80 年代初的相当一阵子，很少提及南京大屠杀，因为那个时候中日两国处在“蜜月”期。

“服从”和“服从意识”成了我们中国人的行为方式和习惯思维。

可谁不知道，同样处在“蜜月”期的日本，他们从来就没有停止过一次广岛、长崎遭受原子弹轰炸的纪念日活动！

我们应当改变一下思维和行为方式了：即使与他国“蜜月”的时刻，历史的记忆依然不该忘却。如果友好握手，就要抹杀和回避历史上的一切，其结果只能酿造历史悲剧的重演。

这是人类史上的一条铁律，我们怎能无视？

四问：还能相信他们的假言假语吗？

南京惨遭日本军队的大屠杀，其中有一个原因是中国当时的政府与军队太相信日本人的花言巧语。日本军国主义当年是打着“东亚共荣”和“为解放支那而战”的幌子，一步跨海，踏上了我中华民族的领土、残害我同胞生命。

中国和日本、和美国，还有其他国家，都同在一个世界，同相邻于一个太平洋。然而，尽管太平洋很大，尽管太平洋足够装下 10 个美国、10 个日本和 10 个中国，但我们从已知的历史岁月里可以预见，未来日子里，中国与日美之间的斗争是必然的，严峻的，甚至可能有一场世界级的战争冲突。原因其实很简单，只要我们中国不放弃中国共产党的领导，不放弃社会主义制度，不放弃祖先留给我们的国界线（包括海洋线），美日联手与我们做斗争的频率和严重性，将与日俱增。

对这一点我们13亿中国人务必清醒！

美日军事联盟是二战结束之初就确定的，以美国为代表的盟军因此没有像对德国那样对日本进行严厉惩罚，反而背着世界公正的力量，两国偷偷制定了《旧金山和约》……70多年后，美国总统高调地在钓鱼岛问题上明确美日同盟的内涵与外延，种种迹象都证明了我们的基本判断。就像中国不会放弃中国共产党的领导和社会主义制度一样，美国怎么可能就放弃与共产主义、与社会主义为敌的霸权主义和“帝国战略”呢？中国越崛起，美日联盟越紧密。中国想靠经济发展来缓解或企图消除美日对我们的敌视，只能算天真的幻想。“经和政敌”是美国和日本等西方世界早已定下的与共产党领导的中国的一种基本交往战略思想，即经济上赚你的钱、政治上永远与你为敌。所以，我们应当时刻警惕、时刻准备；我们可以与他们握手，我们同时也要天天磨刀擦枪。

五问：为什么我们就不能注意点细节？

无数血的教训告诉我们：一个不注意细节的人，是不可能成大器的；一个不注意细节的国家，同样不可能成为真正强大的国家。

在南京大屠杀问题上的争议，笔者看了那么多中日双方不同人士的论点，差异的地方就是关于到底是“30万人”还是“不到30万人”的问题上，该不该把近10万的中国军人算进去的问题上。至于像个别日本极端分子所说的“南京大屠杀”是中国人“编出来的谎言”等话，根本没人信，因为当年远东国际军事法庭对南京大屠杀早已下定论，中国南京的军事法庭也对此有法律判决。然而，有一点不能不提醒国人：我们在对待和处理有关被日本军队残害致死的人数和人员分类问题上的混乱，确实很容易让人当作攻击我们的话柄。比如，我看到当年的南京政府重要人物所发表的文章、讲话，甚至是一些诸如警察厅官员记载的日本军队进攻前南京城内的人数时，一会儿说是还留有“20多万人”，一会儿又说“约50万人”，到底是多少呢？没有一个准确的数据。战后几十年，不同政府、不同组织，也多次对南京大屠杀的死亡人数进行过统计、调查，但都是不全面的、零碎的、临时性的，缺乏严谨的、科学的、系统的、精细的调查与统计，这就给某些别有用心的日本右翼分子钻了空子，甚至让中立的和友好人士也感到无法帮助我们。

日本人对广岛、长崎惨遭原子弹轰炸而遇难者的统计相当精细——每年都要把名单在纪念日时重新整理、补充漏落者，这项工作至今仍在进行。

300 000，这个数字好大呀！300 000人排列在一起，向我们走来，将是何等的气势！300 000具血肉模糊的尸体如果横在我们面前，又将是何等的恐怖与悲惨！他们可都是被野蛮的侵略者屠杀而亡的呀！可——可我们依然还不知他们姓甚名谁，他们的家在哪里。

我们不知道。我们无言以对300 000亡灵。

亡灵在金陵的莫愁湖里哭泣。亡灵在下关的长江里呜咽。亡灵在钟山岭上呼喊——呼喊什么时候把他们的名字记起，呼喊什么时候才能让日本右翼分子们的嘴巴闭上……

当时拉贝先生他们的“安全区国际委员会”留下了一份份史料，我经常被这些洋人们所记载的日军抢劫后他们住处丢失的物品单子而感叹，因为这些物品单上不仅把每一样丢失或损坏的东西记录得清清楚楚，甚至连一个杯子几元几毛、日本兵损坏的一张桌子少了一条腿等这样的细节都清晰无误地写在纸上、装入文件档案内。

我们再强大，也决不能忽视哪怕是并不重要的细节。

六问：“卧薪尝胆”、“韬光养晦”是说出来的大智谋？

任何一个国家和另一个国家之间的交往，其尺度和真实意图，实乃最高机密。日本对中国的侵占和企图，不是从发动甲午战争的1894年和后来的1937年的“七七事变”开始的，而是比这早400多年的16世纪的丰臣秀吉时代便有此动议。那时丰臣秀吉在一统日本列岛之后，就率领15.8万名武士，大举进攻朝鲜，然后想借朝鲜作为跳板，企图“啃”一口大清国的肥肉，结果是失败了。然而这并没有改变日本侵犯中国之野心与阴谋。直到19世纪末，他们得逞了一次。差不多半天的工夫，就把大清国的海军摧毁了一半。尝到甜头的日本人，后来又一直在寻找机会以更大的胃口来窥视着中国这块“肥肉”。20世纪二三十年代，我国内军阀混战，日本人又找到了机会。诡计酝酿多时后，日本侵华战争终于爆发，于是也有了第二次世界大战的东方战场——这个战场以中国为主。

中国自晚清帝国衰败之后，一直为列强任意吞并的弱国。毛泽东领导中国共产党人完成了创建新中国的伟业。邓小平作为改革开放的舵手，引领国人把一个贫穷的国家建设成初步富裕的新兴国家。这让个别国家感到了恐惧，同时也引来了想吃我“唐僧肉”的饿狼恶狗，更有那些西方反华势力，他们每时每刻都在虎视眈眈地盯着我们的一举一动。

我们怎么办？我们要发展，我们想和平，我们甚至还惹不起他们。可人家就是贴着身子要惹你……怎么办？邓小平高瞻远瞩，制定了“卧薪尝胆”、“韬光养晦”的战略决策，因为我们距离建设现代化强国的道路还很远。

“卧薪尝胆”的典故，中国人都知道，那是何等的深谋远虑、何等的坚定意志！“韬光养晦”也是典故，更是中国文化中的精髓与境界。在国际事务中，我们尽量求和，不说话，少说话，说好话；在各种争端中，我们不沾边、不冲动、不举旗……总而言之，我们民族的本性与本质，我们血脉里的和气与和善，将永远主导我们的行为。

七问：内耗为什么总比抵御外力强？

按说南京守城军十五六万人，尤其是蒋介石还把精锐的教导总队（3万余人）留下，却依然经不住日军一两天的打击，便全线溃败……这是为什么？是日军就那么厉害？是我们的装备就那么差？从我所看到和掌握的材料看，当时南京敌我双方的兵力是二比一，即我十五六万人、日军约8万人，装备各有优劣，但我方是守城，尤其有高而坚实的古城墙外加护城河的天然屏障的防护，且还是居高临下之势，又熟悉环境与地理，怎么可能就那么几个来回便溃不成军了？

原因很多，但“国军”内部的相互消耗、互不信任、各自为政、临阵改辙是重要因素。蒋介石用闲职多年的唐生智当守城最高指挥官，本来就不是一着正经的高明决策；而唐生智“主动请缨”又本身带有想借机重握兵权之不纯居心。城内部队的混杂，防御工事又属临时抱佛脚，再加上淞沪大战时的南京城里，已充斥着随老蒋搬家迁都的惶惶不可终日之消极悲观情绪；城外抵抗部队又是从千里之外的四川、广东等地急调而来，人生地不熟且不说，穿着单衣草鞋的川军，数十天长途跋涉，每天在又饥又寒的江湖边狙击日军，而在他们的身边，洋装备的蒋介石嫡系部队则不战而逃。湖州、芜湖一线的我方守军——川军将士们怎么能受得此气！在日军兵临城下的1937年12月10日至12日的这几天中，原本“固若金汤”的南京城墙内外，都有坚固的军事工事和守军，如果相互配合，完全有可能拖垮甚至拖死日军，然而我们的“国军”，“相互配合”无从说起，只知“保护自己实力”，“不管友军死活”。所以在很大程度上，导致了日军能够攻克坚固的城墙并利用各个击破之战术，完成攻城战役，造成后来的“屠城”悲剧。

对外，软弱无力；对内，彪悍强横。这大概也算一些中国人的一大特性吧——我指的是不少人所患有的通病。

打内架，“修理”同事、同行、同族人、同路人的本事，可谓招招见血，事事顶呱呱。挖空心思、无中生有、造谣陷害，你死我活之快乐、你损我获之满足，这是我们许多中国人的本领和能耐。有些人一生没有干几件让人家想得起来的好事，一旦干起坏事却能“垂留青史”。

“内功”太好的人，害自己的同胞，他们其乐无穷。当外来的侵略者和挑衅者出现时，这样的人便再也见不到行踪。

南京大屠杀时，一部分中国人是这样；南京大屠杀七八十年后的今天，我们的社会里、我们的身边人，似乎还有人“内功”越来越厉害，而抵御外力的能耐却继续在弱化。

难道不值得提醒？不值得敲起警钟？

八问：我们的军队行吗？

日军攻克南京城后的第五天，其最高指挥官松井石根进城，日军在中华门至“总统府”路段举行了隆重的“入城仪式”。这是“皇军”炫耀他们的“伟大胜利”，当时的日本媒体报道，日本本土在那一天也同步举行了声势浩大的“庆祝游行”活动。对日本而言，那一刻是他们梦想成真的“光荣”时刻，因为400多年前，他们的祖先丰臣秀吉就有吞并大清帝国的梦想。日本人的这个梦想用了400多年的时间，能不让这帮强盗“欢欣鼓舞”嘛！

在这次“入城仪式”上，有一幕情形我们国人基本上没听说过，也没见过。在查阅敌我双方的历史资料时，我看到了——我看到在松井石根检阅自己的“英勇部队”时，有一个方队格外引人注目，他们个个穿着整齐的军服，每人胸前挂着一个用白布包着的盒子，官兵们将这个盒子用同样的白布系在自己的脖子上，挺着胸膛。“那个白色的盒子格外醒目地刺入我们的眼睛，他们可都是我们的战友和老乡的遗骨及遗物……看到这些，我们的心情异常沉痛，发誓要为他们报仇！”这是日本兵当天日记里的话。那一幕，我感觉十分恐怖，也十分震撼，因为它让我想到了许多——

它让我想到了日本军人的素质教育与培养：他们平时接受“效忠天皇”、“为国荣耀”的信仰，即使天崩地裂也很难改变。再看看我们的“国军”，一盘散沙。平时既没有预备兵役制，更不用说民防意识、全民备战体系以及国民军事训练机制等等。“拉壮丁”式的兵役，部队编制又以各个派系组成，混杂纷乱。仅此一点，与日军相比，仗未打，就基本上先输了一半！

今天的军队难道没有值得改进的地方了？我看更有内容和形式上根本改革之需要。日本现在用的是“国民自卫队”式的部队，但这只是“名称”而已，它的战斗力和训练水平、装备等绝不比我军差。看起来，现在他们的自卫队人数远远少于我军，但一旦战争起来，他们的“乡土部队”便能在短时间内集合起比我军数量大几倍的军队力量，因为他们的预备队和年轻人平时的战备意识、战备训练远远超出我们。他们的这种军事训练就像对付地震等自然灾难训练一样，已经养成“国家习惯”与“日常生活”的必需了。可看看我们呢？我们有这样的体系和机制吗？我们也有预备兵役制，可怎么训练的？我们也有地震发生，可听说过全民性的地震知识训练吗？可以断定，同样在首都发生一场大地震，东京死 1 个人，北京至少得死 10 个人，为什么？因为我们根本没有防震意识，更没有逃生技术训练，人家就大不一样了！这难道不值得我们学习一下吗？

九问：新一代人应该牢记些什么？

从很多可以获取的信息中，我们能够得出一个基本的判断：今天日本的年轻一代其实真正知道“南京大屠杀”的人很少，这除了他们不是很愿意了解别国的历史的原因，日本右翼势力对“南京大屠杀”的否定也是一个重要因素，因此日本青年不了解二战时期他们的国家给中国和亚洲及世界所带来的深重罪孽。相反，这些年，日本右翼势力一手制造的中日两国因为钓鱼岛等领土的争议，也在很大程度上抵消了当代日本青年自觉自愿去客观地了解和认识南京大屠杀历史的意愿。

日本人怎么想、怎么看历史，我们能用的办法有限。

中国年轻的一代如何看待“南京大屠杀”的事件，从而如何来树立正确的爱国观、人生观、价值观，这是我们需要重视的问题。不能不说，我们的年轻一代都很聪明，有能力，辨别意识也很强。但他们身上也有不少毛病，比如对历史并不会像老一代特别是亲身经历的人那么刻骨铭心、那么执着坚定，这就需要不断地加强教育与灌输，国家现在举行抗战和“南京大屠杀”的公祭活动就是一个很好的形式。但这还远远不够。一个仪式上的沉默与哀悼，只能在大环境、大氛围中瞬间感动与触动，只有通过深入的了解、冷静的思考、潜移默化的灌输，才能形成主张与观念，才能形成信仰与意志，并从历史的经验与教训中认识个人层面和国家层面及时代层面等种种深刻的问题，在一个人内心构筑起信仰、坚定住主张。

十问：假如侵略者的屠刀再次举起，我们准备好了吗？

在太平盛世的今天，像这样的标题和问话，似乎有些耸人听闻，或者是无稽之谈。我相信也是这样。然而大家应当清楚，战争并非是以我们的意志为转移的。一个国家的命运和一个国家的人民的命运，其实也可能会在瞬间出现完全违背人们意志的变化。

我们把《义勇军进行曲》作为国歌，提醒我们的就是“中华民族到了最危险的时候”——这样的危险时刻，每天都有，每个人都可能遇上……到那个时刻，我们该怎么办？

对于世界，我也有一句话：我们共同生活在地球上，制度和价值观可以不同，但我们都爱好和平，期待幸福，有爱心，那么为什么就不能永远和平相处，仁爱以待，各自绽放各自国家和民族的鲜艳一面，让我们的地球不再流血、不再有战争呢？！此话尤其要告知美国和日本。

“十问”已完成，但似乎还有些话要说。是的，和平是我们永远的期待，但战争也可能伴着人类的发展而变得越来越近。正是因为可能有新的更大的战争在等待和威胁着我们，所以我们才会特别在意不让历史的悲剧重演。旧的创伤毕竟存在，关键是我们如何对待。制造战争和造成他人创伤的国家，毫无疑问更应当遏止霸心，压抑欲望，承认错误，重塑仁慈，摒弃恶劣。而对饱受战争之苦和身带旧伤的国家及其人民来说，更应“前事不忘，后事之师”。

和平是我们永远的追求。牢记历史教训、防止悲剧重演，是我们不能动摇的信仰。

希望我和我的子孙不用再重写“南京大屠杀”，而将它当作一首凄怆与激奋清醒的老歌世代传唱下去……

2014 年 7 月 7 日抗战纪念日第一稿毕

2016 年春节修改第五稿完毕

参考书目

《南京大屠杀史料集（1～72卷）》张宪文主编　江苏人民出版社　凤凰出版社　2005年版

《东史郎日记》（日）东史郎著　江苏教育出版社　1999年版

《侵华日军南京大屠杀档案》江苏古籍出版社　1987年版

《中国战区最高统帅：抗战时期的蒋介石》杨树标等著　华文出版社　2014年版

《抗日战争中阵亡的国民党将军》王晓明著　台海出版社　2013年版

《南京大屠杀真相》张宪文、吕晶编著　江苏人民出版社　2007年版

《南京大屠杀史研究与文献（第31卷）》陆束屏编著　南京出版社　2013年版

《南京战：被割裂的受害者之魂——南京大屠杀受害者120人的证言》（日）松冈环编著　沈维藩译　上海辞书出版社　2005年版

《南京大屠杀史料集——幸存者调查口述》朱成山等编著　内部资料

《南京大屠杀——日军士兵战场日记》（日）小野贤二等编著　社会科学文献出版社　2007年版

《侵华日军南京大屠杀史料》江苏古籍出版社　1985年版

《南京大屠杀》（日）洞富雄著　毛良鸿　朱阿根译　上海译文出版社　1987年版

《南京战：寻找被封闭的记忆——侵华日军原士兵102人的证言》（日）松冈环编著　新内如　全美英　李建云译　上海辞书出版社　2002年版